7·9급 공무원 시험대비 **최신판**

박문각 공무원

기 본 서

2025

합격까지 함께
행정학 만점 기본서 #1

학습분량을 명시한 인덱스

직관적인 표와 그림

최욱진 편저

동영상 강의 www.pmg.co.kr

최욱진
행정학

박문각

30일에 끝내는
만점 이론서

이 책의 머리말✦

나의 소중한 시간을 아껴주는 강의, 최욱진 행정학

안녕하세요. 공무원 행정학을 전하고 있는 최욱진입니다.

세상 모든 일에는 '목적'이 있습니다. 예를 들어, 인생의 목적은 행복이고, 행정의 목적은 공익이지요. 그렇다면 여러분의 목적은 무엇인가요? 단언컨대, 저는 단기합격(약 1년 내 합격)이라고 생각합니다. 세상에 어떤 수험생도 장기간에 걸친 수험생활은 원치 않을 겁니다.

그렇다면 '단기합격'을 위한 최선의 방법은 무엇일까요? 바로 '많은 회독(물론, 중요한 부분에 대한 인출을 병행해야 함)'입니다. 공부할 책도, 공부 방법도 다양하지만, 회독이 부족하면 합격할 수 없습니다. 결국 어떤 책이나 방법을 사용하더라도 회독을 많이 해야 합니다.

그럼 회독을 많이 하려면 어떻게 해야 할까요? 일반적인 기본서나 단원별 기출문제집은 절대적인 분량이 많아서 회독에 많은 시간이 소요됩니다. 더구나 기출문제집은 내용의 흐름을 큰 틀에서 볼 수 없는 단점도 있고요. 요약집은 기본서에 비해 내용이나 설명이 부족해서 공부할 때 불안한 면이 있습니다.

이와 같은 기존 교재의 문제점을 보완하고 기본서와 요약집의 특징을 절충한 교재가 '2025 최욱진 행정학'입니다. 아래의 내용은 본 교재의 특징입니다.

1. 얇지만 무거운 교재
본 교재는 480페이지 정도의 분량이지만, 90점 이상을 획득하는 데 필요한 모든 지식을 담고 있습니다.

2. 직관적인 그림과 표
낯설고 추상적인 행정학을 쉽게 이해하고 암기할 수 있도록, 나아가서 수월한 회독이 가능하도록 직관적인 그림과 표를 수록했습니다. 교재에 실린 다양한 그림과 표를 해석하면서 배운 내용을 인출해보세요. 여러분의 소중한 시간을 아낄 수 있는 지름길이 될 겁니다.

3. 학습 분량을 명시한 인덱스
본 교재에는 구체적인 학습 분량을 명시한 인덱스가 있습니다. 여러분은 아무리 길어도 30일이면 방대한 행정학을 1회독 할 수 있으며, 개인의 능력에 따라 회독에 필요한 기간을 단축할 수 있습니다.

최욱진 행정학과 함께 30일간 꾹 참고 타박타박 한 걸음씩 나아간다면 방대하고 막연한 행정학이 손에 잡힐 거라 확신합니다. 아울러 본 교재는 시험장까지 가져갈 수 있는 실용적인 교재입니다. 얇지만 합격에 필요한 분량이 상세하게 담겨 있으니까요. 부디 본 교재가 시험장에서 여러분의 든든한 동료가 되기를, 여러분에게 방대하고 낯선 행정학을 극복할 수 있는 유용한 도구가 되기를 진심으로 소망합니다. 감사합니다.

최욱진 드림

■ 소통방법
❶ 유튜브: 최욱진 행정학 TV
❷ 네이버 블로그: https://blog.naver.com/kevinw2

■ 행정학 엿보기

❶ 일상생활과 행정
1) 엘리베이터 안전 점검: 행정안전부는 승강기 안전관리법에 기초해서 엘리베이터 안전 점검 관련 정책을 집행함
2) 운전면허증 발급: 경찰청은 도로교통법에 근거해서 운전면허증 발급 관련 기능을 수행함
3) 감염병 관리: 질병관리청은 감염병 관리에 관한 법에 기초해서 전염병 관리역할을 수행함

❷ 행정과 행정학
1) 행정: 정부의 활동(일반적으로 행정부의 활동을 의미함)＝국가관리
  ① 정부
    ㉠ 협의로서 정부: 행정부
    ㉡ 광의로서 정부: 입법부, 행정부, 사법부
2) 행정학: 정부활동에 대한 지식을 정리한 학문

❸ 참고 사항: 삼권분립 체계
1) 입법부: 법률 제정 → 정책결정을 통한 방향성 설정
2) 행정부: 입법부의 결정을 집행
3) 사법부: 법률 해석·적용·판단

공무원 **단기합격 전략**✧ 행정학 공부법에 대하여

1 단기합격(약 1년)을 위한 행정학 공부법

❶ 얇고 보수적인 한 권의 이론서를 여러 번 회독한다.

■ 이론서가 만들어진 과정

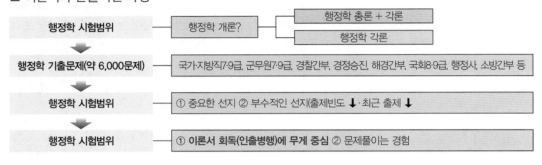

■ 회독에 대한 고정관념

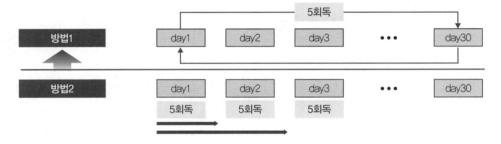

❷ 중요한 부분을 반복적으로 공부하면서 부수적인 부분을 확장한다.

■ 중요한 부분이란?

구분		전체 출제빈도	
		높음	낮음
최근	Y	1	2
출제유무	N	3	4(참고 · 기타)

❸ 중요한 부분을 중심으로 전 범위를 공부하자.

2 최욱진 행정학 사용법

❶ 교재에서 '참고·기타·cf·읽어보기'로 표시된 부분은 시간을 두고 천천히 학습하세요.
❷ 처음에는 가급적 연필이나 샤프로 필기하세요.
❸ 다양한 기준을 적용해서 회독하세요. 예 중요한 부분, 약한 부분, 참고 등
❹ '인출'하면서 회독하려고 노력하세요.
❺ 예습은 하지 않으셔도 좋습니다.
❻ '메모' 페이지를 잘 활용하세요.

3 기타 사항

❶ 단기합격을 위한 학습전략

① 언어과목(국어·영어) vs 암기과목(한국사·행정학·행정법)

↓

암기과목 공부시간 ↑

② 언어과목(국어·영어) vs 암기과목(한국사·행정학·행정법)

↓

언어과목 공부시간 ↑

❷ 시험응시 기회

구분	국가직 9급 (3월)	지방직 9급 (6월)	군무원 (7월)	지방직 7급 (10월)
일반행정직	○	○	○ (영어 · 한국사×)	△ (영어 · 한국사×) ① 헌법 ② 지방자치론 등

❸ 기출정복 = 합격

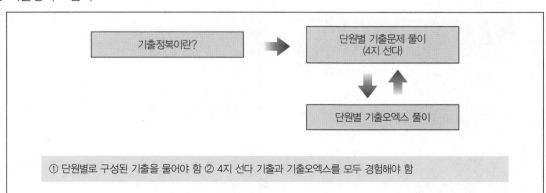

CONTENTS

이 책의 **차례**

CONTENTS

이 책의 **차례**

CONTENTS

이 책의 **차례**

최욱진 행정학

행정학총론

CHAPTER **01** 행정과 행정학

Section 01 　 행정과 행정학에 대하여 　 1 day

1 행정과 행정학의 정의

1) 행정이란?

구분	내용
협의로서 행정 (최협의로서 행정)	① 공익을 달성하기 위해 **정부가 행하는 정책 및 관리활동**(돈 · 조직 · 인사관리 등) ② 정부의 활동은 행정환경의 변화에 따라 가변적임 → **개방체제 관점**
광의로서 행정	① 두 사람 이상이 합리적으로 목적을 달성하기 위해 **협동**하는 것 [H. Simon] ② **공사행정일원론**: 행정이든 경영이든 모두 협동이라는 현상이 나타나기 때문에 행정(공행정)과 경영(사행정) 간 차이가 없다는 관점
최근 행정	거버넌스: 정부 · 시장 · 시민사회 간 협력체계

> **참고** 행정법학적 행정개념에 대한 학설
> ① **행정목적실현설(국가목적실현설)**: 행정이란 법의 테두리 안에서 법의 규제를 받으면서 국가목적을 실행하는 지속적인 국가활동
> ② **법함수설**: 행정이란 법률이 정한 바에 따라 그 기능이 변하기 때문에 행정의 선험적 개념을 부정함 → 행정과 법은 함수관계
> ③ **삼권분립적 공제설**: 사법도 입법도 아닌 나머지 모든 국가기능이 행정이라는 관점

2) 행정학이란?

개념	① 정부가 행하는 정책 및 관리활동에 대한 지식 및 이론을 정리한 학문 ② 국가관리에 필요한 지식이나 이론을 정리한 학문 → 이론과 실제를 연계 ③ 사회문제를 해결하기 위해 인접학문을 활용(간학문적 · 학제적)하는 **응용학문**에 해당함

2 행정학의 성격: 과학성과 기술성을 중심으로

구분		내용	해당 개념을 강조한 학자
과학성		현상에 대한 원인을 탐구하여 **일반법칙**을 발견하려는 특성	사이먼, 다알 등
기술성	개념	문제를 해결하려는 특성	왈도, 이스턴 등
	기타	① **왈도**: 기술성을 'art' 혹은 'professional'이란 용어로 지칭 ② **사이먼**: 'practice'란 용어로 기술성을 명명	

> **참고** 행정학의 보편성과 특수성: 제도의 적용 여부에 따른 특성
> ① **보편성**: 각국의 역사적 상황이나 문화적 차이에 관계없이 각 나라의 제도가 일반적 · 보편적으로 적용될 수 있는 특징
> ② **특수성**: 일반화할 수 없는 개별적인 성질로서 제도를 도입할 때 각 국가의 맥락을 고려해야 한다는 것
> ③ 따라서 다른 나라 제도의 성공적인 벤치마킹을 위해서는 제도의 보편성과 특수성을 동시에 고려해야 함

3 행정의 역할: 정책 및 공공서비스 제공

1) 정책의 종류: 로위를 중심으로 [두문자] 로재분규성

구분	정의	갈등 여부	현상
재분배정책	부의 이전	○ (부자와 빈자)	① 계급대립적 성격 ② 제로섬게임(부자와 빈자) ③ 엘리트주의적 결정(미국)
분배정책	특정 지역·집단에 편익 배분	× (비용부담자와 수혜자)	① 편익을 취하려는 행동발생 　㉠ 로그롤링·포크배럴 등 　㉡ 편익을 얻기 위한 안정적인 연합형성 ② 안정적인 집행가능 → 집행을 둘러싼 이념적 논쟁의 정도가 낮음 ③ 다양한 정책분야별로 존재 ④ 다른 정책에 비해 작은 정부에 대한 압력의 정도가 낮음
규제정책	특정 지역·집단의 자유 제한	○ (규제자와 피규제자)	① 강제력○ ② 주로 법률의 형태를 띠며 규제자에게 자율성○ ③ 제로섬게임(수혜자와 피해자) → 환경오염규제 ④ 다원주의적 결정(미국)
구성정책	① 헌정수행에 필요한 정부(체제)의 구조·기능·운영규칙의 변경에 대한 정책 ② 체제정책·입헌정책	-	① 대외적 가치 배분에는 큰 영향이 없음 ② 대내적으로는 조직 내 구성원 간 경쟁으로 인해 게임의 규칙 제정 　• 게임의 규칙: 조직구성원 간 경쟁의 결과로 제정된 규칙 ③ 안정된 정치체제에서 유용성↓

① 각 정책에서 발생하는 현상에 대한 용어정리 [읽어 보기]

구분		현상	
재분배정책	계급대립적 성격	㉠ 부의 이전을 도모하는 과정에서 손해를 보는 부자의 저항으로 인해 가진 자와 빈자의 갈등발생 ㉡ 재분배정책은 전국에 있는 모든 부자에게 영향을 미치는 까닭에 정책유형 중 가장 큰 갈등발생 ㉢ 따라서 국민적 공감대를 형성(재분배의 필요성 인지)할 때 정책을 형성할 수 있음	
	제로섬게임(부자와 빈자)	부자가 손해를 보는 만큼 빈자는 이익을 얻음	
	엘리트주의적 성격(미국): 소수가 정책결정 주도	재분배정책은 정책과정에서 큰 저항을 야기하므로 정부 수뇌부의 설득과 판단·관심·국정철학 (이데올로기) 등이 중요하게 작용함	
분배정책	편익을 얻으려는 행동발생	로그롤링 (log-rolling)	의회에서 이권과 관련된 법안을 해당 의원들이 서로에게 이익이 되도록 협력 하여 통과시키거나, 특정 이익에 대한 수혜를 대가로 상대방이 원하는 정책에 동의해 주는 방식으로 이루어짐 → 표거래·담합투표 등으로 번역할 수 있음
		포크배럴 (pork-barrel)	㉠ 특정 배분정책에 관련된 사람들이(이익집단 혹은 의원 등) 그 혜택을 서로 나눠 가지려고 경쟁·노력하는 현상 ㉡ 돼지구유통정치·나눠먹기식 다툼 등으로 번역할 수 있음
		안정적 연합형성	편익을 얻기 위한 협력적 네트워크 형성 → [예] 로그롤링·철의 삼각 등 • 철의 삼각모형은 '정책참여자와 참여자 간 관계' 섹션에서 다룸
	안정적 집행	비용을 부담하는 비용부담자가 분산(비용부담자의 집단행동 딜레마 발생)되어 있으므로 집행을 둘러싼 이념적 논쟁의 정도가 낮음	
	다양한 정책 분야별로 존재	㉠ 정책내용이 세부 단위로 구분되고 각 단위는 다른 단위와 별개로 처리될 수 있음 → 편익을 제공하는 정책이 다양한 형태로 존재한다는 것 ㉡ [예] 건설분야, 교육분야 등 다른 정책에 비해 종류가 다양함	
	작은 정부에 대한 압력↓	편익을 누리는 세력은 특정되어 있고, 비용부담자는 분산된 까닭에 정책에 대한 저항이 거의 없음	

규제정책	강제력○	국민의 자유를 제한하는 성격을 지니므로 강제성을 띰
	주로 법률의 형태를 띠며 규제자에게 자율성○	⊙ 국민의 자유를 제한하려면(의무를 부과하려면) 법률에 기초해야 함 ⓒ 아울러 정부는 정책을 집행하는 과정에서 환경의 복잡성으로 인해 어느 정도의 자율성을 지닐 수 있음 → 예 경찰의 음주운전단속 등
	제로섬게임(수혜자와 피해자) → 환경오염규제	피규제자가 손해를 보는 만큼 수혜자는 이익을 얻음
	다원주의적 결정(미국) : 다수가 정책결정주도	특정 기업의 활동으로 인한 피해자가 많을 때 다수의 피해자가 정책결정과정을 주도할 수 있음
구성정책	대외적 가치 배분에는 큰 영향이 없음	모든 국민을 대상으로 하면서 국가의 시스템 설계와 연관된 정책이므로 대외적인 가치배분에는 큰 영향이 없음 → 따라서 정부는 권위적으로(일방적인) 결정을 내릴 수 있음
	대내적으로는 조직 내 구성원 간 경쟁으로 인해 게임의 규칙 제정	예를 들어, 부처 간 통합 등이 이루어질 때 자기 부처의 이해관계를 반영한 규칙이 제정될 수 있다는 것
	안정된 정치체제에서 유용성↓	국가의 체제가 안정된 상황에서는 국가질서에 대한 변동이 미약하므로 구성정책의 중요성이 크게 인식되지 않음

② 각 정책의 예시

재분배정책	계층간의 소득을 재분배하여 소득격차를 해소하는 정책(**누진세**, 세액공제나 감면, 근로장려금), **노령연금제도 등 사회보장정책**, **임대주택의 건설**, **최저생계비**, 연방은행의 신용통제, 실업급여, 영세민 취로사업 등이 이에 해당함
분배정책	**도로 · 다리 · 항만 · 공항 등 사회간접자본을 구축하는 정책**, **국 · 공립학교를 통한 교육서비스의 제공**, 주택자금의 대출, 국고보조금, 택지분양, 국립공원의 설정, 국유지 불하(매입)정책, FTA협정에 따른 농민피해 지원(재분배 정책으로 보는 견해도 있음), 중소기업을 위한 정책자금지원, 대덕 연구개발 특구 지원, 코로나 사태에 따른 자영업자 금융지원 등
규제정책	**환경오염과 관련된 규제**(그린벨트 내 공장 건설을 금지하는 정책, 탄소배출권 거래, 오염물질 배출허가 기준), 독과점 규제, 공공요금 규제, **공공건물 금연**, **기업활동 규제**(부실기업 구조조정, **최저임금제도**), 기업의 대기오염 방지시설 의무화 등
구성정책	**정부기관의 신설이나 변경**, 선거구 조정, 공무원 모집, 공직자 보수 결정, 공무원연금제 개정, 군인연금에 관한 정책, 헌법상 운영규칙 수정 및 신설 등

2) 공공서비스의 종류

① 사바스(Savas)의 분류

- Savas는 배제성과 경합성이라는 개념을 활용해서 4개의 공공서비스를 구분하고 있음
- **경합성(경쟁성)** : 특정한 개인의 소비로 인해 타인의 소비가 감소하는 특성
- **배제성** : 돈을 지불하지 않으면 재화를 사용하지 못하는(배제되는) 특성

구분	비경합성	경합성
비배제성	공공재(집합재 · 순수공공재) • 무임승차 → 정부공급 가능	공유재 • 공유지 비극 → 정부공급 가능
배제성	요금재(유료재) • 자연독점 → 정부공급 가능	사유재(민간재 · 사적재) • 가치재 → 정부공급 가능

② 각 서비스 공급에 정부가 개입하는 이유 읽어보기

공공재	㉠ 치안, 국방 등과 같은 서비스를 뜻함
	㉡ 비배제성으로 인해 무임승차자(서비스를 공짜로 이용하는 사람) 발생
	㉢ 무임승차 문제로 인해 적절한 수요를 파악하기 힘든 까닭에 과다공급 혹은 과소공급이 생길 수 있음
	㉣ 따라서 시장에서 공급하지 않는바 원칙적으로 공공부문에서 공급해야 함

요금재	㉠ 배제성으로 인해 시장에서 공급할 수 있으나 규모의 경제효과로 인해 자연독점이 발생할 수 있는 재화의 경우 정부에서 공급 가능
	㉡ 규모의 경제와 자연독점
	(a) 규모의 경제 : 전기, 가스, 수도사업과 같은 산업은 그 생산 및 전달 체계를 구축하는 데 막대한 초기 투자비용을 필요로 하지만, 정교한 생산시스템을 구축한 후에는 생산비용을 절약할 수 있음
	(b) 해당 사업은 막대한 초기 비용이 들어간다는 점에서 사업에 대한 진입장벽이 높음; 따라서 서비스를 공급하는 기업은 자연스럽게 시장에서 독점적인 위치를 차지할 수 있음 → 이는 가격의 왜곡을 초래할 수 있는바 정부가 개입하는 논거가 됨

사유재	㉠ 우리가 일반적으로 시장에서 구입하는 재화로써 주로 시장에서 공급하는 게 원칙이지만 가치재(예 의무교육 등)의 경우 형평성 측면에서 정부가 공급할 수 있음
	㉡ 소비자 보호와 서비스 안전을 위한 행정의 개입 가능 → 예 허위광고에 대한 과징금 부과

공유재	개념	주인 없는 천연자원, 들판, 공원 등
	특징	㉠ 공짜이며, 경합성을 지니고 있으므로 공유지의 비극이 발생할 수 있음
		㉡ 즉, 공유지의 비극은 행위자들이 공멸로 인해 부담하는 비용보다 개인의 편익이 크다고 인식(비용의 분산과 편익의 집중)할 때 발생함
		㉢ 정부는 공유지의 비극을 막기 위해 공유재를 직접 공급할 수 있음 → 예 국립공원
		㉣ 과다 소비로 인해 공급 비용 귀착 문제(공급비용의 실질적 부담이 사용자에게 돌아가는 현상)가 발생
	공유지의 비극	㉠ 개인적으로는 합리적인 선택이 사회 전체적으로는 비효율(과잉소비)을 초래하는 현상
		㉡ 공유지의 비극이 발생하는 이유
		(a) 합리적·이기적 개인
		(b) 비배제성 : 무임승차 = 비용회피
		(c) 경합성(경쟁성)
		㉢ 1968년 〈사이언스〉에 실렸던 미국 생물학자 가렛 하딘의 논문에 나오는 개념
	공유지의 비극 해결방안	하딘 (전통적 방법)	정부가 개입하여 정부 혹은 시장에게 공유재에 대한 소유권을 부여하는 것
		오스트롬 (현대적 방법)	㉠ 공유재를 이용하는 사람들이 재화사용에 대한 규칙을 자발적으로 설정해서 문제를 해결할 수 있음
			㉡ 예를 들어, 외부효과를 내부화(이기적인 개인을 규제하는 벌칙부과 등)함으로써 어느 정도 해결할 수 있음

③ 서비스의 유형과 예시

유형	예
공공재(집합재)	국방, 외교, 치안, 등대, 무료 TV방송, 일기예보 등 순수공공재
공유재	주인이 없는 천연자원, 공원, 녹지, 국립도서관·공원, 하천, 지하수, 해저광물, 강, 공공 낚시터, 출근길 시내도로 등
요금재(유료재)	가스, 전기, 수도, 도로, 통신, 소유권이 지정된 넓은 공원, 케이블 TV 등
시장재 (민간재·사적재)	㉠ 물건 구매, 냉장고, 자동차, 라면, 전문교육, 의료, 오물 청소, 음식점, 호텔, 택시 등
	㉡ 가치재(merit goods) : 국민이라면 마땅히 누려야 할 기초적인 재화·서비스
	(a) 정부는 특정한 재화·서비스에 대하여 그 이용을 개인의 자유로운 선택에 맡기는 것을 바람직하지 않다고 판단하여 이용을 조장하거나 강제하는 경우가 있음 → 온정적 간섭주의(paternalism)
	(b) 의무교육, 의료, 학교의 급식에 대한 보조, 염가주택의 공적인 공급, 문화행사 등을 들 수 있는데, 이러한 재화 혹은 서비스를 가치재라고 함
	(c) 가치재는 국가가 일부 공급하는 경우가 있지만, 원칙적으로 민간이 공급하는 민간재임

3) 공공서비스 공급방식의 유형(사바스)

① 공공서비스 공급방식에 대한 이해

틀잡기	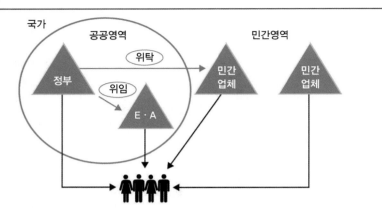

| 공공서비스 공급방식 (사바스) | **⬚ 공공서비스를 생산하는 주체와 생산수단에 따른 분류** |||

구분		생산의 주체 : 누가 서비스를 생산하는가?	
		공공부문(정부)	민간부문(민간업체 등)
생산수단	권력 • 배제성 획일적 적용 ✕ • 정부책임 ○	일반행정	민간위탁
	시장 • 배제성 적용	책임경영 (책임운영기관)	민영화

각 공급방식에 대한 설명	일반행정	㉠ 공공부문에서 권력을 활용하여 공공서비스를 배분하는 공급방식 ㉡ 📖 국방·치안서비스, 주민센터를 활용한 서비스 공급 등
	책임경영 (책임운영기관)	㉠ 배제성으로 인해 시장에서 공급할 수 있으나, 공공성 때문에 정부가 생산하는 방식 ㉡ 단, 서비스 공급에 있어서 책임운영기관(중앙행정기관의 소속 기관)을 활용함 ㉢ 📖 국립현대미술관, 국립나주병원 → 근로자는 공무원임
	민간위탁	㉠ 시장에서 공급하지만, 일반적으로 정부가 서비스 공급에 대한 책임을 지님; 아울러 가격메커니즘을 획일적으로 적용하지 않음 ㉡ 📖 군복생산, 쓰레기 수거, 자원봉사자 방식 등
	민영화	㉠ 민간부문이 시장의 원리에 따라 공공서비스의 생산과 공급을 담당하는 방식 ㉡ 📖 KT의 통신서비스

기타	㉠ 민간위탁·책임경영은 내부민영화(내부시장화·내부민간화), 민영화는 외부민영화로 불리기도 함 　• 내부민영화 : 기업의 운영방식을 정부가 활용하는 것 ㉡ 외부민영화 : 협의로서 민영화 → 정부가 특정 서비스 공급을 포기하고 민간에게 넘기는 것 ㉢ 내부민영화 + 외부민영화 : 광의로서 민영화

② 민간위탁의 방식 🔣

면허 혹은 프렌차이즈 (Franchises)	⑦ 민간부문이 **일정한 구역 내에서 공공서비스를 제공할 권리를 인정**하는 방식으로서 이용자가 서비스 제공자에게 비용을 지불하고 정부는 서비스의 수준과 질을 규제함 ⓒ **소비자가 생산주체에게 돈을 지불**한다는 면에서 협의의 민간위탁(계약) 방식과 다름 ⓒ 경쟁이 미약할 경우 사용자의 가격이 증가하며, 면허방식의 예시로서 129구급대, 운전면허 학원 등이 있음
민간위탁(Contracting-out) : 좁은 의미로서 민간위탁 혹은 계약방식	⑦ 기업 간 **경쟁입찰**을 통해 서비스 생산주체를 정부가 결정하는 방식 ⓒ 일반적으로 사용하는 위탁 생산방식이며, **정부가 서비스 제공자에게 서비스 비용을 직접 지불**하여 이용자의 **비용부담을 경감**시키는 장점이 있음 ⓒ 🔣 공공사업(가로등 설치), 군복생산 등
자원봉사자 방식 (Volunteer)	⑦ 서비스를 생산할 때 발생하는 지출만 보상받고 직·간접적 보수는 받지 않는 방식 ⓒ 신축적 인력 운영을 통해 서비스 수준을 개선할 수 있음 ⓒ 정부의 재정 상태가 좋지 않은 시기에 예산삭감에 따른 서비스 수준에의 영향을 최소화할 수 있음 ⓔ 🔣 아시안 게임 자원봉사, 레크리에이션, 안전 모니터링, 복지사업 등의 분야에서 사용
자조활동 방식 (Self-help)	⑦ 공공서비스의 수혜자와 제공자가 같은 집단에 소속하여 서로 돕는 형식 ⓒ 이웃사람이 이웃사람을 돕고, 고령자가 고령자를 위해 서비스를 제공하는 방식으로써 고령자 돌보미, 주민순찰 등이 있음
규제 및 조세유인 방식 (Regulatory and tax incentive)	⑦ 민간의 공공서비스 제공활동에 대해 **행정규제나 조세혜택을 제공**하는 방식 ⓒ 규제 및 조세유인 방식은 정부의 간접적인 지출이므로 보조금 방식에 비해 적은 비용을 들여서 비슷한 효과를 낼 수 있음 ⓒ 🔣 버스회사 정기노선(특정 구간에서 노선 운영 시 세금감면), 전기버스 운행규제 등

바우처 혹은 증서교부 (Voucher)	틀잡기		
	개념	공공서비스 생산을 민간부문에 맡기고 시민들의 공공서비스 구입부담을 완화시키기 위해 시민에게 금전적인 가치가 있는 쿠폰을 제공하는 방식	
	유형	**명시적 바우처**	개념
			쿠폰이나 카드 등 물리적인 형태를 통해 구매권을 부여하는 방식이며 종이바우처와 전자바우처로 구분됨
			종이바우처
			종이쿠폰 형태로 구매권 지급 → 🔣 식품이용권
			전자바우처
			⑦ 종이바우처를 전자적으로 구현하여 이용권한이 설정된 휴대폰이나 신용카드 등을 활용하는 방식 → 🔣 노인돌봄서비스, 장애인활동보조서비스 등 ⓒ 전자바우처는 발급을 위해 종이를 활용하지 않기 때문에 종이바우처에 비해 효율적임 → 아울러 **종이바우처에 비해 사람 간 매매가 어려운 까닭에 투명성**을 제고할 수 있음
		묵시적 바우처	⑦ 소비자가 공급기관을 자유롭게 선택할 권한을 보장받음(바우처 제공 ×) ⓒ 정부가 공급자에게 비용을 사후에 지급하는 방식 ⓒ **관료와 서비스 제공자 간의 유착**이 발생할 수 있음
	기타	민간부문을 활용하지만 일반적으로 최종적인 책임은 정부에 있음	

보조금 지급 (Subsidy)	⑦ 민간부문이 제공하는 공공서비스 활동에 대해 **정부가 재정 또는 현물의 일부를 지원**하는 방식 → 서비스가 기술적으로 복잡하여 서비스의 목적달성이 불확실한 경우, 공공서비스에 대한 요건을 구체적으로 명시하기 곤란한 경우에 활용함 ⓒ 🔣 탁아시설 및 교육시설 등에 대한 보조

4) 사회간접자본(SOC : Social overhead capital) 민간투자 제도

사회간접자본 : 산업 발전의 기반이 되는 여러 가지 공공시설 → 항만, 도로, 철도 등

① 틀잡기 및 유형

틀잡기	B		B	
	O		L	
	T		T	

BOT · BTO
시민 ──이용료──▶ 기업

BLT · BTL
시민 ──이용료──▶ 정부 ──임대료──▶ 기업

유형	BTO (Build–Transfer–Operate)	㉠ 민간자본으로 민간이 시설을 건설하고 완공 시 소유권을 정부에 이전하는 대신, 민간이 직접 운영하여 사용료 수입으로 투자비를 회수하는 방식 ㉡ 예 고속도로 건설 후 통행료 등을 통해 투자비 회수
	BTL (Build–Transfer–Lease)	㉠ 민간투자사업자가 사회기반시설 준공과 동시에 해당 시설 소유권을 정부로 이전하는 대신 시설관리운영권(임대료를 받을 수 있는 권한)을 획득하고, 정부는 해당 시설을 임차 사용하여 약정기간 임대료를 민간에게 지급하는 방식 ㉡ 예 공공임대주택, 노인요양 시설 등 투자비 회수가 어려운 시설에 활용
	BOT (Build–Operate–Transfer)	민간자본으로 민간이 시설을 건설하고 일정 기간 민간이 직접 운영하여 투자비를 회수한 후 소유권을 정부에 이전하는 방식
	BLT (Build–Lease–Transfer)	민간의 투자자금으로 건설한 공공시설을 정부가 사업을 운영하며 민간에 임대료를 지급하는 방식으로, 운영 종료 시점에 정부가 소유권을 이전받는 방식
	BOO (Build–Own–Operate)	㉠ 민간부문이 건설하고, 해당 시설의 소유권 및 운영권을 민간부문이 갖는 방식 ㉡ 민자유치 방식이지만, 현실에서는 거의 활용하지 않음

② 각 유형의 비교 [용어 보기]

BTO와 BOT	㉠ 수익형 민간투자방식이라고 불리기도 하며, 민간이 '직접 운영'을 통해 투자비를 회수함 ㉡ **민간이 시설을 직접 운영한다는 측면에서 민간에게 위험부담**이 있는바 투자비 회수가 용이한 시설(도로·철도 등)에 적용 ㉢ 민간의 위험부담을 줄이기 위해 '최소운영수입보장제도'를 적용했으나 2009년을 기점으로 최소운영수입보장제도 폐지 → 대신 투자비 회수가 용이한 시설에 적용하고 있음 ㉣ 양자는 소유권 이전 시기에 따라 구분됨
BLT와 BTL	㉠ 임대형 민간투자방식으로 주로 비수익사업에 사용 → 정부가 운영하기 때문에 민간의 위험부담↓ ㉡ 공공임대주택, 노인요양 시설 등 투자비 회수가 어려운 시설에 활용 ㉢ 양자는 소유권 이전 시기에 따라 구분됨
BTO와 BTL	㉠ 양자는 수익권 방식에 따른 차이가 있음 → BTO는 민간이 직접 운영하면서 얻은 수익이며, BTL은 민간이 정부에게 임대료를 받는 방식임 ㉡ BTO는 일반적으로 임대형 민자사업(BTL)에 비해 사업리스크와 수익률이 상대적으로 더 높고, 사업기간도 상대적으로 긴 편임
기타	㉠ PPP(Public–Private Partnership)는 정부의 역할에 속했던 도로, 항만, 철도, 환경시설 등 사회간접자본 시설의 건설과 운영을 민간부문이 수행함으로써 작은 정부 실현은 물론 국민의 편의와 국가의 지속적 발전을 도모하는 제도임 → BTO와 BOT는 PPP의 종류에 해당함 ㉡ 사회기반시설사업(사회간접자본시설)에 대한 민간투자대상사업 지정은 주무관청(사회기반시설사업의 업무를 관장하는 행정기관의 장)이 하며 대통령령으로 정하는 일정 규모 이상의 대상사업의 경우에는 사업 타당성 분석 후 민간투자사업심의위원회의 심의를 거쳐 지정함

5) 공공서비스 민영화(내부·외부민영화 포함)의 장점과 단점 ㎝

① 민영화의 장점

작은 정부 실현	⊙ 정부규모 감소를 통해 작은 정부를 실현할 수 있음 ⓒ 정부의 부담 감소 및 민간의 자율성 제고
행정서비스의 질 향상	⊙ 민간의 전문성을 활용하여 행정서비스의 질을 향상시킬 수 있음 ⓒ 단, Contracting-out(협의로써 민간위탁)의 경우 대리인의 기회주의적 행동으로 인해 서비스의 품질이 저하될 수도 있음
경쟁 촉진 (소비자 선택권 확대)	경쟁을 촉진(공급체계 다원화)하여 생산의 효율성을 제고하고 소비자의 선택권을 보장할 수 있음
복대리인이론	반복적인 대리구조를 통해 발생하는 비효율성을 극복하기 위해 민영화의 필요성을 강조하는 이론

② 민영화의 단점

부패 발생 및 행정책임 저하		민영화 과정에서 특혜 및 정경유착 등의 폐해가 나타나면 부패가 발생할 수 있고, 이는 국민을 위해 질 좋은 서비스를 제공하려는 책임성을 감소시킬 수 있음
형평성 문제		구매력이 낮은 저소득층에 대해서는 서비스를 기피하는 등 서비스 배분의 형평성 문제가 있음
역대리인 혹은 도덕적 해이		정부와 민간의 정보비대칭으로 인해 역대리인(전문성이 부족한 대리인 선택) 혹은 도덕적 해이(대리인의 태만) 등의 문제 발생
통제·감시비용 증가		서비스를 공급하는 주체가 다양하게 분산되므로 정부 혼자 서비스를 공급할 때보다 감시비용이 증가함
기타	Cream Skimming (크림스키밍) 현상	민간이 흑자 공기업만 인수하려고 하기 때문에 적자 공기업은 매각되지 않고, 흑자 공기업만 매각되는 현상 → 시장성이 큰 서비스를 다루는 공기업을 민영화하게 되면 독점체제를 야기할 수 있음
	책임운영기관의 악용	책임운영기관의 경우 공공성을 논거로 공무원 수 증가의 은폐를 초래할 수 있음
	황금주 이론	⊙ 민영화의 단점을 극복하기 위한 방법 ⓒ 정부는 민영화 이후에 민간 경영진을 견제하기 위해 황금주와 같은 지분을 유지하는 방법을 사용할 수 있음 ⓒ 황금주: 기업의 주요한 사안에 대하여 거부권을 행사할 수 있는 권리를 가진 주식

6) 기타

공공서비스 측정지표	⌗ 공공서비스 성과의 측정지표 예시					
	구분	투입	업무	산출	결과	영향
	경찰 부서	① 활동에 투입한 경찰 ② 경찰차량	담당 사건의 수	범인 체포 건수	범죄율 감소	지역사회 질서 유지
	※ 영향지표로 갈수록 추상적이고 분석의 단위가 큰 지표임					
민간위탁 기준	**행정권한의 위임 및 위탁에 관한 규정 제11조【민간위탁의 기준】** ① 행정기관은 법령으로 정하는 바에 따라 그 소관 사무 중 조사·검사·검정·관리 사무 등 국민의 권리·의무와 직접 관계되지 아니하는 다음 각 호의 사무를 민간위탁할 수 있다. 1. 단순 사실행위인 행정작용 → 교량건설·도로청소 등 2. 공익성보다 능률성이 현저히 요청되는 사무 3. 특수한 전문지식 및 기술이 필요한 사무 → 국가의 검증 시험연구 등 공신력이 요구되는 사무 제외 4. 그 밖에 국민 생활과 직결된 단순 행정사무 〔참고〕 ⊙ 민간위탁은 관료제가 자기조직의 이익 확대를 추구하는 목적으로 사용될 수 있음 ⓒ 우리나라 지방자치단체의 민간위탁은 정부혁신의 일환으로 중앙정부로부터 수직적으로 추진되었음

		※ 사바스는 '결정과 집행'을 기준으로 공공서비스 공급방식을 다음과 같이 구분할 때도 있음

➡ Savas의 공공서비스 공급방식의 유형 : 결정과 집행을 중심으로

<table>
<tr><th colspan="2" rowspan="2">구분</th><th colspan="2">배열자 : 결정</th></tr>
<tr><th>정부</th><th>민간</th></tr>
<tr><th rowspan="4">생산자 :
집행(공급)</th><th rowspan="2">정부</th><td>① 정부서비스 : 일반 행정
② 정부 간 협약 : 사무위탁</td><td rowspan="2">정부판매(정부응찰 방식)
• 정부판매 = 책임경영</td></tr>
<tr><td>• 사무위탁 : 정부가 정부에게 생산을 맡기는 방법</td></tr>
<tr><th rowspan="2">민간</th><td>보조금 / 독점허가 / 민간계약(위탁) : 협의로서 민간위탁 / 임대형 민자사업(BTL 등) / 바우처</td><td>바우처(구매권) / 시장 / 자조활동 / 자원봉사</td></tr>
<tr><td></td><td>두문자 민²바자²</td></tr>
</table>

공공서비스 공급방식 Ⅱ (사바스)

표에 대한 설명

정부판매	민간부문이 정부가 생산한 공공서비스를 선별·구매하고 대가를 지불하는 방식
독점허가	민간이 특정 서비스를 공급할 수 있는 독점적 권한을 정부에게 부여받은 후 서비스를 제공하는 방식
임대형 민자사업	정부가 민간투자사업자를 선정하면, 민간기업은 사회간접자본을 건설함 → 따라서 정부가 결정하고 민간이 집행하는 방식에 포함됨
시장	소비자와 판매가의 일반적 거래가 이루어지는 영역
기타	㉠ 앞서 공부한 공공서비스 공급방식에 따르면 보조금, 민간위탁, 바우처, 자조활동, 자원봉사 등은 모두 민간위탁의 종류임 ㉡ 다만 바우처, 자조활동, 자원봉사는 각국의 특성에 따라 민간에서 서비스 공급을 결정(배열)하고 공급하는 경우도 있음 ㉢ 바우처의 경우 시험에서 민간이 결정하고 민간이 집행하는 경우와 정부가 결정하고 민간이 집행하는 경우로 모두 출제된 바 있으나, 일반적으로는 민간결정·민간집행의 경우로 보고 공부할 것

4 정부의 기능 cf

기획기능	정책과정에서 정책결정과 계획수립을 위한 기능
규제기능	국민들의 생활을 금지하거나 제한하는 기능
조장기능 (지원기능)	① 특정 분야의 산업이나 활동을 조장거나 지원하는 기능 ② 특정 분야의 산업을 활성화하기 위해 재정 및 금융상의 지원을 하고 기술을 제공하는 등의 경우
중재 및 조정기능	① 사회 내에서 이해 당사자들 간에 분쟁이 발생했을 때 정부가 그 사이에서 이해관계를 조정하고 양측의 합의를 이끌어 내는 기능 ② 노사분규의 중재, 이익집단 간의 이해 조정, 환경분쟁에서 갈등 조정 등

참고 **정책중재자(공무원)에 대하여**
① 현대 행정에서는 협력적 해결과 관련해서 정책중재자의 중요성이 높아져 가고 있음
② 정책중재자는 다원주의 정책상황에서 갈등상황에 있는 정책이해관계자들의 상호 정책학습을 촉진하는 역할을 수행함
③ 또는 강력한 권위를 바탕으로 이해관계자들에게 압력을 가하는 중재방식을 사용할 수도 있음

| Section 02 | 행정학의 정체성 : 행정과 경영, 그리고 정치 | ● 1 day |

1 행정과 경영의 정의

행정	공익을 달성하기 위해 정부가 시장, 시민사회 등과의 상호작용(협력) 속에서 행하는 정책 및 관리활동
경영	사익(기업의 이익)을 달성하기 위해 기업이 여러 조직과의 상호작용(협력) 속에서 행하는 사업 및 관리활동 [최욱진, 2017]

2 행정과 경영의 유사점 및 차이점

1) 유사점

능률적인 관리	① 관리활동시 양자 모두 '효율성'을 추구하며, 능률성을 위해 유사한 조직관리기법 등을 사용 ② 능률적으로 인적·물적 자원을 동원하며 기획, 조직화, 통제방법, 관리기법, 사무자동화 등 제반 관리기술 활용
조직구조 : 관료제	① 양자 모두 '관료제'를 조직구조로 채택 ② 따라서 행정과 경영 모두 관료제로 인한 순기능 및 역기능을 포함하고 있음
협동행위	많은 대안 중에서 최선의 대안을 선택하려는 합리적 협동행위가 발생

2) 차이점 ⓒⒻ

목적	경영은 사익 혹은 기업의 이윤을 추구하며 행정은 공익을 추구함
추구하는 가치	경영은 효율성이 중요한 가치이며, 행정은 효율성을 포함한 다양한 가치를 추구함
영향력의 범위	경영에 비해 행정이 국민에게 미치는 영향력이 큼 → 정책을 생각해 볼 것
강제성	① 행정은 일단 법이 통과되면 강제성을 바탕으로 집행함 ② 즉, 행정은 본질적으로 정치적인 공권력을 배경으로 정책을 수행하는바 상대적으로 경영은 관리적 측면, 행정은 권력적 측면이 강하게 나타남
정치적 성격	행정은 경영에 비해 정치권력의 개입이 많음 → 의회의 간섭, 국민의 요구 등
성과평가 기준	① 행정의 목적은 공익인데, 공익은 사익(기업의 순이익)에 비해 추상적인 개념임 ② 따라서 공익을 달성하는 지표나 척도를 개발하기 어려움
경쟁의 결여	행정은 민간에 비해 경쟁자가 없다고 볼 수 있음

3) 행정과 경영에 대한 기타 학자들의 입장 ⓒⒻ

보즈만	내용	① 공공성의 상대성 : 공행정과 사행정의 공공성은 정도의 차이만 있음 ② 공행정과 사행정 모두 정치적 권위에 의해 규제와 영향을 받음 ③ 단, 행정은 사회적 가치를 배분한다는 본질적인 특성이 있음
	요점 정리	<table><tr><td>구분</td><td>공공성</td><td>정치적 규제</td><td>사회적 가치 추구(재분배)</td></tr><tr><td>경영</td><td>○</td><td>○</td><td>×</td></tr><tr><td>행정</td><td>○</td><td>○</td><td>○</td></tr></table> **용어정리** ① 공공성 : 시민에 대한 영향력 ② 사회적 가치 추구 : 재분배정책 등
세이어의 법칙		① 세이어의 법칙은 '공사행정은 모든 중요하지 않은 점에 있어서 근본적으로 같다'라는 역설적 표현을 의미 ② 이는 공·사행정이 근본적으로 같은 점과 다른 점이 모두 있다는 사실을 인정하면서도 중요한 점에 있어서 서로 다름을 강조하고 있는 것 → 공사행정이원론의 입장

3 행정과 정치의 관계 : 정치행정이원론 · 정치행정일원론을 중심으로

정치행정이원론과 정치행정일원론의 전제 : 일반적으로 정치는 결정, 행정은 집행이라는 것

1) 틀잡기

구분	행정의 역할(기능)	
	정치적 기능 : 정책결정 → 방향성 설정	행정적 기능 : 효율적인 관리 및 집행
정치행정이원론	×	○
정치행정일원론	○ (어느 정도)	○

2) 정치행정이원론 · 정치행정일원론에 대한 직관적 이해

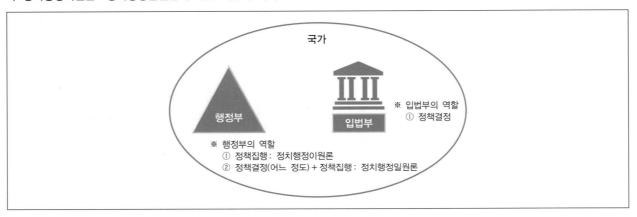

3) 정치행정이원론 : 정치와 행정의 분업

개념	행정을 정치와 구별된 관리 또는 기술로 인식하는 이론으로써 **능률적인 행정**을 위해 공공조직의 관리자들은 정책결정자를 위한 지원 · 정보제공의 역할만을 수행	
틀잡기	비능률성 비 엽관주의(1829) ◀── 윌슨 : 행정의 연구(1887) → 정치행정이원론	
등장배경	**엽관주의 폐해**	① **엽관주의** : 정당에 대한 충성도를 바탕으로 공무원을 채용하는 인사행정제도 → 잭슨 대통령이 1829년에 공식적으로 도입 ② 엽관주의는 전문적인 지식을 기준으로 공무원을 임용하지 않는바 행정의 비능률성을 야기함
	우드로 윌슨의 **행정의 연구(1887)**	① 우드로 윌슨이 '행정의 연구(1887)'에서 처음으로 주장 ② 정치행정이원론 이후 **능률적인 행정**을 실현하기 위한 미국 행정학이 발전함
	기타	① **행정국가현상의 대두와 행정의 능률화 요청** : 미국은 19세기 말 산업사회로 진입하면서 정부활동이 증대함 → 이에 따라 행정의 전문성이 긴요해짐 ② **과학적관리론(경영이론)의 영향** : 능률적인 관리를 위해 경영이론을 일부 참고함
특징	① **행정관리설 혹은 기술적 행정학의 시각** : 행정을 정치와 무관한 관리 또는 기술로 인식하기 때문에 행정과 경영을 동일하게 여김 → **공사행정일원론(행정 = 경영)의 관점** ② **미국의 초기 행정학을 대표**하며, 정치로부터 행정의 독자성 및 자율성을 강조	

4) 정치행정일원론

개념		① 행정이 **정책의 관리, 집행기능**은 물론 어느 정도의 **정책결정기능**(정치적 기능)도 담당한다고 보는 이론 ② 행정은 정치성(다양한 참여자의 간섭 등) 및 공공성(공익추구)을 띠는바 능률적인 관리가 전부는 아니라는 관점
등장배경 (국가위기)		① **경제대공황(1930s)**: 빈민과 실업자 증가 → 정부활동 증대 ② 2차 세계대전 종전(1945) 후 행정기능의 확대현상 촉진 ③ 국가적 위기 상황에서 입법부의 대응력 부족 ④ 정치행정이원론의 명분상실 　㉠ 실적주의의 정착으로 인하여 엽관주의에서 나타났던 부패가 어느 정도 근절됨 　㉡ 따라서 행정의 탈정치화 내지 정치적 중립을 강조하는 정치행정이원론은 상당 부분 그 근거를 상실함 → 전문성뿐만 　　아니라 행정부의 신속한 정책결정이 중요해진 것
특징	**통치기능설** (정치행정일원론)	① 1930년대 이후 신고전적 행정이론의 입장으로서 통치기능설(기능적 행정학)이라고 불리기도 함 ② **통치기능설**: 통치기능 = 정치기능(정책결정기능) + 행정기능(능률적인 집행기능) 　㉠ 정치와 행정은 서로 뗄 수 없으며, 행정과정 속에서도 정책결정이 불가피하게 이루어진다는 관점으 　　로써 행정과 정치의 연속성 강조 　㉡ 대표적인 학자: 디목(Dimock)과 애플비(Appleby) 　㉢ (두문자) 내 친구 **일원이**는 **목**디스크가 있어서 **아**파!
	사회적 능률성	① 행정부의 결정으로 만들어진 정책을 통해 그 목적 가치인 인간과 사회의 만족에 기여하는 사회적 능률성을 　추구 ② 단기적인 생산성만 고려하는 정치행정이원론의 기계적 능률성 비판
	공사행정이원론	정치행정일원론은 행정이 정치적 기능도 일부 수행한다는 점에서 경영과의 차이점을 인정하는바 공사행정 이원론의 관점
	기타	어느 정도의 행정부 재량을 인정하는 대신 행정책임과 행정에 대한 민주적 통제 강조

5) 정치행정새이원론 · 정치행정새일원론 ⓒⅾ

정치행정 새이원론		① 1940년대 사이먼을 중심으로 등장 ② 행정의 정치적인 기능을 어느 정도 인정 ③ 행정학의 연구대상을 가치(정치기능)와 사실(행정기능)로 구분하고 가치에 대한 연구가 있다는 점은 인정하지만 사실에 　대한 연구(검증가능한 연구)에 초점을 두자는 주장을 제기 ④ 사이먼은 과학성을 강조하는 까닭에 사실에 대한 연구를 위해 논리실증주의를 적용하여 행정의 과학화 추구
정치행정 새일원론	**개념**	① 행정이 어느 정도의 정치적 기능도 담당하고 있다는 정치행정일원론보다 적극적인 의미(행정우위론) ② 즉, 입법부는 형식적인 존재에 불과하며, **거의 모든 정책결정을 행정부가 수행** ③ 우리나라의 군사정권(박정희 정권)과 유사
	특징	① **발전행정론**은 행정우위론으로써 1960년대 후진국 발전론자들이 주장 ② 후진국의 발전을 위해서 행정부의 주도적인 역할 강조 → 행정은 정치를 유도하고 이끌어 감 ③ 어떤 방법을 동원해서라도 국가발전을 이룩하려는 **효과성 및 기술성을 가장 우선시**하며, 이와 더불어 　관료의 능력·정당성·국민에 대한 책임성 등을 강조 ④ 학자: 와이드너(E. W. Weidner), 이스먼(M. J. Esman) 등

6) 각 이론 비교

구분	행정의 역할(기능)	
	정치적 기능: 정책결정 → 방향성 설정	행정적 기능: 효율적인 관리 및 집행
정치행정이원론	×	○
정치행정일원론	○ (어느 정도)	○
정치행정새이원론	가치의 영역: 존재 인정, 그러나 주관적 영역이므로 연구배제	사실의 영역: 객관적 영역이므로 연구 집중
정치행정새일원론	○ (대다수 정책을 행정부가 결정)	○

7) 기타: 각 학자의 주장을 중심으로

학자	내용
디목 (Dimock)	① Dimock의 주장: "정치와 행정의 지나친 분리로 말미암아 행정을 비현실적인 것으로 만들어서는 안 된다. 통치는 정치와 행정, 즉 정책형성과 정책집행으로 이루어지며, 이 두 개의 과정은 상호 협조적이다." ② M. E. Dimock은 J. M. Gaus, L. D. White와의 공저 「행정의 개척선」(1936)에서 정치행정이원론의 위험성을 지적함
가우스 (J. M. Gause)	초기 행정학자들이 행정을 협의로 인식하여 정치와 행정의 분리에 집착한 나머지 행정을 현실과 거리가 먼 것으로 만들었다고 비판 → 행정이론은 동시에 정치이론을 의미한다고 주장함(정치행정일원론의 관점)
굿노 (F. J. Goodnow)	① 미국 행정학의 학문적 초석을 다진 사람 중 한 사람인 굿노는 비교행정법의 시각에서 서술한 〈정치와 행정〉(1900)에서 정치와 행정의 차이를 분명히 하였음 → 정치행정이원론 관점 ② 즉, 정치는 국가의 의지를 표명하고 정책을 구현하는 것이며 행정은 이를 실천하는 것으로 정치와 행정의 차이를 명확히 구분함
애플비 (P. Appleby)	'거대한 민주주의'에서 현실의 행정과 정치 간 관계는 연속적, 순환적, 정합적이기에 실제 정책형성 과정에서 정치와 행정을 구분하는 것은 부적절하다고 주장하였음 → 정치행정일원론 관점

Section 03   **행정학의 정체성: David H. Rosenbloom의 접근법** cf   ● 1 day

1 로젠블럼의 행정의 개념에 대한 접근

관리적 접근	① 가장 고전적인 접근법으로 행정은 본질적으로 경영(기업)과 동일하며 행정은 경영의 관리원리나 가치에 따라야 한다는 것 ② 정치행정이원론에 기초
정치적 접근	① 세이어(W. Sayre), 왈도(D. Waldo) 등에 의하여 주창되었으며 행정은 본질적으로 정치적 현상이라는 입장 ② 정치행정일원론에 바탕을 둠
법적 접근	행정의 절차적 적법성, 국민의 기본권 보장, 형평성 추구 등을 중시하는 관점

CHAPTER 02 행정이론

Section 01 관리주의(관리과학 · 주류행정학) : 행정 = 효율적인 관리 ● 2 day

관리주의는 능률적인 관리를 위해 공식적인 구조, 즉 능률적인 시스템을 명문화하는 데 관리의 초점을 둠

1 관련 학자

윌슨		① 1887년 '행정의 연구'에서 엽관주의 폐해를 비판하면서 정치행정이원론을 주창 ② 엽관주의(Spoils system)의 폐해 : 행정의 전문성 · 안정성 감소 및 공무원 부패 ③ 윌슨은 행정의 전문성이 필요한 상황에서 정치행정이원론을 통해 행정의 전문성 제고를 위한 방법을 제시한 것이며, 이는 실적주의를 상징하는 팬들턴법(1883)을 이론적으로 뒷받침 ③ 행정학의 아버지 　㉠ '행정의 연구'는 미국 행정학의 학문적 기원임 → 행정학을 정치학으로부터 분리하여 독자적인 학문 분야로 정착시켰음 　㉡ 또한, 윌슨은 유럽국가의 행정을 참고하여(유럽의 관료제) 미국의 독창적인 행정이론 개발을 주장함
테일러	틀잡기	시간과 동작에 대한 연구 → 표준 과업량 설정 (유일 최선의 길) → 노동자 훈련 후 인센티브 구조 확립 • 일류노동자 선택 • 작업을 부분 동작으로 분해 • 동작별 소요 시간 측정 등　• 최고의 과업설정 → 표준화 • 성공자 우대 • 실패자 손실
	내용	① 과학적 관리법의 창시자로서 1911년에 '과학적관리론' 발표 ② 능률적인 관리를 통한 생산성 제고 → 특히 능률적인 시스템 정립 강조 ③ 과학적 관리론은 이론이라기보다 하나의 운동으로 출발하였음 ④ 관리자는 생산증진을 통해서 노 · 사 모두를 이롭게 해야 함
어웍 & 귤릭	원리주의자	귤릭 · 어웍은 능률적인 행정을 위해 어떠한 나라에서나 적용될 수 있는 보편적인 과학적 원리가 있다고 주장
	행정의 4대 원리	**전문화의 원리** : 작업과정을 세분해서 한 사람이 특정 부문을 담당 → **개인별 분업** **명령통일의 원리** : 한 명의 상관에게 보고하고 지시를 받아야 함 **통솔범위의 원리** : 한 사람이 **통솔가능한 부하의 수**를 거느려야 함(5~6명) **부서편성의 원리** (부성화의 원리) : ① 조직을 편성하는 기준(목적 · 과정 · 대상 · 장소)에 따라 각 부서에게 업무를 부여 ② 부서별 분업
	POSDCoRB (최고관리자 기능)	**Planning(계획)** : 조직의 목표를 정하고 이를 달성하기 위한 방법을 알아보는 것 **Organizing(조직화)** : 조직구성원에게 직무를 부여하고 이에 대한 책임을 지우는 것 **Staffing(인사)** : 사람을 충원하는 것 **Directing(지휘)** : 조직 전반을 이끌어가는 것 **Coordinating(조정)** : 부서와 부서 간의 업무가 유기적으로 연결되도록 노력하는 과정 **Reporting(보고체계)** : 부하와 상관의 보고방식을 정하는 것 **Budgeting(예산)** : 조직의 일에 대해 돈을 배정하는 과정
	기타	① POSDCoRB를 최고관리자가 주도한다는 점에서 최고관리자의 하향적 조직관리기능이라고 함 ② 1937년 브라운위원회(루즈벨트 대통령 소속 위원회)에서 제시한 능률적인 관리활동은 POSDCoRB로 집약할 수 있음 → 귤릭은 브라운위원회의 위원이었음

2 관리주의 학자의 공통된 견해와 한계

공통점	① 인간은 돈과 생리적인 욕구(기본적 욕구)를 중시하는 존재 → 경제인 ② 능률(기계적 능률)과 절약 강조 : 태프트위원회(1910)는 행정관리를 평가하는 기준으로 '절약과 능률' 강조 ③ 능률적으로 생산성을 제고하기 위한 **원리를 발견**하고자 했음 → 📖 어윅 & 귤릭의 4대 원리 등 ④ **조직을 폐쇄체제로 간주** 　• **폐쇄체제 관점** : 조직을 관리할 때 조직 밖의 환경적 요소를 고려하지 않음 → 개방체제와 반대되는 표현 ⑤ 조직과 구성원을 거대한 기계와 이를 구성하는 부품으로 간주(목표를 달성하기 위한 합리적 존재)하고 조직을 일종의 기계장치처럼 설계하려고 했음 ⑥ **공사행정일원론** : 행정은 효율적인 관리 및 집행이기 때문에 행정과 경영이 유사하다는 관점
한계	① 조직 내 **인간에 대한 관심 부족** → 인간은 부품에 불과함 ② 원리를 도출하는 방법과 원리 간의 모순 → **실험을 통해 검증되지 않은 이론** ③ 행정환경이 행정활동에 큰 영향을 줄 수 있음에도 불구하고 **행정환경을 고려하지 않음** ④ 행정부의 정책결정기능 배제 → 능률적인 관리에 초점
기타	① 윌슨(W. Wilson) 등 초기 행정학자들은 능률적인 관리를 위한 관리기술이나 행정의 원리 등을 발견하려는 데 초점을 두고 행정학의 과학성을 강조했으나, 이들이 언급한 법칙은 과학적 검증을 거치지 못한 원리인 까닭에 훗날 사이먼으로부터 원리가 아닌 격언이라는 비판을 받음 ② 결과적으로 관리주의와 관련된 학자들은 과학성이 아닌 기술성에 가까운 특징을 지님 → 이에 따라 관리주의를 기술적 행정학으로 명명하기도 함 ③ 1906년에 설립된 뉴욕시정조사연구소는 좋은 정부를 구현하기 위한 능률과 절약의 실천방안을 제시하고 시정에 대한 과학적 연구를 수행하였음 → 뉴욕시정조사연구소(1906), 태프트 위원회(1910) 등은 과학적 관리기법이 행정에 도입되는 것을 옹호 　• **태프트위원회** : 행정부의 관리개선을 위해 1910년에 미국의 태프트 대통령이 창설한 위원회

3 미국 행정학 성립 이전의 모습 : 미국의 규범적 관료제 모형을 중심으로 📖

1) 미국의 규범적 관료제 모형 : 규범을 정하자마자!

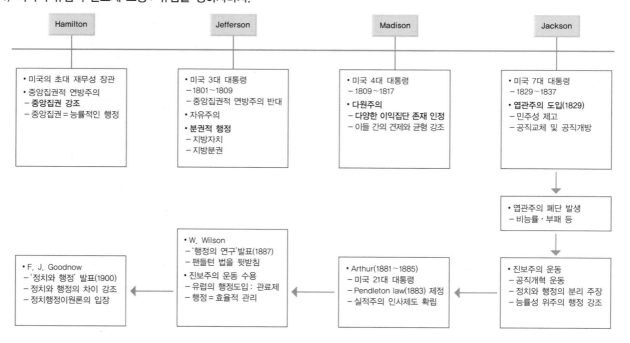

DAY —— 02

2) 기타

미국 정치철학의 변천	① 미국은 건국초기에 지방분권, 즉 민주성을 강조하는 제퍼슨·잭슨철학이 지배하였음 ② **규범적 관료제 모형의 시작**: 해밀턴의 중앙집권적 연방주의 • 미국의 1대 대통령인 워싱턴이 집권하면서 능률적인 행정을 위해 중앙집권적 연방주의가 정치철학이 되었음 → 해밀턴은 워싱턴 대통령 시기에 재무장관을 역임한 까닭에 워싱턴 대통령의 기치를 함께 하였음 ③ 그러나 19세기 이후 제퍼슨–잭슨 철학에 입각한 잭슨 대통령의 엽관주의가 비효율과 부패를 야기하였고, 이를 극복하기 위해 공직개혁운동인 진보주의 운동이 전개되면서 실적주의 인사행정제도 및 정치행정이원론이 등장함 ┌─ 참고 ──────────────────────────────────┐ 과거 시험에서 건국 초기 정치철학을 규범적 관료제로 언급한 경우가 있었으나, 일반적으로는 Hamilton의 연방주의부터 Jackson의 엽관주의까지를 미국의 규범적 관료제 모형이라고 함 └──┘
기타 관리주의 이론 — 페이욜	페이욜은 '일반 및 산업관리론'(1916)에서 최고관리자의 관점에서 경영의 14대 원칙을 밝힘 → 능률적인 관리를 위한 방법을 연구했다는 점에서 Fayol도 관리주의에 속하는 학자로 볼 수 있음
기타 관리주의 이론 — 포드시스템 (동시관리)	① 중단 없는 작업공정인 **이동조립법**(컨베이어 시스템)을 강조하였고, **고임금 저가격**(종업원에게는 높은 임금, 고객에게는 자동차를 저가격으로 제공)을 주장 ② 포드는 경영을 이윤추구의 수단이라기보다 대중에 대한 봉사의 수단이 되어야 한다고 주장하였는데, 이를 인간관계론자들은 '백색사회주의'라고 비판함 → 백색은 자본주의를 의미하며, 백색사회주의는 자본주의를 상징하는 기업이 사회주의를 표방하는 것을 비꼬는 표현 ③ 4대 경영원리로 생산의 표준화, 부품의 규격화, 공장의 전문화, 이동조립법에 의한 작업의 기계화와 자동화를 제시함

Section 02　인간주의　　2 day

- 인간주의와 관리주의는 모두 조직의 생산성과 능률성 향상에 주목함
- 단, 인간주의는 조직구성원에 대한 관심을 통해 조직의 생산성을 높이려는 입장임 → 따라서 '인간'주의로 불림

1 틀잡기

직관적 이해	① 전쟁터의 군인은 인센티브 체계가 아닌 동료 간 형성된 '**전우애**'의 영향을 받음 ② 일선 소방관이 위험한 화재 현장에 뛰어드는 이유를 조직 내 형성된 '**동료애**'로 설명할 수 있음 ③ 스파르타 프로그램·커리큘럼 vs 면학분위기, 선생님에 대한 호불호 등

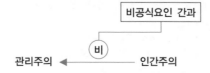

※ **비공식요인**: 공식적인 규칙이나 시스템을 제외한 모든 요인 → 📖 갈등, 동료애, 리더십, 구성원 간 소통 등

2 인간주의에 대하여

1) 의의

등장배경	인간주의는 관리주의 중에서 특히 과학적 관리법에 대한 반작용으로 나타남
개념	① 인간주의는 시스템 설계와 같은 공식적 구조가 아니라 비공식요인에 초점을 두고 생산성 제고를 추구함 ② 인간: 사회심리적 존재 　㉠ 사회적 존재: 인간은 일하는 과정에서 주변 사람의 영향을 받음 　㉡ 심리적 존재: 인간은 자아실현(원하는 일 성취 등)을 통한 심리적 만족감을 중시함 　㉢ 이러한 인간의 사회심리적 요인(비공식요인)은 조직의 생산성을 좌우할 수 있음

2) 관련 학자

메이요 **(Elton Mayo)**	호손실험		㉠ 미국 시카고 교외에 있던 서부 전기회사의 호손공장에서 5년간(1927~1932) 실시 ㉡ 연구의 결론: 비공식 요인 → 생산성↑ ㉢ 누구와 같이 일하고(동료애), 사람의 대접을 받고 있는지 등 조직구성원으로서 어떻게 느끼고 만족하는가(인간은 감정적·정서적 존재)에 따라 조직의 생산력이 결정됨
	연구과정	㉠ 조명실험	조명과 같은 물리적 요인은 생산량과 직접적인 관계가 없었음
		㉡ 계전기 조립실험	작업 중 휴식과 간식의 제공도 생산량과는 직접적인 관계가 없었음
		㉢ 면접실험	종업원이 직무, 작업환경, 감독자에 대해 갖는 감정을 확인함
		㉣ Bank선 작업실험	생산량은 관리자의 일방적인 지시나 종업원의 육체적 능력이 아니라 비공식적으로 합의된 사회적 규범, 동료애 등에 의해 결정됨을 발견
아지리스 **자아실현주의:** **관료제를 수정할 수** **있다는 관점**	① 조직성과는 조직구성원의 심리적 성공감(만족감)에 기인한다고 주장하면서 **인간의 자아실현적 욕구를 내세움** ② 인간의 궁극의 목표는 자아실현이라는 전제하에 조직은 각 개인이 자아실현을 할 수 있도록 개편되어야 함을 강조 → 즉, **조직목표와 개인목표를 일치시켜야 함** ③ 관료제 수정 방안 　㉠ 직무확장: 한 가지 일만 해서 권태에 빠지지 않도록 장려 　㉡ 조직의 평면성 강조: 계층을 적게 하여 상하계층 간 의사소통 활성화		

3) 인간주의의 특징과 한계

특징	① 비공식요인 강조: 비공식 집단, 집단규범(group norm), 리더십, 커뮤니케이션, 참여, 갈등에 대한 내용 등을 연구 ② 평면성을 띤 조직구조 선호: 인간의 사회적 또는 심리적 만족을 확보하기 위해서는 작업과 조직구조와의 관계가 적절히 조정·조화되어야 함 ③ 조직의 목표와 개인의 심리적 욕구 간의 조화를 강조 → 조직의 목표는 개인의 심리적 만족에 기여할 수 있음 ④ 궁극적 목표는 조직의 성과제고: 인간관계론도 과학적관리론과 마찬가지로 그 궁극적인 목표는 조직의 성과제고임
한계	① 인간의 경제적인 욕구를 상대적으로 등한시 함 → 경제적 동기를 경시하고 심리적 만족감과 같은 비경제성을 강조한 나머지 젖소사회학이라는 비판을 받음 　• 젖소사회학(Cow sociology): 만족한 소가 더 많은 우유를 생산하듯 심리적으로 만족한 노동자는 많은 산출을 낼 거라고 주장한 인간관계론을 비판하는 개념 ② 환경과의 상호작용 경시 → 조직을 폐쇄체제로 간주 ③ 세련된 착취: 금전적 대가를 적게 주면서 비공식요인을 중심으로 조직을 관리할 경우 종업원을 착취하기 위한 수단이 될 수 있음 ④ 일부 구성원 간의 폐쇄적 태도 형성: 조직관리에 있어서 비공식 집단의 역할을 지나치게 강조하게 되면 조직구성원의 상호의 존적 성향과 보수성을 초래할 수 있음

<table>
<tr><td rowspan="3">요점정리</td><td>구분</td><td>공통점</td><td>차이점</td></tr>
<tr><td>관리주의</td><td rowspan="2">① 양자 모두 조직의 능률적인 생산성 제고에 관심
② 조직을 폐쇄체제로 간주</td><td rowspan="2">① 능률적 생산을 달성하기 위한 방법: 관리주의는 공식적 구조, 인간주의는 비공식적 요인에 초점
② 인간관: 관리주의는 경제인, 인간주의는 사회심리적 존재</td></tr>
<tr><td>인간주의</td></tr>
<tr><td>기타</td><td colspan="3">① 규범: 강제성은 없으나 조직구성원들이 암묵적으로 지키는 것 → 예 신입사원의 조기 출근
② 규칙: 조직 내 구성원이 강제적으로 준수해야 하는 공식적 절차 → 예 회사내규, 출근시간 등</td></tr>
</table>

Section 03 행태주의(Behaviorism)

2 day

행태주의: 인간행동의 원인을 탐구하려는 연구방법 → 이를 위해 논리실증주의를 활용

1 논리실증주의에 대한 직관적 이해

<table>
<tr><td rowspan="2">틀잡기</td><td colspan="2">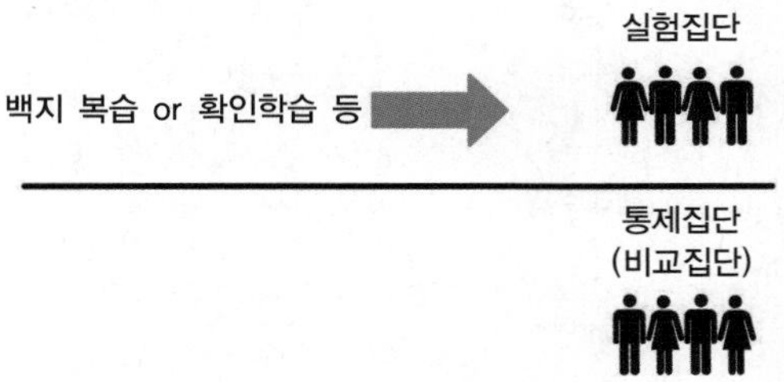
</td></tr>
<tr><td>그림 설명</td><td>① 알고 싶은 것: 어떻게 하면 단기합격할 수 있을까?
② 검증된 이론(보편적 지식): 인출↑ → 학업성취도↑
• 보편적 지식: 모든 지역 · 집단 · 개인에게 적용되는 지식
③ 가설도출: 백지복습이나 다양한 방식의 문제풀이를 하면 시험성적이 빨리 오를 수 있을까?
④ 실험</td></tr>
<tr><td>개념</td><td colspan="2">① 검증된 이론으로부터 가설을 도출(연역)하고 실험을 통해 이를 검증(귀납)하여 새로운 지식을 형성하는 자연과학식 연구방법(기계적 과학관) → 비엔나 학파에서 시도한 사회현상의 과학적 연구방법론
② 사회과학 = 자연과학</td></tr>
</table>

2 행태주의 틀잡기 및 등장배경

틀잡기	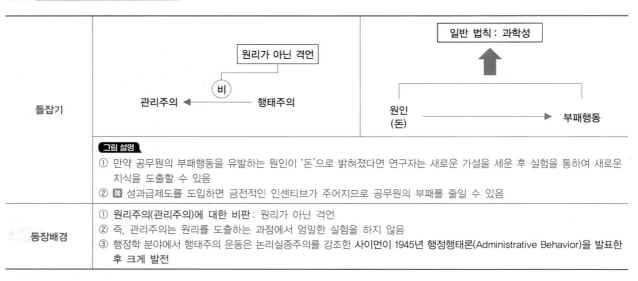
	그림 설명 ① 만약 공무원의 부패행동을 유발하는 원인이 '돈'으로 밝혀졌다면 연구자는 새로운 가설을 세운 후 실험을 통하여 새로운 지식을 도출할 수 있음 ② **예** 성과급제도를 도입하면 금전적인 인센티브가 주어지므로 공무원의 부패를 줄일 수 있음
등장배경	① 원리주의(관리주의)에 대한 비판: 원리가 아닌 격언 ② 즉, 관리주의는 원리를 도출하는 과정에서 엄밀한 실험을 하지 않음 ③ 행정학 분야에서 행태주의 운동은 논리실증주의를 강조한 사이먼이 1945년 행정행태론(Administrative Behavior)을 발표한 후 크게 발전

3 특징

<table>
<tr><td rowspan="7">과학성</td><td rowspan="3">사실연구 강조</td><td colspan="2">구분</td><td colspan="2">행정학의 연구 분야</td></tr>
<tr><td colspan="2"></td><td>가치</td><td>사실</td></tr>
<tr><td colspan="2">행태주의</td><td>① 연구 분야가 있다는 건 인정
② 주관적인 연구가 될 가능성이 크므로 연구에서 배제
③ 주로 정부의 방향성 관련 연구 분야
③ 예 정의·형평이란 무엇인가?</td><td>① 검증이 가능한 객관적 영역의 연구
② 사이먼은 사실연구를 강조
③ 예 행동(의사결정 등)의 원인탐구</td></tr>
</table>

	표 설명	사이먼은 행정학의 연구분야를 가치(검증이 어려운 분야: 주관적 연구영역)와 사실로 구분하고 연구의 초점은 '사실'의 분야(검증이 가능한 분야: 객관적인 연구영역)가 되어야 함을 주장
	행동 중 의사결정에 주목	① 인간의 행동은 태도, 의견, 개성, 의사결정 등 다소 포괄적인 개념 ② 사이먼은 의사결정을 중요한 행동으로 생각하고 의사결정의 원인을 집중적으로 연구 ③ 의사결정은 곧 표면적인 행동으로 표출되기 때문에 의사결정 연구를 강조한 것
	논리실증주의 활용	사이먼은 인과관계를 도출하는 과정에서 자연과학식 연구방법인 논리실증주의를 적용
	계량적 연구	사회현상은 추상적인 개념이 많은 까닭에 행정학의 연구방법이나 설명에 있어서 **계량화(개념의 조작화)**, 확률적 설명에 기초
다양한 학문 활용		사이먼은 태도, 의견, 개성 등의 개념을 정의하기 위해 다양한 학문을 활용
방법론적 개체주의		① 조직구성원의 행동원인을 규명하면 이를 바탕으로 행정현상을 설명할 수 있다는 관점 ② **방법론적 개체주의**: 현상을 구성하고 있는 일부분을 분석 후 전체를 설명하려는 접근
정치행정 새이원론		① 사이먼은 행정이 어느 정도의 결정을 한다는 건 인정함 → 행정현상 중 가치판단적인 요소의 존재를 인정 ② 그러나 과학적인 지식을 만들기 위해 가치와 사실을 구분하여 사실연구에 초점

4 한계와 기타내용

한계			① 가치연구 배제 : 행정현상은 가치의 영역을 포함할 수밖에 없음에도 불구하고 이를 배제 ② 가치를 배제하면 행정의 방향성을 상실할 수 있고 이는 행정의 사회문제해결 능력을 저해할 수 있음 ③ 폐쇄체제적 관점 : 인간의 행동을 설명하는데 있어서 환경적 요인을 고려하지 못한 폐쇄체제적 관점을 취함
기타	인간 행동	행태	① 조건반사적 행동 ② 행태주의는 인간의 행태를 연구 : 인간의 행동은 태도, 의견, 개성 등 특정 질문에 따른 반응을 통해 파악할 수 있는 포괄적인 개념인데, 이는 연구자의 가치(주관적 정의)가 내포된 요소임 ③ 다만 태도, 개성 등은 심리학자 등에 의해 검증된 개념이므로 사이먼은 이를 연구에 활용해도 문제가 없다고 보았음
		행위	① 의미가 담긴 행동 ② 예 장례식장에서 국화를 헌화하는 것 → 국화는 '감사'의 의미를 담고 있음
	읽어 보기		① 인간주의는 실험을 통한 결론을 만들어냈으므로 행태과학 연구를 촉발하였음 ② 행정학에서 과학성을 주장한 학자 : 사이먼, 다알, 버나드 참고 　버나드는 부하들의 명령 수용 여하에 따라 상관의 권위는 인정·확인되는 것이라고 하면서 조직관리를 위해 조직 내 인간적·사회적 측면을 강조 ③ 행태주의를 주장한 사이먼은 행정의 격언(The proverbs of Administration, 1946)에서 관리주의에서 언급한 원리는 원리가 아니라 격언에 불과하다고 비판함 → 행정과학의 적실성 논쟁 ④ 행태주의는 사회과학이 행태에 공통된 관심을 갖고 있기 때문에 결국 통합된다고 보고 있음 → 사회과학에서는 결국 행태연구가 중요하다는 것

Section 04 ｜ 후기행태주의(Post-Behaviorism)

● 2 day

1 틀잡기

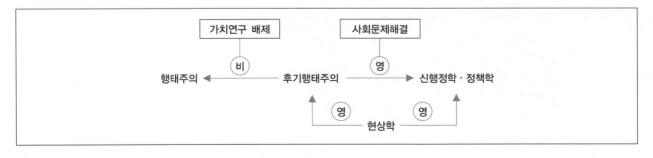

2 의의

등장배경 : 행태주의 비판	① 행태주의의 가치연구 배제 → 행태주의는 행정이 나아가야 할 방향성을 제시하지 못함 ② 이에 따라 행태주의는 미국행정의 '격동기'를 해결하지 못함 → 흑인폭동 혹은 월남전 참전 반대운동 등 ③ 후기행태주의는 이러한 현상을 해결하기 위해 적실성·처방성 등을 강조하면서 등장
개념	① 과학주의·실증주의에 기반한 행태주의에 대한 반발적인 1960년대 후반 이후의 학문적 사조 ② 사회문제 해결 강조 : 정치학자 David Easton(이스턴)은 '정치학의 새로운 혁명'을 위하여 후기행태주의를 선언하였고 후기 행태주의의 성격을 '적실성의 신조(credo of relevance)'와 '실행(action)'이라고 주장 ③ 사회문제해결을 강조하는 후기행태주의는 신행정론이나 정책학의 발전에 기여

3 특징

사회문제해결
강조
		① 현실적합적·처방적·실천적 연구 : 가치중립적·실증적·과학적 연구에 치우치지 않고 사회문제 해결을 위한 정책적인
		  관심과 가치연구에 집중
		② 사회문제를 해결하기 위해서는 사실판단(fact)과 가치판단(value)을 종합한 연구가 필요한데, 후기행태주의는 이 중에서
		  특히 가치영역에 대한 연구를 강조 → 가치평가적인 연구 지향
		③ 사회문제해결을 위한 방향성 제시 : 후기행태주의는 절약과 능률이라는 전통적 행정가치를 부정하지는 않음 → 다만, 이러한
		  전통적 가치를 보완하기 위하여 빈곤과 불평등 및 불의에 대한 윤리적 관심 및 정책결정의 기준으로서 **사회적 형평성** 등을
		  강조

현상학 활용
(가치연구에 적용)
	직관적 이해	
		현상학 : **현상을 연구하는 학문**
		
		  → 인간의 행동 中 행위(의미가 포함된 행동) —— 의미해석(맥락 고려)
		
		  —— 인간이해 —— 방향성 제시 및 문제해결

	그림 설명	① 현상학이란 사회현상을 연구함에 있어서 외면적으로 표출된 객관적 현상이 아닌 인간행동의 '내면의
		  의미'를 파악하려는 것으로 반실증주의 연구방식(행태주의 비판)을 의미함
		② 맥락을 고려하여 행동에 내재된 의미를 파악하게 되면 인간을 이해하게 되고, 이는 정책의 방향성을
		  제시하는 데 도움이 된다는 것 → 이러한 과정을 통해 정부는 사회문제를 해결할 수 있음
		③ 현상학은 '가치'의 영역을 연구하는데 적합한 이론이므로 후기행태주의와 후기행태주의를 받아들인
		  신행정론에서도 현상학을 중요한 연구방식으로 활용

기타		■ **행정관료의 재량이 증가한 이유** ① 자본주의 발달 혹은 대공황 이후 복잡한 사회문제의 등장 ② 행정문제의 전문화 등

| Section 05 | 신행정학과 현상학 | 2 day |

DAY

02

1 신행정학

틀잡기	

가치연구 배제 　　　　　 사회문제해결

비 　　　　　　　 영

행태주의 ← 후기행태주의 → 신행정학 · 정책학　　　후기행태주의 = 신행정학

영 　　 현상학 　　 영

등장배경		① 미노브룩 회의 : 1968년 9월 D. Waldo(왈도)를 중심으로 미국의 젊은 행정학자들이 **미노브룩(Minnowbrook)** 학술회의에서 격동기를 해결하지 못하는 기존의 행정학에 대하여 비판 ② 즉, 논리실증주의에 기초한 행태주의 비판 → 행정학의 새로운 방향을 제시
신행정학의 기본 입장	문제해결 강조 (기술성 강조)	① 신행정학은 후기행태주의의 영향을 받아서 연구의 **실용성 및 현실적합성**을 주장 ② 이를 위해 사람들의 행동을 깊이 있게 이해하려고 노력하자는 관점 ③ 실증주의(행태주의)에 대한 비판 위에서 **현상학** 등에 바탕을 두고 현실 문제를 해결하고자 함
	문제해결을 위한 노력	① 규범이론(가치 혹은 방향성 제시), 국정철학, 행동주의(실천주의), 사회적 관심 및 타당성(사회적 관심에 주목), 고객 중심의 행정(국민요구 중시), 행정의 대응성, 사회적 형평, 조직의 인간화(인간의 부품화 반대) 등 ② **시민참여** 강조 ③ 사회문제해결을 위한 적극적 정부활동을 인정하기 때문에 **정치행정일원론**에 가까운 입장
관련 학자	왈도	① 행태주의의 결정적 결함이란 가치와 당위의 배제임 → 행정의 규범적인 성격과 가치지향성을 강조 ② 행정에는 사회문제해결을 위해 권위(정부의 적극적 문제해결)가 필요하지만 민주주의(민주성)를 증진 해야 한다는 전제를 배제할 수 없다고 보았음 → 즉, Waldo는 「행정국가론」에서 행정이 가치중립적이라는 행태주의를 비판하고 민주주의의 강화를 위한 능동적이고 가치지향적 관점으로 행정을 재정의하였음
	마리니	현실적합성이 있는 행정학, 후기행태주의, 탈관료제와 같은 새로운 조직모형(평면화 · 분권화 등), 고객중 심주의 등을 제시
	프레데릭슨	왈도 등과 함께 가치중립적인 행정은 존재할 수 없으며, 행정의 기본사명은 **사회적 형평**의 확보라고 주장 → 미국의 격동기 시절 인종차별 문제를 지적한 것
	하몬	① 해석사회학(행위의 의미를 이해 및 해석), 현상학, 상징적 상호작용주의(조직 내 인간은 행동에 의미, 즉 상징을 주고 받으면서 의사소통) 및 반실증주의(행태주의 비판) 입장에서의 행정을 강조 ② 행정의 책임 및 시민의 요구에 대한 적극적인 반응을 강조함(사회문제 해결을 위한 정부의 적극적인 역할 강조)으로써 가치지향적 행정을 주장

2 현상학 cf

1) 틀잡기 및 등장배경

틀잡기	형이상학 ← 비경험주의 연구 / 비 / 현상학
등장배경	① 20세기 독일철학자 Edmund Husserl(후설) 중심의 철학운동 ② 후설은 기존 철학의 비생산적인 사색에서 벗어나 철학을 경험과학으로 재정립하고자 했음 → 즉, 기존 철학이 형이상학적인 주제에 집착하고 있다고 비판함

2) 특징

① 현상으로써 행위(Action) 연구(방법론적 개체주의 관점)

행위연구		㉠ 행동에 포함된 의미를 파악하는 데 주력 → 행동에 내재된 의미는 인간이 만들어 낸 것(구성주의 관점) ㉡ 현상학은 인간의 의도된 행위(action)와 표출된 행위(behavior)를 구별하고, 정작 관심을 기울여야 할 분야는 의도된 행위임을 강조 → 인간행위의 가치는 행위가 산출한 결과(표출된 행동)보다 행위 안의 의미에 있음 ㉢ 사회과학 ≠ 자연과학 → 행태주의는 사회과학과 자연과학은 크게 다르지 않다는 관점
해석학적 방법 (상세한 기술)	행동해석 (맥락고려)	인간행동의 의미를 알기 위해서는 현상을 분해하기 보다(개체적인 분석 ×) 행동을 둘러싼 맥락을 파악한 후에 종합적으로 행동을 해석해야 함
	편견개입 지양	㉠ 연구자는 행동을 해석할 때 기존의 관찰이나 믿음에 영향을 받지 않기 위해 '괄호 안에 묶어두기' 또는 '현상학적 판단정지'를 해야 함 ㉡ 즉, 겉으로 드러난 현상을 보고 성급한 판단을 내리지 않는 것
	가치와 사실 구분×	인간의 행동(사실) 안에 의미(가치 = 주관)가 있다고 간주
	선험적 관념론	인간의 마음·주관을 배제한 실증론을 지양하고 인간의 의식작용을 설명하는 선험적 관념론을 지향
인본주의적 성격		㉠ 인간이 담은 의미를 제대로 파악하면 인간을 이해할 수 있고, 이는 정책의 방향성을 제시하는 데 도움을 줄 수 있음 ㉡ 현상학은 인간에 대한 이해를 중시한다는 점에서 인본주의적인 성격을 지님

② 현상학에서 바라보는 조직 ⇨ 관료제 비판

인간의 부품화 비판	조직 : '의미'의 집합체	㉠ 조직은 간주관적으로 공유된 의미(상호주관성)의 집합으로 간주 ㉡ 즉, 조직은 행위자들의 의미있는 상호작용의 활동으로 구성됨 ㉢ 조직의 중요성은 겉으로 나타난 구조가 아니라 그 안에 있는 의미 및 행동(actions)에 있음 ㉣ 조직은 인간의 산물이기 때문에 그 안에서 주고받는 사회적 의미가 인간의 상호작용에 의해서 끊임없이 수정되고 변형됨
	탈관료제 강조	㉠ 현상학에서 선호하는 조직구조는 커크하트의 연합적 모형(consociated model)의 형태를 지향 → 인간의 부품화를 야기하는 Weber의 이념형 관료제에 대한 반작용 ㉡ 현상학에서 바라보는 조직은 조직구성원이 능동적인 사고를 통해 의미를 부여하도록 노력하는 바 조직이 개인의 사고방식을 통제하는 것을 지양함 → 즉, 인간은 능동적·사회적 자아를 지녔기 때문에 조직의 탈물화 지향
	용어정리	간주관성(intersubjectivity) : 구성원 간 주관적인 생각을 소통하는 과정에서 형성된 공통 견해

3) 현상학에 대한 비판과 기타내용

비판	주관적 연구	이해나 공유 등의 개념을 중시하지만, 이에 대한 내용이 주관적이고 사변적임
	행태연구 간과	인간의 모든 행위는 의식과 의도의 산물이라고 가정하고 있으나, 수동적인 경우도 많음
	미시적 연구	① 개별적인 인간행위와 개인 간의 상호작용의 해석에 역점을 두기 때문에 그 접근방법이 미시적임 ② 조직 내의 개별적 행위에 대해서는 설명력이 높지만, 조직의 전체성을 파악하는 데에는 미약함
기타	커크하트의 연합적 모형 (유기적 구조· 탈관료제)	① 작업의 기초단위는 프로젝트 팀 ② 권위구조는 다양한 권위유형에 의존함으로써 고정된 계층구조를 내포하고 있지 않음 → 권한체계의 상황적응성 ③ 사회적 인간관계는 항시 개방적임 ④ 이러한 조직구조는 분권적이고 의사소통을 촉진하는 바 조직 내 인간이 행동에 의미를 부여하고 공유할 수 있음 ⑤ 작업의 능률성을 제고하기 위해 컴퓨터를 활용

DAY ─ **03**

Section 06　　공공선택론

● 3 day

1 틀잡기

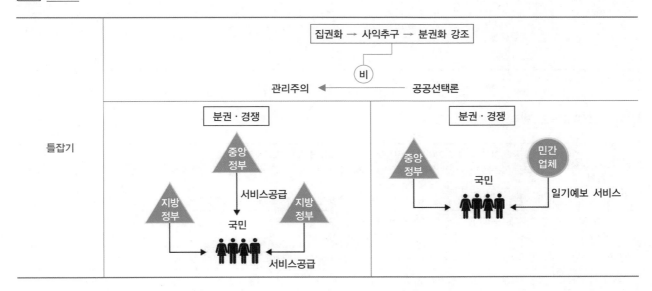

2 의의와 목적

등장배경	① 본래 뷰캐넌, 털럭, 니스카넨 등 경제학자들이 창시했으며, 정부실패가 발생한 후 Ostrom(오스트롬)이 '미국 행정학의 지적 위기'(1973) 출간을 통해 행정학의 정체성 위기를 지적하고 공공선택론의 관점을 행정학에 적용 ② 오스트롬은 윌슨·베버리안의 집권적 능률성 패러다임에 대항하여 서비스 공급에서 관할권의 중첩(분권과 경쟁)을 도입하여 민주행정 패러다임을 제시 ③ 정부는 공공재의 생산자, 시민들은 소비자라고 가정할 때, 집권적 의사결정 구조는 정부의 사익추구 수단으로 작용할 수 있는바 집권적 구조는 공공재 공급에 대한 소비자의 선호를 반영할 수 없음
연구대상	비시장영역(행정부, 국회, 시민사회 등)에서 일어나는 의사결정을 경제학적으로 접근하고 연구
목적	공공서비스의 공급에 있어서 국민의 선호를 반영하여 국민의 선택권을 확장하는 것

3 국민의 선택권을 보장하기 위한 오스트롬 부부의 제안 : 분권과 경쟁체제 ☑

오스트롬 부부의 주장	관할의 중첩 허용 (분권과 경쟁)	능률적인 서비스 공급과 민주행정 실현(국민의 선택권 반영)을 촉진할 수 있음	
	공공부문의 시장경제화	수익자부담주의	돈을 내는 사람에게 공공서비스 공급 → 정부의 불필요한 지출을 방지
		바우처시스템	소비자의 선택권 보장
분권적 구조의 예시	대리정부제도	정부를 대신해서 서비스를 공급할 수 있는 조직을 마련하는 것	
	연합적 기업조직	다수의 참여에 의한 의사결정을 중시하는 조직	
	다조직적 조정	공공부문과 민간부문의 다양한 조직에 의한 공공재 생산	
	공동생산	① 서비스 공급을 위한 시민공동체 구성 → 정부조직과 공동생산하거나 서비스 생산과정에 참여 ② 서비스 공동생산은 공공과 민간부문이 협력적 분업관계를 형성하여 공공서비스를 함께 생산하는 방식이며 넓은 의미의 민간화임 ③ 서비스 수요자는 시민공동체의 공동사업 서비스에 대한 이용료를 지불함	

4 공공선택론의 일반적인 특징

이기적인 인간을 가정 (경제학적 인간관)	① 모든 인간은 자신의 이익을 추구하며 이익을 극대화하기 위해 노력함 ② 모든 인간은 합리적인 존재 : 각 대안에 대해 등급을 매길 수 있음 → 대안 간 우선순위를 정하는 과정에서 정보의 수준에 따라 인간의 결정행위가 달라질 수 있음 ③ 정치인도 이기적인 인간이므로 정치를 합리적 개인 간의 자발적 교환작용으로 간주
방법론적 개체주의	① 현상을 구성하는 일부분을 분석한 후 현상을 설명하는 접근 ② 공공선택론은 인간에 대한 분석으로부터 현상을 설명함
연역적 접근	참인 명제로부터 또 다른 명제를 도출 → 인간은 이기적 존재이므로 분권적 제도를 강조
경제학적 접근	공공선택론을 처음으로 주장한 것은 경제학자이며, 이들은 경제수학을 활용하여 현상을 설명함
분권화된 제도 강조	① 집권적인 제도는 사익을 추구하기 쉬운 까닭에 분권적인 제도를 선호 ② 즉, 제도적 장치를 통해 현상을 해결할 수 있다고 주장하기 때문에 공공선택론은 정치·행정현상과 제도의 상호작용을 연구
신제도주의 경제학	공공선택론이 제도를 중시한 점과 경제학을 활용했다는 면에서 공공선택을 신제도주의 경제학이라고 부르는 견해도 있음
시장기제 도입	능률성을 강조하기 때문에 형평성을 추구할 수 있는 국가의 역할을 경시함
정치행정일원론	① 1973년(정부실패 시기)에 오스트롬이 행정학에 도입한 까닭에 시장과 정부 모두 불완전한 수단임을 인정 ② 따라서 공공선택론은 정치행정일원론을 인정하면서도 큰 정부를 지양함 ③ 정치행정일원론 입장에서 공공서비스의 민주성(국민의 선택권 보장)과 효율성의 조화를 추구

5. 공공선택론에 대한 비판

분권화로 인한 문제	① 행정 내에서 관리와 조정을 어렵게 함 ② 분권화를 지향하는바 수준 높은 시민을 전제로 함
인간에 대한 단순한 가정	인간에 대한 단순한 가정으로 인해 현실적합성이 낮음 → 인간은 경제적 이해관계로만 움직이지 않음
형평성 문제	① 공공선택론은 수익자 부담주의와 같은 시장기제 적용을 찬성하는 까닭에 경제력이 있는 집단을 위한 이론임 　→ 역사적으로 누적 및 형성된 개인의 기득권을 옹호하기 위한 접근 ② 능률성을 중시하는바 정부활동의 성과를 지나치게 시장적 가치로 환원하려는 경향이 있음

6. 기타

공공정책의 확산효과 강조	개념	① 특정 지역에서 나타나는 현상이 다른 지역에 확산되거나 영향을 미치는 현상으로써 정부실패의 원인 중 파생적인 외부효과와 유사한 개념 ② 공공선택이론은 공공재와 공공서비스가 시민에게 큰 영향을 끼칠 수 있음을 인정하며, 공무원의 사익추구가 공공정책의 확산 효과를 일으킬 수 있음을 강조
	예시	법인세의 감면을 시행할 경우 노동자 고용을 촉진할 수 있으나 정부가 사회복지사업에 쓸 수 있는 재원은 감소할 수 있음
대리정부제도 (Kettel)	개념	정부가 결정한 정책을 실행에 옮기는 다양한 준정부조직 또는 비정부조직
	특징	① 대리인을 통해 서비스를 공급하기 때문에 정보의 왜곡현상이 발생할 수 있음 ② 대리정부의 형태가 다양하므로(책임운영기관, 민간위탁 등) 행정관리자의 전문적 리더십(위탁 혹은 위임업무에 대한 지식)이 중요함 ③ 시민 개개인의 행동이 정부정책의 성과를 결정하기 때문에 높은 시민의식 하에 대리정부에 대한 시민의 통제가 중요함 ④ 외부 조직을 제대로 관리하지 못할 경우, 자원의 낭비와 남용이 발생할 수 있음

7. 공공선택론을 활용한 모형들

1) 틀잡기

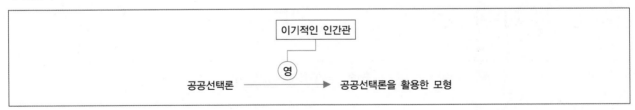

2) 뷰캐넌과 털럭의 적정참여자 모형 ⓒ

개념	정책결정에 있어서 최적의 참여수준을 찾으려는 모형
내용	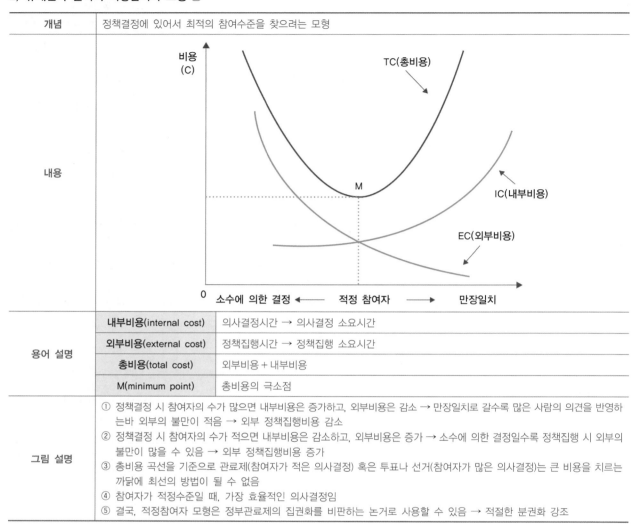

용어 설명	내부비용(internal cost)	의사결정시간 → 의사결정 소요시간
	외부비용(external cost)	정책집행시간 → 정책집행 소요시간
	총비용(total cost)	외부비용 + 내부비용
	M(minimum point)	총비용의 극소점

그림 설명	① 정책결정 시 참여자의 수가 많으면 내부비용은 증가하고, 외부비용은 감소 → 만장일치로 갈수록 많은 사람의 의견을 반영하는바 외부의 불만이 적음 → 외부 정책집행비용 감소 ② 정책결정 시 참여자의 수가 적으면 내부비용은 감소하고, 외부비용은 증가 → 소수에 의한 결정일수록 정책집행 시 외부의 불만이 많을 수 있음 → 외부 정책집행비용 증가 ③ 총비용 곡선을 기준으로 관료제(참여자가 적은 의사결정) 혹은 투표나 선거(참여자가 많은 의사결정)는 큰 비용을 치르는 까닭에 최선의 방법이 될 수 없음 ④ 참여자가 적정수준일 때, 가장 효율적인 의사결정임 ⑤ 결국, 적정참여자 모형은 정부관료제의 집권화를 비판하는 논거로 사용할 수 있음 → 적절한 분권화 강조

3) 티부가설 : 실험을 통해 검증되지 않음

① 주요 내용

틀잡기	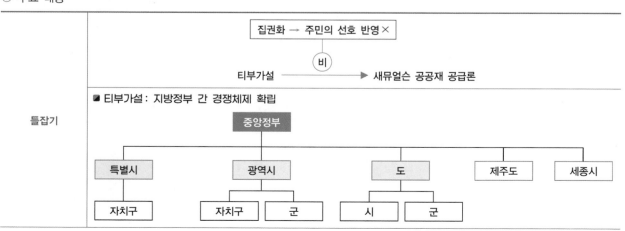

의의	등장배경	⊙ 티부가설은 새뮤엘슨의 중앙정부 차원의 적정 공공재의 공급이론에 대한 반론임 ⓒ 새뮤얼슨의 주장: 주민의 선호를 파악하기 힘든 까닭에 중앙정부가 통일적인 서비스를 공급해야 함 ⓒ 티부가설은 주민의 선호를 파악할 수 있는 방법을 제시하면서 새뮤얼슨을 비판
	개념	⊙ 다수의 소규모 지방정부 간 경쟁체제 확립 강조 ⓒ 중앙정부가 적극적으로 개입하지 않아도 주민의 선호를 반영한 서비스를 지방정부가 적절하게 공급할 수 있다는 것 ⓒ 주민의 선호를 파악하는 방법: 발로하는 투표(vote by foot) → 지방정부 간 주민의 이동
전제 조건	자유로운 이동	주민들의 지방정부 간 이동이 자유로워야 함
	다수의 지방정부 존재	다수의 지방정부가 국가 내에서 경쟁체제를 형성해야 함
	지방정부의 정보공개	각 지방정부는 주민에게 서비스의 종류, 재정상태 등 정보를 공개해야 함
	외부효과의 부재	외부효과가 있다면 주민이 이동하지 않아도(발로 투표하지 않아도) 서비스 혜택을 누릴 수 있기 때문임
	주민선택권	주민은 지방정부를 선택할 수 있음
	정부자치권	지방정부는 주민의 의사에 따라 반응할 수 있는 자치권을 보유하고 있어야 함
한계		시민의 완전한 이동성과 완전한 정보는 현실에서 불가능하며, 열악한 재정을 가진 지방정부는 서비스를 공급하기 불리한 까닭에 지역 간 형평성을 저해할 수 있음

② 기타내용

지방정부의 재원: 재산세		① 티부가설에서 지방자치단체의 주된 재원은 재산세임 ② 이는 각 지방정부에 비슷한 재산과 소득을 가진 사람이 모여 살게 된다는 것을 의미함
주민은 배당수입에 의존함	직관적 이해	재산세 주민 ◄─────► 지방정부 공공서비스: 배당수입
	그림 설명	⊙ 주민은 배당수입에 의존하여 생활해야 함 → 즉, 공공서비스 유형이 지방정부 선택에 있어서 가장 중요한 요소임 ⓒ 참고 배당수입: 이자 혹은 투자로 인한 배당금 등
고정적 생산요소의 존재		모든 지방정부에서는 최소한 한 가지 고정적인 생산요소(공공서비스)가 존재함
최적 규모의 추구		⊙ 모든 지방정부는 자신의 최적 규모를 추구함 ⓒ 즉, 자신의 최적 규모보다 작은 지방정부는 서비스 생산을 위한 평균비용을 감소시키기 위하여 더 많은 주민을 유인하려 할 것이고, 자신의 최적 규모보다 큰 지방정부는 주민을 감소시키려 할 것임
규모수익불변의 생산기술		⊙ 공공재 생산과 관련된 기술이 규모수익불변(constant returns to scale)의 특성을 갖는다고 가정하는 것 ⓒ 만약 규모가 커짐에 따라 비용이 감소하는 규모의 경제가 존재한다면 규모가 큰 소수의 지방정부만이 존재하는 상황이 나타나 경쟁체제의 성립이 어려워짐
변하지 않는 서비스 생산비용		규모의 경제가 없다고 전제하는바 각 지방정부의 서비스 생산을 위한 단위당 평균비용은 변하지 않고 동일함

4) 니스카넨 예산극대화 가설

① 의의

등장배경	니스카넨은 미국 국방성 관료들의 예산극대화 행동을 연구하여 정부실패의 근거를 찾음
내용	㉠ 니스카넨에 따르면 **공무원의 권력은 예산의 규모에 따라 결정되기 때문에 관료들은 권력의 극대화를 위해 자기 부서의 예산극대화를 추구** ㉡ 한편, 정치인은 효용(만족·이익)을 극대화하기 위해 사회후생(주민의 만족)의 극대화를 추구 → 이는 관료의 효용을 예산이 결정한다는 것과 대조되는 현상으로써 관료의 목적함수와 정치인의 목적함수는 근본적으로 다르다는 것을 의미 ㉢ 행정부는 의회가 요구하는 것을 집행하므로 **양자는 쌍방독점의 관계임** → 단, 정책을 직접 집행하는 행정부가 의회에 비해 많은 정보를 보유하므로 관료제는 의회가 원하는 것 이상으로 정부의 예산을 확대할 수 있음

② 주요 내용

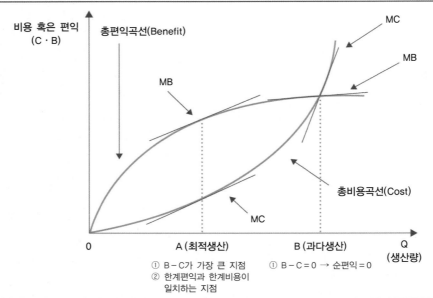

① B − C가 가장 큰 지점
② 한계편익과 한계비용이 일치하는 지점
① B − C = 0 → 순편익 = 0

그림 설명	㉠ 순편익(주민에게 돌아가는 순편익) = 총편익 − 총비용 ㉡ 공무원의 이익은 예산 규모에 따라 결정되는 까닭에 관료는 총편익 곡선과 총비용 곡선이 교차하는 지점인 B(순편익 = 0)에서 예산결정(서비스의 생산량 결정) → 관료의 생산량은 사회가 요구하는 수준보다 과다생산 지점에서 결정되며, 이는 예산의 낭비를 초래함(정부실패) ㉢ 반면에 정치인의 이익은 재선 여부가 결정하는 바 의원은 가급적 주민에게 큰 순편익을 제공하려는 유인이 있음 → 이에 따라 **정치인은 순편익이 가장 큰 지점인 A(최적생산 지점)에서 서비스의 생산량(예산의 규모)을 결정하게 되며, 순편익이 가장 큰 지점에서 한계편익과 한계비용은 일치함** ㉣ 한계비용과 한계편익, 그리고 순편익의 관계 : 어떤 생산을 추가로 하나 더 할 때 한계편익이 한계비용보다 크다면 그 활동을 계속해야 함 → 이는 한계편익과 한계비용이 일치하는 지점까지 생산량을 증가시켜야 한다는 것이며, 해당 지점에서 생산자는 이윤극대화, 즉 최대 순편익을 달성할 수 있음
용어정리	

용어정리	한계비용 (Marginal cost)	물건을 한 단위 추가로 생산할 때 드는 비용 → 총비용 곡선에 접한 기울기의 크기(한계비용은 한 단위 추가할 때마다 증가함)
	한계편익 (Marginal benefit)	물건을 한 단위 추가로 생산할 때 증가하는 편익 → 총편익 곡선에 접한 기울기의 크기(한계편익은 한 단위 추가할 때마다 감소함)
	총비용(Cost)	특정 서비스를 일정량 생산 후 발생한 누적 비용
	총편익(Benefit)	특정 서비스를 일정량 생산 후 발생한 누적 이익
	순편익	주민에게 돌아가는 순편익 : 총편익 − 총비용

5) 던리비 관청형성모형

① 관청형성모형에 대한 이해

틀잡기	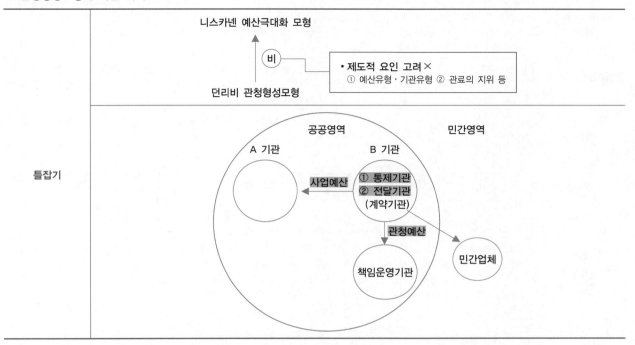

② 등장배경 및 예산극대화 저해요인

등장배경	⊙ 니스카넨은 관료들의 합리적 선택을 제약할 수 있는 구조적 측면(관료의 지위나 기관의 성격 등)을 고려하지 않고, 관료들의 합리적 선택행위로만 관료제를 분석하여 '예산극대화의 결론'을 도출 ⓒ 반면에 관청형성모형은 관료들의 합리적 선택을 인정(이익을 추구하는 존재)하면서도, 그들의 선택행위를 제약할 수 있는 제도를 고려함
예산극대화 저해 요인	**집단행동 딜레마** ⊙ 던리비에 따르면 예산극대화 전략은 관료들의 개인적인 전략(⑩ 승진, 업무평가에서 높은 점수획득 등)이 아니라 집단적인 전략(⑩ 부서의 예산극대화)에 속함 → 합리적인 관료는 부서의 예산증대 보다 개인의 승진 등이 중요하다고 생각할 뿐만 아니라 노력 대비 실현 가능성이 크다고 여김 ⓒ 따라서 예산극대화와 관련하여 개별 관료는 '무임승차'하고자 하는 욕구를 가질 수 있으며 이는 전체적으로 봤을 때 예산극대화 동기를 저해하는 요인으로 작용함

	집단행동 딜레마	⊙ 던리비에 따르면 예산극대화 전략은 관료들의 개인적인 전략(⑩ 승진, 업무평가에서 높은 점수획득 등)이 아니라 집단적인 전략(⑩ 부서의 예산극대화)에 속함 → 합리적인 관료는 부서의 예산증대 보다 개인의 승진 등이 중요하다고 생각할 뿐만 아니라 노력 대비 실현 가능성이 크다고 여김 ⓒ 따라서 예산극대화와 관련하여 개별 관료는 '무임승차'하고자 하는 욕구를 가질 수 있으며 이는 전체적으로 봤을 때 예산극대화 동기를 저해하는 요인으로 작용함
예산극대화 저해 요인	**관료의 지위와 예산의 유형**	⊙ 중·하위직 관료 : 기관 자체의 운영비(봉급)와 같은 '핵심 예산'의 증대에 관심을 가짐 ⓒ 고위직 관료 : 책임운영기관이나 민간부문에 지출하는 '관청예산(영향력↑·책임 ×)'은 증대하려고 하지만, 다른 정부 관청으로 이전되는 자금인 '사업예산(영향력↑·책임 ○)'의 경우 예산극대화 동기가 나타나지 않음
	기관의 유형	사업예산을 다루는 통제기관은 예산극대화 동기가 발생하지 않지만, 핵심예산이나 관청예산과 직결된 기관은 예산극대화 동기가 나타남

③ 결론

면피 선호	⊙ 예산극대화 동기는 전체 예산액 중 단지 일부분에만 관련되는바 **고위직 관료들**은 금전적인 효용보다는 업무와 관련된 효용(영향력↑·책임 ×)을 추구할 수 있음 → 예를 들어, 권력의 중심에 접근해 있는 부서에서 **참모 기능수행을 원함** ⓒ 혹은 자신의 권한을 증대하면서 책임은 회피할 수 있는 다양한 하위조직을 증가시킴(⑩ 책임운영기관 증대)
기타	⊙ 던리비에 따르면 관청형성이 관료의 효용을 극대화하며, 이러한 과정에서 조직이 전체적으로 분권화되는 경향이 발생함 ⓒ 관료의 권력 증대로 만들어진 책임운영기관은 정부팽창의 은폐수단 혹은 민영화의 회피수단으로 활용될 수 있음 → 즉, 책임운영기관은 공공성이 강한 분야에 적용하므로 민영화를 할 수 없다는 논거로 설치될 수 있음

6) 기타 모형

지대추구론 **(털럭)**	① 지대추구(로비)에 의해 정부가 기업이나 이익집단의 포로가 되면 정부는 공익이 아닌 사익을 위해 정책이나 공공서비스를 공급함 → 이로 인해 정부실패가 발생할 수 있음 ② **지대**: 정부의 특정 정책을 통해 경제주체를 보호하는 경우 발생하는 혜택 → 예컨대, 어떤 규제정책을 통해 중소기업만 진입할 수 있는 시장을 만들면 중소기업은 특혜를 받는 위치에서 경영을 할 수 있음		
중위투표자 **이론**	① 일반적으로 다수의 투표자는 정책대안에 대해 선호가 모호(보수와 진보의 중간에 위치)한 중위투표자임 ② 양당제에서 정당은 집권하기 위해 중위투표자를 위한 법안을 채택 → 이로 인해 보수와 진보진영에 있는 정책을 선호하는 투표자의 견해는 무시되는바 정부실패를 초래할 수 있음		

로그롤링 **·** **포크배럴**	**개념**	로그롤링	의회에서 이권과 관련된 법안을 해당 의원들이 서로에게 이익이 되도록 협력하여 통과 시키는 현상
		포크배럴	보조금과 같은 편익을 더 많이 얻기 위해 이익집단이나 의원이 노력하는 현상

		구분	의원 간 협력	공통점
	차이점	로그롤링(담합투표·표거래)	○	① 분배정책에서 발생
		포크배럴(돼지구유통 정치)	×	② 편익을 취하려는 노력

정치적 **경기순환론** **(노드하우스)**	① 정치인들이 선거에서 승리하기 위해 선거 전에는 '경기부양책(확장정책)'을 결정하다가 선거 후에는 긴축재정을 펴기 때문에 경기순환이 '정치논리'로 이루어지고 있다는 것을 설명하는 이론 ② 혹은 민주적인 정부는 계속되는 선거에서 선거 직전에는 혜택을 나누어주는 인기 있는 정책을 선택하고 선거 이후에는 비용을 핑계로 인기없는 정책을 선택한다는 것을 설명하는 이론		

불가능성 정리 **(애로우)**	**의의**	① 애로우는 다수결에 따른 의사결정이 합리적이지 않다는 사실을 밝힘 ② 즉, 민주적이면서 합리적인 집단적 의사결정은 불가능하다는 것을 검증함 ③ 애로우가 주장한 이상적인 투표제도의 특징은 아래와 같음	
	특징	독재자 부재의 원칙	특정 개인의 선호가 사회적 선호로 채택되면 안 됨
		무관한 대안으로부터 독립의 원칙: 제3의 대안으로부터 독립	두 가지 대안에 대한 선호의 우선순위는 제3의 대안에 의해 영향을 받아서는 안 됨
		이행성(합리성)의 원칙	① 모든 사람은 선호를 가져야 함; 예를 들어, 세 가지 대안의 선호체계가 A > B, B > C이면, A > C가 되어야 함 → 단봉선호(정직한 투표) ② 이는 기회주의적인 투표가 불가능하다는 전제인데, 현실에서 투표의 행태는 기회주 의적 투표 현상이 발생함 　• 기회주의적 투표: 본래 자신의 선호(진실한 선호)대로 투표하지 않는 것(다봉선호)
		파레토의 원칙 (만장일치의 원칙)	모두가 A보다 B를 원하면 사회적인 선택도 B가 되어야 함
		자유 보장의 원칙	자신의 선호에 일치하는 대안을 선택할 수 있는 자유가 보장되어야 함

Section 07 신공공관리론(New Public Management)

3 day

DAY

03

1 신공공관리론에 대한 이해

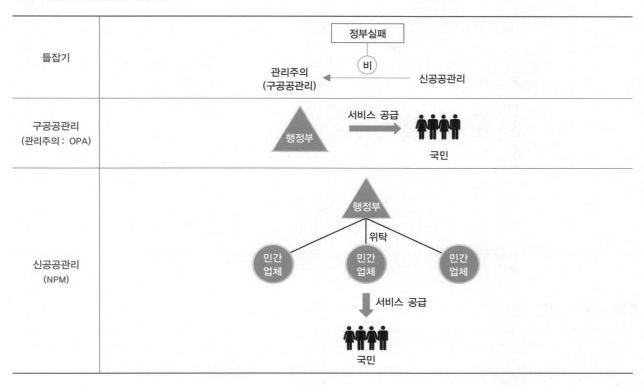

틀잡기	정부실패 → (비) → 관리주의(구공공관리) ← 신공공관리
구공공관리 (관리주의 : OPA)	행정부 → 서비스 공급 → 국민
신공공관리 (NPM)	행정부 → 위탁 → 민간업체 · 민간업체 · 민간업체 → 서비스 공급 → 국민

2 의의

등장배경	① 신공공관리론은 정부실패를 야기한 **전통적 관료제 패러다임**(구공공관리 = 관리주의)의 한계를 극복하고자 했으며, 정부의 간섭과 규제를 줄이려는 **신자유주의 이념**에 기초함 ② 1970년대 말 **정부실패의 경험 이후 영연방제국에 의하여 정부의 감축과 시장기제의 도입을 기조로 하는 1980년대 행정개혁 운동 발생** → 이는 1980년대 이후부터 2000년대 초반까지 영·미 등 주요 선진국 행정개혁의 기반이 되었음 ③ 신공공관리라는 용어는 1991년 영국 학자 Christopher Hood(후드)가 사용한 용어로서 그 이후 NPM이라는 이름으로 일반화되기 시작함
개념	① **기업의 운영방식을 정부에 도입**하여 **작고 능률적인 정부**를 추구하는 국정관리 패러다임 ② **시장주의와 신관리주의의 결합**
용어정리	**시장주의** — 시장을 활용한 서비스 공급, 고객만족도 제고 등
	신관리주의 — 공무원에게 운영상 자율성 부여 → 성과책임 부여
	신자유주의 — 정부의 지나친 규제를 반대하는 국정철학

3   주요 내용

시장주의	민영화·민간위탁		경쟁과 가격메커니즘을 통한 공공서비스 제공과 이에 따른 정부역할 축소
	고객주의	개념	국민을 정부의 고객으로 인식하여 고객의 만족도 제고에 초점
		관련 제도	① 서비스 헌장제도 : 시민에게 공공서비스의 내용과 수준, 그리고 서비스 제공 방법에 대해 계약방식으로 제시하고 이를 이행하지 못할 경우 **시정조치와 보상을 약속**하는 제도 → 시민헌장은 고객 우선주의에 입각해 고객의 선택권을 확장함 ② **품질관리기법(TQM)** : 고객만족을 위해 서비스 **품질제고에 초점**을 두는 조직관리기법
	수익자부담원칙		돈을 지불한 사람에게 편익을 제공하자는 것 → 작고 능률적인 정부에 기여
신관리주의	성과관리		권한위임을 통해 관리자의 자율성을 향상시키고, 성과를 통한 책임성 확보와 관리 효율성 제고를 강조
	인센티브 제도		성과급 혹은 연봉제 도입 등
	기업가 정신		수익을 창출하는 정부 추구
기타			① **네트워크 조직 활용** : 정책결정과 정책집행을 분리하고, 집행업무는 가급적 일선기관으로 이양 ② 공익을 사적 이익의 총합으로 파악 ③ 능률성을 강조하는바 **정치행정이원론(공사행정일원론)**의 관점 ④ 신공공관리론 개혁의 적실성이 높아지려면 적절한 성과지표를 개발해야 함 ⑤ 신공공관리론에서는 시장책임성(고객만족도)을 가장 중시함 → 즉, 정치적 책임성(의회에 대한 책임)과 법적 책임도 고려하지만 최고 우선순위는 아님

4   신공공관리론에 대한 비판

능률성에 치중한 행정	효율성을 지나치게 강조하는 과정에서 공공부문의 책임성, 공익성, 형평성 및 민주성을 상대적으로 경시할 수 있음
유인기제 (돈)	① **공무원의 동기부여를 위해 윤리, 정신, 지위와 같은 비화폐적 유인보다 화폐적 유인을 선호** ② 이로 인해 유인기제가 지나치게 경제적 보상으로 획일화되어 있다는 비판을 받고 있음
성과평가에 대한 문제	① 성과평가에 대한 지나친 집착으로 **공무원의 사기를 저하**시킬 수 있음 ② 행정의 목적은 경영에 비해 추상적이므로 **객관적인 성과평가**가 어려움
분권화로 인한 문제	① 정책기능과 집행기능 간 **기능분담의 적절성 확보**가 어려울 수 있음 ② 행정책임성 문제 → 대리인의 도덕적 해이 ③ 정부가 민간업체에 대한 통제를 제대로 수행하지 못할 경우(민관유착 등) 민간위탁은 독과점의 폐해를 초래할 수 있음
국민≠고객	① 국민은 고객이 아닌 주권자 ② 국민을 고객으로 간주할 경우 국민을 수동적인 존재로 만들거나 시민의 정치적인 성격에 대한 훼손이 발생할 수 있음

5 신공공관리론의 이론적 배경

1) 틀잡기

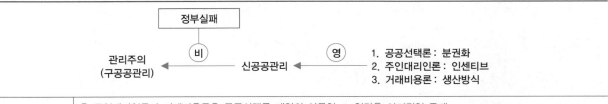

그림 설명	① 주인대리인이론과 거래비용론은 공공선택론 계열의 이론임 → 인간은 이기적인 존재 ② 신공공관리론은 공공선택론, 주인·대리인이론, 거래비용이론 등 신제도주의 경제학을 이론적 배경으로 활용하고 있음

2) 주인대리인이론

틀잡기	주인대리인관계 ⟶ 정보비대칭 ⟶ 대리손실 ┬ 역선택 ─── 제도적 처방 [정보균형화] └ 도덕적 해이 ─── [인센티브]

그림 설명	내용		① 사회 내에는 주인대리인 관계가 편재 → 예 국민과 행정부, 의회와 행정부, 의사와 환자 등 ② 주인과 대리인 간에는 정보의 비대칭성이 존재 ③ 주인과 대리인은 자신의 이익을 추구하므로 대리인의 기회주의적 행동이 발생할 수 있음 ④ 주인에게 발생하는 대리손실을 해결하기 위해 제도적 처방이 필요함
	대리손실 유형	역선택	대리계약 체결 전의 어쩔 수 없는 불리한 선택 → 전문성이 부족한 대리인 선택
		도덕적 해이	대리계약 체결 후의 대리인의 태만
	제도적 처방	역선택 방지	정보균형화 → 정보공개제도의 확대, 입법예고제도, 내부고발자 보호제도 등 활용
		도덕적 해이 방지	효율적인 계약제도(성과중심의 통제, 인센티브 제공), 경쟁체제 도입 등
용어정리	정보비대칭		주인과 대리인 간 정보보유량 차이 → 일반적으로 대리인이 주인보다 많은 정보를 보유함
	대리손실		대리인에게 일을 맡기는 과정에서, 혹은 맡긴 후 주인에게 발생할 수 있는 손해
기타			① 주인대리인이론은 대리손실을 최소화하기 위해서 대리인의 자율성 강화보다 인센티브 제공 등의 제도적 처방을 강조 ② 경제학적 관점에서 이론을 전개하는바 비경제적 요인(예 사회심리적 요인 등)에 대한 고려를 소홀히 함 ③ 다수의 대리인이 존재할 경우 대리인 간에 경쟁이 발생하기 때문에 대리손실을 완화할 수 있음

3) 거래비용이론

틀잡기		제도적 처방 거래비용 ─┬─ 거래 전 비용 ──→ 거래비용↑ 　내부생산 　　　　　└─ 거래 후 비용 ──→ 거래비용↓ 　외부생산
	예시	아파트 엘리베이터 설치
개념		① 대규모 계층제 조직이 생성되는 현상을 거래비용으로 설명하는 이론 ② 즉, 인간은 거래비용을 최소화하기 위해 일정한 조직구조를 선택함
거래비용이란?	**정의**	합의사항 작성비용, 협상이행을 보장하는 비용, 품질측정비용, 정보이용비용, 감시비용, 상대방의 기회주의적 행동에 대한 탐색비용 등 **경제적 교환과 관련된 모든 비용**
	유형 · 거래 전 비용	협상비용, 합의사항 작성비용, 정보이용비용 등
	유형 · 거래 후 비용	이행비용, 감시비용, 분쟁조정관련비용, 계약이행보증비용 등
불확실성과 거래비용 (불확실성↑ → 거래비용↑)		① 일반적으로 정보부족은 거래비용을 증가시킴 → 제한된 합리성(한정된 정보), 불확실성, 정보비대칭, 인간의 기회주의적 속성, 거래빈도, 자산전속성 등 ② 거래에 수반되는 불확실성, 자산의 특정성·전속성이 클수록, 거래를 여러 번 할수록 거래비용이 커지므로 거래비용을 최소화하기 위하여 시장거래보다 계서제적 조직을 대안으로 선택해야 함 ③ **용어정리** 자산전속성(asset specificity) = 자산특수성·자산특정성 : 전속성이 크다는 것은 '특산품'의 성격이 강하다는 것을 뜻함
내부생산과 외부생산	**내부생산** (조직화·내부화)	거래비용이 클 때: 거래비용 > 조정비용(자체생산비용)
	외부생산 (시장화·외부화)	거래비용이 작을 때: 거래비용 < 조정비용
	※ 대규모 조직 혹은 네트워크 조직을 만들 것인지는 '거래비용 최소화'를 위한 선택임	
기타		① 계층제는 생산을 대리하는 구조가 아니므로 기회주의적 행동을 제어하는 데에는 계층제가 시장보다 효율적임 ② 조직이 투자한 자산이 유동적이어서 자산 특정성이 낮으면, 조직 내의 여러 관계나 외부공급자들과의 관계가 고착되지 않는바 대리인 관계가 비효율적이면 이를 바꿀 수 있음

6 Osborne과 Gaebler의 '정부재창조론' : 신공공관리론을 대변하는 정부개혁론(광의로서 신공공관리론)

틀잡기	신공공관리 = 정부재창조론
등장배경	① 오스본과 게블러는 '정부재창조론(1992)'을 통해 정부는 '재창조'되어야 한다고 주장 ② 정부재창조론은 기업가적 접근에 입각한 열 가지의 개혁원칙을 제시하고 이를 전통적 행정과 비교하고 있음 ③ 오스본과 게블러의 정부재창조론은 클린턴 행정부 '정부재창조운동'의 이론적 기초가 되었음 ④ **정부재창조론 = 신공공관리론' 생각하고 문제를 풀어도 무방함** → 다만 시민사회 참여를 인정한다는 점에서 광의의 신공공관리론이라고 불리는 견해도 있음
내용	**촉매작용적 정부** : 방향잡기 → 정부의 독점적 공급을 지양함 ① 시민공동체가 주도하는 정부 → 광의로서 신공공관리론 ② 민간기관 및 비영리기구를 활용해 정책목표를 달성할 유인체계 창출 경쟁적 정부 결과를 중시하는 임무지향적 정부 성과지향적 정부 고객지향적 정부 기업가적 정부 미래에 대비하는 정부 분권적인 정부 시장지향적 정부

7 Osborne과 Plastrick의 5C 전략 : 신공공관리론을 대변하는 정부혁신전략

틀잡기	신공공관리 = 5C 전략	
등장배경	① 오스본과 플라스트릭은 '관료제의 추방'(1997)에서 미국행정에서 기업형 정부구현을 위한 5C 전략 제시 ② 5C 전략 = 신공공관리	
내용	**핵심전략(core strategy) : 구체적인 목표설정**	핵심전략을 달성하기 위해서는 목표의 명확화, 역할의 명확화, 방향의 명확화가 필요
	결과(성과)전략(consequence strategy) : 성과관리 강조	결과전략을 위해 기업식 관리, 경쟁관리, 성과관리 등
	고객전략(customer strategy) : 고객주의 강조	고객선택 접근법, 고객품질보증 등
	통제전략(controls strategy) : 분권화 강조	실무조직 및 실무자에 대한 권한부여, 지역사회에 대한 권한부여 등 → 분권화
	문화전략(culture strategy) : 기업가 정신 강조	조직문화를 바꾸기 위해서는 조직구성원 사고의 틀을 먼저 바꾸어야 함 → 기업가 정신을 중시하는 문화

8　신공공관리론과 구공공관리론

기업가적 접근	관료제적 접근(전통적 행정·구공공관리·관리주의 등)
방향을 잡아주는 정부: 방향잡기	노를 젓는 정부: 정부의 직접 공급
권한을 부여해주는 정부	서비스를 직접 제공하는 정부
서비스 제공에 있어서 경쟁 중시	서비스 독점
임무지향적 정부	규칙을 중시하는 정부
성과와 연계한 예산 배분	투입 중심의 예산제도
고객지향적	관료지향적
수익 창출	지출 위주
예방적 정부	치료 중심적 정부
팀워크와 참여 중시	계층조직

9　기타내용

NPM 관련 기타 관리방식	Charter Mark	영국에서 시민헌장제도 시행 결과 및 성과가 우수한 기관에 대해 시상하는 제도
	시장성 테스트 (market-test)	시장성 테스트는 "반드시 필요한 업무인가?", 필요하다면 "정부가 책임을 맡아야 할 업무인가?", "정부가 직접 수행해야 하는가?", "정부가 수행할 경우 효율성 증대 방안은 무엇인가?" 등의 일련의 기준에 따라 업무를 평가한 뒤 정부생산, 민간위탁 등의 대안 중에서 하나를 선택하는 방식
	고객관계관리	기업이 고객에 대한 정보를 바탕으로 업무 프로세스, 조직, 인력을 정비하고 운용하는 전략
	기타	목표에 의한 관리, 총체적 품질관리, 균형성과표, 리엔지니어링 등은 신공공관리론에서 활용하는 조직관리 기법임 → 해당 내용에 대해서는 조직론에서 다루고 있음
행정재정립운동 (스바라)	틀잡기	정부실패(1970s) ◄ ⓑ 관료후려치기 ◄ ⓑ 행정재정립운동 ── 전문직업주의 ── 공무원의 적극적 역할
	관료후려치기 비판	① 1980년대 후반부터 1990년대 초반까지 직업공무원제를 옹호하는 '행정재정립운동'이 등장함 ② 행정재정립운동이나 블랙스버그 선언은 미국의 1970년대와 80년대에 일어났던 '관료후려치기'라는 행정관료에 대한 무분별한 사회적 공격에 반발하여, 행정이 스스로 정당성과 권위를 회복할 수 있는 방안을 제안하고, 행정이 사회적 리더십을 가질 수 있도록 윤리 및 규범적 역할이 강조되어야 한다는 운동임 ③ **용어정리** 관료후려치기: 70년대 정부실패 원인을 공무원으로 보고 공무원을 비판하는 운동
	전문직업주의	① 전문직업주의(공무원으로서 충분한 경험이나 지식, 윤리 등을 강조)는 행정재정립운동이나 블랙스버그 선언의 내용 중 일부에 해당함 → 참고로 신행정학은 전문직업주의를 비판함(단, 왈도는 전문직업주의의 필요성을 인정함) ② 이는 행정의 정당성·규범성, 전문직업주의를 강조하고, 행정은 경영이나 정치와 다르다고 보았으며(정치행정이원론, 공사행정이원론), 행태주의·실증주의에 반발하고 신공공관리론이나 행정의 경영화에도 부정적 시각이었음
	공무원의 적극적 역할	① 스바라는 기존의 정치행정이원론을 재해석하여 정책과정에서 공무원의 적극적인 역할을 옹호함 ② 즉, 효과적인 정부를 구현하기 위해서는 미션, 정책, 행정, 관리의 네 가지 기능이 필요한데, 기존의 정치행정이원론에서는 정부의 미션과 미션 정립에서의 직업공무원의 역할을 간과하고 있는 가운데 정책과 행정 간의 관계만을 다루고 있다는 것 ③ 다만, 인사행정에 있어서 엽관주의에 반대하는 것은 정치행정이원론과 유사함

10 **탈신공공관리론(Post-NPM) : 신공공관리 + 구공공관리**

틀잡기	

의의
① 몇몇 학자는 신공공관리 개혁의 부작용 및 한계를 보완하기 위한 반작용적 조치를 탈신공공관리(Post-NPM)로 개념화
② 탈신공공관리 : 구공공관리(전통적 관료제 모형) + 신공공관리 → 집권과 분권의 조화

내용
① 구조적 통합을 통한 분절화의 축소와 조정의 증대
② 재집권화와 재규제의 주창
③ 총체적 정부 또는 합체된 정부의 주도 → '통(通) 정부(whole of government)'적 접근
④ 역할모호성의 제거 및 명확한 역할관계 정립
⑤ 민간, 공공부문의 파트너십
⑥ 중앙의 정치적·행정적 역량의 강화
⑦ 국가관리에 있어서 환경·역사·문화적인 요소 주목

관리패러다임 비교 (NPM vs Post-NPM)

구분	신공공관리	탈신공공관리
정부와 시장의 관계	• 시장지향주의 • 규제완화	• 정부의 행정적 역량 강화 • 재규제
주요 행정가치	효율성 및 경제적 가치 강조	민주성, 형평성 등도 고려
정부규모와 기능	정부규모와 기능의 감축	민영화 및 민간위탁의 신중한 접근
기본 모형	탈관료제 모형	관료제와 탈관료제의 조화
조직개편의 방향	소규모의 조직으로 분절화 **예** 책임운영기관	• 분절화 축소 • 집권화 및 정부의 조정과 통합 증대
조직구조의 특징	분권화 강조 : 네트워크 활용, 비계층적 구조 등	재집권화
인사관리의 특징	경쟁적 인사관리 : 능력 및 성과기반의 인사관리	공공에 대한 책임성을 기초로 한 인사관리

Section **08** **거버넌스(Governance)** ● **3** day

1 거버넌스

1) 틀잡기

2) 의의

등장배경	① **전통적인 정부관료제에 대한 문제인식** : 집권적인 정부관료제는 시민의 다양한 욕구를 충족시키지 못하고 통제와 지시 위주의 행정을 반복함 ② 시장지향적 정부개혁을 지향한 신공공관리의 한계를 극복하기 위한 대안으로 등장
개념	'정부, 시장, 시민사회 간의 협치' → 국정운영시 **파트너십을 지향**

3) 특징

참여자 간 협력적 네트워크 형성	네트워크는 국가로부터 자율성을 갖는 단체나 조직 간의 지속적인 유대와 상호작용을 의미
신뢰 및 참여를 전제로 함	① 사회 내 **신뢰가 높은 사회**에서 성공적으로 작동 → 즉, 활발한 협력이 가능하려면 참여자 간 신뢰가 담보되어야 하는바 성공적 거버넌스 구축을 위해서는 **사회자본이 축적되어야 함** ② 이익단체, 시장, 시민사회 등의 **적극적 참여가 가능한 사회**에서 가능한 국가관리 방식임
불분명한 경계	① 거버넌스는 국가와 사회를 분리시키는 이분법적 사고에서 벗어나 양자가 상호작용하기 때문에 그 경계가 불분명함 → **국가관리에 다양한 참여자가 관여** ② 예컨대, 거버넌스에서 정부와 시민은 서비스를 공동으로 생산함 → 단, 시민공동생산에서 시민과 지역주민은 정규생산자가 아니라 자원봉사자의 성격이 강함 ③ **예** 화재경보기 작동, 범죄신고, 거리에서 쓰레기 줍기, 지역방범단 활동 등

4) 거버넌스에 대한 비판

정부의 권위 감소	거버넌스는 집단 간의 협상과 타협을 중시하는바 정부의 정치적인 권위가 감소할 수 있음
책임성 문제	책임과 권한의 분산으로 인해 결과에 대한 책임규명이 어려움
성숙한 시민사회에서만 가능	국정관리에 능동적으로 참여할 수 있는 **시민의 자질이 필요함**
분절화로 인한 집행통제의 문제	거버넌스는 권력의 분산, 즉 분절화를 기초로 하는 바 이 과정에서 네트워크 조정의 어려움이 있음

정보 부족으로 인한 조정의 문제	시민사회, 시장, 정부 간 분권화가 이루어진 상태에서 **상호 정보제공이 제대로 이루어지지 않을 때 조정 및 통합의 어려움이 발생**할 수 있음
보편적 이론화의 어려움	① 거버넌스는 지역, 시대 혹은 국가별로 다양한 형태로 관찰가능 → 특수성이 강함 ② 또한, 거버넌스 안에 내재화된 변수가 많고, 이들 간의 유기적 관계를 구체적으로 규명하는 게 어려움 ③ 예를 들어, 시장에는 다양한 기업이 있으며, 시민사회 안에는 다수의 이익집단, 시민단체 등이 있음 → 거버넌스론은 이러한 변수 간의 유기적인 관계를 강조하기 때문에 보편적 모형화가 어려움
기타	집단 간의 상호작용과 영향력을 설명하는 데 중점을 두고 있지만, 누가 얼만큼 영향력을 행사하고 있는지를 구체적으로 밝히는 게 어려움

2 Peters(피터스)의 미래국정관리 모형 및 Rhodes(로즈)의 모형

1) Peters의 미래국정관리 모형 : 전통적 정부에 관한 대안을 제시하는 4가지 모형

틀잡기	관리주의 (구공공관리) ◀── (비) ── 피터스모형 : 피시신탈참				
구분	전통적 정부에 대한 문제인식	구조개혁	관리개혁	정책결정개혁	공익의 기준
시장모형	독점	분권화	민간부문의 관리기법 (성과급)	시장적인 동기	• 저렴한 공공서비스 • 소비자의 선택권 보장
참여모형	계층제	• 수평적 조직구조(평면 조직): 계층 완화 • 다양한 참여자	TQM, MBO 및 팀제	참여 및 협의	참여 및 협의
신축모형	불변성 및 영속성	가상조직: 유기적 구조 (임시조직)	신축적(임시적) 관리	실험	저비용과 조정
탈규제모형	내부규제	없음	자율적인 관리 방식	기업가적 정부	창의성 및 능동성 (활동주의)

① 피터스가 제시한 각 모형에 대한 설명 읽어 보기

시장모형	⊙ 전통적 관료제의 독점으로 인한 비효율성에 대해 비판하며, **경쟁이 활발한 민간부문이 공공부문보다 본질적으로 성과 측면에서 우위에 있다고 전제함** → 시장에 대한 신뢰 ⓒ 처방: 각종 시장기제를 활용하여 저렴한 공공서비스 및 소비자의 선택권을 보장
신축모형 (유연조직모형)	⊙ 전통적 관료제의 경직성은 환경에 대한 적응력을 약화시킴 → 환경의 변화에 적응하여 적합한 정책을 만들려는 정부기관의 능력 강조 ⓒ 처방: 정규직 공무원을 축소하여 비용을 절감하고 임시조직을 적극적으로 활용하면서 다양한 실험(시도)을 시행하여 정부조직의 항구성 타파 → 단, 유연정부모형은 변화하는 정책수요에 맞춰 탄력적으로 구성원들을 활용하는 과정에서 빈번한 변화를 요구하기 때문에 구성원의 조직과 업무에 대한 몰입도를 떨어뜨릴 수 있음
탈규제모형 (저통제정부모형· 탈내부규제모형)	⊙ 전통적 관료제의 지나친 내부규제 비판 ⓒ 처방: 내부규제를 완화하여 관료들이 자율성을 가지고 창의성 및 잠재성을 발휘하도록 장려 → 이러한 처방은 정치지도자들의 권력을 약화시키고 기업가적 관료들의 정책결정자로서의 역할을 제고하는 결과를 가져올 수 있음
참여모형	⊙ 전통적 관료제의 계층제적 특징이 관료들과 시민들의 참여를 제약하고 있음 ⓒ 처방: 수평적 구조에 기초(조직의 고위층과 최하위층 간에 계층의 수 축소)하여 하위직 공무원의 참여를 유도함 → 공무원, 그리고 시민의 의사소통, 참여 및 협상의 결과가 공익이 되도록 해야 함

2) Rhodes(로즈)의 거버넌스 모형 ⓒ

Rhodes는 1980년대 이후 서구 국가들 사이에서 유행한 새로운 거버넌스 유형을 6가지로 정리

좋은 거버넌스	① 자유민주주의와 신공공관리를 결합한 개념으로서 세계은행에서 제시 → 개도국에 대한 대출 조건 ② 정치적으로 민주적이고 행정적으로 효율적인 거버넌스를 좋은 거버넌스로 명명
신공공관리	① 경쟁, 유인체계 등 기업의 운영방식을 정부에 도입 → 정부와 시장 간의 협력체계 ② 정부가 네트워크의 중심에서 핵심적인 역할수행
사회적 인공지능 체제	사회정치체제 내의 모든 행위자가 노력한 결과로 형성 → 정부, 시장, 시민사회의 상호작용을 강조하는 거버넌스
자기조직화 연결망	자기조직적이고 자율성을 띤 연결망을 통해 자원을 배분 → 시민사회의 권력이 강한 거버넌스
기업적인 거버넌스	① 책임, 감독, 평가 등의 방식을 공공부문에 도입 ② 주주의 이익을 보장하는 거버넌스로서 기업 간 거버넌스에서 유래함 → 정부사업 투자자에게 손해를 끼치지 않겠다는 것
최소 국가	공공서비스를 공급할 때 시장과 준시장을 활용 → 시장의 권력이 강한 거버넌스

Section 09 신공공서비스론(New Public Service)   ● 3 day

1 틀잡기

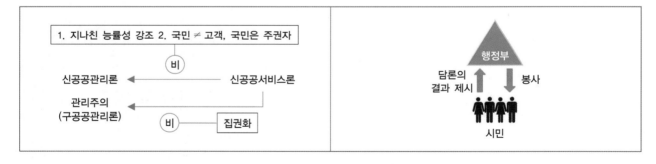

2 의의

등장배경	신공공관리 비판	① 능률성에 치우친 관리 → 공공부문에 시장원리를 적용한 신공공관리론에 대한 반성 ② 시민을 고객으로, 조직구성원을 생산성의 수단으로 보는 제한적이고 합리적인 인간관, 성과만을 강조하는 편협성, 민주적인 정책과정의 경시 등에 대한 반발
	구공공관리 비판	집권적인 결정구조 → 시민참여 저해
개념		① 덴하르트 & 덴하르트(2000)에 따르면 행정서비스의 위상과 가치를 제고하기 위해서는 관료와 시민의 참여를 통해 민주적인 방식으로 행정을 운영해야 함 ② 관료는 동료 관료와 시민들의 의견을 존중하고, 국민에 대해 '말하기'보다 '듣기', '조정'이 아닌 '봉사'의 역할에 중점을 두어야 함 ③ 시민참여를 강조하기 때문에 공공서비스의 이상을 인간에게 가장 높은 가치와 초점을 부여하는 것으로 설정하며, 조직은 인간을 존경하는 가운데 협동과 공유된 리더십(시민 혹은 조직 내 공무원의 견해 존중)으로 운영할 때만이 성공할 수 있다고 봄

3 이론적 배경 cf

복합적인 토대 (공공선택론 제외)	민주적 시민의식이론 (시티즌십)	시민이 개인의 이익보다는 공익에 관심을 갖고 정부활동에 적극 참여
	공동체와 시민사회 모델	시민사회에 지대한 영향을 미치는 과정에 시민들의 적극적인 참여 요청
	조직적 인본주의	조직구성원을 생산성을 위한 수단으로 보는 견해에 대한 비판
	포스트모더니즘	① 다양한 가치의 중요성 강조 ② 공공문제해결을 위해 다양한 참여자들의 대화를 유도

참고

NPS는 민주적 시민이론, 지역공동체와 시민사회모형, 조직인본주의, 담론이론, 비판이론, 실증주의, 해석학, 포스트모더니즘 등에 인식론적 토대를 두고 있음 → 이론적 토대가 복합적임

4 신공공서비스론의 7가지 특징

방향잡기보다 봉사	① 봉사의 의미 : 공무원과 정부가 담론의 장을 형성하고 국민의 참여를 유도하는 것 ② 즉, 담론의 장을 통해 공론, 즉 공익을 도출하도록 돕는 것(토론·담론의 중재 및 통합, 타협을 관리하는 기능) → 이는 시민의 선호와 필요에 대해 정부의 대응성을 보장하기 위한 정부와 공무원의 역할임
공익의 추구	① 행정에서 공익은 수단이 아닌 목적임 → 즉, 신공공서비스론에서 공익은 부산물이 아닌 궁극적인 목적에 해당함 ② 공익은 시민 간 담론의 결과물이며, 관료는 이러한 공익을 드러내기 위해 협상과 중재기능을 담당
시민의식의 강조	시민의 적극적 참여 강조
전략적인 사고	공무원의 전략적인 사고(시민과의 협력 강조)와 시민의 민주적인 행동(능동적 참여) 강조
책임성의 다양성 (다면적 책임성)	① 관료들은 책임성과 관련하여 헌법과 법령, 공동체 사회의 가치, 정치적 규범, 전문적인 기준, 시민의 이익 등 다양한 면을 고려해야 함 ② 신공공서비스론에서 책임성은 전문적, 법적, 정치적, 민주적 책임을 포함하는 광범위한 개념
고객이 아닌 시민에게 봉사	① 고객(소비자)은 정부서비스에 대한 호불호를 표현하는 수동적인 존재임 ② 국민을 고객이 아니라 국정운영에 직접 참여하는 주인(시민)으로 생각해야 함
인본주의	생산성보다 사람에게 더 큰 가치를 부여함 → 인간관계론 활용

5 신공공서비스론의 유용성과 한계

유용성	① 담론 및 협의의 중요성, 봉사에 기반한 정부의 새로운 역할을 강조 → 시민의 존엄성 및 시민사회의 중요성을 제고 ② 참여를 강조함으로써 협력적인 거버넌스를 구축하는 데 기여 ③ 조직구성원의 인본주의적 가치를 중시함으로써 민주적 가치 달성을 위한 무형적인 인센티브의 필요성 강조 → 공직봉사동기 등
한계	① 제도적 구현의 어려움 → 이론이 추상적이어서 구체적 처방을 제시하지 못하고 있음 ② 이론적 독창성의 부족 → 기존의 이론을 모두 합친 것에 불과하다는 비판

Section 10 전통적 행정(구공공관리) vs 신공공관리 vs 신공공서비스론 → 4 day

구분	구공공관리(OPA)	신공공관리(NPM)	신공공서비스론(NPS)
사회문제 해결방식	정부관료제	시장기제	공공부문, 국민(시민) 등의 협력
정부의 역할	노젓기	방향잡기	봉사
책임에 대한 관점	상관 혹은 정치인에 대한 책임	고객의 만족도	다면적 책임성
행정재량	관료에게 제한적인 재량 허용	성과달성을 위한 폭넓은 재량	재량이 필요하지만 제약과 책임 수반
조직구조	관료제를 통한 규제 및 통제	분권화된 조직구조	협동적인 조직
공무원 동기부여 방법	보수와 신분보장	수익창출 후 인센티브 제공	① 공직봉사동기 ② 사회봉사 및 사회에 기여하려는 욕구
합리성	형식적 합리성 : 법치행정	경제적 합리성(생산성)	① 전략적 합리성 ② 정치·경제적 합리성에 대한 다원적 검증
이론과 인식의 토대	초기 사회과학	신고전학파 경제이론	민주주의 이론, 포스트모더니즘, 비판이론 등(단, 공공선택론 제외)
공익에 대한 입장	법률에 명시한 정치적 결정 ※ 의회의 결정 = 공익	사익의 총합	담론의 결과

참고

① 전통적 행정 = Government = 구공공관리(Old Public Administration) = 관료제적 접근 = 관리주의 = 원리주의
② 신공공서비스론은 정부의 역할을 공유된 가치창출을 위한 봉사활동으로 보는 점에서 뉴거버넌스 이론과 유사함

Section 11 NPM(신공공관리) vs (뉴)거버넌스

● 4 day

구분	신공공관리	(뉴)거버넌스
인식론적 기초	신자유주의	공동체주의
관리기구 (공급주체)	시장	공동체에 의한 공동생산
관리가치	결과	과정(시민의 참여)
정부역할	방향잡기	방향잡기
관료역할	공공기업가	(중립적)조정자
작동원리	경쟁(시장메커니즘)	협력체제(신뢰)
서비스	민영화·민간위탁	공동공급(시민 및 기업 참여) ※ 공공서비스의 민간위탁과 민영화보다는 시민과 기업이 참여하는 공동공급을 중시
관리방식	고객지향	임무중심
분석수준	조직 내	조직 간
이데올로기	우파	좌파
혁신의 초점	정부재창조(미국)	시민재창조(영국)
정치성	탈정치화(정치행정이원론)	재정치화(정치행정일원론)

참고 **신공공관리와 거버넌스의 공통점 및 참고사항**

① 양자는 정부실패를 이념적 토대로 설정하여 그 대응책을 마련하고자 하며, 투입(규칙준수)보다는 산출(임무달성)에 대한 통제를 강조

② NPM과 뉴거버넌스는 모두 방향잡기(steering) 역할을 중시하지만 NPM에서는 정부를 방향잡기의 중심에, 뉴거버넌스에서는 정부가 중립적인 조정자로써 네트워크의 방향잡기를 담당함

③ 양자 모두 국가관리에 있어서 작은 정부를 지향 → 신공공관리론은 정부와 시장 간 협력체계를, 거버넌스론은 정부, 시장, 시민사회 간 협력체계를 상정함

④ 공동체주의: 사회 내 개인을 공동체의 일부로 간주하는바 개인의 자유를 보장하면서도 자유에 대한 책임을 강조함

Section 12　포스트모더니즘

틀잡기	인간사고 억압 → 모더니즘(과학성) ← 비 ← 포스트모더니즘
등장배경	① 모더니즘 비판 → 이성을 토대로 정립된 보편적 법칙이나 지식은 인간의 사고를 억압하고 가둔다는 것 ② 즉, 포스트모더니즘은 해방주의적 세계관을 지님 ③ **참고** 모더니즘: 이성이나 합리적 사고를 토대로 형성된 보편적 법칙으로 사회를 통일적으로 설명하려는 세계관 　• 절대적 진리 = 보편적 법칙 = 메타이론(메타설화) = 거시이론

내용 (다양성 강조)	맥락의존적 진리	① 시대와 상황에 따라 적용되는 진리가 다르다는 맥락의존적인 진리를 강조하는바 탈중심성·탈집권성(탈관료제화)·탈권위주의·반근원주의 등을 강조 ② **참고** 근원주의: 어떤 현상에 대해 근본적인 원인을 탐구하는 것
	과정주의적 세계관	모더니즘이 최선의 답을 찾아내는 데 초점을 두는 결과주의적 세계관이라면, 포스트모더니즘은 시대와 상황에 맞게 조직과 행정이 지속적으로 형성(구성주의 관점)될 수 있음을 인정
	은유기법 선호	① '가치의 다양성'을 중시하기 때문에 현상을 설명하는 방법으로 '은유'를 선호 ② **참고** 은유: 'A = B' 형태의 문장구조를 통해 특정 개념을 설명하는 방법
	다품종 소량생산체제 강조	바람직한 행정서비스는 다양성을 충족시키는 체제에서 제공될 가능성이 높음
	기타	① 다양한 견해를 존중하는 포스트모더니즘을 공직윤리에 적용할 때, 공직윤리의 수준은 조직 내 간주관성과 상대에 대한 감정이입을 통해 항상(상황에 맞게 변화)될 수 있음 ② **참고** 간주관성: 집단 또는 개별적 인간이 공유하는 일련의 이해

파머의 포스트모더니즘	상상	① 탈합리성: 목적과 최적의 수단을 고려하는 도구적 합리성에서 벗어나서 새로운 생각과 판단을 하자는 것 ② 부정적으로 보았을 때 규칙에 얽매이지 않는 행정의 운영이며 긍정적으로 보았을 때 문제의 특수성을 인정하는 것
	해체	① 의문을 통해 기존의 메타설화를 재검토 → 고정관념 타파 ② 예를 들어 "행정은 능률적이어야 한다." 또는 "행정학은 객관적으로 연구될 수 있다."라는 설화를 당연한 것으로 인정하지 않음
	영역해체	① 탈영역화 혹은 학문 간의 경계파괴 → 고유영역이 해체되고 지식의 경계가 무너지는 것 ② 공공부문에서 정부의 독점적인 권위를 해체하고 탈관료제적 처방을 주장하는 토대가 됨
	타자성	① 다양성 존중(개방성) ② 타인을 객체(인식적 타인)가 아닌 주체(도덕적 타인)로 인식하면서 타자에 대한 대상화를 반대 ③ 포스트모더니즘은 타인을 규격화, 정형화하는 상자주의(Boxism)에 반대하는바 행정조직에서 일하는 공무원에게 공동체 권력에 기초한 시민참여이론을 수용할 수 있게 함

Section **13**   생태론적 접근방법 · 비교행정론 · 발전행정론   ◐ 4 day

1 생태론

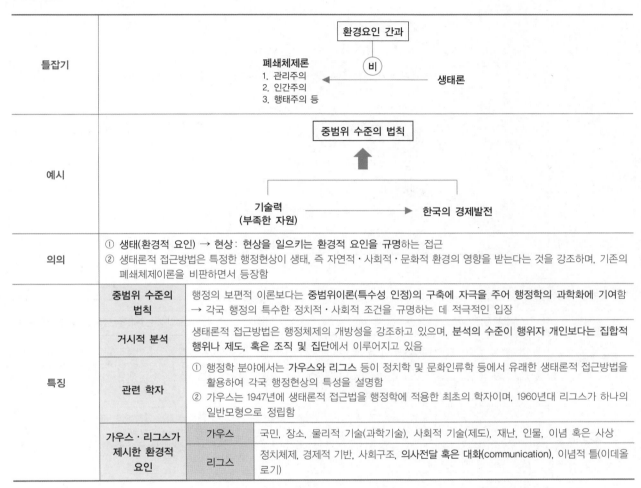

틀잡기	
예시	
의의	① 생태(환경적 요인) → 현상 : 현상을 일으키는 환경적 요인을 규명하는 접근 ② 생태론적 접근방법은 특정한 행정현상이 생태, 즉 자연적 · 사회적 · 문화적 환경의 영향을 받는다는 것을 강조하며, 기존의 폐쇄체제이론을 비판하면서 등장함
특징	**중범위 수준의 법칙**	행정의 보편적 이론보다는 **중범위이론(특수성 인정)**의 구축에 자극을 주어 행정학의 과학화에 기여함 → 각국 행정의 특수한 정치적 · 사회적 조건을 규명하는 데 적극적인 입장
	거시적 분석	생태론적 접근방법은 행정체제의 개방성을 강조하고 있으며, 분석의 수준이 행위자 개인보다는 집합적 행위나 제도, 혹은 조직 및 집단에서 이루어지고 있음
	관련 학자	① 행정학 분야에서는 **가우스와 리그스** 등이 정치학 및 문화인류학 등에서 유래한 생태론적 접근방법을 활용하여 각국 행정현상의 특성을 설명함 ② 가우스는 1947년에 생태론적 접근법을 행정학에 적용한 최초의 학자이며, 1960년대 리그스가 하나의 일반모형으로 정립함
	가우스 · 리그스가 제시한 환경적 요인	가우스	국민, 장소, 물리적 기술(과학기술), 사회적 기술(제도), 재난, 인물, 이념 혹은 사상
		리그스	정치체제, 경제적 기반, 사회구조, **의사전달 혹은 대화(communication)**, 이념적 틀(이데올로기)

DAY —— 04

2 비교행정론

1) 비교행정론에 대한 이해

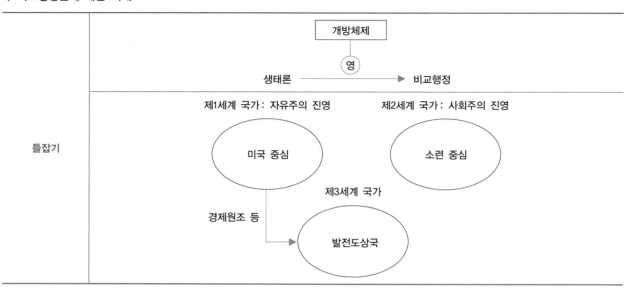

| 틀잡기 | (개방체제 → 영 → 비교행정 / 생태론) 제1세계 국가: 자유주의 진영 — 미국 중심, 제2세계 국가: 사회주의 진영 — 소련 중심, 제3세계 국가 — 발전도상국 (경제원조 등) |

2) 등장배경 및 특징

등장배경	① 비교행정론은 제2차 세계대전 후(1945) 미·소 냉전 상황에서 개발도상국에 대한 미국의 기술원조라는 국제정치적 필요성과 행정학의 과학화라는 학문적 필요성에 의해 발전 ② 비교행정 연구는 냉전 체제에서 미국이 발전도상국가를 대상으로 경제원조를 시작했으나 이들 국가의 행정능력이 낮아 **원조효과를 충분히 거두지 못하게 되자**, 기술원조 제공의 일환으로 발전도상국가의 행정문제를 연구하면서 발전 ③ 생태론은 문화횡단적인 비교연구를 통해 일반 법칙적인 연구를 시도했으나, 보편적 이론보다는 2차 세계대전 이후 선진국과 후진국의 격차를 환경적 요인과 관련하여 이해하려는 비교행정연구로 발달
특징	① 비교행정론은 **중범위 이론**을 형성하여 행정의 과학화에 기여하였는데, 이는 당시 행정의 과학화 요구에 대한 반응이었음 ② 리그스의 '**프리즘적 사랑방 모형(prismatic sala model)**'은 대표적인 비교행정 연구에 해당함 ③ 리그스는 서구 행정제도가 후진국에서 잘 작동되지 않는 이유를 사회문화적 환경의 이질성에서 찾음 → 후진국 행정현상 설명 및 이해에 기여
용어정리	**종단적 연구** ① 현상을 설명할 때 시간의 흐름을 반영 ② 📖 2000년부터 2024년까지 노량진 수험가의 변화를 설명
	횡단적 연구 ① 현상을 설명할 때 시점을 고정 ② 📖 2020년의 노량진과 용산의 특징 비교

3) 리그스의 사회삼원론

리그스의 연구질문	① 왜 선진국(미국)의 행정체제를 발전도상국 혹은 과도사회에 도입해도 경제발전이 이루어지지 않는가? ② 연구의 결과: '환경의 차이'가 중요한 원인으로 작용 ② 리그스는 사회가 세 개의 과정을 거쳐서 발전한다는 것을 주장하면서, 이를 자연과학 도구인 프리즘을 활용하여 설명

<table>
<tr><td rowspan="6">프리즘(사랑방)
모형</td><td colspan="4">Riggs의 프리즘적 사회와 발전도상국 및 선진국의 문화</td></tr>
<tr><td colspan="4">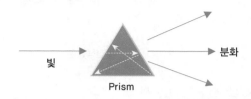
빛   분화
Prism</td></tr>
<tr><td>사회의 특징</td><td>융합적</td><td>프리즘적</td><td>분화적</td></tr>
<tr><td>사회체제</td><td>농업사회</td><td>개발도상국</td><td>산업사회</td></tr>
<tr><td>관료제</td><td>안방</td><td>Sala(사랑방)→ 사교적 모임</td><td>관청</td></tr>
<tr><td>기타</td><td>•1차 집단 중심(혈연)
•공사구분 ×</td><td>공사구분 혼재</td><td>•2차 집단 중심(사회)
•공사구분 철저</td></tr>
</table>

프리즘적 사회의 특징 @	의존증후군	권력가가 권력을 이용하여 생산자로부터 재화를 수탈 → 생산자의 노력에 권력자가 의존하는 현상
	양초점성	법적으로는 관료의 권력을 제한하고 있으나 현실적으로 큰 영향력을 행사하는 이중적인 특징
	상·하향적 누수체제와 전략적 지출	관료가 세금을 횡령하고 이를 상납과 위로금 전달 등의 전략적인 지출에 상·하 관료가 활용
	연고우선주의	규정이 아닌 학연이나 지역 등의 연고에 기초한 조직운영
	기능 및 행태의 중복	많은 기능의 중복으로 인한 비능률성 발생
	정부기구와 관직의 증대	비능률적인 정부의 팽창현상
	형식주의	불필요한 절차가 많은 비효율적 상태 → Red-tape
	기타	① 고도의 이질혼합성: 전통적 사회와 현대적 사회의 특징이 혼재 ② 다분파주의와 파벌당: 관료제 내 많은 사익추구 세력이 존재 ③ 다규범주의: 전통적 사회와 현대적 사회의 규범이 혼재 ④ 가격의 불확정성: 비효율적인 자원배분 현상 ⑤ 가치의 응집현상: 다양한 이해관계자의 사익추구 반영 ⑥ 권한과 통제의 불균형: 엄격한 규정준수 × ⑦ 신분·계약관계의 혼합: 신분사회와 현대적 계약관계의 혼재

4) 생태론 및 비교행정론의 한계

한계	① 행정환경에 대한 행정의 주체적인 역할 간과 → 지나치게 환경결정론적인 관점이기 때문에 환경과 행정의 교류적인 관계를 경시한 정태적인 접근임 ② 행정의 방향과 목표를 제시하지 못함(가치연구 ×) → 즉, 행정의 환경적인 요인이 행정현상에 어떤 영향을 미치는지는 설명할 수 있으나 행정이 나가야 할 방향을 알려주지 못함 ③ 정치, 경제, 사회, 지리, 문화 등의 여러 가지 환경적 요소들이 복합적으로 행정에 영향을 끼칠 때에, 어느 요소가 어떤 방법으로 얼마만큼 영향을 미치는가를 분리해서 측정하기 어려움 → 조직을 둘러싼 환경적인 요인은 다양한 까닭에 독자적인 연구대상을 정하기 어려움

3 **발전행정론**

틀잡기	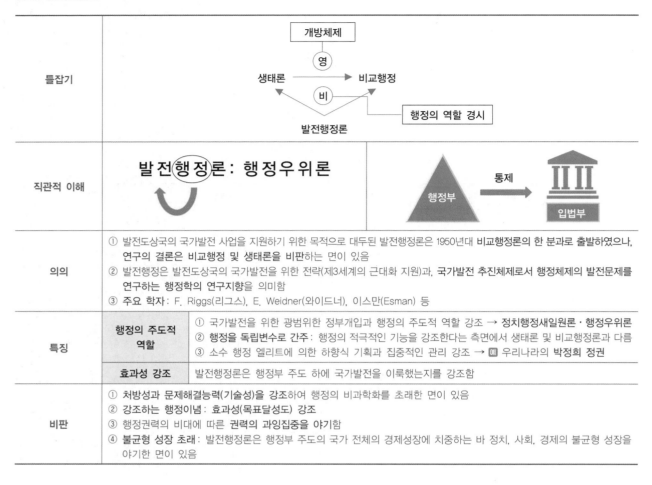
직관적 이해	**발전행정론 : 행정우위론**
의의	① 발전도상국의 국가발전 사업을 지원하기 위한 목적으로 대두된 발전행정론은 1950년대 **비교행정론**의 한 분과로 출발하였으나, 연구의 결론은 비교행정 및 생태론을 비판하는 면이 있음 ② 발전행정은 발전도상국의 국가발전을 위한 전략(제3세계의 근대화 지원)과, **국가발전 추진체제로서 행정체제의 발전문제**를 연구하는 행정학의 **연구지향**을 의미함 ③ **주요 학자** : F. Riggs(리그스), E. Weidner(와이드너), 이스만(Esman) 등
특징	**행정의 주도적 역할** ① 국가발전을 위한 광범위한 정부개입과 행정의 주도적 역할 강조 → **정치행정새일원론·행정우위론** ② **행정을 독립변수로 간주** : 행정의 적극적인 기능을 강조한다는 측면에서 생태론 및 비교행정론과 다름 ③ 소수 행정 엘리트에 의한 하향식 기획과 집중적인 관리 강조 → 우리나라의 **박정희 정권**
	효과성 강조 발전행정론은 행정부 주도 하에 국가발전을 이룩했는지를 강조함
비판	① 처방성과 문제해결능력(기술성)을 강조하여 행정의 비과학화를 초래한 면이 있음 ② 강조하는 행정이념 : **효과성(목표달성도) 강조** ③ 행정권력의 비대에 따른 **권력의 과잉집중**을 야기함 ④ **불균형 성장 초래** : 발전행정론은 행정부 주도의 국가 전체의 경제성장에 치중하는 바 정치, 사회, 경제의 불균형 성장을 야기한 면이 있음

Section 14   **신제도주의**   **4 day**

1 **틀잡기 및 예시**

틀잡기	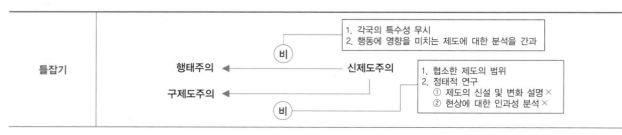

| 예시 | 
※ 노약자석은 왜 있을까? | 한국 내 유교주의 문화 ──(영)──▶ 노약자석 설치
① 신제도주의는 현상을 야기하는 제도적 원인을 규명
② 과학성을 추구하지만, 중범위 수준의 이론을 탐구
　• 중범위 수준의 이론 : 적용되는 영역이 한정된 이론 |

DAY 04

2 특징

제도의 중요성 강조	① 제도를 중심개념으로 정책현상 등 다른 변수와 관계분석 → 중범위 수준의 과학성 추구 ② 즉, 신제도주의는 원자화된 개인이 아니라 제도라는 맥락 속에서 전개되는 개인 행위에 초점을 둠
동태적 연구	① 제도의 변화에 따라 현상이 변할 수 있음(제도 → 현상) ② 제도의 신설 및 변화 등을 설명 : 신제도주의에서 제도는 독립변수일 수도 있고, 종속변수일 수도 있음 　예 스터디그룹 구성원을 규율하는 규칙이 제대로 된 기능을 하지 못할 때 구성원끼리 합의해서 이를 바꾸는 것
넓은 제도의 범위 (공식적 · 비공식적 제도)	① 신제도주의는 규범(비공식 제도)과 규칙(공식적 제도) 등도 제도에 포함 → 즉, 공식적인 통치체제, 법구조뿐만 아니라 비공식적인 제도, 규범, 관례, 문화까지 제도로 본다는 것 ② 신제도론은 사람들의 상호작용 양식을 제도의 개념에 포함시킴(예 사람들이 형성한 규칙이나 문화 등) → 따라서 다양한 현상은 그 활동에 참여하는 사람들의 교호작용의 유형(상호작용에 따라 형성된 제도의 유형)에 따라 달라질 수 있음
제도는 균형을 이루고 있음	① 제도가 형성되면 일정 기간 유지됨 ② 단, 신제도주의는 행위 주체의 의도적이고 전략적인 행동이 제도에 영향을 미칠 수도 있다는 점을 인정하고 제도의 안정성보다는 제도 설계와 변화 차원에 관심을 보이고 있음

3 한계 및 기타내용 cf

한계		① 제도와 행위 사이의 정확한 인과관계를 설명하는 데 한계가 있음(행태주의에 비해 엄밀성이 결여) ② 거시적 수준의 영향력 있는 변수가 등한시될 수 있음 → 계급, 인종, 자원 등 ③ 제도 이외에 공공정책에 영향을 미치는 다른 변수를 경시
기타	구제도주의 · 신제도주의 공통점	① 현상을 설명할 때 제도를 중심으로 국가 간 차이에 대한 설명을 시도 ② 신제도주의와 구제도주의는 합리적 행동모형에 대해서 비판적 관점을 취함 ③ 즉, 다원론이나 합리적 선택이론(고전파 경제학)등 과거의 이론들은 제도의 영향력을 인정하지 않고, 외생적 선호를 가진 개인의 행동을 강조함 → 이와 다르게 신제도론은 사회적 맥락과 제도가 개인의 선택과 행위를 제약할 수 있음을 인정
	제도는 내생변수	① 신제도론은 정책 등을 제도로 인식하기 때문에 이들은 변화할 수 있는 변수, 즉 내생변수임 ② 용어정리 　㉠ 외생변수 : 변하지 않는 변수 　㉡ 내생변수 : 무언가의 영향을 받아서 변할 수 있는 변수

4 신제도주의의 유형

1) 틀잡기 및 예시

틀잡기	신제도주의 ──영──→ ┌ 합리선택적 신제도주의 ├ 사회학적 신제도주의 └ 역사적 신제도주의 ※ 각 유형은 일반적으로 앞에서 언급한 신제도주의의 특징을 담고 있음	
예시	합리선택적 신제도주의	① 이해당사자가 합리적으로 선택한 규칙 등이 이해당사자들의 행동을 제약 ② 예 합리적인 규칙을 설정해서 공유지 비극을 막는 것 → 낚시 관리 및 육성법(약칭 : 낚시관리법)을 통해 무분별한 낚시행위를 제한하는 것 ③ 참고 행정학 시험에서는 공공선택론, 신제도주의 경제학, 합리선택적 신제도주의가 같은 의미로 사용되고 있음 → 이기적 인간 및 제도의 중요성 강조
	사회학적 신제도주의	① 각 나라의 문화 등이 해당 국가 국민의 행동을 제약 ② 예 유교주의 문화의 영향으로 노약자석을 설치하는 것
	역사적 신제도주의	① 각 나라의 역사적 맥락 속에서 형성된 정책이나 법이 해당 국가 국민의 행동을 제약 ② 예 미국의 미시간주에서는 일요일에 자동차 매매를 하면 불법임 → 일요일에 교회에 가는 것을 중시하는 역사적 맥락 때문에 제정된 법임

2) 각 유형에 대한 구체적인 내용

구분	합리선택적 신제도주의	사회학적 신제도주의	역사적 신제도주의
제도의 개념	개인 간 합리적 선택의 결과로 인해 만들어진 게임의 규칙 → 공식적인 규칙	① 비공식적 문화 　㉠ 구성주의 관점 : 사회 내 구성원이 형성 　㉡ 문화는 사회적 정당성에 기초	① 각 국가의 공식적인 정책 혹은 법 　㉠ 장기간의 역사적인 맥락에서 형성 　㉡ 경로의존성 : 장기간 유지되는 속성 　㉢ 제도의 비합리성과 권력의 비대칭 (엘리티즘) 인정
학문적 기초	경제학	사회학	정치학·역사학
중점	개인 간 합리적·전략적 선택 강조 → 개인의 자율성 인정	제도의 형성 및 변화과정에서 사회적 동형화 강조	제도의 지속성 및 제도형성의 과정
제도의 변화원인	비용과 편익의 변화에 따른 합리적 선택	제도적 동형화	역사적 사건에 의한 급격한 변화
개인의 선호	① 외생적 선호 ② 개인선호는 선험적으로 규정된 것	① 내생적 선호 ② 문화가 개인의 선호 제약 및 형성	① 내생적 선호 ② 정책 등이 개인선호를 제약 및 형성
개체주의 · 총체주의	방법론적 개체주의 : 사람에 대한 분석으로부터 현상을 설명 → 이기적 개인	방법론적 전체주의 : 문화 중심 연구	방법론적 전체주의 : 역사적 흐름·맥락 속에서 형성된 제도에 초점
연역·귀납	연역적 접근 : 인간의 이기적 특성을 바탕으로 합리적 제도의 필요성 설명	귀납적 접근 : 여러 국가 및 조직문화에 대한 사례연구	귀납적 접근 : 여러 국가정책 등에 대한 사례연구
기타	① 문제 풀 때, 아래와 같이 생각할 것 ② 합리선택적 제도주의 = 공공선택론	횡단적 연구 : 일정 기간으로 시점을 고정하고 여러 국가 등의 문화를 관찰	종단적 연구 : 시간의 흐름에 따른 특정 국가 내 제도변화 등을 관찰
제도의 범위	좁음	가장 넓음 예 유교주의 문화	넓음

3) 사회학적 신제도주의 기타 내용

배태성			① 사회학적 제도주의에서 개인은 제도를 자신의 목적에 따라 만들거나 변화시킬 수 없으며 제도에 종속되는 존재임 ② 제도 자체에 행동을 제약하는 표준화된 행동 코드가 내재(배태)되어 있어(embedded) 그 틀을 벗어나기 어렵다는 것 ③ 따라서 개인이나 조직은 단순한 경제적 이익을 추구하기보다는 사회적으로 정당성을 인정받은 규칙 혹은 규범에 적절하게 순응함 → 적절성의 논리
제도적 동형화	내용		① 제도가 경제적 합리성이 아닌 사회적 정당성에 따라 서로 유사하게 닮아가는 현상 ② 제도적으로 조직이 동형화되면 조직이 교란되는 것을 막을 수 있음 → 조직 내 혼란방지 역할
	유형	강압적 동형화	① 법규 등으로 대표되는 강압적 동형화가 조직간 유사성을 형성할 수 있음 ② 예 정부의 규제정책에 따라 기업들이 오염방지 장치를 도입하거나 장애인 고용을 확대하는 것
		모방적 동형화	① '우수하다고 생각되는' 조직을 모방하려는 모방적 동형화 ② 예 정부의 제도개혁에 선진국의 제도를 도입하여 적용하는 것
		규범적 동형화	① '마땅히 그러해야 한다'라는 사회의 가치가 조직간 동질화를 형성하는 것 → 느슨해 보이지만 가장 강력한 힘을 발휘함 ② 예 교육기관이나 전문가의 의견이나 자문을 통해 조직이 서로 닮아가는 것

DAY —— 04

Section 15 기타이론   4 day

1 딜레마이론 ᶜᶠ

틀잡기	목표 정책 A VS 정책 B
개념	① 정책결정자가 정책대안을 선택하지 못하고 있는 곤란한 상황에 처한 상태 ② 다시 말하면 딜레마 상황이란 정책결정자가 정책대안 중 하나를 선택해야 하나, 두 대안이 거의 동등한 가치를 갖고 있거나 하나의 가치를 포기하는 비용이 너무 큰 두 대안 중 하나를 선택해야만 하는 상황에 처해 곤란을 겪는 상황
발생조건	<table><tr><td>구분</td><td>내용</td></tr><tr><td>명료성</td><td>정책대안들이 구체적이고 명료해야 함</td></tr><tr><td>상충성</td><td>특정 대안을 선택할 경우 비용부담자와 수혜자가 명확하게 구분됨</td></tr><tr><td>분절성(단절성)</td><td>대안 간 절충도 불가능한 상황</td></tr><tr><td>균등성</td><td>정책대안들이 초래할 결과가 비슷함</td></tr><tr><td>선택불가피성</td><td>반드시 하나의 대안을 선택해야 함</td></tr></table>

종류	구분	객관적 상태	주관적 인지
	일치된 딜레마	○	○
	무시된 딜레마	○	×
	의사(pseudo) 딜레마	×	○

용어정리
① 객관적 상태 : 어느 누가 보더라도 현재 상황이 딜레마 상태인 경우
② 주관적 인지 : 결정을 둘러싼 의사결정자만 현재 상황을 딜레마 상태로 인식한 상태

	결정자의 사익추구 지양	정책결정자의 개인적 이익을 위한 판단으로 인해 시스템 전체가 딜레마에 빠지지 않도록 해야 함
대응방안	제도정비 (궁극적 방법)	① 행위자들이 가지고 있는 이해관계가 문제상황에 영향을 미치지 않게 해야 함 ② 따라서 이해관계자가 정책결정자에게 직접적인 영향력을 행사하지 못하게 하는 여과장치를 설계하거나 마련할 필요가 있음 ③ 사익추구 방지를 위한 신뢰할 수 있는 토론제도 마련
	소극적 대처	① 정책결정의 회피(포기) 및 지연 : 비결정 ② 결정책임의 전가 ③ 상황의 호도 등 : 이해관계자 설득
	적극적 대처	① 정책문제의 재구성(새로운 딜레마 상황조성) ② 상충하는 정책의 대안을 동시에 선택
기타		정책과 이해관계가 있는 집단 간 내부응집력(조직의 단결력)이 강하면 딜레마가 증폭됨

2 시차이론 ⓓ

틀잡기	A 시점 정책 ──────▶ 목표		B 시점 정책 ──────▶ 목표	
의의	① 시차이론은 한국의 정책집행 과정, 특히 정부개혁이 효과를 거두지 못한 이유를 파악하려는 데서 출발 ② 집행타이밍에 따라 정책의 성패가 달라질 수 있음을 강조한 이론			
특징	① 시차이론은 정책연구에서 '시간' 변수를 중요한 분석 요소로 도입 → 정책과정의 인과관계에서 '시차적인 면'을 부각시킨 것 ② 정부개혁이 성공하지 못하는 이유를 시간적인 선후관계와 제도의 적합성을 중심으로 파악하려는 이론으로써 같은 제도를 도입해도 시간적 순서에 따라 결과가 다를 수 있음을 설명함 ③ 따라서 시차이론은 정책이나 제도의 도입 이후 어느 시점에서 변경을 시도해야 바람직한 결과를 낳을 것인지에 주목하는 바 시차적 요인에 대해 적절한 고려가 없을 경우 정부개혁의 실패가 나타난다는 관점임 ④ 시차이론은 특정한 시점에 정책을 도입하더라도 정책이나 제도의 효과는 어느 정도 숙성기간이 지난 후에 평가하는 것이 합리적이라고 보고 있음 ⑤ 리더에게 시간을 고려하는 시간적 리더십을 요구			

3 레짐이론 : 레짐 = 도시거버넌스 cf

개념	① 지방정부수준에서 발생하는 협치현상을 연구한 **도시거버넌스 이론** → 분석단위로서 '지방정부' 채택 ② 일반적으로 도시정치이론에 이론적 뿌리를 두고 있는 레짐은 정부가 주도하는 레짐(정권적 차원의 레짐)이 아닌 참여자 간 평등한 통치연합을 의미
특징	① 1980년대 후반부터 미국과 영국에 대한 도시거버넌스 비교연구가 진행되면서 등장한 대표적인 도시거버넌스 이론으로써 도시권력구조에 대한 이해를 통해 정부 및 비정부 부문의 다양한 세력 간 상호의존성을 강조 ② **지방정부와 지방의 민간부문 주요 주체가 연합하여 권력기반을 형성하는 현상을 설명함** → 과거 도시정치경제이론에서 강조하는 정부기구 활동의 경제적 종속성(시장의 영향력 인정)을 수용하면서도, 시민사회의 자율적 참여, 즉 정치의 독자성을 강조함 ③ 1980년대 이후 발달한 레짐의 유형은 미국의 분권적 도시발전과정을 대변한다고 볼 수 있음

스톤의 레짐유형

비고	현상유지레짐	개발레짐 : 대규모 도시재개발	중산계층진보레짐	하층기회 확장레짐
추구하는 가치	친밀한 소규모 지역의 현상유지	• 지역개발 및 성장 • 공공시설 확충	• 삶의 질 개선 • 자연 및 생활환경보호 • 정주환경 개선	저소득층 보호
특징	• 갈등 적음 • 일상적인 서비스 공급	• 갈등 심함 • 보조금, 세제 혜택	• 기업에 대한 정부규제 • 시민참여와 감시 강조	• 작업교육 확대 • 대중동원 중시
생존능력	강함	비교적 강함	보통	약함

Stocker와 Mossberger의 레짐 유형

구분	형성동기	내용
도구적 레짐	단기적 목표	① 구체적인 프로젝트와 관련되는 단기적인 목표에 의해 구성되며, 단기적이고 실용적인 동기가 내포 ② 프로젝트의 실현지향성, 가시적인 성과, 그리고 정치적 파트너십 등이 특징 ③ 예 올림픽 게임과 같은 주요한 국제적 이벤트를 유치하기 위해 구성하는 레짐
유기적 레짐	현상유지	① 현상유지와 이를 위한 정치적 교섭에 초점 ② 굳건한 사회적 결속체와 높은 수준의 합의를 특징으로 함 ③ 외부적 영향에 대해 오히려 적대적이며, 소규모 도시들은 대체로 유기적 레짐을 유지
상징적 레짐	도시변화	① 도시발전의 방향에 있어 변화를 추구하려는 도시에서 나타남 ② 레짐의 형성에도 불구하고 레짐의 목적과 방향에 대한 이념적 논쟁을 지속하는 성향이 있음 ③ 상징적 레짐은 흔히 과도기적 역할을 수행하며, 그들은 보다 안정적인 연합으로 나아갈 개연성이 큼

DAY ─
04

4 체제이론

틀잡기	개방체제 관점 생태론 ──(영)──▶ 체제이론
예시	환경 행정체제 투입(요구 · 지지) ──▶ 전환 ──▶ 산출(정책) 환류
개념	① 체제는 생명체(유기체)를 의미함 → 📖 신체, 국가(행정체제), 지구 등 ② 체제이론은 거시적인 관점에서 체제의 안정과 균형을 설명하는 접근: 모든 체제는 상호작용하는 여러 구성요소(하위체제)로 이루어져 있으며, 각 하위체제는 체제의 안정과 균형을 위해 나름의 기능을 수행 → 구조기능주의 ③ '투입 → 전환 → 산출 → 환류' 모형을 활용하여 체제의 생존 · 안정 및 동태적인 균형(동태적 항상성)을 설명 ④ '투입 → 산출' 모형은 이스턴 혹은 샤칸스키 등이 제시함

특징		
	목적론적 관점	모든 체제는 안정 및 균형이라는 목적을 보유
	계서적 관점	체제는 하위체제로 구성되어 있음
	등종국성	체제는 생존이라는 목적을 달성하기 위해서 여러 가지 방법을 활용할 수 있음
	종단적 분석	시간의 흐름에 따른 체제의 안정과 균형을 분석
	부의 엔트로피 증가	체제는 환경의 변화(엔트로피 · 혼란)에 적응하기 위해 하위 구성체제를 움직이면서 부의 엔트로피를 증가시킴
	동태적 안정	체제는 변화하는 환경에 맞게 하위체제를 변화시키면서 안정과 균형을 추구

기타	① 일부분에 대한 분석보다 거시적 · 전체적인 개념(📖 체제)을 중심으로 현상을 설명 ② 개방체제는 가치판단을 배제하고 체제를 물화시켜 연구하므로 사람 간 의식의 상호작용을 중시하는 현상학과는 차이가 있음 ③ 체제는 시간이 지나면서 변화할 수 있음: 체제는 구성요소 중의 어느 하나가 변화가 생기거나 새로운 이질적인 요소가 투입될 때 안정을 위한 변화를 추구 → 외부환경의 변화가 없을 때는 균형 유지
비판	① 현상유지적 성격: 체제이론은 균형과 안정을 중시하기 때문에 개발도상국의 역동적인 사회현상을 설명하는 데는 적합하지 않다는 비판을 받음 ② 선진국의 행정현상을 연구하는데 적합한 이론: 발전도상국이나 후진국의 급격한 변화를 설명하기 어려움 ③ 거시적 접근방법이므로 체제의 전체적인 국면은 잘 다루고 있으나 체제의 구체적인 운영이나 행태적인 측면은 잘 다루지 못함 ④ 정치 혹은 행정현상에서 특수한 인물의 성격, 개성, 리더십 등이 큰 비중을 차지하는 경우 이를 과소평가

	투입	국민의 지지나 반대 등의 요구
용어정리	전환	목표를 설정하고 필요한 정책을 결정하는 과정
	산출	① 전환과정을 거쳐서 환경에 응답하는 결과물 → 정책 ② 가치(사회경제적 가치)의 권위적 배분은 정책을 통해 이루어짐 → 아울러 이러한 과정에서 다양한 이해관계자의 개입(정치적 특성)이 발생할 수 있음
	환류	① 산출의 결과를 다음 단계의 새로운 투입에 전달·반영하는 것으로써 투입물을 수정하거나 새로운 투입물을 형성하는 과정으로서 행정체제의 개혁·쇄신 등이 그 예임 　㉠ 적극적·긍정적 환류(Positive Feedback): 목표의 수정·변화와 불균형 추구 　㉡ 소극적·부정적 환류(Negative Feedback): 오차의 수정·안정과 질서 추구 → 체제이론에서 적용되는 환류의 유형이며, 체제론적 접근방법은 환류를 통한 체제의 지속적인 균형을 중시함
	환경	① 체제에 대한 요구나 지지를 발생시키는 체제 밖의 모든 영역 ② 체제는 체제의 경계 밖에 있는 환경의 영향을 받는 존재 → 체제는 환경과 구분되는 경계를 지님
파슨스 체제론	<table><tr><th>기능</th><th>조직유형 : 하위체제</th><th>예시</th></tr><tr><td>자원조달 및 환경적응(적응기능) : Adaptation</td><td>경제조직</td><td>민간기업</td></tr><tr><td>방향성 제시(목표달성 기능) : Goal attainment</td><td>정치조직</td><td>정당, 의회, 행정부 등</td></tr><tr><td>일탈방지 및 갈등조정(통합기능) : Integration</td><td>통합조직</td><td>경찰서, 법원 등</td></tr><tr><td>이데올로기 유지(잠재적 형상 유지 기능) : Latent Pattern Maintenance</td><td>체제유지(현상유지·형상유지)조직</td><td>교육기관, 종교기관 등</td></tr></table>	

DAY — 04

5 다문화주의와 문화상대주의 cf

	개념	사회 내에 다양한 문화가 공존하는 것을 긍정적으로 바라보고, 문화의 공존이 야기할 수 있는 바람직한 면을 적극적으로 강조하는 사조 혹은 운동
다문화주의	문화상대주의와의 차이점	① 다문화주의는 하나의 사회 내부에 복수의 문화가 존재하는 문제를 다룸 ② 문화상대주의는 각각의 문화가 그 자체로 나름의 가치를 가질 수 있다는 데 방점을 둠 　→ 사회와 문화가 일대일 대응을 전제 ③ 일반적으로 선진국은 다양성을 존중하는 상대주의를 특징으로 함

Section 16 접근방법(Approach) cf ● 5 day

1 접근방법의 유형

- **접근방법**: 특정 학문 분야의 연구에서 무엇을(what) 어떻게(how) 연구할 것인가에 관한 견해와 관점
- 접근방법은 '무엇을', '어떻게' 연구할 것인가에 관한 관점을 말한다는 점에서 인식론(認識論, epistemology)과 밀접하게 관련되어 있음
- 본래 사회과학에서 접근방법과 이론은 다른 개념이지만, 공무원 시험에서는 같은 의미로 사용되고 있음

역사적 접근	개념	① 각 나라의 사건 · 기관 · 제도 · 정책 등의 역사적 기원과 발전과정을 설명하는 연구 방법 ② 각종 행정제도의 성격과 그 형성에 있어서 **특수성**을 인식하는 수단을 제공
	특징	① 정치 · 행정적 사건들의 발생(발생론적 설명) 및 전개과정을 자세하게 묘사 → 사례 연구 ② 역사적 접근방법의 논리 구조: 특정한 사건 · 기관 · 정책 등의 기원과 발전과정을 바탕으로 행정현상의 특징을 설명
행태적 접근	개념	① 논리구조: 조직구성원의 행태적 특성 → 행정현상 ② 예시: 사회과학 분야의 논문을 작성할 때 설문조사 또는 관찰결과를 통계적으로 분석하여 가설을 검증하는 방식이 일반적으로 사용되는 데, 이러한 연구방법이 전형적인 행태론적 접근방법임 → 행태주의는 명백한 자극과 반응으로 볼 수 있는 행위 또는 행동만을 연구대상으로 삼는 심리학적 행동주의(psychological behaviorism)와는 달리, 특정 질문에 따른 반응을 통해 파악해 볼 수 있는 태도, 의견, 개성 등도 행태에 포함시킴
현상학적 접근	개념	① 현상학적 접근방법은 사회현상 또는 사회적 실재(social reality)를 자연현상처럼 사람과 동떨어진 객체로 존재하는 것이 아니라, 그 속에 참여하는 사람들의 의식 · 생각 · 언어 · 개념 등으로 구성된다고 보아, 사회과학 연구에서는 사람들의 외면적 행태의 관찰을 강조하기보다는 내면적 의식을 이해하여야 한다고 주장 ② 논리구조: 인간의 내면적 의식 · 생각 · 개념 → 행정현상
	특징	① 과학적 연구가 지향하는 가치중립적인 연구에서, 가치비판적이고 가치평가적인 연구를 할 수 있게 함으로써 정책연구에 기여 ② 하몬에 의해 제시된 행위이론(action theory)은 현상학적 접근방법을 활용하여 인간행위의 주관적 의미를 탐구함 　㉠ 행위이론은 인간의 행위가 의도적이며, 인간은 그들의 활동과 관련해서 그들 자신을 성찰할 수 있는 행위자임을 암시 　㉡ 또한 주체와 객체 간의 상호작용 과정을 통해서 사회적 조직은 창조되고 유지될 수 있으며, 행위 지향적인 행정은 다른 개인들의 현실을 이해하고 공감할 수 있는 행위 지향적 개인들에 의해서만 가능하다는 것을 강조
미시적 접근 · 거시적 접근	틀잡기	거시적 연구 : 체제이론 · 생태론 등 ─ 조직 △ 사람 · 기술 · 구조 미시적 연구 : 행태주의 · 현상학 등

	개념	① 툴민(Toulmin)이 제시한 모델로써 정부가 국민에게 집행하려는 정책 등의 정당성을 확보하기 위해 필요한 논리구조를 강조 ② 툴민에 따르면 정부는 정책을 집행할 때 국민이나 이해당사자들을 얼마나 설득시킬 수 있고 지지를 얻어낼 수 있는지가 중요함 → 따라서 결정에 대한 주장을 정당화할 수 있는 논리적인 모형을 제시

논변적 접근 / 예시

쓰레기 수거 민영화 주장에 대한 정책논변모형 구조

정책관련정보 → 한정접속사 → 정책주장

• 시직영은 예산절감에 비효율적임

• 민영화를 실시하여야 함

본증

반증

• 시예산을 절감시킴 (위탁을 받은 자에게 비용전가)
• 작은 정부 정신에 부합함

• 영세민의 부담을 가중시켜 형평성 문제를 야기함
• 환경위생분야는 정부역할의 확대가 요구됨

• 반증의 보증 : 민간대행이 시직영보다 주민만족면에서 낮음(박경효, 1991)

보증

• 한국 내 시의 쓰레기 수거방식을 분석한 결과 민영화가 더 효율적인 것으로 밝혀짐(손희준, 1992)

• 보증에 대한 반증 : 손희준 연구는 표본의 대표성이나 자료의 신뢰성에 문제가 있어 서울시에 적용하기 곤란함

개체주의 · 총체주의 / 개념

구분	내용	발생가능한 오류
방법론적 개체주의	① 현상을 구성하고 있는 일부분에 대한 분석을 바탕으로 현상을 설명하려는 접근 ② 사회명목론 : 개인만이 실재하는 존재이고 사회는 개인들의 단순한 집합체에 불과하다는 견해 → 사회는 단지 명목상 존재한다는 것 ③ 미시적 접근 : 현상을 형성하는 개체를 통해 전체를 파악한다는 점에서 미시적 접근이라고 부르기도 함	① 환원주의의 오류 혹은 구성(합성)의 오류 ② 예 철수는 예의가 없으니 철수가 속한 집단도 유사할 거라고 믿는 경우
방법론적 총체주의 (전체주의 · 신비주의)	① 사회현상의 이해를 위해 전체를 분석의 대상으로 삼는 접근 ② 사회실재론 : 부분의 합을 넘어선 그 무엇(사회)이 존재한다고 보는 입장 ③ 개체가 구성하는 전체를 기준으로 현상을 파악하려고 한다는 점에서 거시적인 접근이라고 부르기도 함	① 생태론적 오류 혹은 분할의 오류 ② 예 유교주의 문화권에서 살아가는 사람은 공손할 거라고 믿는 것

연역적 · 귀납적 / 개념

구분	내용	예시
연역적 접근	① 명제로부터 명제를 추론하여 지식을 확장하는 방식 ② 직접 경험하지 않아도 사실을 알 수 있다는 전제	사람은 죽는다. 그러므로 철수도 죽는다.
귀납적 접근	① 직접적인 경험을 통해 지식을 형성하는 방식 ② 시간과 비용이 많이 소요되며, 지식의 정확도가 부족함 ③ 블랙스완(black swan)은 귀납적 접근을 비판한 개념	철수, 영희 등은 모두 죽었다. 그러므로 사람은 결국 죽는다.

Section 17 행정이론 전체 틀잡기

● **5 day**

1 주요 행정이론 틀잡기

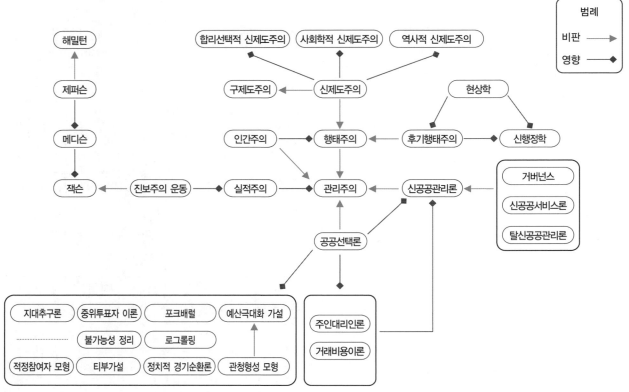

※ 위의 그림에서 A→B→C의 관계라도 A→C가 성립하지 않을 수 있음

2 국가관리 패러다임에 대한 행정이론

구공공관리	신공공관리	거버넌스	신공공서비스론	탈신공공관리론
행정부 ↓ 서비스 공급 국민	지나친 분절화 민간업체 ··· 행정부 ··· 민간업체	정부 협치 시장 ↔ 시민사회 ↓ 시민	행정부 담론의 결과 제시 ↑ ↓ 봉사 시민	지나친 분절화 지양 행정부 민간업체 · 민간업체 · 민간업체

3 폐쇄체제·개방체제 관련 행정이론

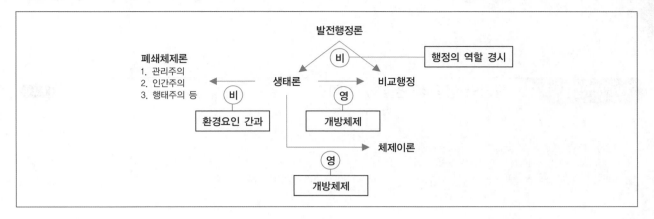

4 행정이론의 연대표 ⓒⅼ

시기(년대)	이론	특징
1880~1930초	관리주의	행정학 성립기 때의 고전적 행정이론
1930초	인간관계론	신고전적 행정이론
1930~1940	통치기능설	정치행정일원론
1945	행태주의	논리실증주의에 의한 과학적 연구
1950	생태·체제론	행정환경과의 관계를 연구한 거시이론
1960	발전행정론	개도국의 국가발전을 위한 이론
1960말	신행정학	격동기 미국사회 문제해결을 위한 이론
1970초	공공선택론	경제학적 관점으로 정부실패 연구
1980	신제도주의	개인의 행동에 대한 제도적 제약 연구
1980s	신공공관리	작고 효율적인 정부를 위한 관리방법
1990	거버넌스	정부·시장·시민사회와의 협치
2000	신공공서비스론	국민에 대한 봉사
2008	탈신공공관리론	재집권 및 재규제

DAY —
05

CHAPTER **03** 행정의 목적

행정의 궁극적(본질적) 가치 ● **5 day**

- **본질적 가치**: 행정이 달성하려는 궁극적인 목적·방향성
- 인생의 궁극적인 목적이 행복이듯, 행정에도 종국적인 목표가 있다는 것
- 행복이나 공익 등은 사람마다 다르게 정의할 수 있는 까닭에 가치에 대한 연구는 주관적인 성격을 띠고 있음

1 행정의 목적 틀잡기

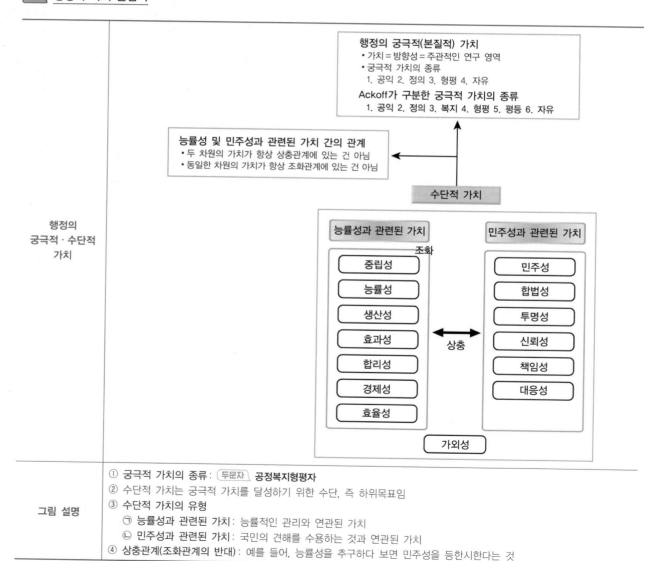

행정의 궁극적·수단적 가치	
그림 설명	① **궁극적 가치의 종류**: 두문자 **공정복지형평자** ② 수단적 가치는 궁극적 가치를 달성하기 위한 수단, 즉 하위목표임 ③ **수단적 가치의 유형** 　㉠ **능률성과 관련된 가치**: 능률적인 관리와 연관된 가치 　㉡ **민주성과 관련된 가치**: 국민의 견해를 수용하는 것과 연관된 가치 ④ **상충관계(조화관계의 반대)**: 예를 들어, 능률성을 추구하다 보면 민주성을 등한시한다는 것

행정의 궁극적(본질적) 가치
- 가치 = 방향성 = 주관적인 연구 영역
- 궁극적 가치의 종류
　1. 공익 2. 정의 3. 형평 4. 자유
Ackoff가 구분한 궁극적 가치의 종류
　1. 공익 2. 정의 3. 복지 4. 형평 5. 평등 6. 자유

능률성 및 민주성과 관련된 가치 간의 관계
- 두 차원의 가치가 항상 상충관계에 있는 건 아님
- 동일한 차원의 가치가 항상 조화관계에 있는 건 아님

수단적 가치

능률성과 관련된 가치 / 민주성과 관련된 가치

조화

중립성 / 민주성
능률성 / 합법성
생산성 / 투명성
효과성 / 신뢰성
합리성 / 책임성
경제성 / 대응성
효율성

상충

가외성

2 궁극적 가치의 종류

1) 공익 : 실체설과 과정설을 중심으로

<table>
<tr>
<td rowspan="2">실체설</td>
<td>틀잡기</td>
<td>
정부 혹은 관료 ──규정──▶ 공익 : 사회공동체를 위한 이익

· 공익의 예시
① 전체 효용의 극대화
② 보편적 가치 혹은 이익 등
</td>
</tr>
<tr>
<td>내용</td>
<td>
① 국가 전체에 이로움을 줄 수 있는 명백한 기준이 실체로서 존재하며(공익의 실체 인정), 이러한 기준이 공익이 되어야 한다는 관점 → 집단주의적 공익관
② 사회공동체를 위한 이익을 정함에 있어서 사회 내 개인의 견해를 수렴할 경우 사익을 투영할 공산이 크기 때문에 정부 혹은 관료가 공익을 규정해야 함을 강조(엘리트론·개발도상국) → 국민 간 토론과 합의를 거치지 않아도 사회공동체를 위한 이익이 된다면 공익에 해당한다는 것
③ 사익(각 개인의 견해)을 초월한 공동체 전체의 공익이 따로 있다고 보는 견해 → 따라서 실체설에서 사회나 국가는 개인과 별개로 구별되는 존재임
④ 학자 : 플라톤(철인정치), 루소(일반의지) 등
</td>
</tr>
<tr>
<td rowspan="2">과정설</td>
<td>틀잡기</td>
<td>
시민   시민
정부의 소극적 중재   사익이 포함된 견해
견해의 총합 : 공익

※ 공익 = 국민 간 토론·합의의 결과물
</td>
</tr>
<tr>
<td>내용</td>
<td>
① 공익의 개념이 주관적이고 모호하기 때문에 행정의 구체적인 기준을 제공하기 어렵다고 간주
② 이에 따라 과정설은 공익을 하나의 실체로 보는 게 아니라 다수에 의해 조정, 타협되어 가는 과정이며 그 과정을 거쳐 얻은 결과로 보는 관점 → 다원주의·선진국에 적용
③ 단, 협상과 조정 과정에서 일부 세력의 영향력이 크다면 약자가 희생되는 결과를 초래할 수 있음
④ 각 개인의 견해에 따라 공익이 변할 수 있다는 현실적이고 개인주의적 공익관
⑤ 학자 : 슈버트 등
</td>
</tr>
<tr>
<td>기타</td>
<td colspan="2">
① 공익의 대두배경 : 행정부의 영향력 증대
　㉠ 행정권한의 확대로 인해서 행정의 준거기준에 대한 관심 제고
　㉡ 즉, 정치행정일원론, 신행정론 등의 등장에 따라 쇄신적 정책결정의 중요성, 행정인의 재량권이나 자원배분권이 확대되었음
　　→ 이에 따라 행정이론의 윤리적 기초에 대한 관심 및 행정행태의 논리적 준거기준의 필요성이 증가함
② 행정의 목적으로서 공익
　㉠ 행정의 목적 중 하나는 공익이므로 공익의 달성여부는 행정책임의 중요한 기준이 됨
　㉡ 공익은 행정이 추구하는 목적이기 때문에 국가 권력에 정당성을 부여할 뿐 아니라 정책평가의 기준으로 기능할 수 있음
</td>
</tr>
</table>

DAY — 05

2) 정의 : 롤즈의 견해를 중심으로

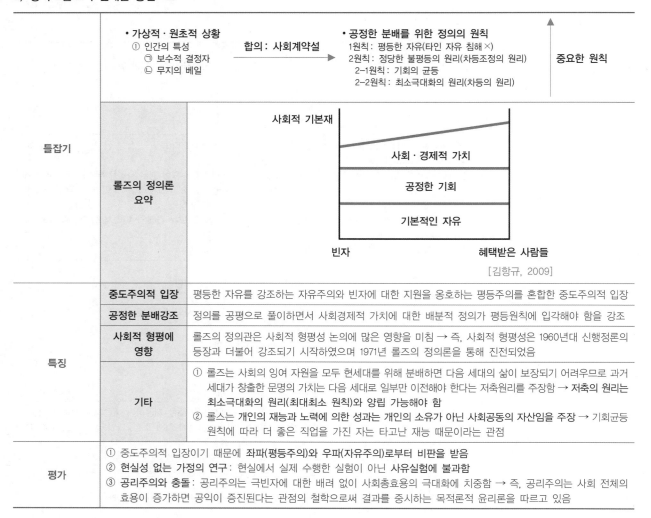

틀잡기	**롤즈의 정의론 요약**	• 가상적 · 원초적 상황 ① 인간의 특성 ㉠ 보수적 결정자 ㉡ 무지의 베일 → 합의 : 사회계약설 → • 공정한 분배를 위한 정의의 원칙 1원칙 : 평등한 자유(타인 자유 침해×) 2원칙 : 정당한 불평등의 원리(차등조정의 원리) 2-1원칙 : 기회의 균등 2-2원칙 : 최소극대화의 원리(차등의 원리) / **중요한 원칙** [김항규, 2009]
특징	**중도주의적 입장**	평등한 자유를 강조하는 자유주의와 빈자에 대한 지원을 옹호하는 평등주의를 혼합한 중도주의적 입장
	공정한 분배강조	정의를 공평으로 풀이하면서 사회경제적 가치에 대한 배분적 정의가 평등원칙에 입각해야 함을 강조
	사회적 형평에 영향	롤즈의 정의관은 사회적 형평성 논의에 많은 영향을 미침 → 즉, 사회적 형평성은 1960년대 신행정론의 등장과 더불어 강조되기 시작하였으며 1971년 롤즈의 정의론을 통해 진전되었음
	기타	① 롤즈는 사회의 잉여 자원을 모두 현세대를 위해 분배하면 다음 세대의 삶이 보장되기 어려우므로 과거 세대가 창출한 문명의 가치는 다음 세대로 일부만 이전해야 한다는 저축원리를 주장함 → 저축의 원리는 **최소극대화의 원리(최대최소 원칙)와 양립 가능해야 함** ② 롤즈는 개인의 재능과 노력에 의한 성과는 개인의 소유가 아닌 사회공동의 자산임을 주장 → 기회균등 원칙에 따라 더 좋은 직업을 가진 자는 타고난 재능 때문이라는 관점
평가		① 중도주의적 입장이기 때문에 **좌파(평등주의)와 우파(자유주의)로부터 비판**을 받음 ② **현실성 없는 가정의 연구** : 현실에서 실제 수행한 실험이 아닌 **사유실험에 불과함** ③ **공리주의와 충돌** : 공리주의는 극빈자에 대한 배려 없이 사회총효용의 극대화에 치중함 → 즉, 공리주의는 사회 전체의 효용이 증가하면 공익이 증진된다는 관점의 철학으로써 결과를 중시하는 목적론적 윤리론을 따르고 있음

3) 형평(공정성 · 공평성)

유형	**수평적 형평**	① 동일한 것은 동일하게 대우 ② 자유주의자들의 입장(개인주의)으로 일반적으로 기회의 공평(개인의 능력 강조)을 강조하는 소극적 · 보수주의적 공평관
	수직적 형평	① 다른 것은 다르게 대우 ② 사회주의자들의 입장(집단주의)으로 빈자와 부자의 차이 및 현세대와 차세대의 구별을 인정하고 **일반적으로 결과의 공평을 강조**하는 적극적 · 진보주의적 형평관
	절충적 형평	① 사회적 형평으로 불리기도 하며, 수평적 형평과 수직적 형평을 혼합한 개념 ② 기회의 균등에 따른 성과 차이를 인정하면서도 빈자에 대해 기본적인 요소는 보장하는 형평관 ③ 절충적 형평(사회적 공평)은 기회의 형평을 우선하여 적용(수평적 공평)하되, 경제적 약자를 고려하여 결과의 공평(수직적 공평)을 최종적으로 고려해야 함
기타		① 인간의 기본욕구 충족과 최소한의 평등확보 측면에서 욕구이론은 수평적 형평(결과균등 : 소수설)에 대한 유용한 기준을 제시함 ② 실적의 차이에 따른 차등적 배분의 정당성을 뒷받침하는 실적이론은 수직적 형평(결과차등 : 소수설)의 관념을 바탕으로 하고 있음

4) 자유 : 벌린(베를린)의 견해를 중심으로 cf

유형	구분	정부의 간섭	정부관
	소극적 자유	반대	작은 정부(정부활동 축소)
	적극적 자유	찬성	큰 정부(정부활동 증대)
용어정리	① 소극적 자유 : 정부의 제약과 간섭이 없는 상태 → 정부의 소극적 역할 강조 ② 적극적 자유 : 정부의 간섭에 의해 무언가를 할 수 있는 상태 → 정부의 적극적 역할 강조 ③ 19세기 야경국가는 소극적 자유관을 강조했으나, 1930년대에 경제대공황이 발생하면서 적극적 자유관이 등장함		

Section 02　행정의 수단적 가치　　　　　● 5 day

1　민주성과 관련된 수단적 가치

1) 합법성

개념	① 법치행정 : 입법부에서 제정한 법률을 행정공무원들이 충실히 집행하는 것 ② 관료의 자의적인 행정활동을 막아주는 데 기여하고 예측가능성을 확보할 수 있으나 행정편의주의가 발생할 수 있음 ③ 참고 행정편의주의 : 법대로 행정을 집행하면 책임을 면할 수 있다고 여기는 것	
종류	적극적 의미의 합법성	① 모든 행정은 법률에 근거해야 한다는 것으로, 법률의 유보를 의미함 ② 참고 법률유보의 원칙 : 일정한 행정권의 발동은 법률에 근거하여 이루어져야 한다는 공법상 원칙
	소극적 의미의 합법성	모든 법규는 행정에 우선하고 행정은 법규를 위반하면 안된다는 법률우위의 원리

2) 책임성

개념	행정관료가 도덕적 · 법률적 규범에 따라 행동해야 하는 의무		
종류	제도적 책임 (accountability)	공무원이 공식적인 각종 제도적 통제로 인하여 국민요구에 부응하는 타율적 · 수동적 책임	
	자율적 책임 (responsibility)	① 공무원이 전문가로서 직업윤리와 책임감에 기초해서 적극적 · 자발적인 재량을 발휘하여 확보되는 행정책임 ② 객관적으로 기준을 확정하기 곤란하므로, 내면의 가치와 기준을 따름	
기타	구분	절차	결과
	제도적 책임	○ (강조)	○
	자율적 책임	−	○ (강조)

3) 민주성

개념	1930년대 정치행정일원론이 대두된 이후 새롭게 조명되기 시작 → 국가 위기 상황에서 정부가 어느 정도의 정책결정권을 가지면서 국민의 견해를 수렴(민주성)해야 하는 중요성이 커진 것

종류	구분	의견수렴 대상
	대외적 민주성	국민
	대내적 민주성	조직구성원

기타	**참고** **소극적 의미의 민주성과 적극적 의미의 민주성** 의회의 결정에 대한 정부의 철저한 순응과 법치행정을 강조하는 것은 소극적(형식적) 의미의 민주성이며, 정부가 어느 정도의 결정을 내릴 수 있음을 강조하는 것은 적극적(실질적) 의미의 민주성임

4) 기타

투명성	① 정부의 정책결정과 집행과정 등 다양한 공적 활동이 정부기관 외부로 명확하게 드러나는 것 → 공개 ② 행정부패의 방지와 시민참여를 위해 중요하며, 정보에 대한 접근권까지 포함하는 개념
대응성	반응성 혹은 대응성(responsiveness)을 국민의 요구에 반응하는 것으로 정의할 경우, 대응성과 **민주성은 같은 의미**

2 능률성과 관련된 수단적 가치

1) 능률성

개념	투입(input) 대비 산출(output)의 비율 : 선택과 집중을 통해 산출의 극대화 추구			
종류	**기계적 능률**		① 일반적인 능률성 개념과 동일 ② 효율을 수량적으로 명시할 수 있는 수치적, 물리적, 금전적, 단기적 측면에서만 파악한 개념	
	사회적 능률	등장배경	디목이 애플비와 함께 1930년대 중반 이후 **정치행정일원론과 인간관계론**을 배경으로 주장	
		내용	합목적성	국민이 원하는 바람직한 가치(방향) 구현 → 장기적인 관점
			인간적 능률	인간존중
			상대적 능률	조직의 상황에 맞는 경제성을 추구해야 한다는 것
		참고	① 사회적 능률성은 국가위기를 해결하려는 행정의 사회목적 실현과 관련이 있으며, 인간적 능률이라는 관점에서 인간의 만족과 목적 등을 고려하고, 이차적으로 능률을 생각하는 바 경제성(능률성)과 연계될 수 있는 개념임 → **민주성과 능률성의 조화** ② 사회적 능률성은 조직 내 구성원의 견해를 수렴하는지(인간적 능률) 등을 포함하기 때문에 **민주성의 개념으로 이해되는 경우도 있음**	
		기타	투입 ⟶ 산출 ⟶ 결과(목표) 능률성 = 경제성 = 협의의 능률성 효과성 생산성 = 효율성 = 광의의 능률성 ① 좁은 의미의 능률성 : 기계적 능률성 ② 넓은 의미의 능률성 : 능률성 + 효과성	

2) 효과성

개념		① 일반적으로 **목표의 달성도**를 의미하며, 비용이나 투입에 대한 고려는 없음 → 이는 산출의 목표달성도를 나타내는 개념이므로 결과에 대한 산출의 관계라는 조직 내 조건으로 이해할 수 있음 ② 1960년대에 발전행정론에서 강조한 가치
현대적 측정모형	틀잡기	민간조직은 이윤이나 판매량을 두고 조직효과성을 판단하면 되지만, 정부조직은 효과성 판단을 위한 가치가 상충하는 경우가 있음 → 경쟁가치모형은 공공조직이 다양한 가치를 공유할 수밖에 없음에도 불구하고 기존 연구들이 조직문화를 단일 차원으로 접근함으로써 갖게 되는 한계를 극복하기 위한 다중 차원적 접근방법임

현대적 측정모형 – 유형

📌 Quinn & Rohrbaugh(퀸과 로보그)의 경쟁가치모형

구분		조직(외부)	인간(내부)
	통제	① 모형: 합리적 목표모형 ② 단계: 공식화 단계 ③ 목적: 생산성·능률성 ④ 수단: 기획, 목표설정, 합리적인 통제, 평가 등	① 모형: 내부과정 모형 ② 단계: 공식화 단계 ③ 목적: 안정성·균형 및 통제와 감독 ④ 수단: 정보관리 및 의사소통(조정)
	유연성	① 모형: 개방체제 모형 ② 단계: 창업 단계·정교화 단계 ③ 목적 　㉠ 자원획득을 통한 성장 　㉡ 환경적응 ④ 수단: 조직의 유연성·신속성 유지	① 모형: 인간관계 모형 ② 단계: 집단공동체 단계 ③ 목적 　㉠ 인적자원발달 　㉡ 구성원의 만족 ④ 수단: 응집력 및 사기

> **참고**
> 조직효과성 측정기준에는 '유연성−통제', '조직−구성원', '목표−수단'의 세 가지 차원이 있다고 보는 견해도 있음

기타

① 조직의 성장단계와 효과성 평가모형

성장단계	효과성 평가모형
㉠ 창업	개방체제 모형
㉡ 집단공동체	인간관계 모형
㉢ 공식화	합리적 목표모형 혹은 내부과정 모형
㉣ 정교화	개방체제 모형

② 조직이 추구하는 가치에 따라 형성되는 조직문화 네 가지

통제

조직(외부)	인간(내부)
1. 효과성 모형: 합리목표 모형 2. 문화: 생산중심·과업지향형·시장형·합리문화 3. 조직형태: 시장조직	1. 효과성 모형: 내부과정 모형 2. 문화: 위계지향 문화 3. 조직형태: 계층제, 관료제
1. 효과성 모형: 개방체제 모형 2. 문화: 개방체제·혁신지향형·유기체형·발전지향형 문화 3. 조직형태: 애드호크라시	1. 효과성 모형: 인간관계 모형 2. 문화: 관계지향형·공동체형·집단·합의형 문화 3. 조직형태: 가족·공동체 등

유연

3) 생산성

등장배경	1970년대 신공공관리론에서 정부실패를 해결하고 작은정부 구현을 위해 강조한 이념
개념	능률성 + 효과성

4) 합리성

- 일반적인 합리성의 정의 : 목표에 대한 수단의 적합성
- 즉, 어떤 행위가 궁극적인 목표 달성을 위한 최적의 수단이 되느냐를 가리키는 개념
- 학자별 합리성에 대한 정의는 아래와 같음

① 사이먼

내용적 합리성 : 실질적(substantive) 합리성	① 목적을 달성하기 위해 **가장 능률적인 최적의 수단을 찾는 합리성** ② 행위자가 합리적인 선택을 할 수 있는 모든 지식과 능력을 소유하고 있다고 보는 객관적·결과적 합리성
절차적 합리성	목적을 달성할 때 그럴듯한 수단을 찾는 합리성 → 즉, 인간이 제한된 합리성 (제한된 정보) 안에서 이성적·논리적 사유과정을 통해 결정을 내리는 현상을 설명함

② 디징

사회적 합리성	⊙ 사회 내의 여러 세력이 질서 있는 방향으로 처리되고 **갈등이 해결되는 장치를 가질 때 나타나는 합리성** ⓒ 다만 이러한 통합은 특정한 하나의 수단에 의해 달성할 수 없다는 면에서 목표·수단 분석 등으로 설명되지 않는 가장 비합리적인 유형임
법적 합리성	⊙ 법적 합리성은 **합법성**을 중시하는 관점임 ⓒ 보편성과 공식적 절차를 부여함으로써 인간행위에 대한 예측가능성을 높임
정치적 합리성	⊙ **정책결정 구조체제가 개선될 때 나타나는 합리성** ⓒ Diesing은 정치적 합리성을 의사결정구조의 합리성과 동일시하고, 정책결정에 있어 가장 비중이 크다고 보았음
기술적 합리성	주어진 목표를 달성하기 위해 가장 적합한 수단을 찾는 합리성으로써 목표와 수단 사이에 존재하는 **인과관계의 적절성을** 중시함
경제적 합리성	기술적 합리성은 목표가 이미 주어진 경우의 문제인 데 반해서, 경제적 합리성은 서로 경쟁상태에 있는 목표를 비교하여 선택할 때 나타남 → 즉, **경쟁상태에 있는 목표를 어떻게 비교하고 선택할 것인가의 합리성**

③ 만하임 : 사이먼의 합리성 개념과 비교할 것 ⒸⅠ

구분	사이먼
기능적 합리성	내용적 합리성 : 실질적(substantive) 합리성
실질적(substantial) **합리성**	절차적 합리성

④ 베버 ⒸⅠ

형식적 합리성	⊙ 조직 내 확립된 규율이나 법에 의해 현상을 일관성 있게 대응함으로써 규범이나 행동의 안정성을 확보하는 것과 관련된 공식적 합리성 → **합법성**과 유사 ⓒ 베버는 관료제를 형식적 합리성의 극치로 설명하고 있음
실질적 합리성	**문명을 초월해서 존재하는 주관적이고 포괄적인 가치**(자유주의, 민주주의 등)와 관련된 합리성
이론적 합리성	수단과 목표 사이에 어떠한 인과관계가 있을 것이라고 추론한 것 → **과학성**과 유사
실제적(실천적) 합리성	⊙ 사회생활에서 사람들이 개인의 이익을 증진하기 위해 **실용적·이기적인 관점에서 그들의 활동을 판단할 때의 합리성** ⓒ 목표에 대한 최적 수단을 찾으려는 특징이 있음

⑤ 기타 합리성 ⒸⅠ

진화론적 합리성	⊙ 진화론적 합리성은 생물학적 진화론에 기초한 개념으로서, 변이 또는 선택의 과정이 반복되면서 환경의 요구에 보다 잘 부합하는 대안이 발견되는 현상을 의미함 ⓒ 이는 **시행착오를 반복하면서 환경에 적응하는 것을 설명하는 개념임**

3 가외성

가외성 : 잉여장치 → 예측할 수 없는 불확실한 상황에 대비하기 위한 중복, 중첩, 여분

등장 배경	① **불확실성의 증대** : 가외성은 불확실성의 개념이 인식된 1960년대에 불확실성에 대처하기 위한 정보과학, 컴퓨터 기술, 사이버네틱스 이론이 발전하면서 M. Landau(란다우)가 행정의 신뢰성 확보 차원에서 행정학에 도입한 가치임 ② 최근의 행정환경에서 복잡한 정보체계의 안정성을 위해서는 초과분의 채널이나 코드가 있는 가외적 설계가 필요함
예시	① Landau는 **권력분립을 위한 제도**(지방분권적 연방주의, 계선과 참모, 양원제와 위원회 제도 등)를 가외성 현상으로 보았음 ② 만장일치(분권적인 제도이기는 하나 현실적으로 불가능에 가까움), 계층제·집권화 등은 가외성 장치가 아님
유형	
장점	조직의 신뢰성 및 안정성, **창의성 증진**, 상호의존성을 지니는 조직 간 타협과 협상을 증진 등
단점	**능률성 저해**, 기능의 중복으로 인해 조직 간의 충돌(갈등) 가능성

4 기타 행정이념

신뢰성	국민이 정부를 믿는 정도
적정성 (adequacy)	정책의 목표가 사회문제 해결에 기여할 수 있는 정도
적합성 (appropriateness)	정책의 목표가 사회적으로 바람직한가(사회의 신념을 반영)를 나타내는 이념
적절성	사회문제를 해결하는데 정책목표의 수준이 적절한 정도
적실성	**문제가 있는 행정현상을 해결하는 능력**
중립성	① 중립성이란 행정이 정치로부터 부당한 영향을 받아서는 안 된다는 것 ② **정치행정이원론에서 중시하는 이념**
경제성	투입의 최소화를 강조하는 이념 → 능률성과 동일한 개념
참고	① 시험에서 행정목표와 행정이념을 구분해서 표현하는 경우도 있음 ② 이때 행정목표는 장기적 목표, 즉 행정이 달성하고자 하는 미래의 바람직한 상태를 뜻하며, 행정이념은 행정목표를 달성하기 위한 수단의 성격을 띰

DAY — 05

Section 03　행정이념 간 관계와 시대적인 변천 ⒸⒻ

● 5 day

- 행정이념은 시대의 상황에 따라 우선순위가 변해왔음
- 예를 들어, 신공공관리론은 생산성, 거버넌스는 민주성·투명성 등을 강조함

1　행정이념의 시대적 변화

이념	개념	대두시기	행정이론	시대적인 배경
합법성	법률에 의한 행정	19C 초	관료제론 (전통행정론)	근대 입헌국가
기계적 능률성 + 합법성	최소투입·최대산출	19C 말	행정관리론 (전통행정론)	행정국가 초기
사회적 능률성 + 민주성	• 대외적: 국민 • 대내적: 공무원의 인간적 가치	1930년대	통치기능론 (정치행정일원론)	행정국가
합리성	목표에 대한 수단의 적합성	1950년대	행정행태론	행정국가
효과성	• 목표달성도 　– 비용 고려 ×	1960년대	발전행정론	행정국가
형평성·책임성	빈자를 위한 배려	1970년대	신행정론	행정국가
생산성	능률성 + 효과성	1980년대	신공공관리론	탈행정국가 (신행정국가)
신뢰성	• 정부에 대한 믿음 　– 사회자본의 기초가 됨	1990년대	뉴거버넌스	탈행정국가 (신행정국가)

Wilson + Weberian 패러다임 : 미국경영학(능률성) + 유럽식 중앙집권적 관료제론(합법성)

① 사회적 능률성 = 합목적성(장기적 관점) + 인간에 대한 가치 인정 + 상대적 능률성
② 인간관계론·통치기능설은 사회적 능률에 기초

2　가치갈등시 해결방안

구분	내용
서열법	① 상호 갈등관계에 있는 두 개의 판단기준 중에서 상대적인 질적 우열을 확정 ② 나름의 논리에 따라 기준을 정함
일원론	하나의 원리에 따라 갈등관계에 있는 가치문제를 해소
가중치법	① 가치의 중요성에 따라 가중치를 부여하여 가치 갈등을 해결 → 일반적으로 활용하는 방법으로서 가치들에 대한 계량화를 전제로 함 ② 목적계획법은 가중치법을 활용함 **용어정리** 목적계획법 : 계량화가 가능한 행정의 목적을 중요성에 따라 가중치를 부여 → 최적의 목적을 찾는 방법

CHAPTER **04** 행정의 구조 : 관료제

Section 01 관료제의 정의와 특징 ▸ **6** day

1 의의

개념	① 목적을 합리적·능률적으로 달성하기 위해 **공식적인 법**에 의해 운영되는 **삼각형 모양의 계층제적 조직구조**
	② 공적조직에 한정되지 않고 대기업 등의 민간조직에도 적용됨 → 즉, **공·사를 초월하여 존재하는 합리적인 조직구조**
	③ 베버는 서양사회가 동양사회보다 빨리 발전한 이유를 근대관료제에서 찾고 있음
기타	관료제(bureaucracy)는 관료(bureaucrat)가 통치(cracy)한다는 의미로서 왕정이나 민주정에 비해 관료가 국가정치와 행정의 중심역할을 수행한다는 의미를 내포하고 있음

2 특징

■ **베버의 이념형 관료제에 대하여**

- "몇몇 사람을 제외하고, 거의 모든 사람은 관료제의 지배로부터 벗어나지 못할 것이다." – Max Weber
- 본 섹션에서 학습하는 관료제 특성은 베버의 이념형 관료제에 대한 내용임
- **이념형 관료제**: 이상적인(ideal) 관료제인 까닭에 이념형과 똑같은 특징을 지니는 실체는 현실에서 존재하지 않음 → 단지 이념형을 통해 이념형과 어느 정도 가까운지 혹은 그렇지 않은지를 파악할 수 있음

1) 틀잡기

① 이념형 관료제에 대한 직관적 이해 1: 삼각형 모양(피라미드)의 계층제적 조직구조

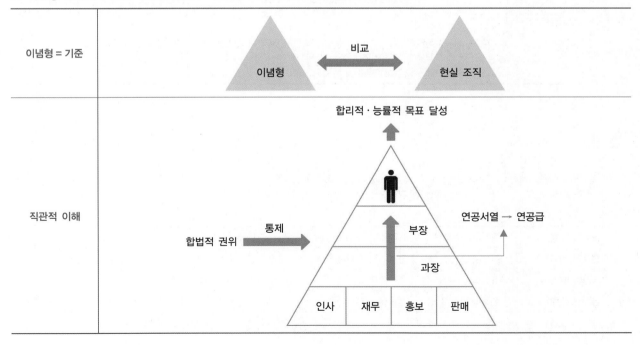

이념형 = 기준	이념형 ↔ 비교 ↔ 현실 조직
직관적 이해	합리적·능률적 목표 달성 합법적 권위 → 통제 연공서열 → 연공급 부장 / 과장 / 인사 재무 홍보 판매

② 이념형 관료제에 대한 직관적 이해 2

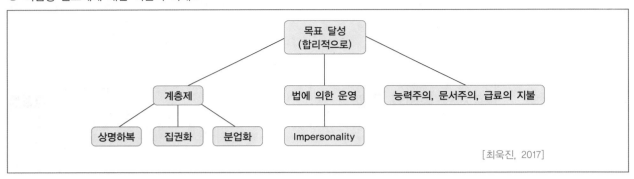

[최욱진, 2017]

2) 관료제 특징에 대한 설명 [읽어 보기]

구분	내용
상명하복	상층부에 있는 상관이 많은 의사결정권을 바탕으로 부하에게 명령하면 부하는 이를 따르고 복종해야 함
집권화	관료제는 집권적인 의사결정구조(조직 상층부에 의사결정권이 집중되어 있는 상태)를 지니고 있음
분업화	① 수직적 분업화: 조직의 상층에 있는 사람과 하층에 있는 사람의 역할을 다르게 규정함 ② 수평적 분업화: 같은 계층 내에서 각 부서의 업무를 다르게 배정함
법에 의한 운영	이념형 관료제는 조직 내 합리적인 규칙에 근거해서 조직을 운영함
Impersonality (비정의성·몰인정성 등)	개인적인 감정에 따라 업무를 처리하지 않는 것
능력주의	① 관료는 시험 또는 자격증 등에 의해 공개적으로 채용됨 → 실적주의적 성격 ② 따라서 전문지식과 기술을 가진 관료가 직무를 담당하게 됨
문서주의	① 업무의 처리는 구두가 아니라 공식적 규칙이 명시된 문서로 하는 것 ② 단, 문서주의가 지나치게 심화될 경우 불필요한 규칙이 많은 상태인 번문욕례가 나타날 수 있음
급료의 지불	관료제는 조직구성원이 수행한 노동의 대가로서 급료를 지불하며, 급여는 연공급(연공서열에 기초한 급여체계)의 성격을 지님
기타	① 관료는 'Sine ira et studio'의 정신(분노와 열정 없이)으로 업무를 수행하여야 함 → 즉 비정의성에 기초해서 업무를 처리해야 함 ② 관료의 채용기준은 전문적·기술적 능력(실적주의 성격)이며, 인사권을 지닌 상관이 임명함 ③ 관료로서의 직업은 잠정적인 것이 아니라 일생동안 종사하는 항구적인 생애의 직업임 ④ 공무원의 겸직을 허용하지 않음

3 기타

- 베버는 권위(사람을 자발적으로 복종시키는 힘)의 유형에 따라 관료제의 유형을 구분함
- 베버의 이념형 관료제, 즉 근대관료제는 합법적 권위(조직 내 규칙)에 근거해서 조직을 규율함

권위의 유형	관료제의 유형	특징
전통적 권위	가산관료제	권력자의 신분(관습)에 의한 순응 유지, 관직의 사유화, 공과 사의 미구분
카리스마적 권위	카리스마적 관료제	지배자의 비범한 특성과 자질에 의존, 위기나 재난 시에 나타남
합법적 권위	근대관료제	법규에 의한 지배와 법 앞의 평등, 계층제적 구조, 비개인성, 문서주의, 공과 사의 구분 등

※ 베버에 따르면 전통적 권위와 카리스마적 권위는 구성원의 순응을 확보하기에 불안정한 기제임 → 전근대적 권위

Section 02   관료제의 역기능(병리)과 순기능   6 day

1 관료제의 역기능

1) 틀잡기

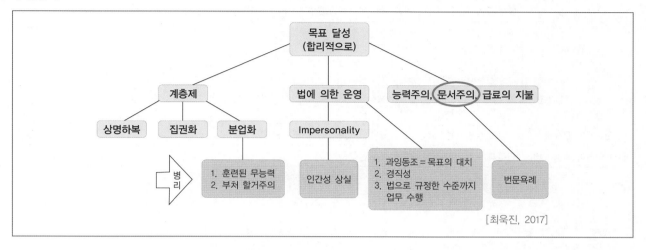

[최욱진, 2017]

2) 관료제의 역기능 읽어보기

훈련된 무능	① 베블런(Veblen)은 조직의 한정된 부분 속에서 정해진 일만 반복한 결과 발생한 무능력을 지적함 ② 즉, 분업화로 인해 어느 정도의 전문성은 생기지만 그 외의 일은 문외한이 된다는 것

부처할거주의	① 분업화로 인해 생긴 각각의 부서가 조직 전체의 이해관계를 고려하지 않고 자기 부서의 이익만을 추구하는 현상
	② 한편, 셀즈닉(Selznick)은 조직의 통제를 위한 권한위임과 전문화(분업화)가 할거주의를 초래한다고 주장 → Selznick 모형
	③ **부처할거주의(sectionalism)와 국지주의(parochialism)**
	  ⊙ **국지주의**: 관료들의 편협한 안목으로 인해 직접적인 고객의 특수 이익에 묶여 전체 이익을 망각하는 경향 → 단, 조직 전체의 이해관계 보다 외부의 세력에 묶여서 사적인 행정을 한다는 면에서 할거주의와 같은 개념으로 보는 견해도 있으니 참고할 것
	  ⊙ 국지주의와 마일(Mile)의 법칙은 같은 개념임

과잉동조 **(목표의 대치)**	① 법은 관료제를 운영하는 근간이므로 조직구성원은 법을 철저하게 준수함 ② 그러나 조직을 규율하는 규칙에 과도하게 집착할 경우 조직의 목적을 망각하는 목적의 대치현상이 발생
인간성 상실	철저하게 조직의 법을 준수하는 건 이상적인 조직구성원의 모습임 → 그러나 이로 인해 '정이 없는' 무정한 사람(부품화)으로 변할 수 있음
번문욕례 **(형식주의)**	지켜야 할 규칙이 너무 많아서 행정의 능률이 떨어지는 현상
무사안일주의	① 법으로 규정한 수준까지만 일을 하려는 태도 → 굴드너(Gouldner) 모형 ② **상관 견해에 대한 무비판적인 수용**: 상관의 권위에 의존하는 경향으로써 특정 행동에 대한 원인을 상관의 명령으로 규정하는 것
조직의 경직성	① 머튼(Merton) 모형: 조직의 통제를 위한 규정 혹은 법이 오히려 조직의 경직성을 야기함 → 즉, 관료에 대한 최고 관리자의 지나친 통제가 관료들의 경직성을 초래할 수 있다는 것 ② 일반적으로 관료제는 기계적 구조임(딱딱하고 경직적인 조직) → 즉 관료제는 변화하는 환경에 대한 적절한 적응을 잘하지 못하는 조직구조이므로 주어진 임무를 안정적인 상황(예 선진국)에서 가장 효율적으로 달성할 수 있는 조직유형임

3) 기타 역기능

피터(Peter)의 원리	관료제는 경력을 중시하여 직원을 승진시키기 때문에 **무능한 자가 능력 이상의 자리를 맡게 되어 비효율성을 초래하게** 된다는 원리
권력구조의 이원화	상사의 계서적인 권한과 부하의 전문적인 능력이 이원화(괴리)되는 현상 → 갈등 및 비효율 증가
혁신에 대한 저항 (무사안일)	관료제는 기계적인 구조이므로 다양한 외부환경의 변화에 둔감하고 조직목표의 혁신에 적극적으로 저항하는 현상이 발생할 수 있음 → 관료들이 위험 회피적이고 변화 저항적이며 책임 회피적인 보신주의로 빠지는 행태
Blau & Thompson의 견해	① 관료제 조직 내 인격적 관계의 상실로 인한 조직구성원의 심리적 불안감이 현상유지적 행태를 초래하고, 이는 동조과잉이나 변동에 대한 저항 등 역기능을 야기함 ② 조직 내 사회적 관계가 개인 심리의 불안정성을 초래함 　• Blau & Thompson은 부품화 혹은 조직 내 사회적 관계가 심리적 불안감을 초래할 수 있다고 보았음
무리한 세력의 팽창 (관료제국주의)	① 관료제는 자기보존 및 세력확장을 위해 본질적인 업무량과 상관없이 기구와 인력을 증대 → 제국건설 ② 파킨슨의 법칙과 유사함
관료제의 무능화	무능화 유발요인 : 평생고용의 원리, 연공주의, 폐쇄형 인사(경쟁결여)
인간에 대한 관심 결여	인간적 또는 비공식적 요인의 중요성을 간과

> **참고**
> ① 상명하복, 법치행정 등의 특징은 구성원의 부품화를 초래할 수 있는바, 조직구성원의 사회적 욕구 충족(동료와의 친분 등)을 저해하며 그들의 성장과 성숙(능동적인 성장)을 방해함
> ② 관료제는 연공서열 승진체계로 인한 권한과 능력의 괴리, 상위직의 모호한 분업체계 등의 문제점이 있음
> ③ 구성원에 대한 규칙준수 압박은 심리적 불안감·압박을 초래할 수 있음 → 이러한 문제점을 해결하고자 상관은 일반적으로 계층제의 권위를 활용

2 관료제의 순기능 ⓒ

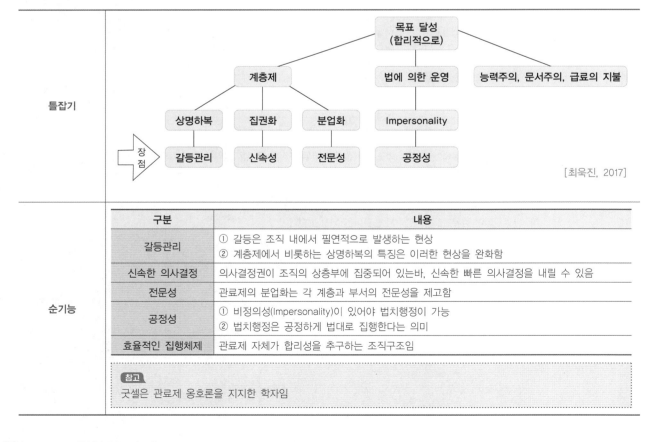

틀잡기	목표 달성(합리적으로) / 계층제 · 법에 의한 운영 · 능력주의, 문서주의, 급료의 지불 / 상명하복 · 집권화 · 분업화 · Impersonality / 장점 → 갈등관리 · 신속성 · 전문성 · 공정성　　[최욱진, 2017]

구분	내용
갈등관리	① 갈등은 조직 내에서 필연적으로 발생하는 현상 ② 계층제에서 비롯하는 상명하복의 특징은 이러한 현상을 완화함
신속한 의사결정	의사결정권이 조직의 상층부에 집중되어 있는바, 신속한 빠른 의사결정을 내릴 수 있음
전문성	관료제의 분업화는 각 계층과 부서의 전문성을 제고함
공정성	① 비정의성(Impersonality)이 있어야 법치행정이 가능 ② 법치행정은 공정하게 법대로 집행한다는 의미
효율적인 집행체제	관료제 자체가 합리성을 추구하는 조직구조임

> **참고**
> 굿셀은 관료제 옹호론을 지지한 학자임

Section 03　관료제와 민주주의 cf

→ 6 day

틀잡기	행정부 ← **통제?** 국회
그림 설명	① M. Weber는 전문적인 지식을 바탕으로 한 관료제와 민주주의의 근간인 국회와의 갈등을 예견한 바 있음 ② 즉, 공무원의 전문성은 자칫 정부관료제의 비민주적 속성을 야기할 수 있다는 것 → 만약 직접민주주의를 구현하면 정부관료제와 민주주의 간의 조화를 어느 정도 증진할 수 있겠지만 현실은 간접민주주의라는 것 ┌─ 참고 ─────────────────────────┐ 직접민주주의 → 국민참여 제고 → 대외적 민주성 제고 └──────────────────────────────┘

관료제가 민주주의에 공헌하는 측면	민주적인 목표의 능률적 집행	관료제는 목표를 합리적으로 달성할 수 있는 조직구조
	공정한 집행: 법 앞의 평등	비정의성(Impersonality)에 기초한 법치행정 추구
	공직임용 시 기회균등	관료제는 능력주의에 따라 공무원을 임용
관료제가 민주주의를 저해하는 측면	대외적 민주성 측면	① **관료제의 권력집단화**: 관료의 전문성을 바탕으로 사익을 추구하기 위해 권력을 행사할 수 있음 ② 변화의 요구에 대한 둔감 ③ **명령통일의 부작용**: 상관에 대해서만 책임감을 느끼고, 국민에 대한 책임감은 결여된 상태
	대내적 민주성 측면	① 집권화의 부작용 　㉠ 과두제의 철칙(미헬스): 소수의 고위계층이 조직을 자의적으로 운영할 수 있음 　㉡ 부하의 견해 무시 등

DAY

06

Section 04	대안적 조직구조 : 탈관료제 조직에 대하여	6 day

1 등장배경 및 틀잡기

등장배경	① 1970's 관료제가 변화하는 환경에 적응하지 못하자 이를 보완하기 위해 탈관료제 모형(애드호크라시)이 등장 → 애드호크라시는 전통적 관료제의 경직성을 보완할 수 있는 조직이지만, 전통적 관료제를 대체할 수 있는 건 아님 ② 맥커디는 탈관료제의 특징을 제시한 학자임

환경적응 ×

(비)

관료제 = 기능구조 = 기계적 구조 ← 탈관료제 = 애드호크라시 = 유기적 구조

틀잡기	기계적 구조와 유기적 구조의 특징	구분	기본변수	환경적응
		기계적 구조(딱딱한 구조)	복공집↑	×
		유기적 구조(유연한 구조)	복공집↓	○

	구분	핵심 내용		
탈관료제 유형	학습조직	변화하는 환경에 적응하기 위한 학습강조, 공동체문화, 사려깊은 리더십 등		
	린덴의 이음매 없는 조직	지나친 분업체계 지양		
	테이어의 비계서적 구조	1인 지배체제 지양(집권화 비판), 소집단 연합체 형성, 모호한 경계 등		
	골렘뷰스키의 견인이론적 구조	구성원의 능동적 업무처리 강조 → 'push'보다 'pull' 강조		
	커크하트의 연합적 이념형	팀제 : 유기적 구조		
	베니스의 적응적·유기적 구조	구조의 잠정성·문제중심의 구조		
	화이트의 변증법적 조직	SOP의 수정 및 보완 → 환경적응 강조		
	위원회 조직	구분	강제력(결정권)	집행력(직접 집행)	예시
		행정위원회	○	○	공정거래위 등
		자문위원회	×	×	투자자문위원회 등
		의결위원회	○	×	징계위원회 등
		조정위원회	강제력이 있는 경우도 있고 없는 경우도 있음		
		독립규제위원회	행정위원회와 유사		

> **참고**
> 팀제, 임시조직(태스크 포스 및 프로젝트팀), 매트릭스 조직, 네트워크 조직, 혼돈조직 등도 탈관료제에 포함되나 해당 내용은 조직론에서 다루고 있음

		복잡성	① 개념 : 분화의 정도 ② 유형 : ㉠ 수직적 분화 : 계층의 수 ㉡ 수평적 분화 : 부서의 수
	복공집	공식화	조직 내 규칙의 수
		집권화	의사결정권이 조직의 상층부에 몰려있는 정도
용어정리	복공집↓ (유기적 구조)	낮은 수준의 복잡성	① 수평적인 분화는 높거나 낮음 : 수평적인 분화가 높다면 전문성이 높은 다양한 전문가로 팀을 구성하는바 업무의 이질성↑ ② 수직적인 분화는 낮음 : 계층의 수가 적기 때문에 구성원이 고도의 자율성을 지니는바 지시 및 감독의 필요성 감소 혹은 조직 내 의사소통 증진
		낮은 수준의 공식화	불확실한 상황에 대한 탄력적인 대응을 위해 지나치게 많은 법규를 지양
		낮은 수준의 집권화	불확실한 상황에 신속한 대응을 담보하기 위해 전문성을 지닌 구성원에게 의사결정권을 부여

2 **탈관료제(애드호크라시·유기적 구조)의 유형과 내용**

1) 학습조직

- 복잡한 환경 속에서 조직의 경쟁력을 제고하기 위해 조직구성원의 학습을 유도 → 학습을 통해 지속적인 조직의 변화를 추구
- 학습조직은 시행착오나 실패를 통하여 조직의 학습능력과 문제해결능력(환경적응)을 제고할 수 있다는 입장임

개념		① 환경의 변화에 적응하기 위해 조직구성원이 지식을 학습·창출하고 이에 기초하여 조직의 혁신을 이루는 조직 ② 환경변화를 인지하는 개방체제와 능동적 학습(자극반응적 학습×)을 지향하는 자아실현적 인간관(능동적인 인간관)에 기초
특징	유기적 구조	① 낮은 공식화로 인해 부서 간 경계는 최소화 ② 분권적인 의사결정 구조 → 구성원의 권한 강화 ③ 상명하복이 아닌 의사소통과 수평적 협력(관계지향성)을 통해 조직의 문제해결 역량을 향상시킴
	사려깊은 리더십	① **개별 구성원에 대한 배려** ② **지식의 공유를 권장** ③ 리더는 구성원이 공유할 수 있는 미래에 대한 비전을 창조하고 학습을 장려해야 함
	공동체 정신	① **궁극적으로 개인의 능력보다 조직의 능력 향상에 초점** → 부분보다 전체를 중시하고 의사소통을 원활하게 하는 공동체 문화 강조 ② 지식의 공유 혹은 공동체 정신을 기초로 조직 내 기본단위는 팀(집합적 행동)으로 구성 → 보상체계도 팀·조직별 성과급 위주로 구성
	기타	① **업무 프로세스 중심으로 조직을 구조화: 학습조직의 기본단위는 업무 프로세스 중심의 통합기능팀임** 　[예] A팀은 기획, B팀은 제조, C팀은 판매 등 ② 개인의 학습을 조직의 발전으로 연계하기 위한 업무 프로세스를 구조화하여 조직적 학습을 유도 → 조직체계 간의 상호작용을 효과적으로 활용하기 위한 체계적 사고(systems thinking)를 강조 　[예] 조직 내 정보공유 시스템을 설치하는 것 ③ 학습조직은 역량기반 교육훈련제도의 대표적인 방식으로 활용 ④ 다소 추상적이므로 명확한 조직설계 기준을 제시하기 어려움
생게의 학습조직	자기완성	각 개인은 원하는 결과를 창출할 수 있는 자기역량의 확대방법을 학습해야 함
	사고의 틀	뇌리에 깊이 박힌 전제 또는 정신적 이미지를 성찰하고 새롭게 하는 것
	공동의 비전	조직구성원들이 공동으로 추구하는 목표와 원칙에 관한 공감대를 형성하는 것
	집단적 학습	구성원들이 진정한 대화와 집단적인 사고의 관점을 통해 개인적 능력의 합계를 능가하는 지혜와 능력을 구축할 수 있게 하는 것
	시스템 중심의 사고	체제를 구성하는 여러 요인을 통합적인 이론체계 또는 실천체계로 융합시키는 능력을 키우는 것

DAY

06

2) 학습조직 외 탈관료제 읽어 보기

이음매 없는 조직 (린덴)	① 엄격한 분업에 의하여 조각난 업무를 재결합 : 개별적이고 단편적인 직무로 구성된 분절을 수정하고 지나친 분업화에 대한 비판 제기 → 경계없는 조직 지향 ② 폭넓은 종합적 직무와 분권화를 통한 다양한 서비스 제공 ③ 엄격한 분업에 의하여 조각난 업무를 재결합시켜 고객에게 원활하고 투명한 서비스를 제공하려는 조직으로써 균형성과관리(BSC)를 비롯한 신공공관리론과 밀접한 관련이 있음 → 균형성과표의 경우 업무처리관점에서 유기적 연결을 통한 능률적인 업무처리를 강조함 ④ 행정조직의 구성원들은 이음매 없는 행정서비스를 통해 시민에게 보다 향상된 서비스를 직접 제공할 수 있음
비계서적 구조 (테이어)	① 지배복종체제인 계서제의 타파를 강조 → 1인 지배체제 지양 　㉠ 관료제의 계층제 비판 : 분권화, 고객의 참여, 작업과정의 개편, 승진 개념 철폐 등을 강조 　㉡ 집단의사결정 체계 추구 : 집단 내 또는 집단 간 협동적 과정을 통한 의사결정 → 소집단 연합체 형성 ② 모호하고 유동적인 집단과 조직의 경계
견인이론적 구조 (골렘뷰스키)	① 조직구성원을 압력에 의해 수동적으로 일하도록 만드는 압박(push)이론적 관리를 비판하고 견인(pull)이론적 관리 강조 　→ 조직 내 자유스러운 분위기를 조성하고 구성원들이 자발적으로 일하면서 보람과 만족을 느끼도록 유도하여 직무수행과 　　욕구충족의 조화추구 ② 단순한 분업화보다 유기적인 일의 흐름을 중시 ③ 권한의 흐름을 하향적·일방적인 것이 아니라 상호적인 것으로 간주 ④ 조직 내 자유스러운 분위기를 조성하고 구성원들이 자발적으로 일하면서 보람과 만족을 느끼도록 유도하는바 자율규제를 촉진하여 통솔범위를 넓힐 수 있음 ⑤ 구성원의 변동에 대한 적응을 용이하게 함
연합적 이념형 (커크하트)	① 관료제의 경직성 비판 : 환경에 대한 부적응 ② 조직 간 자유로운 인력이동(고도의 분업화 수정) → 상황적응 강조
적응적·유기적 구조(베니스)	① 문제중심의 구조(해결할 과제 중심)와 구조의 유연성·잠정성을 통한 환경변화에 대한 적응 강조 ② 다양한 전문분야의 사람들이 모여서 직면한 문제해결
변증법적 조직 (화이트)	① 관료제의 변화에 대한 부적응 비판 ② 정반합의 논리(SOP수정)를 통해 끊임없이 창조 및 발전하는 조직

위원회 조직	개념	복수의 의사결정권자로 구성되는 합의제 행정기관으로써 결정에 대한 책임의 공유와 분산이 주요 특징임 → 관련 분야 전문지식이 있는 외부전문가들과 각 부처에서 지원받은 인력들로 구성
	특징	① 다수의 동의를 바탕으로 집단결정을 하는바 결정을 집행하는 과정에서 행정의 안정성과 지속성을 확보할 수 있음 ② 다수가 의사결정에 참여하기 때문에 의견의 차이가 있을 때, 합의가 어렵고, 의사결정과정의 비용이 증가(신속한 의사결정의 어려움)함 ③ 집단결정을 내리는 과정에서 조직의 각 부문 간 조정을 촉진할 수 있음
	틀잡기	■ 우리나라의 위원회 조직
	유형	**자문위원회** ① 자문을 지원하는 참모기관으로 사안에 따라 조사·분석 등의 기능을 수행함 → 그 결정은 정책적 영향력을 가질 수는 있으나 법적 구속력을 갖지는 못함 ② 예 각 부처에 설치된 각종 정책자문위원회, 지자체의 투자자문위원회 등
		행정위원회 ① 어느 정도 중립성·독립성을 부여받고 설치되는 행정관청적 성격의 위원회로서 그 결정은 법적 구속력을 가짐 ② 예 방송통신위원회, 금융위원회, 국민권익위원회, 공정거래위원회, 중앙선거관리위원회, 소청심사위원회, 노동위원회 등

위원회 조직	유형	의결위원회	① 구속력은 있지만, 집행력은 없는 위원회 조직 ② 예 **공직자윤리위원회, 징계위원회** 등은 의결위원회에 해당함
		조정위원회	① 각 기관의 상이한 의견을 통합·조정할 것을 목적으로 설치된 합의제 기관 ② 결정의 강제력이 있는 경우도 있고 없는 경우도 있음 ③ 예 경제관계장관회의, 언론중재위원회, 환경분쟁조정위원회 등
		독립규제위원회	① 행정부로부터 독립하여 준입법권·준사법권을 가지고 특수한 업무를 수행 또는 규제하기 위하여 설치된 합의제 기관 → 입법부, 사법부, 행정부와 더불어 제4부라 불리기도 함 ② 예 공정거래위원회, 중앙선거관리위원회 등
	기타		① 19세기 말 미국의 독립규제위원회가 위원회 제도의 기원임 ② Brownlow위원회는 미국의 독립규제위원회가 지나친 권한을 보유하고 있다는 점을 비판 → 즉, 독립규제위원회를 '머리 없는 제4의 정부'라 하여 그 폐지를 촉구하였음 ③ 행정위원회를 집행력 여부에 따라 의결위원회와 협의로써 행정위원회로 구분해서 보는 견해도 있으나 최근에는 협의로써 행정위원회를 그냥 행정위원회로 표현하는 경우가 더 많으니 문제를 풀 때 유념할 것

DAY
—
06

CHAPTER **05** 행정과 환경

Section 01 정부와 시장

→ **6 day**

1 틀잡기

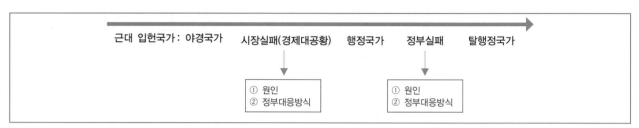

2 시장실패

개념	① 시장이 효율적인 자원배분에 실패하거나 사회적으로 필요한 서비스를 제공하지 못하는 것 ② 시장은 완전경쟁조건이 충족될 경우 가격이라는 보이지 않는 손에 의한 조정을 통해 효율적인 자원배분을 달성할 수 있음(완전경쟁시장 = 완벽한 시장) ③ 그러나 완전경쟁시장은 그 전제조건의 비현실성으로 인해 효율적인 자원배분에 실패할 수 있음 → 시장실패 요인으로는 공공재의 존재, 외부효과의 발생, 정보의 비대칭성 등이 제시되고 있음 ④ 시장실패 요인은 크게 미시적 실패요인과 거시적 실패요인으로 구분되는데, 일반적으로 시험에서 다루는 내용은 미시적 시장실패 요인임 ⑤ **참고** 거시적 시장실패 요인 : 사회 내 개인소득의 불평등, 실업, 물가 상승 등
시장실패 원인과 정부의 대응	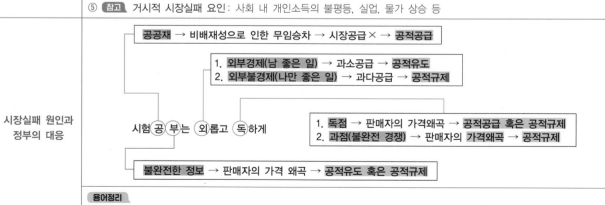 **용어정리** ① 외부효과 : 누군가의 행동이 타인에게 의도치 않은 이익이나 피해를 주는 것 ② 독과점 : 독점과 과점 → 독점은 한 개의 기업, 과점은 소수의 기업이 시장을 점유한 상태

요점정리	원인/대응	공적공급(직접공급)	공적유도(보조금)	공적규제(정부개입↑)
	공공재 공급	○		
	불완전한 정보		○	○
	외부경제		○	
	외부불경제			○
	독점(자연독점)	○		○
	과점(불완전 경쟁)			○

외부불경제 해결방식	코오즈의 정리 (정부개입×)	① 이해당자자 간 자발적 협상에 의한 해결추구 ② 필요한 조건: 외부효과에 대한 구체적 소유권 + 낮은 거래비용
	배출부과금 부과 (간접규제)	① 교정적 조세(피구세: Pigouvian tax): 사회 전체적인 최적 생산수준에서 발생하는 외부효과의 양에 해당하는 만큼의 조세를 모든 생산물에 대해 부과하는 방법 ② 피구세를 부과함으로써 사회적 최적 수준의 오염물질 배출량 달성이 가능함
불완전한 정보 해결방식	미국의 레몬법	① 소비자가 구매한 제품에 결함이 있을 때, 제조사가 의무적으로 교환·보상·환불하도록 규정한 소비자 보호법 ② 정보의 부족으로 인해 소비자가 달콤한 오렌지가 아닌 신 레몬을 구매하는 현상을 비유한 표현

3 정부실패

개념	시장의 비효율적인 자원배분을 보정하기 위해 정부가 개입했으나 정부 역시 효율적인 자원배분에 실패하는 것

정부실패 원인과 정부의 대응	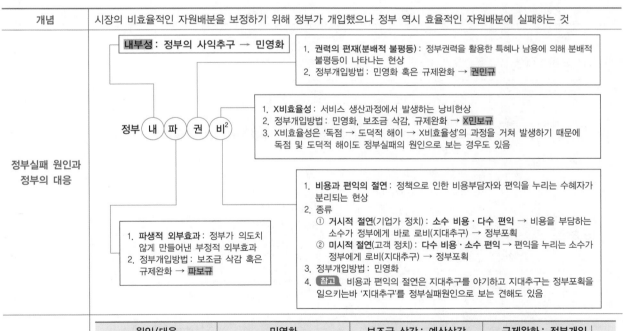

요점정리	원인/대응	민영화	보조금 삭감 : 예산삭감	규제완화 : 정부개입↓
	사적목표설정	○		
	비용과 편익의 절연	○		
	X비효율성	○	○	○
	파생적 외부효과		○	○
	권력의 편재	○		○
	※ 권민규·파보규·X민보규는 두문자로 암기하고 나머지 정부실패 원인에 대한 정부대응 방식은 '민영화'로 공부할 것			

| 기타 :
지대추구와 포획 | ① 지대 : 토지소유자가 그 토지의 사용자로부터 징수하는 화폐 및 기타의 대가 → 지대추구행위에서 '지대'는 정부의 정책에서 발생하는 이익 혹은 특혜를 뜻함
② 지대추구 : 각 경제주체가 지대를 얻기 위해 정부를 상대로 경쟁을 벌이는 행위 → 정부에게 로비하는 것
③ 포획 : 정부가 특정인의 지대추구, 즉 로비에 포섭되어 그들에게 특혜를 제공하는 현상

참고　스티글러(Stigler, 1971)의 포획이론
① 정부가 특정인의 지대추구에 포획되어 특혜를 제공하는 현상을 설명한 이론
② 공공선택론을 적용해서 현상을 설명 |

4 윌슨(J. Q. Wilson)의 규제정치모형 : 규제 → 정치적 현상

- Wilson은 정부규제로부터 감지되는 비용(손해)과 편익(이익)의 분포에 따라 발생하는 정치적인 현상을 네 가지로 구분함
- 윌슨의 규제정치모형을 미시적·거시적 절연과 연계해서 공부할 것

1) 윌슨의 규제정치 모형

구분		편익(규제로 인한 이익)	
		소수 집중	다수 분산
비용 (규제로 인한 손해)	소수 집중	이익집단정치	기업가 정치
	다수 분산	고객정치	대중정치

2) 각 정치상황에 대한 설명 　읽어 보기

이익집단 정치 (집행 어려움)	특징	① 정부의 정책에 대해 양 당사자들이 첨예하게 대립하기 때문에 정책의 형성 및 집행이 어려움 → 수혜자는 정책집행을 촉구, 비용부담자는 정책집행에 대해 저항 ② 이해당사자 간 대립으로 인해 규제정책의 가시성이 높음 ③ 비용부담자와 수혜자가 정부의 행동을 철저하게 감시하기 때문에 **정부규제기관이 어느 한 편의 이익집단에 포획될 가능성은 낮음**
	예시	의약분업 규제, 한·약 분쟁, 노사규제 등
대중정치 (집행 용이)	특징	① 비용과 편익이 분산되는 바 규제정책으로 인한 갈등이 거의 없음 ② 규제대상자들의 순응이 높아서 규제정책 형성 및 집행 용이 → 다만 쌍방 모두 집단행동의 딜레마에 빠질 가능성이 있는 까닭에 규제의 필요성이 공익단체에 의해 먼저 제기될 수 있음
	예시	음란물 규제, 교통정책 규제(차량 10부제 등), 낙태규제, 차별규제(사회적 차별에 대한 규제 → 인권유린 등), 신문·방송·출판물의 윤리규제 등
기업가 정치 (집행 어려움)	특징	① 비용을 부담하는 소수의 집단이 정부의 정책에 강력한 반대를 할 수 있는 까닭에 의제채택이 가장 어려움 ② 의제채택이 가장 어려운 편이기 때문에 극적사건·재난, 위기발생이나 공익집단·운동가 등의 활동에 의하여 규제가 채택되는 경우가 있음 ③ 규제기관은 비용을 부담하는 소수의 집단에게 로비를 통해 포획될 우려가 있음 ④ 편익은 다수에게 분산되므로 편익을 누리는 측에서는 집단행동의 딜레마가 발생할 수 있음 ⑤ 환경규제를 완화할 경우 비용이 넓게 분산(국민에게 비용분산)되고 감지된 편익이 좁게 집중(기업에게 편익집중)되는 고객정치의 상황임
	예시	환경오염 규제, 원자력 발전 규제, 캡슐커피 규제, 위해물품 규제, 각종 위생 및 안전규제, 퇴폐업소 단속, 자동차 안전규제 등 ※ **원자력 발전 규제** : 원자력을 이용하고 있는 기관, 시설, 종사자 등에 대한 안전을 철저하게 확인 및 감시하는 규제로서 환경오염 규제에 해당함

고객 정치 (집행 용이)	특징	① 정책비용의 부담이 알 수 없는 다수에게 분산되어 있고 특정 집단이 배타적으로 혜택을 보기 때문에 정책형성 및 집행 용이 ② 비용부담자와 수혜자 간 갈등이 발생할 가능성이 작고, 수혜자는 집행하는 정책에 대해 강력한 지지를 보냄 ③ 혜택을 누리는 조직화된 집단이 정부를 포획할 경우 해당 사업에 대한 신규사업자의 진입이 제한될 수 있음
	예시	수입규제, 택시사업 인가, 직업면허, 농산물에 대한 최저가격 규제 등 ※ 수입규제 : 농산물 수입을 금지하는 규제를 정부가 할 경우, 농민은 이익을 누리는 소수집단이 되지만, 국민 전체는 다소 비싼 가격에 농산물을 구매하게 됨
요점정리		① 비용 혹은 편익이 분산될 경우 : 집단행동의 딜레마('나 대신 누가 하겠지'라고 생각하여 아무도 나서지 않는 것) 발생 ② 비용 혹은 편익이 집중될 경우 : 지대추구로 인한 정부포획 가능성↑ ③ 단, 이익집단 정치상황의 경우 비용부담자와 수혜자가 정부의 행동을 철저하게 감시하기 때문에 지대추구를 할 수 없음

5 울프의 비시장(정부)실패론 cf

울프에 따르면 정부실패 현상은 특정한 요인이 아니라 다양한 요인에 의해 발생하는 입체적인 현상임

수요측면	행정수요 팽창	민주화와 민권의 신장 → 국민이 정부에게 바라는 게 많아짐
	정치인의 높은 시간할인율	① 정치인들의 목적은 재선임 → 따라서 임기 이후의 이익은 할인(discount)하고 임기 내 단기적인 이익을 추구 ② 참고 시간할인율 : 미래에 발생하는 불확실한 가치를 현재가치로 환산할 때 할인(discount)하는 정도 → 미래의 가치를 선호하지 않을수록 할인율이 커짐
공급측면	정부의 독점적 생산	정부는 시장에 비해 경쟁이 부족한 까닭에 나태함이 발생함
	성과측정의 모호성	정부는 공익이라는 추상적인 목표를 추구하는바 성과를 측정하기 어려움
	생산기술의 불확실성	공익은 추상적인 목표이기 때문에 이를 달성하기 위한 수단도 명확하지 않다는 뜻
	종결 메커니즘의 결여	정부기관은 애초에 정한 조직의 목표를 달성해도 또 다른 목표를 설정하여 수명을 이어간다는 것
	내부성(사익추구)	① 최신 기술에 집착 ② 더 많은 예산의 확보 ③ 정보와 지식의 독점

DAY
06

Section 02　　정부와 시민사회 　　　　→ 6 day

1 시민사회, 그리고 시민단체에 대하여

틀잡기	정부 / 협치 : 거버넌스 / 시민사회 ← → 시장 / 국정운영의 파트너	시민사회 : 1. 시민 2. 이익집단 3. 시민단체 : 비정부성 · 비영리성 · 자발성 등

의의	① 시민사회는 정부와 시장에 대한 감시와 견제를 수행하며, 서비스 공급에 있어서 정부의 기능을 보완 → 일반적으로 시민사회가 정부를 대체할 수는 없음 ② 거대해진 관료제의 역기능(정부실패)으로 말미암아 20세기 말 신자유주의의 등장 및 민주주의의 확산과 함께 등장 ③ 시민사회 내 NGO(Non-governmental organization)를 중심으로 각종 사회문제에 대한 진단과 해결책을 제시

순기능	대의민주주의 보완	시민의 직접 참여를 통해 위임으로 인한 한계를 보완
	정책에 대한 공감 및 지지확보	정책에 국민의 의사를 반영하는 노력은 정책에 대한 공감과 지지를 용이하게 만듦
	수월한 정책집행 → 정책순응↑	다수의 참여를 전제로 정책을 결정하기 때문에 정책의 집행이 용이함
	지역 특성 반영	정책집행시 Local knowledge(주민이 알고 있는 지식)를 활용할 수 있음

역기능	시간과 비용 증대	결정에 참여하는 사람의 증가 → 시간과 비용의 증대
	전문성 및 책임성의 문제	① 전문성이 부족한 시민의 존재 → 이상주의에 치우쳐 결과에 무책임할 수 있음 ② 다양한 주체가 참여함에 따라 결정에 대한 책임성의 문제 발생
	사익추구	공익이 아닌 지역사회의 특수 이익만을 반영하려고 노력할 수 있음
	대표성 및 공정성의 문제	영향력이 있는 일부 시민이 참여할 수 있음
	자율성 확보의 문제	재정상의 독립성 결여로 인해 자율성 확보의 문제가 있음

> **참고**
> ① 정부와 시민단체의 지나친 유착이 발생한다면, 시민단체에 대한 정체성 문제를 야기할 수 있음
> ② 정부와 시민단체 간의 균형을 위해서는 정보의 독점이 아닌 정보의 공유가 필요함

비정부기구 (NGO)가 등장한 이유	공공재이론	NGO 부문은 사회의 구성원들에게 기존의 공공재 공급구조체제에서 충족되지 못한 수요를 만족시키는 역할을 한다는 것
	계약실패이론	소비자들이 영리기업을 감시하고 통제하기 위해 등장
	소비자 통제이론	소비자인 시민이 국가권력을 감시하고 통제하기 위한 수단으로 발생
	기업가 이론	① 정부와 NGO 부문이 이질적이고 이들 간의 관계가 경쟁과 갈등이라고 가정 ② NGO는 정부가 정치적 다원성과 다양성을 제대로 반영하지 못하기 때문에 발생한다고 보는 관점으로서 NGO는 정부에게 다양한 정책을 요구하는 정책기업가의 역할을 수행
	다원화 이론	NGO 부문은 정부보다 사회 서비스 생산에서 다양성을 제공

비정부기구의 특성	비정부성	권위(법)를 통한 강제력×
	비영리성	이익을 추구하지 않음
	자발성(자율성)	능동적인 자발성(자발적인 형성 및 활동)을 기초로 함
	이익의 비배분성	활동으로 인해 이익이 발생한다면, 공익을 위해 환원
정부와 NGO관계	대체적 관계	① 국가가 다양한 정치적·기술적 한계로 인해, 시민들에게 제공해야 할 공공재나 집합재의 공급역할을 비영리단체가 담당하는 경우 ② 예 국경없는 의사회가 아프리카에서 의료서비스를 제공하는 것
	보완적 관계	① 비정부조직이 생산하는 공공재나 집합재의 생산비용을 정부가 지원하는 경우 ② 즉, 비영리단체가 민간위탁 방식으로 활용되는 것 ③ 예 좋은 예산센터를 정부가 보조금을 통해 지원해주는 것
	대립적 관계	① 국가와 비정부조직 간에 공공재나 집합재의 성격이나 공급에 대해 근본적인 시각의 차이를 보이고 있기 때문에 긴장 상태에 있는 경우 ② 예 그린피스가 정부의 무분별한 토지개발을 반대하는 것
	의존적 관계	① 정부가 지지나 지원의 필요성 때문에 특정한 비정부조직 분야의 성장을 유도하는 경우에 나타나는 관계 ② 개발도상국에서 많이 볼 수 있음 ③ 예 시민단체가 보조금을 받아 특정 정당을 지지하거나 반대하는 목적으로 단체를 운영하는 경우
살라몬의 NGO 실패모형	박애적 불충분성	NGO는 강제성이 없는 활동 : 필요한 자원을 지속적으로 획득×
	박애적 배타주의	활동영역의 제한 → 서비스 공급대상 한정
	박애적 온정주의	① NGO 내 영향력 있는 사람이 NGO의 활동을 주도하는 것 ② 대표성을 감소시키고 특정한 세력의 이익을 반영할 수 있음
	박애적 아마추어리즘	① 도덕적·종교적인 신념에 의한 결정 및 참여 혹은 전문성 부족 → 이상주의에 치우쳐 결과에 대해 무책임 ② 많은 사람의 참여에 의해 결정하는 바 책임성 확보의 어려움
	용어정리 ① 박애적(philanthropic) : '시민단체'로 번역할 것 ② 온정주의(paternalism) : 선의의 의도로 권력을 가진 자가 사람·단체의 자유를 제한하는 행위	

2 기타

비영리 민간단체 지원법	의의	우리나라는 2000년에 제정된 비영리민간단체 지원법을 기초로 시민단체를 지원하고 있음
	내용	사업계획서 및 사업보고서 등록비영리단체 ➡ 행안부장관·광역지자체장·특례시장 ① 등록비영리민간단체가 공익사업을 추진하기 위하여 보조금을 교부받고자 할 때에는 사업의 목적과 내용, 소요경비, 기타 필요한 사항을 기재한 사업계획서를 해당 회계연도 2월 말까지 행정안전부장관, 시·도지사나 특례시의 장에게 제출하여야 함 ② 사업평가, 사업보고서 및 평가결과의 공개 등에 필요한 사항은 행정안전부령으로 정함
참고		① NGO와 NPO는 모두 비정부성, 비영리성, 자발성을 기초로 함 → 단, 비영리조직은 비영리성에, 비정부조직은 비정부성을 보다 중시 ② 자발적 결사체 민주주의 : 능동적으로 구성된 단체가 활발하게 참여하고 상호 경쟁하는 곳을 이상적인 사회로 간주함 → 따라서 바람직한 정부의 역할은 결사체들이 성장하고 활동하면서 서로 경쟁하도록 보장할 수 있어야 함

DAY —— 06

Section 03 　 성공적인 거버넌스를 위한 조건 : 사회자본　　　⟶ **6 day**

1 틀잡기

① 남남 간에 장기간 면대면으로 만나면서 형성되는
신뢰·호혜적 규범 등의 네트워크
② 자발적인 만남 속에서 형성

지속적 상호교류

사회자본에 대하여	① 개도국과 선진국은 기본적인 인프라가 구축되어 있다는 점에서 공통점이 있음 ② 그러나 선진국은 개도국에 비해 정책참여자 간 신뢰, 즉 '사회자본'이 형성되어 있음 ③ **푸트넘이 활용한 측정지표**: 지역사회에서의 결사체의 수, 지방신문 구독률, 주민투표의 투표율, 자원봉사 횟수, 가정에 친구를 초대한 횟수 등

2 정의 및 특징

정의		① 자발적 결사체를 전제로 하는 참여자 간 수평적인 관계로서 상호 간 신뢰, 호혜적·도덕적·윤리적 규범을 공유하는 네트워크 ② 관련 학자 및 조직: 푸트넘, 후쿠야마, 부르디외, 세계은행 등
특징	공공재의 속성	일반적으로 사회자본은 네트워크에 참여하는 사람들이 공동으로 소유하는 자산이므로 한 명이 독점적으로 소유권을 행사할 수 없음
	타협 및 조정을 통한 문제해결	상호 호혜적인 공동체주의를 토대로 수평적 협력·타협 및 조정을 통해 갈등을 해결
	사용할수록 증가하고 사용하지 않으면 감소	상호 간의 신뢰는 지속적인 교환과정을 통해 유지·재생산하기 때문에 사용할수록 증가하고 사용하지 않으면 감소 → 만남은 인연이고 관계는 노력
	계산적인 교환관계 지양	사회자본을 매개로 한 교환관계는 동등한 가치를 지닌 등가물의 교환이 아니며, 시간적 동시성을 전제하지 않음
	독재체제에서 형성되기 어려움	사회자본을 축적하기 위해서는 자발적인 결사체의 결성 및 활동이 촉진될 수 있는 사회적 여건이 중요함 → 민주주의 정치체제
	참고	① 사회자본은 호혜적 규범이므로 공동체를 위한 대가 없는 봉사를 강조하는 건 아님 ② 사회자본은 개인, 집단, 지역공동체, 국가 등 다양한 수준에서 정의할 수 있음 → 예컨대, 푸트넘의 사회자본론은 이탈리아 지방정부의 제도적 성과와 관련하여 남부의 성공하지 못한 지역과 북부의 성공적인 지역을 비교 연구한 결과임

3 사회자본의 장·단점 및 기타

장점	① 거래비용 감소, 경제발전 및 조직의 혁신, 자체적인 사회적 제재, 지식의 공유 혹은 협력적 네트워크 강화, 대화와 토론을 통한 문제해결 → 단, 소득이 증가하고 있다고 해서 무조건 사회자본이 형성되어 있다고 단정할 수는 없음 ② 사회자본은 집단행동의 딜레마를 극복하고 윈윈게임을 유도 → 따라서 사회자본은 정부의 개입이 없어도 공동의 문제를 자발적으로 해결할 수 있게 만듦
단점	① 형성과정이 비가시적이고, 불확실하며, 단기간에 형성할 수 없음 ② 지나치게 폐쇄적인 연고를 지닌 네트워크가 존재할 경우 부정적인 효과가 발생할 수 있음 → 사회적 자본은 집단결속력으로 인해 다른 집단과의 관계에 있어 부정적 효과(외부집단 배제)를 나타낼 수도 있다는 것 ③ 집단 내 '동조'를 요구할 경우 개인의 자유 혹은 사적인 선택을 제약할 수 있음 ④ 사회자본의 측정지표에 대한 합의가 어려움 → 예컨대, 사회자본의 측정지표는 지역 특성에 따라 달라질 수 있음
기타	사회적 자본은 일반적으로 사적재로서의 특성을 갖지 않는 공공재임 → 그러나 Paxton(팩스톤)에 따르면 인맥과 같은 개인 수준의 사회자본은 사적인 재화로서 사적인 경제적 이득이나 성취에 활용될 수 있음

Section 04 정보화 시대, 그리고 행정 : 전자정부 · 7 day

- 정보화 시대(정보의 확산이 빠른 시대)에는 지식이나 정보가 범람하는 지식정보사회가 나타남
- **지식정보사회** : 정보통신기술의 비약적인 발전으로 모든 분야에서 정보화(정보의 확산 등)가 이루어진 사회이며, 현대 사회의 행정에서 나타나는 현상임

1 지식정보사회와 관련된 개념들, 그리고 특징 ⓖ

데이터·정보·지식	데이터	현상을 설명하기 위한 문자, 숫자, 기호 등의 단편적인 조합
	정보	사용자에게 의미가 있는 데이터의 조합
	지식	정보를 가공해서 가치있는 형태로 발전시킨 것 → 의사결정시 사용
※ 데이터에서 지식으로 갈수록 큰 개념에 해당함		
지식과 정보의 특징	영속적인 재생산	지식이나 정보는 상호작용하면서 새로운 정보나 지식을 재생산할 수 있음
	축적(누적)효과	지식과 정보를 축적하면 그로 인해 또 다른 정보를 만들 수 있음 → 축적할수록 큰 효과
	비소모성	지식·정보 등은 사용해도 감소하지 않음
	비이전성	타인에게 정보를 주더라도 자신이 가진 정보의 양이 감소하지 않음
	무한한 가치	활용 여부에 따라 무한한 가치를 지닐 수 있음
	적시성	시간이 지날수록 희소성이 감소하는바 가치가 떨어질 수 있음
지식정보사회의 특징	전자민주주의 확대	정보통신기술의 발달로 인해 국정관리에 국민의 직접 참여 확대
	연성화된 경제	지식산업 활성화 → ⓔ 네이버 등 검색엔진 등장
	다품종 소량생산	사회에서 요구하는 다양성을 충족할 수 있는 시스템 구축
	다양성과 창의성 확대	유기적 구조의 등장으로 인해 분권화와 평등주의 확산
	탈관료제 조직의 확산	환경적응을 위한 유연한 조직의 등장 → ⓔ 학습조직

2 지식의 유형과 순환 : 노나카의 관점을 중심으로 ⓒ

지식의 유형	암묵지	① 어떤 유형·규칙으로 표현하기 어려운 내재화된 지식 ② 개인이나 조직의 경험, 숙련된 기능 등의 형태로 존재 ③ 📷 자전거 타기, 조직의 경험, 개인적 노하우, 숙련된 기능 등
	형식지	① 누구나 이해할 수 있거나 쉽게 전달할 수 있는 객관적 지식 ② 문서, 규정, 매뉴얼, 공식, 컴퓨터 프로그램 등의 형태로 표현 ③ 📷 행정학 교과서, 업무매뉴얼, 보고서 등

지식의 순환	의의	① 지식관리를 중시하는 지식행정에서는 **암묵지의 형식지화가 중요** ② 지식행정은 개인이 소유한 지식을 조직이 공유·활용하여 집단적인 학습을 유도하는 행정관리임 ③ 노나카(Nonaka)는 능동적인 지식창조 모델은 인간의 지식이 암묵지와 형식지 사이의 사회적인 상호작용을 통해 형성되고 확장된다고 주장 → 이런 상호작용을 '지식의 순환'이라고 함
	SECI모형 (노나카)	<table><tr><td>구분</td><td>암묵지로</td><td>형식지로</td></tr><tr><td>암묵지에서</td><td>① 사회화(Socialization)</td><td>② 표출화(Externalization)</td></tr><tr><td>형식지에서</td><td>④ 내재화(Internalization)</td><td>③ 연결화(Combination)</td></tr></table>표 설명 ① **사회화** : 공동체험을 통해 자신의 몸으로 지식 및 정보를 획득·공유 ② **표출화** : 암묵지를 언어적·행동적 표현을 통해 형식지로 형태화하는 과정 📷 운동기술에 대한 교과서 ③ **연결화** : 집단학습 과정을 거쳐 형식화된 지식을 모아 연결·결합하는 과정 ④ **내재화** : 형식지에서 다시 암묵지로 전환 📷 메뉴얼을 통해 기술을 습득

3 지식정보사회에 대한 다양한 입장 ⓒ

부정적인 입장 : 역기능에 초점	'Big brother' 현상	① 회사나 정부가 **정보를 독점**할 경우 사익을 위해 **정보를 악용**할 수 있음 ② 정보의 격차가 증대하여 정보가 부족한 사람을 통제하는 현상
	피상적 인간관계	면대면 활동 감소 → 정부의 입장에서 봤을 때 대고객 관계의 비인간화 촉진
	개인정보·인권에 대한 문제	무분별한 개인정보 유출과 이에 대한 부적절한 관리로 인해 발생하는 문제
	그레샴 법칙	① 불필요한 정보가 가치있는 정보를 밀어내는 현상 ② 📷 초기 인터넷 검색엔진에서 초등학생의 지식인 답변
긍정적인 입장 : 순기능에 초점	인간의 창의력 및 능력 제고	다양한 정보 및 지식을 활용해서 인간의 창의력 및 능력 제고
	거래비용 감소	정보검색을 통해 거래에 소요되는 비용을 줄일 수 있음
	지식산업의 등장	지식을 판매하거나 공유하는 산업의 등장
	정보통신기술의 보편화	웹접근성	① 장애인 등 정보 소외계층이 일반인과 동일하게 웹사이트에 있는 모든 정보에 접근해 활용할 수 있도록 편의를 제공하는 것 ② 웹 접근성 제고를 위해 정부는 '장애인차별금지 및 권리구제 등에 관한 법률'제정 ③ 해당 법률을 통해 공공기관을 시작으로 민간부문까지 단계적으로 장애인에 대한 웹 접근성 편의 제공을 의무화하는 기반을 마련함 ④ 📷 시각 장애인을 위한 음성서비스
		지역정보화	① 행정의 효율성 강화를 위해 소외 지역의 정보접근을 촉진하는 정책 ② 지역경제의 활성화, 주민의 삶의 질 향상

	모자이크 민주주의	앨빈 토플러에 따르면 정보통신 기술을 이용하여 **일반 국민의 광범위한 직접적인 정치참여가 가능**하게 되며, 이를 통해 기존의 엘리트 중심적인 대의민주주의의 틀을 보완할 수 있음	
긍정적인 입장 : 순기능에 초점	문서없는 정부	① 지식정보화 사회에서는 전자정부가 등장하고 이를 통해 문서 없는 정부(조직 내 효율성 제고)가 구현될 수 있음 ② 📵 전자결재 프로그램 등	
	원스톱 · 논스톱 서비스	정보통신기술을 활용하여 공간의 제약이 없는 원스톱(one-stop)서비스, 시간의 제약이 없는 논스톱(non-stop) 행정서비스가 가능해짐	
지식정보사회의 영향	틀잡기	지식정보사회 ⟶ (영) 1. 유기적 구조화 2. 전자정부 등장 3. 지식관리행정 등장	
	지식관리 행정	개념	지식관리를 통해 가치를 창출하고 극대화하는 행정 → 지식행정
		특징	① **암묵지의 활성화** : 암묵지의 형식지화를 통해 지식의 확장 유도 ② 지식이 창출 · 활용되고 조직 전반적으로 집단적 학습이 이루어지는 **학습조직을 지향** ③ **인적자본의 강화** : 정보와 지식공유를 통해 구성원의 전문성 제고 ④ **지식관리자의 등장** : 지식관리의 총괄 관리자로서 조직의 지식창조와 공유를 유도

4 정보시스템

- 다양한 지식과 정보가 많은 사회에서는 지식관리가 중요함
- 따라서 현대 사회에서는 다양한 지식이나 정보를 관리하기 위한 정보시스템이 등장함

1) 빅데이터

	등장배경	각종 센서 장비(📵 압력센서를 활용한 저울, 온도센서를 설치한 온도계 등)의 발달, 소셜 네트워크 서비스의 보급 확대 등으로 데이터가 증가나면서 나타났음
의의	개념	① 비정형적 데이터(사진 · 영상 등), 정형적 데이터(숫자 · 기호 등), 반정형적 데이터(정형적 · 비정형적 데이터의 중간 형태)를 모두 포함하는 것 ② 용량(Volume), 속도(Velocity), 종류(Variety), 복잡성(Complexity)이 방대한 데이터 및 그 데이터 속에서 새로운 정보를 추출하는 기법
	활용사례	① 아마존이 고객행동 데이터를 분석하여 상품추천 시스템을 도입한 것 ② 해당 시스템은 고객행동 데이터를 실시간으로 분석하여 고객에게 상품을 추천함
특징	빅데이터의 3대 특징	① 속도, 종류(다양성), 용량(크기) → 복잡성을 추가하면 4대 특징 ② [두문자] **복종하면 용서할게**
	빅데이터 활성화 방안	개인정보 보호장치가 제도적으로 선행될 필요가 있음 → 데이터 보안, 암호화 등의 기술 개발
	데이터마트 활용	데이터마트는 사용자가 관심을 갖는 데이터를 담은 비교적 작은 규모의 데이터 웨어하우스임
	빅데이터 관련 법령	① 현재 우리나라는 빅데이터 활성화를 목표로 한 기본법이 아직 제정되어 있지 않음 ② 다만 개별 법령(공공데이터의 제공 및 이용 활성화에 관한 법률, 공공기관의 정보공개에 관한 법률, 전자정부법 등)에서 데이터 관리에 대한 내용을 일부 규정하고 있음 ③ 서울시를 시작으로 대부분의 광역 지방자치단체와 일부 기초자치단체에서 해당 법령을 기초로 빅데이터 활용과 기반 구축을 위한 조례를 제정하여 시행하고 있음

2) 기타 정보시스템 [읽어 보기]

틀잡기	경영계층과 정보시스템	
	그림 설명	TPS에서 거래에 대한 정보생성 → MIS에서 이를 기반으로 유용한 정보생산 → 이하의 정보를 바탕으로 MSS에서 중간관리층을 위한 정보를 형성(이 과정에서 DSS를 활용할 수도 있음) → EIS에서 이를 활용하여 최고경영층을 위한 정보제공
유형	TPS(거래처리시스템) : transaction processing system	일상적인 거래에 관한 자료를 수집하고 저장하는 시스템
	MIS(경영정보시스템 · 관리정보시스템) : management information system	거래처리시스템에서 만들어진 자료를 관리 업무를 수행하는 데 유용한 정보로 바꾸어 주는 시스템; 경영정보를 총괄하여 관리
	MSS(경영지원시스템) : management support system	① 중간관리층을 지원하는 정보시스템 ② 실무자층의 업무를 감독하고 통제하며 최고경영층의 의사결정에 필요한 정보를 제공하는 중간관리층의 경영업무를 지원하는 정보시스템
	DSS(의사결정지원시스템) : decision support system	비정형적(비구조적)인 문제의 해결과 의사결정을 하는 데 필요한 정보와 모형을 조작할 수 있는 분석적 도구를 의사결정자에게 제공; MIS보다 발전한 시스템 [예] SPSS
	EIS(중역정보시스템) : executive information system	조직의 최고관리자에게 필요한 조직의 비전이나 전략수립과 관련한 정보 제공
	ES(전문가시스템) : expert system	① 인공지능의 한 분야로서 정보와 지식을 컴퓨터시스템에 입력시켜 논리적 사고를 통해 문제해결을 돕는 시스템 ② 전문가의 지식을 체계화 후 이를 컴퓨터에 입력하여 의사결정자가 전문가를 만나지 않고도 정보와 지식을 활용할 수 있는 시스템

5 전자정부 cf

개념	① 다양한 정보통신기술·정보시스템 등을 활용하여 **행정의 효율성과 민주성을 제고**할 수 있도록 설계된 정부 형태 ② 정보의 비대칭이 발생하지 않도록 **정보관리는 비배제성의 원리가 적용되어야 함**(정보 = 공공재) → 정보공유 촉진		
장점	민주성 증대	전자민주주의 구현	국민신문고 등을 통해 국민의 요구사항을 수렴하는 것
		전자거버넌스 등장 (e-거버넌스)	① 인터넷에서의 정부, 시장, 시민사회 간 상호작용 → 예 코로나 방역체계 ② 다수의 통합적 의사결정: 다양한 견해를 인터넷이라는 공간에서 수렴하여 통합하는 것
		기타	행정정보공개, 온라인 시민참여, 민원처리 공개, 원스톱 서비스 등을 통해 국민의 요구 수렴 → 정부의 정책과정과 업무절차에 대한 투명성과 접근성 제고
	효율성 제고		① 전자정부에서는 문서 없는 정부(조직 내 효율성 제고)가 구현될 수 있음 ② 예 전자결재시스템
단점	인포데믹스 (Infordemics)		① 정보(information)와 전염병(epidemics)의 합성어 ② 추측이나 뜬소문이 덧붙여진 **부정확한 정보가 인터넷이나 휴대전화를 통해 전염병처럼 빠르게 확산**되는 현상
	집단극화 (Group polarization)		① 집단의 의사결정이 선동으로 인해 극단적인 방향으로 이행하는 현상 ② 인터넷에서는 정치적·이기적 극단주의자들에 의하여 네티즌들이 쉽게 동원·조작됨으로써 집단극화의 가능성이 커짐
	선택적 정보접촉		정보의 범람 속에서 유리한 정보만을 선별적으로 취하는 행태
	사이버 범죄의 발생		전자상거래 사기, 해킹, 도박사이트 등 사이버 범죄가 증가할 수 있음
	전자전제주의 (Telefascism)		① 정보를 정부나 상급 기관이 독점하여 국민을 감시하는 전자전제주의가 나타날 수 있음 ② 전자전제주의, 빅브라더, 전자파놉티콘은 모두 정보격차 현상을 설명하고 있음
	사생활 침해 등		① 개인정보 제공 등을 통해 개인의 프라이버시 및 인권침해의 소지가 큼 ② 전자정부는 시민 개개인의 프라이버시를 존중하고 보호하기 위한 시스템을 구축해야 함
	인간소외		인터넷 업무처리 등으로 인해 고객과의 관계에서 인간소외 현상 발생
전자정부의 범위	G2G: 정부기관 간		① 정부기관 간에 행정정보의 공유, 온나라시스템, 전자결재 등을 통해 문서 없는 행정을 실현하여 능률성을 추구 ② 예 온나라 시스템(On-nara BPS)
	G2B: 정부와 기업 간		① 정부와 기업 간 전자거래 확대, 조달업무의 전자적인 처리(국가종합전자조달시스템; 나라장터), 전자통관시스템 등을 활용하여 효율성 및 투명성 제고 ② G2B(Government, Business)의 관계 변화로 정부의 정책수행을 위한 권고, 지침전달 등을 위한 정보교류 비용을 감소하고 조달행정비용도 절감할 수 있음 ③ 예 나라장터, 전자통관시스템(UNI-PASS)
	G4C·G2C: 대국민 서비스		① 정부의 대민서비스로서 민원처리의 온라인화(민원24), 국민신문고, 주민등록 등 국가의 주요 민원정보 데이터베이스를 바탕으로 국민에게 편의를 제공함 ② 예 민원24, 국민신문고
기타	UN이 제시한 전자정부의 단계		① **전자정보화(E-information)**: 정부기관의 웹사이트에서 각종 전자적 채널을 통해 정부기관의 다양한 정보를 공개하는 단계 ② **전자자문(E-consultation)**: 시민과 선거직 공무원 간의 상호 소통이 이루어짐 ③ **전자결정(E-decision)**: 정부기관이 주요 정책과정에 시민들의 의견을 고려하여 반영

DAY
07

6 우리나라 전자정부 ᵈ

전자정부의 발전단계	**전자정부 1.0**	웹 1.0 기반, 효율성(정부 중심) 전산망 구축, 일방향 서비스
	전자정부 2.0	웹 2.0 기반, 민주성(국민 중심), 인터넷을 통한 개방·공유·참여, 양방향 서비스
	전자정부 3.0	웹 3.0 기반, 협력, 소통, 맞춤형 서비스(국민 개개인 중심·민주성의 확장), 일자리 창출, 칸막이 해소(부서 간 혹은 국민과의 소통) 등
전자정부 3.0	**틀잡기**	전자정부 3.0의 최종 목적지 ──→ 유비쿼터스 정부
	용어정리	Ubiquitous Government : 다양한 기술을 활용하여 언제, 어디서나 존재하는 정부
	개념	① 개방, 공유, 참여, 소통, 협력의 핵심 가치들을 통해 국정과제를 해결하고 국민행복을 추구 ② 스마트·모바일 기술, 빅데이터 등을 활용하여 지능화된 양방향·맞춤형·선제적(예측하는) 서비스 제공 ② 박근혜 정권에서 정부 3.0을 본격적으로 추진
	스마트 정부	기존 PC 기반에서 스마트폰, 태블릿, 스마트TV 등 새로운 미디어를 활용
	모바일 정부	휴대용 단말기를 통하여 정부와 관련된 각종 업무 및 정보를 처리하는 정부
	특징 / **유비쿼터스 정부지향**	① 스마트 정부 + 모바일 정부 ② 유·무선 모바일 기기 통합으로 언제, 어디서나 쌍방향의 정보서비스 제공 ③ 개인의 관심사·선호도 등에 따른 실시간 맞춤형 정보를 제공함으로써 시민의 참여를 촉진 ④ 아울러 고객지향성, 인공지능성, 실시간성, 형평성 등을 추구하며, 기술적으로 브로드밴드와 무선, 모바일 네트워크, 센싱, 칩 등을 기반으로 함
	브로드밴드	통신, 방송, 인터넷 따위를 결합한 디지털 통신 기술
	용어정리 / **센싱**	① 센서의 작동으로 물체 또는 소리·빛·압력·온도 등을 탐지·관측·계측하는 일 ② 📄 지문 센싱
	마이크로칩	① 다양한 정보를 담고 있는 초소형 칩 ② 📄 강아지 마이크로칩

7 전자정부법 : 2001년 김대중 정권에서 제정

제1장 총칙

제1조【목적】 이 법은 행정업무의 전자적 처리를 위한 기본원칙, 절차 및 추진방법 등을 규정함으로써 전자정부를 효율적으로 구현하고, 행정의 생산성, 투명성 및 민주성을 높여 국민의 삶의 질을 향상시키는 것을 목적으로 한다.

제2조【정의】 이 법에서 사용하는 용어의 뜻은 다음과 같다.

1. "전자정부"란 정보기술을 활용하여 행정기관 및 공공기관(이하 "행정기관등"이라 한다)의 업무를 전자화하여 행정기관등의 상호 간의 행정업무 및 국민에 대한 행정업무를 효율적으로 수행하는 정부를 말한다.
2. "행정기관"이란 국회 · 법원 · 헌법재판소 · 중앙선거관리위원회의 행정사무를 처리하는 기관, 중앙행정기관 및 그 소속 기관, 지방자치단체를 말한다.
3. "공공기관"이란 다음 각 목의 기관을 말한다.
   가. 「공공기관의 운영에 관한 법률」 제4조에 따른 법인 · 단체 또는 기관
   나. 「지방공기업법」에 따른 지방공사 및 지방공단
   라. 「초 · 중등교육법」, 「고등교육법」 및 그 밖의 다른 법률에 따라 설치된 각급 학교(공 · 사립학교 포함)
4. "중앙사무관장기관"이란 국회 소속 기관에 대하여는 국회사무처, 법원 소속 기관에 대하여는 법원행정처, 헌법재판소 소속 기관에 대하여는 헌법재판소사무처, 중앙선거관리위원회 소속 기관에 대하여는 중앙선거관리위원회사무처, 중앙행정기관 및 그 소속 기관과 지방자치단체에 대하여는 행정안전부를 말한다.

제4조【전자정부의 원칙】 ① 행정기관등은 전자정부의 구현 · 운영 및 발전을 추진할 때 다음 각 호의 사항을 우선적으로 고려하고 이에 필요한 대책을 마련하여야 한다.

1. 대민서비스의 전자화 및 국민편익의 증진 → 정보행정은 정보기술을 활용하여 수요자 중심으로 행정서비스를 개선함
2. 행정업무의 혁신 및 생산성 · 효율성의 향상
3. 정보시스템의 안전성 · 신뢰성의 확보
4. 개인정보 및 사생활의 보호
5. 행정정보의 공개 및 공동이용의 확대 → 국민과의 소통과 협력을 확대하고, 24시간 행정서비스를 제공
6. 중복투자의 방지 및 상호운용성 증진 → 인터넷이나 DB기술 활용을 통해 부서 간 효율적인 정보교류가 가능한 정부 추구

② 행정기관등은 전자정부의 구현 · 운영 및 발전을 추진할 때 정보기술아키텍처를 기반으로 하여야 한다.

> **■ 정보기술아키텍처**
> 정보구조도 · 정보설계도, 업무 수행에 필요한 데이터, 업무지원응용시스템의 실행에 필요한 정보기술을 체계적으로 정리한 것 → 전자정부 추진을 위한 밑그림으로써 정보시스템 구축을 위한 설계도
> ㉠ 정부업무, 업무수행에 필요한 데이터, 업무를 지원하는 응용서비스 요소, 데이터와 응용시스템의 실행에 필요한 정보기술, 보안 등의 관계를 구조적으로 연계한 체계로서 정보자원관리의 핵심수단
> ㉡ 정부의 정보시스템 간의 상호운용성 강화, 정보자원 중복투자 방지, 정보화 예산의 투자효율성 제고 등에 기여
>
> **전자정부법 제45조【정보기술아키텍처 기본계획의 수립 등】** ① 행정안전부장관은 관계 행정기관등의 장과 협의하여 정보기술아키텍처를 체계적으로 도입하고 확산시키기 위한 기본계획을 수립하여야 한다.

제5조【전자정부기본계획의 수립】 ① 중앙사무관장기관의 장은 전자정부의 구현 · 운영 및 발전을 위하여 5년마다 행정기관등의 기관별 계획을 종합하여 전자정부기본계획을 수립하여야 한다.

제5조의2【기관별 계획의 수립 및 점검】 ① 행정기관등의 장은 5년마다 해당 기관의 기관별 계획을 수립하여 중앙사무관장기관의 장에게 제출하여야 한다.

> **■ 5조와 5조의2 해설**
> 행정기관등의 장이 기관별 계획을 수립하고 이를 중앙사무관장기관장에게 제출하면 중앙사무관장기관장은 이를 종합해서 전자정부기본계획을 수립함(5년 단위)

제5조의3【전자정부의 날】 ① 전자정부의 우수성과 편리함을 국민에게 알리고 국제적 위상을 제고하는 등 지속적으로 전자정부의 발전을 촉진하기 위하여 매년 6월 24일을 전자정부의 날로 한다.

제2장 전자정부서비스의 제공 및 활용 中 제1절 전자정부서비스의 신청 및 제공

제7조【전자적 민원처리 신청 등】 ① 행정기관등의 장은 해당 기관에서 처리할 민원사항 등에 대하여 관계 법령에서 문서 · 서면 · 서류 등의 종이문서로 신청, 신고 또는 제출 등을 하도록 규정하고 있는 경우에도 전자문서로 신청등을 하게 할 수 있다.

제8조 【구비서류의 전자적 확인 등】 ① 행정기관등의 장은 민원인이 첨부·제출하여야 하는 증명서류 등 구비서류가 행정기관등이 전자문서로 발급할 수 있는 문서인 경우에는 직접 그 구비서류를 발급하는 기관으로부터 발급받아 업무를 처리하여야 한다.

제9조 【방문에 의하지 아니하는 민원처리】 ② 행정기관등의 장은 민원처리제도를 시행하기 위하여 인터넷에 전자민원창구를 설치·운영할 수 있다. 다만, 전자민원창구를 설치하지 아니하였을 때에는 제3항의 통합전자민원창구에서 민원사항 등을 처리하게 할 수 있다.
③ 중앙사무관장기관의 장은 행정기관등의 전자민원창구의 설치·운영을 지원하고 이를 연계하여 통합전자민원창구를 설치·운영할 수 있다.

제2장 전자정부서비스의 제공 및 활용 中 제2절 전자정부서비스의 이용촉진

제22조 【전자정부서비스의 이용실태 조사·분석】 ① 행정기관등의 장은 해당 기관에서 제공하는 전자정부서비스에 대한 이용실태 등을 주기적으로 조사·분석하여 관리하고 개선 방안을 마련하여야 한다.

제24조 【전자적 대민서비스 보안대책】 ① 행정안전부장관은 전자적 대민서비스와 관련된 보안대책을 국가정보원장과 사전 협의를 거쳐 마련하여야 한다.

제32조 【전자적 업무수행 등】 ① 행정기관등의 장은 행정업무를 수행할 때 정보통신망을 이용한 온라인 영상회의 방식을 활용할 수 있다. 이 경우 행정기관등의 장은 원격지(遠隔地) 간 업무수행을 할 때에는 온라인 영상회의를 우선적으로 활용하도록 노력하여야 한다.

제35조 【금지행위】 누구든지 행정정보를 취급·이용할 때 다음 각 호의 행위를 하여서는 아니 된다.
  1. 행정정보의 처리업무를 방해할 목적으로 행정정보를 위조·변경·훼손하거나 말소하는 행위 → 위반시 10년 이하의 징역

제4장 행정정보의 공동이용 등

제37조 【행정정보 공동이용센터】 ① 행정안전부장관은 행정정보의 원활한 공동이용을 위하여 행정안전부장관 소속으로 행정정보 공동이용센터를 두고 대통령령으로 정하는 바에 따라 공동이용에 필요한 시책을 추진하게 할 수 있다.
② 행정정보를 공동으로 이용하는 기관은 정당한 사유가 없으면 공동이용센터를 통하여 행정정보를 공동이용하여야 한다.

■ 37-39조 해설
  ① 행정정보 공동이용센터에 저장된 데이터를 이용하기 위해서는 행정안전부장관에게 공동이용을 신청하고, 행정안전부장관으로부터 승인을 받아야 함
  ③ 단, 일부 정보(국가안전보장에 대한 정보, 다른 법령 등에서 비공개 사항으로 규정한 정보 등)에 대해서는 공동이용을 신청할 수 없음

제5장 전자정부 운영기반의 강화 中 제2절 정보자원의 효율적 관리기반 조성

제55조 【지역정보통합센터 설립·운영】 ① 지방자치단체는 정보자원을 효율적으로 관리하고 지역정보화를 통합적으로 추진하기 위하여 지역정보통합센터를 설립·운영할 수 있고, 필요한 경우 국가와 지방자치단체 또는 둘 이상의 지방자치단체가 공동으로 지역정보통합센터를 설립·운영할 수 있다.

■ 55조 해설
  지방자치단체 간 정보공유를 위한 시스템(지역정보통합센터)을 둘 수 있음

참고 전자정부법 제2조에 명시된 기타 용어

정보자원	행정기관등이 보유하고 있는 행정정보, 전자적 수단에 의하여 행정정보의 수집·가공·검색을 하기 쉽게 구축한 정보시스템, 정보시스템의 구축에 적용되는 정보기술, 정보화예산 및 정보화인력 등
정보시스템	정보의 수집·가공·저장·검색·송신·수신 및 그 활용과 관련되는 기기와 소프트웨어의 조직화된 체계
정보통신망	전기통신설비를 활용하거나 전기통신설비와 컴퓨터 및 컴퓨터 이용기술을 활용하여 정보를 수집·가공·저장·검색·송신 또는 수신하는 정보통신체제
전자화문서	종이문서와 그 밖에 전자적 형태로 작성되지 아니한 문서를 정보시스템이 처리할 수 있는 형태로 변환한 문서
전자문서	컴퓨터 등 정보처리능력을 지닌 장치에 의하여 전자적인 형태로 작성되어 송수신되거나 저장되는 표준화된 정보
정보시스템 감리 (정보시스템 감독·감리)	감리발주자 및 피감리인의 이해관계로부터 독립된 자가 정보시스템의 효율성을 향상시키고 안전성을 확보하기 위하여 제3자의 관점에서 정보시스템의 구축 및 운영 등에 관한 사항을 종합적으로 점검하고 문제점을 개선하도록 하는 것

8. 지능정보화기본법 cf

등장배경	① 1995년에 제정된 정보화촉진 기본법이 2009년 전면개정을 통해 국가정보화 기본법(이명박 정권)으로 바뀜 ② 이후 2020년 12월 10일에 국가정보화 기본법을 지능정보화 기본법으로 전면개정 및 시행
내용	**제2장 지능정보사회 정책의 수립 및 추진체계** **제6조【지능정보사회 종합계획의 수립】** ① 정부는 지능정보사회 정책의 효율적·체계적 추진을 위하여 지능정보사회 종합계획을 3년 단위로 수립하여야 한다. ② 종합계획은 과학기술정보통신부장관이 관계 중앙행정기관의 장 및 지방자치단체의 장의 의견을 들어 수립하며, 정보통신전략위원회의 심의를 거쳐 수립·확정한다. 종합계획을 변경하는 경우에도 또한 같다. **제8조【지능정보화책임관】** ① 중앙행정기관의 장과 지방자치단체의 장은 해당 기관의 지능정보사회 시책의 효율적인 수립·시행과 지능정보화 사업의 조정 등 지능정보화책임관을 임명하여야 한다. **지능정보화기본법 시행령 제6조【지능정보화책임관의 업무】** 법 제8조 제1항에서 "지능정보화 사업의 조정 등 대통령령으로 정하는 업무"란 다음 각 호의 업무를 말한다. 1. 지능정보화 사업의 조정, 지원 및 평가 **2. 지능정보사회 정책의 총괄, 조정 지원 및 평가** 3. 지능정보사회 정책과 기관 내 다른 정책 등과의 연계·조정 4. 지능정보기술을 이용한 행정업무의 지원 5. 정보자원의 현황 및 통계자료의 체계적 작성·관리 6. 「전자정부법」 제2조 제12호에 따른 정보기술아키텍처(이하 "정보기술아키텍처"라 한다)의 도입·활용 7. 건전한 정보문화의 창달 및 지능정보사회윤리의 확립 8. 지능정보화 및 지능정보사회 관련 교육 및 역량강화 **제3장 분야별 지능정보화의 추진** **제14조【공공지능정보화의 추진】** ① 국가기관등은 공공서비스의 지능정보화를 도모하고 국민 편익 증진 등을 위하여 행정, 보건, 사회복지, 교육, 문화, 환경, 교통, 물류, 과학기술, 재난안전, 치안, 국방, 에너지 등 소관 업무에 대한 지능정보화를 추진하여야 한다. **제6장 지능정보사회의 기반 조성 中 제1절 정보문화의 창달·확산 및 사회변화 대응** **제45조【정보격차 해소 시책의 마련】** 국가기관과 지방자치단체는 모든 국민이 지능정보서비스에 원활하게 접근하고 이를 유익하게 활용할 기본적 권리를 누구나 격차 없이 실질적으로 누릴 수 있도록 필요한 시책을 마련하여야 한다. **■ 45조 해설** 「지능정보화 기본법」은 국가기관과 지방자치단체에 대해서 정보격차 해소 시책을 마련할 의무를 규정하고 있음 → 민간기업은 포함되지 않음
기타	**정보격차 해소방안 등** ① OECD는 정보격차를 '개인, 가정, 기업 및 지역들 간에 상이한 사회·경제적 여건에서 비롯된 정보통신기술에 대한 접근기회와 다양한 활동을 위한 인터넷 이용에서의 차이'로 정의함 ② '정보화마을'은 농어촌 지역 인터넷 설치사업으로서 우리나라에서 도농 간 정보격차 해소를 위해 시행한 지역 정보화정책의 사례임 ③ 「장애인차별금지 및 권리구제 등에 관한 법률」은 장애인에게 정보통신·의사소통 등에서의 정당한 편의제공 의무에 관한 규정을 두고 있음

Section 05　행정문화 : 우리나라의 행정문화 ⓒ　　7 day

1　개념 및 특징

개념	① 조직 내 구성원이 비교적 장기간 공유하고 있는 패턴화된 행동 ② 행정체제의 구성원들이 공유하는 가치와 신념, 그리고 태도와 행동양식의 총체
특징	**구성원의 행동제약**	비공식적으로 구성원의 일탈행동을 규제하고 구성원의 일체감(통합성)을 형성하여 행정체제를 안정적으로 유지하는 데 기여함 → 아울러 행정의 구체적인 사례를 이해하는 데 설명력을 제공
	학습의 결과	인간은 사회구성원이 공유하는 행동패턴을 후천적인 학습을 통해 익힘
	변화에 저항하는 성격	① 비교적 안정적이고 지속적인 성격을 지니는바 변화 및 혁신에 대해 저항하는 특성을 보임 ② 그러나 시간이 흐르면서 관료들의 변화의지, 기술적·경제적 발달, 외래문화의 접촉 등을 통해 자연스럽게 변하기도 함 → 동태성
	기타	행정부 내에는 여러 문화가 공존할 수 있음 → 주류 문화와 이에 대비되는 문화(하위 문화) 등

2　유형

권위주의	개념	위계질서, 상명하복 등을 중시하는 문화
	장점	업무의 신속성 및 추진력을 제공할 수 있음
	단점	① 집권화 및 비민주화 ② 상급자에 대한 과잉동조 ③ 하위 구성원의 창의성 억제 ④ 집권주의적 조직 운영을 강화하고, 의사결정을 폐쇄화·밀실화
연고주의	개념	혈연, 지연 및 학연 등을 중시하는 문화
	장점	① 조직의 응집력 제고 ② 상호 친화적인 분위기 속에서 업무를 할 수 있음
	단점	① 파벌 및 할거주의적 양태를 일으킴 ② 공과사를 구분하지 못하는 행동을 야기
순응주의	개념	기존의 관리방침에 그대로 따르는 것을 권하는 문화 → 주체성이 부족하고 현상유지적인 행동문화
	장점	계서적인 질서유지에 기여
	단점	① 창의성 저하 ② 능동적인 행동 및 자율성↓
형식주의	개념	조직의 공식적인 측면을 강조하다 보니 다소 복잡한(비능률적인) 절차가 있는 상태
	장점	행정의 명분을 내세울 수 있음
	단점	① 목표와 수단의 대치현상을 일으킬 수 있음 ② 형식과 행정조직 내 실제 현상의 괴리발생
온정주의	개념	감정적인 유대관계를 중시하는 문화; 의리, 우정 등
	장점	① 조직 내 유연한 분위기 형성 ② 감정적인 유대관계가 있는 동료 간 협동 용이
	단점	① 공정하지 못한 비합리적 행동이 있을 수 있음 ② 사적인 감정에 의해 행정을 집행할 수 있음

일반주의 (일반능력자 주의)	**개념**	① 분업화가 제대로 이루어지지 못한 상태 ② 전문가주의의 반대 표현 → 행정미분화 시대의 유산
	장점	인사운영의 유연성 확보 → 일반행정가
	단점	① 행정의 전문화 감소 ② 아마추어리즘에 의한 행정의 효율성 저해
집단주의	**개념**	특정 집단의 응집력이 강하여 다른 조직이나 개인에게 다소 폐쇄적인 태도를 보이는 문화 혹은 **조직 내 개인보다 조직을 우선시하는 문화**
	장점	① 집단구성원 간 상호 소속감과 심리적 안정욕구를 충족할 수 있으며, ② 조직 내 응집력을 활용하여 업무효율을 제고할 수 있음
	단점	① 집단 밖의 개인이나 다른 집단에 대해 폐쇄적인 태도를 지니는바 사고의 다양성이 결여될 수 있으며, 조직의 개혁 및 창의성 발현을 저해할 수 있음 ② 부처이기주의 내지 부처할거주의가 나타날 수 있음

DAY
07

CHAPTER **06** 정부관: 큰 정부와 작은 정부

Section **01** 시대 및 이념의 구분에 따른 정부관   7 day

 틀잡기

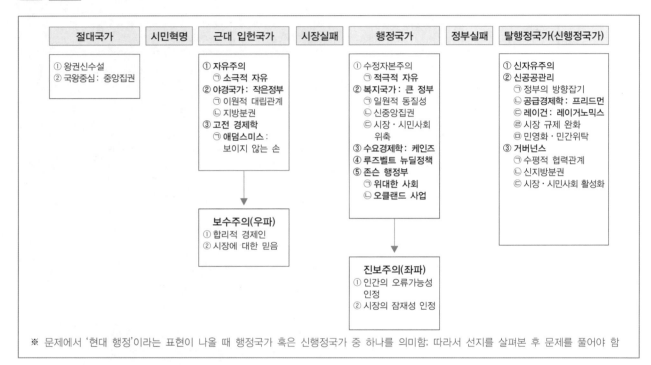

※ 문제에서 '현대 행정'이라는 표현이 나올 때 행정국가 혹은 신행정국가 중 하나를 의미함; 따라서 선지를 살펴본 후 문제를 풀어야 함

2 그림에 명시된 용어정리 읽어 보기

절대국가	**왕권신수설**: 왕권은 신이 부여한 권리라는 뜻으로 국왕 중심 통치의 논거로 활용됨 → 중앙정부에 모든 권한이 집중
입헌국가 **(작은 정부)**	① **자유주의**: 정부는 시장이나 시민사회의 자유를 침해하면 안된다는 정치철학 ㉠ **소극적 자유**: 정부의 소극적 역할을 강조하는 자유관 ② **야경국가(작은 정부)**: 국가는 외적의 방어, 국내치안의 유지, 개인의 자유와 사유재산에 대한 침해의 배제 등 필요한 최소한의 임무를 수행하여야 한다고 보는 자유방임주의에 근거한 국가 내지 국가관 → 최소의 정부가 최선의 정부 ㉠ **이원적 대립관계**: 정부는 시장·시민사회·지방과의 관계에 거의 개입하지 않음 ㉡ **지방분권**: 지방정부의 자치권을 인정하는 통치체계 ③ **고전 경제학**: 애덤 스미스의 보이지 않는 손 ㉠ 애덤 스미스는 정부개입이 없어도 합리적 개인 간 교환관계에 따라 시장 내 효율적 자원배분이 가능하다는 것을 주장함 ㉡ **보이지 않는 손**: 합리적 개인 간 교환관계가 지속되면서 형성되는 자동가격조절장치
행정국가 **(큰 정부)**	① **수정자본주의**: 효율적인 자원배분을 위해 정부의 시장개입을 인정하는 관점 → 기존의 자본주의 수정 • **적극적 자유**: 정부의 적극적 역할을 강조하는 자유관 ② **복지국가(큰 정부)**: 시장실패로 인한 문제를 해결하기 위해 많은 정부 활동을 찬성하는 국가관 ㉠ **일원적 동질성**: 중앙정부의 활동 증대로 인해 시장·지방정부·시민사회의 위축 ㉡ **신중앙집권**: 지방분권을 인정하되, 사회문제 해결을 위한 중앙정부의 주도적 역할을 강조하는 통치체계 ③ **케인즈 수요경제학**: 정부가 일자리 창출을 위해 공공사업 추진 → 노동자 고용 및 임금 증가 → 노동자 지출·소비 증가 → 기업의 투자 상승 → 경제활성화 및 세수증가 ④ **루즈벨트 행정부의 뉴딜정책**: 경제공황을 극복하기 위한 일자리 창출 정책 ⑤ **존슨 행정부** ㉠ **존슨의 위대한 사회**: 복지정책을 통해 빈민이나 실업자를 지원하려는 국가의 슬로건 → 최대의 봉사를 최선의 정부로 인식 ㉡ **존슨의 오클랜드 사업**: 경제공황을 극복하기 위한 일자리 창출 정책
탈행정국가 **(작은 정부)**	① **신자유주의** ㉠ 시장실패의 해결사 역할을 해오던 정부가 오히려 문제의 원인이라는 인식을 바탕으로 다시 시장을 통한 사회문제 해결을 강조하며 '작은 정부'를 추구하는 행정철학 ㉡ 정부의 민간부문에 대한 간섭과 규제를 합리적으로 축소·조정해야 한다는 입장에서 규제 완화, 민영화 등을 강조함 ② **신공공관리**: 작고 능률적인 정부를 추구하는 국가관리 패러다임 ㉠ **공급경제학**: 프리드먼 ⓐ 수요에서 공급(생산성)을 중시하는 관점으로 정책을 전환하자는 것 → 레이건이 1980년 대통령 선거에서 처음 사용한 표현 ⓑ **공급경제학의 내용**: 개인 및 기업의 이윤에 대한 세율 인하, 투자수익에 대한 세율 인하 → 개인의 소득 및 자본의 축적↑ → 근로의욕 고취 및 생산성 향상 → 경제활성화 및 세수 증가 ㉡ **레이건의 레이거노믹스**: 프리드먼의 공급경제학에 기초해서 기업에 대한 세금감면을 강조하는 정책 기조 ③ **거버넌스**: 정부·시장·시민사회 간 협치체계 → 신공공관리를 비판하면서 등장함 ㉠ **수평적 협력관계**: 국가관리에 있어서 정부·시장·시민사회 간 파트너십을 유지하는 것 ㉡ **신지방분권**: 정부 간 협력 등을 강조하는 통치체계

3 보수주의와 진보주의

비고	보수주의(우파)	진보주의(좌파)
인간관	합리적·이기적 경제인	인간의 오류가능성 인정
가치관	① 소극적 자유 강조 ② 기회의 평등 강조 ③ 경제적 자유 강조 → 자율적 교환에 기초한 정의	① 적극적 자유 강조 ② 배분적 정의 중시: 결과의 평등
정부와 시장에 대한 관점	① 자유시장에 대한 믿음 ② 정부에 대한 불신	① 시장의 잠재성 인정 ② 시장에 대한 맹신×: 시장실패에 대한 정부의 수정
선호하는 정책	① 빈자에 대한 지원 선호× ② 경제적인 규제 완화·시장 중심의 정책 ③ 조세감면 혹은 완화 ④ 보수주의는 작은 정부관을 찬성하며, 청교도 사상을 이어받아 교회의 믿음을 강조함 → 따라서 아래와 같은 정책에 대해 찬성함 　㉠ 공립학교에서의 종교교육 찬성 　㉡ 낙태금지를 위한 권력 사용 찬성	① 소외집단을 위한 정책 ② 공익을 위한 정부의 규제 인정 ③ 조세의 증대를 통한 소득의 재분배 ④ 진보주의는 정부의 규제에 대해 긍정하면서도 종교 및 사생활 등에 대해서 존중하자는 입장을 취함 → 따라서 아래와 같은 정책에 대해 찬성함 　㉠ 공립학교에서의 종교교육 반대 　㉡ 낙태금지를 위한 권력 사용 반대
기타	자유방임적인 자본주의	복지국가·수정자본주의(규제자본주의·혼합자본주의)

4 기타

행정국가의 양적 특징	① 행정기구의 확대 ② 공무원 수의 증가 ③ 예산규모의 팽창 ④ 준공공기관(정부의 통제를 받는 조직)의 증가 ⑤ 행정기능의 확대·강화
하이에크 노예로의 길 (1944)	① 정부가 커지면(정부개입 증가) 국민은 노예가 됨 → 국가의 기획과 자유는 양립할 수 없다는 입장 ② 시장을 신뢰하는 입장 ③ 대표적인 자유주의자＝보수주의＝우파 → 신자유주의의 아버지 ④ 작은 정부를 주장하는 하이에크는 케인스의 주장을 반박하며, 정부의 시장 개입은 단기적 경기 부양에는 효과적일 수 있어도 장기적으로는 시장의 효율성을 심각하게 훼손한다고 주장 ⑤ 1980년대 레이거노믹스와 대처리즘을 필두로 하는 신자유주의 출현의 이념적 기반을 제공
파이너 반동에의 길 (1945)	① 국가기획의 도입에 따라 시민의 자유와 권리를 보장하는 게 가능하다는 입장 ② 큰 정부 옹호론자

| Section 02 | 정부의 규모 변화와 작은 정부론 | ● 7 day |

1 정부의 규모변화를 설명하는 이론

1) 틀잡기

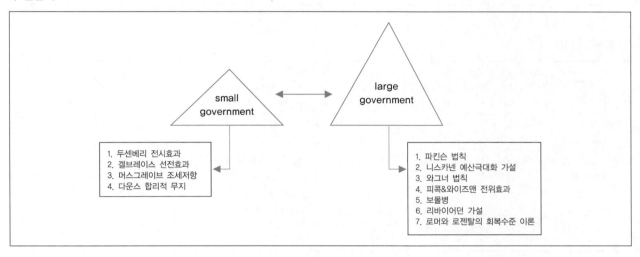

small government
1. 두센베리 전시효과
2. 겔브레이스 선전효과
3. 머스그레이브 조세저항
4. 다운스 합리적 무지

large government
1. 파킨슨 법칙
2. 니스카넨 예산극대화 가설
3. 와그너 법칙
4. 피콕&와이즈맨 전위효과
5. 보몰병
6. 리바이어던 가설
7. 로머와 로젠탈의 회복수준 이론

2) 정부팽창이론

예산극대화 가설		관료들이 권력의 극대화를 위해 예산극대화를 추구 → 이는 불필요한 정부규모 증가를 야기하는 바 정부실패 발생
바그너(와그너) 법칙		① 공공재 수요의 소득 탄력적 특성으로 인해 국민경제에서 차지하는 공공부문의 상대적 크기가 커지는 현상 ② 1인당 국민소득의 증가, 즉 사회의 소득이 증가하면 공공재 수요(공적인 수요)가 빠르게 증가하게 됨 → 경제가 성장하면 국민이 정부에게 많은 요구를 하는 현상이 발생
피콕과 와이즈면 전위효과 (대체효과)		① 일반적으로 전쟁과 같은 위기 상황 발생시 공공지출이 상향조정되어 공공지출이 민간지출을 대체하는 현상 ② 위기 상황을 해소한 후에도 공공지출의 크기가 감소하지 않고 공적인 지출이 민간지출을 대체한 상태로 유지되는바 정부의 규모 증가
파킨슨 법칙	틀잡기	공무원 업무 ─ 본질적 업무 / 파생적 업무 ─(영)→ 1공리 : 부하배증 → 악순환 → 공무원 수 증가 / 2공리 : 업무배증
	내용	① 파생적 업무의 증가 혹은 공무원의 사회심리적 요인은 공무원의 수를 증가시킴 ② 파킨슨에 따르면 영국 공무원 수는 매년 평균 5.75%의 비율로 증가 ③ 파킨슨 법칙 = 상승하는 피라미드의 법칙 = 관료제국주의 ④ 용어정리 사회심리적 요인 : 동료와 협력하기보다 부하를 충원해서 지시하려는 심리적 요인
	한계	안정적인 환경에서 공무원 수 증가를 관찰하면서 만들어진 이론이므로 국가 위기시에 공무원이 증가하는 현상을 설명하지 못하는 한계를 지님
보몰병		① 정부가 공급하는 서비스는 대개 '노동집약적'인 까닭에 민간부문에 비해 생산성 증가가 느림 ② 이로 인해 비용절감이 힘들고 생산비용이 상대적으로 빠르게 증가 → 정부지출 규모 증가
리바이어던 가설		재정권을 독점한 정부에서 정치가나 관료들이 독점적 권력을 국민에게 남용하여 재정규모를 과도하게 팽창시키는 행위를 설명함

DAY —

07

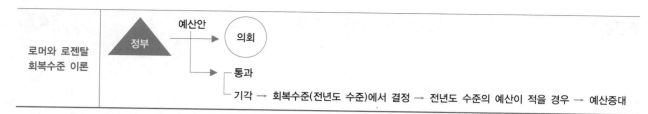

로머와 로젠탈 회복수준 이론	정부 → 예산안 → 의회 → 통과 └ 기각 → 회복수준(전년도 수준)에서 결정 → 전년도 수준의 예산이 적을 경우 → 예산증대

3) 정부축소이론 Ⓒⓕ

듀젠베리 전시효과	① 사람들의 소비과시(전시)는 누군가에게 소비욕구를 자극 ② 그러나 사람들은 일반적으로 공공서비스에 대한 소비는 과시하지 않음(공공임대 주택을 분양받는다고 생각해볼 것) → 공공서비스에 대한 수요 감소 → 공공서비스 축소
겔브레이스 의존(선전)효과	① 공공재는 사적재에 비해 광고나 선전이 이루어지지 않아 국민의 소비 욕구를 자극하지 못함 ② 이에 따라 공공서비스에 대한 투자를 소홀히 하는바 정부가 축소됨
머스그레이브 조세저항	① 사적재와 다르게 공공재는 본인이 부담한 비용에 비해 적은 혜택을 누린다고 생각 ② 조세저항 → 공공서비스 축소
다운스 합리적 무지	① 공공서비스는 정보수집 비용을 고려할 때 개인은 정보를 수집하지 않는 것이 오히려 합리적임 → 합리적 무지 ② 바쁜 일상생활 속에서 정부가 제공하는 공공서비스에 대해 면밀하게 살펴보지 않는 게 일반적인 일이라는 것 ③ 따라서 국민은 공공서비스의 공급의 편익과 비용에 대해 정확하게 인지하지 못하게 되고, 이는 공공서비스(조세) 확대에 저항하는 현상을 발생시킴

2　작은 정부론 Ⓒⓕ

등장배경	① 1970년대 두 차례의 오일쇼크와 복지국가 후유증 → 정부실패 야기 ② 신자유주의에 기초한 신우파(신보수) 등장 ③ 신우파는 신고전학파 경제이론(공공선택론 계열의 이론, X비효율성 이론, 공급경제학 등) 주장
내용	① 정부의 비효율성 지적 → 정부의 규모 축소를 주장 ② 작고 효율적인 정부 지향

최욱진 행정학

정책학

CHAPTER **01** 정책학의 기초

Section **01** 정책의 의의와 유형　　　　　　　　　　　　　　　　　● **8** day

1　정책학, 그리고 정책

1) 정책학의 성립 cf

정책학	① 정책을 연구하는 학문 ② **정책**: 문제해결을 위한 정부의 구체적인 행동방침 → 정치행정일원론에 기초
등장배경	정책학은 **라스웰**이 **정책지향**(Policy Orientation, 1951)을 발표하면서 출발
라스웰 정책지향 (1951)	① 정책학은 사회문제의 해결을 지향해야 하며, 이를 위해 다음과 같은 지식이 필요함 ② **정책과정에 관한(On) 지식**: 경험적·실증적 → **과학적 지식** ③ **정책과정에 필요한(For) 지식**: 규범적·처방적 → **처방적 지식(강조)**
라스웰 정책학 소개 (1971)	① 라스웰은 1971년 『**정책학 소개**』에서 **맥락지향성, 문제지향성, 연합학문지향성**을 제시 ② 라스웰은 인간이 다른 사람과 상호작용하면서 행동한다고 주장함(맥락성) → 따라서 라스웰은 정책결정을 사회적 과정의 부분으로 보았음 ③ 사회문제 해결을 위해 다양한 연구 방법의 사용을 장려 → 학제적 접근·범학문성
기타	정책학 연구는 1940년대 미국의 정치학과 행정학에서 유행하던 행태주의 연구로 인해 주목받지 못함 → 정책학 연구는 1960년대 후기행태주의의 영향으로 인해 다시 등장하게 됨

2) 정책의 3대 구성요소 cf

정책목표	정책을 통하여 이룩하고자 하는 바람직한 상태
정책수단	정책목표 달성을 위한 수단
정책대상	정책의 영향을 받는 집단이나 사람들

3) 살라몬의 정책수단(정책) 분류: 직접성과 강제성에 따른 분류

강제성	높음	경제규제	민간의 경제활동을 직접 규제(인허가 및 진입규제)하여 집행
		사회규제	바람직한 사회질서를 위한 사회적 분위기 조성 등
직접성	높음 (직접수단)	공적보험	유사시에 정부가 운용하는 공공보험에서 보험금 지급
		공공정보	정부가 민간에게 공적정보를 직접 공개
		공기업	정부가 소유한 기업에 의하여 정책을 집행
		경제규제	민간의 경제활동을 직접 규제(인허가 및 진입규제)하여 집행
		정부소비	정부가 공적조직을 만들어 예산으로 직접 시행
		직접대부	정부가 집행에 필요한 자금을 민간에게 직접 대출

※ 직접성이 높은 수단 〔두문자〕 **공³경정직**

참고

① **직접성에 따른 분류**: 정부가 직접적 혹은 간접적으로 정책수단을 운영하는지 여부
② **강제성에 따른 분류**: 정부가 정책수단을 활용할 때 정책대상의 자율성을 고려하는 정도
③ 효율성이 높은 정책대안은 간접성이 높고, 형평성이 높은 정책대안은 전국적 통일성을 요구하므로 직접성이 높음
④ **살라몬의 정책수단 중 공적보험**: 살라몬의 정책수단 구분 중 공적 보험의 경우 시험에서 간접수단으로 출제된 바가 있으나 논문의 해석에 따라 논란의 여지가 있음 → 일반적으로 직접성이 높은 수단으로 공부할 것

2 정책의 유형

학자별 정책유형	Lowi(로위) → 로재분규성	분배정책, 규제정책, 재분배정책, 구성정책
	Ripley & Franklin(리플리와 프랭클린)	분배정책, 경쟁적 규제정책, 보호적 규제정책, 재분배정책
	Almond & Powell(알몬드와 포웰) → 알상추	분배정책, 규제정책, 추출정책, 상징정책
	Salisbury(솔리스버리) → 살자	분배정책, 규제정책, 재분배정책, 자율규제정책

3 로위의 정책유형론(정책유형 → 현상) 두문자 로재분규성

1) 각 정책유형과 정책유형별 발생하는 현상

구분	정의	갈등 여부	현상
재분배정책	부의 이전	○ (부자와 빈자)	① 계급대립적 성격 ② 제로섬게임(부자와 빈자) ③ 엘리트주의적 결정(미국)

분배정책	특정 지역·집단에
	편익 배분
		×
		(비용부담자와
		수혜자)
			① 편익을 취하려는 행동발생
			  ㉠ 로그롤링·포크배럴 등
			  ㉡ 편익을 얻기 위한 안정적인 연합형성
			② 안정적인 집행가능 → 집행을 둘러싼 이념적 논쟁의 정도가 낮음
			③ 다양한 정책분야별로 존재
			④ 다른 정책에 비해 작은 정부에 대한 요구와 압력의 정도가 낮음

규제정책	특정 지역·집단의 자유 제한	○ (규제자와 피규제자)	① 강제력○ ② 주로 법률의 형태를 띠며 규제자에게 자율성○ ③ 제로섬게임(수혜자와 피해자) ④ 다원주의적 결정(미국)
구성정책	① 헌정수행에 필요한 정부(체제)의 구조·기능·운영규칙의 변경에 대한 정책 ② 체제정책·입헌정책	—	① 대외적 가치 배분에는 큰 영향이 없음 ② 대내적으로는 조직 내 구성원 간 경쟁으로 인해 게임의 규칙 제정 • 게임의 규칙: 조직구성원 간 경쟁의 결과로 제정된 규칙 ③ 안정된 정치체제에서 유용성↓

DAY
—
08

2) 각 정책에서 발생하는 현상에 대한 용어정리 읽어보기

구분	현상		
재분배정책	계급대립적 성격	① 부의 이전을 도모하는 과정에서 손해를 보는 부자의 저항으로 인해 부자와 빈자의 갈등 발생 ② 재분배정책은 전국에 있는 모든 부자에게 영향을 미치는 까닭에 정책유형 중 가장 큰 갈등이 발생함 ③ 따라서 국민적 공감대를 형성(재분배의 필요성 인지)할 때 정책을 형성할 수 있음		
	제로섬게임(부자와 빈자)	부자가 손해를 보는 만큼 빈자는 이익을 얻음		
	엘리트주의적 성격(미국) : 소수가 정책결정 주도	재분배정책은 정책과정에서 큰 저항을 야기하므로 정부 수뇌부의 설득과 판단·관심·국정철학(이데올로기) 등이 중요하게 작용함		
분배정책	편익을 얻으려는 행동발생	로그롤링 (log-rolling)	의회에서 이권과 관련된 법안을 해당 의원들이 서로에게 이익이 되도록 협력하여 통과시키거나, 특정 이익에 대한 수혜를 대가로 상대방이 원하는 정책에 동의해 주는 방식으로 이루어짐 → 표거래·담합투표 등으로 번역할 수 있음
		포크배럴 (pork-barrel)	① 특정 배분정책에 관련된 사람들이(이익집단 혹은 의원 등) 그 혜택을 서로 나눠 가지려고 경쟁 및 노력하는 현상 ② 돼지구유통정치·나눠먹기식 다툼 등으로 변역할 수 있음
		안정적 연합형성	편익을 얻기 위한 협력적 네트워크 형성 → 예 로그롤링·철의 삼각 등 • 철의 삼각모형은 '정책참여자와 참여자 간 관계' 섹션에서 다룸
	안정적 집행	비용을 부담하는 비용부담자가 분산(비용부담자의 집단행동 딜레마 발생)되어 있으므로 집행을 둘러싼 이념적 논쟁의 정도가 낮음		
	다양한 정책 분야별로 존재	① 정책내용이 세부 단위로 구분되고 각 단위는 다른 단위와 별개로 처리될 수 있음 → 편익을 제공하는 정책이 다양한 형태로 존재한다는 것 ② 예 건설분야, 교육분야 등 다른 정책에 비해 종류가 다양함		
	작은 정부에 대한 압력↓	편익을 누리는 세력은 특정되어 있고, 비용부담자는 분산된 까닭에 정책에 대한 저항이 거의 없음		
규제정책	강제력 ○	국민의 자유를 제한하는 성격을 지니므로 강제성을 띰		
	주로 법률의 형태를 띠며 규제자에게 자율성 ○	① 국민의 자유를 제한하려면(의무를 부과하려면) 법률에 기초해야 함 ② 아울러 정부는 정책을 집행하는 과정에서 환경의 복잡성으로 인해 어느 정도의 자율성을 지닐 수 있음 → 예 경찰의 음주운전 단속 등		
	제로섬게임 (수혜자와 피해자)	피규제자가 손해를 보는 만큼 수혜자는 이익을 얻음 → 예 환경오염규제		
	다원주의적 결정(미국) : 다수가 정책결정 주도	특정 기업의 활동으로 인한 피해자가 많을 때 다수의 피해자가 정책결정과정을 주도할 수 있음		
구성정책	대외적 가치 배분에는 큰 영향이 없음	모든 국민을 대상으로 하면서 국가의 시스템 설계와 연관된 정책이므로 대외적인 가치배분에는 큰 영향이 없음 → 따라서 정부는 권위적으로 (일방적인) 결정을 내릴 수 있음		
	대내적으로는 조직 내 구성원 간 경쟁으로 인해 게임의 규칙 제정	예를 들어, 부처 간 통합 등이 이루어질 때 자기 부처의 이해관계를 반영한 규칙이 제정될 수 있다는 것		
	안정된 정치체제에서 유용성↓	국가의 체제가 안정된 상황에서는 국가질서에 대한 변동이 미약하므로 구성정책의 중요성이 크게 인식되지 않음		

3) 각 정책의 예시

재분배정책	계층간의 소득을 재분배하여 소득격차를 해소하는 정책(**누진세**, 세액공제나 감면, 근로장려금), **노령연금제도 등 사회보장정책**, 임대주택의 건설, 최저생계비, 연방은행의 신용통제, 실업급여, 영세민 취로사업 등이 이에 해당함
분배정책	도로 · 다리 · 항만 · 공항 등 사회간접자본을 구축하는 정책, **국 · 공립학교를 통한 교육서비스의 제공**, 주택자금의 대출, 국고보조금, 택지분양, 국립공원의 설정, 국유지 불하(매입)정책, FTA협정에 따른 농민피해 지원(재분배 정책으로 보는 견해도 있음), 중소기업을 위한 정책자금지원, 대덕 연구개발 특구 지원, 코로나 사태에 따른 자영업자 금융지원 등
규제정책	환경오염과 관련된 규제(그린벨트 내 공장 건설을 금지하는 정책, 탄소배출권 거래, 오염물질 배출허가 기준), 독과점 규제, 공공요금 규제, **공공건물 금연, 기업활동 규제(부실기업 구조조정, 최저임금제도)**, 기업의 대기오염 방지시설 의무화 등
구성정책	정부기관의 신설이나 변경, 선거구 조정, 공무원 모집, 공직자 보수 결정, 공무원연금제 개정, 군인연금에 관한 정책, 헌법상 운영규칙 수정 및 신설 등

4) 로위 정책유형 보충

- 로위는 정책이 사회에 미치는 영향(강제력 적용영역)과 정책결정과정에 참여하는 사람들의 관계적인 특성(강제력 행사방법)에 따라 정책을 분류함
- 로위는 1964년에 정책유형을 배분정책, 규제정책, 재분배정책으로 구분함; 이후 1972년 논문에서 강제력의 행사방법(직접 또는 간접)과 적용대상(개별적 행위 또는 행위의 환경)이라는 두 가지 분류기준을 제시하면서 정부기관의 신설 및 변경 등을 나타내는 구성정책을 추가함

① 강제력 행사방법과 적용영역에 따른 분류

구분		강제력 적용영역(영향력의 범위)	
		개별적 행위	행위의 환경 · 사회(영향력의 범위↑)
강제력 행사방법	간접	분배정책 **예** 보조금	구성정책 **예** 선거구 조정, 기관신설
	직접 (자유제한↑)	규제정책 **예** 불공정 경제, 사기광고 배제 등	재분배정책 **예** 누진소득세, 사회보장, 연방은행의 신용통제

② 기타내용

엘리트론과 다원론의 상황론적 통합	① 로위는 기존의 엘리트론과 다원론이 정책결정양태에 대한 설명력이 부족하다는 지적을 하면서 엘리트론(소수 결정)과 다원론(다수 결정)의 상황론적 통합을 시도 ② 즉, 다원론으로 설명할 수 있는 정책유형도 있고, 엘리트론으로 묘사할 수 있는 정책도 있다는 것
본격적인 정책학 연구의 시작	① 정책유형론은 정책결정요인론(1940~1960)을 비판하면서 본격적인 정책학 연구의 시발점이 되었음 ② 즉, 환경요인 등이 정책을 결정하는 게 아니라 정책에 따라 다양한 현상이 나타날 수 있음을 밝힘 → 정책변수가 독립변수의 위치에 있게 됨
1964년 정책분류에 대한 비판	① 1964년 논문에서 밝힌 정책유형 분류의 경우 귀납적 접근으로 인해 **정책유형이 상호 배타적이지 못하며, 정책에 대한 조작적 정의(계량화)에 있어** 모호함을 유발할 수 있다는 비판을 받음 ② 이에 따라 로위는 1972년 논문에서 강제력 행사방법과 적용영역이라는 변수를 개발했으나 여전히 모든 정책유형을 다루지 못한다는 한계점이 있음 → 포괄성 충족×

DAY

08

4 다른 학자들의 정책유형

구분	정의	특징 혹은 예시
추출정책	정부체제를 유지하기 위해 **인적, 물적 자원을** 동원하는 정책	**예** 조세, 부담금, 병역, 물자 수용, 노력 동원, 공무원 모집(채용) 등
상징정책	국민의 **자긍심을** 높이거나 **국민통합을** 위해 **상징물을** 지정하는 정책	**예** 88올림픽 · 2002월드컵 개최, 문화재(남대문 · 광화문) 복원, 4대강 사업, 국경일(한글날) 제정, 국기게양 등

자율규제정책에 대한 정의와 직접규제 및 자율규제와 공동규제의 차이:

정의:
① 민간집단(전문가 집단 등)에게 규제기준 설정권을 주고 집행도 위임하는 정책
② 일반적으로 규제의 주체는 당연히 정부지만 예외적으로 규제의 주체가 정부가 아니라 피규제산업 혹은 업계가 되는 경우가 있는데 이를 자율규제라 부름

자율규제정책

☞ 직접규제 및 자율규제와 공동규제의 차이

구분	정의	규제의 주체
직접규제	정부가 직접 규제	정부
자율규제	① 민간집단(전문가 집단 등)에게 규제기준 설정권을 주고 집행도 위임하는 정책 ② **예** 변호사협회 규제	민간
공동규제	정부에게 규제권을 위임받은 민간집단과 정부에 의해 이뤄지는 규제로 자율규제와 직접규제의 중간성격을 지님	정부 + 민간

구분	정의	특징 혹은 예시
경쟁적 규제정책	① **경쟁입찰** ② 즉, 다수의 경쟁자 중 경쟁력이 있는 특정 개인이나 집단에게 서비스 제공권을 부여하고 이들의 활동을 규제하는 정책	① 분배정책과 규제정책의 성격을 지니고 있음 ② **예** TV · 라디오 방송권 부여, 항공노선 취항권의 부여 등
보호적 규제정책	민간활동이 허용되는 조건을 설정함으로써 소수를 규제하여 일반 대중을 보호하는 정책	① 규제정책의 대부분은 보호적 규제정책에 해당하며, 보호적 규제정책은 일반 대중 혹은 약자를 보호한다는 점에서 **재분배정책에 가까운** 성격을 지님 ② 소비자나 일반 대중을 보호하기 위해 특정 집단을 규제하므로 규제집행조직과 피규제집단 간 갈등의 가능성이 높음 ③ **예** 환경 오염방지를 위한 기업규제, 작업장 안전을 위한 기업규제, 국민건강 보호를 위한 식품위생규제, 최저임금제, 장시간 근로제한, 개발제한구역 설정 등

5 규제정책의 유형

1) 규제의 내용에 따른 분류: 경제적 규제와 사회적 규제 ⓒ

① 틀잡기

구분	목적	규제대상 범위	정부가 포획될 가능성	최근 경향
경제적 규제 (전통적 규제)	경쟁범위 적정화 (효율적 자원배분)	협소 (개별기업)	높음	완화
사회적 규제 (현대적 규제)	사회적 형평성 확보 (일반대중 보호)	넓음 (불특정 다수)	낮음	유지 혹은 강화

② 경제적 규제와 사회적 규제에 대한 구체적인 내용 `읽어 보기`

구분	경제적 규제(전통적 규제)	사회적 규제(현대적 규제)
개념	㉠ 경제활동 영역에서 공정하고 실질적인 시장경쟁이 작동하도록(효율적인 자원배분을 위해) 개별산업 및 기업활동에 제한을 가하는 규제 ㉡ 기업의 본원적 활동(가격책정, 생산량, 시장진입 여부 등)에 가하는 규제	㉠ 인간의 기본권과 관련된 영역에서 사회적 형평성을 보장하기 위해 악영향을 미칠 수 있는 모든 생산 주체의 사회적 행동에 제한을 가하는 행정조치 ㉡ 각종 민간활동이 허용되는 조건을 인정함으로써 국민을 보호하는 것이 목적인 정책 ㉢ 생산자 행위가 사회에 영향을 끼칠 때 사회적 책임을 강제하기 위한 정부의 활동
예시	㉠ 경쟁을 유지·확보하기 위한 규제(독점금지 및 공정거래에 대한 규제), 경제활동에 대한 인·허가, 부동산 투기 억제, 가격규제(최저·최고 가격제), **진입규제** 및 퇴거규제, 수입규제 등이 있음 ㉡ 진입규제와 퇴거규제 　진입규제 ： 사업을 할 수 있는 영업의 자유를 제약하는 규제 → 각종 사업에 대한 인허가, 직업면허(소비자의 선택범위를 제약하게 됨), 특허, 수입규제 등 　퇴거규제 ： 특정 지역이나 특정 계층의 소비자를 보호하기 위해서 사업에서 물러나지 않도록 하는 것 → 특정 영역의 버스노선 유지 등	㉠ 소비자 보호를 위한 규제, 환경에 대한 규제, 장애인에 대한 고용차별 규제, 인종·성별·학력·출신 지역에 따른 차별에 대한 규제, 식품규제, 노동자 안전에 대한 규제(산업재해규제), 소비자 주권론에 입각한 규제 등 ㉡ 주로 약자를 보호하기 위한 규제
기타	㉠ 경제규제 중 일부는 규제대상 범위가 넓은 것도 있음(독과점 금지 및 불공정 거래 규제 등) → 따라서 이러한 규제는 정부가 포획될 가능성이 낮음 ㉡ 경제규제는 경쟁을 촉진하는 규제(독과점 규제 등)와 경쟁을 제한하는 규제로 구분할 수 있는데, 규제완화의 대상은 경쟁을 제한하는 규제임 → 자본주의 사회에서는 어느 정도의 경쟁이 있는 게 좋다는 관점 ㉢ 윌슨의 규제정치모형 중 고객정치는 경제규제(예 경제활동에 대한 인·허가), 기업가 정치는 사회규제와 주로 연관됨(예 환경오염규제)	

2) 규제의 수단에 따른 분류 : 사회적 규제를 달성하는 방법 `cf`

구분	정의	특징 혹은 예시
명령지시적 규제 (직접규제)	국가가 직접규제를 위한 규칙·기준을 구체적으로 설정하여 의무·금지행위를 정하는 강제적 규제	① 적용이 경직적이며, 경제적으로 비효율성을 유발할 수 있는바 기업에게 불필요한 부담을 줄 수 있음 ② 규제효과를 직접적으로 담보할 수 있음 ③ 예 환경기준, 안전기준, 고용기준, 위생기준, 보건기준 등; 구체적으로 법정 장애인 의무고용 비율, 의약품 제조기업의 안전기준 설정, 성과기준제도, 기술기준제도, 금융업 진출에 필요한 자격요건 제한 등
시장유인적 규제 (간접규제)	규제의 준수여부가 자율적이며, 이행여부에 따라 보조금, 세제 지원, 부과금 징수 등 비강제적 방법을 활용하는 규제	① 직접규제에 비해 융통성이 있고, 규제대상자가 합리적으로 선택하므로 규제의 효율성이 높음 ② 규제효과를 직접 담보할 수 없고 처벌이 약함 ③ 예 오염배출권제도, 공해배출부과금제도, 폐기물처리비예치제도, 보조금 등

DAY ― **08**

3) 규제의 대상에 따른 분류 ⓒⅡ

수단규제 (투입규제 · 사전규제)	① 정부의 목표를 달성하기 위해 필요한 **도구 · 기술이나 행위**에 대해 **사전적으로 취하는 규제** ② 사전적으로 투입물에 대해 규제하므로 규제대상의 자율성을 가장 많이 제한함 → 따라서 명령지시적 규제처럼 피규제자에게 불필요한 부담이나 비용이 발생 ③ 수단규제는 가장 구체적 통제인 까닭에 피규제자의 순응 정도를 파악하는 데 용이함 ④ 📖 작업장 안전을 확보하기 위해 특정 안전장비를 착용시키는 것
관리규제 (과정규제)	① 수단과 성과가 아닌 **과정을 통제하는 규제** ② 정부는 피규제자가 만든 목표달성 계획의 타당성을 평가하고 그 이행을 요구함 ③ 사회적으로 바람직한 성과수준을 정하거나 성과를 측정하기가 어려워 성과규제가 곤란한 경우 활용함 ④ 📖 위해요소중점관리기준(HACCP : Hazard Analysis Critical Control Point)
성과규제 (산출규제 · 사후규제)	① 정부가 특정 사회문제의 해결에 대한 **목표달성수준**을 정하고 피규제자가 이를 달성할 것을 요구하는 규제 ② 피규제자는 성과를 달성하는 과정에서 수단을 선택할 수 있음 → 규제대상의 자율성이 높음 ③ 그러나 행정의 영역에서는 사회적으로 바람직한 성과수준을 정하거나 성과를 측정하는 게 쉽지 않음 ④ 📖 대기오염을 방지하기 위해 공기 중 이산화탄소 농도를 일정 수준으로 유지시키는 규제, 개발 신약에 대해 허용할 수 있는 부작용 수준 규제

※ 수단 · 관리 · 성과규제의 관계: 성과규제로 갈수록 규제를 위한 구체적인 통제를 하지 않기 때문에 피규제자의 자율성이 커짐

6 규제 관련 기타 개념

규제피라미드 (끈끈이 인형효과)		① 특정 규제를 집행 → 집행 전에 예측하지 못한 또 다른 문제점이 나타나게 되면 규제기관은 그 문제의 해결을 위해 또 다른 규제를 하게 됨으로써 결국 규제가 규제를 낳는 결과를 초래함 ② 이처럼 **규제가 규제를 낳은 결과** 피규제자의 규제부담이 점점 증가하는 현상을 '규제피라미드'라고 함 ③ 타르 베이비 효과(Tar-Baby effect, 끈끈이 인형 효과)라고도 부름
규제의 역설 (파생적 외부효과)	개념	① 정부실패 중 파생적 외부효과와 동일한 개념 ② 부적절한 규제는 민간행동을 비효율적으로 유도하고 사회적 자원의 왜곡을 가져오는 부작용을 초래한다는 것
	예시	① 새로운 위험만 규제하다 보면 사회의 전체 위험 수준은 증가하는 상황 ② 기업체에게 상품 정보에 대한 공개 의무를 강화할수록 소비자들의 실질적인 정보량은 줄어들게 되는 상황 → 피상적인 정보만 공개하는 현상 ③ 과도한 규제를 무리하게 설정하다 보면 실제로는 규제가 거의 이루어지지 않게 되는 상황 ④ 소득 재분배를 위한 규제가 오히려 사회적으로 가장 어려운 사람들에게 해를 끼치게 되는 상황 ⑤ 최고의 기술을 요구하는 규제가 오히려 기술 개발을 지연시키는 현상
규제의 규정 방식별 분류	**네거티브 규제**	틀잡기 반대 네거티브 규제 ⟷ 포지티브 규제 허용 금지
	내용	① 명시적으로 금지하는 것 이외에는 원칙적으로 모든 행위가 허용됨 ② 형식: 원칙 허용, 예외 금지 → ~을 할 수 없다. or ~가 아니다.
	포지티브 규제 내용	① 명시적으로 허용하는 것 이외에는 원칙적으로 모든 행위가 금지됨 ② 형식: 원칙 금지, 예외 허용 → ~을 할 수 있다. or ~이다.
규제와 교차보조		① **동일산업 내에서 한 부분의 결손을 다른 부분에서 나오는 이익금으로 충당하는 것** ② 예컨대, 시내전화 사용자에게 보다 값싼 서비스를 제공하기 위해 시외전화 사용자에게 평균비용보다 높은 요금을 부과하고 그 수익으로 시내전화 사업의 결손을 보충하는 것

행정지도 · 행정규제	틀잡기	비고	행정지도	행정규제
		법적 구속	×	○
		권력	비권력적	권력적
		유연성	○	×
	기타 (행정지도)	① 행정지도 : 일반적으로 법률에 기초하지 않고 행정관청이 임의로 국민에게 실시하는 지도 ② 행정지도는 법의 경직성을 보완할 수 있는 적시성과 상황적응성의 장점이 있는바 복잡한 절차가 필요 없음 ③ 행정지도에 대하여는 책임소재가 불분명하고 법치주의를 침해한다는 비판이 있음 ④ 공무원의 재량이 많이 작용하기 때문에 형평성이 보장되기 어려움 ⑤ 행정의 과도한 경계확장을 유도할 우려가 있음		
규제의 방향성		① 정부규제의 방향성은 규제강화에서 규제완화로, 포지티브 규제보다 네거티브 규제로, 직접규제보다 간접규제로, 수단규제(사전규제)보다 성과규제(사후규제)로 규제대상의 '자율성'을 제고하는 방향으로 나아가야 함 ② 규제개혁은 규제완화 → 규제품질관리 → 규제관리(규제체계의 정합성 유지) 등의 단계로 진행되는 것이 일반적임		
기타	끈끈이 효과	지방자치단체에 지급되는 보조금 등이 주민을 위해 활용되지 않고 지자체 내에 적체되는 현상		
	끈끈이 인형효과	① 하리스(Harries)의 소설에서 나온 것으로 토끼 인형에 끈끈이 칠을 해 놓아두면 토끼들이 자기 동료인 줄 알고 계속적으로 모여 든다는 것 ② 즉, 하나의 규제가 만들어지면 또 다른 규제가 발생한다는 규제피라미드 현상을 의미함		
	비눗방울 효과	일정한 규제범위를 정해두고 새로운 규제가 1개 늘어나면 종전 규제의 1개를 폐지하여 항상 그 수준을 유지해 나가는 현상		
	비덩의 정책수단 (전통적 삼분법)	① 설득 : 규범적 · 정보적 수단 ② 인센티브(당근) : 공리적 수단(보상제공) ③ 규제(채찍) : 강압적 수단 ④ 정책에 대한 순응확보를 위한 고전적 3단계 전략은 설득 → 인센티브 → 규제의 순서임		

Section 02 정책 참여자와 참여자 간 관계 ◀ 8 day

- 일반적으로 정책과정은 정책의제설정, 정책결정, 정책집행, 정책평가, 정책종결 등으로 볼 수 있음
- 정책참여자는 정책과정에 참여하면서 영향을 미치는 사람, 조직 등을 뜻함
- 이러한 면에서 정책참여자를 정책과정결정요인 중 하나로 볼 수 있음

1 틀잡기

```
■ 정책과정결정요인          영
   ① 정책참여자 및 대상     ──────▶  정책과정 : 의제설정 → 정책결정 → 정책집행 → 정책평가 → 종결
   ② 정책유형, 정책학습 등
```

2 정책참여자의 종류 ㎝

공식적 참여자		비공식적 참여자
중앙정부	**지방정부**	
입법부(의회), 대통령, 행정부처, 사법부, 헌법재판소, 부처장관, 사법부, **대통령 비서실장** 등	지방자치단체장, 지방의회, 지방공무원 등	**정당**, 이익집단, 시민단체(NGO 등), 시민, 전문가집단, 언론, **정당 사무국장 등** ① 정당은 권력을 추구하는 집단이며, 일반인도 정당에 가입할 수 있기 때문에 시험에서 비공식적 참여자로 간주함 ② 정책전문가는 체제분석과 같은 비용편익분석 등을 통해 정책 대안을 제시할 수 있음

3 정책참여자 간 관계 : 비합리모형을 중심으로

- 정책 참여자 간의 관계는 정책결정(사회문제 해결을 위한 대안선택)에 영향을 미칠 수 있음
- 즉 참여자의 권력 차이 혹은 참여자 간 거래(상호작용) 등에 따라 정책이 결정될 수 있다는 것
- 정책학에서는 이를 '비합리모형'이라고 하며, 비합리모형은 정책결정모형의 종류 중 하나임 → 또한, 아래의 그림처럼 비합리모형은 세 가지 유형으로 분류됨

용어정리
① **정책결정모형** : 정책이 결정되는 현상을 설명하는 모형
② **합리적인 모형** : 권력적 요소 등을 배제하고 객관적인 분석을 통해 최선의 대안(가장 능률적인 대안)을 선택하는 모형
   • 합리모형은 의사결정자가 결정에 필요한 모든 정보를 보유할 수 있다고 가정함
③ **비합리 모형** : 참여자의 권력 차이 혹은 참여자 간 거래 등에 따라 정책이 결정될 수 있음을 설명하는 모형
④ **인지적 모형** : 인간의 인지능력 한계를 인정하고, 한정된 정보 내에서 그럴듯한 정책을 결정하는 모델

1) 다원론(이익집단론·집단과정이론·집단주의)과 엘리트론 틀잡기

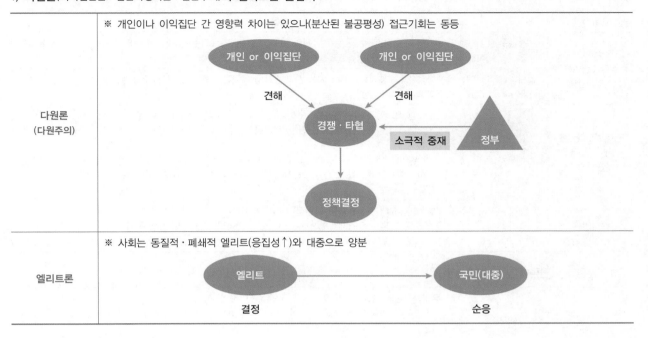

다원론 (다원주의)	※ 개인이나 이익집단 간 영향력 차이는 있으나(분산된 불공평성) 접근기회는 동등 개인 or 이익집단 → 견해 → 경쟁·타협 ← 소극적 중재 ← 정부 개인 or 이익집단 → 견해 ↗ 경쟁·타협 → 정책결정
엘리트론	※ 사회는 동질적·폐쇄적 엘리트(응집성↑)와 대중으로 양분 엘리트 → 국민(대중) 결정　　　　순응

2) 엘리트론과 다원론의 유형

① 엘리트론 : 일부 엘리트가 거의 모든 정책을 결정함

유형		내용
고전적 엘리트론 : 과두제 철칙 (미헬스)		㉠ 소수 간부가 권력독점 후 사익을 추구하는 현상 → 미헬스에 따르면 어느 조직을 막론하고 예외 없이 나타남 ㉡ 즉, 소수가 권력을 독점하게 되면 목표의 대치현상(조직의 본래 목표가 아닌 사익을 추구하는 현상)이 발생함 → 미헬스는 목표의 대치현상을 처음으로 주장한 학자임
1950년대 엘리트론 : 행태주의 연구 (계량적 연구)	밀즈의 지위접근법	㉠ 전국적 연구 → 군산복합체론(군산정복합체론) ㉡ 2차 세계대전 종전의 영향으로 군산업체(대기업), 군대 장성, 정치인이 정책결정을 주도함
	헌터의 명성접근법	㉠ 애틀랜타시 연구 → 시장경제체제와 관련된 인물(기업인)이 정책결정에 큰 영향력을 행사함 ㉡ 즉, 다수의 기업인(일부 변호사, 고위 관료 등도 포함)이 엘리트 세력임 ㉢ 사회적 명성이 있는 소수자들이 담배 연기가 자욱한 방에서 결정한 정책을 일반대중은 조용히 수용하는 현상을 설명
	기타	㉠ (두문자) 밀지마! 헌터가 성내잖아. 에이씨 ㉡ 밀즈나 헌터는 사회 내 특정인의 지위·명성 등 추상적인 용어를 조작적 정의를 통해 수치화함 ㉢ 예 신문이나 언론에 언급되는 수 등
신엘리트론 : 무의사결정론 (바흐라흐 & 바라츠)	무의사결정	의사결정자(엘리트)의 가치나 이익에 대한 비기득권자의 잠재적인 도전을 억압하거나 방해하는 결과를 초래하는 결정 → 엘리트에게 피해를 줄 수 있는 비기득권의 요구 등을 봉쇄하는 것
	권력의 두 얼굴	엘리트는 정책결정과정(밝은 얼굴)뿐만 아니라 의제설정과정(어두운 얼굴)에서도 무의사결정을 수행함
	다알의 다원론 비판	㉠ 바흐라흐와 바라츠는 권력의 두 얼굴이라는 개념을 제시하면서 다알(Dahl)의 견해를 비판 ㉡ 즉, 다알은 정책결정과정에서 엘리트가 영향력을 일부 행사한다는 것은 언급했으나(밝은 얼굴) 의제설정에서 은밀하게 비기득권의 요구를 억압하는 현상을 간과했다는 것(어두운 얼굴)
	광의의 무의사결정	바흐라흐와 바라츠에 따르면 무의사결정은 모든 정책과정에서 발생할 수 있음
	계량적 연구 지양	바흐라흐와 바라츠는 엘리트가 의제설정과정부터 은밀한 영향력을 행사하기 때문에 현상을 설명할 때 계량적 연구방법(밀즈의 지위접근법이나 헌터의 명성적 접근방법 등)을 활용하기 어렵다고 주장함

DAY
08

② 다원론 : 다수의 국민 혹은 이익집단의 경쟁과 타협에 의해 정책결정이 이루어짐

유형		내용
고전적 다원론 : 집단과정이론 (이익집단론)	중복회원론 (벤틀리 & 트루만)	㉠ 다원주의 사회에서 국민은 한 개의 이익집단에만 소속되는 게 아니라 여러 집단에 중복해서 가입함 ㉡ 따라서 국민은 특정한 집단의 이익만 극단적으로 주장할 수 없음
	잠재이익집단론 (벤틀리 & 트루만)	정책결정자들이(엘리트들이) 잠자는 사자(잠재된 이익집단)의 선거보복을 염두에 두고 정책결정을 하는바 소수의 특수이익이 정책을 좌우하지 못한다는 것
1950년대 다원론 : 행태주의 연구 (계량적 연구)	다알의 다원론 : 뉴헤븐시 연구	㉠ 일부 엘리트의 존재는 인정함 → 아울러 이들 중 일부는 소수의 정책결정에 영향력을 행사함 ㉡ 다만, 엘리트는 분야별로 분산되어 있는바(응집성↓), 모든 정책영역에서 지배적인 권력을 행사하지는 못함 ㉢ 또한, 엘리트 집단이 정치권력을 가지려면 일반 대중의 지지를 얻어야 하기 때문에 대중의 요구에 민감할 수밖에 없음 → 즉, 엘리트가 존재하지만 엘리트가 대중의 요구에 따라야 하므로 사회 전체적으로 보면 다원론임
신다원론		㉠ 엘리트론(자본주의 사회 특성상 대기업의 영향력 인정) + 다원론(강조) ㉡ 엘리트론을 일부 인정 → 즉, 자본주의 경제체제에서는 대기업의 영향력이 클 수밖에 없음 ㉢ 그러나 대다수 중요한 결정은 일반 대중이 주도하는바 신다원론은 다원론의 관점임

③ 엘리트론과 다원론에 대한 기타내용

			내용
무의사결정 수단	폭력 (테러)		㉠ 무의사결정의 가장 직접적이고 극단적인 수단 ㉡ 기존 질서의 변화를 요구하는 주장이 정치적 쟁점이 되지 못하도록 구타나 암살과 같은 물리적인 힘을 사용
	권력행사	개념	폭력보다 온건한 방법으로서 기득권에 도전하려는 의제를 합법적인 제재를 가하거나 가하겠다고 위협하여 사전에 봉쇄하는 것
		유형	소극적 권력행사　변화의 주창자에 대해서 현재 부여되고 있는 혜택을 박탈하는 방법
			적극적 권력행사　새로운 이익으로 매수(적응적 흡수)하는 방법
	편견의 동원		정치체제 내의 지배적 규범이나 절차를 강조하여 변화를 주장하는 요구가 제시되지 못하도록 하는 것
	편견의 수정·강화		㉠ 정치체제의 규범, 질서 자체를 수정·보완하여 정책의 요구를 봉쇄 ㉡ 가장 간접적인 방법
무의사결정 발생원인	기득권 옹호		지배계급이 자신들이 불리하게 될 사태를 방지하고자 사용
	과잉충성		관료가 지배엘리트에 대한 지나친 충성심에서 스스로 대립적인 견해를 공론화하지 않는 것
	지배적 가치에 대한 집착		해당 시대의 정치문화에 어긋나는 문제는 정책의제화되기 어려움
	엘리트의 정치적 편견		엘리트가 특정 문제에 대해 정치적 편견을 가지고 있을 때 비기득권의 견해가 의제화되기 어려움
	관료의 이해관계		특정 요구가 관료의 이해관계와 상충할 때 발생할 수 있음
	특수 이익집단		다원주의 국가에서는 엘리트가 아닌 특수이익집단에 의해서 무의사결정이 발생하기도 함
기타			㉠ 고전적 다원주의와 1950년대 다원주의를 합쳐서 고전적 다원주의로 보는 견해도 있음 ㉡ 고전적 엘리트론 기타 학자 　(a) Mosca(모스카)는 엘리트 통제의 핵심이 소수집단의 조직화 능력(조직 장악능력)에 있다고 주장 　(b) Pareto(파레토)는 엘리트 계층의 구성원이 사회적 유동성에 의해 바뀔 수도 있음을 주장

3) 조합주의 : 국가의 주도적 역할 강조(국가주의) ⓒ

틀잡기	정부역할 간과 다원주의 ← 비 ← 조합주의
주요 내용	① 유럽에서 기업가단체, 노동자단체(이익집단), 정부 대표의 3자 연합이 사회적 공동선을 달성하기 위해 주요 정책을 결정하는 현상을 설명한 이론 → ⓔ 노사정 위원회 ② 혹은 적극적인 정부와 이익집단 간의 합의를 중시하는 이론으로서 정부는 집단 간 이익의 중재에 머물지 않고 국가이익이나 사회의 공동선을 달성하기 위한 주도적인 역할을 담당 ③ 슈미터는 조합주의를 국가조합주의, 사회조합주의, 신조합주의로 구분하고 있음
종류	이익집단 ← 정부 → 다국적기업 • 사회조합주의 : 협력 → 선진국 • 신조합주의 : 협력 • 국가조합주의 : 지원 및 통제 → 개도국 이익집단
기타	① 이익집단은 분야별 이익을 독점적으로 대표하는 단일적·위계적·비경쟁적·강제적 이익대표체계를 형성함 ② 특정 영역 내 이익집단은 경쟁보다는 협력적이며 국가 내 다양한 이익집단 간의 상대적 중요성은 이들이 수행하는 기능적 중요성의 정도에 따라 달라짐

용어 정리	단일성	사회 내에는 분야별 이익집단이 존재
	위계적 조직화	하나의 이익집단 내에서 계층적인 질서가 존재
	비경쟁성	특정 분야 내 이익집단들은 일반적으로 상호 협력함
	강제성	이익집단에는 해당 집단의 대표가 있고, 위계적 질서에 따라 상명하복의 관계가 형성

4) 정책네트워크 : 정책참여자 간 상호작용(거래 등)이 이루어지는 망

틀잡기	조합주의 (국가중심이론) ← 비 → 다원주의 (사회중심이론) 정책네트워크 협소한 정책참여자 범위 • 정책네트워크는 정부, 이익집단, 정책분석가, 시민 등 보다 넓은 민간부문의 참여자를 포함시킴
	철의 삼각 (Iron triangle)	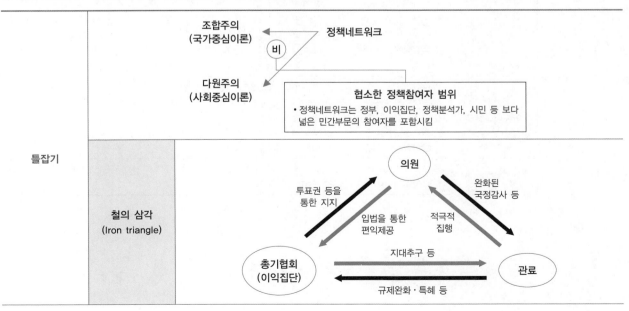

DAY — 08

| 의의 | ① 정책네트워크는 특정한 정책과정에 참여하는 개인이나 조직 등 행동주체가 형성하는 상호의존적 연계의 망이며, 네트워크에서 행위자는 공식적 규칙 안에서(예 의회가 정한 법률) 보유한 자원을 교환하는 관계임
② 이는 사회학이나 문화인류학의 연구에서 활용된 네트워크 분석을 다양한 참여자들의 행위로 특징지어지는 정책과정의 연구에 적용한 것 → 행위자 간 관계의 밀도와 중심성 개념을 중심으로 네트워크를 표현
③ 정책네트워크에서는 **참여자와 비참여자를 구분하는 경계가 있음** → 경계는 공식적·비공식적 참여자의 상호작용 구조를 통해 결정됨
④ **정책네트워크 유형**에는 철의 삼각(하위정부), 정책공동체, 이슈네트워크가 있으며 많은 학자들은 1960년대에 등장한 하위정부모형(미국)이나 1970년대에 등장한 이슈네트워크모형(미국)이 정책네트워크모형의 기원이라고 주장 |

| 유형 | <table><tr><td>구분</td><td>철의 삼각(하위정부 모형)</td><td>정책공동체</td><td>이슈네트워크</td></tr><tr><td>참여자</td><td>① 관료조직 + 이익집단 + 의회 상임위원회
② 가장 제한적인 참여</td><td>① 철의 삼각 참여자 + 전문가
② 비교적 제한적인 참여</td><td>광범위한 다수 이해관계자</td></tr><tr><td>폐쇄성</td><td>폐쇄적</td><td>폐쇄적</td><td>개방적(불분명한 경계)</td></tr><tr><td>안정성(지속성)</td><td>안정적</td><td>안정적</td><td>불안정</td></tr><tr><td>행위자 간 관계
(협력성 정도)</td><td>동맹관계 : 매우 협력적 관계</td><td>① 의존적·협력적 관계
② 정합게임·원원게임</td><td>① 경쟁적·갈등적 관계
② 영합게임·제로섬게임</td></tr><tr><td>상호의존성</td><td>높음</td><td>비교적 높음</td><td>낮음</td></tr><tr><td>목표의 공유도</td><td>높음</td><td>비교적 높음</td><td>낮음</td></tr><tr><td>정책산출 예측</td><td>의도한 정책산출 예측가능</td><td>의도한 정책산출 예측가능</td><td>정책산출 예측곤란</td></tr></table>
※ 이슈네트워크로 갈수록 참여자 수는 증가하고 협력의 정도는 감소함 |

기타	**철의 삼각**	① 주로 분배정책에서 발생 ② 근본적인 관계가 교환관계이고 모든 참여자가 거래할 자원을 보유 ③ 행정수반의 관심이 적은 분배정책에서 형성되기 때문에 네트워크의 자율성이 큼 ④ 정책분야별 다양한 하위정부가 형성될 수 있음 ⑤ 용어정리 상임위원회 : 정책분야별 전문위원회
	정책공동체	① 로즈 등은 **영국**에서 정당과 의회를 중심으로 정책과정을 파악했던 한계를 발견하고, 이에 대한 설명력을 제고하기 위해 정책공동체를 제시 ② 뉴거버넌스와 연관된 개념 → 시장·시민사회 전문가 참여 ③ 근본적인 관계가 교환관계이고 모든 참여자가 거래할 자원을 보유 ④ 정책공동체에서 참여자는 정합게임을 하자는 인식을 공유하지만, 전문가의 다양한 견해가 제시되는 과정에서 갈등이 발생할 수 있음 ⑤ 정책공동체 모형은 전문가의 참여를 인정한다는 점에서 하위정부 모형의 설명력을 보완하고 있음 　→ 단, 양자 모두 정책영역에서 공식적·비공식적 참여자의 상호작용에 따른 정책결정을 묘사하고 있음 ⑥ 용어정리 정책전문가 : 대학교수, 연구원, 공무원, 국회의원 보좌관, 신문기자 등 → 단순 이해관계자 배제
	이슈네트워크	① 헤클로(Heclo)는 하위정부모형을 비판적으로 검토하면서 정책이슈를 중심으로 유동적이며 개방적인 참여자들 간의 상호작용 현상을 묘사하기 위한 이슈네트워크 모형을 제안 ② 다원론에 가까운 모형 ③ 참여자 간 불균등한 권력을 가정 → 즉, 교환할 자원을 가진 참여자가 한정적임 ④ 용어정리 이슈 : 논란이 되는 사회문제
	참고	7급 시험에서 이슈네트워크 모형의 정책산출이 어렵다는 점을 강조하면서 정책네트워크 모형이 정책산출에 대한 예측이 용이하지 않다고 출제된바 있음

5) 기타 : 성장기구론

지역사회의 정치와 경제는 토지의 가치를 높이고자 하는 토지자산가와 개발관계자들이 주도한다는 이론으로서 주로 토지문제와 개발문제 그리고 이와 연계된 도시의 공간확장 문제 등을 다루고 있음 → 도시재개발 문제 등

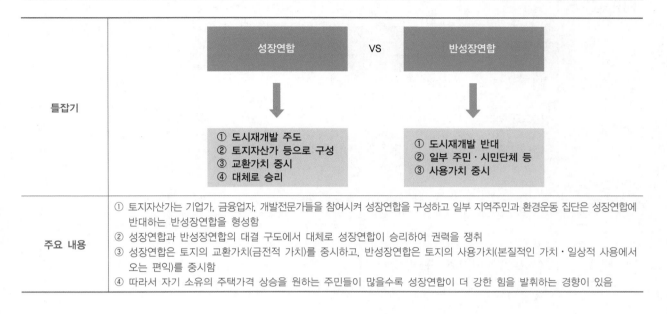

틀잡기	**성장연합** VS **반성장연합** **성장연합** ① 도시재개발 주도 ② 토지자산가 등으로 구성 ③ 교환가치 중시 ④ 대체로 승리 **반성장연합** ① 도시재개발 반대 ② 일부 주민·시민단체 등 ③ 사용가치 중시
주요 내용	① 토지자산가는 기업가, 금융업자, 개발전문가들을 참여시켜 성장연합을 구성하고 일부 지역주민과 환경운동 집단은 성장연합에 반대하는 반성장연합을 형성함 ② 성장연합과 반성장연합의 대결 구도에서 대체로 성장연합이 승리하여 권력을 쟁취 ③ 성장연합은 토지의 교환가치(금전적 가치)를 중시하고, 반성장연합은 토지의 사용가치(본질적인 가치·일상적 사용에서 오는 편익)를 중시함 ④ 따라서 자기 소유의 주택가격 상승을 원하는 주민들이 많을수록 성장연합이 더 강한 힘을 발휘하는 경향이 있음

Section 03 | **정책과 환경 : 정책결정요인론** ⓒ　　　　　　　　● 8 day

1 정책결정요인론의 개념 : 환경적 요인 → 정책

정책결정요인론 : 정책에 있어서 환경의 중요성을 언급하면서 정책의 내용을 결정 혹은 좌우하는 환경적인 요인이 무엇인가를 밝히는 이론

1) 틀잡기

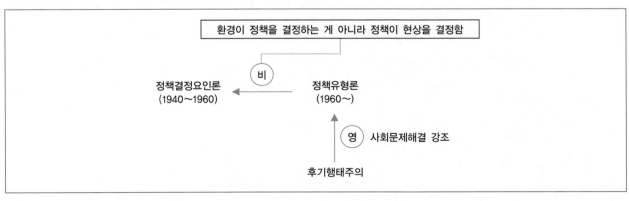

환경이 정책을 결정하는 게 아니라 정책이 현상을 결정함

정책결정요인론 ← (비) 정책유형론
(1940~1960)　　　　　　(1960~)

↑ (영) 사회문제해결 강조

후기행태주의

2) 정책결정요인론의 유형

구분		내용
행정학자의 연구		가우스 등이 생태론에서 환경의 중요성 강조
경제학자의 연구		페브리컨트와 브레이저는 사회경제적 변수(소득수준)가 정책의 내용을 좌우하는 요인이라고 밝힘
정치학자의 연구	키와 로커드 참여경쟁모형	정치적인 요인(투표율, 정당 간 경쟁 등)이 정책에 영향을 미치는 변수라고 주장 → 정치적 변수가 매개변수의 역할을 함
	도슨과 로빈슨 경제적 자원모형 (허위관계모형)	① 경제자원모형을 통해 사회복지정책의 결정요인이 소득수준과 같은 사회경제적 요인이라는 결론을 이끌어 냄 ② 정치적 변수와 정책은 허위관계에 있다는 것을 입증 → 사회경제적 변수가 허위변수로 작용함 ③ 정치적인 요인의 정책에 대한 독립적 영향력을 입증하는 데 실패
	크누드와 매크론 혼합모형 (혼란관계모형)	① 사회경제적인 요인과 함께 정치적인 변수가 정책에 영향을 미친다는 연구결과를 밝힘 ② 정치변수와 정책은 혼란관계에 있다고 주장 → 사회경제적 변수가 혼란변수로 작용함 ③ 정치적 요인의 정책에 대한 독립적 영향력을 겨우 입증
정책결정요인론의 한계점		① 계량화가 힘든 정치적인 변수(예 민주화 정도 등)는 과소평가하고, 계량화가 가능한 사회경제적 변수(예 실업률, 인구증가율)는 과대평가함 ② 선정한 정치적인 변수가 정책을 결정하는 대표적인 변수가 아니었음(정치적 변수를 잘못 선정함) ③ 환경이 정책에 미치는 영향을 연구했으나, 정책이 환경에 끼칠 수 있는 영향은 간과함

3) 매개변수 · 허위변수 · 혼란변수에 대한 직관적인 설명

매개변수	개념	① 독립변수와 종속변수 사이에 개입하여 두 변수 사이의 관계를 맺어주는 변수 ② 독립변수의 결과인 동시에 종속변수의 원인이 되는 제3의 변수
	그림	 ① 사회경제변수는 정치변수를 경유해야 정책변수에 영향을 미칠 수 있음 ② 매개변수 = 환승역
허위변수	개념	① 독립변수와 종속변수 간에 관계가 없으나, 독립변수와 종속변수의 관계가 있는 것처럼 보이게 만드는 변수 ② 정책평가 시 가장 주의해야 할 변수
	그림	 사회경제변수 : 허위변수 → 가짜관계(허위관계)를 만들어 내는 변수
혼란변수	개념	독립변수와 종속변수 간에 상관관계가 있는 상태에서 두 변수 간의 관계를 과대 또는 과소평가하게 만드는 변수
	그림	 사회경제변수 : 혼란변수 → 혼란관계(교란관계)를 만들어 내는 변수

CHAPTER **02** 정책의제설정

Section **01** **정책의제설정과 오류의 유형** `9 day`

1 **정책의제설정에 대하여** ⓒf

1) 의의 및 필요성

개념	정부가 사회문제를 공식적인 정책문제로 전환하는 행위
등장배경	① 정책의제설정에 관한 연구는 1960년대 대규모 흑인폭동문제가 왜 정책문제화되지 못하는가에 관심을 가지면서 대두 ② 대표적인 이론으로서 무의사결정론이 있음 → 무의사결정론은 어떤 문제는 정책의제로 채택되고 어떤 문제는 왜 방치·기각 되는가에 대한 물음에서 출발한 것으로 모든 사회문제가 정책의제화하지 못하는 현상을 설명하고자 하는 이론임
필요성	① 정책목표설정 기능 ② 적절한 정책수단 선택 ③ 해결할 사회문제의 우선순위 결정 ※ 사회 내에는 수많은 사회문제가 있기 때문에 모든 사회문제가 정책의제가 될 수는 없음
기타	■ **정책문제의 속성** ① **공공성**: 개인적인 문제가 아닌 공적인 문제를 다룸 ② **주관성**: 누구에게는 문제이고, 다른 누군가에게는 문제가 아님 ③ **역사성**: 정책문제는 역사적인 산물인 경우가 많음 ④ **동태성**: 정책문제는 시간의 흐름에 따라 변화함 ⑤ **정치성**: 정책수혜집단과 정책비용집단 간 차별적 이해성으로 인해 정책문제는 정치적인 투쟁, 협상, 타협 등을 야기함 ⑥ **인위적인 성격**: 정책문제는 사람들에 의해 형성 혹은 구성됨 ⑦ 일반적으로 정책문제를 정의하고 해석하는 과정은 다양한 결과에 이를 수 있는 애매하고 불투명한 과정으로 간주 ⑧ **상호의존성 혹은 복잡다양성**: 특정 문제의 발생 원인이나 해결방안 등은 다른 문제들과 상호 연관성을 가짐

2) 정부가 의제설정을 제대로 못한다면?

- 정부가 해결할 사회문제를 제대로 선택하지 못하면 대안의 선택도 잘못될 수 있음
- 즉, 정부가 정책문제를 잘못 인지하면서 발생하는 오류를 '3종 오류'라고 하며, 정부가 정책과정에서 범할 수 있는 오류의 유형은 다음과 같음

① 오류의 유형

3종 오류	⊙ 정책문제 자체를 잘못 인지한 오류(메타오류)로서 주로 의제설정과정 혹은 문제의 인지 및 정의 과정에서 발생 ⓒ ◙ 잘못된 교통신호 체계가 실제로 더 큰 문제임에도 불구하고 자가용 증대 문제를 도심 교통 혼잡의 핵심이라고 잘못 정의하고 이를 해결하려 하는 경우 ⓒ **3종 오류와 같은 표현**: 잘못 선택한 문제; 메타오류; 정책문제를 잘못 인지한 오류; 정책대안을 찾는 데 집착하는 수단주의적인 기획관(가치중립적인 기획관) 때문에 발생한 오류
2종 오류	정책효과가 있는데 없다고 판단해서 올바른 대안(정책)을 기각하는 오류
1종 오류	정책효과가 없지만, 있다고 판단해서 틀린 대안(정책)을 채택하는 오류

② 기타 : 1종 오류와 2종 오류 보충

- **대립가설** : 연구자의 주장
- **귀무가설(영가설)** : 연구자의 주장을 무(無)로 돌아가게 만드는 가설

구분		귀무가설	
		참	거짓
귀무가설	채택	올바른 판단 ㉠ 1−α : 신뢰수준 ㉡ **신뢰수준** : 1종 오류를 범하지 않을 확률	**2종 오류 = β오류 = 올바른 대립가설 기각** (올바른 대립가설 기각)
	기각	**1종 오류 = α오류 = 틀린 대립가설 채택** ㉠ 1종 오류는 심각한 오류이므로 연구자는 유의수준 (α값)을 작게 만들어야 함 ㉡ **α값** : 1종 오류를 범할 확률	올바른 판단 ㉠ 1−β : 검정력 ㉡ 2종 오류를 범하지 않을 확률

③ **정책문제 구조화 기법(3종 오류 방지기법)** : 던(W. Dunn)의 견해를 중심으로

- **정책문제 구조화** : 무엇이 문제인지를 규명해서 정책문제를 구체적으로 정의하는 것 → 즉, 3종 오류를 방지하여 정책문제를 올바르게 인지하기 위한 노력
- 정책문제를 제대로 인지·채택하지 못하고 정책대안을 설정하면 정책문제를 해결할 수 없음 → 따라서 3종 오류와 같은 문제를 예방하기 위해 정책문제의 구조화가 중요함
- 던(W. Dunn)은 정책문제를 구조화가 잘된 문제, 어느 정도 구조화된 문제, 구조화가 잘되지 않은 문제로 분류하고 구조화가 잘된 문제의 해결을 위해서 분석가는 전통적인 방법(표준운영절차 : SOP)을 사용하기도 한다고 주장
- 문제구조화는 상호 관련된 4가지 단계로 구성되어 있음 → 문제의 감지, 문제의 탐색, 문제의 정의, 문제의 구체화 등
- 정책문제의 구조화를 위해 W. Dunn(던)은 아래와 같은 방법을 제시함

경계분석	㉠ **문제의 위치 및 범위 파악** 혹은 정책문제의 존속기간 및 형성과정을 파악 ㉡ **포화표본추출**(saturation sampling)을 활용하여 관련 이해당사자 선정
계층분석	㉠ 문제상황의 원인을 규명하는 것 → **간접적·불확실한 원인으로부터 차츰 확실한 원인**을 확인해 나가는 기법 ㉡ 인과관계 파악을 목적으로 함
유추분석	㉠ **과거에 다루어 본 적이 있는 유사한 문제에 대한 관계(유사성)를 분석하여 당면한 문제를 정의**하는 방법 ㉡ 回 과거 사스해결을 바탕으로 우한폐렴 문제를 살펴보는 것
가정분석	㉠ 문제상황의 인식을 둘러싸고 **여러 대립적인 가정들을 창조적으로 통합**하는 것 ㉡ 이전에 건의된 정책부터 분석을 진행하며, 여러 기법을 활용하는 가장 포괄적인 분석
분류분석	㉠ **문제의 구성요소를 식별**하기 위한 방법 ㉡ 즉, 추상적인 정책문제를 논리적인 추론을 통해 구체적인 대상으로 구분하여 당면한 문제가 어떤 구성요소들로 되어 있는지 확인하는 기법
브레인스토밍	㉠ 전문가 등이 모여 **제약없는 자유토론**을 실시하는 것 → 창의적인 아이디어를 도출하는 기법 ㉡ **양우선 원칙을 강조**하며, **편승기법을 적용**함

2 일반적인 정책의제설정의 단계 [두문자] 사이공정

1) 일반적인 의제설정과정의 순서와 내용

순서	각 단계	내용
①	사회문제	㉠ 개인의 문제가 다수로부터 공감을 얻게 되어 많은 사람들의 문제로 인식된 상태 ㉡ 사회의 많은 구성원들이 문제라고 인식하는 이슈 ㉢ 사회문제는 극적인 사건에 의해 사회적 이슈로 발전할 수 있음
②	사회적 이슈(쟁점) : 사회논제	일반대중에게 인기를 끌지만 문제해결에 대한 합의가 어려워 논쟁의 대상이 되는 문제
③	공중의제	㉠ 정부가 개입하여 문제를 해결할 정당성을 인정받은 문제 ㉡ 어떤 사회문제가 사회적으로 이슈화되어 정부의 정책적 고려의 대상이 되어야 할 단계에 이른 문제 ㉢ 일반 공중 사이에서 실제로 정책대응을 위한 구체적인 논의의 대상으로 표명하고 있는 사회문제
④	정부의제	㉠ 정부가 공식적으로 검토하기로 결정한 문제 → 즉, 정부가 해결할 문제를 공식적으로 선택한 것 ㉡ 따라서 문제에 대한 정책대안이나 수단을 모색할 수 있음 → 수단을 확정하지는 않은 상태

2) 기타 : 학자별 의제설정과정 용어

구분	아이스톤	콥과 엘더	앤더슨
공중의제	공중의제(공공의제)	체제적 의제	토의의제
정부의제	공식의제	제도적 의제(정부의제)	행동의제

[참고]

① 사회적 이슈 = 사회논제
② 공중의제(public agenda) = 체제의제 = 토의의제 = 환경의제 = 공공의제
③ 정부의제 = 제도의제 = 공식의제 = 행동의제 = 정책의제 = 정치의제
④ 인지능력의 한계, 시간과 비용의 문제 등으로 인해 모든 사회문제를 정부가 공식적으로 검토할 수는 없음

Section 02 　　　**의제설정과정 모형** 　　　　　　　　　　　　　　● 9 day

1 　의제설정과정 모형 틀잡기

의제설정과정 모형 ─

2 콥과 로스의 모형

1) 틀잡기

구분	의제설정과정	주도 집단	국가	행정PR (정책홍보)	허쉬만	콥과 로스 등
외부주도형	사이공정	국민	선진국	–	강요된 정책문제	진입
동원형	사정공	최고 혹은 고위 관료	후진국	○	채택된 정책문제	주도
내부주도형 (음모형)	사정	동원형에 비해 낮은 직위의 관료 외부 이해관계자	① 국민을 무시하는 정부 ② 권력집중형 국가 ③ 불평등 사회(부와 권력이 편중된 사회)	×	–	주도

2) 각 모형에 대한 보충 [읽어 보기]

외부주도형	① 국민의 심볼활용이나 매스미디어, 정당 등을 통해 쟁점이 확산되는 경향이 있으며, ② 정책결정자들이 이러한 정치과정을 활용(국민의 견해 반영)하여 사회적 이슈를 공식적 정책의제로 채택하는 전략적 과정을 설명할 수 있음 → 단, 현상을 주도하는 실체는 국민이라는 점에서 다원론 관점임 ③ 많은 국민이 참여하기 때문에 의사결정비용은 높지만 집행에 대한 순응확보를 위한 노력이 필요 없으므로 집행비용은 감소함 ④ 진흙탕 싸움(muddling through), 즉 외부집단 간 경쟁으로 인하여 특정 집단의 요구에 편중되지 않고 여러 집단의 요구를 어느 정도 균형 있게 수용하는 현상이 발생함
동원형	① 올림픽이나 월드컵 유치 등 국민이 적극적인 관심을 보인 사례는 정부 내 (최고)정책결정자들이 주도하여 정책의제를 채택하는 동원형의 예시에 해당함 ② 행정PR을 하는 데 도움을 줄 수 있는 전문가의 영향력이 큼 ③ 선진국에서도 정치지도자가 특정 사회문제해결을 주도하는 경우에 나타나기도 함 ④ [예] 새마을 운동, 가족계획사업 등
내부접근형 (음모형)	① 일반적으로 국민을 무시하는 정부에서 발생 ② 그러나 선진국의 경우, 특수 이익집단이 비밀리에 정부의 혜택을 보려는 외교·국방정책 등(비밀 유지가 필요한 분야의 정책, 또는 강한 반대가 예상됨에도 불구하고 반드시 추진하려는 정책)에서 나타날 수 있음 ③ 내부접근형은 정책의 내용을 미리 정하고, 결정한 내용을 그대로 최소한의 수정만으로 집행하려고 시도하며, 특히 반대할 가능성이 있는 사람에게는 이를 숨기려 함

3 킹던의 정책창 모형

- **정책창**: 의제설정 기회
- **정책창 모형**: 코헨, 마치, 올슨 등이 제시한 **쓰레기통 모형을 발전시킨 것**(조직화된 무정부 상태에서의 합리성과 유사한 합리성 가정)으로서,
의제설정과정에 대한 이해를 시도한 연구

1) 틀잡기

2) 각 줄기(흐름)에 대한 설명

문제줄기	사회 내 다양한 주요 문제
정책줄기	① 정책분석가 등이 제시한 정책대안들 ② 정책의 흐름은 문제를 검토하여 해결방안들을 제안하는 전문가들과 분석가들로 구성되며, 여기서 여러 가능성이 탐색되고 그 범위가 좁혀짐
정치줄기	국가적 분위기 전환, 선거에 따른 행정부나 의회의 인적 교체, 이익집단들의 로비활동과 압력행사 등

3) 정책창이 열리는 계기

우연한 사건	정책창은 정책과정의 세 줄기, 즉 문제줄기(문제의 흐름), 정치줄기(정치의 흐름), 정책줄기(정책의 흐름)가 상호 독립적으로 떠돌다가 우연한 사건에 의해 결합되면 열림
정치줄기의 변화	킹던에 따르면 우연한 사건이 아닌 정치줄기의 변화에 따라 정책창이 열릴 수도 있는 바 세 줄기 중에서 가장 중요한 줄기는 정치줄기임
규칙적 사건	정책창은 국회의 예산주기, 정기회기 개회 등의 규칙적인 사건으로 인해 열릴 수도 있음

4) 기타

정책창의 특성	① 정책창은 열려있는 상태로 오래 지속되지 않으며, 창이 한 번 닫히면 우연한 사건이 다시 발생할 때까지 기다려야 하는바 다시 열릴 때까지 많은 시간이 걸림 ② 우연한 사건에 의해 정책창이 열리면 이에 따라 정책대안도 변동될 수 있음
정책창이 닫히는 이유	① 문제에 대한 구체적인 대안이 존재하지 않는 경우 ② 정책의 창을 열게 했던 사건이 정책의 장에서 빠르게 사라지는 경우 ③ 정책문제가 의사결정이나 입법에 의해 충분히 다루어졌다고 느낄 때

4 기타 모형

<table>
<tr><td rowspan="1">사이먼 모형</td><td colspan="3">① 사이먼은 정책결정자의 인지능력상 한계(주의집중력) 혹은 가용자원의 한계로 인하여 사회의 모든 문제가 정책의제로 채택되지는 못한다고 보았음
② 이러한 주장은 왜 특정의 문제가 정책문제로 채택되고 다른 문제는 제외되는가에 대한 설명에 한계가 있음 → 단순히 주의집중력에 치중한 설명이라는 것</td></tr>
<tr><td>이스턴 모형</td><td colspan="3">① 체제를 지키는 문지기(대통령, 고위 관료, 국회의원 등)가 진입을 허용하는 일부 사회문제만 정책의제로 채택함
② 문지기가 쟁점을 인지하는 범위를 조절함으로써 체제전체의 업무 부하(load)를 조절한다는 것</td></tr>
<tr><td rowspan="2">메이 모형</td><td rowspan="1">틀잡기</td><td colspan="2">메이와 하울렛 & 라메쉬는 정책의제설정의 주도자와 대중의 관여 정도에 따라 정책의제설정 과정을 4가지 유형으로 구분</td></tr>
</table>

구분	대중의 강한 지지	대중의 약한 지지
민간 주도	외부주도형	내부접근형
정부 주도	굳히기형(공고화형)	동원형

	내용	① 외부주도형: 비정부집단에서 이슈제기 → 공중의제화 → 공식적인 의제화의 단계를 거침 ② 동원형: 대중의 지지가 낮을 때 정부가 행정 PR 등을 활용하여 대중적인 지지를 높이려는 모형 ③ 내부접근형: 정책결정자에게 접근할 수 있는 영향력 있는 집단이 정책을 주도하는 모형으로 정책의 대중확산 필요성을 중시하지 않음 ④ 굳히기형: 대중적인 지지가 높을 때 정부가 의제설정을 주도하는 모형 → 이미 민간집단의 광범위한 지지가 형성된 이슈에 대하여 정책결정자가 지지의 공고화(consolidation)를 추진함

DAY

09

포자모형	사회문제가 정책의제로 발전하기 위해서는 적절한 **환경적 요소가 필요함을 강조**한 이론	
이슈관심주기 모형 (Downs, 1972)	틀잡기	
	내용	① 다운스에 따르면, 중요한 국내문제(이슈)는 일정한 주기를 띠게 되는데, 이를 이슈관심주기라고 함 ② 이슈관심주기를 다룬 연구는 **특정 이슈**가 공공의 관심을 이끌어내기 위해서 공공의 장(일반 국민이 여론을 조성할 수 있는 장소)에서 **다른 이슈들과 치열하게 경쟁**해야 함을 강조
동형화 모형	내용	① 동형화 과정을 통해 정책전이가 일어나면서 정책의제가 선정되는 것을 설명한 모형 → **사회학적 신제도주의를 생각할 것** ② 동형화 모형은 정부 간 정책전이가 모방, 규범, 강압적 동형화를 통해 이뤄진다고 가정 ③ 용어정리 정책전이: 사회문제 해결에 대한 정책아이디어의 전파
	유형	**강압적 동형화**　법규 등으로 대표되는 강압적 동형화가 조직간 유사성을 형성할 수 있음
		모방적 동형화　'우수하다고 생각되는' 조직을 모방하려는 모방적 동형화
		규범적 동형화　① '마땅히 그러해야 한다'라는 사회의 가치가 조직간 동질화를 형성하는 것 → 느슨해 보이지만 가장 강력한 힘을 발휘함 ② 예 교육기관이나 전문가의 의견이나 자문을 통해 조직이 서로 닮아가는 것
사회적 구성론	틀잡기	(표)
	표 설명	① 잉그람과 슈나이더는 **사회구성론** 관점에서 정책대상집단을 크게 두 가지 차원(사회적 이미지·사회적 권력)에 따라 네 가지로 유형화함 ② 이를 통해 어떤 집단이 왜 지속적으로 의제설정에서 지배적인 권한을 행사하는지 그 이유를 분석할 수 있음
	내용	① 사회적 구성 모형에서 특정 정책대상집단은 둘 이상의 유형으로 구성될 수 있으며, 그 **사회적 구성이 시간에 따라 변화할 수 있음을 전제함** ② 사회문제를 설명할 때 이미지, 고정관념, 사람, 사건에 대한 인식이나 가치부여 등에 관한 해석을 토대로 모형을 전개하면서 정책설계 및 집행의 맥락을 이해하기 위해 **사회·정치적인 상황을 객관적으로 단순화하는 방법론을 지양함** ③ 정책설계는 정치적인 과정이므로 어느 집단의 이익을 더 많이 반영할 것인가에 대한 논쟁이 흔히 발생 → 이에 따라 잉그람과 슈나이더는 의제설정에 대한 집단의 영향력을 살펴본 것 ④ **이탈집단(Deviants)**은 사회적 이미지가 부정적이므로 정부가 이들을 강력하게 규제해도 일반대중이 용인하며, **정치적 권력이 약하므로 정부에 대해 저항하지 못함**

사회적 구성론 틀잡기 표:

구분		집단에 대한 사회적 이미지	
		긍정적	부정적
사회적 권력: **투표에 있어서** **강한 영향력 보유**	강함	수혜집단 퇴역 군인, 과학자, 노인, **중산층** 등	투쟁집단(경쟁집단) 부유층, 거대노동조합, 문화 상류층
	약함	의존집단 아동, 장애인, 부녀자	일탈집단(이탈집단) 범죄자, 약물중독자, 공산주의자

5 기타

의제설정에 영향을 미치는 요인	국민의 관심도	① 일반 대중의 **큰 관심을 받거나(사회적 유의성이 높거나)**, 관련 집단에 의해 쟁점사항으로 된 것일수록 의제화 가능성이 큼 → 단, 의제설정 과정에서 국민의 동의를 거치지 않았다면 정책집행과정에서 저항이 나타날 수 있는 바 반대 상황이 발생할 수 있음 ② **극적인 사건이나 위기 등**은 대중의 많은 관심을 받기 때문에 의제로 채택될 가능성이 큼 → 즉, 극적인 사건이나 위기, 재난은 쟁점사항이 될 가능성이 크므로 특정 사회문제를 정부의제화시키는 점화장치(triggering device)로 작용할 수 있음 ③ 문제를 인식하는 집단의 규모가 크면 의제화 가능성↑
	문제 해결가능성	① 해당 사회문제의 **선례가 있을 때**, 혹은 **일상화된 정책문제**가 해결책을 찾기 용이하므로 새로운 정책문제보다 쉽게 의제화됨 ② 상대적으로 **단순한 문제**가 의제화 가능성이 큼 → 즉, 문제의 단순성이나 구체성과 같은 사회문제의 외형적 특성은 의제설정에 영향을 미침 ③ 정책문제에 대한 **해결책이 있을 때** 의제설정 가능성이 큼
	조직화 정도 등	정책의 이해관계자가 넓게 분포하고 **조직화 정도가 낮은 경우**에는 이해관계자의 요구가 표출되지 않는바 **정책의제화 가능성↓**
	참고	① 정책문제에 대한 통계지표의 오류는 바람직한 의제설정을 어렵게 함 ② 우리나라의 1960년대 경제제일주의는 경제성장에 집착한 나머지 그 외의 정책, 즉 노동정책, 복지정책 등을 정부의제로 검토되지 못하게 함 ③ 정치체제의 가용자원 한계는 정책의제에 대한 적극적 탐색을 어렵게 함 ④ 정책의제설정과정에는 의제설정 주도집단, 정책체제(민주주의 혹은 독재 등), 환경(외부세력의 지지, 정책 타이밍 등) 등의 변수들이 영향을 미침

CHAPTER **03** 정책분석 : 합리모형

- 정책분석 챕터에서는 합리모형, 즉 최선의 대안을 선택하는 과정을 공부함
- 합리모형의 일반적인 절차: 구체적인 목표설정 → 대안 탐색 → 대안 비교·평가 → 대안의 결과예측 → 대안선택

1 정책목표의 의의 🖉

정책목표	① 미래에 도달하고자 하는 바람직한 상태 ② 일반적으로 정책목표와 이를 달성하기 위한 정책수단 사이에는 인과관계가 있어야 함		
정책목표 평가기준	소망성	적합성	그 사회의 이념과 가치를 제대로 반영하고 있는가?
		적절성	사회문제를 해결하는데 정책목표의 수준이 적절한가?

2 정책목표의 변동(조직목표의 변동)

목표의 비중변동	조직 내 복수의 목표가 있고, 이에 대한 우선순위가 정해져 있었는데, 중간에 목표의 우선순위가 바뀌는 것		
목표의 승계	① 본래의 목표를 이루거나 표방한 목표를 달성할 수 없을 때, 새로운 목표(같은 유형의 다른 목표)를 설정 후 조직이 존속하는 것 ② 목표의 승계는 조직의 항구성 형성에 기여함 → 즉, 정부조직은 목표의 승계를 통해 조직을 존속시키는 경향이 있음 ③ 🔲 미국의 소아마비 재단이 20년간의 활동 끝에 소아마비 예방백신의 개발 목표가 달성되자, 관절염과 불구아 출생의 예방 및 치료라는 새로운 목표를 채택하는 경우 등		
목표의 추가 (다원화)	① 기존의 목표 + 새로운 목표 → 동종목표의 수 또는 이종목표가 늘어나는 것 ② 🔲 대학교가 교육목표 외에 사회봉사목표를 추가하는 것		
목표의 감소	목표의 수가 감소하는 것		
목표의 확대	① 목표의 범주를 확대하거나 목표의 수준을 높이는 것 ② 🔲 월드컵 16강 → 월드컵 8강		
목표의 축소	목표의 축소는 기존 목표의 범위가 축소하는 현상으로서 목표의 하향조정을 의미함		
목표의 대치 (전환·왜곡·전도)	개념	① 조직의 본래 목표를 망각하고 목표를 달성하기 위한 수단이 목표로 바뀌거나 본래 목표를 새로운 목표(🔲 사익추구)로 전환하는 현상 ② 미헬스(Michels)의 '과두제의 철칙(Iron law of oligarchy)' 현상에 가장 부합하는 조직목표변동 유형 → 과두제의 철칙은 집권화를 뜻하고, 이를 바탕으로 엘리트가 사익추구를 할 수 있기 때문임 ③ 🔲 과잉동조, 과두제 철칙, 부처할거주의 등	
	연구학자	① 목표대치현상을 처음으로 언급한 사람은 미헬스(과두제 철칙, 1949)임 ② 1930년대 관료제 병리모형을 연구한 학자 중 머튼과 굴드너는 조직 내 규칙이 조직목표보다 중시되는 현상(동조과잉)을 지적함	
	발생원인	① 규칙 및 절차에 대한 집착: 법규 등에 집착함으로서, 과잉동조, 형식주의, 법규만능주의 등을 초래 ② 조직의 내부 문제 중시(부처할거주의): 조직의 내부문제를 중시하여 조직 전체의 목표를 홀대하는 현상 ③ 목표의 추상성으로 인해 유형적인 목표만 추구: 측정할 수 있는 목표에 집착→본질적인 목표를 등한시하는 현상 ④ 미헬스의 과두제의 철칙: 소수 엘리트의 권력을 기초로 조직을 운영하는 경우 사익추구현상 발생 ⑤ 전시행정과 과시행정 등	

> **참고**
> 조직의 운영상 목표는 공식목표를 추진하는 과정에서 추구하는 목표로 비공식적 목표임 → 예를 들어, 월드컵 16강 진출이라는 공식적인 목표를 세운 뒤, 각 클럽에서 활동하던 선수 간 소통을 증진하기 위해 회식 등을 하는 것

Section 02 — 정책대안의 탐색 ⓒ

9 day

1 정책대안 탐색

의의	정책목표를 설정한 후에는 이를 달성하기 위한 정책수단을 개발하고 탐색해야 함
대안탐색의 방법	① 과거의 **정책사례** 혹은 외국이나 다른 지방자치단체의 경험 등을 참고(점증주의적 접근) → 다른 정부의 정책을 대안으로 고려할 때는 가급적 사회문화적 배경이 유사한 지역을 선택하는 것이 바람직함 ② 알고 있는 지식, 이론, 기술 등을 기초로 **모형을 설정** 후 이를 통해 정책대안을 도출 ③ **주관적 기법의 활용**: 만약 과거의 경험도 없고, 외국에서 시행한 바도 없고, 체계적인 이론도 없는 경우에는 브레인스토밍과 정책델파이와 같은 주관적·직관적인 방법을 활용

Section 03 — 정책대안 비교 및 평가 방법

9 day

1 정책대안 평가 기준 ⓒ

실현가능성	정책을 실제 구현할 수 있는 가능성
소망성: 바람직한 정도 (나카무라 & 스몰우드)	① 효과성: 목표의 달성가능성 → 효과성을 판단하기 위해 **비용효과분석** 활용 ② 능률성: 투입 대비 산출의 비율 → 가장 능률적인 대안을 선택하기 위해 **비용편익분석** 활용 ③ 대응성: 정책대상집단의 선호에 대한 만족여부 ④ 형평성: 비용과 편익이 여러 집단 사이에 동등하게 배분되었는지 여부 ⑤ 노력: 사업에 필요한 질적·양적 투입이나 에너지 ⑥ 두문자 **효능대형노**

DAY ― 09

2　비용편익분석(Cost-Benefit Analysis)

- 비용편익분석 : 사업으로 인한 편익 > 사업에 소요되는 비용 → 사업집행
- 즉, 비용편익분석은 여러 정책대안 가운데 목표 달성에 가장 능률적인 대안을 찾기 위해 **각 대안이 초래할 비용과 편익을 화폐가치로 환산하여 비교·분석하는 기법임** → 편익이 비용보다 크다면 사업의 정당성을 인정
- **미시경제학 활용** : 인간의 합리적 선택을 가늠하는 기준을 제시하기 때문에 미시경제학의 영역에 해당

1) 비용편익분석에 대한 이해

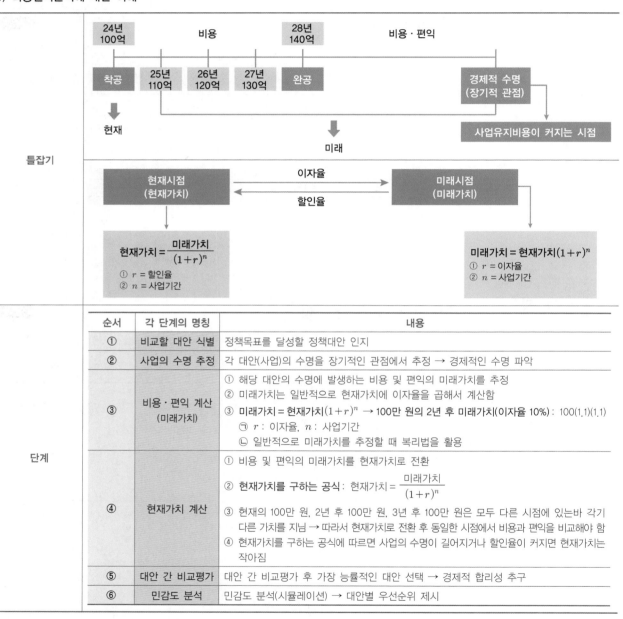

	순서	각 단계의 명칭	내용
단계	①	비교할 대안 식별	정책목표를 달성할 정책대안 인지
	②	사업의 수명 추정	각 대안(사업)의 수명을 장기적인 관점에서 추정 → 경제적인 수명 파악
	③	비용·편익 계산 (미래가치)	① 해당 대안의 수명에 발생하는 비용 및 편익의 미래가치를 추정 ② 미래가치는 일반적으로 현재가치에 이자율을 곱해서 계산함 ③ **미래가치 = 현재가치$(1+r)^n$** → 100만 원의 2년 후 미래가치(이자율 10%) : 100(1.1)(1.1) 　㉠ r : 이자율, n : 사업기간 　㉡ 일반적으로 미래가치를 추정할 때 복리법을 활용
	④	현재가치 계산	① 비용 및 편익의 미래가치를 현재가치로 전환 ② **현재가치를 구하는 공식 : 현재가치 $= \dfrac{\text{미래가치}}{(1+r)^n}$** ③ 현재의 100만 원, 2년 후 100만 원, 3년 후 100만 원은 모두 다른 시점에 있는바 각기 다른 가치를 지님 → 따라서 현재가치로 전환 후 동일한 시점에서 비용과 편익을 비교해야 함 ④ 현재가치를 구하는 공식에 따르면 사업의 수명이 길어지거나 할인율이 커지면 현재가치는 작아짐
	⑤	대안 간 비교평가	대안 간 비교평가 후 가장 능률적인 대안 선택 → 경제적 합리성 추구
	⑥	민감도 분석	민감도 분석(시뮬레이션) → 대안별 우선순위 제시

2) 대안 간 비교평가 방법

순현재가치	개념		① 편익의 현재가치 − 비용의 현재가치 ② 순현재가치가 0보다 큰 사업은 사업의 타당성이 있다는 것 ③ 가장 널리 사용되는 1차적인 기준이며, 칼도·힉스기준이라고도 함
	구하는 공식		$$NPV = -C_o + \frac{(B_1 - C_1)}{(1+r)^1} + \frac{(B_2 - C_2)}{(1+r)^2} + \cdots + \frac{(B_n - C_n)}{(1+r)^n}$$
	칼도·힉스기준		어떤 변화를 통해 발생한 사회 전체의 이득 규모가 손실 규모보다 커서, 사회 전체적으로 봤을 때 손실에 대한 보상의 가능성이 충분하다면 이 변화는 사회적으로 바람직한 것으로 판단 → 오늘날 정부사업의 타당성 판단기준으로 사용
	기타	파레토 최적	① 어떤 사람이 이익을 보기 위해서는 반드시 다른 사람이 손해를 봐야 하는 최적의 자원배분 상태 → 📌 출·퇴근 시간 지하철 9호선 ② 일반적으로 시장실패를 판단하는 기준으로 적용 ③ 다만, 모든 사회분야에서 파레토 최적을 달성하는 것은 현실적으로 어렵기 때문에 능률성을 판단하는 새로운 기준으로 칼토·힉스 기준이 등장 ④ 칼도·힉스기준과 파레토 최적은 능률성을 판단하는 기준임
비용편익비			① 편익의 현재가치 / 비용의 현재가치 ② 비용편익비가 1보다 큰 사업은 경제적으로 타당성이 있음 ③ 비용편익비와 순현재가치는 할인율이 주어졌을 때 활용하는 방법임 → 따라서 할인율의 크기에 따라 그 값이 달라짐
내부수익률 (예상수익률)			① 순현재가치가 0이 되거나 비용편익비가 1이 되는 할인율 > 기준할인율(시장이자율) → 사업집행 ② 할인율이 주어지지 않았을 때 활용 ③ 사업의 규모에 따라 사업 기간이 설정되기 때문에 대안 간 사업의 규모가 다를 때(사업 기간이 다를 때) 우선순위를 가늠하기 어려움 → 복수의 내부수익률이 나올 수 있는바 정확도가 부족함

3) 기타

	구분	할인율	예산의 제약이 없을 때 (대규모 사업)	예산의 제약이 있을 때 (대규모 사업×)
비용편익분석시 기준 선택의 조건	순현재가치	○	○	비교사업 간 규모 유사
	비용편익비	○	−	비교사업 간 규모 상이
	내부수익률	×	−	

※ 예산의 제약이 없을 경우와 자원의 제약이 있더라도 비교사업의 규모가 유사할 경우에는 순현재가치법을 활용하지만 자원의 제약이 있으면서 사업의 규모가 다를 경우에는 순현재가치법만 가지고 효율성의 상태를 진단할 수 없기 때문에 비용편익비를 보완적인 기준으로 활용함

	투자사업	비용	편익	순현재가치	비용편익비
순현재가치와 비용편익비 순위 변경 사례	A	200	400	200	2.0
	B	50	125	75	2.5

※ 비교사업 간 규모가 상이한 경우에는 비용편익비를 활용

4) 참고 용어 `읽어 보기`

사회적 할인율과 민간(시장적) 할인율	① 일반적으로 사회적 할인율은 사회 전체를 고려한 할인율로써 보통 공공사업에 적용하며, 민간할인율은 시장이자율을 의미함 ② 공공사업은 긍정적인 외부효과를 창출하는 것이 보통이므로 낮은 할인율을 적용함으로써 공공사업이 적정한 수준에서 수행되도록 배려해야 한다는 주장이 있음 ③ 따라서 일반적으로 사회적 할인율이 시장적 할인율에 비해 낮음 ④ 시험에서 사회적 할인율과 민간할인율을 모두 기준할인율로 표현하는 경우도 있음
자본의 기회비용	① 자원이 공공사업에 사용되지 않고 민간사업에 사용되었을 때 획득할 수 있는 수익률을 공공사업의 할인율로 정하는 방법 ② 공공사업을 민간사업에 비해 무작정 우대하는 것도 불합리하므로 공공사업의 할인율을 공공부문과 민간부문 간의 자원의 기회비용으로 파악하는 입장
잠재가격 (잠재적 가치)	① 완전경쟁적인 가격, 즉 **이상적인 시장가격을 잠재가격**이라 함 ② 일반적인 시장가격은 실제 시장에서 형성된 가격임 → 예컨대, 시멘트 생산회사가 하나인 시장(독점시장)에서 판매되는 시멘트 한 포대의 가격이 12만 원이라면 시장가격은 12만 원임 ③ 그런데 만약 시멘트 시장이 완전경쟁시장일 경우 시멘트 한 포대 가격이 10만 원이면 잠재가격은 10만 원임 ④ 즉, 독점시장에서 형성된 12만 원 중 2만 원은 독점기업이 독점적 지위를 이용하여 획득한 초과이윤에 불과함 ⑤ **비용편익분석은 실제 시장가격이 아닌 잠재가격을 기준으로 비용을 계산함** ⑥ 예 홍수피해예방이익 시장가격이 존재하지 않는바 해당 서비스가 완전경쟁시장에서 공급되는 것으로 가정

실질적 가치 (현금적 가치 ×)	기회비용	① 여러 대안들 중 하나의 대안을 선택할 때 선택하지 않은 대안들 중 가장 좋은 것, 즉 '**차선의 가치**'를 뜻함 ② 비용편익분석을 통해 대안을 선정할 때 기회비용을 인지함
	소비자잉여	① 지불용의 금액에서 실제 지불액을 뺀 것 → 소비자가 시장 참여로부터 받는 혜택의 크기 ② 비용편익분석은 시설로 인한 편익을 계산할 때 소비자잉여를 고려함
	기타	① 비용편익분석은 직접적·간접적 비용과 편익, 유형적·무형적 비용과 편익을 고려 ② 유흥업소 영업시간 단속으로 인한 직접적·간접적 비용 　⊙ 직접적 비용 : 공무원의 순찰을 통한 영업단속, 유흥업소의 수익감소 등 　ⓒ 간접적 비용 : 택시기사 및 대리기사의 수익감소 등 ③ 유흥업소 영업시간 단속으로 인한 유형적·무형적 비용 　⊙ 유형적 비용 : 유흥업소의 수익감소 등 　ⓒ 무형적 비용 : 공무원의 업무부담 증가, 주당들의 삶의 즐거움 감소 등

3 비용효과분석

등장배경	① 비용효과분석은 1950년대에 랜드(RAND)연구소가 군사전략과 무기체계의 대안들을 평가하는 과정에서 개발됨 ② 즉, 미 국방부의 재정업무와 관련하여 등장함
개념	① 비용효과분석은 산출물을 금전적 가치로 환산하기 어렵거나, 산출물이 동일한 사업의 평가에 주로 이용 ② 비용편익분석은 편익을 화폐가치로 표현하지만 비용효과분석은 효과를 금전 외의 다른 척도로 나타냄
틀잡기	비용　　　　　　　　효과 CCTV 설치 경찰관 채용　　　→　　범죄율 감소 ■ **비용효과분석에서 대안을 선택하는 방법** 　① 효과 고정 : 범죄율을 20% 낮추는 것을 목표로 했을 때, 적은 비용이 소요되는 대안 선택 　② 비용 고정 : 20억을 각 비용에 투자한다고 했을 때, 범죄율을 더 낮출 수 있는 대안 선택

특징	① 비용효과분석은 비용과 효과를 서로 다른 단위로 측정함
	② 즉, 비용은 '금전적 가치'로, 효과는 '산출물 단위'로 산정 후 분석 → 이로 인해 총효과의 총비용 초과 여부에 대한 직접적인 증거를 제시하지 못함
	③ 비용효과분석은 측정이 어려운 외부효과나 무형적·질적가치의 분석에 더 적합함
	④ 화폐단위로 측정하는 문제를 극복한 까닭에 공공부문에 더 쉽게 적용 → 📵 국방, 치안, 보건 등의 영역
	⑤ 비용효과분석은 화폐가치로 환원하기 어려운 개념, 즉 범죄율 등을 활용하므로 시장가격의 메커니즘에 전적으로 의존하지 않으며, 사회적 후생(사회구성원들의 복지 수준을 화폐가치로 표현한 개념)을 나타내기 어려움
	⑥ 비용효과분석은 효과를 발생시키는 합리적 대안이나 도구를 찾는다는 점에서 기술적 합리성을 추구함

Section 04 | 정책대안의 결과 예측 기법

● 9 day

1 틀잡기

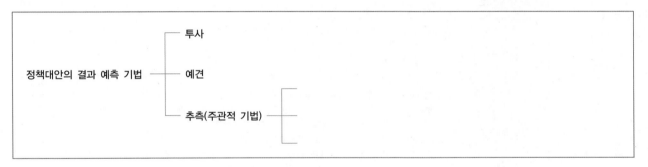

2 투사(Project) : 추세연장 기법 → 양적분석 ⓖ

개념	① 과거의 변동추세를 보여주는 시계열 데이터를 연장하여 미래를 예측하는 통계적·경험적 예측방법 → 시계열적 예측	
	② 데이터의 패턴을 발견 → 귀납적인 연구	
종류	선형경향추정	과거부터 현재까지의 시계열 관측치를 토대로 미래상황을 추정하는 기법
	지수가중치법	최근 데이터에 가중치를 부여하고, 과거의 데이터는 가중치를 감소시키는 추세 예측기법
	이동평균법	추세를 예측 시 시점을 이동하면서 현재의 시점을 기준으로 한 산술평균을 계산 → 이 수치를 추세치로 간주

DAY — 09

3 예견(Predict)：이론적 예측 → 양적분석 cf

개념	① 인과관계 규명을 통한 미래 예측 → 이론적 미래 예측 ② 검증된 모형이나 이론을 기초로 미래를 예견하는바 연역적인 접근임		
종류	PERT	① 비정기적인 대규모 신규사업 등을 성공적으로 달성하기 위해서 만드는 경로계획 또는 시간공정관리기법 ② 동시에 진행할 사업과 선후관계에 놓인 사업 등 사업 간의 유기적인 연관성을 드러내어 사업의 진도관리 및 책임관계를 분명하게 정할 수 있음 ③ PERT：Program Evaluation and Review Technique		
	회귀분석	① 독립변수가 변화할 때 종속변수의 변화를 예측하는 방법 ② 두 변수 간의 관계에서 하나의 변수로 다른 변수의 값을 설명하고 예측하고자 할 때 주로 이용		
	상관분석	① 변수 간의 상관성을 분석하는 기법 → 예 출석률과 합격률 ② 회귀분석은 변수 간 원인과 결과를 파악하지만, 상관분석은 상호관련성의 정도를 분석		
	평균 차이 분석	분산분석	두 개 이상의 집단 간 평균을 동시에 비교하는 기법	
		T-test	두 집단 간 평균차이를 비교하는 기법	
	경로분석	① 특정 현상에 영향을 미치는 변수를 식별하고, 변수 간의 인과관계의 경로를 분석하는 기법 ② 예 정부미 방출→쌀 공급 증가→쌀 가격 안정으로 이어지는 인과관계의 검증		
	대기행렬이론	① 현재 상태를 기반으로 평균 대기시간 등을 확률적으로 예측한 기법 ② 대기행렬의 최소화를 위해 적정 시설의 규모 혹은 서비스의 절차 등에 대한 해답을 분석		
	선형계획법	① 주요 변수 간 상관관계를 방정식으로 나타내고 주어진 제약 조건에서 최적의 자원배분을 찾는 기법 ② 예 회사의 광고 전략을 세우기 위해 시청률 정보, 광고 비용 등의 데이터를 수집한 뒤, 광고비용 최소화, 시청률 최대화를 동시에 만족시키는 방정식을 세우는 것 ③ 이때 제약 조건으로는 자사의 예산, 방송통신위원회 정책 등이 포함될 수 있음		
	민감도 분석	① 선형계획으로 도출한 결과를 분석 후 변수의 변화(예 자사의 예산변경)를 통해 또 다른 결과를 시뮬레이션 해보는 것 → 즉, 최종 결론에 앞서 "만일 채택한 계수(Parameter)가 변한다면 어떻게 되겠는가?"하는 가상적 의문에 대답하기 위하여 대체된 계수를 적용한 분석결과와 원래의 결과를 비교하는 것 ② 예 조선소를 건설하려고 할 때, 선박의 예상 판매량과 예상 가격이 낮은 값에서 높은 값으로 변화함에 따라 예상 수익과 비용이 어떻게 달라지는지, 또 건축시간이나 사용자재의 공급량과 가격 등이 변함에 따라 건설비 등의 비용이 어떻게 변화하는지를 알아보고자 할 때 활용		
	구간추정	① 모집단의 특성을 담아내는 구간을 표본으로부터 산출한 후 모집단의 특정 구간을 추측하는 것 ② 예 우리나라 고등학생의 평균 키를 추정하고자 할 때 전체 고등학생 중에서 일부 표본을 선정한 후 표본의 평균 키를 특정 값이 아니라 구간으로 산출(167cm~173cm)		
	시나리오 분석	조직이 처할 수 있는 유·불리한 상황을 설정하고 각 상황에서 투자안의 순현재가치와 기본적인 상황에서의 순현재가치를 비교 후 투자에 따른 위험을 예측하는 기법		
	모의실험	① 가상적 상황을 설정 후 투입과 산출의 관계를 도출하는 기법 ② 단, 가상적인 상황의 한계로 인해 정확성이 떨어질 수 있음		
	게임이론	① 일반적으로 정치적인 협상에 활용됨 ② 효용극대화를 추구하는 행위자들이 일정한 전략을 가지고 최고의 보상을 얻기 위해 벌이는 행위를 분석하여 미래를 예측하는 기법 ③ 즉, 합리적인 선택을 위한 대안을 수학적으로 분석한 이론		

4 추측(Conjecture) : 통찰력있는 판단(주관적 기법) → 질적분석

- 참여자의 주관적 직관을 활용하는 방법(질적인 방법) → 일반적으로 중장기적인 문제에 대한 예측기법으로 활용
- 예견 방법에 비해 상대적으로 객관성 결여
- 다수 참여자의 견해 및 지식을 수렴하여 정책대안의 결과를 예측하는 방법

1) 델파이 기법(전통적 델파이)과 정책델파이 기법

델파이	틀잡기	
	의의	① 그리스 현인들이 미래를 예견하던 아폴로 신전이 위치한 도시의 이름을 따서 붙여진 이름으로 1948년 미국 랜드(RAND) 연구소에 의해 개발되어 공공부문이나 민간부문의 예측활동에 활용하고 있음 ② 익명성이 보장된 상태에서 토론 없이 독자적으로 형성된 동일 영역의 일반 전문가들의 판단을 종합하여 정리하는 기법 ③ 전문가들을 대상으로 설문을 반복하여 특정 주제에 대한 합의(의견일치 유도) · 평균적인 견해를 도출
	특징	① 구조화된 조사지를 구성 후, 우편 혹은 이메일 등을 통해 누가 조사에 참여하는지 알려주지 않고 각 참여자의 견해를 조사 → 철저한 익명성 · 절대적 익명성 ② 철저한 익명성을 전제로 하는바 구성원 간의 성격마찰, 감정대립, 지배적 성향을 지닌 사람의 독주, 다수 의견의 횡포, 집단사고 등을 피할 수 있음
정책델파이	의의	정책에 대한 전문가 혹은 이해관계자가 초기에는 익명성을 보장하는 델파이 방법을 사용하다가 2차로 공개적인 토론을 하는 기법(선택적 익명성) → 공개적인 토론 과정에서 의견 차이가 드러나도록 유도
	특징	2차로 공개적인 토론을 하는 과정에서 정책에 대한 전문가 및 이해관계자가 참여하는바, 개인의 이해관계나 가치판단이 개입될 수 있음

2) 델파이 기법과 정책델파이 기법 비교 읽어 보기

구분	델파이 기법(전통적 델파이)	정책델파이 기법
개념	일반문제 혹은 정책문제에 대한 예측	정책문제에 대한 예측
응답자	동일 영역의 일반전문가	① 정책전문가 및 이해관계자 등 ② 이해관계자가 개입할 경우 가치판단의 개입 가능
익명성	철저한 익명성 (절대적 익명성)	① 선택적 익명성 ② 초기에는 익명성 보장 → 추후 공개토론 실시 ③ 컴퓨터를 통한 회의 및 대면토론 가능
합의	① 견해의 합의도출(의견일치 유도) ② 일반적인 통계처리 → 의견의 대표값 · 평균치 · 중위값 중시	구조화된 갈등(유도된 의견대립) → 의견차이를 부각시키는 양극화된 통계처리
기타		
공통점	양자 모두 주관적인 미래 예측기법이고 다수의 응답자를 대상으로 하며, 반복적인 설문조사(결과의 환류 포함) 실시 후 통계처리 과정을 거침	

3) 브레인스토밍

의의	① 일반적으로 내부인력을 중심으로 시행하는 아이디어 회의이며, 경우에 따라 **내부인력, 전문가, 이해관계자 등이 모여서 모두 동등한 조건 하에 형식 없이 자유롭게 토의**하는 방식 → 브레인스토밍 집단은 조사되고 있는 문제상황의 본질에 따라 구성 ② 구성원이 제시한 모든 의견을 수렴한 후(지나치게 이상적이거나 급진적인 아이디어도 허용) 실현가능성이 없는 대안을 제거하여 가능성 있는 대안 도출	
특징	**양우선 원칙**	좋은 아이디어보다 많은 아이디어를 선호
	편승기법 활용	다른 아이디어를 결합해서 새로운 아이디어를 만드는 편승기법(벤치마킹) 활용

4) 기타 유형

지명반론자 기법	① 특정 조직원 또는 집단을 반론을 제기하는 집단으로 지정하여 반론자 역할을 부여한 후, 반론자의 견해를 합리적으로 반영하여 이성적인 의사결정을 유도하는 기법 ② 지명반론자 기법이 성공하려면 반론자들이 고의적으로 본래 대안의 단점과 약점을 적극적으로 지적하여야 함 ③ **집단사고**(폐쇄적 집단의 판단오류)를 막기 위한 방법 중 하나이며, 문제에서 찬반토론, 변증법적 토론과 같은 의미로 쓰일 수 있음
변증법적 토론 (찬반 토론)	대립적인 찬·반 두개의 팀으로 나누어 토론을 진행하는 과정에서 합의를 형성하는 기법으로서 두 집단으로 나누어 토론을 하기 때문에 특정 대안의 장점과 단점이 최대한 노출될 수 있음 → 지명반론자 기법도 변증법적 토론의 한 형태에 해당함
명목집단기법	① 전통적인 회의 방법과는 다르게 토론자가 의사결정에 참여하지 않고 서면으로 대안에 대한 개별적인 아이디어를 제출한 후, 모든 아이디어가 모이면 제한적인 토의를 거쳐 투표로 의사결정을 하는 기법 ② 집단구성원 간 의사소통이 거의 이루어지지 않기 때문에(제한적으로 이루어지기 때문에) 집단구성원은 명목상 집단임 ③ **참고** 전자적 회의: 명목집단기법의 변형으로서 익명성이 보장되도록 개인의 의견을 컴퓨터를 통하여 입력하고 개별 의견에 대하여 컴퓨터를 통하여 표결
교차영향분석	① 전문가 견해에 기반한 방식으로 확률적 결과를 도출하는 분석 → 즉, '다른 사건이 일어났느냐 일어나지 않았느냐'에 기초하여 미래의 어떤 사건이 일어날 확률에 대해서 식견 있는 판단을 이끌어 내는 방법 ② 전문가들에게 발생 가능한 사건들을 물어보고 한 사건이 일어날 때와 일어나지 않을 때 다른 사건들의 발생확률 등을 물어보는 **접근법으로써 일련의 사건들이나 추세 또는 자료들의 상호관계를 보여주는 기법**

5 ▷ 최근 정책분석 기법 : 계층화분석(AHP : Analysis of Hierarchical Process) ☑

틀잡기	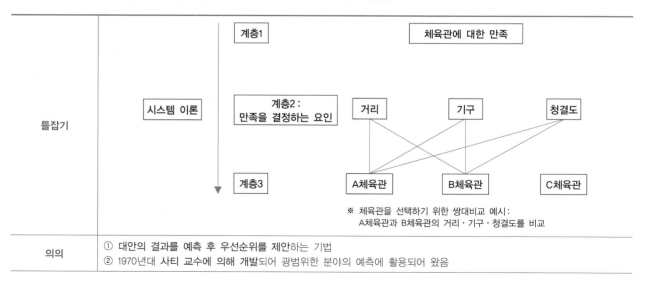
의의	① 대안의 결과를 예측 후 우선순위를 제안하는 기법 ② 1970년대 **사티 교수에 의해 개발**되어 광범위한 분야의 예측에 활용되어 왔음

특징	쌍대비교	① 대안을 선택할 때 '다양한 기준'을 계층화 후 '쌍대비교'를 진행 ② 쌍대비교를 통해 대안 간 우선순위 제시 → 불확실한 상황에서 확률추정이 불가능한 경우에 사용 ③ 다만, 두 대상의 상호비교가 불가능한 경우에는 사용할 수 없다는 단점이 있음
	시스템이론	① 특정 문제를 더 작은 구성요소(다양한 기준)로 분해하고, 이 요소들을 바탕으로 둘씩 짝을 지어 비교하는 일련의 비교판단을 통해 각 요소의 영향력에 대한 상대적인 강도와 효용성을 나타내는 방법 ② 즉, 의사결정의 목표 또는 평가 기준이 다수이며 복합적일 때, 시스템이론에 기초하여 대안선택을 위한 기준을 선정한 후 각 요인을 상호비교하여 대안의 상대적인 중요도와 우선순위를 도출

DAY

09

CHAPTER **04** 정책결정

 틀잡기

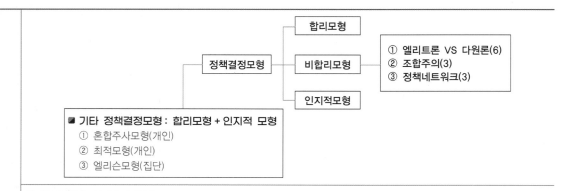

■ 기타 정책결정모형 : 합리모형 + 인지적 모형
① 혼합주사모형(개인)
② 최적모형(개인)
③ 엘리슨모형(집단)

틀잡기

⚑ 합리모형과 인지적 모형(6)

분석수준 의사결정자 능력	개인	집단
합리적 (규범적 · 이상적)	① 합리모형	–
인지적 (실증적 · 현실적)	① 만족모형 ② 점증모형	① 회사모형 ② 쓰레기통모형 ③ 사이버네틱스모형

용어정리	① **분석의 수준(개인 혹은 집단)** : 개인의 의사결정을 설명하는 모형과 집단의 의사결정을 기술하는 모델
	② **의사결정자의 능력**
	  ⊙ **합리적** : 의사결정자는 모든 정보를 보유한 완벽한 인간
	  ⓒ **인지적** : 의사결정자는 한정된 정보(제한된 합리성)를 지닌 불완전한 존재
	③ **참고**
	  ⊙ **규범적** : 이상적인 방향 제시
	  ⓒ **실증적** : 실제 현실에서 나타나는 현상을 기술하는 것

2 개인적 차원의 정책결정모형 종류

1) 합리모형 : 최선의 대안 선택

틀잡기	
의의	① 의사결정을 위해 구체적인 목표를 정하고 목표를 달성할 수 있는 모든 대안을 탐색한 후 각 대안을 비교·분석하여 **최선의 대안(가장 능률적인 대안)을 선택하는 현상**을 설명하는 모형 ② 합리모형은 정책결정자가 **완전한 합리성(절대적 합리성·내용적 합리성)**을 가지고 있고, 이에 기초하여 효용을 계산하며 효용을 극대화할 수 있는 최선의 정책대안을 찾아낼 수 있다고 간주

특징	완전합리성	의사결정자가 목표를 달성하기 위한 모든 정보를 보유하고 있고, 이를 분석할 수 있으며, 미래에 대한 분명한 선호를 바탕으로 의사를 결정할 수 있다고 믿는 합리성
	총체주의	모든 정보 및 대안을 탐색한다는 면에서 합리모형을 총체적 방법 혹은 총체주의라고 부름
	경제인	① 의사결정자는 완전한 정보를 바탕으로 이를 비교·분석할 수 있는 존재 ② 이는 모든 정보를 바탕으로 효용극대화의 논리에 따라 소비행동을 하는 '경제인(economic man)'의 가정과 매우 유사함
	전체적 최적화	① **최선의 대안선택 추구** ② 포괄적·총체적 문제인지 및 구체적인 목표의 설정을 중시하고 대안 역시 총체적·체계적으로 빠짐없이 검토한 후 최선의 대안을 선택
	수리적·연역적 분석	비용의 극소화와 결과의 극대화를 추구하기 위해 **수리적·연역적·계량적·순수이론적 지식과 이론(비용편익분석 등)** 활용
	동시적·단발적 분석적·계획적 의사결정	목표를 달성할 수 있는 모든 대안을 동시에 단발적으로 탐색하여 각 대안을 비교·분석한 후 하나의 대안을 결정하는 계획된 순서를 거침

장·단점	장점	① 가장 능률적인 대안을 선택하는바 **경제적인 합리성 제고** ② **개발도상국에서의 급진적인 변화**를 설명하는 데 기여 ③ 즉, 발전도상국가에서는 국민의 참여(투입)가 미흡한 까닭에 엘리트가 경제적 능률성에 기초하여 국가발전사업을 주도해야 하므로 합리모형을 과소평가할 수 없음
	단점	① 정교한 분석으로 인해서 **시간과 비용이 많이 투입** → 오히려 비경제적인 모형이 될 수 있음 ② 합리모형은 단지 **이상적인 모형(규범적)**으로서 현실에서 활용하는데 한계가 있음 ③ 정책문제 해결에 있어서 분석을 강조하는 까닭에 **외적인 요인(외부의 지지)에 대한 고려가 없으며** 정책결정자의 의사결정을 미시적으로 강조 → 폐쇄적인 분석과정 ④ **매몰비용(기존의 결정)이나 현실을 무시**하고 최선의 대안이라는 이상을 추구함

2) 만족모형 : 만족할만한 수준의 정책결정

틀잡기	완전합리성 합리모형 ◄─── 비 ─── 만족모형		
의의	① 사이먼은 현실적 제약조건(완전합리성 비판)을 고려하여 '제한된 합리성(한정된 정보보유)'에 기초한 정책결정모형을 제시 　→ 합리모형의 절대적 합리성에 대한 도전이자, 인간의 인지능력 한계라는 요소에서 출발 ② 인간은 현실적으로 **만족할 수 있는 수준**에서 대안선택 = 제한된 합리성 → 절차적 합리성		
특징	**행정인**	만족모형에서는 인간을 제한된 합리성을 가지고 만족할 만한 수준에서 결정하는 존재인 '행정인(administrative man)'으로 가정	
특징	**폐쇄체제 관점**	① 정책결정의 환경이나 정부의 구조 등 정책결정에 영향을 미치는 환경적 요인을 고려하지 못함 ② 정책결정자의 의사결정만을 미시적으로 강조	
특징	**무작위적 · 순차적 대안탐색**	모든 대안을 탐색하지 않고 무작위적이고 순차적으로(직렬적으로) 몇 개의 대안을 탐색하며, 복잡한 상황을 단순화시켜 대안의 중요한 결과만을 예측	
장 · 단점	**장점**	① **현실적인 모형** → 현실에서는 대다수의 의사결정이 제한된 합리성에 기초 ② 합리모형에 비해 상대적으로 결정에 있어서 시간과 비용이 적게 소요되는 현상을 설명할 수 있음	
장 · 단점	**단점**	① 만족할 만한 대안이란 **주관적인** 것이어서 대안선택의 객관적 기준을 제시하기 어려움 ② 미래 지향적 혹은 개혁적 결정보다는 **보수적이거나 현상유지적인 결정**에 치우칠 가능성이 큼 ③ 개인적인 차원의 연구에 집중하는바 **조직적인 차원의 의사결정**을 설명하기 어려움	

구분	합리모형	만족모형
합리성	① 완전한 · 절대적 합리성 ② 경제적 합리성	제한된 합리성 + 절차적 합리성
인간관	경제인	행정인
결정기준	최선의 대안	만족스러운 대안
변화의 수준	쇄신적 · 근본적 변화추구	만족스러운 수준의 변화
대안탐색	모든 대안을 동시에 탐색 (병렬적)	무작위적이고 순차적으로 몇 개의 대안을 탐색 (직렬적) → 상황의 단순화
모형의 성격	규범적 · 이상적	인지적 · 실증적

기타
(비교표)

3) 점증모형 : 점진적으로 소폭의 가감 추구

틀잡기	제한된 합리성 만족모형 →(영) 점증모형	기존 정책 ± @ ① 소폭의 가감 시 국민 간 합의·토론(선진국) ② 기존 정책을 고려하는바 매몰비용 인정, 보수적 결정, 경직성 등 ③ 제한된 합리성·정치적 합리성
의의	제한된 합리성에 기초	① 점증주의가 합리모형의 비판에서부터 출발한다는 점에서 사이먼의 만족모형과 유사함 ② 즉, 린드블롬과 윌다브스키가 제시한 점증모형은 사이먼이 주장한 제한된 합리성에 기초함
	가분적 결정 (muddling through model)	① 현재의 정책에서 소폭의 변화만을 대안으로 고려하여 정책을 결정 ② 시간의 흐름에 따라 주어진 정보를 분석하여 잘못된 점이 있으면 수정 혹은 보완하는 식으로 연속적인 정책결정을 하는 게 인간이라고 주장하는 모형 ② (참고) Muddling through model : 의사결정은 마치 사람이 진흙 속을 비비적거리면서 간신히 헤쳐나 가는 것과 같다는 것
	이해관계자의 합의·타협 반영	기존 정책에서 소폭의 가감을 진행할 때 이해관계자들의 합의 및 타협과 조정을 반영
특징		① 목표와 수단 사이의 상호조절 인정 → 정책의 목표와 수단이 뚜렷이 구분되지 않으므로 목표와 수단 사이의 관계분석은 한계가 있음 ② 점증모형은 소극적 환류 또는 수확체감의 법칙이 작용하는 영역에서 작동 → 즉, 완만한 변동을 설명하는 모형
장점		① 모든 대안을 탐색하지 않는바 의사결정시 시간과 비용을 절약할 수 있음 ② 정치적 갈등 완화(정치적 합리성) → 점진적 개선을 위해 사람들의 견해를 수용 ③ 안정된 사회 혹은 민주적 사회에서 실효성이 큼 → 큰 변화를 요구하지 않는 사회, 즉 선진국에서 적합한 모형 ④ 현실적인 모형 → 합리모형처럼 이상적인 결정을 추구하지 않음 ⑤ 기존 정책에 대한 추가와 삭제의 형태로 정책이 결정되는바 환경변화를 고려한 계속적 결정을 추구
단점		① 타협과 조정의 과정에서 집단이기주의가 발생할 수 있음 ② 급진적 변화를 추구하지 않는바 경직성을 띔 ③ 얼만큼의 변화를 소폭의 변화로 볼 것인지 명확하지 않음
용어정리	수확체감	점진적 변화 : 점증모형에 적합 → (예) 근육량 증가
	수확체증	급진적 변화 : 합리모형에 적합 → (예) 제약사의 신약개발로 인한 수익증가
	님비(NIMBY) 현상	① 혐오시설 등을 자기 집주변에 두지 않으려고 지역주민들이 반대하는 현상 → 글자 그대로 '내 뒷마당에 서는 안 된다'는 것으로 지역이기주의의 의미로 사용 ② NIMBY(Not in my backyard)의 반대말은 PIMFY(Please, in my front yard) 또는 IMFY(In my front yard)로 지역에 유리한 사업을 서로 유치하려는 현상임

Section 02 집단적 차원의 의사결정 모형　　　● 10 day

1 집단적 차원의 정책결정모형 종류

1) 회사모형 : 민간회사도 완벽한 결정을 지양함

틀잡기	민간회사 = 인지적 존재(불완전한 존재)	
의의	① 사이어트와 마치가 개발한 모형으로써 사이먼과 마치가 고안한 조직모형을 민간회사에 적용함 ② 민간기업은 최선의 대안을 선택하려는 합리적 행위자가 아니라 **인지적 한계가 있는 불완전한 존재** ③ 회사는 장기적 목표보다 단기적 **목표를 추구**하며, 회사 내 하위부서들은 부서이기주의를 추구 ④ 회사는 조직의 전체목표인 이윤극대화와 더불어 다른 목표도 추구하는 복잡한 존재 → **회사는 상이한 개성과 목표를 가진 독립적이고 다양한 개인(또는 하부조직)의 느슨한 연합체**	
특징	**갈등의 준해결 (잠정적 해결)**	① 조직 내 갈등의 완전한 해결은 불가능하며 타협적 준해결에 그침 ② 즉, 하위조직 간 상이한 목표로 인한 갈등은 일반적으로 부서 간 협상을 통해 해결 ③ 조직 내 상하관계 등에서 나타나는 권력적 측면이 의사결정에 미치는 영향을 간과
	불확실성에 대한 대응	단기적인 전략 추구 → 타협을 통해 예측이 가능한 결정 선호
	문제중심의 탐색	회사는 정책결정능력의 한계로 인해 관심이 가는 문제(당면한 문제)를 중심으로 대안을 탐색
	표준운영절차 수립	① 의사결정자의 경험 축적을 통해 효율적인 결정절차(SOP)를 마련함 ② 느슨하게 연결된 하위 조직체들은 표준운영절차를 통해 적응적인 의사결정을 추구
	조직의 학습	조직의 학습은 반복적인 의사결정의 경험이 전수되는 과정이므로 시간의 흐름에 따라 결정수준이 개선되고 목표달성도가 높아지게 됨
	국지적 합리성	① 회사는 당면한 문제를 여러 하위문제로 분해하고 이를 하위 조직에게 분담시킴 ② 즉, 해결할 문제를 독립적인 단순한 문제로 전환하여 이러한 작은 부분에 대해서만 합리성을 추구함 　→ 이처럼 회사는 부분적인 합리성을 도모하여 전체적 합리성을 확보하고자 함
기타	① 회사모형에서 회사는 다양한 이해관계를 지닌 하부조직의 느슨한 연합체임 → 따라서 회사모형은 연합모형 또는 조직모형이라 불리기도 함 ② 정부조직과 같은 공공조직의 정책결정에 적용하기 어려움 ③ 방법론적 개체주의 적용 → 개인의 의사결정원리를 집단차원에 그대로 유추·적용하여 조직의 의사결정을 설명	

2) 쓰레기통모형 : 혼란스러운 상황에서 발생하는 비합리적인 결정을 설명

틀잡기	
	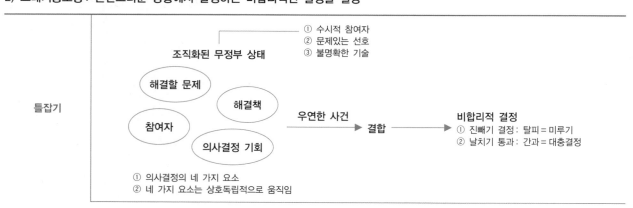

		문제성 있는 선호	참여자들은 자신이 선호하는 것이 무엇인지도 모른 채 의사결정에 참여
틀잡기	용어정리	불명확한 기술	참여자들은 최적 수단이 무엇인지 모른 채 의사결정에 참여
		수시적 참여자	참여자들은 의사결정에 참여하기도 하고 참여하지 않기도 함
		참고	날치기 통과를 끼워넣기(by oversight), 진빼기 결정을 미뤄두기(by flight)로 번역하는 경우도 있음
내용	① 사이먼의 제한된 합리성을 인정하는 **인지적 모형**이므로 현실적합성이 높은 모형이며, **집단의 비합리적 의사결정을 설명** ② 중심권위가 부재한(의회·대학조직 등) 조직화된 무정부 상태, 즉, **정상적인 권위구조와 결정규칙이 작동하지 않는 경우**에 **발생**하는 비합리적인 의사결정을 묘사하는 모형 ③ **코헨과 마치 등**에 따르면 의사결정이 이루어지기 위한 네 가지 조건으로 해결할 문제, 이를 해결할 수 있는 대안(해결책), 의사결정에 참여하는 사람과 의사결정을 할 수 있는 기회가 있음 → 네 가지 조건은 우연한 사건이 발생할 때 결합되며, 이때 발생하는 결정은 비합리적인 경우가 많음			

3) 사이버네틱스모형 : 인공지능의 결정 메커니즘을 활용한 모델

틀잡기	매우 큰 불확실성 어느 정도의 불확실성 설정된 목표 시행착오적(적응적) 학습을 통한 환류 SOP ± @
의의	① 일단 정해진 프로그램대로 결정하고 결정의 결과가 좋지 않으면 수정·보완하는 양태를 설명한 모형 ② 복잡하고 폭넓은 정보탐색을 거치지 않고(변수의 단순화) SOP 혹은 공식적인 규칙에 따라 결정하는 모형 ③ **스타인부르너**가 시스템 공학의 사이버네틱스 개념(인공지능)을 응용하여 관료제에서 이루어지는 정책결정을 묘사함 ④ 📖 자동온도조절장치
예시설명	'자동온도 조절기가 제대로 작동하는 데에는 복잡한 계산이나 절차를 필요로 하지 않는다. 먼저 바라는 범위의 온도(즉, 목표상태)만 지정해주고 너무 추워지면 난방기구를, 반대로 너무 더워지면 냉방기구를 작동시키라는 단순한 원칙만 정해주면 자동적으로 항상 일정 온도를 유지하는 기능을 완수한다는 것이다.' [정책학의 주요 이론 中]
특징	

특징	적응적 의사결정	① 기존의 결정을 그대로 유지 혹은 소폭의 변화를 통해 대응 ② SOP로 설정된 목표를 달성할 수 없을 경우 SOP 조정 ③ 따라서 의사결정의 질은 사전에 설정된 표준운영절차가 얼마나 정교한지에 의해 결정됨
	목적을 지니지 않은 적응적 결정	사이버네틱스 모형은 설정된 목표를 달성하기 위해 SOP를 활용한 적응적 의사결정을 하지만, **설정목표 외 다른 목표를 정하지 않는다는 점에서 목적을 지니지 않은 적응적 의사결정**을 한다고 표현될 수 있음
	불확실성에 대한 대응	결정에 필요한 모든 변수를 고려 × → 일부의 요인만 집중(SOP 등)해서 불확실성에 대응
	집단적 의사결정	집단의 의사결정을 설명하는 모델

DAY — 10

Section 03　기타 모형 : 혼합주사모형 · 최적모형 · 엘리슨모형　　●10 day

1　기타 모형의 종류

1) 혼합주사모형(개인의 의사결정 설명) : 합리모형과 점증모형을 절충한 모형

틀잡기		
의의 · 특징	합리모형 + 점증모형	① 에치오니가 주장한 모형으로서 합리주의와 점증주의가 지니고 있는 각각의 상대적인 장점을 혼용한 모형 ② 정책결정자가 행하는 **결정을 근본적 결정과 세부적 결정으로 구분** ③ 기본적인 방향의 설정을 목적으로 하는 **근본적 결정**을 내리는 데는 고도의 합리성을 추구하는 **합리모형**을 적용(나무보다는 숲을 개괄적으로 파악)하고, 기본방향이 설정된 후에 특정 문제에 대한 **세부적인 결정**을 함에 있어서는 **점증모형을 적용**(숲보다는 나무를 자세하게 파악) ④ 근본적 결정과 세부적 결정(현실적 · 점증적 결정)의 상호보완적인 관계를 통해 합리적이면서도 현실적인 결정을 내릴 수 있음을 설명한 모형
	기타	일반적으로 지나치게 혁신적이지도 않고, 보수적이지도 않은 능동적 사회(적당한 수준의 변화추구)에 적용할 수 있는 모형
예시설명	지난 30년간 자료를 중심으로 **전국의 자연재난 발생현황을 개략적으로 파악**한 다음, 홍수와 지진 등 **두 가지 이상의 재난이 한 해에 동시에 발생한 지역**을 중심으로 다시 **면밀하게 관찰**하여 정책을 결정한다면 혼합주사모형을 활용한 것임 [행정학의 주요 이론 中]	
장점	합리모형의 비현실성과 점증모형의 지나친 보수성을 극복	
단점	① 두 가지 모형의 상황을 명확하게 구분하기 어려운 경우가 많음 → 예컨대, 출제빈도가 높은 영역도 주관성이 개입됨 ② 이론적인 독창성 부족 ③ 정책결정에 있어서 합리모형과 점증모형의 단점을 보완하기 위한 전반적인 방향을 제시했으나 정책결정모형의 기술적 타당성을 높이는 구체적 방법을 제시하지 못하였음	

2) 엘리슨모형(집단의 의사결정 설명) : 합리모형 · 회사모형 · 쓰레기통 모형의 일부 특징을 혼합한 모형

틀잡기	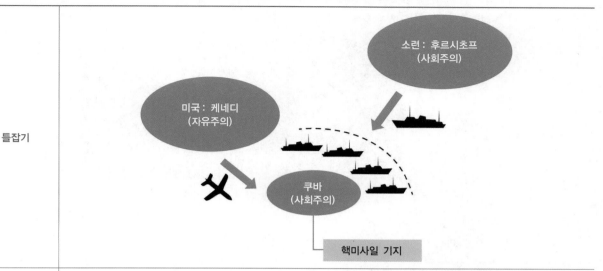
의의	① 쿠바 미사일 사건(1962)에서 나타난 의사결정을 설명하기 위해 합리적 행위자모형, 조직과정모형, 관료정치모형을 통합한 것으로써 이는 한 개의 의사결정모형으로 현상을 설명하는 데 한계가 있다는 것을 지적하면서 만든 모형임 ② 원래 국제정치적 위기(쿠바 미사일 위기)에 대응하는 정책결정을 설명하기 위한 모형으로 고안되었으나, 일반정책에도 적용 가능함
내용	✔ Allison 모형 : 관료정치모형으로 갈수록 사익추구 현상↑

✔ Allison 모형 : 관료정치모형으로 갈수록 사익추구 현상↑

구분	모델 I : 합리적 행위자모형 (합리모형)	모델 II : 조직과정모형 (회사모형)	모델 III : 관료정치모형 (쓰레기통모형)
조직관	조정과 통제가 용이한 유기체 (조직은 하나의 몸)	느슨하게 연결된 하위조직들의 연합체	독립적인 개인 행위자들의 집합체
권력의 소재	최고 지도자	하위조직	개별적 행위자의 정치적 자원
행위자 목표	조직 전체의 목표	조직전체의 목표 +하위조직들의 목표	조직 전체의 목표 +하위조직들의 목표 +개별적 행위자들의 목표
목표의 공유도	강함	약함	매우 약함
정책결정의 일관성	매우 강함	약함	매우 약함
적용 계층	조직 전반	하위 계층	상위 계층
정책결정의 양태	최고지도자 결정	SOP에 의한 결정	정치적 게임의 규칙 (타협, 흥정, 지배)
예시	쿠바미사일 기지 설치	공군정찰기 정찰활동	해안봉쇄령

> **표 설명** 조직관 · 권력의 소재를 이해하면 나머지는 자동으로 정리됨

3) 최적모형(개인의 의사결정 설명) : 합리모형 + 의사결정자의 직관 ⇨ 최적의(optimal) 의사결정

틀잡기	🏴 정주영 공법 : 서산 간척지 사례
	[물막이 공사 전]　　　[물막이 공사 후]
	[그림출처 : jng02 네이버 블로그]
요점정리	합리성 + 초합리성 = 최적의 의사결정 (합리모형) (직관)

	■ 최적모형의 정책결정단계와 국면
정책과정	**상위정책결정(초합리성)** 1. 가치처리 2. 현실처리 3. 문제처리 4. 자원의 조사, 처리 및 개발 5. 정책결정체제의 설계, 평가 및 재설계 6. 문제, 가치, 자원 등의 배분 7. **정책결정전략의 결정** → **정책결정(합리모형 · 합리성)** ※ 합리모형의 절차 1. 자원의 하위배분 2. 구체적인 목표설정 3. 주요 가치 설정 4. 정책대안 탐색 5. 정책대안 결과예측 6. 정책대안 비교 및 평가 7. 최선의 대안 선택 → **후정책결정** 1. 정책**집행**을 위한 동기부여 2. 정책의 **집행** 3. **집행** 후의 정책평가 **환류단계** 위의 모든 국면을 상호연결

의의	① 미국의 정치학자 드로어(Dror)가 합리모형(비현실성)과 점증모형(보수성) 등 기존의 모형을 비판하면서 제시 ② 상위정책결정단계(정책결정준비단계 · 결정을 위한 결정), 정책결정단계, 후정책결정단계(정책집행단계) 등 모든 정책과정에 대하여 초합리성과 합리성을 토대로 새롭게 검토되어야 최적의 결정을 할 수 있다는 이론
특징	① Dror에 따르면 **모든 정책단계에서 기본적으로 초합리성이 필요함** ② 최적모형은 합리성(양적분석)과 초합리성(질적분석)을 활용하여 제한된 인적 · 물적 자원의 범위 내에서 가장 합리적인 최적안을 선택함 → 최적 대안을 선택한다는 점에서 **최적모형은 경제적 합리성의 추구를 기본원리로 가정함** ③ 따라서 합리모형에 가까운 모형이며, 시험에서는 이를 규범적 최적모형이라고 표현하는 경우가 있음 ④ **상위정책결정단계에서는 비정형적 결정상황이 있을 수 있으므로 초합리성을 주로 활용** → 따라서 정책결정과 관련해 위험최소화전략 대신 혁신전략을 취하는 것은 주로 상위정책결정에 해당함 ⑤ 환류과정(체계론적 시각)을 통해 정책성과를 최적화하려는 정책결정모형임

2 참고

하이예스	**정책결정상황에 따른 의사결정**			
	구분	목표 갈등	목표 합의	
	수단적 지식 갈등	점증주의 영역 : 점증모형	수단적인 지식의 문제 : 사이버네틱스 모형	
	수단적 지식 합의	목표에 대한 갈등의 문제 : 점증모형	합리주의 영역 : 합리모형	
집단사고	등장배경	① 재니스는 캐네디 대통령(John F. Kennedy)의 쿠바피그스만 침공사건(1961)의 실패원인은 집단사고(group think)때문이라고 주장 ② **참고** 피그스만 침공사건 : 1961년 4월 카스트로의 쿠바 정부를 전복하기 위해 미국이 훈련시킨 1400명의 쿠바망명자들이 미군과 함께 쿠바 남부를 공격하다 실패한 사건		
	개념	① 폐쇄적인 집단에서 발생하는 오판 → 집단사고가 발생하는 조직에서 집단구성원들은 침묵도 동의로 간주하는 만장일치의 환상을 가지거나, 조직의 판단이 무조건 옳다는 무오류의 환상을 지님 ② 즉, 조직에서 문제해결을 위한 다른 대안을 현실적으로 평가하려는 경향을 억압할 때 나타나는 구성원들의 왜곡되고 비합리적인 사고방식임		
	전제조건	① 집단의 응집성 및 동질성 ② 공정한 지도자의 부재 ③ 의사결정에 관한 절차적 규범의 부족 ④ 전문가 집단으로부터의 정보와 비판적 평가로부터의 차단 → 집단합의에 대한 이의제기를 자기검열을 통해 차단		
	해결방안	① 지명반론자 기법 ② 의사결정 단위를 두 개 이상으로 분할하는 것		
	기타	① 집단사고와 집단적 의사결정은 다른 개념임 ② 집단적 의사결정의 특징 : 다양한 의견과 지식 제시, 집권적 리더가 있을 경우 의견이 제한될 수 있음		

Section 04 불확실성에 대처하기 위한 정책결정   ● 10 day

1 적극적 방안 : 불확실한 것을 확실하게 하려는 방안

불확실성을 유발하는 환경의 통제	① 경쟁대상과의 협상이나 타협 및 계약 ② 경쟁대상과의 협상을 통해 계약을 체결함으로써 불확실성을 유발하는 환경을 통제
모형이나 이론의 개발 및 적용	① 불확실성을 통제할 수 있는 **이론이나 모형을 개발**하여 정책대안과 결과의 관계를 알아내는 방법 ② 시험에서 **정책실험의 수행**으로 표현할 수 있음
정보의 충분한 획득	정책결정을 늦추면서 관련 **정보와 지식을 충분히 수집**
주관적 기법	브레인스토밍, 델파이기법, 정책델파이기법과 같은 주관적 기법 활용

2 **소극적 방안 : 불확실한 것을 주어진 것으로 보고 이에 대처하는 방안**

보수적 결정 : **최소극대화(Maximin) 기준**	최악의 불확실성 · 상황을 가정하고 대안을 모색
가외성	정책목적을 달성하기 위한 **중복적인 수단을** 보유
민감도 분석	① 발생가능성이 있는 다양한 상황을 가정하고 시뮬레이션을 통해 추측 ② 대안의 우선순위에 영향을 미칠 수 있는 파라미터(제3의 변수)를 파악하는 일종의 시뮬레이션 ③ 불완전한 정보를 가지고 있는 모형 내의 파라미터의 변화에 따라 대안의 결과가 어떻게 반응하는지를 분석하는 기법
분기점 분석	① 동등한 결과를 산출하기 위한 여러 가정을 도출하고, 이러한 가정을 해당 분야의 전문가에게 의뢰함 ③ 전문가가 판단했을 때 발생가능성이 가장 높은 가정(대안)을 선택하는 방법
악조건 가중분석	① 최선의 대안은 최악의 상황을, 다른 대안은 최선의 상황을 가정하고 분석 ② 최악의 상황을 가정한 최선의 대안이 가장 우수한 대안일 경우에 대안으로 선택하는 방법
결정의 지연이나 회피	정책결정을 지연 혹은 회피하는 것
복수의 대안 제시	불확실성에 대비하여 2개 이상의 대안을 제시
휴리스틱스(heuristics) **기법**	① 최선의 답보다는 **그럴듯한 답에** 이르게 하는 주먹구구식 탐색규칙(rule of thumb)과 유사 ② **예** 상상의 용이성으로 인한 오류 : 상대적으로 쉬운 판단이 옳다고 믿는 오류 → 10명의 사람을 무작위로 k명의 위원회로 구성한다고 가정하면, k가 8일 때 보다 2일 때 '위원회로 구성되는 경우의 수'가 더 크다고 오판하는 것

CHAPTER **05** 정책집행

Section **01**　　정책집행 연구의 접근법　　 11 day

 틀잡기

- 1973년 Pressman과 Wildavsky(프레스먼과 윌다브스키)의 저서 〈집행론〉에서 정책집행분야에 대한 연구 시작
- 프레스만과 윌다브스키는 존슨 행정부의 실패한 정책, 'The Oakland Project(오클랜드 실업자 구제사업)'를 분석
- 집행과정에서 정책실패를 유발하는 요인 : 많은 참여자와 이들의 반대(공동행위의 복잡성), 주요 관리자의 빈번한 교체, 잘못된 집행기관 선정, 정책내용 자체의 문제(정책의 복잡성 및 부적절성 등)
- 프레스만과 윌다브스키는 정책집행연구의 초기 학자들로서 집행을 정책결정과 분리하지 않고 연속적인 과정으로 정의함
- 즉, 정책집행 과정에서 정책실패를 초래할 수 있는 다양한 요인을 파악(문헌 등 참고)한 뒤 명확한 정책목표와 대안을 선택할 것을 강조
　→ 이후 집행 공무원은 해당 정책을 그대로 집행하면 됨
- 위의 내용이 집행모형 중 하향식 관점에 대한 설명임

1) 하향식과 상향식에 대한 직관적 이해

하향식	결정자 ──구체적인 명령──▶ 집행자
상향식	결정자 ──재량권──▶ 집행자

2) 하향식 · 상향식 · 통합모형

구분	하향식 : 결정자 관점	상향식 : 집행자 관점	통합
개념	① 집행과정에서 정책실패를 초래할 수 있는 요인 파악 ② 명확한 목표·대안설정 후 명령 ③ 집행 공무원의 기계적 순응	① 집행과정에서 정책실패를 초래할 수 있는 요인 파악× ② 개략적인 목표·대안설정 ③ 집행 공무원에게 재량권 부여	① 하향식 + 상향식 → 상향식 강조 ② 예 강의계획
일선관료 재량권	×	○	–
학자	① 프레스먼 & 윌다브스키 ② 사바티어 & 매즈매니언 ③ 반 미터 & 반 호른	립스키 : 일선 관료의 딜레마	① 엘모어 : 전방향 + 후방향 ② 버먼 : 거시적·미시적 집행구조 ③ 사바티어 　㉠ 비교우위접근 　㉡ 정책지지연합모형 ④ 윈터의 통합모형 등
나카무라 & 스몰우드	고전적 기술자형·지시적 위임형	재량적 실험가형·관료적 기업가형	–

기타	① 합리모형 반영 ② 거시적 · 연역적 접근 ③ 정치행정이원론 : 공무원 재량× ④ 일선의 정책반대자 입장을 쉽게 파악할 수 없음	① 점증모형 반영 ② 미시적 · 귀납적 접근 ③ 정치행정일원론 : 공무원 재량○ ④ 정책의 의도하지 않은 효과 분석 ⑤ 대리인 문제○	·

2 하향식 모형

1) 사바티어 & 매즈매니언 : 성공적인 정책집행을 위한 5가지 조건

타당한 인과이론	정책결정의 내용은 타당한 인과이론에 기초해야 함 → 정책결정의 기술적인 타당성 확보
명확한 법령에 기초한 집행	명확한 법령 → 대상집단의 순응을 극대화
유능하고 헌신적인 관료	유능하고 헌신적인(능력 있고 몰입도가 높은) 관료가 정책집행을 담당
이해관계자의 지속적인 지지	정책에 대해 이해관계자로부터 지속적인 지지를 얻어야 함
안정적인 정책목표와 목표의 우선순위	정책목표와 정책목표의 우선순위는 변하지 않고 안정적이어야 함

2) 일반적 견해 : 효과적인 정책집행을 위한 조건　읽어 보기

명확하고 일관성 있는 목표 및 대안	집행과정에서 변하지 않는(일관성 있는) 구체적인 목표와 목표의 우선순위 및 대안
최고 관리자의 리더십	집행과정에서 이해관계자의 저항이나 간섭을 배제할 수 있는 리더십
집행을 위한 자원의 확보	최선의 대안을 집행하기 위한 충분한 자원의 확보
지배기관들(sovereigns)의 지원	정부 기관이나 이해관계자의 지지
단순하고 일사불란한 조직구조	하향론자는 대개 구체적이고, 명확한 상황 속에서 정책집행이 성공한다는 것을 강조

3 상향식 모형 : 립스키의 견해를 중심으로

일선 관료의 개념		① 집행 현장에서 **국민과 직접 접촉**하는 과정 중 상당한 재량권을 행사하는 **하위직 관료**(例 지구대 경찰관 등) ② **일선 관료제** : 대다수 구성원이 일선 관료로 구성된 행정기관
일선 관료의 업무환경 (불확실성↑)	재량권 보유	① 일선 관료는 복잡한 집행현장에 있기 때문에 **집행과정에서 상당한 재량권을 보유**함 ② 단, 모든 하위직 공무원이 재량권을 지니는 건 아님
	권위에 대한 위협 및 도전	집행 현장에서 집행대상의 관료에 대한 위협 및 도전이 있음
	불충분한 자원과 과중한 업무부담	① 집행에 필요한 자원(시간 등)이 부족하기 때문에 과중한 업무에 시달림 ② 例 순찰에 필요한 하위직 경찰관 채용은 꾸준히 증가하고 있음
	모호하고 대립되는 기대	① 일선 관료는 **측정 가능한 업무와 그렇지 않은 업무를 동시에 수행**해야 함 ② 일선 관료는 업무를 수행하는 기관에 대한 고객의 모호하고 대립적인 기대들이 존재하는 업무환경 때문에 가시적 · 비가시적 정책목표를 완벽하게 달성할 수 없는 경우가 많음
	객관적인 성과평가의 어려움	일선 관료는 측정 가능한 업무와 그렇지 않은 업무를 동시에 수행하는바 객관적인 성과평가를 받기가 어려움
일선 관료의 대응	업무의 단순화 · 정형화	일선공무원은 복잡한 업무환경으로 인해 **정책현장이나 대상을 상황별로 단순화**함
	부분적 · 간헐적 집행	불확실한 업무환경으로 인해 일선 관료가 **모든 업무를 완벽하게 해결할 수는 없음**

4 통합모형

정책지지연합모형 (사바티어)	틀잡기		
	용어정리	정책하위체제	정책의 영향을 받거나 관심을 두고 있는 정책참여자 집단
		규범적 핵심신념	자유, 평등 등의 보편적 규범(대다수 정책에 적용) → 낮은 가변성
		정책 핵심신념	정책목표 혹은 정책대안에 대한 인과적 지식
		이차적 핵심신념	행정규칙, 예산배분, 규정의 해석에 대한 결정 → 높은 가변성
	개념	① 집행과정에서 참여자의 학습으로 인해 정책에 불만이 생기면 신념체계에 변화를 야기하게 되고, 이는 정책의 변동(정책의 재결정)을 일으킴 ② 다만, 정책에 대한 신념변화는 천천히 이루어지므로 **정책지지연합모형은 10년 이상의 장기간에 걸친 정책변동을 설명함**		
	기타	① 정책지지연합은 그들의 신념체계가 정부정책에 관철되도록 여론, 정보, 인적자원 등 학습한 내용을 동원함 ② 정책을 둘러싼 **정책하위체계는 복수로 존재할 수 있음** → 각 지지연합은 자신의 신념을 정책으로 관철하기 위해 경쟁 ③ 지지연합모형은 하향적 접근을 인정하므로 외부안정적 요인(정책문제의 특성, 자원의 기본적인 분포, 법적 구조 등)과 외부역동적 요인(사회·경제적 조건의 변화, 통치집단의 변화)을 제시하고 있으며, **정책변동과정에서 정책중재자가 중요한 역할을 할 수 있음을 인정함** ④ 사바티어에 따르면 정책 관련 학습과 함께 외부의 충격(사회경제적 조건 변화 등), 정책하위체계의 내부적 사건, 지지연합 간 합의 등은 정책변동에 영향을 미칠 수 있음		

5 기타 통합모형

적응적 집행 (버먼)	의의	① 버먼은 **정책집행을 정형적 집행(거시적 집행구조)과 적응적 집행(미시적 집행구조)으로 구분**하고 상향적 집행에 해당하는 **적응적 집행(미시적 집행구조)이 중요함을 강조** ② 적응적 집행이란 수정 가능한 정책목표에 의거하여 다수의 참여자가 타협을 통해 정책을 수정·구체화하면서 집행하는 것을 뜻함		
	거시적 집행구조 (하향식)	개념	실질적인 집행이 가능하고 의도한 효과가 발생하도록 프로그램을 어느 정도 구체화하는 것	
		과정	행정	정책결정을 구체적인 행정부의 프로그램으로 전환
			채택	행정을 통해 구체화된 정부프로그램 집행을 담당한 지방정부가 수용
			미시적 집행	지방정부가 선택한 사업을 실행사업으로 구체화
			기술적 타당성	구체화 과정에서 정책목표와 정책수단 간의 인과관계 검토
	미시적 집행구조 (상향식)	① 현장에서 집행하는 것 ② 미시적 집행구조에 따라 동일한 정책도 상이한 결과를 낳을 수 있음 → 집행의 특수성 인정 ③ 미시적 집행구조(미시집행 국면) → 상향식 접근(강조)		
엘모어	① 전방향적(전향적) 접근 + 후방향적(후향적) 접근 → 전방향적 접근은 하향식, 후방향적 접근은 상향식을 의미함 ② 엘모어는 통합모형을 주장한 학자이므로 **후방향적 접근을 강조함**			

윈터	① 윈터는 통합모형을 제시한 학자로서 정책집행의 결과를 설명하기 위한 네 가지 중요한 변수를 설정하고, 그러한 변수들이 하나의 모형에서 융합될 수 있는 방법을 제기함 ② 정책형성과정의 특성, 조직 내 혹은 조직상호간의 집행행태, 일선집행관료의 행태, 정책대상집단의 행태를 정책집행성과를 좌우하는 주요 변수로 제시			
비교우위접근 (사바티어)	① 상향적·하향적 접근법을 상황에 맞게 적용하자는 것 ② 집행과정에서 정책의 성공을 위해 고려할 변수가 적을 때(단순한 상황): 하향식 접근 활용 ③ 집행과정에서 정책의 성공을 위해 고려할 변수가 많을 때(복잡한 상황): 상향식 접근 적용			
매틀랜드	의의	하향적 접근 방법과 상향적 접근 방법이 어떠한 조건 하에서 더 잘 적용되는지, 그리고 이때 중요하게 작용하는 집행변수가 무엇인지를 탐색		

매틀랜드	유형	구분		갈등	
				낮음	높음
		정책목표 모호성	낮음	관리적 집행: 하향식 – 자원확보 중요 –	정치적 집행: 하향식 – 권력관계 중시 –
			높음	실험적 집행: 상향식 – 집행은 학습의 과정 –	상징적 집행: 상향식 – 집행은 해석의 과정 –

6 **참고**

1세대 집행연구	① Pressman & Wildavsky의 하향적 접근 ② 정책집행 실패사례 분석을 통해 집행 저해 요인 분석 ③ 정책결정 연구에 국한되어 있던 연구 초점을 정책집행 분야로 전환
2세대 집행연구	① Sabatier & Mazmanian, Elmore 등의 통합모형 ② 복잡한 정책집행 현상을 설명하기 위한 분석틀의 개발에 중점 ③ 하향적 접근과 상향적 접근을 통합하여 통합적 접근 모형 제시
3세대 집행연구	① 고긴 등의 과학적 방법론을 활용한 집행연구 ② 집행에 영향을 미치는 변수를 발견한 뒤 가설 검증 등 과학적 연구 중시 → 통계적 연구설계의 바탕 위에서 이론의 검증을 시도함

Section 02 ‖ 정책집행가 유형 : Nakamura와 Smallwood를 중심으로　● 11 day

1 나카무라(Nakamura)와 스몰우드(Smallwood)의 정책집행가 유형

• 나카무라와 스몰우드는 정책결정자와 정책집행자의 관계에 따라(권한 보유 여부) 정책결정 및 정책집행이 다르게 나타난다는 것을 주장
• 나카무라와 스몰우드는 정책집행가 유형을 고전적 기술관료형, 지시적 위임형, 협상형, 재량적 실험형, 관료적 기업가형으로 구분함 → 고전적 기술가형에서 관료적 기업가형으로 나아갈수록 정책결정자의 통제는 약해지고 정책집행자의 재량은 커짐

1) 틀잡기

구분		• 관료적 기업가형으로 갈수록 행정인(공무원)의 권한↑ [두문자] 고지협재관] • 표에서 '○'표시는 행정인(공무원·집행가)의 권한을 의미함				
		고전적 기술자형	지시적 위임가형	협상자형	재량적 실험가형	관료적 기업가형 (혁신가형)
정치인 권한 (목표설정)	추상적 목표			목표와 수단에 대해 상호 협상		○
	구체적 목표				○	○
행정인 권한 (수단설정)	행정적 권한		○		○	○
	기술적 권한	○	○		○	○
정책평가기준		효과성	효과성·능률성	주민만족도	수익자대응성	체제유지도
		참고 정책평가기준은 관료적기업가형으로 갈수록 광범위함				

2) 각 집행가 유형에 대한 설명 [읽어 보기]

고전적 기술자형	정책결정자가 구체적인 목표를 설정하면, 정책집행자는 그 목표를 지지하고 목표달성을 위한 기술적인 수단을 강구하는 역할을 담당함
지시적 위임가형	① 정책결정자는 정책목표를 정하고, 집행자는 결정자가 수립한 목표달성에 사용할 수단을 결정함 ② 정책결정자들에 의해 목표가 수립되고 대체적인 방침만 정해진 뒤 나머지 부분은 집행자에게 위임 ③ 오클랜드사업계획 등은 실패사례임
협상가형	① 결정자가 목표를 제시하지만, 목표와 수단에 대해 정책결정자와 집행자가 협상함 ② 즉, 결정자와 집행자 사이에 목표의 바람직성에 대해 필연적으로 합의하지는 않음
재량적 실험가형	① 정책결정자가 추상적인 목표를 설정하면, 정책집행자는 정책결정자를 위해 목표와 수단을 명확하게 하는 역할을 담당함 ② 정부가 암이나 심장질환과 같은 특정한 질병의 해결(⑩ 코로나 백신개발)을 위한 연구를 국립보건기구(전문적 보건의료기관)나 의과대학들에 의뢰하는 경우 등을 예로 들 수 있음
관료적 기업가형	① 정책집행자는 정책결정자로 하여금 자신이 결정한 정책목표를 받아들이도록 설득 또는 강제할 수 있음 ② 정책집행자는 목표를 달성하기 위한 수단을 획득하기 위해 우월한 위치에서 정책결정자와 협상함 ③ 미국 FBI의 국장직을 수행했던 후버(Hoover) 국장이 대표적인 예시에 해당함

Section 03   정책집행의 영향요인 ㎝   ▸ 11 day

틀잡기	1. 정책유형 2. 사업계획의 성격 : 일관성·명확성·소망성 3. 정책대상집단의 성격 4. 정책학습 등 영 ⟶ 정책집행

정책유형	분배정책 > 경쟁적 규제정책 > 보호적 규제정책 > 재분배정책 ※ 재분배정책으로 갈수록 정책집행이 어려움

정책대상집단

유형1

구분		규모 및 조직화 정도	
		강	약
집단의 성격	수혜집단	집행 용이	집행 용이
	희생집단	집행 곤란	집행 용이

유형2

구분		조직화 정도	
		강	약
집단의 규모	수혜집단 > 희생집단	집행 용이	집행 용이
	수혜집단 = 희생집단	집행 곤란	집행 용이
	수혜집단 < 희생집단	집행 곤란	집행 용이

정책학습

구분	유형	내용	하울렛 & 라메쉬
버크랜드	수단적 학습	① 정책수단이나 기법에 대한 학습 ② 정책개입이나 집행설계의 실행가능성을 높임	내생적 학습
	사회적 학습	① 정책목표(정책문제)에 대한 국민의 태도, 정부활동의 본질과 그 타당성까지 검토 ② 이는 단순한 프로그램 관리의 조정수준을 넘어서 정책의 목적들과 정부행동의 성격 및 적합성에 대한 고민을 포함 ③ 즉, 정책문제의 정의 및 목적에 대한 의문제기 등을 포함하며, 이를 통해 정책문제에 내재하는 인과이론을 더 잘 이해할 수 있음	외생적 학습
	정치적 학습	① 정책의 정당성 확보를 위한 학습 ② 주어진 정책적 사고나 문제를 주장하고 그러한 주장을 더 정교하게 하기 위한 전략으로서 정치적 변화를 찬성 또는 반대하기 위한 학습	–
로즈	교훈얻기 학습	다른 지역의 효과적인 프로그램을 조사하여 이를 정책창도자의 관할지역에 도입할 경우 어떤 결과가 나올지 미리 평가하는 것	–
기타	정책학습의 주체는 정책집행의 대상, 정책을 결정하거나 집행하는 자(혹은 집단), 또는 정책참여자 집단(정책창도연합체)일 수도 있음		

CHAPTER **06** 정책평가

Section **01** 정책평가의 유형 ◄ 11 day

- **정책평가**: 정책이 정책목표를 달성했는가, 혹은 계획대로 집행되고 있는가 등을 평가하는 것
- 정책평가의 유형은 **정책평가의 시기에 따라 형성적 평가와 총괄적 평가로 나눌 수 있음**

1 틀잡기

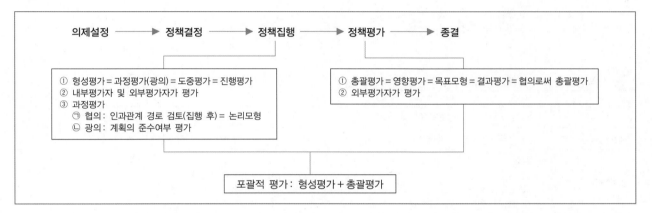

의제설정 ──▶ 정책결정 ──▶ 정책집행 ──▶ 정책평가 ──▶ 종결

① 형성평가 = 과정평가(광의) = 도중평가 = 진행평가
② 내부평가자 및 외부평가자가 평가
③ 과정평가
  ㉠ 협의: 인과관계 경로 검토(집행 후) = 논리모형
  ㉡ 광의: 계획의 준수여부 평가

① 총괄평가 = 영향평가 = 목표모형 = 결과평가 = 협의로써 총괄평가
② 외부평가자가 평가

포괄적 평가: 형성평가 + 총괄평가

2 과정평가 ⒸⒻ

구분	종류	내용
사전 (집행 중)	평가성 검토(사정): 평가가능성 검토	① 정책에 대한 전면적 평가를 시작하기 전에 **평가의 실행가능성, 유용성 등을 조사**하는 일종의 예비평가 → **평가의 범주를 확인**하는 것 ② 공식평가의 결함을 극복하기 위해 W. Dunn이 제시함
	광의의 과정평가 (모니터링·사업감시)	① 계획의 준수여부 평가 ② 정책이 계획한 대로 집행되고 있는지 확인하는 것 → 능률성·효과성 검토
사후 (집행 후)	협의의 과정평가 (논리모형)	① 집행 후 정책집행과정 상의 인과관계 경로 검토 ② 정책프로그램의 요소들과 해결하려는 문제들 사이의 논리적 인과관계를 투입(input) → 활동(activity) → 산출(output) → 결과(outcome)로 도식화 ③ 목표달성 여부를 보여줄 수 있으나 평가의 초점은 목표를 성취하는 과정에 있음 ④ 예 경찰관 채용 → 순찰 → 범인검거 → 범죄율 감소로 이어지는 인과관계의 검증

3 총괄평가 cf

구분	종류	내용
사전 (집행 중)	착수직전분석 (사전분석 · 평가직전분석 · 맥락분석 · 실행가능성 분석)	① 정책평가에 들어가기 직전에 수행하는 평가 ② 새로운 프로그램의 평가를 기획하기 위함 → '기획'에 방점
사후 (집행 후)	협의의 총괄평가 (영향평가 · 결과평가 · 총괄평가 · 목표모형)	① 정책으로 인한 사회적인 변화가 평가의 대상임 ② 정책으로 인해 발생한 직접적 혹은 간접적 영향을 평가
	메타평가 (상위평가 · 메타분석)	① 정책평가 결과를 제3자 혹은 상위기관이 다시 평가하는 것 → 평가에 대한 평가 ② 평가기획, 진행 중인 평가, 완료된 평가를 평가해서 정책평가의 질을 높이고 결과활용을 증진하기 위한 목적으로 활용 ③ 연구결과를 다시 통계적으로 검증하는 것 → 새로운 이론개발과는 무관한 평가

참고
① 총괄평가는 효과성 및 능률성, 공평성 등을 고르게 평가함
② 광의의 총괄평가: 메타평가 + 착수직전분석

4 내부평가와 외부평가: 정책평가의 주체를 중심으로 cf

구분	내부평가(조직구성원에 의한 평가)	외부평가(시민단체 등에 의한 평가)
객관성 · 자율성	중립적이고 자율적 · 객관적인 평가 곤란	중립적이고 자율적 · 객관적인 평가 용이
장점 및 단점	① 장점 　㉠ 전문성 활용 　㉡ 결과의 반영 용이 ② 단점: 공정성의 문제 → 내부 구성원의 견제 등	① 장점 　㉠ 전문성 활용 　㉡ 공정성 확보 ② 단점: 결과의 반영 미흡

5 기타

일반적인 정책평가 절차	① 정책목표의 확인 ② 정책평가 대상 및 평가 기준의 선정: 정책평가 대상 및 평가기준은 정책의 목표를 바탕으로 구성됨 ③ 인과모형의 설정: 목표를 달성하기 위한 대안을 설정하는 단계 ④ 자료의 수집 및 분석: 대안을 추진하는 과정에서 발생하는 여러 정보를 수집하고 분석하는 단계 ⑤ 평가결과의 환류 및 활용	
CIPP 모형	틀잡기	**맥락평가** 투입 ⇒ 과정 ⇒ 산출
	내용	① 정책의 사전형성평가와 사후총괄평가 모두에 적용할 수 있는 모형 → 스터플빔(Stufflbeam)이 의사결정에 필요한 정보를 설계, 획득, 제공하려는 목적으로 구상한 평가모형 ② 상황(맥락)평가(context evaluation), 투입평가(input evaluation), 과정평가(process evaluation), 산출평가(product evaluation)로 구성되어 있음 ③ 상황(맥락: Context) 평가: 조직의 요구, 문제, 상태 분석을 통해 목표설정에 대한 정보를 수집하고 분석 ④ 투입(Input) 평가: 목표를 달성하는 데 필요한 전략 · 자원을 수집 ⑤ 과정(Process) 평가: 프로그램이 계획대로 실행되고 있는지를 정기적으로 점검 → 형성평가 ⑥ 산출(Product) 평가: 프로그램이 종료된 후 성과를 측정 · 해석 · 판단하고 장기적인 효과를 확인 → 총괄평가

Section 02 정책평가 기준 및 설계

> 11 day

- 정책은 실험을 통해 형성되는바 올바른 실험설계에 대한 검증은 정책을 평가하는 기준이 될 수 있음
- 실험의 종류: 진실험 설계, 준실험 설계, 비실험 설계

1 틀잡기

구분	진실험(정교한 실험)	준실험	비실험(예 자가다이어트)
무작위 배정 = '운'에 의한 배정 (표본의 동질성 확보)	○	× (짝짓기 배정)	×
실험집단·비교집단(통제집단) 유무	○	○	× (실험집단만 존재)
내적타당성↑: 정확한 인과관계	←		
외적타당성↑: 일반화 가능성	→		
실험의 실행가능성↑	→		

2 진실험: 순수실험 설계

틀잡기	인출: 확인학습 등 → 실험집단 / 통제집단(비교집단)	**그림 설명** ① 실험집단과 통제집단 무작위 배정(운에 의한 배정) ② 인출 전 각 집단 평균점수 측정(사전측정) ③ 실험집단에 인출실시 ④ 인출 후 각 집단 평균점수 측정(사후측정) ⑤ 결론 도출
개념	① 무작위 배정을 통해 표본의 동질성을 확보 후 내적타당성 저해요인을 인위적으로 모두 통제하여 온전한 인과관계를 드러내는 실험 ② 동질적 통제집단 설계 혹은 통제집단 사전사후측정설계라 불리기도 함	
특징	① 실험집단과 통제집단 모두 존재 ② 무작위 배정을 통해 실험집단과 통제집단의 표본 동질성 확보 → 비슷한 속성을 지닌 표본끼리 구성된 상태 ③ 일반적으로 시험에서 '자연과학실험 = 사회실험 = 진실험'으로 표현 ④ 아직 검증되지 않은 정책 프로그램에 대규모 투자를 하기 전에 그 결과를 미리 평가해 보는 것이 중요한 목적 중 하나임	
한계	① 실험대상자들이 사전측정의 내용에 대해 친숙(유사실험의 반복)하게 되면 사후측정값에 악영향을 미칠 수 있음 → 검사요인 통제의 어려움 ② 실험대상자를 장기간 격리시켜 실험하기 때문에 모방효과와 호손효과가 발생할 수 있음	

3 준실험: 유사실험 설계

1) 개념 및 특징

개념	실험집단과 통제집단을 사전에 선정하지만 두 집단의 동질성을 확보하지 않고 진행하는 실험
특징	① 표본의 동질성을 확보하지 못하여 실험자의 주관적 판단하에 표본을 배정하거나 실험의 모든 과정을 관찰하지 못하는 불연속 구간이 있음 ② 양 집단이 비동질적이기 때문에 선정이 다르고 성숙이 다르게 나타나면서 내적타당도를 저해
예시	 **그림 설명** **고등학교 반 배정과 학교프로그램** ① 1등과 400등을 묶어서(짝을 지어서) 1반으로, 2등과 399등을 묶어서 2반으로 배정함 ② 위의 방법을 지속적으로 진행해서 모든 구성원의 반 배치를 완성함 ③ 이후 실험집단과 비교집단을 지정해서 학교에서 추진하는 교육프로그램의 효과성을 실험할 수 있음

2) 준실험의 종류

	비동질적 비교집단 설계		실험집단과 통제집단에 실험대상을 배정할 때, 사전측정을 통해 비슷한 점수를 받은 대상자끼리 짝을 지어 배정한 후 실험하는 방식 → 일반적인 준실험 설계
축조에 의한 통제 (짝짓기 배정)	사후측정 비교집단 설계		① 정책이 실시된 이후 비교집단을 선정하여 정책평가를 실시하고, 그 결과를 비교하는 방식 ② **참고** 사후측정 비교집단 설계는 비실험으로 보기도 하고, 준실험으로 보기도 하지만 실험집단 측정 후 비교집단을 구성한다는 점에서 준실험으로 보는 견해가 일반적임
	회귀·불연속 설계	개념	① 분명하게 알려진 자격기준에 따라 두 집단을 다르게 구성하여 집단 간 회귀분석의 결과를 비교하는 방식 ② 투입자원이 희소하여 대상 집단의 일부에게만 자원이 공급될 수밖에 없는 경우에 적합한 연구
		예시	① 특정 시험에서 80점 이상의 점수를 받은 사람에게 장학금을 지급하고 졸업 후 장학금을 받은 집단과 받지 못한 집단의 취업률 비교 ② 재학 중 장학금을 받은 집단과 그렇지 않은 집단에 대해 졸업 후 취업률을 비교할 때, 전자가 취업률이 높았다면 연구자가 관찰하지 못한 기간(불연속적 단절 구간)에 장학금의 효과가 있었음을 알 수 있음
단절적 시계열 설계	개념		① 정책이 전국적으로 실시되어 실험집단과 통제집단을 구분하기가 곤란한 경우에 활용하는 실험 ② 즉, 별도의 통제집단 없이 실험집단에 대하여 정책실시 전의 일정 기간 나타났던 산출의 변화와 정책을 집행한 후 일정 기간 발생한 산출의 변화를 비교하는 방법
	예시		
	기타		① 단절적 시계열 비교집단 설계: 단절적 시계열 설계와 비동질적 통제집단설계를 결합한 것으로 **비동질적인 비교집단의 시계열자료와 실험집단의 시계열자료를 비교**하되, 실시 시점을 기준으로 전과 후의 자료를 비교하는 방법 ② 단절적 시계열 설계 혹은 회귀불연속 설계는 연구자의 관찰 기간이 '단절'되는 현상이 있으므로 온전한 실험이 될 수 없음 → 즉, 실험이 과거지향적(retrospective)인 성격을 갖기 때문에 시험에서 준실험설계로 분류하고 있음

4 비실험

개념	① 일반적으로 통제집단 없이 실험집단을 대상으로만 진행하는 실험 ② 圓 단일집단 사전·사후측정 설계: 동일한 정책대상집단에 대한 사전측정과 사후측정을 통해 정책효과를 추정
특징	① 비실험은 온전하지 못한 실험상황을 극복하기 위해 다양한 방법(통계적 통제, 잠재적 통제 등)을 활용 ② 통계적 통제: 결과변수에 영향을 미친다고 생각되는 제3의 변수를 식별하여 제거하는 방법 ③ 잠재적 통제: 전문가의 판단이나 집행자의 판단, 프로그램 참여자의 판단에 의존하는 방법 → 주관성 개입 ④ 인과모형에 의한 추론: 인과적 모델링에 의해서 인과모형을 작성하고 경로분석을 통하여 변수 간의 인과관계 경로에 관한 가설을 검증하는 것

5 기타

1) 자연실험

개념	우연히 발생한 사건(자연스러운 사건)을 활용한 실험
예시	① 동일한 장소의 지진 이전의 재산가치와 지진 이후의 재산가치를 비교하는 것 ② 이는 통제군이 존재하지 않기 때문에 비실험에 가깝다고 할 수 있음 → 혹은 얼마 전에 발생한 지진을 경험한 특정 장소와 사회문화적 특징이 유사한 장소를 실험자가 통제군으로 선정 후 비교한다면 이는 준실험에 가까움
특징	① 준실험 혹은 비실험에 가까운 실험설계 방식 ② 자연실험은 우연히 발생한 현상을 바탕으로 실험을 진행하는 까닭에 사회실험에 비해 비용문제나 윤리적 문제 때문에 어려움을 겪을 가능성이 낮음 ③ 자연실험에서 실험 여건은 자연적인 충격뿐만 아니라 급격한 정책이나 제도변화에 의해서도 형성됨 ④ 독립변수와 종속변수가 서로 영향을 주고받는 동시적 관계에 있을 때(시간적인 선행성이 확보되지 않은 상황) 이를 통제하기 위한 수단으로 자연실험을 이용할 수 있음 → 즉, 우연한 사건으로 말미암아 시간적 선행성이 드러날 수 있음

2) 솔로몬 4집단 설계

틀잡기	검사요인 통제의 어려움 (비) 진실험 ◀── 솔로몬 4집단 설계				
	그림 설명	① 피실험자를 제1실험집단과 제1통제집단, 제2실험집단과 제2통제집단으로 나누고 제2실험집단과 제2통제집단의 경우 사전측정의 부정적 효과를 배제하기 위하여 사전측정을 하지 않음 ② 따라서 솔로몬 4집단 설계는 통제집단 사전·사후 설계와 통제집단 사후 설계의 장점을 지님			
내용	⌐ 솔로몬 4집단 설계				

실험대상			사전측정	처리(독립변수)	사후측정
제1실험집단	집단1	실험집단	○	처리	○
	집단2	통제집단	○		○
제2실험집단	집단3	실험집단	×	처리	○
	집단4	통제집단	×		○

| Section **03** | **정책평가 설계 시 고려할 변수 : 제3의 변수를 중심으로** | 11 day |

1 제3의 변수, 그리고 인과관계

- 정책평가를 할 때 인과관계에 영향을 미치는 다른 변수가 있는지 살펴봐야 함
- 인과관계에 영향을 미치는 변수를 제3의 변수라고 하며, 이에 대한 분석을 잘했을 때 엄밀한 인과관계의 규명 가능성이 커짐

1) 제3의 변수의 종류와 내용

제3의 변수	내용
허위변수	① 독립변수와 종속변수 간에 관계가 없으나, 독립변수와 종속변수의 관계가 있는 것처럼 보이게 만드는 변수 ② 즉, 독립변수인 정책수단의 효과가 전혀 없을 때, 숨어서 정책효과를 가져오는 변수로 정책수단과 정책효과 사이의 인과관계를 완전히 왜곡하는 요인 → 정책평가 시 가장 주의해야 할 변수 ③ 독립변수와 종속변수 모두에게 영향을 미치며 이들 사이의 공동변화를 설명하는 제3의 변수 ④ 예 출동한 소방차의 수와 화재피해액 간에 인과관계가 없는데도 화재의 규모가 영향을 미쳐 인과관계가 있는 것처럼 보이는 경우 화재의 규모는 허위변수임
왜곡변수	① 독립변수와 종속변수의 관계를 상쇄하거나 반대로 변화시키는 변수 ② 예 실제로는 기혼자의 자살률이 미혼자보다 낮은데도 연령 때문에 더 높은 것으로 나타난다면 연령은 왜곡변수임
혼란변수	① 독립변수가 종속변수에 미치는 강도에 영향(두 변수 간의 관계를 과소 혹은 과대평가)을 미치는 변수 ② 독립변수와 종속변수 모두에게 영향을 미치며 이들 사이의 공동변화를 설명하는 제3의 변수 ③ 독립변수와 종속변수 간에 상관관계가 있는 상태에서 두 변수 간의 관계를 과대 또는 과소평가하게 만드는 변수 ④ 예 문제풀이와 성적 간에는 상관성이 있음 → 다만, 배운 지식에 대해 인출하고 있었다면 인출은 문제풀이와 성적에 영향을 주게 되므로 문제풀이가 성적에 어느 정도 영향력을 주는지 혼란스럽게 됨
억제변수 (↔ 허위변수)	① 원래 독립변수와 종속변수 간에 관계가 있음에도 불구하고, 관계가 없는 것처럼 보이게 만드는 변수 ② 예 연봉액이 직장인의 불만에 영향을 주는데도 학력이라는 변수 때문에 영향이 없는 것으로 보이게 한다면 학력은 억제변수임
선행변수	① 독립변수보다 선행하여 독립변수에 영향을 행사하는 변수 ② 독립변수에만 영향을 미침 → 따라서 선행변수를 통제해도 독립변수와 종속변수의 관계는 그대로 유지 ③ 예 학습과정 : 익숙함↑ → 이해도↑ → 암기 ④ 학습과정에서 익숙함은 선행변수에 해당함
매개변수	① 독립변수와 종속변수 사이에 개입하여 두 변수 사이의 관계를 맺어주는 변수 ② 독립변수의 결과인 동시에 종속변수의 원인이 되는 제3의 변수 ③ 매개변수를 통제할 경우, 독립변수와 종속변수 간의 원래 관계가 변할 수 있음 ④ 예 소득↑ → 투표율↑ → 다양한 정책결정 ⑤ ④에서 투표율은 매개변수에 해당함
조절변수	① 독립변수와 종속변수 간에 상호작용 효과를 나타나게 하는 제3의 변수 ② 독립변수가 종속변수에 미치는 영향력을 조절하는 변수 ③ 예 자원봉사활동이 정신건강에 주는 영향을 조사할 때 성별에 따라 결과가 달라질 수 있다면 성별이 조절변수에 해당함

참고

① **독립변수** : 종속변수에 독립적으로 영향을 미치는 원인변수
② **종속변수** : 독립변수에 종속되어 변화하는 결과변수

2) 독립변수·종속변수, 그리고 제3의 변수의 관계 ⓒⅰ

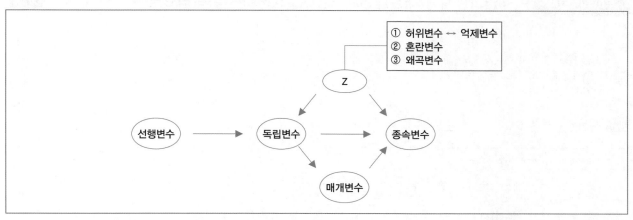

3) 인과관계의 성립 조건 : 인출과 성적의 관계를 생각해 볼 것 ⓒⅰ

시간적 선행성	① 독립변수는 종속변수보다 시간적으로 선행해야 함 ② 정책수단의 집행이 정책목표의 실현에 선행해서 존재해야 함
공동변화	① 독립변수가 변하면 종속변수도 일정한 패턴으로 변화 ② 정책수단의 변화 정도에 따라 정책목표의 달성 정도도 변해야 함
제3의 변수 통제	① 인과관계를 규명하는 데 방해되는 변수를 찾은 후에 통제 ② 특정 정책수단 실현과 정책목표 달성 간 관계를 설명하는 다른 요인이 배제되어야 함

참고

시간적 선행성, 공동변화는 충족하되, 제3의 변수를 통제하지 못했을 때 이를 상관관계라고 함

Section 04   인과관계에 대한 검토 : 타당도와 신뢰도를 중심으로   ● 11 day

- 정책평가를 하려면 실험을 통해 도출한 인과관계를 검토해야 함
- 인과관계 검토와 연관된 개념으로써 '타당도'와 '신뢰도'가 있음

1   타당도의 유형

의의		측정의 정확성
유형 (쿡 & 캠벨)	내적타당도	① **정확한 인과관계의 정도**(인과관계 추론의 정확성) ② 연구에서 우선적으로 확보해야 하는 타당도
	외적타당도	특정 상황, 시기 및 집단에서 얻은 **연구결과의 일반화 가능성**
	구성타당도	① **추상적인 개념을 잘 측정했는가(조작화)를 나타내는 개념** ② 연구에서 이용된 이론적 개념과 이를 측정하는 측정 수단 간의 일치 정도 ③ 예 PSAT(공직적성검사)는 '공직적성'이라는 추상적 개념을 언어논리, 자료해석, 상황판단으로 구성한 후 이를 측정한 시험임
	통계적 결론의 타당도	① 정책수단과 이로 인한 변화 사이에 관련이 있는지에 대한 통계적인 의사결정의 타당성 ② **통계학에서 말하는 제1종 오류와 제2종 오류를 범할 경우 통계적 결론의 타당성은 낮아짐** ③ 정책효과의 측정을 위해 충분히 정밀한 연구 설계가 이루어진 정도를 의미함

2   타당도 저해요인

1) 틀잡기 : 내적타당성을 중심으로

틀잡기	원인 ————→ 결과 : 내적타당성 ↑ Ⓧ ① 제3의 변수 ② 내적타당성 저해요인	
	그림 설명	① 내적타당성 : 정확한 인과관계의 정도 ② 내적 타당성을 저해하는 요소는 외재적 요소와 내재적 요소로 구분할 수 있음 ③ 외재적 요인 : 실험집단과 통제집단을 구성할 때, 두 집단에 다른 피실험자를 할당하면서 나타나는 편견 ④ 내재적 요인 : 정책을 집행하는 동안 평가과정 안에서 나타나는 변화를 일으키는 요인

2) 내적타당도 저해요인

외재적 요인	선발요소 (선발요인 · 선정요인)	실험집단과 통제집단을 구성할 때 두 집단에 서로 다른 성질의 구성원들을 선발하여 실험의 결과를 왜곡하는 현상
내재적 요인	역사요인 (사건효과)	실험 중 우연한 사건이 발생함으로 인해 실험결과에 영향을 미치는 현상
	성숙요인	① 시간의 경과에 따라 조사집단의 속성이 변화해서 실험결과에 악영향을 주는 현상 ② 예 우유급식을 하는 중에 청소년의 자연적인 성숙으로 인해 체중이 증가하는 현상
	상실요인	실험 기간에 조사집단의 일부 또는 전부의 변동으로 인해 실험결과에 영향을 끼치는 현상
	측정수단요인 (도구요인)	① 측정수단 및 기준 등의 변화로 인해 나타나는 오류 ② 사전 · 사후측정 시 사용도구 및 기준 등이 다른 경우에 발생함
	시험효과 (측정요인 · 검사요인 · 실험효과)	① 실험대상자들이 사전측정의 내용에 대해 친숙(유사실험의 반복)하게 되어 사후측정값이 달라지는 것 ② 눈에 띄지 않는 관찰방법 등으로 통제할 수 있음 → 눈에 띄지 않는 관찰이란 피실험자의 실험친숙도 혹은 실험에 대한 학습의 정도를 피실험자가 눈치채지 못하도록 실험자가 파악하는 것임
	회귀인공요소 (통계적 회귀 · 회귀효과)	① 연구대상에 대한 측정과정에서 극단치가 나왔을 때, 결국 평균값으로 회귀하는 현상 ② 따라서 연구과정에서 표본에 대한 극단적인 데이터가 나왔을 때 이를 연구결과에 반영할 경우 정확한 인과관계 추정에 악영향을 줄 수 있음
	오염효과 (확산효과 · 누출효과 · 모방효과)	정책의 실험과정에서 통제집단의 구성원이 실험집단 구성원과 접촉하여 행동을 모방하고 이를 확산시키는 효과
	처치와 상실의 상호작용	실험집단과 비교집단에 무작위 배정이 이루어진 경우라 할지라도 이들 집단에 서로 다른 처치로 인하여 두 집단으로부터 처치기간 중 서로 다른 성질의 구성원들이 상실되는 현상
외재적 요인 + 내재적 요인	선정과 성숙의 상호작용	선발요인과 성숙요인이 모두 나타나는 현상
	선정과 사건의 상호작용	선발요인과 역사요인이 모두 나타나는 현상

3) 외적타당도 저해요인

> 외적타당도 저해요인: 실험의 결과를 다른 집단 · 지역 등에 적용할 때 오류가 생기도록 만드는 요인

호손효과 (실험조작의 반응효과)	실험집단 구성원이 실험대상임을 인식하고 인위적인 행동의 변화를 보임으로써 실험결과를 왜곡하는 현상
크리밍효과 (상이한 실험집단 · 통제집단의 선택과 실험조작의 상호작용)	① 효과가 크게 나타날 사람만 의도적으로 실험집단에 배정한 경우 나타나는 오류 ② 내적타당성과 외적타당성을 모두 저해할 수 있는 요인에 해당함 ③ 크리밍효과는 실험집단과 통제집단이 서로 다르기 때문에 내적타당도를 저해하는 요인이면서, 이를 일반화하는 것도 어렵기 때문에 외적타당도를 저해하는 요인임 ④ 즉, 동등화가 이루어지지 않은 실험집단과 통제집단에 실험적 변수를 작용시킴으로써 거기서 일어나는 상호작용 때문에 예상하지 않았던 효과가 발생할 수 있음
다수적 처리에 의한 간섭	유사한 실험을 여러 번 반복하여 얻은 실험의 결과를 다른 모집단에게 일반화할 때 나타날 수 있는 문제
표본의 대표성 문제 (대표효과)	① 실험집단으로 선정된 표본이 일반화하고자 하는 모집단을 대표할 수 없을 때 실험의 결과를 일반화할 수 없음 ② 즉, 실험집단과 통제집단 간 동질성이 있더라도 두 집단이 사회적 대표성이 없으면 일반화가 곤란함 ③ 예 노량진에서 공부하는 공무원 수험생이 전국 공무원 수험생을 대표한다고 보는 경우 등
실험조작과 측정의 상호작용	① 사전측정이 실험처리에 대한 피조사자의 감각에 영향을 준 경우, 실험결과를 일반화하게 되면 편의가 발생함 ② 즉, 사전측정을 받은 연구대상에 대하여 실험변수를 처리하여 얻은 효과에 관한 결론을, 그러한 사전측정 또는 검사를 받아본 적이 없는 모집단에 일반화할 때 나타날 수 있는 문제점을 의미함

3 신뢰도

의의	측정의 일관성
신뢰도와 타당도의 관계	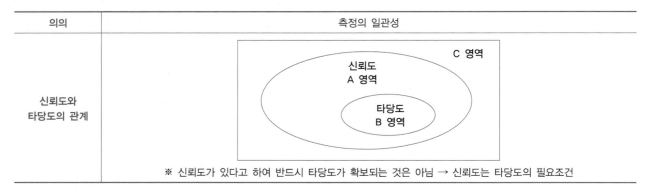 ※ 신뢰도가 있다고 하여 반드시 타당도가 확보되는 것은 아님 → 신뢰도는 타당도의 필요조건

Section 05　　**정책변동**　　　● 11 day

1 정책변동의 유형

- **정책변동**: 당초의 정책이 바뀌는 것 → 즉, 정책목표·수단·대상·집단 등 정책의 내용변화 혹은 정책집행의 방법 등이 바뀌는 것
- 정책은 다양한 이유로 변할 수 있는데, 이를 설명한 모형은 아래와 같음

1) 호그우드와 피터스의 정책변동 유형

정책혁신			① 기존에 없던 새로운 정책을 결정하는 것 → 기존에 없던 정책을 새롭게 형성하여 새로운 목표를 달성하는 것 ② 기존에 없던 정책을 형성하는 과정에서 기존의 조직과 예산을 활용하지 않음
정책유지	개념		① 본래의 정책목표를 달성하기 위해 기본적인 골자는 유지하지만 실질적인 정책내용은 변하지 않음 ② 정책의 기본적 성격이나 정책목표·수단 등이 큰 폭의 변화 없이 모두 그대로 유지되지만, **정책의 구체적 내용에 있어서 부분적 대체나 완만한 변동은 있을 수 있음**
	사례		① 저소득층 자녀에 대한 교육비 보조를 그 바로 상위계층의 자녀에게 확대하는 것 ② 정부미 방출정책은 유지하면서 추곡수매 예산액을 축소하는 경우 등
정책승계	개념		① **정책의 기본적인 골자를 변화시키는 것** → 실제 정책과정에서 가장 많이 발생 ② **기존의 정책 → 새로운 정책** ③ 즉, 정책변동의 유형 중 정책평가로부터 얻은 정보가 정책채택 단계에서 다시 활용되는 경우로, 정책목표는 유지하면서 정책수단을 새로운 수단으로 대체하는 것
	유형	선형적 승계 (일반적인 승계)	① 정책목표를 변경시키지 않는 범위 내에서 정책내용을 완전히 새로운 것으로 바꾸는 것 ② **예** 과속차량 단속이라는 목표를 변경하지 않고 기존에 경찰관이 현장에서 직접 단속하는 수단을 무인 감시카메라 설치를 통한 단속으로 대체하는 것
		정책분할	하나의 정책이 둘 이상으로 분할되는 것
		정책통합	유사한 둘 이상의 정책이 하나로 통합되는 것 → **정책분할의 반대개념**
		부분종결	일부 정책은 유지되고 일부의 정책은 폐지되는 것 → 정책축소

정책승계	유형	부수적·파생적 승계 (우발적 승계)	① 타 분야의 정책변동에 연계하여 우발적인 변화가 나타나는 형태의 정책승계 ② 새로운 정책의 채택으로 기존 정책의 승계가 일어나는 것
		비선형적 승계	유지, 대체, 종결 또는 추가 등이 복합적으로 나타나는 것
정책종결	정책목표를 달성하기 위한 전반적인 정책수단을 소멸(기존의 정책 소멸)시키고 이를 대체할 다른 정책을 마련하지 않는 것		

2) 기타 정책변동 모형

단절균형모형	① 제도가 어떤 계기에 의해 급격히 변화하는 이유를 설명하는바, **정책이 급격히 변동하는 상황**을 설명하는 데 유용함 ② 이는 **역사적 신제도주의를 적용한 모델**로서 점진적 변동에 따르는 안정과 급격한 변동에 따른 단절을 포괄적으로 다루고 있기 때문에 점증주의 시각의 한계를 보완·발전시킨 이론임
정책패러다임 변동모형(Hall)	정책목표, 정책수단, 정책환경의 3가지 변수 중 **정책목표와 정책수단에 급격한 변화**로 인해 발생하는 정책변동을 설명
제도의 협착모형	① 제도의 협착(경로의존성)은 역사적 신제도주의에서 나오는 표현임 ② 역사적 신제도주의는 비합리적인 제도라도 한 번 정착하면 경로의존성을 띠면서 정체상태를 보이는 현상을 설명하고 있음 ③ 이는 정책(제도)의 변화가 쉽지 않은 이유를 설명하는 모형에 해당함 ④ 단절균형모형과 제도의 협착모형을 역사적 신제도주의로 보는 견해도 있음

이익집단 위상변동모형	틀잡기	
	내용	① 무치아로니(Mucciaroni)는 제도적 맥락(institutional context)과 이슈맥락(issue context)이 정책의 유지 및 변동과 이익집단위상의 변동을 가져올 수 있음을 강조 ② 이익집단 위상변동모형은 정책과정에서 이익집단의 위상변동이 정책내용의 변동을 야기한다고 주장 ③ 무치아로니는 이슈맥락보다 제도적 맥락을 중시함
	용어정리	제도적 맥락: 국회의결, 법원판결 등 제도적 참여자가 정책유지·변동 및 이익집단에게 영향을 주는 것 이슈 맥락: 공식화되지 않은 사회적 이슈가 정책의 유지·변동 및 이익집단에게 영향을 미치는 것

최욱진 행정학

합격까지 박문각

조직론

CHAPTER **01** 조직구조론

1 틀잡기

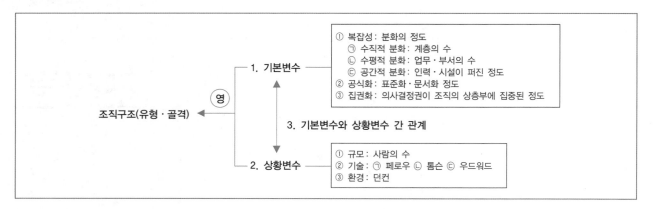

조직구조(유형·골격) ◀─── 영 ───

1. 기본변수
   ① 복잡성 : 분화의 정도
      ㉠ 수직적 분화 : 계층의 수
      ㉡ 수평적 분화 : 업무·부서의 수
      ㉢ 공간적 분화 : 인력·시설이 퍼진 정도
   ② 공식화 : 표준화·문서화 정도
   ③ 집권화 : 의사결정권이 조직의 상층부에 집중된 정도

3. 기본변수와 상황변수 간 관계

2. 상황변수
   ① 규모 : 사람의 수
   ② 기술 : ㉠ 페로우 ㉡ 톰슨 ㉢ 우드워드
   ③ 환경 : 던컨

2 기본변수 : 복잡성·공식화·집권화 읽어 보기

1) 집권화

개념	의사결정권이 조직 상층부에 집중된 정도
장점	① 집권화는 많은 의사결정권을 토대로 조직 내 **통일성을 촉진**할 수 있음 ② 의사결정을 내리는 사람의 수가 적은 까닭에 **신속한 업무의 처리**로 경비를 절약할 수 있으며, (의사결정권을 가진 리더가 유능하다면) 위기에 빠르게 대처할 수 있음 ③ 상명하복을 기초로 조직의 통합·조정을 수행하는바 **행정기능의 중복과 혼란을 피할 수 있고** 분열을 억제할 수 있음 ④ 전문적 기술의 활용가능성 향상과 경비절감 → 관료제를 생각할 것
단점	① 획일주의로 변질되어 조직의 탄력성을 잃게 하기 쉬움 ② 모든 결정권이 최고 관리자에게 집중된 까닭에, 부하의 **창의성, 자주성, 자발적 혁신성을 저해**할 수 있음

기타	**집권화의 촉진요인**	**분권화의 촉진요인**
	• 분업의 심화로 인해 행정조정이 곤란할 때 → 부서 간 횡적 조정이 어려운 경우 • **소규모 신설조직** : 역사가 짧은 신설조직은 선례가 없기 때문에 설립자의 지시에 많이 의존하게 되어 집권화 경향이 높아짐 • 조직의 규모가 작으면 관리자가 모든 문제를 소상히 알고 부하를 적절히 관리할 수 있어 집권화가 보다 능률적임 • **교통·통신기술의 발전** : 교통이나 통신이 발전하면 통일성 있는 행정에 유리함 • 하급자나 하급기관의 역량이 부족한 경우 • 구성원이 규칙과 절차의 합리성·효율성에 대해 신뢰하고 있을 때	• 환경이 불확실(급변하는 환경)하여 신속한 업무수행이나 대응이 필요할 때 • 탄력적 업무수행이 요구될 때 • 원활한 지식의 공유로 인한 기술 수준의 고도화와 인적 전문화 및 능력향상 • 조직 내 관리자 육성 및 동기부여 • 개인의 참여 확대·창의성 발휘가 요구될 때 • 조직 내 민주화가 촉진되고 있을 때

2) 복잡성

개념	조직의 분화 정도	
유형	**수평적 분화**	조직이 수행하는 업무의 세분화 → 업무의 수
	수직적 분화	조직구조의 깊이를 가리키는 용어 : 계층의 최상층부터 최하층에 이르는 계층의 수를 의미 → 계층의 수
	공간적(장소적) 분화	조직의 물리적인 시설(사무실, 공장, 창고 등)과 구성원이 지역적으로 분산된 정도
기타	조직구조의 지나친 복잡성 증대가 조직의 효과성을 저해할 수도 있다는 사실에 주목해야 함 → 즉, 조직구조의 복잡성이 높아질수록 (분화의 정도가 높으면) 관리자는 의사전달, 조정, 통제 등의 문제를 다루는 데 주의를 기울여야 함	

3) 공식화

개념	행동을 표준화하는 문서화·규정화 정도
장점	① 행동표준화에 따른 손쉬운 통제 가능 ② 공식화의 정도가 높을수록 조직 내에 어떤 행동이 있을 수 있고, 그 결과에 대한 **예측가능성이 높아짐**
단점	① 조직구성원의 자율성 축소 → 규칙을 통해 행동양식을 정형화하면 구성원의 창의성을 저하시키고, 변화를 기피하게 만듦 ② 공무원의 경우 규칙과 규정에 의존해서 업무를 수행한다는 사실 자체는 문제가 없으나, **지나친 문서주의는 번문욕례를** 초래할 수 있음 ③ 일반적으로 공식화의 정도가 높을수록 조직은 경직성을 띠므로 **조직적응력(환경적응)은 떨어짐**

---

3 상황변수 : 규모 · 기술 · 환경 등

1) 규모 : 조직의 크기 ⇨ 구성원의 수 · 예산의 크기 등

규모와 기본변수의 관계	비고	복잡성	공식화	집권화
	규모↑	+	+	−
표에 대한 설명	① 일반적으로 조직의 규모가 커지면 조직 내 부서의 수와 계층의 수가 증가함 ② 조직의 규모가 커지면 조직 내 규칙의 수가 많아짐 ③ 조직의 규모가 커지면 중간관리자의 수가 많아짐 ④ 조직의 규모가 클수록 조직의 계층과 부서는 분화되는 까닭에 조직 내 구성원의 응집력은 약해짐			

2) 기술 : 조직의 투입을 산출로 전환하는 데 필요한 지식 및 기술(skills)

① 페로우의 기술유형과 조직구조

- 페로우는 분석가능성과 과업다양성을 기준으로 조직이 활용하는 기술의 유형을 분류함
- 아울러 조직이 사용하는 기술의 유형에 따라 적합한 조직구조가 달라질 수 있음

구분		분석의 가능성 : 대안 탐색의 가능성	
		높음	낮음
과업의 다양성 : 예외적 사건	다수	공학적인 기술 • 다소 기계적 조직 : 다소 높은 공식화·집권화 • 중간의 통솔범위	비일상적인(비정형화된) 기술 • 유기적 조직 : 낮은 공식화·집권화 • 좁은 통솔범위
	소수	일상적인(정형화된) 기술 • 기계적 조직 : 높은 공식화·집권화 • 넓은 통솔범위	장인(기예적) 기술 • 다소 유기적 조직 : 다소 낮은 공식화·집권화 • 중간의 통솔범위

② 페로우의 기술유형과 조직구조 표 설명 읽어보기

일상적 기술 (정형적 기술)	⊙ 일상기술은 과제다양성이 낮고 분석가능성이 높아 표준화 가능성이 큼 ⓒ 일상적 기술일수록 공식화와 집권화가 높아짐 ⓒ 예 표준화된 제품의 대량생산, TV 조립공정 등
비일상적 기술 (비정형적 기술)	⊙ 업무분석도 어렵고 과제다양성도 높은 경우 비일상적 수준의 높은 기술력이 필요함 ⓒ 비일상적 기술을 사용할수록 분권화는 높고, 공식화는 낮아짐 ⓒ 조직이 불확실한 환경에 대응을 적절하게 하기 위해서는 한 명의 상관이 통제하는 부하의 수가 많은 것보다는 적은 것이 유리함 → 따라서 비일상 기술을 활용하는 조직은 일반적으로 좁은 통솔범위의 형태를 지님(페로우의 견해) ⓔ 예 우주항공산업분야
공학적 기술	⊙ 업무분석이 상대적으로 쉽지만 과제다양성이 높은 경우 공학적 수준의 기술이 요구됨 → 과제의 다양성과 문제의 분석가능성이 모두 높아 직무수행이 복잡하지만 고도의 공학기술로 이를 해결할 수 있음 ⓒ 즉, 공학기술로 인해 분석가능성이 높아지기 때문에 일반적 탐색과정에 의하여 문제가 해결될 수 있음 ⓒ 예 건축물 등을 주문받아서 생산하는 경우, 일기예보 등
장인기술 (기예적 기술)	⊙ 업무분석이 어렵지만 과제다양성이 낮아 업무가 단순한 경우 장인 형태의 기술이 요구됨 ⓒ 과업의 다양성이 낮아서 과업은 단순하지만 분석가능성이 낮기 때문에 장인처럼 특정 업무에 오랜 경험을 쌓고 훈련한 사람이 필요함 ⓒ 조직은 소수의 장인으로 구성되어 있으며, 이들은 수평적 관계이므로 분권적인 의사결정구조를 지니고 있음 ⓔ 예 고급 도자기 생산
기타	⏚ 그림으로 보는 페로우의 기술유형에 따른 조직구조 일상적인 기술　　공학적인 기술　　장인 기술　　비일상적인 기술 ───────────────────────────────► 기계적 구조　　대체로 기계적 구조　　대체로 유기적 구조　　유기적 구조

③ 톰슨의 기술유형과 조직구조

- 톰슨은 기술의 유형을 단위 작업 간의 상호의존성 형태에 따라 세 가지 유형으로 분류
- 상호의존성: 과업을 수행하기 위해 다른 부서와 얼마나 의존적인 관계를 유지하는가를 나타내는 개념
- 예컨대, 어떤 부서의 상호의존성이 낮다는 것은 그 부서가 담당하고 있는 과업을 수행하는 데 다른 부서의 도움이나 자원의 교환, 기타 여러 가지 상호작용 없이 독자적으로 과업을 수행하게 된다는 것

상호의존성	의사전달의 빈도 (상호의존성 정도)	기술	조직구조의 예시	조정 형태
집합적 : 중앙집중적 (pooled)	낮음	중개형 기술 (mediating technology)	보험회사, 부동산 중개소, 은행 등	규칙, 표준화
연속적 (sequential)	중간	연속적 기술 (long-linked technology)	대량생산 조립라인 등	정기적 회의, 수직적 의사전달, 계획
교호적 (reciprocal)	높음	집약형 기술 (intensive technology)	종합병원, 건축사업	부정기적 회의, 상호조정, 수평적 의사전달, 예정표

3) 환경 : 조직의 경계 밖에 존재하면서 조직 전체나 일부분에 영향을 미칠 가능성이 있는 모든 것

① 던컨의 불확실성과 조직유형 ⓐ

- 던컨은 환경의 복잡성과 역동성을 기준으로 불확실성의 정도를 규정함
- 조직이 직면한 불확실성의 정도에 따라 적합한 조직구조는 달라질 수 있음

환경의 불확실성과 조직설계		환경의 복잡성 : 환경요소의 수	
		단순	복잡
환경의 역동성 : 환경의 변화가능성	안정	낮은 불확실성 기계적 조직구조 집권적, 공식적	다소 낮은 불확실성 기계적 조직구조 다소 집권적, 공식적
	불안정	다소 높은 불확실성 유기적 조직구조 다소 참여적, 분권적	높은 불확실성 유기적 조직구조 참여적, 분권적

4 기본변수와 상황변수 관계

변수 간 관계	구분		복잡성	공식화	집권화
	규모	조직의 규모↑	+	+	−
	환경	불확실성↑	+	−	−
	기술	비일상적 기술↑	+	−	−
표에 대한 설명	① 조직의 규모가 클수록 복잡성이 증대되므로 조직 내 구성원의 응집력이 약해질 수 있음 ② 조직이 비일상적 기술을 많이 활용할 경우 조직은 일반적으로 유기적 구조가 됨 ③ 유기적 구조는 복잡성, 공식화, 집권화의 수준이 낮음 → 단, 유기적 구조라도 다양한 부서에서 구성원을 충원할 경우 복잡성 중에서 수평적 분화의 값은 클 수도 있음 ④ 위의 표에서 불확실성 및 비일상적인 기술의 정도가 높아짐에 따라 복잡성이 커지는 것은 '수평적 복잡성'의 증대를 의미함 ⑤ 만약 조직 규모가 감소하면 공식화와 분권화가 모두 낮아짐				

Section 02   조직구조 형성의 고전적 원리   ● 12 day

1 틀잡기

		분업의 원리 (전문화의 원리)	
조직관리	분업	부성화의 원리	
		참모조직의 원리	
		기능명시의 원리	
	조정·통합	계층제의 원리	
		명령통일의 원리	
		통솔범위의 원리	
		명령계통의 원리	

2 분업에 대한 원리 읽어보기

분업의 원리 (전문화의 원리)	개념	업무를 종류와 성질별로 구분하여 구성원에게 가급적 한 가지의 주된 업무를 분담시켜 조직의 능률 향상을 유도하는 것
	장점	① 분업의 정도가 높을수록 각 직무는 반복적으로 수행되는바 생산성이 제고될 수 있음 ② 구성원의 전문성 제고를 통해 작업전환에 드는 시간(change-over time)을 단축함 ③ 분업의 심화는 전문성 제고를 촉진하기 때문에 작업도구·기계와 그 사용방법을 개선하는 데 기여할 수 있음
	단점	① 분업이 고도화되면 조직구성원에게 업무수행에 대한 흥미상실, 심리적 소외감, 비인간화 등이 생길 수 있음 → 인간의 부품화 ② 분업이 심화되면 부서 간 할거주의, 비협조가 발생할 수 있음 → 부서 간 소통과 조정의 필요성이 커짐 ③ 업무량의 변동이 심하거나 원자재의 공급이 불안정한 경우에는 분업을 유지하기가 어려움 ④ 지나친 분업은 훈련된 무능 등의 역기능을 야기할 수 있음
부성화의 원리		① 일정 기준에 따라 서로 연관된 업무를 묶어 조직 단위를 구성 → 조직 내 동질성 강조 ② 귤릭(Gulick)은 업무분업을 위한 기준으로서 부성화(departmentalization)의 원칙을 제시함 → 이는 목적, 과정, 업무대상(사람 혹은 고객), 장소 등의 4가지 요소에 따라 부서의 업무를 분화시키는 것을 의미함 ③ 즉, 부성화의 원리는 특정한 기준에 따라 부서 단위로 유사한 업무로 묶는 것으로써 기능부서화, 사업부서화, 지역부서화, 혼합부서화(두 개의 부서화 기준을 혼합하는 방식) 등의 방식이 있음
참모조직의 원리		① 조직에서 참모와 계선을 구분하는 것 ② 계선조직의 보완을 위해 참모조직의 필요성은 인정하나, 명령계통의 혼란을 방지하기 위해 참모조직을 명령계통에서 분리해야 한다는 점을 강조
기능명시의 원리		분화된 모든 기능 또는 업무를 명문으로 규정

3 통합(조정)에 대한 원리 읽어 보기

계층제의 원리	개념	① 조직 내의 권한과 책임 및 의무의 정도가 상하의 계층에 따라 다른 조직을 설계하는 것 ② 계층제 내에서 권력은 계층에 따라 자동적으로 배분되고, 상하의 계층 간에는 상명하복의 관계가 형성
	장점	① 하위계층 간 갈등과 분쟁이 발생할 때, 갈등과 분쟁을 해결하고 조정할 수 있어 조직의 통일성과 안정성 유지에 기여 ② 계층별 권한이 명시되어 있기 때문에 행정책임의 한계를 분명히 하는 준거가 됨 ③ 계층을 타고 승진 경로를 제공하는바 구성원의 사기를 앙양 ④ 조직에서 지휘명령 등 의사소통, 특히 상의하달의 통로가 확보
	단점	① 계층수가 증가하게 되면 의사전달의 왜곡이 일어날 수 있음 ② 집권화로 인해 일선 환경의 변화에 신속한 대응이 곤란함 ③ 조직구성원의 개성과 창의성을 저해하고, 조직원의 소속감 혹은 참여의식을 저하시킬 수 있음 ④ 계층제로 인해 분업이 발생하므로 부처할거주의가 발생할 수 있음
명령통일의 원리		① 명령을 내리고 보고를 받는 사람이 한 사람이어야 한다는 것을 의미함 ② 따라서 부하들은 반드시 한 사람의 상관에게 명령에 대한 책임관계를 가짐
통솔범위의 원리		① 부하들을 효과적으로 통솔하기 위해 부하의 수(혹은 조직단위의 수)가 한정되어야 한다는 것을 의미 → 1인의 상관 또는 감독자가 효과적으로 직접 감독할 수 있는 부하의 수(혹은 조직단위의 수)에 관한 원리 ② 통솔범위는 계층제와 밀접한 관련이 있음 → 즉, 통솔의 범위를 좁게 잡으면 계층의 수가 증가하고, 넓게 잡으면 계층의 수가 감소함 ③ 부하의 수가 많을수록 보고의 체계를 잡기가 어려워지는 까닭에 엄격한 명령계통(보고의 체계)에 따라 적절한 상명하복의 관계유지를 위해서는 통솔범위를 좁게 혹은 적절하게 설정해야 함 ④ 통솔범위를 정할 때는 감독자의 능력, 업무의 난이도, 돌발상황의 발생가능성 등 다양한 요소를 고려해야 함
명령계통의 원리 (명령체계 원리)		① 명령의 전달이나 기타 수직적 의사전달은 반드시 각 계층을 포함하는 공식적 통로를 거쳐야 한다는 것 → 즉, 조직 내 구성원을 연결하는 연속된 권한의 흐름으로, 누가 누구에게 보고하는지를 결정하는 것 ② 이를 통해 각 계층의 관리자가 부하들에 대한 통제력 및 조정능력을 강화할 수 있음 ③ 예 분대장 → 소대장 → 중대장

4 통합(조정)에 대한 원리 : 수직적 · 수평적 연결기제를 중심으로 읽어 보기

1) 개념 및 특징

개념	① 공동목적을 달성하기 위하여 구성원의 행동통일을 기하도록 집단적 노력을 질서 있게 배열하는 과정 ② 부서 간 조정을 위해서는 분화된 부서를 연결해 의사소통을 촉진해야 하는데 분화된 조직을 연결하는 방법은 수직적 연결과 수평적 연결로 구분됨
특징	① 전문화에 의한 할거주의 혹은 비협조 등을 해소 ② 조정을 저해하는 요인 : 지나친 전문화 혹은 분권화, 조직의 대규모화(복잡성 증대), 관리자의 조정능력 부족, 횡적인 의사소통 (부서 간 의사소통)의 미흡 등

2) 수직적 연결기제 : 계층 간 연결기제

개념	① 수직적 연결은 하위계층과 최고관리층 간 활동을 조정하는 연결장치를 의미함 ② 즉, 상위계층의 관리자가 하위계층의 관리자를 통제하고 하위계층 간 활동을 조정하는 것을 목적으로 함
수직적 연결을 위한 구조적 장치	① 계층제(상명하복을 통한 갈등 조정 등), 규칙과 계획(계층 간 권한을 규율하는 규칙과 계층조정을 위한 계획), 계층직위의 추가(계층의 직위를 추가하면 통솔의 범위가 축소되는바 조정이 용이해짐), 수직정보시스템(계층 간 전산에 기초한 의사소통) 등이 있음 ② 참고 계획은 규칙보다 장기적인 정보임

3) 수평적 연결기제 : 부서 간 연결기제

개념		수평적 연결은 **동일한 계층 내 부서 간 벽을 허물고, 조직구성원 간의 의사소통을 촉진하는 장치를** 의미함
수평적 연결을 위한 구조적 장치	**정보시스템**	① **정보시스템 활용 → 컴퓨터를 통한 부서 간 정보공유 체계** ② 🅔 인사부서와 재무부서의 정보공유 시스템 등
	연락역할 담당자 **(공식적 권한✕ · 전문성○)**	① 업무 관련성이 있는 특정한 부서와 직접 연결을 위해 연락역할 담당자를 지정하는 것 ② 민츠버그(Mintzberg)에 따르면, 연락역할 담당자는 공식적인 권한이 없지만 조직 내 부문 간 의사전달 문제를 처리함 ③ 연락역할 담당자는 부서 간 소통을 위해 전문성을 지니고 있어야 함 ④ 🅔 오지랖
	임시조직	① **문제에 관련된 부서의 대표로 구성된 임시조직 → 태스크포스와 프로젝트팀** ② 일시적 문제에 대한 부서 간 직접적인 조정장치로서 **여러 부서에서 선발한 직원들로 구성되며 특정 과업이 해결된 후에는 해체됨** ③ 일반적으로 임시작업단은 중요하고 장기적인 임무를, 프로젝트팀은 상대적으로 덜 중요하고 단기적인 임무를 수행하기 위해 형성됨(단, Daft는 반대의 견해)
	연결핀 모형(중간관리자)	① 관리자를 여러 집단 사이의 연결핀으로 삼는 리커트(Likert)의 연결 핀 모형 ② 즉, **조직 내 중간관리자의 역할을 강조함**
	구성원 간 직접 접촉	담당자 간 직접적으로 의사소통하는 방식
	프로젝트 매니저	① **프로젝트 수행을 위해 조정과 연락업무만을 담당하는 통합관리자** ② 프로젝트를 총괄하는 매니저가 해당 프로젝트를 완수하기 위해 다양한 부서에서 인력을 충원하기 때문에 수평적 조정기제에 해당함

CHAPTER **02** 조직유형론

Section 01 조직의 유형

● 12 day

1 틀잡기

조직유형 ⟶ 생산성

> ※ **조직유형론에서 중요한 학자**
> ① 번즈&스토커: 기계적 구조와 유기적 구조
> ② 데프트: 대기2업이 매수했네유
> ③ 민츠버그: 민단기전사애
> ④ 파슨스: 파질 → AGIL 기능에 따른 조직유형

2 번즈 & 스토커: 기계적 구조와 유기적 구조

번즈(Burns)와 스토커(Stalker)는 조직을 둘러싼 환경의 성격 및 특성이 조직구조와 어떻게 관련되는지를 설명하고 있음

틀잡기	복잡성: 높음 공식화: 높음 집권화: 높음 의사소통: 제한적 → 주로 하향식 → **기계적 구조**	복잡성: 낮음 공식화: 낮음 집권화: 낮음 의사소통: 개방적 → 비교적 자유로움 → **유기적 구조**
	기계적 구조: 딱딱한 구조 → 환경적응력↓	유기적 구조: 유연한 구조 → 환경적응력↑

특징	구분	기계적 구조	유기적 구조
	장점	예측 가능성	적응성
	조직 특성	• 좁은 직무 범위(분업화된 체계) • 표준운영절차 • 분명한 책임 관계 • 계층제 → 집권화 • 공식적·몰인간적 대면 관계(제한적 의사소통)	• 넓은 직무 범위 • 적은 규칙·절차 • 모호한 책임 관계 • 분화된 채널(다원화된 의사소통채널) → 분권화 • 비공식적·인간적 대면관계
	상황 조건	• 명확한 조직목표와 과제(안정적인 환경에 적합) • 분업적 과제 • 단순한 과제 • 성과측정 용이 • 금전적 동기 부여 • 권위의 정당성 확보(집권적 구조)	• 모호한 조직목표와 과제 • 분업이 어려운 과제 • 복합적 과제 • 성과측정 어려움 • 복합적 동기부여 • 도전받는 권위

> **참고**
> 기계적 구조와 유기적 구조는 반대되는 개념이므로 한 가지만 잘 공부할 것

3 데프트 (두문자) 대기²업이 매수했네유

1) 틀잡기

오른쪽으로 갈수록 유기적 구조 →

기계적 구조	기능구조	사업구조	매트릭스구조	수평구조	네트워크구조	유기적 구조

2) 기능구조: 기계적 구조 · 관료제

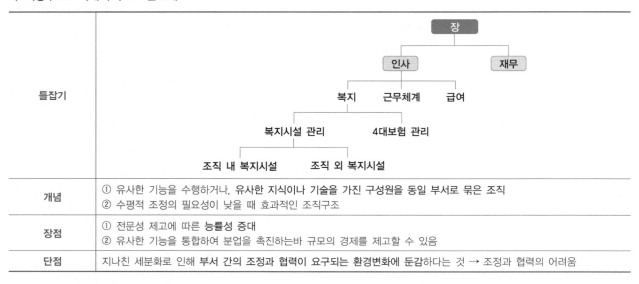

틀잡기	
개념	① 유사한 기능을 수행하거나, 유사한 지식이나 기술을 가진 구성원을 동일 부서로 묶은 조직 ② 수평적 조정의 필요성이 낮을 때 효과적인 조직구조
장점	① 전문성 제고에 따른 **능률성 증대** ② 유사한 기능을 통합하여 분업을 촉진하는바 규모의 경제를 제고할 수 있음
단점	지나친 세분화로 인해 **부서 간의 조정과 협력**이 요구되는 환경변화에 둔감하다는 것 → 조정과 협력의 어려움

3) 사업구조: 사업 단위 조직구조 ⇨ 자기완결적 단위

틀잡기	[조직도: 장 - 핸드폰(산출물), PC(산출물) - 인사부, 제조부, 재무부] ※ 기능구조에 비해 지나친 조직의 세분화 지양 → 사업구조 내 기능부서 간 업무조정 용이
개념	① **자기완결적 단위** → 사업별로 부서화 후 하나의 부서 내에 필요한 모든 기능을 포함한 구조 ② 산출물(사업)에 기반해서 만든 조직구조
장점	① 사업구조의 각 부서는 자기완결적 단위로 **사업부서 내 기능 간 조정**이 용이하므로 환경변화에 좀 더 신축적 · 대응적임 → 기능구조에 비해 지나친 조직의 세분화 지양 ② 특정 산출물별로 운영되므로 **고객만족도**를 제고하고 성과에 대한 책임소재를 분명하게 하여 **성과관리에 유리함** ③ 사업구조는 중간관리자에게 권한을 위임하고 성과에 대한 책임을 묻는 분권화된 조직구조이므로 최고관리층의 업무부담이 경감됨
단점	① 사업구조는 산출물별 생산라인의 중복에 의해 규모경제의 실현이 어려워 **효율성 손실**이 있음 ② 사업부서 간의 경쟁이 지나칠 경우 조직 전반에 부정적 결과를 초래할 수 있음 ③ **부서 내 조정은 용이하나 부서 간 조정은 어려움** → 여기서 부서 간 조정은 사업부 간 조정을 의미

4) 매트릭스구조 : 기능구조 + 사업구조

틀잡기	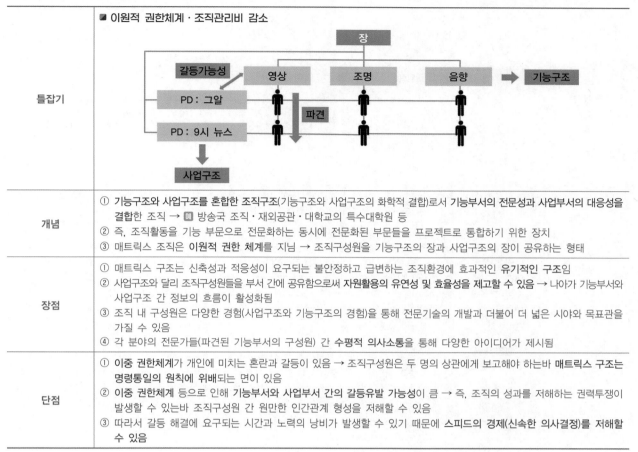
개념	① **기능구조와 사업구조를 혼합한 조직구조**(기능구조와 사업구조의 화학적 결합)로서 **기능부서의 전문성과 사업부서의 대응성**을 **결합한 조직** → 🔟 방송국 조직·재외공관·대학교의 특수대학원 등 ② 즉, 조직활동을 기능 부문으로 전문화하는 동시에 전문화된 부문들을 프로젝트로 통합하기 위한 장치 ③ 매트릭스 조직은 **이원적 권한 체계를 지님** → 조직구성원을 기능구조의 장과 사업구조의 장이 공유하는 형태
장점	① 매트릭스 구조는 신축성과 적응성이 요구되는 불안정하고 급변하는 조직환경에 효과적인 **유기적인 구조임** ② 사업구조와 달리 조직구성원들을 부서 간에 공유함으로써 **자원활용의 유연성 및 효율성을 제고할 수 있음** → 나아가 기능부서와 사업구조 간 정보의 흐름이 활성화됨 ③ 조직 내 구성원은 다양한 경험(사업구조와 기능구조의 경험)을 통해 전문기술의 개발과 더불어 더 넓은 시야와 목표관을 가질 수 있음 ④ 각 분야의 전문가들(파견된 기능부서의 구성원) 간 **수평적 의사소통**을 통해 다양한 아이디어가 제시됨
단점	① 이중 권한체계가 개인에 미치는 혼란과 갈등이 있음 → 조직구성원은 두 명의 상관에게 보고해야 하는바 매트릭스 구조는 **명령통일의 원칙에 위배되는 면이 있음** ② 이중 권한체계 등으로 인해 **기능부서와 사업부서 간의 갈등유발 가능성**이 큼 → 즉, 조직의 성과를 저해하는 권력투쟁이 발생할 수 있는바 조직구성원 간 원만한 인간관계 형성을 저해할 수 있음 ③ 따라서 갈등 해결에 요구되는 시간과 노력의 낭비가 발생할 수 있기 때문에 **스피드의 경제(신속한 의사결정)를 저해할** 수 있음

5) 팀구조 : 수평구조

틀잡기	■ 핵심업무과정 중심 조직구조 A팀 ⟷ 책임자 ⟷ C팀 B팀
개념	① 핵심 업무과정을 중심으로 조직구성원을 조직화한 구조 ② 조직의 구조가 핵심과정에 기초하고 있어서, 핵심과정에 대한 책임을 각 과정조정자가 지게 되는 조직구조 ③ 특정 업무과정에서 일하는 개인을 팀으로 모아 소통과 조정을 쉽게 하고 부서 간 경계를 제거한 **유기적 구조**
장점	① 일선에서 고객의 수요 변화에 **의사결정권을 바탕으로 신속히 대응**할 수 있으며, 이를 통해 조직의 신축성을 제고할 수 있음 ② 부서 간의 경계가 엷어 조직 전체의 관점에서 업무를 이해하게 되고, 팀워크 형성과 조정에 유리 ③ 조직구성원들에게 자율관리, 의사결정권과 책임을 위임함으로써 사기와 직무동기 부여에 기여
단점	① 무임승차자 발생시 업무의 공동화 ② 리더가 무능할 때 구성원 간 갈등 ↑

6) 네트워크 구조 : NPM 조직구조

틀잡기	• 정부는 핵심업무(기획 및 조정·방향잡기) 수행 • 정보통신기술 활용 → 조정 및 통합 유도
개념	① 조직의 자체기능은 핵심역량 위주(기획 및 조정)로 편성하고 여타 기능은 외부 기관들과 계약관계를 통해 수행하는 조직구조 ② 각기 높은 독자성을 지닌 조직단위나 조직 간에 협력적 연계장치로 구성된 조직
특징	① 중심 조직과 외부조직 간 수평적·공개적 의사전달 강조 ② 분권적이며, 동시에 집권적인 의사결정체계 → 핵심 조직은 외부 기관을 조정하면서도 수평적인 관계에서 협력을 지향 ③ 네트워크 기관과 구성원(외부기관) 간의 교류를 통한 신뢰형성이 중요함 → 상호 독립적인 조직들이 상대방의 자원을 활용하기 위해 수직적·수평적 신뢰관계로 연결됨 ④ 수직적·수평적 통합성 지향 → 네트워크 조직은 관료제에 비해서 복잡성이 낮은 유기적 구조임 ⑤ 네트워크는 조직 간에 형성될 수 있고 조직 내의 집단 간에도 형성될 수 있음

장점	환경적응 (유기적 구조)	① 환경변화에 대한 신축적이고 신속한 대응이 가능하며, 자율성을 바탕으로 구성원의 창의력을 발휘할 수 있음 ② 네트워크화를 통해 다양한 업무를 소화하는 까닭에 환경변화에 따른 불확실성을 감소시킬 수 있음 ③ 학습과 통합을 통해 경쟁력을 제고 → 네트워크 조직은 전문성 있는 외부기관이 활용하는 지식을 배울 수 있으며, 분절화가 심하지 않다면 전체 조직 간 조정과 통합을 이룰 수 있음
	간소화된 조직구조	① 작고 능률적인 정부 ② 즉, 위탁을 통해 특정 기능별로 최고의 품질과 최저의 비용의 자원들을 활용할 수 있으면서도, 간소화된 조직구조를 유지할 수 있음
	기타	① 네트워크 조직은 수직적·수평적 통합(낮은 수준의 복잡성)을 지향하므로 조직 내 개인들은 직무의 확충에 따라 직무동기가 유발됨 ② 정보통신망에 의하여 조정되므로 직접 감독에 필요한 많은 지원과 관리인력이 불필요함
단점	분절화의 심화	① 분절화가 심해지면 계약관계에 있는 외부 기관을 직접 통제하기 어려움 → 조정과 감시비용 증가 ② 응집력있는 조직문화를 만드는 데 저해요인으로 작용
	대리인 문제	대리인의 기회주의적 행동이 발생할 수 있음
용어정리	직무확충	동일 직무에 다른 과업을 병행하는 것으로서 직무확장과 직무충실로 구분할 수 있음
	직무확장 (job enlargement)	① 기존의 직무에 수평적으로 연관된 직무요소 또는 기능들을 추가하는 수평적 직무 재설계의 방법 ② 수평적 전문화의 수준이 낮아지는 것
	직무충실 (job enrichment)	① 직무를 맡는 사람의 책임성과 자율성을 높이고, 직무수행에 관한 환류가 원활히 이루어지도록 직무를 재설계하는 방법 ② 수직적 전문화의 수준이 낮아지는 것

4 **민츠버그** 〔두문자〕 민단기전사애

- 민츠버그 조직유형: 단순구조, 기계적 관료제, 전문적 관료제, 사업부제, 임시체제
- 민츠버그에 따르면 조직을 이끌어가는 핵심부문(핵심인력)은 5가지로 구분할 수 있으며, 각 핵심부문(핵심구성부문)이 어떤 관리방식(조정수단)을 채택하는가에 따라 조직의 유형이 달라짐

DAY

12

1) 각 조직의 핵심부문(핵심인력) ⓒ

핵심부문	내용
전략부분(strategic apex) = 최고관리층	① 조직에 관한 전반적 책임을 지는 최고관리층이 있는 곳으로서 조직을 가장 포괄적인 관점에서 관리함 ② 조직의 전략형성
핵심운영부문(operating core) = 작업계층	① 조직의 제품이나 서비스를 생산해 내는 기본적인 일들이 발생하는 곳 ② 즉, 현장에서 실제로 제품이나 서비스를 생산하는 계층
중간부문(middle line)	① 핵심운영부문과 전략부문을 연결하는 기능을 담당하는 중간관리자 ② 특정 부서의 감독과 같은 별도의 관리적 임무를 수행함
기술구조부문(techno structure)	조직의 다양한 부서를 중앙에서 통제·조정하는 전문가들로 업무의 흐름을 설계·수정 및 훈련시키지만 직접 작업은 하지 않음
지원참모(support staff)	① 조직을 간접적으로 지원하며, 직접적으로 작업의 흐름에 관여하지 않는 집단 ② 지원스태프 부문은 기본적인 과업흐름 외에 발생하는 조직의 문제에 대해 지원을 하는 모든 전문가로 구성

2) 민츠버그의 조직유형

<table>
<tr><td colspan="2">분류</td><td>단순구조</td><td>기계적 관료제구조</td><td>전문적 관료제구조</td><td>사업부제구조
(할거적 구조)</td><td>애드호크라시
(임시조직)</td></tr>
<tr><td colspan="2">조정수단(관리방식)</td><td>직접 감독</td><td>업무표준화
(작업과정 표준화)</td><td>지식·기술의
표준화</td><td>산출물의 표준화</td><td>상호조정</td></tr>
<tr><td colspan="2">핵심부문(핵심인력)</td><td>최고관리층
(전략적 정점)</td><td>기술구조</td><td>핵심운영층</td><td>중간관리층</td><td>지원스태프</td></tr>
<tr><td rowspan="5">상황
요인</td><td>역사</td><td>신생 조직</td><td>오래된 조직</td><td>가변적</td><td>오래된 조직</td><td>신생조직</td></tr>
<tr><td>규모</td><td>소규모</td><td>대규모</td><td>가변적</td><td>대규모</td><td>가변적</td></tr>
<tr><td>기술</td><td>단순</td><td>비교적 단순</td><td>복잡</td><td>가변적</td><td>매우 복잡</td></tr>
<tr><td>환경(개방체제)</td><td>단순·불안정</td><td>단순·안정</td><td>복잡·안정</td><td>단순·안정</td><td>복잡·불안정</td></tr>
<tr><td>권력</td><td>최고 관리자</td><td>기술관료</td><td>전문가</td><td>중간관리층</td><td>전문가</td></tr>
<tr><td rowspan="4">구조
요인</td><td>전문화</td><td>낮음</td><td>높음</td><td>높음(수평적)</td><td>중간</td><td>높음(수평적)</td></tr>
<tr><td>공식화</td><td>낮음</td><td>높음</td><td>낮음</td><td>높음</td><td>낮음</td></tr>
<tr><td>통합·조정</td><td>낮음</td><td>낮음</td><td>높음</td><td>낮음</td><td>높음</td></tr>
<tr><td>집권/분권</td><td>집권화</td><td>제한된 수평적
분권화</td><td>수평·수직적
분권화</td><td>제한된 수직적
분권화</td><td>선택적 분권화</td></tr>
<tr><td colspan="2">예</td><td>신생 조직</td><td>행정부</td><td>종합병원·대학교</td><td>재벌조직</td><td>연구소</td></tr>
</table>

3) 일부 조직에 대한 기타내용 읽어 보기

단순구조	① 새로 만든 소규모 조직: 사장 1명, 사원 1명 ② 집권화되고 유기적인 조직구조로서, 단순하고 동태적인 환경에서 주로 발견할 수 있음 ③ 🖼 소규모 편의점
기계적 관료제	① 기계적 관료제의 대표적인 예는 군대를 들 수 있으며, 기술구조는 조직의 업무를 능률적으로 처리하기 위해 업무의 표준화를 지향함 ② 근대 관료제(막스베버의 관료제)와 유사한 까닭에 업무와 조직 단위의 분화 수준이 높고, 단순하고 안정적인 환경에 적절한 조직구조임
전문적 관료제	① 대표적인 예로는 병원 혹은 대학 등이 있음 ② 수평·수직적으로 분권화(계층 간 혹은 부서 간에 분권화된 구조)된 조직형태로서, 복잡하고 안정적인 환경에 적합함 ③ 낮고 불명확한 공식화 → 조직 내 전문가에게 자율성을 부여하기 때문에 낮은 공식화 수준을 특징으로 함 ④ 높은 연결·연락수준 → 조직 내 전문가는 다소 자율적으로 활동하기 때문에 지속적인 교류 및 협력이 필요함
애드호크라시 (임시조직)	애드호크라시는 요구되는 기능 또는 시장의 상황에 따라 구성됨
기타	■ 상황요인 중 환경변수에 대하여 ① 단순·복잡: 조직을 관리할 때 고려할 환경요인의 수 ② 안정·불안정: 조직 밖에 있는 환경이 변화하는 정도

5 파슨스: AGIL 기능에 따른 조직유형

	기능(AGIL)	조직유형	예시
틀잡기	자원조달 및 환경적응(Adaptation)	경제조직	민간기업
	방향성 제시: 목표달성(Goal attainment)	정치조직	정당, 의회, 행정부 등
	일탈방지 및 갈등조정: 통합(Integration)	통합조직	경찰서, 법원 등
	이데올로기 유지(Latent pattern maintenance)	체제유지 (현상유지·형상유지)조직	교육기관, 종교기관 등

각 기능에 대한 용어정리	자원조달 및 환경적응	목표달성을 위해 필요한 자원·정보들을 수집하여 환경의 변동에 대응하는 것
	방향성 제시: 목표달성	환경으로부터 조달된 제 자원을 잘 체계화하여 조직의 목표를 구체화하고 달성하는 작용
	일탈방지 및 갈등조정: 통합	체제의 각 구성요소, 즉 하위체제의 활동을 원활하게 조직화하고 여러 활동 간의 상호조정을 통하여 일탈된 행동을 통제하는 작용
	이데올로기 유지	체제가 지닌 가치체계를 보존하고 제도화된 체제를 유지하는 기능

6 혼돈조직 ⓒ

혼돈조직은 자연과학에서 비롯된 카오스(혼돈)이론, 비선형동학, 복잡성 이론 등을 정부조직에 적용한 조직형태임

참고 카오스(혼돈)이론, 비선형동학(Non-linear), 복잡성 이론 등은 세상을 정밀한 복잡계로 바라보는 이론임

틀잡기		혼돈이론 　　—(영)→　　 혼돈 조직 및 홀로그래픽 조직 ① 불확실성 통제 및 정형화× → 불확실성 수용(조직성장 기회) ② 학습(이중순환고리학습) → 자기조직화(성장 및 적응) 　· 이중순환고리학습 : SOP를 상황에 맞게 수정하는 것
의의	**등장배경**	① 1960년대 기상학자 로렌츠는 미분방정식을 풀던 중 실수로 소수점 셋째자리 미만을 생략하게 됨 → 작고 미세한 실수가 전혀 다른 기상 예측을 낳는 것을 발견 ② 이를 계기로 미세한 오차가 큰 오차로 이어진다는 가설이 제기되었으며, 이후 카오스이론으로 명명된 분야에 대한 연구가 시작됨
	개념	① 혼돈이론에서 상정하는 혼돈은 불확실성이 매우 높은 상태(초기 조건에 극히 민감한 결과를 갖는 시스템·초기치 민감성)를 의미함 → **예** 나비효과 ② 즉, 혼돈이론에 따르면 우리가 직면하고 있는 세상은 불확실성이 매우 높은 복잡계(질서있는 무질서)임 ③ 혼돈이론은 현상을 둘러싼 모든 불확실성을 인간이 예측할 수는 없으니(불확실성을 단순화 및 정형화할 수 없음) 이를 수용하여 조직성장의 기회로 활용할 것을 강조 → 즉, 이중순환고리 학습을 통해 자기조직화를 추구해야 함
내용	**통합적 연구**	① 복잡한 현상을 지나치게 단순화하지 않되, 사소한 조건들의 의미를 파악하려고 노력함 ② 통합적 연구를 지향한다는 점에서 현실세계에 적용하기 어렵다는 한계를 지님
	복잡계론	행정조직은 개인과 집단 그리고 환경적 세력이 교호작용하는 복잡한 체제로 간주 선형적 관계　　　　　　복잡계(비선형적 관계)
	이중순환고리 학습	① 운영규칙의 적절성 자체에 의문을 제기하는 근본적인 학습활동 → 모건의 홀로그래픽 조직설계를 위해 개발된 '학습을 위한 학습 원칙'과 관련성이 높음 ② 따라서 학습효과는 장기간에 걸쳐 폭넓게 나타남 → 조직은 이러한 이중순환학습의 능력을 개발함으로써 스스로 진화할 수 있음 ③ 부정적 환류와 긍정적 환류의 통합적 인식 → 부정적 환류를 통한 균형과 안정만을 중시하는 체제이론과는 달리, 혼돈이론에서는 체제가 부정적 환류과정을 유지함으로써 안정된 규형을 유지할 수 있도록 하는 한편, 역으로 새로운 조건의 변화를 수용하기 위하여 기존의 규범을 수정하고 변화를 추구하는 긍정적 환류를 추구하기도 함
	탈관료제	창의적인 학습과 개혁을 촉진하기 위해 제한적인 무질서를 허용 → **구조적인 경직성 타파** 등
	기타　단일순환고리학습	① 기존 운영규범이 옳다는 전제하에 규칙에서 벗어난 구성원의 행동 오류를 수정하는 것 ② 따라서 학습효과는 빠르고 국소적으로 나타나며 개방적인 조직보다는 폐쇄적인 조직(운영규칙에 대한 의문제기×)에서 발생할 가능성이 높음

7 기타 유형

<table>
<tr><td rowspan="4">콕스</td><td>조직유형</td><td colspan="2">조직 내 문화의 수</td><td>갈등 여부</td></tr>
<tr><td>획일적 조직</td><td colspan="2">조직 내 하나의 문화</td><td>갈등 ×</td></tr>
<tr><td>다원적 조직</td><td colspan="2">조직 내 다양한 문화</td><td>갈등 ○
(다른 문화에 대해 배타적)</td></tr>
<tr><td>다문화적 조직</td><td colspan="2">조직 내 다양한 문화</td><td>갈등 ×
(다른 문화에 대해 존중)</td></tr>
<tr><td rowspan="4">에치오니</td><td colspan="2">권한 및 복종의 형태</td><td>조직의 유형 및 예시</td><td>추구하는 목표</td></tr>
<tr><td colspan="2">① 권한: 강제적 권한
② 복종: 굴복적인 복종</td><td>① 조직의 유형: 강압적 조직
② 예 교도소</td><td>질서유지 목표</td></tr>
<tr><td colspan="2">① 권한: 공리적(보수적) 권한
② 복종: 타산적 복종</td><td>① 조직의 유형: 공리적 조직
② 예 대부분의 사기업</td><td>경제적 목표</td></tr>
<tr><td colspan="2">① 권한: 규범적 권한
② 복종: 도덕적 복종</td><td>① 조직의 유형: 규범적 조직
② 예 종교단체</td><td>문화적 목표</td></tr>
</table>

<table>
<tr><td rowspan="3">키델</td><td>자율적 조직</td><td>분권화된 민주적 조직</td></tr>
<tr><td>통제적 조직</td><td>집권화된 고전적 조직 → 근대적 관료제</td></tr>
<tr><td>협동적 조직</td><td>유기적 현대조직 → 복잡성, 공식화, 집권화 수준이 모두 낮은 편</td></tr>
</table>

<table>
<tr><td rowspan="5">블로우 & 스콧</td><td>조직유형</td><td>예시</td><td>수혜자</td><td>중점</td></tr>
<tr><td>호혜조직</td><td>종교단체, 정당, 근로조합 등</td><td>구성원</td><td>구성원의 참여와 통제를 위한 민주적 절차 수립 → 이를 위해 과두제 현상이 나타나지 않게 해야 함</td></tr>
<tr><td>기업조직</td><td>기업체, 제조회사, 은행, 보험회사 등</td><td>소유주</td><td>능률의 극대화</td></tr>
<tr><td>봉사조직
(서비스조직)</td><td>병원·학교</td><td>고객</td><td>고객에 대한 봉사와 절차 사이의 갈등해결</td></tr>
<tr><td>공익조직</td><td>정부기관, 군대조직, 경찰조직 등</td><td>일반 국민</td><td>국민의 외부통제를 위한 민주적 장치</td></tr>
</table>

<table>
<tr><td rowspan="6">계선과 막료</td><td>계선기관(보조기관)</td><td>막료기관(보좌기관·참모조직)</td></tr>
<tr><td>상명하복 관계를 지닌 수직적·계층적 구조를 형성하는 기관
→ 차관, 실·국장, 과장, 직원 등</td><td>계선기관이 원활한 기능을 수행할 수 있도록 지원하는 기관
→ 차관보, 담당관, 심의관 등</td></tr>
<tr><td>조직목표달성에 직접적 기여</td><td>조직목표달성에 간접적 기여</td></tr>
<tr><td>계층제적 성격(상명하복 관계)</td><td>비계층제적 성격(수평적 관계)</td></tr>
<tr><td>명령권·집행권 행사</td><td>명령권·집행권 없음</td></tr>
<tr><td>현실적·실제적 성향 → 보수적인 성격</td><td>이상적·개혁적 성향</td></tr>
<tr><td></td><td>일반행정가 주축</td><td>전문행정가 주축</td></tr>
</table>

<table>
<tr><td>삼엽조직</td><td>① 조직의 규모를 소규모로 유지하면서(특히 정규직) 산출의 극대화가 가능하도록 설계
② 세 가지 형태의 근로자로 조직을 구성 → 전문직 근로자(정규직), 계약직 근로자(전문성 ○), 비정규직(신축적인)근로자
③ 미래 정보화 사회에서는 위의 세 부문이 조직의 필수적 요소라는 것</td></tr>
<tr><td>공동화 조직</td><td>공동화 조직 = 네트워크 조직 = 가상조직</td></tr>
<tr><td>후기기업가 조직</td><td>① 조직의 대규모를 유지하면서도 유연함을 강조 → 탈신공공관리론에서 활용하는 조직형태
② 신속한 행동, 창의적 탐색, 신축성, 직원과 고객과의 밀접한 관계 등을 강조하는 조직형태
③ 후기기업가 조직은 거대한 규모(코끼리·대규모 계층제)를 유지하면서도 날렵하게 움직일 수 있는 유연성(생쥐·네트워크 조직)을 강조함</td></tr>
</table>

홀로그래픽 조직		① 혼돈의 시대에 대처할 수 있는 자기조직화 원칙을 구비한 조직 ② 자기조직화를 실현하기 위해 홀로그래픽 설계를 지향 → 이를 위해 다음의 네 가지 원칙을 고수 ③ **가외성, 최소한의 표준화, 필수다양성, 학습을 위한 학습** 　⊙ 필수다양성: 체제이론에 기초한 내용으로서 환경에 적응하기 위해 내부체제의 다양성을 추구해야 한다는 것 　ⓒ 학습을 위한 학습(모건이 제시한 개념): 이중순환고리학습
정부관리 모형 (민츠버그)	**기계모형**	정부는 각종 법령과 규칙, 기준에 의해 중앙통제를 받음
	네트워크모형	① 조직 전체가 사업부별로 구성된 단위들의 협동적 연계망으로 구성됨 ② 🔲 문화체육관광부, 중소벤처기업부 등 특정 사업을 집행하는 부서로만 구성
	실적(성과)통제 모형	① 정부 전체를 사업부서로 분할하고, 각 사업부서에 업무수행목표가 부여되며, 사업부서의 관리자는 성과에 대해 책임을 짐 ② 정부의 상위구조에서 계획하고 통제하며, 하위구조에서는 계획을 집행 ③ 🔲 책임운영기관과 중앙행정기관
	가상모형	① 정부는 계획 및 통제의 역할을 담당하고 모든 집행 역할은 민영화함 → 시장을 활용한 집행 ② 🔲 민간위탁 혹은 민영화
	규범적 통제모형	정부는 규범적 가치와 신념에 의해 통제됨 → 구성원들의 자발적 헌신을 강조하는 모형으로 제도보다 사람의 정신을 중시함

DAY ― **12**

CHAPTER **03** 조직관리기법

Section **01** 조직관리기법 : 관료제에 대한 보정 · **13 day**

1 틀잡기

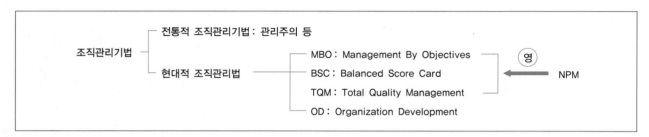

2 MBO(목표에 의한 관리) : Management By Objectives

틀잡기	(그림: 부하 참여 → 목표 설정(상관과 합의) → 목표달성도 평가, 환류) 부하 참여 1. Y이론에 입각 2. 분권적·상향식 목표 설정(상관과 합의) 1. 구체적·계량적(측정가능) 2. 단기적 3. 내부목표 : 폐쇄체제 관점
개념	① 상관과 부하의 합의를 통해 목표를 설정하고, 자율적으로 부하가 업무활동을 한 뒤 성과(목표달성 여부)를 평가받는 제도 ② 목표설정에서 책임의 확정·실적 평가에 이르기까지 상관과 부하의 합의로 이루어지며, 목표는 구체적이고 단기적인 성격을 지님
연혁	**미국** ① 드러커가 처음으로 소개한 것으로 본래 경영의 관리기법이었으나, 1970년대 닉슨 대통령이 PPBS의 문제점 (집권화)을 극복하기 위해 연방정부에 도입 후 공공부문으로 확장(21개 기관에 도입) ② 그러나 닉슨 이후 등장한 카터정부는 연방정부를 관리하기 위한 도구로서 MBO대신 ZBB를 채택 **우리나라** ① 1999년 김대중 정부 : 4급 이상 공무원의 근무성적평정 기법으로 도입 ② 2005년 직무성과계약평가제(성과계약등 평가) 도입으로 대체됨
장점	① **통합적 관리전략** → MBO는 조직의 내부목표와 조직원의 목표를 통합하여 조직의 목표달성을 유도 ② 개인별 보상체제로 연계되어 연봉제 등 **성과중심의 인사관리 가능** → 목표관리(MBO)는 개인 혹은 팀의 성과평가를 위한 도구로 도입되었음 ③ **능동적으로 구체적 목표를 설정**하므로 역할모호성 및 역할갈등을 감소시키고 일과 사람의 조화 수준을 높임
단점	① **폐쇄체제의 한계** → 목표의 빈번한 수정시 평가가 곤란하기 때문에 업무환경이 가변적이고 불확실성이 크면 MBO를 적용하기 어려움 ② 즉, 체제모형이 아닌 목표모형(환경에 대한 대응보단 내부의 목표달성을 중시)이기 때문에 환경에 대한 적응 곤란 ③ 단기적이고 **가시적·부분적인 목표달성도**에 집착하여 목표의 대치현상이 발생할 수 있으며, 공공부문은 계량적인 요소로 표현하기 어려운 목표가 많음 ④ 각 구성원이 설정한 목표가 상이하므로 개인 간 비교기준으로 활용하기 곤란함 ⑤ 계서적인 문화가 강할 경우 MBO를 도입하는 데 시간이 많이 걸리고 부하의 견해를 경청하고 합의하는바 운영절차가 번잡함

3 BSC(균형성과표) : Balanced Score Card

틀잡기	재무적 관점 : 단기적 · 후행지표 고객 관점 : 정부에 적용할 때 가장 중요한 관점 업무처리 관점 : 일처리 방식 · 의사결정 참여 등 학습 · 성장 관점 : 장기적 · 선행지표 · 가장 하부구조 비전 · 미션 ↓ 성과지표 : 4대 관점

의의	① 측정이 용이한 성과만 측정하는 MBO에 대한 보완책으로 등장 ② 다양한 지표를 통해 성과평가를 균형있게 하자는 것 → 즉, 측정가능한 지표에 집착하지 말고 질적인 부분(인적자산이나 고객의 신뢰와 같은 비재무적 성과)도 성과평가에 반영하는 것으로서 하버드 대학교의 카플란과 노턴이 제시함 ③ 균형성과표에서 성과지표는 조직의 비전과 장기적인 목표 및 전략에 근거하여 도출하는바 거시적이고 추상적인 조직목표와 실천적 행동지표(성과지표) 간 인과관계를 확보함으로써 조직의 전략과 기획을 실행에 옮길 수 있게 하는 조직관리기법임

4대 관점	재무적 관점	① 민간부문에서 특히 중시하는 것으로 전통적인 후행지표 ② 참고 후행지표 : 구성원의 만족, 즉 학습 및 성장관점을 충족하면 자연스레 증가하는 지표 ③ 예 매출, 자본수익률, 예산 대비 차이, 공기업 재정운영의 효율성을 제고하기 위한 직원 보수조정 등
	고객 관점	① 고객만족도를 나타내는 성과지표 ② 예 고객만족도, 정책순응도, 민원인의 불만율, 신규 고객의 증감 등
	업무처리 관점	① 조직운영과 관련된 지표 ② 예 의사결정 과정에 대한 시민참여, 적법절차, 공개, 조직 내 커뮤니케이션 구조 등
	학습 · 성장 관점	① 조직구성원의 만족과 성장을 나타내는 지표 → 선행지표 ② 다른 세 관점이 추구하는 성과목표를 달성하는 데 기본 토대를 형성함 → 이러한 면에서 학습과 성장의 관점은 민간부문과 정부부문이 큰 차이를 둘 필요가 없는 부분임 ② 예 직무만족도, 학습동아리의 수, 공무원의 능력향상을 위해 전문적 직무교육 강화, 내부 제안 건수 등

BSC 기능	성과측정 시스템	BSC의 기본적인 틀은 조직의 성과관리 체계라는 점에서 이전의 관리방식인 TQM이나 MBO와 크게 다르지 않지만, 성과관리에 있어서 다양한 관점을 고려하기 때문에 TQM이나 MBO보다 진화된 종합모형이라 평가받고 있음
	전략관리 시스템	조직의 비전을 달성하기 위한 조직전체(장기적 · 추상적)의 목표에서 부서별(단기적 · 구체적) 목표로 조직의 목표를 구체화
	의사소통 도구	조직의 목표를 달성하기 위하여 조직구성원에게 전하고 싶은 메시지가 성과지표의 형태로 전달됨

기타	비재무적 관점 업무처리 관점 학습 · 성장 관점 내부적 · 행동지향적 · 과정 관점 · 하부구조 → 고객관점 재무적 관점 외부적 · 가치지향적 · 결과 관점 · 상부구조 ① BSC는 각 관점 간의 균형을 중시함 ② 무형자산(구성원의 만족 · 성장)에 대한 강조는 성과평가의 시간에 대한 관점을 단기에서 장기로 전환시킴 ③ 성과관리를 위해 조직을 유기적 시스템으로 간주하여 상하(상부구조와 하부구조) 또는 수평적 연계성(업무처리 관점)을 강조하는 조직 전체적 시각에 관심을 둠 ④ 관리자는 4대 관점에 다른 관점을 추가할 수 있음

4 TQM(총체적 품질관리)：Total Quality Management

틀잡기	NPM　<big>영</big>⟶　총체적 품질관리		
개념	고객만족을 서비스 질의 제1차적 목표로 삼고 조직구성원의 광범위한 참여 하에 조직의 과정, 절차 및 태도를 지속적으로 개선하여 장기적이고 전략적인 품질관리를 하기 위한 관리철학 내지 관리원칙		
내용	Total	① 모든 조직구성원이 서비스 품질개선을 위해 조직관리에 참여 ② 연대적 책임(집단적·총체적 관점)·분권적·Y이론	
	Quality	① 서비스 품질제고 → 고객만족도↑(개방체제 관점) ② 고객은 서비스 품질의 최종결정자	
	Management	① 사전적·예방적 관리 → 산출의 초기 단계부터 서비스의 질을 관리함으로써 추후 단계의 비효율을 방지할 수 있고 고객만족을 도모할 수 있음 ② 투입과 과정의 지속적·장기적 관리 → 좋은 품질의 유지에는 투입물과 공정의 끊임없는 개선이 요구됨 (산출과 결과 중시×) ③ 품질관리는 과정의 모든 단계에서 이루어짐 → 총체적 적용 ④ 총체적 품질관리는 산출물의 일관성을 위해 과정통제 계획과 같은 **계량적인 수단을 활용**	
	용어정리	과정통제 계획	산출물의 생산과정에 있어서 일정한 시간 및 작업량을 산정하는 것

	구분	MBO	TQM
MBO·TQM 비교	안목	단기적·부분적	장기적·총체적
	지향	조직 내 목표달성 및 생산성 지향(대내지향)	**고객지향**(대외지향)
	성격	평가 및 환류중시	사전적 관리(예방적 통제)
	초점	결과	절차의 지속적 개선
	기타	개인·팀별 보상	총체적 헌신(집단중심·팀중심)
	책임	관리자 책임	연대적 책임

> **참고**
> ① 양자 모두 구성원의 참여를 인정하므로 Y이론(능동적 인간관·자아실현적 인간관) 및 분권적 조직관리 방식에 기초함
> ② TQM은 기능적인 조직보다 유기적인 업무처리 과정을 중시하는 조직(탈관료제)에 적합함
> ③ 목표관리는 개인의 성과평가를 위한 도구이나 총체적 품질관리는 고객만족을 위한 서비스 품질제고를 목표로 함
> ④ 일반적으로 TQM이 팀 단위의 활동을 바탕으로 한다면, MBO는 개별 구성원의 활동을 바탕으로 함

5 OD(조직발전)：Organization Development cf

틀잡기	행동 변화 ⟶ 생산성·환경적응 1. 문화변화 포함 2. 전문가 활용 　① 하향식(강제성×)　② 행태과학 적용 3. 장기적 관점 4. 행동변화 유도：Y이론 　　└ 개방체제 관점
개념	구성원의 가치관, 신념, 태도 등 행동변화를 유도하여 조직의 생산성 및 적응을 도모하려는 관리기법
특징	① 조직 전반에 걸친 **계획적·장기적 관리전략** ② 구성원의 행동변화를 유도한다는 점에서 인간에 초점을 두는 접근법 ③ 조직을 개방체제 관점에서 환경과 상호작용하는 **유기체로 간주**

	감수성 훈련	① 외부환경으로부터 차단된 인위적인 상황에서 **소수의 구성원 간 비정형적인 접촉(진솔한 대화)** ② 진솔한 대화 및 공감을 통해 **구성원의 성찰과 행동변화 유도** ③ 그러나 시간·노력의 과다, 효과의 지속성에 대한 의문 등의 한계점이 있음
	태도조사 환류	구성원들의 태도를 체계적으로 조사한 뒤 그 결과를 구성원들에게 환류 → 조직변화 유도
OD 주요 기법	관리망 훈련	① 감수성훈련을 Blake & Mouton이 개인 → 각 부문 → 조직 전반으로 확대·발전시킨 장기적·포괄적 접근 ② 생산에 대한 관심(시스템에 대한 관심)과 사람에 대한 관심(인간에 대한 관심), 두 개의 변수를 모두 중시하는 관리방식 → 개인과 집단의 관계와 조직전체의 효율화를 추구
	팀빌딩 기법 (작업진단)	응집력있는 집단(팀)을 형성시켜 구성원 간 의사소통을 원활히 하고 하나의 팀으로서 자율적·협동적·수평적 인간관계를 도모하는 것
	과정상담 및 개입전략	아지리스가 개발한 것으로, 개인 또는 집단이 조직 내의 과정적 문제를 지각하고 이해하며 해결하기 위하여 **외부의 전문가를 활용**하는 기법
한계		① **많은 시간과 비용을 투입**하여 변화를 유도해야 함 ② 새롭게 형성한 문화와 기존의 문화가 충돌할 수 있음 ③ 조직발전은 인간행태 중심의 조직개혁 전략임 → 이로 인해 조직구조, 기술, 업무에 대한 관심이 부족하다는 한계를 지님 ④ 행동과 관련된 변화이므로 **효과의 지속성이 불확실함**

6 PM(성과관리): Performance Management ⓒ

의의	① 신공공관리론에서 활용하는 조직관리기법 ② 성과목표를 설정하고 자율적으로 업무를 수행케 한 후 성과평가 및 평가결과에 따른 유인설계를 통해 성과를 향상시키고자 하는 결과중심의 관리방식
특징	① 성과중심의 통합적 관리로서 조직의 비전과 목표로부터 이를 달성하기 위한 부서단위의 목표와 성과지표, 개인단위의 목표와 지표를 제시하는 하향식 접근방법 → MBO와의 차이점 ② 성과지표별로 목표달성수준을 설정하고, 사후의 목표달성도에 따라 보상과 재정지원의 차등을 약속하는 계약을 체결 → MBO와의 공통점

7 기타 조직관리기법

		구분		환경	
	틀잡기			위협	기회
		역량	약점	WT전략(방어적 전략): 사업축소·폐지	WO전략(방향전환 전략): 군무원 시험
SWOT 분석 (전략기획)			강점	ST전략(다양화 전략): 주력 사업 투자	SO전략(공격적 전략): 공무원 시험
	내용	① 개방체제 하에서 환경과의 관계를 중시하는 탈관료제적 관리전략 ② 전략적 관리의 목적 → 조직과 그 조직이 처한 환경 사이에 가장 적합한 상태를 형성하는 것 ③ 조직을 둘러싼 환경이 동태적이면 기회 및 위협을 파악하기 곤란하므로 전략기획의 유용성이 떨어짐 ④ 기타 ⊙ 조직이 방어적 전략(현상유지 전략)을 추구할수록 공식화 정도는 높고, 집권화 정도가 높은 조직구조가 적합함 ⓛ 조직이 공격적 전략(혁신 전략)을 추구할수록 공식화 정도는 낮고 분권화 정도는 높은 유연한 조직구조가 필요함			

위기관리	틀잡기	▣ **조직성장의 5단계 : 그레이너의 조직성장이론** • 조직에도 생명의 주기가 있음 → 즉, 사람이 나이를 먹듯이 조직도 흐르는 시간에 영향을 받음 • 그리고 시간의 흐름에 따라 조직의 관리방식도 달라지는데, 그레이너는 이러한 현상을 모형화했음

조직규모 / 크다 ← → 작다

단계 1	단계 2	단계 3	단계 4	단계 5
				협력을 통한 성장 ▸ 탈진의 위기
			조정을 통한 성장 ▸ 번문욕례 위기	
		위임을 통한 성장 ▸ 통제 위기		
	지시를 통한 성장 ▸ 자율성 위기			
창조성을 통한 성장 ▸ 리더십 위기				

초창기 ————————→ 후반기
조직수명

업무처리 재설계 (BPR)	틀잡기	(영) NPM ————→ 리엔지니어링 = BPR
	내용	① IT 기술을 활용하여 조직 내 부서별 고도 분업화에 따른 폐단을 극복하기 위해 **업무과정 및 절차를 근본적으로 재설계** → 즉, 업무기능에 초점을 두는 게 아니라 과정이나 절차에 초점 ② 근본적이고 극적인 **변화**를 추구하여 고객만족 및 성과향상 유도 ③ 조직성과의 점증적인 개선이 아니라 이전과 비교하여 단절적이라 할 정도의 **과감한 변화**를 목표로 함 ④ 이에 따라 업무, 조직, 구조, 조직문화까지 개혁의 대상으로 함 → **특정 변수 중심의 개혁×**
코터 변화관리 모형	변화관리 8단계	① 긴박감 조성 ② 강력한 변화추진팀 구축 ③ 비전의 창조 ④ 비전의 전달 ⑤ 구성원에 대한 임파워먼트 ⑥ 계획수립 및 실현 ⑦ 지속적인 도전 ⑧ 변화의 제도화(공식화) 참고 **임파워먼트** 변화에 장애가 되는 요소를 제거하기 위해 구성원에게 힘을 실어주고 실행에 옮기는 것
레비트 조직혁신 변수	과업	조직 내 기본적인 활동 → 예컨대 사기업의 경우라면 재화를 생산하는 활동
	인간	조직 내에 소속된 구성원
	기술	업무를 수행하고 문제를 해결하기 위하여 사용되는 기술이나 기계 등을 의미함
	구조	의사전달, 권위체계, 조직구조 등과 같은 여러 체제를 의미

CHAPTER **04** 조직구조 안정화 메커니즘

Section **01** 조직문화   • 13 day

---

1 조직문화에 대하여

정의	조직구성원이 공유하고 있는 가치관, 신념, 관습, 규범, 의례, 의식, 지식, 기술 등을 모두 포함하는 **패턴화된 행동**
특징	① 새로 유입된 조직구성원은 **학습**을 통해 조직문화를 익히면서 조직에 적응함 ② 문화는 일단 형성되면 쉽게 변하지 않고 지속적으로 조직구성원들의 행동에 영향을 미치며, 조직의 성과 혹은 효과성을 결정할 수 있음
순기능	① 다른 조직과 명확한 경계를 형성함으로써 **구성원의 소속감 및 안정감·정체성 제고**에 기여할 수 있음 ② 긍정적인 문화가 형성된 경우에 구성원의 이기적인 행동을 억제할 수 있음 → 집단행동의 딜레마 방지
역기능	① 조직문화는 특정 집단이 장기적으로 공유하는 패턴화된 행동이기 때문에 유연한 사고, 변화 및 혁신에 대한 저항하는 성격을 지님 → 따라서 조직이 성숙 및 쇠퇴 단계에 이르러 상황에 맞게 변화해야 할 때 **조직문화가 조직혁신을 저해하는 요인**이 될 수 있음 ② 문화는 구성원의 행동에 영향을 끼치기 때문에 구성원의 자율적인 행동과 사고에 제약을 가할 수 있음

---

2 문화에 관한 다양한 학자의 견해

1) 호프스테드의 문화차원 이론

의의		① 네덜란드의 조직심리학자 홉스테드는 지구에 존재하는 모든 국가 문화를 4가지 차원(속성)으로 분류 ② 이후 네 가지 차원의 변수들을 조합하여 각 국가의 문화를 설명함 ③ 우리나라의 경우 권력간격이 멀고, 불확실성에 대한 회피성향과 여성다움·집단주의 성향이 강하고, 장기적 시관을 가진 것으로 평가됨
4개 변수	권력간격	① 한 사회가 어떤 조직에 있어서 **권력이 불평등하게 분산되어 있다는 사실을 수용하는 정도** ② 권력거리가 큰 경우 제도나 조직 내에 내재되어 있는 상당한 권력의 차이를 자연스럽게 인정함
	개인주의· 집단주의	**개인주의** 사람들이 그들 자신과 직계 가족들에게만 관심을 가지는 것으로 간주되는 사회구조
		집단주의 ① 본인이 속한 집단과 외부집단 사이를 엄격하게 구별하는 것 → 내부집단(친척, 당파, 조직 등)이 돌봐주기를 기대하며, 내부집단에 절대적인 충성을 보임 ② 집단주의가 강한 문화는 개인주의가 강한 문화보다 긴밀하고 협력적인 개인 간 관계를 중시함
	불확실성에 대한 회피성	불확실성의 회피가 강한 사회 → 초조, 불안 등이 뚜렷하게 나타나며 이에 따라 **각종 법적, 규범적 제도장치**를 통해 위험성을 줄이고 안정을 가하기 위해 노력을 기울이는 현상이 발생
	남성다움· 여성다움	**남성다움** 성역할을 엄격하게 구분하는 사회 혹은 **과업지향적인 사회**
		여성다움 성역할을 느슨하게 하는 사회 혹은 사람지향적인 사회
기타	장기·단기 성향	① 장기·단기성향 차원은 앞의 네 측면에 이어 호프스테드가 나중에 중국에 대한 연구결과를 토대로 동아시아 국가의 경제성장을 설명하기 위해 추가한 개념임 ② **장기성향**: 과거의 전통을 중시하고 미래를 생각하는 긴 안목을 가진 경우이며 현재 열심히 일한 결과에 대하여 지금 당장은 아니지만 장기적으로 보상받을 것에 대한 기대를 가짐 ③ **단기성향**: 전통보다는 현재 직면한 문제를 중시함 → 현실 적응적이며 변화 지향적인 성향이 강함

2) 윌다브스키와 더글라스의 신문화이론 ⓒ

문화의 유형	구분		집단(응집성)	
			약함	강함
	사회 역할 (역할규정 제도화)	약함	개인주의(자유주의 사회)	평등주의(소규모 마을)
		강함	전체주의·운명주의(식민지 사회)	위계주의(군대)
각 문화에 대한 설명	개인주의	① 개인의 자유로운 선택을 인정하는 문화로써 자유주의 사회, 시장기업 등 ② 자아추구적·경제적 인간관에 입각하여 경쟁 및 개인책임을 중시하는 유형		
	평등주의	① 집단 간 경계는 확실하지만(응집성↑), 집단 내 개인의 행동 규칙성은 낮은 문화로써 집단 내 행동은 구성원들의 참여로 결정 ② 타인을 배려하는 협동적 인간관에 입각하여 결과의 평등을 중시하는 유형		
	전체주의 (운명주의)	① 경직된 관례에 의해 운영되는 원자화된 사회로써 관례에 따라 획일적인 역할이 있는 문화 ② 인간에 대한 의구심으로 인하여 의무, 규율, 복종을 중시하는 유형 ③ 개인의 자율적 결정을 배제		
	위계주의	① 집단 간 경계와 집단 내 역할관계가 명확하여 사회전체가 하나의 커다란 위계질서로 조직화되어 있는 문화 ② 법 앞의 평등, 집단에 대한 충성이 강조되며 집단을 위한 개인 희생의 감수를 중시하는 유형		

3) 기타

조직문화에 대한 적응방법	탈문화화	기존의·문화에서 탈피
	격리	조직문화에 반감을 가진 사람을 고립시킴
	동화	자신을 조직의 문화에 일치시킴
	다원화	쌍방학습을 통해 구성원과 조직이 모두 상호 수용 → 상호 절충
새폴드의 조직문화 접근 (문화 → 생산성)	특성론적 접근	① 조직효과성을 향상시킬 수 있는 특정한 문화 특성이 존재한다는 관점 ② 긍정적인 문화 특성을 가지고 있는 조직이 그렇지 못한 조직에 비하여 효과성이 높음
	문화강도적 접근	① 조직효과성을 향상시키기 위해서는 강한 문화가 필요하다는 관점 ② 조직구성원들이 가치를 강하게 공유하고 있는 조직의 효과성이 높음
	상황론적 접근	조직문화 특성과 상황요인 간의 적합성에 따라 조직효과성이 달라질 수 있다는 관점
	문화유형론적 접근	각각의 문화유형의 특성에 따라 조직효과성이 달라진다는 관점
트롬페나르 · 호프스테드 한국문화 연구	호프스테드와 트롬페나르 두 학자의 연구결과에서 한국문화의 특성은 수직문화(권위주의), 집단주의, 온정주의, 안정주의, 상황주의, 분화성과 통합성의 공존, 귀속주의 등으로 나타났음	
	온정주의	한국은 여성성이 강한 것으로 나타남 → 여성성은 행정에서 과업지향의 근무행태보다 온정주의 내지 인간관계를 강조하는 행태로 나타남
	안정주의	한국은 불확실성 회피성향이 매우 높음
	상황주의 (특수주의)	① 한국은 보편주의·특수주의에서 특수주의가 강한 것으로 조사되었음 ② 행정에서 상황주의는 법치보다 인치가 우선하고, 법의 보편적인 적용이 아니라 공무원의 자의적 적용이 우선하는 위험성을 내포하고 있음
	분화성과 통합성 공존	한국은 통합성이 강한 전통사회에서는 벗어났지만 분화성이 강한 현대 산업사회로 완전하게 진입하지 못한 전환기에 있음 → 리그스의 프리즘 사회와 유사
	귀속주의	사람이 이룬 일의 성과보다 사람의 출신성분을 중요하게 여기는 것

Section 02　리더십

● 13 day

1 틀잡기

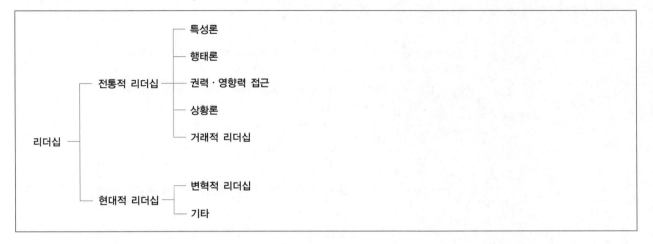

2 전통적 리더십

1) 특성론 ⓒⓕ

내용	① 리더십론은 자질론에서 출발하였으며, 자질론은 성공적인 **리더의 타고난 개인적 특성 및 자질**에 연구의 초점을 둠 ② '리더의 속성 → 조직의 성과'를 결정한다는 논리로서 리더의 자질을 가진 사람은 어떤 상황에서든 지도자가 될 수 있다는 주장임 ③ 초기 리더십 연구에서 가장 많이 연구한 리더의 특성들은 신체적 특성(■ 키, 용모), 성격의 특성(■ 자존심, 지배성, 정서적인 안정), 능력(■ 일반 지능, 언어의 유창함, 사회적 통찰력) 등이 있었음
한계	① 생산성에 효과적인 지도자의 자질이 집단의 특성·조직목표 상황에 따라 달라질 수 있음 ② 사람마다 동일한 자질을 갖는 것은 아님 → 얼굴의 생김새, 신체의 특징 등은 개인의 특수성이 강함 ③ **다수 연구의 결과 반드시 갖춰야 할 보편적인 자질은 없다는 것이 밝혀짐**

2) 행태론

- '리더의 행태 → 조직의 성과'를 결정한다는 것
- 모든 상황에 효과적인 리더의 행동유형이 존재한다는 것을 전제로, 리더의 행동과 효과성 사이의 관계에 관심을 가짐
- 즉, 상이한 지도유형이 구성원의 과업성과에 어떤 영향을 미치는가를 분석하며(리더와 부하집단 사이의 관계에 초점), 후천적인 교육을 통해 효과적인 리더행동을 만들어낼 수 있다고 전제함

미시간 대학연구 (리커트)	의의		① 리더의 행동을 직무 중심적(생산중심) 행동과 부하 중심적(직원중심) 행동으로 분류 ② 부하 중심형이 우월한 행동유형이라는 결론을 이끌어 냄
	용어정리	직무중심 행동	생산의 방법 혹은 절차 등을 중시하고 리더에게 주어진 공식적 권한에 의존해 부하들을 철저히 관리하는 행동유형 → 시스템 설계와 연관된 행동
		부하중심 행동	부하와의 관계를 중시하고 부하의 욕구 충족과 만족 등에 관심을 갖는 행동유형 → 부하에 대한 관심을 바탕으로 소통하는 행동
오하이오 대학연구	의의		① 오하이오 대학의 리더십 연구는 미시간대학교의 연구와 비슷한 시기인 1940년대 후반과 1950년대 초반에 수행 ② 오하이오 대학의 연구목적은 리더의 행동유형과 이에 따른 조직성과 간의 관계를 분석하는 것 ③ 아래의 표에서 구조주도 행동은 직무중심 행동을, 배려행동은 부하중심 행동을 의미함
	유형		<table><tr><td></td><td colspan="3" align="center">구조주도 (initiating structure)</td></tr><tr><td></td><td>low</td><td></td><td>high</td></tr><tr><td>high 배려 (consideration)</td><td>• 부하에게 업무구조를 적게 강조 • 부하의 욕구만족에는 높은 관심</td><td></td><td>• 부하에게 업무구조를 높게 강조 • 부하의 욕구만족에도 높은 관심</td></tr><tr><td>low</td><td>• 부하에게 업무구조를 적게 강조 • 부하의 욕구만족에는 적은 관심</td><td></td><td>• 부하에게 업무구조를 높게 강조 • 부하의 욕구만족에는 적은 관심</td></tr></table> [이창원 외, 2005] ※ 연구 결과: 구조주도와 배려가 모두 높을 때 조직의 생산성이 가장 큼
관리그리드 모형 (블레이크 & 무튼)	의의		① 리더행동을 생산에 대한 관심을 보이는 행동과 인간에 대한 관심을 보이는 행동으로 분류 ② 생산에 대한 관심을 보이는 행동은 직무중심 행동을, 인간에 대한 관심을 보이는 행동은 부하중심 행동을 뜻함 ③ 두 가지 차원의 행동을 결합하여 리더십을 다섯 가지로 분류
	유형		
	그림 설명		① 무관심형(무기력형), 친목형(관계지향형·컨트리클럽형), 과업형(생산지향형), 타협형(중도형), 단합형(팀형성형·팀형) ② 블레이크와 모튼은 단합형이 가장 이상적·효과적이라고 주장

아이오와 대학연구 (르윈 · 리피트 · 화이트)	① 리더십 유형을 권위형, 민주형, 방임형으로 나누어 관찰한 결과, 생산성은 권위형과 민주형 양자가 비슷하나 사기 면에서는 민주형이 높으며, 전체적으로 **민주형이 가장 효율적**임 ② 민주형 리더십은 부하가 의사결정에 참여하도록 하는 쌍방향 의사전달의 특징을 지님 → 다만 모든 권위와 최종책임을 위임하지는 않음 ③ 두문자 **아권민방**

3) 권력 · 영향력 접근

리더가 보유한 권력의 크기와 유형, 그리고 권력이 행사되는 방법을 통해 리더십 효과성을 설명

4) 상황론

- 상황에 맞는 행동 → 생산성
- 상황론적 리더십을 연구한 학자들은 리더의 행동에 영향을 미치는 상황변수를 찾는 데 초점

① 상황론적 리더십에 대한 이해

틀잡기	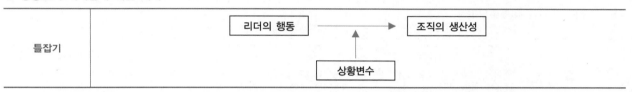

② 피들러의 상황론적 리더십

틀잡기	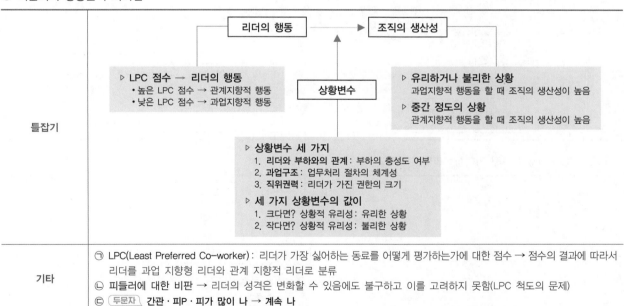
기타	㉠ LPC(Least Preferred Co-worker) : 리더가 가장 싫어하는 동료를 어떻게 평가하는가에 대한 점수 → 점수의 결과에 따라서 리더를 과업 지향형 리더와 관계 지향적 리더로 분류 ㉡ 피들러에 대한 비판 → 리더의 성격은 변화할 수 있음에도 불구하고 이를 고려하지 못함(LPC 척도의 문제) ㉢ 두문자 **간관 · 피P · 피가 많이 나 → 계속 나**

③ 하우스 & 에반스의 상황론적 리더십 : 경로 · 목표이론

틀잡기	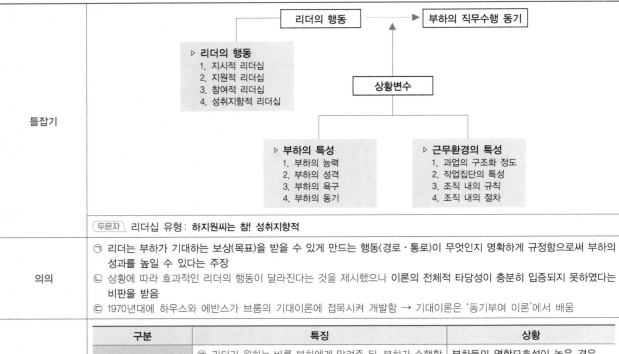 (두문자) 리더십 유형 : 하지원씨는 참! 성취지향적
의의	㉠ 리더는 부하가 기대하는 보상(목표)을 받을 수 있게 만드는 행동(경로 · 통로)이 무엇인지 명확하게 규정함으로써 부하의 성과를 높일 수 있다는 주장 ㉡ 상황에 따라 효과적인 리더의 행동이 달라진다는 것을 제시했으나 **이론의 전체적 타당성이 충분히 입증되지 못하였다는** 비판을 받음 ㉢ 1970년대에 하우스와 에반스가 브룸의 기대이론에 접목시켜 개발함 → 기대이론은 '동기부여 이론'에서 배움

리더십 유형	구분	특징	상황
	지시적 리더십	㉠ 리더가 원하는 바를 부하에게 알려준 뒤, 부하가 수행할 작업의 일정을 계획하고 과업 수행 방법을 지도함 ㉡ 과업을 구조화하고 과업요건을 명확히 하는 리더십	부하들의 역할모호성이 높은 경우
	지원적 리더십	부하들의 욕구에 관심을 보이면서 목표달성에 필요한 부분을 지원하는 리더십	㉠ 부하가 단조롭고 지루한 업무를 수행하는 경우 ㉡ 부하들이 자신감이 결여되거나 실패에 대한 공포가 높은 경우
	참여적 리더십	부하들과 상담하고 의사결정 전에 부하들의 의견을 반영하는 리더십	부하들이 구조화되지 않은 과업을 수행하는 경우
	성취지향적 리더십	도전적 목표를 설정하고 부하들의 최고의 성과를 기대하는 리더십	

④ 커 & 저미어의 상황론적 리더십 : 리더십 대체물 접근

틀잡기	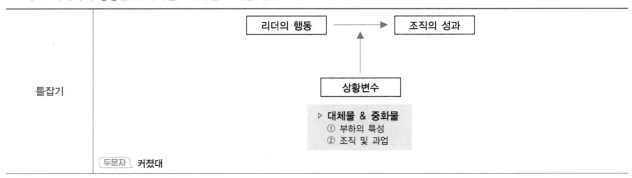 (두문자) 커졌대

의의	① 커와 저미어는 리더십의 중요성을 대체하거나 감소시키는 상황적 요인을 대체물과 중화물로 나누어 설명 ② 대체물: 리더의 행동을 필요 없게 만드는 부하의 특성, 과업 및 조직의 특성 같은 상황 요인 ③ 중화물: 리더가 취한 행동의 효과를 약화 내지 중화시키는 상황 요인

내용	대체물과 중화물		영향받는 리더의 행동	
			지시적 리더십(구조주도)	지원적 리더십(배려)
	부하 특성	경험·능력·훈련	대체물	
		전문가적 지향(의사, 변호사 등)	대체물	대체물
	과업 특성	구조화되고, 일상적이며, 애매하지 않은 과업	대체물	
		과업에 의해 제공되는 피드백	대체물	
		내적으로 만족되는 과업		대체물
	조직 특성	응집력이 높은 집단	대체물	대체물
		공식화(명백한 계획, 목표, 책임영역)	대체물	
	부하 특성	조직의 보상에 대한 무관심	중화물	중화물
	조직 특성	조직보상에 대한 리더의 통제 부족	중화물	중화물
		비유연성(엄격한 규칙 및 절차)		중화물
		리더와 부하 간의 공간적 거리	중화물	중화물

⑤ 허시 & 블랜차드의 상황론적 리더십: 생애주기 모형

틀잡기	☞ 부하의 성숙도가 높아짐에 따른 리더십의 변화(지시형 → 설득형 → 참여형 → 위임형) 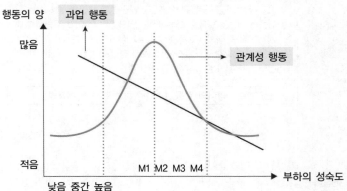 [두문자] 허쉬초콜렛은 참 성숙한 맛이야

그림 설명	비고	지시형	설득형	참여형	위임형
	과업행동	많음	많음	적음	적음
	관계행동	적음	많음		적음
	성숙도	낮음	중간		높음

내용	㉠ 자녀가 성숙해감에 따라 부모의 통제가 줄어드는 부모·자녀 관계에 빗대어 리더와 부하의 관계를 파악 → 생애주기 이론 ㉡ 리더의 행동을 과업중심 행동과 관계중심 행동으로 구분하고 부하성숙도(maturity)를 상황변수로 선택하여 리더십을 4가지로 구분 → 행동, 생산성, 상황변수를 제시하여 이론을 설명하는 바 3차원 모형임 ㉢ 부하의 성숙도: 직무상의 성숙도(예 과업 관련 기술과 기술적 지식의 정도)와 심리적 성숙도(예 의욕·자신감과 자존심의 정도)로 이루어짐

5) 거래적 리더십

의의	① 거래적 리더십을 '전통적 리더십'이라 부르는 견해도 있음 ② 부하의 성과와 부하가 가치가 있다고 생각하는 조직의 보상을 합리적으로 상호교환하는 리더십 ③ 성과에 대한 적절한 보상의 약속과 이행이 핵심 → 리더와 부하 간의 사회적 · 합리적 교환관계 강조
특징	① 거래적 리더십은 리더의 요구에 부하가 순응하는 결과를 가져오는 '교환과정'을 포함하고 있음 → 그러나 부하의 능동적 열의 혹은 몰입을 발생시키지 못함 ② 거래적 리더십은 **기계적 구조와 정합하는** 리더십 유형인 까닭에 변혁적 리더십에 비해 **의사소통이 하향적 · 수직적임** ③ 거래적 리더십은 기계적 구조에 적합한 리더십이기 때문에 **보수적 · 현상유지적**이라는 평가를 받기도 함 ④ **예외관리에 초점**: 정해둔 일정 업무 기준에 미치지 못하면 처벌을 가하면서 통제함 → 만약 일정 기준대로 진행되면 아무런 지시가 없으며, 기준을 상회할 때는 보상을 통해 영향력을 행사함

6) 기타

레딘 3차원 모형	틀잡기	**구분**	**과업 중시**	**인간관계 중시**

구분	과업 중시	인간관계 중시
분리형	×	×
헌신형	○	×
관계형	×	○
통합형	○	○

레딘 3차원 모형	틀잡기	(위 표)
	내용	① 레딘의 3차원 모형은 리더행동의 기본유형을 분리형, 헌신형, 관계형, 통합형으로 분류 ② 분리형은 과업 · 인간관계 모두를 경시하는 유형, 헌신형은 과업만을 중시하는 유형, 관계형은 인간관계만을 중시하는 유형, 통합형은 과업 · 인간관계 모두를 중시하는 유형임 ③ 아울러 레딘은 블레이크와 머튼의 연구 및 오하이오 주립대학에서 연구한 리더십의 과업지향적 행태와 인간관계지향적 행태의 두 차원에서 효과성이라는 차원을 추가하여 3차원적 리더십을 주장함 ④ 이는 리더의 행태가 주어진 상황에 적합하면 보다 효과적인 리더십 유형이 되고, 그렇지 못하면 비효과적인 리더십이 된다는 내용을 골자로 함
유클 다중연결모형	틀잡기	
	기타	① 상황론적 이론을 집대성 → 리더의 11가지 행동을 원인변수로 규정 ② 유클이 도출한 일반적 명제들 　㉠ 단기적인 관점: 리더가 매개변수에서 부족한 면을 얼마나 시정하느냐에 달려 있음 　㉡ 장기적인 관점: 리더가 상황변수를 얼마나 유리하게 만드느냐에 달려 있음

3 **현대적 리더십 : 신속성론**

1) 번즈 & 바스의 변혁적 리더십

의의	① 번즈(Burns)가 '변혁적 리더십'이라는 용어를 처음 사용하였고, 바스(Bass)는 개념의 조작화를 시도하면서 연구를 본격화했음 ② 조직의 안정보다 조직을 변화시키려고 노력하는 최고관리층의 변화지향적·개혁적 리더십 ③ 변화지향적이라는 면에서 유기적 구조와 어울리는 리더십이며, 리더가 변화를 강제하지 않고 '유도'하는바 조직참여의 기대가 큰 경우에 적합한 리더십에 해당함 ④ 다만, 변혁적 리더십은 부하가 스스로 변화할 수 있도록 유도할 뿐이지, 그들의 견해를 적극적으로 수렴하는 것은 아니므로 변혁적 리더십은 민주적인 리더십 스타일을 강조하지 않는 관점임 ⑤ 변혁적 리더십은 리더가 인본주의(인간존중), 평화 등 도덕적 가치와 이상을 호소하는 방식으로 부하들의 의식 수준을 높이면서 조직의 변화를 유도함

특징	구분	내용
	카리스마적(위광적) 리더십	① 리더가 특출한 성격과 능력으로 추종자들의 강한 헌신과 리더와의 일체화를 이끌어내는 리더십 → 솔선수범을 통해 존경과 신뢰를 얻음 ② 리더가 난관을 극복하고 현재 상황에 대한 각성을 확고하게 표명함으로써 부하에게 자긍심과 신념을 심어줌 ③ 변혁적 리더십은 카리스마적 리더십을 기반으로 하는바 카리스마적 리더십과 중첩되는 면이 있음
	영감적 리더십	리더가 부하로 하여금 도전적인 목표와 임무, 그리고 미래에 대한 비전을 열정적으로 받아들이고 추구하도록 격려 → 비전제시 및 공유
	개별적 배려	① 리더가 부하에게 특별한 관심을 보이고 각 부하의 특정한 요구를 이해함으로써 부하에 대한 개인적 존중을 표현하는 것 ② 즉, 리더는 구성원 개개인의 니즈에 관심을 가지면서 잠재력 개발을 도움 → 부하의 자아실현과 존중감 등 높은 수준의 욕구 실현에 관심을 둠 ③ 리더는 조직의 혁신을 위해 부하의 변화에 초점을 두고 재량권을 부여하면서 부하를 리더로 키움
	지적 자극 : 촉매적 리더십	리더가 부하로 하여금 형식적 관례와 사고를 다시 생각하게 함으로써 새로운 관념을 형성하는 것

기타	📁 거래적 리더십과 변혁적 리더십 비교		
	구분	거래적 리더십	변혁적 리더십
	변화관	안정지향, 폐쇄체제적	변화지향, 개방체제적
	초점	일반 관리자	최고관리층
	관리전략	리더와 부하 간의 합리적 교환관계·통제	영감과 비전제시에 의한 동기유발
	관련조직	고전적 관료제(기계적 구조)	탈관료제(유기적 구조) ※ 임시체제 혹은 단순구조 등에 적합

2) 기타 리더십

지식정보사회 리더십(탭스콧)	① 정보화 사회는 단순한 '지식 또는 정보' 사회의 차원을 넘어선 '네트워크화된 지능'(networked intelligence)의 시대 ② 리더십 또한 '상호연계성'을 지녀야 함 → 다양한 정보를 유기적으로 활용하거나 조직구성원의 역량을 결합하는 리더십을 강조
서번트 리더십	① 미국의 학자 로버트 그린리프(Greenleaf)가 1970년대 처음 주장하고 스피어스(Spears)가 특징을 상술함 ② 리더는 부하를 섬기는 사람(청지기)이기 때문에 부하에 대한 존중과 봉사 강조 → 부하들이 능동적으로 자기 발전을 할 수 있도록 유도 ③ 리더가 자기 자신보다는 다른 사람에게 초점을 두고, 부하들의 창의성과 잠재력을 발휘할 수 있도록 봉사하는 리더십
발전적 리더십	① 변혁적 리더십 + 서번트 리더십 ② 발전적 리더십은 변동추구이라는 점에서 변혁적 리더십과 유사하지만, 리더의 봉사정신과 추종자 중심주의가 특별히 더 강조된다는 점에서 변혁적 리더십과 구별됨
셀프 리더십	구성원 모두가 자기 스스로를 이끌어나가는 리더라는 인식을 갖는 것(도움을 주는 리더십×)
진성 리더십	리더가 정직성, 가치 의식, 도덕성을 바탕으로 팔로워들의 믿음을 이끌고, 팔로워들이 리더의 윤리성과 투명성을 믿으며 긍정적 감정을 느끼게 만드는 리더십
윤리적 리더십	윤리성에 기반한 리더십 → Brown에 따르면, 윤리적 리더십은 리더의 개인적 행동과 대인관계를 통하여 **적절한 행동(윤리적인 행동 : 타인에 대한 존중·봉사, 공정하고 정직한 행동, 공동이익 추구를 위한 행동 등)을 보여주는 것**이고 쌍방향 의사소통, 강화, 의사결정 등을 통하여 조직구성원에게 그러한 행동을 할 수 있도록 유도하는 것임
내향적 리더십	다소 내성적이지만, 구성원의 견해를 경청하면서 묵묵하고 성실하게 일하는 리더십

Section **03** ### 조직 내 권력, 갈등관리, 의사소통(의사전달)　　　→ 14 day

1　조직 내 권력

- 권력 : 상대방을 강제적으로 복종시키는 힘
- 권력은 사람 사이에서 발생하는 현상 중 하나이며(비공식요인의 한 종류), 이는 조직의 시스템을 보완하는 수단이 될 수 있음

1) 프렌치와 레이븐의 권력유형

권력의 유형	내용
합법적 권력	① 권한과 유사한 의미 → 상사가 보유한 권한에 기초한 권력으로써 일반적으로 직위가 가진 권한이 많을수록 합법적인 권력이 커짐 ② 베버의 합법적 권위와 유사함 ③ 일반적으로 합법적 권력의 합법성 한계는 직위의 공식적인 속성과 비공식적인 규범 및 전통에 의해 결정됨
보상적 권력	타자에게 **보상을 제공할 수 있는 능력**에 기초한 권력 → 승진, 급여 등
강압적 권력	① 다른 사람을 처벌할 수 있는 능력을 가지거나, **육체적 또는 심리적으로 다른 사람에게 위해를 가할 수 있는 권력** ② 사회에서 발생하는 '왕따 현상'은 대개 강압적 권력에 기초함 → 강압적 권력은 구성원의 저항가능성을 높일 수 있음
준거적 권력	① **자신보다 뛰어나다고 생각하는 사람을 닮고자 할 때 발생하는 권력** ② 공식적인 지위와 관련이 없을 수 있으며, **카리스마와 유사한 개념**임
전문적 권력	① 다른 사람이 필요로 하는 **전문적인 기술이나 지식에 기초한 권력** ② 지식이 부족한 무능한 상관도 있는바 조직의 공식적 지위와 일치하지 않을 수 있음

참고

① 합법적 권력, 보상적 권력은 일반적으로 직위와 관련있는 권력
② **정보화 사회와 권력**: 정보화 사회에서 조직은 피라미드형 구조에서 수평적 구조로 전환
　　㉠ 이러한 과정에서 조직 내 권력의 분산이 이루어질 수 있음
　　㉡ 혹은 정보화로 인한 권력의 오용문제도 발생가능함 → 권력자가 수집한 정보를 악용한다는 것

2 갈등관리 cf

갈등관리: 조직 내 구성원 혹은 부서 간 갈등을 해소하거나 완화하는 것뿐만 아니라 상황에 따라서는 갈등을 용인하거나 조성하는 것

1) 갈등의 유형

갈등의 유형		내용
개인·집단	개인 간 갈등	개인이 성격이나 가치관 또는 역할 등의 차이가 갈등의 원인으로 작용하는 갈등
	집단 간 갈등	① 조직 내 여러 부서 혹은 팀 간에 발생하는 갈등 ② 분업구조와 같은 조직 내의 구조적인 요인에 의해 발생하는 갈등
수직적·수평적	수직적 갈등	① 조직의 **상하계층** 간에 발생하는 갈등 ② 상위 목표를 제시하거나 계층제 또는 권위를 이용하여 해결
	수평적 갈등	① 동일한 계층 간에 일어나는 갈등 ② 목표의 분업구조, 과업의 상호의존성, 제한된 자원 등이 중요한 원인으로 작용
생산적·소모적	생산적 갈등	조직혁신이나 조직의 성과향상에 도움이 되는 건설적 갈등 → 변화와 혁신의 원동력이 될 수 있음
	소모적 갈등	① 조직의 팀워크와 단결을 깨고 결국 조직의 생산성에 악영향을 미치는 **역기능적인 갈등 혹은 파괴적인 갈등**을 의미 ② 부정적인 갈등으로서 제거 혹은 통제가 필요함
내재적·외재적	내재적 갈등 (잠재적 갈등)	① 당사자가 속에서 느끼는 잠재적인 갈등 ② 과업의 상호의존성이 높은 경우 잠재적 갈등이 야기될 수 있음
	외재적 갈등	표면적으로 드러난 갈등
기타	관계갈등	**개인적 관계(인간관계)에서 발생하는 갈등**으로써 관계갈등을 해결하기 위해서는 개인의 가치관과 태도의 변화, 의사전달의 장애요소 제거 및 직원 간 소통의 기회 제공 등을 들 수 있음
	직무갈등	① **작업의 내용과 목표에 관한 갈등** ② 직무갈등을 해결하기 위한 방법으로는 상위목표의 제시, 직무에 관한 권한과 책임의 명확화, 계층제 또는 권위에 의한 해결(공식적 권한을 가진 상사의 명령 및 중재), 협상과 타협 등을 들 수 있음
	과정갈등	① **작업을 수행(완성)하는 과정에서 발생하는 갈등**으로써 조직의 자원증대, 상호 의사소통 증진이나 조직구조의 변경(업무처리과정 단순화)을 통하여 해결할 수 있음 ② 직무를 수행하는 과정에서 자원이 부족하면 갈등이 발생할 수 있는 바 자원의 증대를 통해 갈등을 해결할 수 있음

2) 갈등관의 변화 : 로빈스를 중심으로

의의		로빈스(Robbins, 2003)는 조직이론가들의 갈등관을 전통적 견해, 행태론적 견해, 상호작용론적 견해로 구분하여 설명함
유형	**전통적 견해 (갈등역기능론)**	① 갈등은 나쁜 것이고 조직 내에서 역기능을 유발하는바 조직효과성에 언제나 부정적인 영향을 미친다는 관점 ② 관리자는 조직에서 갈등을 제거해야 함 → 이러한 주장은 19세기 조직 및 관리문헌의 지배적인 내용이었으며, 1940년대 중반까지 지속됨
	행태론적 견해 (갈등수용론)	① 갈등은 조직 내에서 발생하는 자연스러운 현상으로 간주 ② 갈등은 불가피하고 온전한 제거가 불가능함 → 갈등의 수용을 주장 ③ 1940년대 중반~70년대 후반에 등장한 견해로서 갈등을 인정하고 수용하면서 조직의 생산성 제고방안 강구
	상호작용론적 견해 (갈등조장론)	① 갈등의 순기능을 인정하기 때문에 갈등을 촉진·고무한다는 입장 ② 조직의 관리자는 모든 갈등을 억제하거나 제거하지 말고, 그 해로운 점을 최소한으로 유지하고 이로운 점을 최대한으로 신장시켜야 한다는 관점

3) 갈등해소전략(갈등제거)

구분		내용
회피		의사결정을 연기하는 것 → 단기적인 갈등해소
협상	개념	① 갈등당사자들이 직접 해결하는 방식 ② 당사자들이 부분적으로 양보하여 공동의 결정에 이르게 하거나 공동이익을 유도하는 것
	유형	**⌐ 통합형 협상과 분배형 협상**

구분	통합형 협상(윈윈게임)	분배형 협상(양보)
개념	비경쟁·비갈등형 협상	경쟁·갈등형 협상
이해관계	조화 혹은 상호수렴	충돌 혹은 서로 상반
관계의 지속성	장기간	단기간 : 배분적인 협상은 한 쪽이 장기간 양보할 수는 없는 까닭에 일시적으로 이루어지는 갈등해결 기제임
이용가능한 자원	유동적인 양 : 무한	고정된 양 : 유한
주요 동기	윈윈게임·정합게임·승승게임	제로섬게임·영합게임·승패게임

구분	내용
태도변화 훈련	① 다양한 훈련을 통한 갈등 당사자들의 태도변화 유도(인지재구조화) ② 긍정적인 방향으로 상황을 재해석하고 합리화하는 개인의 심리적인 갈등 대처방안
상위 목표 제시	갈등 당사자들이 공동으로 추구해야 할 상위 목표나 공동의 적을 제시
계층제 혹은 권위 활용	상명하복 등의 기제를 활용해서 갈등을 해결하는 방법
목표 수준의 차별화	부서 간 목표 차이가 갈등을 유발할 때, 목표의 우선순위를 지정해주는 것
완화	갈등 당사자 간 유사성과 공동의 이익을 통한 해결
문제해결	갈등을 일으킨 당사자들이 직접적인 접촉을 통해 공동의 문제를 해결
기타	① 당사자 간 목표의 차이로 인해 갈등이 일어날 수 있음 ② 이 경우 상위의 목표를 제시하거나 계층제 또는 권위, 목표 수준의 차별화를 통해 해결할 수 있음

4) 갈등조성 및 예방전략

갈등조성전략	의의	일반적으로 조직이 무사안일이나 침체에 빠져 있을 때 활용
	유형	① 공식적 및 비공식적 정보전달통로를 의식적으로 변경 ② 정보량의 조절 → 상황에 따라 정보전달을 억제하거나 지나치게 과다한 정보를 전달함으로써 갈등을 조성 ③ 제도적 갈등 조장 → 수평적 분화 및 수직적 분화, 계선·참모 간 갈등조장 등 ④ 인사정책을 통한 구성원들의 이질화(heterogeneity) 전략 → 부서에 다른 배경, 경험, 가치관을 가진 사람을 충원하는 방법 ⑤ 선의의 경쟁상황 조성 ⑥ 리더십 스타일 변경 → 리더십의 유형을 적절하게 교체
갈등예방전략		구체적인 목표 및 목표달성 방법 수립

5) 루블과 토마스의 갈등관리 모형

틀잡기	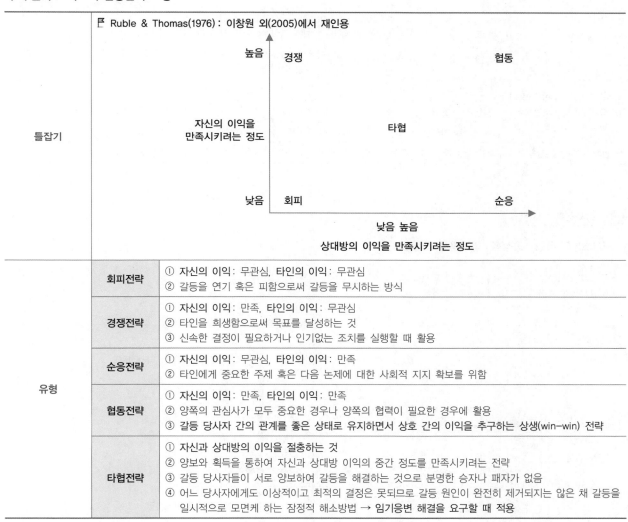

유형	회피전략	① 자신의 이익: 무관심, 타인의 이익: 무관심 ② 갈등을 연기 혹은 피함으로써 갈등을 무시하는 방식
	경쟁전략	① 자신의 이익: 만족, 타인의 이익: 무관심 ② 타인을 희생함으로써 목표를 달성하는 것 ③ 신속한 결정이 필요하거나 인기없는 조치를 실행할 때 활용
	순응전략	① 자신의 이익: 무관심, 타인의 이익: 만족 ② 타인에게 중요한 주제 혹은 다음 논제에 대한 사회적 지지 확보를 위함
	협동전략	① 자신의 이익: 만족, 타인의 이익: 만족 ② 양쪽의 관심사가 모두 중요한 경우나 양쪽의 협력이 필요한 경우에 활용 ③ 갈등 당사자 간의 관계를 좋은 상태로 유지하면서 상호 간의 이익을 추구하는 상생(win-win) 전략
	타협전략	① 자신과 상대방의 이익을 절충하는 것 ② 양보와 획득을 통하여 자신과 상대방 이익의 중간 정도를 만족시키려는 전략 ③ 갈등 당사자들이 서로 양보하여 갈등을 해결하는 것으로 분명한 승자나 패자가 없음 ④ 어느 당사자에게도 이상적이고 최적의 결정은 못되므로 갈등 원인이 완전히 제거되지는 않은 채 갈등을 일시적으로 모면케 하는 잠정적 해소방법 → 임기응변 해결을 요구할 때 적용

6) 기타

레비츠키(Lewicki) 갈등프레임 유형	의의		레비츠키는 정책과정에서 갈등이 발생하는 원인을 다양한 관점에서 규명하고 있음
	유형	손익 프레임	① 갈등의 당사자들은 손실과 이익의 관점에서 프레이밍되는 방식에 따라 다른 입장을 취함 ② 문제상황이 자신에게 어떤 손익을 가져오는지에 대한 당사자의 평가가 중요함
		정체성 프레임	① 갈등 당사자 또는 자신이 속한 집단을 어떻게 정의하는가(Who am I?)의 문제 ② 예컨대, 갈등 당사자는 스스로에게 정책의 피해자라는 일정한 특징을 부여하여 자신들을 범주화함
		특징부여 프레임	① 갈등 상대방이 속한 집단과 구성원을 어떻게 정의(규정)하는가(Who are they?)의 문제 ② 상대방에 대한 자신들의 행동을 정당화하고 자신들의 정체성을 강화하는데 사용
		사회적 통제 프레임	권력의 정당성에 대한 갈등 당사자들의 인식
		위험 프레임	갈등 이슈와 관련된 위험의 유형과 수준에 대한 당사자의 평가에 따라 갈등이 발생할 수 있음
수평적 갈등 유발요인 (조직의 구조적인 측면에서 발생하는 갈등요인)	분업의 구조		체계적인 분업화가 이루어지지 않았을 때 갈등이 유발될 수 있음
	자원의 희소성		각 부서가 활용할 수 있는 자원이 부족할 때 갈등이 발생할 수 있음
	업무의 상호의존성		특정 업무가 부서 간 협조를 많이 요구할 때 갈등이 나타날 수 있음
인지된(지각된) 갈등			갈등을 유발할 소지가 있는 상황이 존재한다는 것에 대해 한 사람 혹은 여러 사람이 인지하는 것

3　의사소통(의사전달) cf

1) 의사소통의 유형 : 공식적 · 비공식적 의사전달

- 공식적 의사전달 : 공적인 문서에 의한 의사전달
- 비공식적 의사전달 : 조직 내 소문이나 풍문 등

공식적 의사전달	틀잡기	 하향적 의사전달　　상향적 의사전달 수평적 의사전달
	상향적 의사전달	① 부하가 상관에게 제안 및 보고를 하는 형태 ② 상의하달의 오류를 시정할 수 있으나 여과효과가 발생할 수 있음 ③ 참고 여과효과 : 자신에게 유리한 정보만 전달하는 것

공식적 의사전달	하향적 의사전달	① 조직의 계층구조를 따라 상급자로부터 하급자에게로 명령을 전달하는 의사전달 방식 ② 지위의 차이로 인해 하급자가 상급자의 잘못을 언급하지 못하는 경우가 있음
	수평적 의사전달	① 조직에서 위계 수준이 같은 구성원이나 부서 간의 의사전달 ② 수평 흐름에 의한 메시지의 내용은 주로 협력적인 성격을 띠며 그 왜곡의 정도가 덜함 → 다만, 지나친 전문화와 할거주의는 수평적 분화와 부서 이기주의를 뜻하는바 수평적 의사전달을 저해함 ③ 구성원 및 부서 간의 갈등을 관리하고 조정활동을 강화할 수 있음 → 이에 따라 근래에 수평적 의사전달의 중요성이 부각되고 있음
비공식적 의사전달		① 소문이나 풍문을 의미함 → 포도덩굴 커뮤니케이션과 같은 개념 ② 정보왜곡의 여지가 많은 바 이를 제거해야 한다는 관점이 있음 ③ 조직 내 공식적인 권위와 집단의 응집력을 약화할 수 있음 ④ 그러나 실제 의사결정과정에서 이를 활용할 수도 있으며, 공식적인 의사전달을 보완하는 역할도 가능함

2) 공식적·비공식적 의사전달 비교

구분	공식적 의사전달	비공식적 의사전달
장점	① 상관의 권위를 유지 ② 의사전달이 확실·편리 ③ 전달자와 피전달자가 분명, 책임소재 명확 ④ 정보의 사전입수로 비전문가라도 의사결정이 용이 → 장관이 의사결정을 하기 전에 부하로부터 정보를 받는 것 ⑤ 정보나 근거의 보존이 용이	① 신속하고 적응성이 강함 ② 배후사정을 소상히 전달 ③ 긴장·소외감 극복과 개인적 욕구의 충족 ④ 융통성이 높고 공식적 전달을 보완
단점	① 의사전달의 신축성이 없고 형식화되기 쉬움 ② 배후사정을 소상히 전달하기 곤란 ③ 변동하는 사태에 신속히 적응하기 어려움 → 구체적 내용을 정하는 과정에서 시간이 소요되기 때문에 의사전달의 속도가 느린 편임 ④ 기밀유지 곤란	① 책임소재가 불분명하고 조정·통제가 곤란 ② 개인적인 목적에 악용될 수 있음 ③ 공식적 의사소통 기능을 마비시키는 점 ④ 수직적 계층 하에서 상관의 권위가 손상 ⑤ 조정과 통제가 곤란함

3) 기타

의사전달 장애요인	① 의사전달 매체의 불완전함, 수신자의 편견, 시간의 압박, 계서적 문화로 인한 고압적인 분위기 형성 등은 의사전달에 영향을 미칠 수 있음 ② 환류의 차단은 의사전달의 신속성을 제고할 수는 있으나 정확성이 손상될 수 있음
대각선 의사전달	① 조직 내의 여러 가지 기능과 계층을 가로질러 이루어지는 의사전달 ② 대각선적 의사전달은 공식업무를 촉진하거나 개인적·사회적 욕구충족을 위해 나타남

4 의사전달망의 유형 cf

틀잡기	

선형   윤형   개방형   원형

유형	선형	① **계서제적 의사전달망** → 정보의 흐름이 계층에 의해 한 줄로 단계적인 절차를 거쳐 이어짐 ② **의사전달의 왜곡이 가장 큼**
	윤형 (바퀴형)	① **의사전달망의 중심에 리더가 있으며, 리더를 통해 모든 의사전달이 이루어짐** ② 정보가 리더에게 집중되어 집권적 형태를 띠므로 **단순하고 일상적인 업무처리에 적합**한 의사전달망
	개방형 (성형)	① 민주적인 형태의 의사전달망 → 분권적 ② 정보왜곡의 수준이 낮기 때문에 의사결정의 질이 가장 높은 의사전달망 → 불확실성이 클 때 활용 ③ **조직 내 각 구성원이 다른 모든 구성원들과 직접적인 의사전달을 하는 형태**로서 구성원들 모두가 서로 정보를 교환하기 때문에 문제해결에 **시간이 많이 걸리나 상황판단의 정확성이 높은 장점**을 가지고 있음 ④ 중심적 위치를 차지하는 단일의 리더는 없음
	원형	① 집단구성원 간에 서열이나 지위가 뚜렷이 드러나지 않고 **거의 동등한 입장에서 의사소통을 하는 경우**에 형성되는 네트워크 형태 ② 커뮤니케이션의 의사전달속도가 느림 ③ **태스크포스(task force)나 위원회조직 같은 조직에서 나타나는 유형**으로 수평적 네트워크를 형성함

Section 04 조직시민행동 cf

14 day

의의	① **윌리엄스와 앤더슨**(Williams & Anderson)에 따르면 조직시민행동이란 공식적인 보상에 얽매이지 않고 조직에 헌신하는 자발적인 행동임 → 공식적인 보상시스템으로 직접적 혹은 명시적으로 규정하지 않은 **직무역할 외 행동** ② 정부의 전체적인 생산성은 바람직한 공식적인 역할행동과 함께 조직시민행동을 활성화함으로써 증진될 수 있음

유형

구분	내용	분석단위
이타주의 (이타적 행동)	자신의 이익 외에도 타인을 고려하는 마음 → 타인을 돕는 행동	개인적 차원의 조직시민행동(OCB–I) (organizational citizenship behavior for individual, OCBI)
예의	다른 사람의 권리를 염두에 두고 존중하는 것	
양심적 행동 (성실행동)	① 시간을 정확하게 지키고, 규정 등을 잘 따르는 것 ② 작업장의 청결을 유지하는 것은 양심 행동에 속함	조직적 차원의 조직시민행동(OCB–O) (organizational citizenship behavior for organization, OCBO)
시민정신 (시민의식 행동)	본인이 속한 공동체를 위해 대가 없이 자발적인 봉사를 하는 것	
스포츠맨십 (신사적 행동)	공정하고 정당하게 업무를 하는 것	

촉진요인

구분	내용
직무만족도	자신이 속한 조직과 자신이 하는 직무에 대해 만족할수록 조직시민행동을 보이는 성향이 있음
조직몰입도	① 조직에 대한 심리적 애착의 정도 → 조직구성원이 조직과 자신을 동일시하여 조직에 헌신하는 정도 ② 조직몰입도는 조직문화와 직결되며, 조직몰입도가 클수록 조직시민행동을 하는 경향이 있음
공정성	조직 내의 공정성이 높다고 느낄수록, 즉 자신이 조직에서 공정한 대우를 받고 있다고 생각할수록 조직시민행동을 할 가능성이 커짐
역할명확성	조직 내에서 **자신의 역할이 구체적일수록 조직시민행동 성향↑**
전염성	조직 내에서 조직시민행동의 빈도가 높을수록, 그 조직 내의 사람들은 조직시민행동을 할 가능성이 큼

CHAPTER **05** 사람, 그리고 일에 대하여

Section 01 사람, 동기부여 및 학습을 중심으로   ● 14 day

1 조직이란?

- 조직 : 일반적으로 목표와 사람, 사람이 수행하는 일이 있을 때 조직으로 볼 수 있음
- 조직은 특정한 목표를 달성하기 위해 존재하는바 조직목표는 조직이 존재하는 정당성의 근거가 될 수 있음
- 조직은 일반적으로 구성원의 목표가 상이하다고 보고 구성원의 목표를 통합하는 관리전략을 추구함

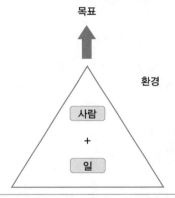

그림 설명	① 조직의 생산성을 높이기 위해 관리자는 구성원에게 동기부여를 해야함 ② 동기란 사람을 움직이는 힘이며, 동기부여는 구성원에게 동기를 부여하여 조직목표에 기여하도록 유도하는 것임

2 인간관의 유형 : 쉐인의 분류

구분	내용	행정이론
합리적·경제적 인간관	① 인간을 합리적·이성적·경제적인 존재로 간주 ② 인간은 자신의 이익을 극대화하기 위해 행동하는 존재 ③ 합리적·경제적 인간은 돈과 같은 자신의 이익을 위해 행동함 ④ 즉, 조직이 제공하는 인센티브 등에 의해 동기부여 되는 수동적인 존재임	관리주의
사회적 인간관	① 인간을 사회적인 존재로 간주 → 인간은 주변 사람의 영향을 받는 존재 ② 인간의 피동성과 동기부여의 외재성을 전제	전기 인간주의
자아실현적 인간관 (성장인)	① 자신의 능력을 최대치까지 발휘하려는 욕구를 가진 존재 ② 도전적 혹은 자기 발전이 가능한 업무에 기초하여 능동적으로 동기가 부여됨	후기 인간주의
복잡인	① 개인을 규정할 수 있는 유일 최선의 방법은 없음 ② 따라서 구성원에 대한 관리 방식도 개인차를 고려해야 함	–

3 **동기부여이론 틀잡기 : 인간관의 유형에 기초한 분류**

```
                        ┌─ 성장인 모형
         ┌─ 내용 이론 ─┤
동기부여이론 ─┤              └─ 복잡인 모형
         └─ 과정 이론
```

4 **내용이론**

- 동기를 유발하는 욕구의 내용규명에 중점을 두는 이론 → 즉 '사람을 움직이는 것은 무엇인가'를 알고자 하는 이론
- 내용이론은 인간을 자아실현적 존재로 보는 모형(성장인 모형)과 복잡인으로 보는 모형(복잡인 모형)으로 나눌 수 있음
- **참고** 합리적 또는 경제적 인간모형(동기요인 : 돈), 사회적 인간모형(동기요인 : 동료애 등)을 내용이론으로 보는 견해도 있음

1) 성장인 모형 : 모든 인간은 유사하다는 전제

- 인간은 일정한 단계를 따라 성장하고 해당 단계에 적합한 욕구가 충족되어야 함
- 성장인 모형은 모든 인간이 비슷한 단계를 따라 성장한다고 가정하고 있음 → 즉, 개인 간 성장단계의 차이를 고려하지 못함

① 머슬로우의 욕구계층이론

틀잡기	
	※ 머슬로우에 따르면 인간은 하위 욕구를 어느 정도 충족해야 상위욕구에 대한 동기부여가 발생함

욕구에 대한 설명	**생리적 욕구**	① 욕구의 강도가 가장 높고 기본적이며 가장 선행되어야 할 욕구(**예** 의식주·수면·보수 등) ② 생리적 욕구가 충족되기 전에는 어떤 욕구도 일어나지 않음
	안전에 대한 욕구	신분보장, 경제적 안정, 연금, 위험·위협으로부터의 해방, 질서 등에 대한 욕구 등
	소속의 욕구 (사회적 욕구)	다수의 집단 속에서 동료들과 서로 주고받는 동료관계를 유지하고 싶은 욕구(**예** 애정·소속감 등)
	존경에 대한 욕구	타인으로부터 인정받고 싶은 욕구
	자아실현 욕구	자기의 잠재적 역량을 최대한으로 실현하려는 욕구
한계		㉠ 각 욕구 단계를 명확하게 구분하기 어려움 → **예** 생리적 욕구와 안전에 대한 욕구 ㉡ 실증적으로 검증되지 않은 모델 ㉢ 동기유발 요인으로서 욕구는 복합적으로 작용할 수 있음

② 앨더퍼의 ERG이론

틀잡기	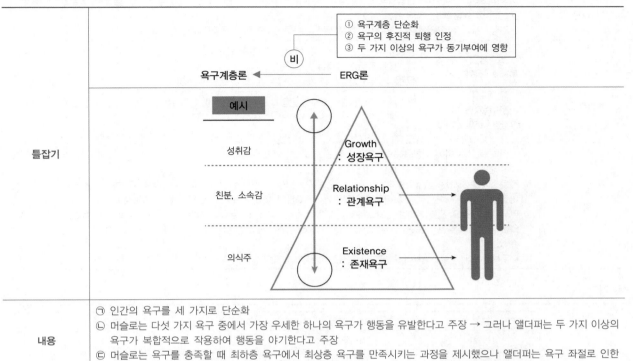
내용	⊙ 인간의 욕구를 세 가지로 단순화 ⓛ 머슬로는 다섯 가지 욕구 중에서 가장 우세한 하나의 욕구가 행동을 유발한다고 주장 → 그러나 앨더퍼는 두 가지 이상의 욕구가 복합적으로 작용하여 행동을 야기한다고 주장 ⓒ 머슬로는 욕구를 충족할 때 최하층 욕구에서 최상층 욕구를 만족시키는 과정을 제시했으나 앨더퍼는 욕구 좌절로 인한 퇴행을 언급함 → 욕구발로의 후진적 퇴행(좌절·퇴행법)

③ 허즈버그의 욕구충족요인이원론

틀잡기	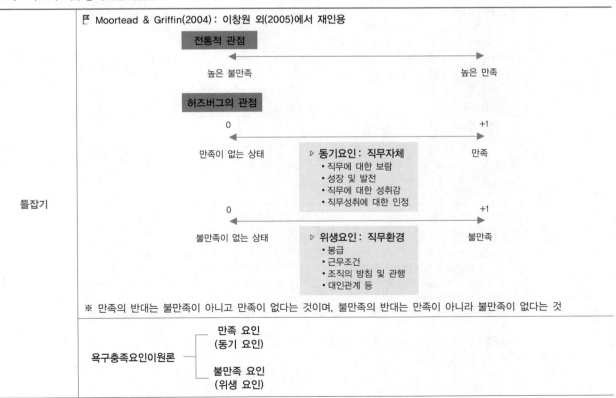 ※ 만족의 반대는 불만족이 아니고 만족이 없다는 것이며, 불만족의 반대는 만족이 아니라 불만족이 없다는 것

내용	⊙ 미국 피츠버그 소재 11개 산업체의 200여 명의 **엔지니어와 회계사**에 대한 면접조사를 통해, '**직무상 만족과 불만족의 요인**'을 두 범주로 유형화 ⓒ 연구의 결과, 두 요인은 각각 상이한 방식으로(상호 독립적으로) 직무행동에 영향을 미침	

만족요인 · 불만족요인	만족요인 (직무자체 · 상위욕구)	① 성취감(자아실현), 책임감, 안정감, 자기존중감, 상사의 인정, 직무 자체에 대한 보람, 성장(승진) 및 발전, 직무충실(책임감 · 자율성↑) 등 ② **참고** 직무충실: 상위 계층의 업무를 일부 담당하는 것
	불만족요인 (직무환경 · 하위욕구)	① 대인관계, 작업조건, 조직의 방침과 관행(조직정책), 임금(보수), 지위, 상관의 감독방식, 직무확장, 신분보장 등 ② **참고** 직무확장: 수평적으로 업무의 범위를 넓혀 단조로움 등 불만을 없애주는 역할을 함

비판	⊙ 개인의 욕구 차이에 대한 충분한 고려가 없음 → 가령, 어떤 사람에게 동기요인으로 작용하는 것이 동일집단 내의 다른 사람에게는 위생요인으로 작용할 수 있음 ⓒ 전문직에 종사하는 사람(일반적으로 상위욕구 추구)을 연구대상으로 선정한 까닭에 보수나 작업조건 등 위생요인과 같은 하위욕구를 추구하는 계층에 적용하기 곤란함 → 표본의 대표성 문제로 인해 일반화 가능성↓ ⓒ 연구자료가 중요사건기록법을 근거로 수집되었기 때문에 연구대상 표본들의 자아보호적 편견의 결과 **동기요인이 과대평가**되었을 가능성이 높음 → 또한 다른 조사방법을 사용하여 연구를 수행하는 경우 허즈버그의 연구결과와 다른 결론이 도출될 수 있음 ⓔ 직무특성론에 따르면 욕구충족요인이원론은 직무요소와 동기 및 성과 간의 관계가 충분히 분석되어 있지 않음

④ 기타

리커트 관리체제이론	구분	내용	기타
	관리체제1	착취적 권위형	권위형 체제: X이론적 관리체제
	관리체제2	온정적 권위형	
	관리체제3	협의적 권위형	참여형 체제: Y이론적 관리체제
	관리체제4	협동적 권위형	

※ 연구의 결론
  ⊙ 체제4로 갈수록 생산성이 높음
  ⓒ 체제4로 갈수록 Y이론 관점의 관리체제

맥그리거 X · Y이론	구분	내용	동기부여 방식
	X형 인간	수동적 존재	당근과 채찍
	Y형 인간	능동적 존재	자율성 부여

※ 연구의 결론: X형 인간은 하위욕구, Y형 인간은 상위욕구를 추구함

아지리스 미성숙 · 성숙론	구분	내용	동기부여 방식
	미성숙인	X형 인간	당근과 채찍
	성숙인	Y형 인간	자율성 부여

⊙ 인간은 시간의 흐름에 따라 미성숙 상태에서 성숙상태로 변화함
ⓒ 그럼에도 불구하고 아지리스에 따르면 **오늘날 공식적 조직은 X이론에 기초한 관리**를 널리 적용하고 있음

맥클랜드 성취동기이론	⊙ 맥클랜드는 **모든 사람이 비슷한 욕구의 계층을 가지고 있다고 주장한 머슬로의 이론을 비판** ⓒ 개인의 **욕구는 성장과정에서 학습**하는 것이며, 개인마다 그 욕구계층에 차이가 있음을 주장 ⓒ 다만, 개인이 사회문화적으로 학습한 욕구를 일반적으로 **성취욕구, 권력욕구, 친교욕구로 볼 수 있다는 점**에서 다른 성장인 모형과 유사점을 지님 ⓔ 나아가 맥클랜드는 성공적인 기업가가 되기 위한 요인이 물질적인 것이 아닌 성취욕구라는 점을 입증하고자 했음 → **성취욕구 강조** ⓜ **참고** 성취욕구는 도전적인 일을 성취하려는 욕구, 권력욕구는 타인을 통제하려는 욕구, 친교욕구는 다른 사람들과 친근하고 밀접한 관계를 맺으려는 욕구를 의미함

구분	하위욕구				상위욕구		
Maslow (매슬로우)	생리욕구	안전욕구		사회적 욕구	존경욕구		자아실현 욕구
		물리적 안정	신분 보장		타인의 인정	자기 존중	
Alderfer (앨더퍼)	생존욕구(E)			관계욕구(R)		성장욕구(G)	
McGregor (맥그리거)	X이론				Y이론		
Argyris (아지리스)	미성숙이론				성숙이론		
Likert (리커트)	체제Ⅰ, 체제Ⅱ				체제Ⅲ, 체제Ⅳ		
Herzberg (허즈버그)	위생요인				동기요인		
D. McClelland (맥클랜드)	–		친교욕구		권력욕구		성취욕구

(욕구 간 관계)

2) 복잡인 모형 : 모든 인간은 다르다는 전제 ⓒⅠ

- 복잡인 모형에서 인간은 성장인 모형과 다르게 다양한 욕구와 잠재성을 지닌 복잡한 존재로 간주
- 기존의 동기이론은 인간을 단순화하고 보편화하는 문제점을 가지고 있었음 → 복잡인 모형은 이러한 종래의 동기이론을 부정하면서 일종의 상황적응이론으로 발달한 이론

① 해크먼 & 올드햄의 직무특성론

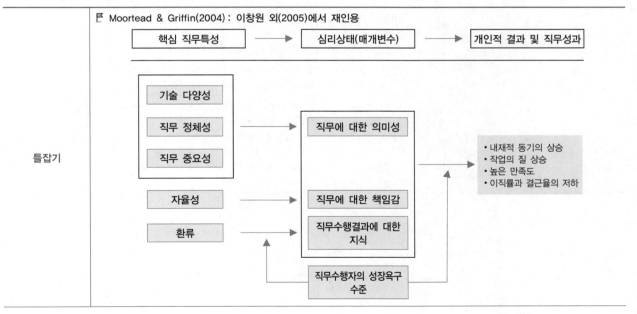

틀잡기

^{F} Moortead & Griffin(2004) : 이창원 외(2005)에서 재인용

핵심 직무특성 → 심리상태(매개변수) → 개인적 결과 및 직무성과

기술 다양성 / 직무 정체성 / 직무 중요성 → 직무에 대한 의미성

자율성 → 직무에 대한 책임감

환류 → 직무수행결과에 대한 지식

직무수행자의 성장욕구 수준

- 내재적 동기의 상승
- 작업의 질 상승
- 높은 만족도
- 이직률과 결근율의 저하

구분	내용
기술다양성	직무수행에 필요한 기술의 종류
직무정체성	직무내용의 완결성 정도 → 직무의 범위
직무중요성	직무가 조직의 내외 사람의 일과 삶에 영향을 미치는 정도 → 직무의 영향력
※ 기술다양성, 직무정체성, 직무중요성은 직무수행자가 느끼는 직무에 대한 의미에 영향을 미침	
자율성	직무수행 시 자율성을 보유하고 있는 정도로서 직무에 대해 개인이 느끼는 책임감으로 이어짐
환류	일련의 성과정보로서 직무수행성과에 대한 지식으로 이어짐

직무 특성

내용

㉠ 해크만과 올드햄(1976)의 직무특성이론은 **직무의 특성과 직무수행자의 성장욕구수준의 관계를 연구**
㉡ 즉, 어떤 직무의 특성이 그 직무수행자의 성장욕구수준에 부합할 때 직무수행자가 더 큰 의미와 책임을 느낀다는 것
　→ 내재적 동기부여 강조
㉢ 직무수행자의 **성장욕구수준**이라는 개인차를 고려하고 구체적으로 직무의 특성, 심리상태변수, 성과변수 등의 관계를 제시했다는 면에서 허즈버그의 욕구충족이원론의 한계를 어느 정도 극복함
㉣ 직무특성이론은 주로 동기부여의 내용이론으로 구분하지만, 과정이론으로 보는 견해도 있음
㉤ 참고 내재적 동기부여: 성취감 등에 기초한 동기부여

잠재적 동기지수

$$\text{잠재적 동기지수} = \frac{\text{기술 다양성} + \text{직무 정체성} + \text{직무 중요성}}{3} \times \text{자율성} \times \text{환류}$$

잠재적 동기지수와 성장욕구 수준의 관계	㉠ 성장욕구가 높은 사람 → 잠재적 동기지수가 높은 직무를 부여 ㉡ 성장욕구가 낮은 사람 → 잠재적 동기지수가 낮은 직무를 부여

② 기타

쉐인 복잡인 모형			㉠ 쉐인은 현대인을 복잡인으로 묘사하면서, 인간의 욕구 체계는 매우 복잡함을 강조 ㉡ 따라서 개인별 욕구체계와, 담당업무에 따라 서로 다른 관리전략을 제시해야 함
Z이론 (복잡인 모형)	**의의**		McGregor(맥그리거)의 X·Y이론 이후 학자들이 X 및 Y이론에 해당하지 않는 관리상황과 전략을 해결할 수 있는 Z모형을 개발함
	유형	룬드스테드 Z이론	㉠ **X이론**: 권위적이고 독단적인 리더십이 적합(독재형 리더십) ㉡ **Y이론**: 구성원의 참여를 반영하는 리더십이 적합(민주형 리더십) ㉢ **Z이론**: 방임적 조직관리를 적용하는 리더십이 적합(자유방임형 리더십)
		로리스 Z이론	복잡인 모형을 전제 → X이론과 Y이론 중 한 가지 가정만 적용되는 것이 아니라 환경의 영향을 받는 개방체제의 복잡한 인간관을 전제로 상황적응적 관리주장
		오우치 Z이론	㉠ 1970년대 후반 미국의 경기침체를 극복하기 위해 일본의 경영방식을 도입함(복잡인 전제) → 당시 미국식 경영과 반대되는 부분을 미국조직에 적용 ㉡ 일본식 관리전략의 특징: 집단적 의사결정, 일반행정가 양성, 완만한 승진 속도, 직원에 대한 전인격적 관심, 비공식적 평가의 중시, 장기적 고용관계 등 　ⓐ 전인격적 관심: 직원의 사적인 부분까지 관심을 가지는 것 　ⓑ 완만한 승진속도: 엄격한 평가를 통한 승진심사

5 과정이론

동기를 형성하는 과정, 즉 인간행동의 동기가 어떻게 유발되는지에 초점 → 인간의 동기부여 과정을 구조화

1) 애덤스의 공정성 이론

틀잡기	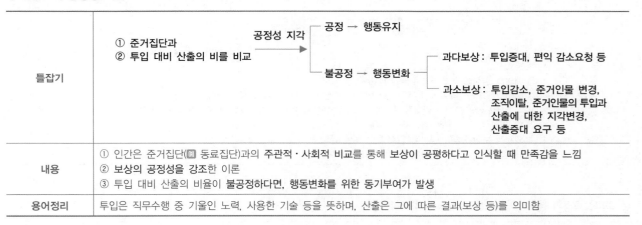
내용	① 인간은 준거집단(**예** 동료집단)과의 주관적·사회적 비교를 통해 보상이 공평하다고 인식할 때 만족감을 느낌 ② 보상의 공정성을 강조한 이론 ③ 투입 대비 산출의 비율이 불공정하다면, 행동변화를 위한 동기부여가 발생
용어정리	투입은 직무수행 중 기울인 노력, 사용한 기술 등을 뜻하며, 산출은 그에 따른 결과(보상 등)를 의미함

2) 브룸의 기대이론

	틀잡기	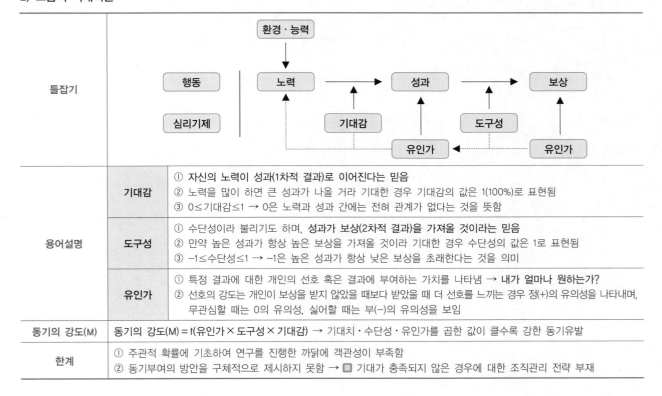	
용어설명	기대감	① 자신의 노력이 성과(1차적 결과)로 이어진다는 믿음 ② 노력을 많이 하면 큰 성과가 나올 거라 기대한 경우 기대감의 값은 1(100%)로 표현됨 ③ 0≤기대감≤1 → 0은 노력과 성과 간에는 전혀 관계가 없다는 것을 뜻함	
	도구성	① 수단성이라 불리기도 하며, **성과가 보상(2차적 결과)을 가져올 것이라는 믿음** ② 만약 높은 성과가 항상 높은 보상을 가져올 것이라 기대한 경우 수단성의 값은 1로 표현됨 ③ −1≤수단성≤1 → −1은 높은 성과가 항상 낮은 보상을 초래한다는 것을 의미	
	유인가	① 특정 결과에 대한 개인의 선호 혹은 결과에 부여하는 가치를 나타냄 → 내가 얼마나 원하는가? ② 선호의 강도는 개인이 보상을 받지 않았을 때보다 받았을 때 더 선호를 느끼는 경우 정(+)의 유의성을 나타내며, 무관심할 때는 0의 유의성, 싫어할 때는 부(−)의 유의성을 보임	
동기의 강도(M)		동기의 강도(M) = f(유인가 × 도구성 × 기대감) → 기대치·수단성·유인가를 곱한 값이 클수록 강한 동기유발	
한계		① 주관적 확률에 기초하여 연구를 진행한 까닭에 객관성이 부족함 ② 동기부여의 방안을 구체적으로 제시하지 못함 → **예** 기대가 충족되지 않은 경우에 대한 조직관리 전략 부재	

3) 포터와 롤러의 성과만족이론 ⓒⅼ

틀잡기	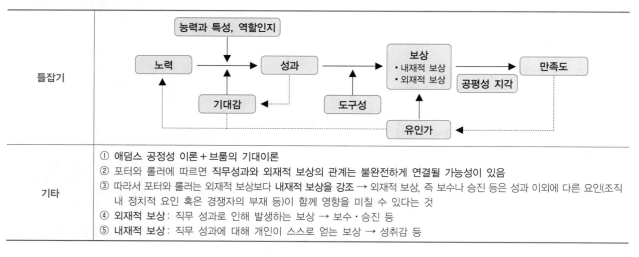
기타	① 애덤스 공정성 이론 + 브룸의 기대이론 ② 포터와 롤러에 따르면 직무성과와 외재적 보상의 관계는 불완전하게 연결될 가능성이 있음 ③ 따라서 포터와 롤러는 외재적 보상보다 **내재적 보상**을 강조 → 외재적 보상, 즉 보수나 승진 등은 성과 이외에 다른 요인(조직 내 정치적 요인 혹은 경쟁자의 부재 등)이 함께 영향을 미칠 수 있다는 것 ④ **외재적 보상**: 직무 성과로 인해 발생하는 보상 → 보수·승진 등 ⑤ **내재적 보상**: 직무 성과에 대해 개인이 스스로 얻는 보상 → 성취감 등

4) 조고폴로스의 통로·목표이론과 로크의 목표설정이론 ⓒⅼ

조고폴로스 통로·목표이론	① 동기의 강도는 조직의 목표나 생산활동이 조직구성원의 이익에 도움이 되는지에 대한 기대와 구성원이 그 결과에 부여하는 가치에 의해 결정됨 ② 즉, 구성원의 동기는 조직이 추구하는 목표가 얼마나 개인의 욕구를 충족시켜 줄 수 있는가, 그리고 근로자의 생산성 제고를 위한 노력이 조직의 목표를 얼마나 잘 달성할 수 있는지 등에 의해 결정됨
로크 목표설정이론	① 난이도가 적당히 높고, 구체적인 목표를 능동적으로 설정할 때 강한 동기부여를 만들 수 있음 ② 구체적이고 적당히 어려운 목표의 설정과 목표성취도에 대한 환류의 제공이 업무담당자의 동기를 유발하고 업무 성취를 향상시킨다고 간주

5) 학습이론 ⓒⅼ

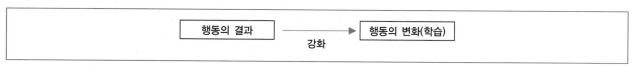

- 인간행동의 결과가 인간의 행동을 결정한다고 보는 이론
- 행동의 결과를 통해 학습하는 과정을 살피고 행동의 변화를 설명한다는 점에서 과정이론으로 보고 있음

① 틀잡기

```
행동의 결과  ──────────→  행동의 변화(학습)
              강화
```

② 파블로프의 고전적 조건화

틀잡기	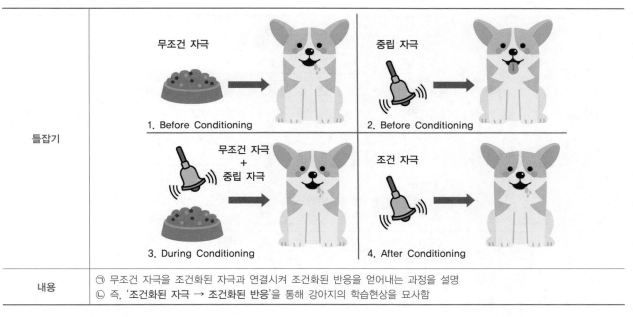
내용	㉠ 무조건 자극을 조건화된 자극과 연결시켜 조건화된 반응을 얻어내는 과정을 설명 ㉡ 즉, '조건화된 자극 → 조건화된 반응'을 통해 강아지의 학습현상을 묘사함

③ 스키너의 조작적 조건화

틀잡기	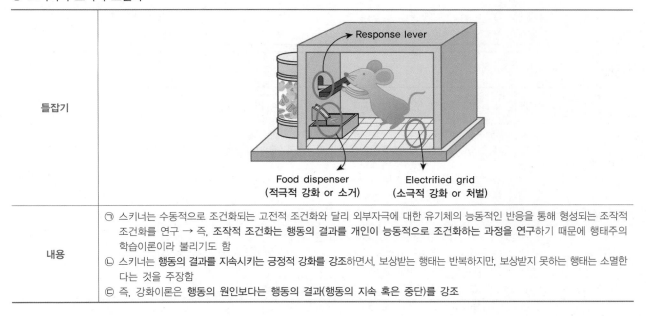
내용	㉠ 스키너는 수동적으로 조건화되는 고전적 조건화와 달리 외부자극에 대한 유기체의 능동적인 반응을 통해 형성되는 조작적 조건화를 연구 → 즉, 조작적 조건화는 행동의 결과를 개인이 능동적으로 조건화하는 과정을 연구하기 때문에 행태주의 학습이론이라 불리기도 함 ㉡ 스키너는 **행동의 결과를 지속시키는 긍정적 강화**를 강조하면서, 보상받는 행태는 반복하지만, 보상받지 못하는 행태는 소멸한다는 것을 주장함 ㉢ 즉, 강화이론은 **행동의 원인보다는 행동의 결과(행동의 지속 혹은 중단)를 강조**

④ 강화유형과 강화일정

<table>
<tr><td rowspan="2">강화유형</td><td>틀잡기</td><td colspan="2">구분</td><td>제공</td><td>제거</td></tr>
</table>

		구분	제공	제거
강화유형	**틀잡기**	원하는 것	적극적 강화	소거(중단)
		원하지 않는 것	처벌	소극적(부정적)강화
	용어설명	적극적 강화	승진, 칭찬, 출산장려금 지급 → 스키너가 가장 선호하는 방법	
		소극적 강화	수업시간에 열심히 참여한 학생에게 숙제를 면제하는 것, 강등 면제, 육아 부담의 제거 등	
		처벌	징계, 질책 등	
		소거(중단)	성과금 폐지 등	
		참고 적극적 강화 및 소극적 강화를 적극적 보상, 소극적 보상이라고 번역하는 경우도 있음		

	구분	내용		
강화일정	**연속적 강화**	㉠ 바람직한 행동이 나올 때마다 강화요인을 제공하는 방법 ㉡ 학습 초기단계에서 바람직한 행동을 일으키는 데 효과적임 ㉢ 그러나 강화효과가 빠르게 사라짐 → 관리자에게 큰 도움을 주지 못함		
	단속적 강화	부분적 규칙 혹은 불규칙적으로 강화요인 제공	간격강화 (시간간격)	고정간격 강화 → **예** 월급
				변동간격 강화 → **예** 보너스
			비율강화 (행동비율)	고정비율 강화 → **예** 개근상
				변동비율 강화 → **예** 퀴즈당첨

⑤ 기타

손다이크 수단적 조건화	행태반응의 결과가 강화요인인지 처벌인지에 따라 다른 행태적 반응이 발생
사회적 학습	㉠ 학습에 있어서 환경(모방 등)과의 상호작용 강조 ㉡ 행동을 위한 외적인 선행자극이나 결과로서 자극뿐만 아니라 인간의 내면적인 욕구, 만족, 기대를 충족할 때 학습이 발생(자발적 인지)함 ㉢ 행태주의적 이론과 인지적 학습이론의 요소를 모두 포함 → 인간은 관찰(다른 사람의 행동과 결과 관찰)과 직접 경험(자신의 실행 및 결과 인지)을 통해 학습
잠재적 학습	학습에는 강화작용이 필요 없으나 행동야기에는 강화작용이 필요하다는 이론
인식론적 학습	㉠ 관찰가능한 행태보다 정신적 과정으로서의 학습을 중시 ㉡ 즉, 외부의 자극보다 인간의 내면적 욕구, 만족, 기대 등 자발적 인지가 학습의 동력임을 강조 ㉢ **예** 기대이론 등
인지평가이론	외재적 보상이 오히려 직무에 대한 흥미를 저하시킬 수 있다는 이론
자율규제이론	인간은 설정한 목표를 달성하기 위하여 열심히 노력하는 것이 아니라 노력의 결과로서 나타난 성과를 스스로 평가하고(학습) 그 결과 자신이 설정한 기준에 미흡하면 이를 향상하기 위하여 자율적으로 규제하는 현상을 설명
자기효능감	본인의 능력에 대한 신념의 정도

귀인이론	의의	사람의 행동을 관찰 후에 왜 그렇게 행동하는지 설명하려는 이론으로 합의성, 일관성, 특이성 개념을 바탕으로 행동의 원인에 대해 추론함			
	틀잡기	 행동의 관찰 ⟶ 일관성 (높음) ※ 낮으면 귀인판단 불가 → 합의성 (높음 또는 낮음) / 특이성 (높음 또는 낮음) → 행동의 원인에 관한 추론 [이창원·최창현, 2006 수정]			
		합의성	㉠ 동일한 상황에서 다른 사람들이 이 사람과 동일한 행동을 하는지 여부 ㉡ 동일한 상황에서 타인과 비교	높음	외면적 원인
				낮음	내면적 원인
		특이성	㉠ 같은 사람이 다른 상황에서 상이하게 행동하는 정도 ㉡ 다른 상황에서 동일한 사람과 비교	높음	외면적 원인
				낮음	내면적 원인
		일관성	㉠ 항상 동일하게 행동하는지 여부 → 과거와 비교 ㉡ 일관성이 낮으면 귀인판단 불가	높음	내면적 원인
				낮음	판단 곤란

Section 02　조직에서 사람이 하는 일 🔤　　🔴 14 day

- 조직구성원은 수행하는 일을 위해 다양한 기술을 필요로 함
- 페로우·톰슨의 기술유형은 Chapter 01 조직구조론 中 'Section 01 조직구조의 변수' 참고

1　우드워드의 기술유형과 조직구조

의의		① 우드워드는 '기술적 복잡성'을 기준으로 조직에서 사용하는 기술을 세 가지로 분류 ② 기술적인 복잡성이 높다는 의미 : 대다수 작업을 기계가 수행하며, 결과에 대한 예측가능성이 크다는 것		
유형		**구분**	**소량 생산기술**	**대량 생산기술**	**연속공정 생산기술**
		기술적 복잡성	낮음	중간	높음
		생산과정	숙련된 기술자	표준화된 공정	표준화된 공정 + 숙련된 기술자
		조직구조	유기적 구조	기계적 구조	유기적 구조
참고	소량 생산기술	① 맞춤형 정장을 생산하는 조직에서 활용하는 기술 ② 조직의 규모가 작고 고객마다 상이한 상품을 생산하므로 유기적 구조에 적합		
	대량생산 기술	① 통조림 음식을 대규모로 생산하는 경우 복잡한 반도체를 생산하는 경우보다 불확실성이 낮음 ② 따라서 기계적 구조에 적합함		
	연속공정 기술	① 반도체 생산의 경우 생산과정에서 불확실성이 높은 편이기 때문에 유기적 구조와 어울림 ② 다만, 숙련된 기술자의 중간 검토를 통해 업무의 예측가능성을 높일 수 있음		

CHAPTER 06 환경과 조직 : 환경을 고려한 조직이론을 중심으로

1 애스틀리와 반데벤의 거시조직이론 분류

- **거시조직이론** : 조직과 환경과의 관계를 설명한 조직이론
- 1960년대 이후의 개방체제 조직이론(거시조직이론)을 애스틀리(W. Astley)와 반데벤(A. Van de Ven)이 분류했으며, 그 내용은 아래와 같음

틀잡기	분석수준	조직군	① 조직군생태학이론 ② 조직경제학 　⊙ 거래비용이론 　ⓒ 주인대리인이론 ③ 제도화이론	① 공동체생태학이론
		개별조직	① 구조적 상황이론	① 전략적 선택이론 ② 자원의존이론
			결정론	임의론
				[이창원 외, 2005]
용어설명	① **결정론** : 조직의 행동은 환경의 구조적 제약에 의해 결정되고 이에 수동적으로 반응한다는 관점 ② **임의론** : 자율적으로 환경에 대해 행동을 취함으로써 적극적으로 환경을 형성한다고 보는 관점 ③ **조직군** : 특정 환경에서 생존을 유지하는 동종의 조직 집합				

2 각 이론에 대한 설명 [읽어 보기]

1) 구조적 상황론

중범위 이론	① 경험적 조직이론으로서 관료제론과 행정원리론에서 추구한 보편적인 조직원리를 비판하면서 등장 ② 조직구조의 유형 : 유기적 구조, 기계적 구조 ③ 상황적 특성 : 조직의 규모, 기술, 환경 등으로 한정 → 상황적응론은 거대이론(모든 환경요인을 고려하여 만들어낸 보편적이론)보다 분석의 틀을 단순화함
상황적응론	① 조직의 효과성은 조직의 구조적 특성과 상황적 특성이 얼마나 부합하는가에 의존함 ② 가령, 조직의 환경이 안정적이면 기계적 구조, 불안정하면 유기적 구조의 형태를 취해야 한다는 것(조직의 수동적 적응) → 체제이론의 거시적 관점에 따라 조직은 일정한 경계를 가지고 환경과 구분되는 체제(생명체)의 하나로 간주
대표이론	① Lawrence와 Lorsch는 「조직과 환경」이라는 저서에서 상황적응이론을 통해 분화와 통합을 강조 ② 이들의 연구에 따르면 외부환경의 불확실성의 정도가 조직분화의 정도를 결정함 → 즉 어떤 조직의 외부환경이 불확실할수록 그 조직은 환경에 적응하기 위하여 더 높은 정도의 분화를 필요로 함 ③ 다만, 조직의 분화가 심할수록 하부조직 간 의견조정이 어려운 까닭에 통합의 필요성이 증가함 → 따라서 로렌스 등은 조직환경과 조직의 분화·통합기능 사이의 적절한 관계가 조직성과를 제고할 수 있음을 강조함

2) 조직군생태학이론

극단적인 환경결정론	한난(Hannan)과 프리만(Freeman)이 제시한 이론으로서 조직의 변화가 외부환경의 선택에 따라 좌우된다고 주장하는 극단적인 환경결정론
자연도태 적용 (생물학)	① 생물학의 자연선택 혹은 적자생존·약육강식이론을 적용함으로써 분석수준을 유사한 조직구조를 지닌 조직군으로 전환시키고, 어떤 조직들은 왜 생존 및 발전하고, 어떤 조직들은 왜 소멸하는지를 밝힘 ② 시간이 지남에 따라 환경에 적합한 조직군이 살아남고 그렇지 못한 조직군은 사라짐 → 즉, 조직군생태론은 시간의 흐름에 따른 변화를 관찰한다는 점에서 종단적 분석을 활용함
환경적소	① 환경에는 환경적소(environmental niche)가 있어서 동일성의 원칙(principle of isomorphism)에 기초하여 조직은 환경적소로 편입하거나 도태할 수 있다고 주장 ② 참고 환경적소: 특정 조직군이 다른 조직군과 경쟁하여 생존할 수 있는 공간(환경의 수용 능력)
기타	① 조직군생태학이론에 따르면 조직은 자체적인 관성(inertia)으로 인해 능동적으로 변화하기가 쉽지 않음 ② 그러나 조직군 생태학이론은 조직의 우연적·의도적 변화를 인정 → 단, 조직의 운명을 결정하는 건 환경적합도임 ③ 조직의 변화에 대한 내적인 제약요인: 매몰비용, 정보의 부족, 굳어진 정치적 구조 및 오래된 조직역사 등

3) 조직경제학

의의		① 조직경제학: 경제학을 활용해서 조직과 제도와의 관계를 설명한 이론 ② 조직경제학은 주인대리인 이론과 거래비용이론을 기초로 대리손실과 거래비용을 최소화하는 제도를 강조함 ③ 애스틀리와 반데벤은 거래비용과 인센티브 제도 등을 환경으로 간주하면서 조직경제학을 결정론으로 분류했음
주인대리인론	주요 내용	주인이 특정 업무를 대리인에게 맡기는 과정에서 발생하는 대리손실을 줄이기 위해 경쟁 및 인센티브 등(제도적 처방)을 강조
	정보비대칭	주인과 대리인 모두 자신의 이익을 극대화하려는 합리적 행위자이며, 주인과 대리인 간에는 일반적으로 정보의 비대칭성(주인과 대리인 간 정보보유량 차이)이 존재함
	대리손실	① 정보의 비대칭성은 주인에게 대리손실을 발생시킬 수 있는데 대리손실은 도덕적 해이 및 역선택으로 구성됨 ② 도덕적 해이: 대리인의 기회주의적 행동으로 인해 발생하는 대리인의 태만 → 사후손실(대리인이 일을 착수한 후 주인에게 발생하는 손실) ③ 역선택: 주인이 전문성이 부족한 대리인을 선택하는 것 → 사전손실(대리인이 일을 착수하기 전에 주인에게 발생하는 손실)
	제도적 처방	대리인이론은 대리손실을 해결하기 위해 제도적인 처방(엄격한 평가에 바탕을 둔 인센티브 제도 등)을 활용한 대리인 통제를 강조
거래비용이론	주요 내용	① 거래비용이 클 때 조직은 물건을 생산할 수 있는 조직(계층제)을 형성하는데, 윌리엄슨은 U자형 조직(기능 구조: Unitary form)보다 M자형 조직구조(사업구조: Multidivisionalized form)가 효율적임을 주장함 ② M형 구조는 각 부문이 자체의 사업영역 내에서 이익 극대화를 위한 합리적 행동을 추구함 → 이에 따라 대규모 조직에서 발생하기 쉬운 불합리한 요인들이 제거되고 사업부서 내 조정이 용이해짐으로써 조직의 효율적인 운영이 가능해짐
	미시적 관점	거래비용론은 조직의 합리적 행동을 관찰하는바 현상을 미시적인 관점에서 분석하고 있음
	기타	① 거래비용론 관점에서 계층제(자체 생산)가 시장(위탁 생산)보다 효율적일 수 있는 근거(윌리엄슨: Williamson) ② 윌리엄슨에 따르면 자체 생산방식이 위탁 생산보다 조직에 대한 통제가 용이함 ③ 따라서 자체 생산방식은 불확실성·정보밀집성·제한된 정보 등의 문제를 해결할 수 있음

4) 제도화이론 : 사회학적 신제도주의

주요 내용	① 조직은 사회규범적 환경(사회적 정당성)에 순응해야 생존할 수 있음을 강조 ② 즉, 제도화이론에서 조직은 그 정당성과 생존을 확보하기 위하여 제도적 환경(사회문화적 규범이나 가치체계 등)에 부합되게끔 적응하도록 압력을 받음 → 따라서 조직은 제도적 환경에 비추어 적절하거나 문제의 소지가 없는 것으로 간주되는 조직형태나 구조를 닮아감

5) 전략적 선택이론

관리자의 전략적 선택 강조	차일드(Child, 1972)가 주장한 이론으로서 관리자의 상황판단과 전략이 조직의 구조를 결정할 뿐 상황이 조직의 운명을 결정하는 게 아니라는 임의론적인 관점 → 조직의 구조가 환경의 영향을 받을 수 있으나 조직이 환경에 그대로 따르는 것은 아님
현상유지 전략과 공격적 전략	만약 관리자가 현상유지 전략(방어적 전략)을 추구한다면 높은 공식화, 집권화 전략을 취하는 구조(기계적 구조)가 적합하고, 관리자가 공격적인 전략(탐색적 전략)을 추구한다면 낮은 공식화, 높은 분권화 전략을 취하는 유연한 조직구조(유기적 구조)가 적합함

6) 자원의존이론

구조적 상황이론 비판	조직설계가 조직환경의 특성에 달려 있다는 구조적 상황이론을 비판하면서 등장
임의론적 관점	① 자원의존이론은 자원을 획득하고 유지할 수 있는 능력을 조직생존의 핵심요인으로 간주함 ② 이는 환경의 영향을 인정하지만, 조직의 변화를 환경이 결정한다는 환경결정론에는 반대하는 입장임 ③ 자원의 획득에 있어서 환경이 영향을 미친다는 점에서 환경의 영향력 인정하지만 조직유지에 필요한 핵심자원을 통제 및 관리하는 능력을 강조 ④ 페퍼(Pfeffer)와 살랜시크(Salancik)는 어떤 조직도 외부환경으로부터 필요로 하는 다양한 모든 자원을 획득할 수 없다는 것을 전제하면서, 조직이 환경적 요인을 피동적으로 받아들이지 않고 스스로의 이익을 위하여 적극적으로 환경에 대처하며 환경적응을 위한 전략적 결정을 내릴 수 있음을 강조

7) 공동체생태학이론

조직 간 협력을 통한 환경극복	① 조직은 외부환경에 대처하기 위해 조직 간 호혜적 관계를 형성함 ② 즉, 관리자의 상호의존적 역할을 통해 외부의 환경을 극복할 수 있음을 주장 → 환경에 능동적으로 대응해 나가는 공동체의 노력을 설명
임의론적 관점	조직이 환경을 극복한다는 점에서 환경결정론을 비판

Section 02 불확실한 환경에 대한 조직의 전략 ⓒ   ● 15 day

1 Scott의 전략

- 최근에 출제되지 않는 주제이니 연결전략을 중심으로 학습할 것
- 연결전략은 조직이 불확실성에 대처하기 위해 조직 외부의 환경을 활용하는 전략임

1) 완충전략 : 조직 내 전략

의의	① 환경의 영향을 최소화시키는 대내적이고 소극적인 전략 ② 근본적 해결방안×	
종류	분류	환경의 요구가 조직과정에 투입되기 전에 그 중요성을 파악하고 처리해야할 부서를 결정하거나 신설하는 전략
	비축	환경의 변화에 대비하여 필요한 자원을 축적 및 대비
	형평화	조직의 투입 혹은 산출을 일정하게 유지하는 것
	예측	수요나 공급의 변화를 사전에 예측하여 대비하는 전략
	성장	조직의 규모와 권력, 기술, 수단 등을 증가 → 조직의 기술적 핵심을 확장시키는 전략

2) 연결전략 : 외부 조직과의 협력전략

의의	① 환경을 극복하기 위해 조직 간의 연계, 재편 등을 하는 대외적이고 적극적인 전략 ② 조직 간 상호의존성을 강조	
종류	권위주의	핵심조직이 지배적 위치를 활용하여 외부조직의 자원 및 정보를 통제
	계약	외부 조직과의 협상을 통한 자원교환
	합병	외부의 중요 조직을 수용하여 조직을 확장
	경쟁	조직 간 경쟁을 통해 능력 및 서비스 향상
	적응적 흡수	외부의 유력인사를 조직 내로 영입하는 전략

CHAPTER 07 조직이론 : 조직이론의 전개를 중심으로

조직이론의 변천과 발달 ● 15 day

1 왈도의 조직이론 분류

구분	고전적 조직이론	신고전적 조직이론	현대적 조직이론
초점	조직구조	인간	환경
행정이론	관리주의	인간관계론	생태론·비교행정론·체제론 등
조직관	폐쇄체제	폐쇄체제	개방체제
행정이념	기계적 능률성	사회적 능률성	가치의 다원화
인간관	경제적·합리적 인간	사회·심리적 인간	① 자아실현인(심리적 존재) ② 복잡인
조직구조	공식적·합리적 구조	비공식적 구조	동태적·유기적 구조
Scott의 분류	폐쇄·합리적 이론	폐쇄·자연적 이론	① 개방·합리적 이론 예 체제이론, 구조적 상황론 등 ② 개방·자연적 이론 예 혼돈이론, 자원의존이론 등

2 기타

인간관계론의 유형	① 인간관계론을 전기와 후기로 구분하는 견해도 있음 ② 전기 인간관계론은 인간을 사회인으로 간주하며, 후기는 사회인을 포함하여, 심리적인 존재임을 강조 ③ 후기 인간관계론은 조직 내 인간의 성격과 사회적 관계를 보다 본격적으로 연구하였음 ④ 후기 인간관계론은 인간의 사회심리적 욕구를 충족시키기 위해서 의사결정 등 조직의 주된 활동에 개인을 참여시켜야 한다는 점을 강조 → 이 때문에 '참여관리론'이라고도 부름
개방·합리론과 개방·자연론	① 개방·자연적 조직이론은 개방·합리적 조직이론과 마찬가지로 조직환경의 중요성을 강조 ② 다만, 개방·합리적 조직이론에 비해 불확실성의 증대 및 환경의 강한 영향력 등을 주장 → 무질서와 비합리성 탈피를 위한 처방적인 측면 부족 ③ 개방·자연적 이론의 예시 → 쓰레기통 모형, 혼돈이론, 조직군생태학이론, 자원의존이론 등

MEMO

최욱진 행정학

합격까지 박문각

인사행정

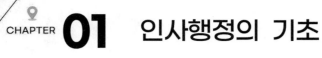

CHAPTER **01** 인사행정의 기초

Section **01** 인사행정제도 ● 16 day

1 엽관주의(獵官主義, Spoils system)

틀잡기	
등장 배경	① 5대 먼로 대통령(1817~1825)에 이르러 공무원 임기를 대통령과 일치시키는 **임기 4년법 제정(1820)** → 대통령 임기와 공무원의 임기를 4년으로 일치시키는 법이며, 엽관주의 인사행정제도의 토대가 됨 ② 대통령 잭슨(Andrew Jackson : 1829~1837)이 1829년에 **엽관제를 미국의 공식적인 인사정책으로 도입** ③ **공직개방을 통한 형평성 증대** → 잭슨은 서부 개척민, 즉 비기득권을 공무원으로 임용하기 위해 엽관주의를 도입
개념	① 선거에서 승리한 정당이 모든 관직을 전리품처럼 차지하는 제도로서 **정당에 대한 충성도(당파성·정치적 요인 등)에 입각하여 공무원을 임용** ② 민주정치 및 정당제도의 발달에 따라 **관료기구와 국민과의 동질성을 확보하기 위한 수단**으로 발전

장점	**민주성·대응성 및 책임성 확보**	국민이 원하는 정책을 행정부가 집행하지 않을 경우 국민은 다른 정당을 선택함으로써 공무원을 경질할 수 있음
	대통령의 국정지도력 제고	충성도가 높은 정당인을 공무원으로 채용하여 대통령의 국정지도력 제고 → 정책수행 과정의 효율성↑
	정당정치 발전에 기여	국민이 원하는 정책을 파악하고 이를 정당의 기치로 내세우는 정당정치의 발달에 공헌
	기타	우리나라에서 특수경력직(장·차관, 일부 별정직 등) 임명에 공식적으로 적용하고 있음
단점	**행정의 비능률**	이해관계에 따라 **전문성이 부족한 사람들을 임용**하는 바 행정의 효율성이 부족함
	행정의 안정성 및 일관성↓	① 대통령 선거마다 공무원이 바뀌면 정책의 일관성 및 행정의 안정성이 떨어짐 ② 엽관주의는 공무원에 대한 신분보장을 하지 않음
	공무원의 부패	공무원들이 짧은 재직기간 동안 공직을 발판으로 많은 것을 얻어내려고 하는 경향 발생
	정치적 중립성 손상	**공무원들이 집권 정당에서 임명**되는바 정치적 중립을 지키면서 공평무사하게 일할 수 있는 여건 손상 → 국민에 대한 책임 아닌 정당에 대한 책임으로 변질
	공직의 상품화	**정당충성도를 기준으로 공무원을 채용**하기 때문에 공무원 임명에 있어서 자의성이 있을 수 있음 → 즉, 주관적인 채용기준으로 인해 공직의 상품화를 가져올 수 있음
	기타	자의적 임명으로 인한 불필요한 직위 증대

기타	용어정리	① 엽관(獵官) : 관직을 수렵한다는 뜻 ② Spoils : 전리품 → 전쟁에서 승리한 자가 얻은 물건
	역사적 배경	① 미국의 초대 대통령 워싱턴은 공직임용에 있어서 적임의 원칙을 강조 → 적임이란 개인적인 인품과 사회적 위상을 의미하는데, 워싱턴 시기에는 적임의 원칙에 따라 주로 상류계층이 공직에 임용되었음 ② 1829년에 취임한 잭슨 대통령은 계급적 배경과 무관하게 정당에 대한 봉사나 정치적 후원을 기준으로 공무원을 임용하고 정권이 바뀌면 이들을 교체하는 엽관제를 공식적으로 채택 ③ 이는 잭슨을 지지하는 서부 개척민과 하위계층 사람들의 평등주의적 가치관을 반영한 결과임 → 즉, 엽관주의는 건국 이후 미국 행정부 내에 누적됐던 특정 지역 및 계층 중심의 관료 파벌을 해체하기 위한 혁신수단이었음 ④ 그러나 19세기 이후 급속한 산업화와 함께 정부역할이 확대되고 업무가 복잡해지면서 엽관제의 비효율성 문제가 심각해졌음 → 이에 따라 엽관제로 인한 비효율과 부패를 혁신하기 위한 공직개혁 진보주의 운동이 미국에서 전개됨

2 실적주의(實積主義, Merit system)

틀잡기	
의의	① 엽관주의의 병폐를 극복하기 위하여 도입 → 가장 직접적인 원인 ② 공직임용의 기준을 당파성이나 정실, 학연, 지연 등이 아니라 개인의 능력, 자격, 성적에 두는 인사행정제도 ③ 19C 후반 행정국가의 등장에 따라 공무원들의 전문적 지식과 기술이 필요해지면서 실적주의 인사행정제도의 정당성이 강화되었음 ④ 개인주의 혹은 자유주의와 관련있는 제도 ⑤ 참고 자유주의 : 사회 내 개인의 자유를 존중하자는 가치 → 모든 개인은 평등하므로 기회균등을 보장

펜들턴법 (실적주의)	등장배경	① 1881년 20대 가필드 대통령이 원하는 공직을 얻지 못한 엽관주의자 찰스 기토로부터 워싱턴에서 저격당하는 사건 발생 ② 1883년 펜들턴법 제정 : 21대 아더 대통령 재임 시에 제정 → 실적주의 확립
	펜들턴법의 내용	① 공정한 인사를 전담할 수 있는 초당적·독립적 인사위원회 설치 → 연방중앙인사위원회 ② 공개경쟁채용시험 → 행정학 등 전문과목 위주의 시험 ③ 시험에 합격한 공무원에 대하여 시보임용 기간을 도입함 ④ 제대군인에 대해 임용시 특혜 부여 ⑤ 공무원의 정치자금 헌납, 정치활동의 금지 → 정치적 중립 ⑥ 민간과 정부 간의 폭넓은 인사교류 인정 → 개방형 실적주의

실적주의 특징	능력·자격에 의한 임용	공무원 임용시 시험성적을 기준으로 임용
	임용상의 기회균등 보장	누구나 공무원 시험을 치를 수 있는 기회부여
	정치적 중립	① 공무원 채용시 정치인의 주관적 판단이 아닌 시험성적으로 임용 ② 공무원은 당파성이 아닌 전문적 지식에 의하여 국민 전체에 대하여 공평하게 봉사함
	공무원의 신분보장	① 법령에 저촉되지 않는 한 본인 의사에 반하여 신분상의 불이익 처분을 받지 않음 ② 공무원에 대해 자의적인 해고×
	인사행정의 집권화	연방중앙인사위원회와 같은 초당적인 인사행정기관 설치
	인사행정 합리화·과학화·객관화	실적주의는 능률성을 추구하는 면에서 과학적 관리론의 영향을 받았음

장점	엽관주의 단점 보완	① 지식을 지닌 공무원이 실무를 담당하므로 **행정능률성의 향상**에 기여 ② **공무원의 정치적 중립**을 요구하므로, 행정의 공정성을 보장 → 정치적인 해고, 자기 의사에 반하는 부당한 해고에서 신분보장 ③ 행정의 **계속성·안정성** 확보 → 직업공무원제 확립에 기여 ④ **공직의 상품화를 봉쇄**(시험에 의한 임용)하여, 정치·행정적 **부패를 줄일 수 있음** ⑤ 공개경쟁채용시험은 공직 취임의 기회균등(수평적 형평성 제고)이라는 민주적인 요청을 충족→ 즉, 시험에 합격하면 누구나 공무원이 될 수 있음
단점	소극적 인사행정	① 신분보장 → 공무원 특권집단화·무사안일 초래 ② 구체적인 채용기준 법제화 → 유연한 채용 저해(경직성) ③ 정치적 중립성이 지나치면 국민의 요구 등에 둔감할 수 있음

3 직업공무원제

1) 틀잡기 및 의의

틀잡기	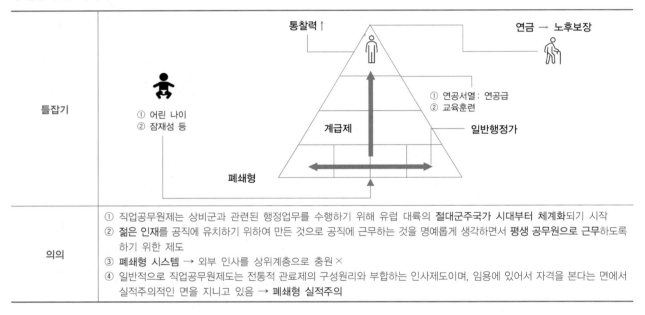
의의	① 직업공무원제는 상비군과 관련된 행정업무를 수행하기 위해 유럽 대륙의 **절대군주국가 시대부터** 체계화되기 시작 ② **젊은 인재**를 공직에 유치하기 위하여 만든 것으로 공직에 근무하는 것을 명예롭게 생각하면서 **평생 공무원으로 근무**하도록 하기 위한 제도 ③ **폐쇄형 시스템** → 외부 인사를 상위계층으로 충원× ④ 일반적으로 직업공무원제도는 전통적 관료제의 구성원리와 부합하는 인사제도이며, 임용에 있어서 자격을 본다는 면에서 실적주의적인 면을 지니고 있음 → **폐쇄형 실적주의**

2) 장점과 단점

	일반행정가로 인한 장점	① 여러 분야의 업무를 익히고 인적 네트워크를 형성하는 데 유리 ② 공무원의 능력발전 및 고급공무원의 양성에 유리
장점	정년보장·폐쇄형 체제로 인한 장점	① 장기근무로 인한 **공무원 간 유대감 형성** → 공직에 대한 자부심과 일체감이 강함 ② 공무원의 장기근무, 행정의 **계속성·안정성·일관성** 유지에 유리 ③ 평생직업으로 공직에서 근무하기 때문에 공직을 하나의 전문직업 분야로 확립
	기타	① 행정의 **정치적 중립성 및 독립성 유지** → 단, 정치적인 중립성은 적당한 선에서 유지되어야 하는데 지나치게 강화되면 합법성 혹은 능률성에 치우친 행정을 할 우려가 있음 ② 행정부 내에서 정치적인 중립을 유지하기 위해 엄격한 근무규율을 공무원에게 적용하는 바 높은 수준의 봉사 정신 및 행동규범을 유지하는 데 기여 ③ **연공주의에 기초** → 승진과 급여책정에 있어서 '연공(근속연수)'를 중시

단점	일반행정가로 인한 단점	① 일반행정가 양성에 유리하나 **전문행정가 양성에 불리** ② 직업공무원제도는 공직을 전문직업 분야(공무원 = 평생직업)로 확립시키기도 하지만, 행정의 전문성 　약화(일반행정가 지향)를 가져오기도 함
	정년보장·폐쇄형 체제로 인한 단점	① 공무원의 특권 집단화 → 그들만의 리그·고인 물 ② 폐쇄적 임용으로 인해 **전문성을 갖춘 외부 인력 활용✕** ③ 보수적 성격(외부 인력과의 경쟁 결여), 환경에 대한 부적응 및 경직성(관료주의화 경향) 등 ④ 연공서열을 중시하는 문화로 인해 공무원의 전반적인 질적 수준 저하
	기타	① 학력과 연령제한은 공직임용에 대한 기회균등을 저해하며 민주주의 요청에 어긋날 수 있음 ② 기존의 공무원 집단에 대한 신분보장으로 많은 사람의 공직 참여기회 박탈

3) 직업공무원제의 수립요건 및 기타 등 ⓒ

수립요건	① **높은 사회적 평가**: 공직에 대한 사회적 인식이 좋아야 우수한 인재를 유입할 수 있음 ② **적절한 임용시스템**: 인재를 적극적으로 유인하기 위한 적절한 임용제도와 절차가 마련되어야 함 → 승진기회 보장 등 ③ **적절한 근무시스템**: 승진·배치전환 등의 내부임용이 체계적이면서도 공정하게 이루어져야 하며 교육훈련 등의 능력발전기 　회도 제공되어야 함 ④ 장기적인 인력수급 및 우수인력 공급계획과 퇴직인력 관리
기타	① 미국은 1883년 팬들턴법을 제정함으로써 실적주의 인사제도를 확립 → 이는 특정 직위가 요구하는 능력과 자격을 갖춘 　관료를 해당 직위에 임용하는 직위분류제의 발전을 촉진함 ② 그러나 젊고 유능한 인재를 공직에 오랫동안 머물게 하고자 1930년대에 직업공무원제를 도입 ③ 실적주의의 유형 　㉠ 개방형 실적주의(미국의 최초 실적주의) 　㉡ 폐쇄형 실적주의(직업공무원제)
실적주의 비교	🏳 **실적주의와 직업공무원제 비교** 표 참조

실적주의와 직업공무원제 비교

구분	실적주의(개방형 실적주의)	직업공무원제(폐쇄형 실적주의)
신분보장	정치적 압력으로부터 소극적·방어적 의미	젊은 인재가 공직을 지원하여 평생 열심히 일하게 하려는 적극적 의미
폐쇄형 충원	전제하지 않음	전제로 함
정치적 중립	원칙	관대
연령·학력제한	없음	제약된 기회균동
직무급·직위분류제	채택	생활급 및 계급제 적용
능력평가	채용당시의 능력	잠재능력(연령·학력)

> **참고**
> ① 실적주의에서 정치적 중립은 필수 요소이나, 직업공무원제는 정치적 중립을 반드시 요구하지는 않음
> ② 생활급과 연공급은 다른 개념이나 연령이 높을수록 많은 생활급이 필요하다는 점에서 유사하게 사용되기도 함

DAY — 16

4 대표관료제(Representative bureaucracy)

1) 틀잡기 및 등장배경

틀잡기	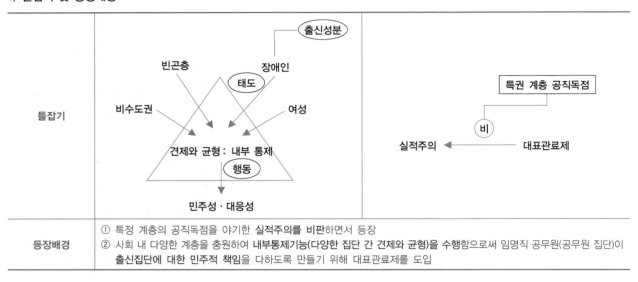
등장배경	① 특정 계층의 공직독점을 야기한 **실적주의를 비판**하면서 등장 ② 사회 내 다양한 계층을 충원하여 **내부통제기능(다양한 집단 간 견제와 균형)**을 수행함으로써 임명직 공무원(공무원 집단)이 출신집단에 대한 민주적 책임을 다하도록 만들기 위해 대표관료제를 도입

2) 학자별 정의

킹슬리	① 사회 내 여러 세력(다양한 계층)을 고르게 반영하는 관료제 → 대표관료제라는 용어를 처음으로 사용(1944) ② 모든 사회계층의 사람들에게 공무원이 될 수 있는 **실질적인 기회균등 원칙을 보장**함으로써 사회적 형평성을 제고하는 제도 → 대표관료제는 소외계층 임용을 강제하기 때문에 수직적 형평성과 관련됨	
크란츠	① 대표관료제의 개념을 **비례대표로 확대**하자는 입장 ② 즉, 관료제 내의 직무 분야와 계급의 구성비율까지 총인구 비율에 상응하도록 분포해야 한다고 주장	
기타 학자	라이퍼	대표관료제의 개념을 확대하여 사회적 특성(직업, 사회계층, 지역 등) 외에 **사회적 사조(ethos)나 가치**까지도 대표관료제의 요소로 포함시키고 있음
	모셔	적극적 대표성과 소극적 대표성을 구분하고 관료는 출신 집단을 위해 행동하는 것이 아니라 단지 그들을 상징적으로 대표한다고 주장

3) 대표관료제의 전제와 장·단점

대표관료제의 전제	직관적 이해	소극적 대표 ──→ 적극적 대표 ※ 소극적 대표는 적극적 대표를 보장함
	소극적 대표	① 다수설: 출신성분이 태도를 결정한다는 관점 ② 소수설(구성론적 대표): 사회 내 다양한 계층을 정부관료제에 반영하는 것
	적극적 대표	① 다수설: 태도가 행동을 결정한다는 관점 ② 소수설(역할론적 대표): 관료가 자신의 출신 집단이나 계층을 적극적으로 대변하고 정책을 결정하며 책임지는 적극적인 행위까지 하는 것
장점	민주성 및 대응성	① 공무원은 출신집단의 입장을 대변함 ② 즉, 출신집단에 대한 책임성(주관적·심리적 책임)을 제고할 수 있음
	내부통제 기능	대표관료제는 다양한 집단 간의 견제와 균형을 통해 특정 집단이 강한 권력을 갖지 못하도록 내부통제를 강화하는 기능을 가지고 있음
	다양한 조직관리기법 도입	다양한 계층에서 공무원을 임용하는 까닭에 여러 계층을 고려하는 국가관리기법이 등장할 수 있음 → 예 성인지예산제도 등

단점	① 소극적 대표가 반드시 적극적 대표로 이어진다는 보장이 없음 ② 형평성을 강조하는 과정에서 **실적주의 훼손** 혹은 **역차별의 문제**를 야기함 ③ 공무원이 특정 집단의 입장을 대변하기 때문에 **정치적 중립**을 훼손할 수 있으며, **집단이기주의를 초래**할 수 있음 → 아울러 집단이기주의는 민주주의에 위협 요소로 작용할 수 있음 ④ 다양한 계층이 견제와 균형을 이루는 과정에서 사회분열을 초래할 수 있음
기타	① 우리나라 대표관료제 예시: 국공립대 여성 교수 채용목표제, 여성관리자 임용 확대 5개년 계획, 장애인 고용촉진 및 직업재활법, 인재지역할당제(지방인재 채용), 저소득층 채용, 이공계전공자, 양성평등채용목표제 등 ② 대표관료제 = 우리나라의 균형인사정책 = 미국의 적극적 조치(affirmative action) ③ **참고** 적극적 조치: 소수민족이나 소외계층에 대한 고용상 우대정책

5 기타

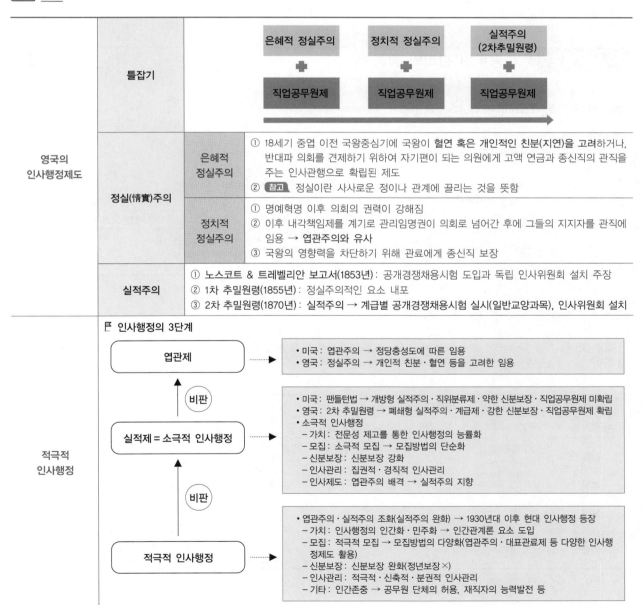

영국의 인사행정제도	정실(情實)주의	은혜적 정실주의	① 18세기 중엽 이전 국왕중심기에 국왕이 혈연 혹은 개인적인 친분(지연)을 고려하거나, 반대파 의회를 견제하기 위하여 자기편이 되는 의원에게 고액 연금과 종신직의 관직을 주는 인사관행으로 확립된 제도 ② **참고** 정실이란 사사로운 정이나 관계에 끌리는 것을 뜻함
		정치적 정실주의	① 명예혁명 이후 의회의 권력이 강해짐 ② 이후 내각책임제를 계기로 관리임명권이 의회로 넘어간 후에 그들의 지지자를 관직에 임용 → **엽관주의와 유사** ③ 국왕의 영향력을 차단하기 위해 관료에게 종신직 보장
	실적주의		① 노스코트 & 트레벨리안 보고서(1853년): 공개경쟁채용시험 도입과 독립 인사위원회 설치 주장 ② 1차 추밀원령(1855년): 정실주의적인 요소 내포 ③ 2차 추밀원령(1870년): 실적주의 → 계급별 공개경쟁채용시험 실시(일반교양과목), 인사위원회 설치
적극적 인사행정	┡ 인사행정의 3단계 **엽관제** ┈┈▶ • 미국: 엽관주의 → 정당충성도에 따른 임용 　　　　　• 영국: 정실주의 → 개인적 친분·혈연 등을 고려한 임용 ↑ (비판) **실적제 = 소극적 인사행정** ┈┈▶ • 미국: 팬들턴법 → 개방형 실적주의·직위분류제·약한 신분보장·직업공무원제 미확립 　　　　　• 영국: 2차 추밀원령 → 폐쇄형 실적주의·계급제·강한 신분보장·직업공무원제 확립 　　　　　• 소극적 인사행정 　　　　　　– 가치: 전문성 제고를 통한 인사행정의 능률화 　　　　　　– 모집: 소극적 모집 → 모집방법의 단순화 　　　　　　– 신분보장: 신분보장 강화 　　　　　　– 인사관리: 집권적·경직적 인사관리 　　　　　　– 인사제도: 엽관주의 배격 → 실적주의 지향 ↑ (비판) **적극적 인사행정** ┈┈▶ • 엽관주의·실적주의 조화(실적주의 완화) → 1930년대 이후 현대 인사행정 등장 　　　　　　– 가치: 인사행정의 인간화·민주화 → 인간관계론 요소 도입 　　　　　　– 모집: 적극적 모집 → 모집방법의 다양화(엽관주의·대표관료제 등 다양한 인사행정제도 활용) 　　　　　　– 신분보장: 신분보장 완화(정년보장×) 　　　　　　– 인사관리: 적극적·신축적·분권적 인사관리 　　　　　　– 기타: 인간존중 → 공무원 단체의 허용, 재직자의 능력발전 등		

인사행정제도 복습하기	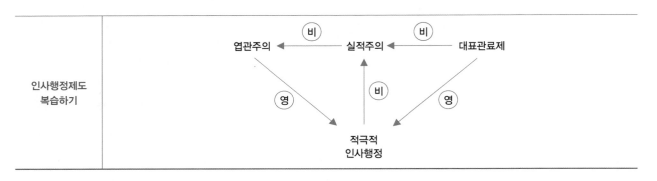

Section 02 　 공무원 관리의 방향 ⓒ 　　　　　　　　　　　🔴 16 day

1 　전략적 인적자원관리(SHRM : Strategic Human Resource Management)

1) 틀잡기

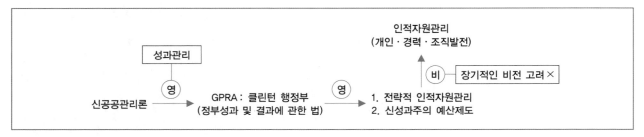

2) 전략적 인적자원관리 주요 내용

- 조직의 전략목적을 효율적으로 달성하기 위해 조직과 개인 간의 비전과 목표를 정합하는 과정
- 조직의 목표달성을 위하여 적정한 사람을 적재적소에 확보토록 하는 과정

구분	인적자원관리(HRM)	전략적 인적자원관리(SHRM)
분석초점	**개인의 심리적 측면**: 직무만족, 동기부여, 조직시민행동 증진 등	조직의 전략 및 성과와 인적자원관리 활동과의 연계
관점	**미시적 관점**: 인적자원관리 기능의 부분 최적화 추구 → 분업 강조	**거시적 관점**: 인적자원관리 기능 간의 연계 및 수직적·수평적 통합을 통한 전체 최적화 추구 → 조정 및 통합 강조
범위	**단기적**: 인사관리상의 단기적 문제해결	**장기적**: 조직의 전략수립에의 관여 및 인적자원의 육성
기능	조직의 목표달성과 무관하거나 부수적·기능적·도구적 수단적 역할	• 조직전략 수립에 적극적 관여 • 조직의 목표달성에 있어 적극적·핵심적 역할 수행
역할	통제 메커니즘 마련	• 권한부여 및 자율성 확대를 통해 개인의 욕구충족 유도 • 인적자본의 체계적 육성 및 개발

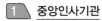 **Section 03**   **우리나라의 중앙인사기관 : 인사혁신처**   **→ 16 day**

1 중앙인사기관

1) 개념 및 중요성 ⓒ

개념	① 중앙인사기관은 인사행정을 총괄하는 중앙정부의 인사행정기관으로서 정부규모의 확대에 따른 **행정의 전문성 제고**를 위해 19세기 중반 이후 설치되기 시작함 ② 우리나라 행정부의 중앙인사기관은 국무총리 소속의 인사혁신처
중요성	① **행정의 전문성 제고** : 정부규모의 확대로 전략적 인적자원관리가 강조되어 중앙인사기관의 설치 및 기능이 중요함 ② **인사행정의 공정성 및 중립성 확보** : 독립적인 인사행정기관을 설치할 경우 정실주의 혹은 엽관주의적 인사행정의 폐단을 어느 정도 막을 수 있음 ③ 공무원 관리에 있어서 전체적인 **통일성**을 담보할 수 있음 → 인사행정에서 부처 간 할거주의 타파

2) 중앙인사기관의 유형

구분	합의적	단독적
독립성	**독립형 합의제(위원회형)**	독립형 단독제(절충형)
비독립성	비독립형 합의제(절충형)	**비독립형 단독제(부처형)**

- 일반적으로 인사기관의 유형은 '독립성'과 '합의성'을 기준으로 다음과 같이 구분할 수 있음
- **합의성** : 중앙인사기관의 결정을 다수 위원의 합의로 결정하는가? → 결정방식과 관련된 개념
- **독립성** : 중앙인사기관이 정치적 영향으로부터 어느 정도 자유로운가? → 행정수반으로부터 자유로운 정도로서 중앙인사기관이 행정부 소속이면 비독립형, 분리되어 있으면 독립형

3) 각 유형의 장점 및 단점

구분	독립합의형(위원회형)	비독립단독형(부처형)
장점	① 엽관주의의 영향력을 배제(정치적 영향력 배제)해 실적주의를 발전시키는 데 유리함 ② 합의제에 기초하기 때문에 신중한 의사결정이 가능하고 이해관계자의 다양한 요구를 균형있게 수용할 수 있음 ③ 독립합의형(위원회형)은 행정부로부터 독립적인 중앙인사기관을 통해 타 기관과의 밀착을 방지하고 원만한 관계(중립적 관계)를 설정할 수 있음	① 집권화된 의사결정구조로 인해 **인사행정의 책임소재 명확화** ② 소수의 결정자가 판단을 내리는바 인사정책의 **신속한 결정** ③ 행정수반이 인사수단을 보유하므로 **정책추진력↑**
단점	① 분권화된 의사결정구조로 인해 책임소재가 불분명함 ② 다수의 결정자가 참여하는 과정에서 의사결정의 지연 ③ 행정수반이 인사수단을 확보하지 못해 강력한 정책추진 곤란	① 독립성의 결여로 **인사행정의 정실화** 가능성 ② **정치적 중립성 결여** → 엽관주의 병폐 우려 ③ **기관장의 독선적·자의적 결정**에 대한 견제 곤란 ④ 독단적인 결정으로 인해 **인사행정의 일관성 결여**

4) 각 유형별 예시 ⓒ

독립합의형	1883년 팬들턴법에 의해 창설한 미국의 연방인사위원회
비독립단독형	미국의 인사관리**처**(OPM), 일본의 총무**청** 인사국(총무성), 영국의 내각 사무**처**, 공무원 장관실, 한국의 인사혁신**처** 등
비독립합의형	① 과거 우리나라의 중앙인사위원회, 소청심사위원회, **미국의 연방 노동관계청(FLRA)** ② 우리나라의 중앙인사위원회(김대중 정권·대통령 소속)는 합의제 중앙인사기관으로 1999년부터 2008년까지 존속
독립단독형	–

참고

① 독립형 단독제와 비독립형 합의제는 절충형이라고 불리는데, 이는 일반적이지 않은 형태임
② 절충형은 독립 합의형과 비독립 단독형의 장점을 취하기 위한 조직형태임

2 **우리나라 행정부의 중앙인사기관 : 인사혁신처**

비독립형 단독제(부처형) : 행정부 내부에 설치(국무총리 소속)되어 있으며, 인사혁신처장에게 의사결정권이 집중되어 있음

1) 관련 법령

정부조직법	**제22조의3【인사혁신처】** ① 공무원의 인사·윤리·복무 및 연금에 관한 사무를 관장하기 위하여 국무총리 소속으로 인사혁신처를 둔다. ② 인사혁신처에 처장 1명과 차장 1명을 두되, 처장은 정무직으로 하고, 차장은 고위공무원단에 속하는 일반직공무원으로 보한다.
국가공무원법	**제6조【중앙인사관장기관】** ① 인사행정에 관한 기본 정책의 수립과 이 법의 시행·운영에 관한 사무는 다음 각 호의 구분에 따라 관장(管掌)한다. 　1. 국회는 국회사무총장 　2. 법원은 법원행정처장 　3. 헌법재판소는 헌법재판소사무처장 　4. 선거관리위원회는 중앙선거관리위원회사무총장 　5. 행정부는 인사혁신처장 ② 중앙인사관장기관의 장은 각 기관의 균형적인 인사운영을 도모하고 인력의 효율적인 활용과 능력 개발을 위하여 법령으로 정하는 바에 따라 인사관리에 관한 총괄적인 사항을 관장한다.

CHAPTER **02** 공직구조의 형성

1 계급제

통찰력↑

계급별 계층분류

① 사람의 일반적 특성 : 성실성 등
② 인간 중심적인 제도

① 연공서열 : 연공급
② 교육훈련

일반행정가

폐쇄형

※ 문제를 풀 때 '계급제 = 직업공무원제'로 생각해도 됨

틀잡기		
특징	계급 간의 차별인정	상·하위직 간에 계급의식이나 위화감이 클 수 있음
	일반행정가 지향	① 폭넓은 이해력과 조정능력을 갖추고 업무의 통합능력이 뛰어난 일반행정가 선호 ② 일반행정가를 지향하는 바 조직 내 수평적 인사이동이 탄력적으로 이루어짐
	폐쇄형 임용	공무원을 신규채용시 가장 하위계층으로 임용
	고위직의 엘리트화	조직 내 모든 업무에 정통한 고위공직자 양성
	신분보장과 연공급 중심의 보수체계	공무원의 신분보장과 직업공무원제 확립에 유리하며, 개인의 능력·자격(근무연한)에 따라 보수를 결정
장점	① 순환보직을 활용한 수평적 인사배치의 신축성 제고 : 조직 내 직무의 변화 등에 대해 신속한 대응 → 잠정적·비정형적 업무로 구성된(분업화가 덜 되어 있는) 역동적이고 불확실한 직무상황에 유용 ② 직업공무원제 확립에 기여하는바 행정의 안정성↑ ③ 직업적 연대의식 제고 : 공무원 간의 유대의식이 높아 협력을 통한 능률성을 제고할 수 있음 ④ 인사관리자의 높은 리더십 구현에 기여 : 일반행정가를 지향하는 계급제에서 인사관리자는 조정 및 통합을 유연하게 할 수 있음 → 재량권과 융통성↑ ⑤ 공무원의 단체정신과 조직에 대한 충성심 확보에 유리 → 폐쇄형의 장점	
단점	행정의 전문성 약화	행정의 전문성 약화로 인한 행정능률의 저하 → 일반행정가 지향
	직무급 확립의 어려움	보수와 업무부담의 형평성 결여
	비체계적 분업화	인적 자원 관리에 있어 편의적 기준 개입
	관료의 특권의식과 집단이익의 옹호	국민에 대한 행정의 책임성과 대응성 저하
기타	계급제에서는 인적자원 활용의 수평적 융통성은 높으나 수직적 융통성은 낮음	

2 직위분류제

1) 직위분류제에 대한 이해

틀잡기	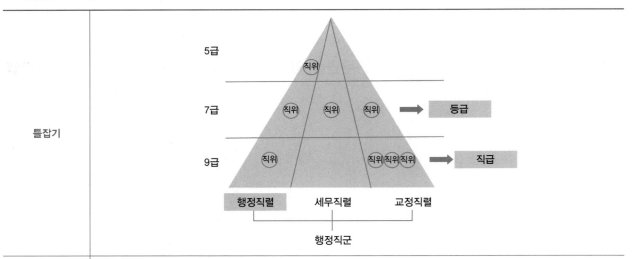

의의	① 보수의 형평성 요구, 과학적 관리론과 실적제의 발달(조직 내 작업분석 및 개방형 측면)은 직위분류제 발전에 기여 ② 직무지향적 제도 : 사람이 수행할 직무의 특성을 기준으로 공직분류 ③ 직무의 특성 : ㉠ 직무의 종류 → 종적 특성 ㉡ 직무의 난이도(곤란도)와 책임의 경중도 → 횡적 특성

직위분류제 구성개념 (국가공무원법)

구분	일의 종류	난이도·책임도
직렬	유사	상이
직급	유사	유사
등급	상이	유사

직위		직무가 부여된 자리
직렬 →	직류	직렬의 세분화
	직군	유사한 직렬의 묶음

예시 (참고)

계급 및 직급	1급	관리관								
	2급	이사관						정보관리이사관	정보통신이사관	
	3급	부이사관						정보관리부이사관	정보통신부이사관	
	4급	서기관				감사관		전산서기관	정보통신서기관	
	5급	행정사무관				노동사무관	부감사관	전산사무관	전무사무관	통신사무관
	6급	행정주사		세무주사	관세주사	노동주사	감사주사	전산주사	전무주사	통신주사
	7급	행정주사보		세무주사보	관세주사보	노동주사보	감사주사보	전산주사보	전무주사보	통신주사보
	8급	행정서기		세무서기	관세서기	노동서기	감사서기	전산서기	전무서기	통신서기
	9급	행정서기보		세무서기보	관세서기보	노동서기보	감사서기보	전산서기보	전무서기보	통신서기보

직류	일반행정	법무행정	재정	국제통상	세무	관세	노동	감사	전산개발	전산기기	정보관리	통신사	통신기술
직렬	행정				세무	관세	노동	감사	전산			통신사	통신기술
직군	행정								정보통신				

> **참고**
> ① 9, 8, 7, 6, 5와 같은 숫자 위계를 계급, 서기보, 서기, 주사보, 주사, 사무관 등의 계급을 나타내는 호칭을 직급, 과장, 국장 등 직무 책임에 따른 보직을 직위라고 함
> ② **직책** : 직위에 부여된 직무와 책임 → 일반적으로 직위분류제에서 쓰이는 표현임
> ③ **보직** : 특정한 직위에 배치되는 것 → 시험에서 일반적으로 직위와 같은 의미로 사용됨
> ④ 공무원임용령 개정으로 기술직렬이 과학기술직렬로, 기술직군이 과학기술직군으로 변경됨

2) 직위분류제의 특징 및 장·단점

특징	보상의 공정성	난이도가 동일한 직무는 동일한 보수를 지급함 → 직무급
	체계적인 분업화	① 명확한 권한과 책임의 한계 규정 ② 시험이나 임용, 보수, 기타 인사관리의 합리화를 위한 수단으로 활용
	개방형 체제	① 신규임용시 직무수행 여부가 중요하므로 계층에 관계없이 임용 ② 개방형 임용은 일반적으로 임기제로 채용하는바 직업공무원제를 확립하는 데 용이하지 않음
	기타	① 직위분류제는 실적제 요소(자격 검토 : 해당 직무에 대한 전문성)와 개방형 인사의 엽관제 요소를 모두 가지고 있음 ② 참고 엽관주의는 정당에 대한 충성도만 있으면 계급에 관계없이 임용할 수 있으므로 개방형 제도의 특징을 지님
장점		① 동일 직렬에서 장기간 근무하기 때문에 전문가 양성에 유리함 ② 직위 간 권한과 책임의 한계가 명확함 → 효율적인 정원관리 및 행정의 전문화에 기여 ③ 객관적인 근무성적평정 기준 확립 및 교육훈련 수요 파악에 기여
단점		① 전문행정가를 지향하는바 교양과 능력을 가진 유능한 일반행정가의 확보가 어려움 ② 고도의 분업화된 체계로 인해 인사배치의 탄력성 제약 → 조직 내 직무변동에 대한 적응력↓ ③ 직책에 따른 전문화로 인해 의사소통이나 협조, 조정이 어려움 → 다른 업무에 대한 이해도 부족
기타		① 직위분류제는 개방형 실적주의와 관련있는바 정치적 중립 확보를 통해 행정의 전문성을 제고 ② 외부에서 최신 기술과 전문성을 갖춘 인재를 임용할 수 있기 때문에 외부환경의 변화에 대한 대응력이 강함

3) 직위분류제 수립절차

순서	각 단계의 명칭	내용			
①	직무조사	직무에 대한 데이터 수집·직무기술서 작성 등			
②	직무분석	직무의 종류 파악 → 직렬·직류 등			
③	직무평가	개념	직무의 난이도 파악 → 등급·직급 등		
		유형	구분	비계량적 비교	계량적 비교
			직무와 직무(상대평가)	서열법 – 직관적인 비교	요소비교법 – 기준직무
			직무와 척도(절대평가)	분류법 – 등급기준표	점수법 – 직무평가표
④	직급명세서 작성	① 각 직위의 직급별 특성을 설명한 것 ② 직급명, 직책의 개요, 최저자격 요건, 채용 방법, 보수액 등이 명시됨			
⑤	정급	해당 직위에 배정			
기타		① 직무기술서(Job description) : 직무 그 자체의 특성(과업, 임무, 책임) ② 직무자료 수집방법 : 전수조사(면접), 관찰, 설문지, 일지기록법 등 ③ 직무명세서(Job specification) : 직무수행에 필요한 인적 요건이나 특성 → 학력, 전공, 자격증 등			

4) 각 직무평가에 대한 설명 〔읽어 보기〕

서열법 **(직관적 평가)**	① 가장 단순한 직무평가 방법이며, 직위의 수가 많을수록 평가가 어려움 ② 직무기술서의 정보를 검토한 후 직무 상호 간에 직무 전체의 중요도를 종합적으로 비교하여 평가	

분류법	**틀잡기**	**직무특성**	**등급**
		고도의 전문적 판단을 요하는 업무	가
		상당한 사무적 재능을 요하는 업무	나
		간단한 일상적 업무	다
	내용	① 직무 전체를 종합적으로 판단한다는 점에서는 서열법과 동일함 → 단, 미리 정해놓은 등급기준표와 비교해서 등급을 결정 ② 분류법은 직위의 등급을 정하고, 분류기준에 의거한 등급기준표의 작성이 필요함 ③ 정부에서 일반적으로 사용	

점수법	**틀잡기**	**직무특성**	**점수**
		민원업무 비중	
		근무시간	
		전문적 지식의 필요성	
		당직 유무	
	내용	① 분류법이 세련화된 것으로, 계량적인 척도를 도입하여 평가가 비교적 쉽고 명료하며 직무평가에 있어 가장 보편적으로 사용함 → 일반적으로 사기업에서 이용 ② 직무를 구성하는 하위 요소를 여러 개로 나누어 각 요소별 가치를 점수화하여 측정 → 이를 위해 **직무평가표를** 준비한 후 각 요소별 점수를 합산하여 직무의 상대적인 가치를 파악함 ③ 점수법은 한정된 평가요소만을 사용하는 것이 아니라, 분류대상 직위의 직무에 공통적이며 중요한 특징을 평가요소로 사용하고 이를 계량적으로 표현하기 때문에 관계인들이 평가의 결과를 쉽게 수용함 ④ 평가절차가 복잡하여 많은 시간과 비용이 필요하며, 계량화 작업시 주관이 개입될 수 있음	

요소비교법	**틀잡기**	최욱진　　비교　 *(diagram comparing jobs)*	**직무특성** / **보수** 민원업무 비중 근무시간 전문적 지식의 필요성 당직 유무
	내용	① 점수법과 마찬가지로 직무를 요소별로 계량화하여 측정 → 다만 등급화한 척도에 따라 직무를 평가하는 게 아니라, 조직 내에서 대표가 될 만한 기준 직무(key job)를 정한 후 요소별로 평가할 직무와 기준 직무를 비교하면서 점수를 부여 ② 가장 늦게 고안된 객관적이고 정확한 방법으로 점수법의 임의성과 서열법을 보완한 계량적 방법 → 즉, 요소비교법은 점수법과 다르게 **직무를 요소별로 계량화하여 측정할 때 점수가 아닌 임금액으로 산정**하는바 평가와 동시에 임금액을 산출할 수 있음 ③ 평가절차가 복잡하고 평가요소 및 대표직위의 선정시 주관이 개입될 여지가 있음	

5) 기타 : 직위분류제 관련 법령

국가공무원법	제5조【정의】 이 법에서 사용하는 용어의 뜻은 다음과 같다. 1. "직위(職位)"란 1명의 공무원에게 부여할 수 있는 직무와 책임을 말한다. 2. "직급(職級)"이란 직무의 종류·곤란성과 책임도가 상당히 유사한 직위의 군을 말한다. 7. "직군(職群)"이란 직무의 성질이 유사한 직렬의 군을 말한다. 8. "직렬(職列)"이란 직무의 종류가 유사하고 그 책임과 곤란성의 정도가 서로 다른 직급의 군을 말한다. 9. "직류(職類)"란 같은 직렬 내에서 담당 분야가 같은 직무의 군을 말한다. 10. "직무등급"이란 직무의 곤란성과 책임도가 상당히 유사한 직위의 군을 말한다.

3 직위분류제와 계급제 비교

구분	직위분류제	계급제
적용사회	산업사회	농업사회
전문성 유무	전문행정가	일반행정가
어울리는 조직규모	대규모 조직	소규모 조직
환경적응	용이	어려움
보수체계	직무급	연공급
신분보장	신분보장이 어려움	신분보장 용이
훈련수요	수요파악 쉬움	수요파악 어려움
인사배치의 신축성	신축성 저하	신축적인 인사배치
개방형 유무	개방형 공무원제	폐쇄형 공무원제
직업공무원제 정착유무	정착이 어려움	정착이 쉬움
계획	단기계획	장기계획
임용시험	직무와 관련	직무와의 관련성이 상대적으로 부족함
적용 계층	하위계층	**상위계층**: 통찰력있는 고위공무원 양성에 유리
기타	① 계급제와 직위분류제는 현실에서 상호보완적임 ② 즉, 계급제를 채택한 국가에서는 직위분류제 요소를 더 많이 가미하고 있으며, 반대로 직위분류제를 채택한 미국 등의 국가에서는 계급제적 요소를 도입하고 있음 ③ 우리나라 및 영국은 계급제를 기본으로 하면서 직위분류제적 요소를 가미하여 운영하고 있음	

4 개방형과 폐쇄형 ⓒ

1) 틀잡기

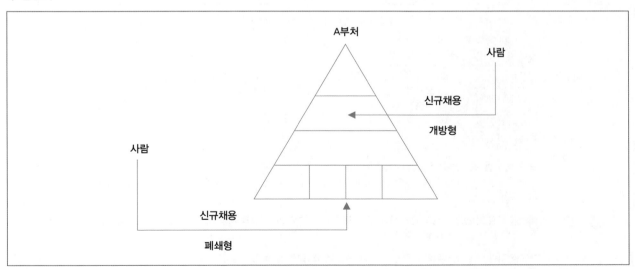

2) 개방형과 폐쇄형의 장·단점 및 비교

폐쇄형 (일반행정가)	**장점**	① 내부승진 및 경력발전을 위한 교육훈련 기회를 재직자에게 개방형보다 많이 제공하는 까닭에 공무원의 사기 상승에 도움이 되는 제도임 ② 강한 신분보장을 특징으로 하는바 **공무원의 소속감과 사기를 높이고** 행정의 일관성과 안전성을 가져옴
	단점	① 무사안일에 안주함으로써 **공직에 침체를** 가져올 수 있음 ② 관료들이 국민의 요구에 민감하게 대응하지 못하는 **특권집단화** 우려
개방형 (전문행정가)	**장점**	① 신진대사가 원활하여 공직침체를 막음 → 관료주의화 방지 ② 다양한 사람이 공직에 임용될 수 있기에 행정에 대한 민주통제 가능 ③ 국민이 원하는 서비스를 제공할 수 있는 경력자를 채용하는 까닭에 대응성과 민주성을 높일 수 있음 ④ 보다 우수한 인재를 등용하여 행정의 전문화에 기여 → 전문행정가 양성 ⑤ 경쟁심을 유발하므로 재직자의 자기개발을 촉진할 수 있음 ⑥ 리더의 신임을 받는 공무원을 관리자급으로 임용할 수 있는바 정치적 리더가 조직을 장악하는 데 기여
	단점	① 재직자의 사기 저하 → 낙하산 인사 ② 신분보장이 어려워 행정의 안전성 저해 → 개방형 채용은 대개 특정 임기가 정해져 있음 ③ 최소 임기를 채우면 공직에서 나갈 수 있는바 이직률이 늘어나 직업공무원제 확립이 어려움 ④ 채용된 자의 실력이 부족하면 공직사회의 일체감이 저하되고 관료의 능률성이 떨어짐 ⑤ 개방형은 승진 기회의 제약으로, 직무의 폐지는 대개 퇴직으로 이어짐 ⑥ 개방형 직위의 임명에 있어서 낙하산 인사가 있을 수 있음(정실에 의한 자의적 인사의 가능성)
양자의 비교		

구분	개방형	폐쇄형
평생근무	보장하지 않음	신분보장
공직분류	직위분류제	계급제
채용조건	직무성과	일반교육, 이수 수준
승진임용	개방적	폐쇄적
승진기준	가장 유능한 자 임용	연공서열에 기초한 승진

3) 우리나라의 개방형 제도

	구분	고위공무원단 직위	과장급 직위	담당급 직위
틀잡기	개방형 직위 〈공무원 vs 민간인〉	20%	20%	×
	경력개방형 직위 〈민간인 vs 민간인〉	소속 장관은 개방형 직위 중 특히 공직 외부의 경험과 전문성을 적극 활용할 필요가 있는 직위를 공직 외부에서만 적격자를 선발하는 경력개방형 직위로 지정할 수 있음		×
	공모직위 〈공무원 vs 공무원〉	30%	20%	○
관련 법령	**국가공무원법 제28조의4 【개방형 직위】** ① 임용권자나 임용제청권자는 해당 기관의 직위 중 전문성이 특히 요구되거나 효율적인 정책 수립을 위하여 필요하다고 판단되어 공직 내부나 외부에서 적격자를 임용할 필요가 있는 직위에 대하여는 개방형 직위로 지정하여 운영할 수 있다. **개방형 직위 및 공모 직위의 운영 등에 관한 규정 제3조 【개방형 직위의 지정】** ④ 소속 장관은 개방형 직위(경력개방형 직위를 포함한다)로 지정되는 직위와 지정범위에 관하여 인사혁신처장과 협의하여야 한다. **개방형 직위 및 공모 직위의 운영 등에 관한 규정 제9조 【개방형 직위의 임용기간】** ① 개방형 직위에 임용되는 공무원의 임용기간은 다른 법령에 특별한 규정이 있는 경우를 제외하고는 5년의 범위에서 소속 장관이 정하되, 최소한 2년 이상으로 하여야 한다.			

| 관련 법령 | **참고**
지방자치단체의 개방형직위 및 공모직위의 운영 등에 관한 규정 제2조【개방형직위의 지정】개방형직위는 특별시·광역시·도 또는 특별자치도(이하 "시·도"라 한다)별로 1급부터 5급까지의 공무원 또는 이에 상응하는 공무원과 시·군 및 자치구별로 2급부터 5급까지의 공무원 또는 이에 상응하는 공무원으로 임명할 수 있는 직위 총수의 100분의 10 범위에서 지정할 수 있다.

국가공무원법 제28조의5【공모 직위】 ① 임용권자나 임용제청권자는 해당 기관의 직위 중 효율적인 정책 수립 또는 관리를 위하여 해당 기관 내부 또는 외부의 공무원 중에서 적격자를 임용할 필요가 있는 직위에 대하여는 공모 직위(公募 職位)로 지정하여 운영할 수 있다.

개방형 직위 및 공모 직위의 운영 등에 관한 규정 제18조【공모 직위의 임용방법 등】 ① 공모 직위에 임용되는 공무원은 전보, 승진, 전직 또는 경력경쟁채용 등의 방법으로 임용하여야 한다.

개방형 직위 및 공모 직위의 운영 등에 관한 규정 제20조【공모 직위 임용자의 다른 직위에의 임용 제한 등】 ① 공모 직위에 임용된 공무원은 「공무원임용령」 제45조에도 불구하고 임용된 날부터 2년 이내에 다른 직위에 임용될 수 없다.

참고
공무원이 개방형 직위나 공모직위를 통해 임용된 경우 임용기간 만료 후 원래 소속으로 복귀 가능 |

5 교류형과 비교류형 ㏄

틀잡기	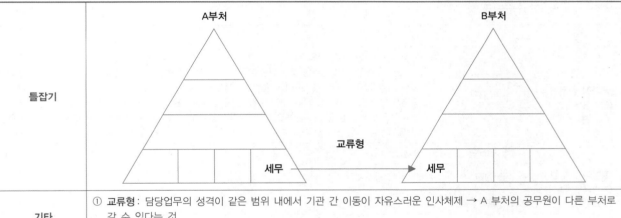
기타	① **교류형**: 담당업무의 성격이 같은 범위 내에서 기관 간 이동이 자유로운 인사체제 → A 부처의 공무원이 다른 부처로 갈 수 있다는 것 ② 비교류형은 승진기회의 형평성 확보가 어려움

Section 02   우리나라 공무원의 종류   17 day

1 틀잡기

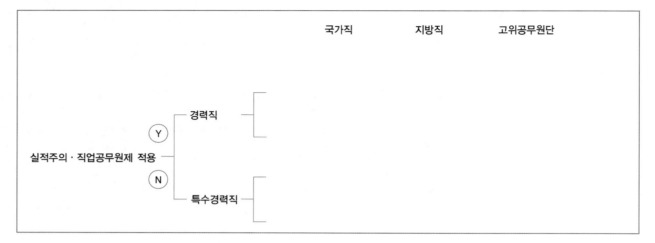

국가직   지방직   고위공무원단

경력직

실적주의 · 직업공무원제 적용 ──── Y

특수경력직 ──── N

2 국가직 · 지방직 공무원 [읽어 보기]

구분		내용
국가직 공무원 (국가공무원법에 근거)	임명권자	① 대통령 혹은 중앙행정기관의 장 ② 행정기관 소속 5급 이상 공무원 및 고위공무원단에 속하는 공무원은 소속 장관의 제청으로 인사혁신처와 협의를 거쳐 국무총리를 경유하여 **대통령이 임용** ③ 소속 장관은 6급 이하 소속 공무원에 대하여 **일체의 임용권을 가짐** → 대통령은 5급 이상의 임용권의 일부(4·5급의 파면 등)를 소속 장관에게 위임할 수 있으며, 소속 장관도 6급 이하의 일부와 대통령으로부터 위임받은 임용권의 일부를 그 보조기관 혹은 소속 기관의 장에게 위임 또는 재위임할 수 있음
	공무원 월급	국비(국세)로 지급
지방직 공무원 (지방공무원법에 근거)	임명권자	일반적으로 **지방자치단체장**
	공무원 월급	지방비(지방세)로 충당함
기타		① 지방공무원 · 국가공무원의 보수는 대통령령(공무원 보수규정 및 지방공무원 보수규정)으로 정함 ② 국가공무원의 수 > 지방공무원의 수 ③ 인사관리에 관하여 국가공무원은 국가공무원법, 지방공무원은 지방공무원법을 적용함 → 연금에 대해서는 모두 공무원연금법의 적용을 받음

3 경력직 · 특수경력직 공무원

우리나라 국가공무원법 및 지방공무원법 제1조에는 민주적 · 능률적 인사관리를 명시하고 있음

국가공무원법 제2조 【공무원의 구분】 ① 국가공무원(이하 "공무원"이라 한다)은 경력직공무원과 특수경력직공무원으로 구분한다.
② "경력직공무원"이란 실적과 자격에 따라 임용되고 그 신분이 보장되며 평생 동안(근무기간을 정하여 임용하는 공무원의 경우에는 그 기간 동안을 말한다) 공무원으로 근무할 것이 예정되는 공무원을 말하며, 그 종류는 다음 각 호와 같다.

지방공무원법 제2조 【공무원의 구분】 ① 지방자치단체의 공무원(지방자치단체가 경비를 부담하는 지방공무원을 말하며, 이하 "공무원"이라 한다)은 경력직공무원과 특수경력직공무원으로 구분한다.
② "경력직공무원"이란 실적과 자격에 따라 임용되고 그 신분이 보장되며 평생 동안(근무기간을 정하여 임용하는 공무원의 경우에는 그 기간 동안을 말한다) 공무원으로 근무할 것이 예정되는 공무원을 말하며, 그 종류는 다음 각 호와 같다.

1) 경력직 공무원

- 실적주의와 직업공무원제도의 적용을 받는 공무원 → 즉, 실적과 자격에 의해 임용되고 직업공무원제도의 적용을 받아 정년이 보장됨
- 일반직과 특정직 공무원으로 구분

① 일반직 공무원

개념	기술 · 연구 또는 행정 일반에 대한 업무를 담당하는 대다수의 공무원 → 직업공무원의 주류	
특징	㉠ 계급은 1~9급으로 구분 → 단, 고위공무원단은 계급이 없음 ㉡ 참고 임기제공무원은 일반직 공무원에 해당함	
예시	**국가직**	감사원 사무차장, 국회전문위원, 광역자치단체 선거관리위원회 상임위원, 전문경력관, 검찰청 검찰사무관 등
	지방직	지방의회 전문위원(별정직으로 임용 가능)

② 특정직 공무원

개념	개별법의 적용을 받아 **특수 분야의 업무**를 담당하는 공무원(예 군무원인사법)	
특징	우리나라 공무원 중 가장 많은 수를 차지하며, 일반직공무원과 다른 별도의 계급체계를 가짐	
예시	**국가직**	① 법관, 검사, 외무공무원, 경찰공무원, 소방공무원, 교육공무원, 군인, 군무원, 헌법재판소 헌법연구관, 국가정보원의 직원, 경호공무원과 특수 분야의 업무를 담당하는 공무원 ② 다른 법률에서 특정직공무원으로 지정하는 공무원
	지방직	공립 대학 및 전문대학에 근무하는 교육공무원, 교육감 소속의 교육전문직원 및 자치경찰공무원과 그 밖에 특수 분야의 업무를 담당하는 공무원으로서 다른 법률에서 특정직공무원으로 지정하는 공무원
기타	① 대법원장과 대법관은 법관의 범주에 포함되기 때문에 특정직임 ② 경찰청장 · 해양경찰청장 · 소방청장 · 검찰총장은 특정직임 ③ 군무원의 봉급에 관한 사항은 대통령령으로 정함	

DAY
17

2) 특수경력직 공무원

- 경력직 공무원을 제외한 나머지의 공무원을 지칭하며, **정무직과 별정직 공무원으로 분류**
- 실적주의와 직업공무원제의 적용을 획일적으로 받지 않으며, 계급의 구분이 없음
- 「국가공무원법」・「지방공무원법」에 규정된 보수와 복무규율을 동일하게 적용함

① 별정직 공무원

개념		비서관・비서 등 보좌업무 등을 수행하거나 특정한 업무 수행을 위하여 법령에서 별정직으로 지정하는 공무원
특징		별정직 공무원의 근무상한연령은 60세이며, 일반임기제 공무원으로 채용할 수 없음
예시	국가직	국회수석전문위원, 국회의원 보좌관・비서관 등
	지방직	광역시・특별자치시・도・특별자치도의 정무부시장 및 정무부지사 등(광역지자체 정무부단체장), 도지사의 비서, 지방의회 수석전문위원 등
기타		국회수석전문위원은 국회사무총장이 제청해 국회의장이 임명함

② 정무직 공무원

개념			㉠ 선거로 취임하는 공무원 ㉡ 임명시 국회・지방의회의 동의가 필요한 공무원 ㉢ 고도의 정책결정 업무를 담당하거나 이러한 업무를 보조하는 공무원으로서 **법령 혹은 조례에서 정무직으로 지정**하는 공무원
예시	국가직	선거로 취임	대통령, 국회의원
		임명시 국회동의	국무총리, 헌법재판소장 등
		법령에서 정무직으로 지정	㉠ **국회**: 국회사무총장・차장 ㉡ **헌법재판소**: 헌법재판소 사무차장, 헌법재판소 재판관 ㉢ **중앙선거관리위원회**: 중앙선거관리위원회 위원장・상임위원・위원・사무총장 및 차장 ㉣ **감사원**: 감사원장, 감사위원, 감사원 사무총장 ㉤ **국가인권위원회**: 국가인권위원회 위원장 및 상임위원 ㉥ **행정부**: 대통령 비서실장, 민정수석비서관, 대통령 비서실 보좌관, 장・차관, 국가정보원장・차장, 국가정보원 기획조정실장, 국민권익위원회 위원장, 방송통신위원회 위원장, 국무조정실장・차장, 국무총리 비서실장 등
		학습 요령	㉠ 특정 조직의 총장・차장: 일반적으로 정무직 ㉡ 중앙행정기관 위원회의 위원장: 정무직 ㉢ 독립기관 위원회의 위원장 및 상임위원: 정무직 ㉣ 대통령 비서실 요직 및 국무총리 소속 주요 조직의 요직: 정무직
	지방직		자치단체의 장, 지방의회의원, 특별시 정무부시장(차관급) 등

4 고위공무원단

1) 고위공무원단에 대한 이해

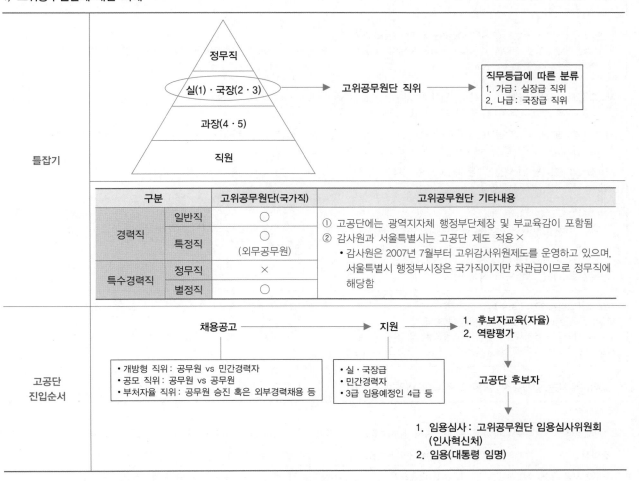

구분		고위공무원단(국가직)	고위공무원단 기타내용
경력직	일반직	○	① 고공단에는 광역지자체 행정부단체장 및 부교육감이 포함됨
	특정직	○ (외무공무원)	② 감사원과 서울특별시는 고공단 제도 적용×
특수경력직	정무직	×	• 감사원은 2007년 7월부터 고위감사위원제도를 운영하고 있으며, 서울특별시 행정부시장은 국가직이지만 차관급이므로 정무직에 해당함
	별정직	○	

2) 기타 : 고위공무원단 관련 법령

① 국가공무원법

> 제32조【임용권자】 ① 행정기관 소속 5급 이상 공무원 및 고위공무원단에 속하는 일반직공무원은 소속 장관의 제청으로 인사혁신처장과 협의를 거친 후에 국무총리를 거쳐 대통령이 임용하되, 고위공무원단에 속하는 일반직공무원의 경우 소속 장관은 해당 기관에 소속되지 아니한 공무원에 대하여도 임용제청할 수 있다.
> ③ 대통령은 대통령령으로 정하는 바에 따라 제1항에 따른 임용권의 일부를 소속 장관에게 위임할 수 있으며, 소속 장관은 대통령령으로 정하는 바에 따라 제2항에 따른 임용권의 일부와 대통령으로부터 위임받은 임용권의 일부를 그 보조기관 또는 소속 기관의 장에게 위임하거나 재위임할 수 있다.
>
> 참고
> 고위공무원단으로 진입하기 위해서는 개방형 직위의 방법도 있으나 승진임용도 가능함

DAY

17

② 고위공무원단 인사규정

제7조【고위공무원단후보자】 ① 제9조에 따른 역량평가를 통과한 사람으로서 다음 각 호의 어느 하나에 해당하는 사람은 고위공무원단후보자가 된다.

> ⓐ 고위공무원단 후보자 교육은 액션러닝에 기초함(2005년 도입)
> ⓑ 액션러닝 : 이론과 지식 위주의 전통적인 주입식·집합식 강의의 한계를 극복하고 훈련자들의 참여를 통해 실제 문제해결능력 향상을 추구하는 교육훈련

제8조【고위공무원단후보자 교육】 ① 인사혁신처장은 고위공무원단후보자교육과정을 운영하여야 한다.
③ 고위공무원단후보자교육과정의 이수기준은 인사혁신처장이 정한다.

제9조【역량평가】 ① 역량평가는 고위공무원으로 신규채용되려는 사람 또는 4급 이상 공무원이 고위공무원단 직위로 승진임용되거나 전보되려는 사람을 대상으로 신규채용, 승진임용 또는 전보 전에 실시하여야 한다.

제11조【역량평가방법】 역량평가는 4명 이상의 역량평가위원이 참여하여 제시된 직무 상황에서 나타나는 평가 대상자의 행동을 관찰하여 그 역량을 평가하는 방법으로 한다.

> **참고**
> 역량평가는 평가자들이 **합의를 통해 평가결과를 도출**하기 때문에 평가자의 오류를 방지하고 평가의 공정성을 확보할 수 있음

③ 공무원보수규정 : 연봉제 적용

제63조【고위공무원의 보수】 ① 고위공무원에 대해서는 직무성과급적 연봉제를 적용한다. 다만, 대통령경호처 직원 중 고위공무원단에 속하는 별정직공무원에 대해서는 호봉제를 적용한다.
② 직무성과급적 연봉제를 적용하는 고위공무원의 기본연봉은 개인의 경력 및 누적성과를 반영하여 책정되는 기준급과 직무의 곤란성 및 책임의 정도를 반영하여 직무등급에 따라 책정되는 직무급으로 구성한다.

④ 고위공무원단 인사규칙 : 역량의 종류와 내용 `읽어 보기`

역량	내용
문제인식	정보의 파악 및 분석을 통해 문제를 적시에 감지 및 확인하고 문제와 관련된 다양한 사안을 분석하여 문제의 핵심을 규명
전략적 사고	장기적인 비전과 목표를 설정하고 이를 실행하기 위한 대안의 우선순위를 명확히 하여 추진방안을 확정
성과 지향	주어진 업무의 성과를 극대화하기 위한 다양한 방안을 강구하고, 목표달성 과정에서도 효과성과 효율성을 추구
변화관리	환경변화의 방향과 흐름을 이해하고, 개인 및 조직이 변화상황에 적절하게 적응 및 대응하도록 조치
고객만족	업무와 관련된 상대방을 고객으로 인식하고 고객이 원하는 바를 이해하고 그들의 요구를 충족시키려 노력하는 것
조정·통합	이해당사자들의 이해관계 및 갈등상황을 파악하고 균형적 시각에서 판단하여 합리적인 해결책을 제시

5 우리나라와 미국의 고위공무원단 제도 읽어 보기

1) 미국

등장배경	1978년 카터행정부에서 공무원제도개혁법 개정으로 도입
주요 내용	① 계급제적 요소 도입 : 직위분류제의 문제점을 극복하기 위해 계급제적 요소를 가미하고자 고위공무원단 제도를 도입 ② 대통령이 고위공무원을 임용하기 때문에 엽관주의적 요소가 혼재 → 정치적인 임용 우려 ③ 영국과 우리나라는 계급제에 직위분류제 요소를 도입 → 결국 미국, 영국, 우리나라 모두 고공단제도를 도입함으로써 계급제나 직위분류제적 제약이 약화되어 인사운영의 융통성을 강화하였음
공무원 제도개혁법 (1978)	① 연방인사위원회를 폐지하고 인사관리처, 실적제도 보호위원회, 연방노동관계청 3개의 인사기관으로 대체 ② 계급제적 요소를 반영한 고위공무원단(SES : Senior Executive Service) 제도 도입 ③ 성과급(Merit Pay System) 등 실적제의 경직성을 극복하기 위한 제도 도입 ④ 내부고발자보호제도

2) 우리나라

<table>
<tr>
<td colspan="3">등장배경</td>
<td colspan="3">참여정부(노무현 정권) 시기인 2006년 7월 1일에 고위공무원단 제도를 시행하였음 → 미국을 필두로 영국, 호주, 네덜란드로 확산되어 우리나라도 채택</td>
</tr>
<tr>
<td rowspan="11">주요 내용</td>
<td colspan="2">직무중심 관리
(계급폐지)</td>
<td colspan="3">① 직무등급을 '가'등급, '나'등급으로 구분
② 고위공무원단 직무등급을 2009년에 5등급에서 2등급으로 변경함으로써 직무중심의 인사관리를 유도</td>
</tr>
<tr>
<td colspan="2">적격심사</td>
<td colspan="3">① 원칙적으로 고위공무원단은 가급 고위공무원을 제외하고 정년이 보장됨
② 다만, 적격심사에서 부적격 결정을 받은 고위공무원은 직권면직 처분을 받을 수 있음 → 적격심사는 고위공무원단의 신분보장을 약화시키는 제도</td>
</tr>
<tr>
<td rowspan="4">고위공무원단
진입경로</td>
<td>개방형 직위</td>
<td colspan="3">① 전체 고위공무원단 직위 총수의 20% 범위 내에서는 개방형으로 충원
② 민간 vs 공직 내부</td>
</tr>
<tr>
<td>공모직위</td>
<td colspan="3">① 전체 고위공무원단 직위 총수의 30% 범위 내에서는 공모직위로 채용
② 기관 내 공무원 vs 다른 부처 공무원</td>
</tr>
<tr>
<td colspan="4">공모직위, 개방형 직위 임용시 선발의 공정성 및 객관성 제고를 위해 선발심사 및 선발시험위원회를 둠</td>
</tr>
<tr>
<td>부처자율 직위</td>
<td colspan="3">① 나머지 50%는 부처자율직위로 채용
② 부처자율인사 직위는 부처 장관이 자율적으로 임용 방법을 결정하는 방식인데, 일반적으로 내부공무원 승진과 외부경력자 채용 방식이 있음</td>
</tr>
<tr>
<td rowspan="4">적격심사
조건</td>
<td>구분</td>
<td>근무성적평정(성과계약등 평가)
최하위 등급</td>
<td colspan="2">무보직</td>
</tr>
<tr>
<td>조건1</td>
<td>2년 이상</td>
<td colspan="2">–</td>
</tr>
<tr>
<td>조건2</td>
<td>–</td>
<td colspan="2">1년 이상</td>
</tr>
<tr>
<td>조건3</td>
<td>1년 이상</td>
<td colspan="2">6개월 이상</td>
</tr>
<tr>
<td colspan="2">기타</td>
<td colspan="3">위의 세 가지 조건 중 하나에 해당하면 적격심사를 받아야 하며, 부적격으로 결정될 경우 직권면직 사유에 해당함</td>
</tr>
<tr>
<td colspan="2">기타</td>
<td colspan="3">① 행정의 전문성 제고 : 계급제적 요소에 직위분류제적 요소를 가미함(우리나라·영국)
② 급격한 환경변화에 대한 적응능력 향상 : 실·국장국 직위를 고위공무원단 직위로 통합하여 부처 간 협업 활성화
③ 지나친 경쟁으로 인한 직업공무원들의 사기저하 문제</td>
</tr>
</table>

DAY — 17

CHAPTER **03** 공무원 임용 및 능력 발전

Section **01** 임용의 종류

● 17 day

- **임용**: 공무원을 발생·변경·소멸시키는 모든 인사행위
- **외부임용**: 행정조직 바깥에서 사람을 선발하여 쓰는 것 → 공개경쟁채용과 경력경쟁채용이 있음
- **내부임용**: 채용한 공무원의 재배치 → 수평이동(동일한 계층 내 이동)과 수직이동(계층 간 이동)이 있음

1 틀잡기

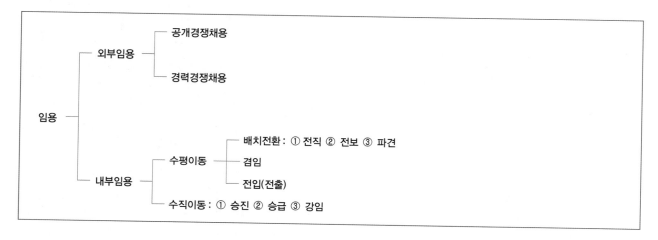

2 외부임용 : 신규채용

1) 외부임용의 종류 ⓒⓕ

공개경쟁채용	① 불특정 다수에게 공개경쟁시험을 실시해서 공무원을 채용하는 제도로서 공무원 임용을 원하는 지원자에게 균등한 기회를 보장함 ② 우리나라에는 5급·7급·9급 공개경쟁채용시험이 있음
경력경쟁채용	① 공개경쟁채용시험을 통해 인력을 충원하기에 부적절한 분야에 적용 ② 채용 직위 혹은 직무에 적합한 **우수전문인력** 혹은 **유경험자를 특별** 채용하는 제도 → 행정수요의 복잡성 및 다양성 증대가 등장배경 ③ 일반적으로 시험 외 자격 제한을 두지 않는 공개경쟁채용과 다르게 **자격증, 경력, 학위** 등의 조건이 필요함
기타	① 공무원은 공개경쟁채용 및 경력경쟁채용으로 신규채용할 수 있으며, 퇴직공무원의 재임용의 경우에는 경력경쟁채용시험으로 채용할 수 있음 ② **공무원임용시험령 상 면접시험 평정요소**: ㉠ 소통·공감 ㉡ 헌신·열정 ㉢ 창의·혁신 ㉣ 윤리·책임

2) 시보임용

개념	① 정식으로 공무원을 임용하기 전에 공직 적격성을 임용예정 부처에서 검증받는 것 ② 일반적으로 시보공무원 기간이 종료되면 정규공무원 신분과 보직이 부여됨 → 단, 조직의 상황에 따라 일시적으로 보직을 부여받지 못할 수 있음
법령	**국가공무원법 제29조【시보 임용】** ① 5급 공무원을 신규 채용하는 경우에는 1년, 6급 이하의 공무원을 신규 채용하는 경우에는 6개월간 각각 시보(試補)로 임용하고 그 기간의 근무성적 · 교육훈련성적과 공무원으로서의 자질을 고려하여 정규 공무원으로 임용한다. 다만, 대통령령등으로 정하는 경우에는 시보 임용을 면제하거나 그 기간을 단축할 수 있다. ② 휴직한 기간, 직위해제 기간 및 징계에 따른 정직이나 감봉 처분을 받은 기간은 제1항의 시보 임용 기간에 넣어 계산하지 아니한다. ③ 시보 임용 기간 중에 있는 공무원이 근무성적 · 교육훈련성적이 나쁘거나 이 법 또는 이 법에 따른 명령을 위반하여 공무원으로서의 자질이 부족하다고 판단되는 경우에는 제68조와 제70조에도 불구하고 면직시키거나 면직을 제청할 수 있다.
기타	① 시보 기간은 공무원의 경력에 포함됨 → 다만, 시보 기간에는 신분이 보장되지 않으며, 승진 임용될 수 없음 ② 소청심사청구 인정 ③ 직위해제 및 전보 가능 ④ 임용권자는 시보임용 기간 중에 있는 공무원의 근무상황을 항상 지도 · 감독하여야 함

3) 외부임용 관련 기타 법령 : 국가공무원법을 중심으로 ⓓ

제26조의3【외국인과 복수국적자의 임용】 ① 국가기관의 장은 국가안보 및 보안 · 기밀에 관계되는 분야를 제외하고 대통령령등으로 정하는 바에 따라 외국인을 공무원으로 임용할 수 있다.
② 국가기관의 장은 다음 각 호의 어느 하나에 해당하는 분야로서 대통령령등으로 정하는 분야에는 복수국적자(대한민국 국적과 외국 국적을 함께 가진 사람을 말한다. 이하 같다)의 임용을 제한할 수 있다.

제26조의4【지역 인재의 추천 채용 및 수습근무】 ① 임용권자는 우수한 인재를 공직에 유치하기 위하여 학업 성적 등이 뛰어난 고등학교 이상 졸업자나 졸업 예정자를 추천 · 선발하여 3년의 범위에서 수습으로 근무하게 하고, 그 근무기간 동안 근무성적과 자질이 우수하다고 인정되는 자는 6급 이하의 공무원으로 임용할 수 있다.
④ 제1항에 따라 수습으로 근무하는 자는 직무상 행위를 하거나 「형법」, 그 밖의 법률에 따른 벌칙을 적용할 때 공무원으로 본다.

제38조【채용후보자 명부】 ① 시험 실시기관의 장은 공개경쟁 채용시험에 합격한 사람을 채용후보자 명부에 등재하여야 한다.
② 공무원 공개경쟁 채용시험에 합격한 사람의 채용후보자 명부의 유효기간은 2년의 범위에서 대통령령등으로 정한다.

---

3 내부임용 : 재배치

1) 수평이동 : 동일한 계층 내 이동

① 수평이동의 종류

배치전환	전직	개념	직렬이동 → 직렬의 경계를 넘어 다른 직렬의 동일 계급으로 이동
		관련 법령	**국가공무원법 제28조의3【전직】** 공무원을 전직 임용하려는 때에는 전직시험을 거쳐야 한다.
	전보		㉠ 보직이동 : 동일 직렬 · 직급 내에서의 수평적 이동 ㉡ 전보의 오용과 남용을 방지하기 위해 전보가 제한되는 기간이나 범위를 두고 있음 → 일반적으로 3년
	파견		소속을 바꾸지 않고 일시적으로 다른 기관에서 근무하는 것
겸임	개념		한 사람에게 둘 이상의 직위를 부여하는 것 → 주로 일반직 공무원에게 적용
	관련 법령		**공무원 임용령 제40조【겸임】** ③ 제2항에 따른 겸임기간은 2년 이내로 하며, 특히 필요한 경우 2년의 범위에서 연장할 수 있다.

| 전입
(전출) | 개념 | ㉠ 국회·행정부·지방자치단체 등 서로 다른 기관에 소속되어 있는 공무원의 인사이동을 의미함 → **인사관할을 달리하는 기관 사이의 수평적 인사이동**이며, **시험을 거쳐 임용해야 함**
㉡ 🚫 행정부에서 국회로 이동 |
| | 관련 법령 | **국가공무원법 제28조의2【전입】** 국회, 법원, 헌법재판소, 선거관리위원회 및 행정부 상호 간에 다른 기관 소속 공무원을 전입하려는 때에는 시험을 거쳐 임용하여야 한다.

지방공무원법 제29조의3【전입】 지방자치단체의 장 또는 지방의회의 의장은 공무원을 전입시키려고 할 때에는 해당 공무원이 소속된 지방자치단체의 장 또는 지방의회의 의장의 동의를 받아야 한다. |

② 배치전환의 기능

적극적(본질적) 용도	부처 간 협력 도모	㉠ 수평이동을 통해 다양한 부서 간 소통이 이루어질 수 있는바 할거주의의 폐단을 타파하고 **부처 간 협력조성**을 위한 기반을 마련해 줄 수 있음 ㉡ 빈번한 자리이동은 직무의 능률을 저해하는바 전직과 전보의 적절성을 위해 최저 재임기간을 채워야 함 ㉢ 전직의 경우에는 시험에 합격한 경우로 한정함으로써 전직의 남용을 차단하고 있음
	선발의 불완전성 보완	㉠ 우리나라와 같이 중앙인사기관이 일괄적으로 신규공무원을 채용하여 각 부처에 임명하는 경우 원하는 곳에 첫 발령을 받기가 쉽지 않음 ㉡ 따라서 배치전환은 선발에서의 불완전성을 보완하여 개인의 능력을 촉진하거나 조직구조 변화에 따른 저항을 줄이고 비용을 절감할 수 있음
	기타	㉠ 업무량이나 기술의 변화에 따른 재배치의 필요에 대응하는 것 ㉡ 조직의 침체 방지
소극적(부정적) 용도		㉠ 징계에 갈음하는 수단으로 사용하는 것 ㉡ 부하의 과오를 덮어주기 위해 사용하는 것 ㉢ 사임을 강요하기 위해 사용하는 것 ㉣ 파벌조성 등을 위해 사용하는 것

2) 수직이동 : 계층 간 이동 ▷ 승진·승급·강임 🆔

① 승진

개념		계급상의 직위 상승 → 종전보다 상위의 계층에서 직책을 담당하는 것
유형	일반승진 (실적 + 연공)	실적과 연공을 모두 반영한 승진 → 근무성적평정 + 연공
	공개경쟁승진 (실적)	공개경쟁승진은 5급으로 승진에 적용되며, 일반적으로 기관 구분 없이 승진자격을 갖춘 **6급 공무원**을 대상으로 하는 공개경쟁승진시험의 성적에 의하여 결정됨
	특별승진 (실적)	민원봉사대상 수상자, 직무수행능력 우수자, 제안채택시행자, 명예퇴직자, 공무 사망자 등을 대상으로 일정 요건을 충족하는 경우 승진임용하거나, 승진심사 또는 승진시험에 응시할 수 있도록 하는 제도임
	근속승진 (연공)	㉠ 연공(경력)에 따라 승진 → 무조건 승진 ㉡ 근속승진은 승진후보자명부 작성단위기간 직제상의 정원표에 일반직 6급·7급 또는 8급의 정원이 없는 경우에도 근속승진인원만큼 상위직급에 결원이 있는 것으로 보고 승진임용할 수 있음

② 승급과 강임

승급		같은 계급 내에서 **호봉이 높아지는 것**
강임	개념	승진과 반대로 현 직급보다 **낮은 하위 직급에 임용**되는 것으로써 결원을 보충하는 수직적 임용방식 중 하나임
	특징	강임은 별도의 심사 절차가 없으며, 강임된 공무원은 상위의 직급에 결원이 있을 때 우선 승진의 대상임
	관련 법령	**국가공무원법 제5조 【정의】** 이 법에서 사용하는 용어의 뜻은 다음과 같다. 　4. 강임(降任)이란 같은 직렬 내에서 하위 직급에 임명하거나 하위 직급이 없어 다른 직렬의 하위 직급으로 　　임명하거나 고위공무원단에 속하는 일반직공무원을 고위공무원단 직위가 아닌 하위 직위에 임명하는 　　것을 말한다. **국가공무원법 제73조의4 【강임】** ① 임용권자는 직제 또는 정원의 변경이나 예산의 감소 등으로 직위가 폐직 되거나 하위의 직위로 변경되어 과원이 된 경우 또는 본인이 동의한 경우에는 소속 공무원을 강임할 수 있다. **공무원 보수규정 제6조 【강임 시 등의 봉급 보전】** ① 강임된 사람에게는 강임된 봉급이 강임되기 전보다 많아지게 될 때까지는 강임되기 전의 봉급에 해당하는 금액을 지급한다.

4 임용 관련 기타 내용

국가공무원법	**제27조 【결원 보충 방법】** 국가기관의 결원은 신규채용·승진임용·강임·전직 또는 전보의 방법으로 보충한다. **제34조 【5급 공무원으로의 승진임용】** ① 6급 공무원을 5급 공무원으로 승진임용하려는 경우에는 승진시험 또는 보통승진심사 위원회의 심사를 거쳐 임용하여야 한다. **제40조의4 【우수 공무원 등의 특별승진】** ① 공무원이 다음 각 호의 어느 하나에 해당하면 특별승진임용하거나 일반 승진시험에 우선 응시하게 할 수 있다. 　1. 청렴하고 투철한 봉사 정신으로 직무에 모든 힘을 다하여 공무 집행의 공정성을 유지하고 깨끗한 공직 사회를 구현하는 　　데에 다른 공무원의 귀감(龜鑑)이 되는 자 　2. 직무수행 능력이 탁월하여 행정 발전에 큰 공헌을 한 자 　3. 제53조에 따른 제안의 채택·시행으로 국가 예산을 절감하는 등 행정 운영 발전에 뚜렷한 실적이 있는 자 　4. 재직 중 공적이 특히 뚜렷한 자가 제74조의2에 따라 명예퇴직 할 때 　　**국가공무원법 제74조의2 【명예퇴직 등】** ① 공무원으로 20년 이상 근속(勤續)한 자가 정년 전에 스스로 퇴직하면 예산의 　　범위에서 명예퇴직 수당을 지급할 수 있다. 　5. 재직 중 공적이 특히 뚜렷한 자가 공무로 사망한 때
참고	① 임용권자는 승진임용에 필요한 요건을 갖춘 5급 이하 공무원 등에 대하여 승진후보자 명부를 작성하여야 함 ② 원칙적으로 근무성적평가 점수의 반영비율은 90%, 경력평정점의 반영비율은 10%로 하여 작성함 ③ **승진소요최저연수**: 일반직 공무원이 승진하려면 4급 및 5급은 3년, 6급은 2년, 7·8·9급은 1년 이상 해당 계급에 재직해 야 함

DAY — **17**

Section 02 선발시험의 실효성 확보 조건   → 17 day

- 공무원을 발생(선발)시키는 과정은 응시자의 지식, 기술, 능력 등을 측정하는 선발시험과 연관됨
- 선발시험은 응시자의 자격을 살펴보는 측정 도구인 까닭에 신뢰도(일관성)와 타당도(정확성) 및 그 외 부수적 조건을 충족해야 함

1 틀잡기

신뢰성과 타당성이
모두 높은 경우

신뢰성은 높으나
타당성이 낮은 경우

신뢰성과 타당성이
모두 낮은 경우

2 신뢰도 ⓒ

1) 개념과 유형

개념	① 신뢰성(reliability)은 일반적으로 측정 도구로 인한 결과가 보여주는 **일관성**을 뜻함 ② 따라서 시험의 신뢰성은 시험의 결과, 즉 성적의 일관성을 의미함	
유형	**종적일관성**	서로 다른 시점에서의 측정 결과가 일정한 값을 보이는 것
	횡적일관성	① 동일한 시험에서 동질적인 둘 이상의 집단을 대상으로 같은 측정도구를 사용해서 얻은 결과가 일정한 값을 보이는 것 ② 혹은 **동일한 시점**에서 두 개의 시험유형을 동일한 집단이 치렀을 때 얻은 결과가 일정한 값을 보이는 것

2) 검증방법

재시험법	① 시험을 본 응시자에게 **일정 시간이 지난 뒤에 다시 같은 문제로 시험**을 보게 하여 두 점수 간의 일관성을 살펴보는 것 ② 재시험법은 시험의 **종적 일관성**을 조사함
동질이형법	① 내용과 난이도가 비슷하면서도 형태는 다른 두 개의 시험유형을 동일한 집단을 대상으로 시험을 보게 한 후, 시험성적 간의 일관성을 조사하는 방법 ② 시험은 동시에 실시할 수도 있고, 두 시점에 나누어 실시할 수도 있음 ③ 재시험법에 비해 많은 비용과 노력을 요구하지만 **종적 일관성과 횡적 일관성을 모두 검증**할 수 있음 ④ 📖 동형모의고사
이분법	하나의 시험지 문항을 두 집단으로 나누어(📖 짝수·홀수문항 구분) 문항 집단 간의 성적을 상호 비교하는 방법
문항 간 일관성 검증 (내적 일관성 분석)	응답자들이 특정 개념이나 대상을 묻는 일련의 질문에 얼마나 일관성 있게 답변했는가를 측정하는 개념

3 타당도

타당도 : 측정의 정확성 → 시험이 측정하려고 하는 것을 얼마나 정확하게 측정했는가를 의미함

1) 유형

① 기준타당성 : 시험성적과 근무성적을 비교해서 시험의 정확성을 분석하는 것

개념		㉠ 시험의 성적과 시험을 통해 예측하고자 했던 기준(직무수행실적) 사이의 관계가 얼마나 밀접한지를 분석하는 것 ㉡ 기준타당성의 검증방법은 자료수집의 시차에 따라 **동시적 타당성 검증과 예측적 타당성 검증으로 구분**
검증방법	**동시적 타당성 검증**	㉠ 앞으로 활용할 시험을 현재 근무하고 있는 **재직자**에게 실시한 다음 그들의 업무실적과 시험성적 간의 상관관계를 보는 방법 ㉡ 만약 근무실적이 좋은 근무자가 시험성적도 좋다면 기준타당성을 지녔다고 볼 수 있음
	예측적 타당성 검증	㉠ **시험합격자**가 일정한 기간 직장생활을 한 후에 채용시험성적과 업무실적을 비교하여 양자의 상관관계를 확인하는 방법 → 시험합격자를 대상으로 하는 바 시험성적은 바로 구할 수 있으나 근무실적은 일정기간을 기다려야 함 ㉡ 혹은 이미 타당성이 검증된 시험의 경우 해당 시험의 성적을 기초로 미래의 근무실적을 예측할 수 있는데, 이를 예측적 타당성 검증이라고 표현하는 경우도 있음

② 구성타당성(개념타당성) : 추상적인 개념에 대한 정확한 측정 여부

개념		㉠ 채용시험이 **이론적으로 추정하는 능력요소(추상적인 개념)**를 얼마나 정확하게 측정할 수 있는가를 살펴보는 타당성 ㉡ 예 공직적격성테스트(PSAT : Public Service Aptitude Test)	
종류	**수렴타당도**		**차별타당도**
	영어 실력 토익　　　　토플		한국사 실력 영어 실력 한능검
	서로 다른 측정 방법을 사용하더라도 동일한 개념을 측정한다면 그 측정값은 하나의 차원으로 수렴해야 함		서로 상이한 개념을 측정할 때, 각자 다른 측정 방법을 사용한다면 측정값에 차별성이 나타나야 함

③ 내용타당성 : 시험내용 = 직무내용

개념	㉠ 시험의 내용이 실제 직무에 관한 내용을 평가하고 있는가를 다루는 타당성 ㉡ 직위의 의무와 책임을 시험이 어느 정도 측정할 수 있는가를 나타냄
특징	㉠ 직무수행에 필요한 능력요소와 시험의 내용분석(**전문가에 의한 문항검증 등**)이 필요함 ㉡ 즉, 직무에 정통한 전문가 집단이 시험의 구체적 내용과 직무수행의 적합성 여부를 주관적으로 판단하여 검증함

4 기타 조건

난이도	시험의 어려운 정도로서 채용시험이 개인 간의 능력 차이를 어느 정도까지 식별할 수 있는가를 의미함
객관성	① 채점자의 편견이나 시험 외적인 요인에 의하여 시험이 영향을 받지 않는가를 묻는 개념 ② 주관식 시험보다 객관식 시험이 객관성을 확보하기에 용이함
실용도	실시 비용, 채점의 용이성, 균등한 기회부여의 여부 등
선발비율	① 응시자 중에서 선발할 인원의 비율 ② 선발비율을 줄이면 경쟁률은 올라감 → 경쟁률이 올라가면 일반적으로 시험의 실효성은 증가함

Section 03 공무원의 능력 발전 ⓒ

● 17 day

1 공무원의 교육훈련

1) 직장 내 훈련(on the job training)

실무지도 (Coaching · Mentoring)	① 일상적인 근무 중에 상관이 부하에게 직무수행에 관한 기술을 가르쳐 주는 훈련방식 ② 예 직무수행기술 · 질문에 대한 답변 등
직무순환	여러 분야의 직무를 직접 경험하도록 만들기 위하여 계획한 순서에 따라 직무를 순환하면서 배우는 실무훈련 → 일반행정가의 원리에 부합
임시배정	① 특수직위 혹은 위원회 등에 잠시 배정하여 경험을 쌓게 함으로써 앞으로 맡을 임무에 대비하는 방법 ② 승진이 예정된 사람에게 사전교육을 시키는 방법으로 활용할 수 있음
인턴십	제한된 기간에 임시로 고용하여 조직업무에 대한 이해와 함께 간단한 업무를 경험하는 기회를 제공받는 훈련방법
시보	공무원 시험에 합격한 사람을 근무 예정부서에서 일정 기간 근무하게 한 후 조건 충족 시 임용하는 방법

2) 교육원훈련(off the job training): 직장 외 훈련

강의	① 가장 일반적인 훈련 방법으로써 다수 인원을 대상으로 동일한 정보를 가장 효율적으로 전할 수 있는 방식 ② 정보의 흐름이 일방적이며, 교관의 강의 진행방식에 따라 교육효과에 차이가 생길 수 있음
프로그램화 학습	① 일련의 질의와 응답이 체계적 · 단계별로 짜여있는 책자 혹은 컴퓨터 프로그램을 이용하는 훈련방법 ② 프로그램의 지시에 따라 문제를 풀면 그에 대한 정답 여부를 확인 후 다음 문제로 넘어가는 방식 → 일종의 자율학습방법
시청각 교육	시청각 기재(TV, 영화, 비디오 등)를 활용하여 다양한 정보를 많은 사람에게 제공하는 방식
회의 · 토론	① 앞의 세 방법과는 다르게 쌍방 간 정보를 주고받는 과정을 거침 ② 진행자가 참여자에게 주제를 부여하고 자유로운 토론을 유도 후 토론의 결과를 요약하며, 진행자는 토론내용이나 방식에 대해 비판적 조언을 제공할 수 있어야 함
사례연구	① 실제 조직생활에서 경험한 사례 혹은 가상의 시나리오를 가지고 문제해결방식을 찾는 방식 → 토론 병행 ② 많은 시간이 투입되는 단점이 있음
역할연기	① 실제 업무상황을 부여하고 특정 역할을 직접 연기하도록 하는 방식 ② 보통 자신과 반대되는 입장의 역할부여 → 상관에게 부하의 역할 부여 ③ 역할연기를 통해 인식의 차이를 발견함으로써 상대방에 대한 이해력을 제고할 수 있음 ④ 참고 정신병 치료를 위한 집단치료법에서 유래함
감수성 훈련 (T집단 훈련)	① 10명 내외로 소집단을 만들어 서로 진술하게 자신의 느낌을 말하고 다른 사람이 자신을 어떻게 생각하는지를 귀담아 듣는 것 → 비정형적인 체험 ② 태도와 행동의 변화(지식의 변화×)를 통해 대인 관계기술을 향상시키고 인간관계를 개선하려는 훈련 ③ 인위적인 개입 없이 구성원 간 자연스럽게 감정을 주고받을 수 있도록 분위기를 형성해야 하는바 훈련을 진행하기 위한 전문가의 역할이 중요함 ④ 감수성 훈련을 통해 타인에 대한 편견을 줄이고 개방적 태도를 취하는 효과를 가져올 수 있음
모의연습 (시뮬레이션)	① 업무수행 중 직면할 수 있는 가상적 상황을 만든 후 피교육자가 그 상황에 대처해보도록 하는 방법 ② 사건처리연습: 어떤 사건의 윤곽을 피교육자에게 알려주고 그 해결책을 찾게 하는 방법 → 모의연습의 한 종류
워크아웃 프로그램 (work-out program)	① 미국 GE사의 전략적 인적자원 개발프로그램으로서 비효율적인 업무를 제거하고 업무 속에 배어 있는 그릇된 습관을 퇴치하도록 하는 훈련기법 ② 정부조직에서는 정책 현안에 대한 각종 워크숍의 운영을 통해 문제해결 방안을 모색하고, 공무원의 능력을 제고하고자 활용하고 있음 ③ 워크숍을 운영하는 과정에서 전 구성원의 자발적 참여 및 관리자의 신속한 의사결정을 통해 행정혁신을 이루려는 교육훈련 방법

신디케이트(syndicate) : 분임연구	① 피훈련자들을 10명 내외의 분반으로 나누어 분반별로 동일한 문제를 토의해 문제해결 방안을 작성한 후, 다시 전원이 한 장소에 모여 분반별로 작성한 안을 발표하고 토론을 벌여 최종안을 작성하는 훈련방법 ② 영국의 관리자대학에서 관리자훈련을 위해 개발한 훈련방법인 분임연구는 여러 참여자의 견해를 모아 문제해결을 위한 정책대안을 모색하거나 고급관리자들에 대한 교육훈련에 이용됨
액션러닝	① 이론과 지식 위주의 전통적인 주입식·집합식 강의의 한계를 극복하고 훈련자들의 참여를 통해 실제 문제해결능력 향상을 추구하는 교육훈련 ② 즉, 액션러닝은 교육참가자들이 소규모의 팀을 구성하여 실제 현안문제를 해결하면서 동시에 문제해결과정에 대한 성찰을 통해 학습하도록 지원하는 행동학습으로서, 주로 관리자 훈련에 사용되는 교육방식 ③ 우리나라 정부 부문에는 2005년부터 고위공직자에 대한 교육훈련 방법으로 도입됨
시찰(견학)	① 훈련을 받는 사람이 실제로 현장에 가서 직접 관찰하게 하는 방법 ② 피훈련자의 시야와 이해력을 넓히는 데 효과적이나 막대한 경비와 시간이 소요된다는 문제가 있음
서류함기법	조직운영상의 의사결정에 필요한 자료(예 메모, 공문서, 우편물 등)를 정돈되지 않은 상태로 제공한 다음 피훈련자가 그것을 정리하고 중요한 정보를 가려내 의사결정을 내려보도록 하는 방법
기타	① 감수성 훈련과 역할연기는 태도나 행동의 변화, 대인관계기술 개발에 가장 효과적인 방법임 ② 강의, 토론회, 시찰(견학), 시청각 교육 등은 지식의 축적을 주된 목적으로 함

3) 직장훈련과 교육원 훈련 비교

구분	직장훈련(OJT)	교육원훈련(Off JT)
훈련장소	직장 내	직장 외
장점	① 일과 훈련의 병행 → 비용절감 ② 상급자와 하급자 간의 상호이해·협동정신 촉진 ③ 훈련자의 습득의 정도와 능력을 고려한 훈련가능 ④ 훈련·개발 내용이 실제적 → 실시용이 ⑤ 훈련으로 구체적인 학습 및 기술향상의 정도를 알 수 있으므로 구성원의 동기를 유발할 수 있음	① 통일적인 교육훈련 가능 ② 타기관 사람들과 접촉할 수 있는 기회로 지식·경험의 교환 가능 ③ 전문적인 지식과 기능훈련 가능 ④ 훈련에 대한 몰입가능 ⑤ 직장훈련에 비해 사전에 예정된 계획에 따라 실시하기 용이함
단점	① 상관이 반드시 우수한 교육자는 아님 ② 고도의 전문적 지식·기능훈련 불가능 ③ 일과 훈련 모두에 전념할 수 없음 ④ 통일된 내용의 교육훈련 불가능	① 훈련의 추상성이 있는바 습득한 지식이나 기술의 전이(적용) 문제 발생 ② 비용과 시간이 많이 소요

DAY — 17

4) 역량기반교육훈련

틀잡기	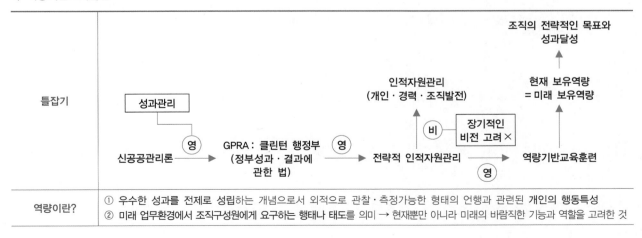
역량이란?	① 우수한 성과를 전제로 성립하는 개념으로서 외적으로 관찰·측정가능한 형태의 언행과 관련된 개인의 행동특성 ② 미래 업무환경에서 조직구성원에게 요구하는 행태나 태도를 의미 → 현재뿐만 아니라 미래의 바람직한 기능과 역할을 고려한 것

역량기반교육훈련	① 조직의 성과향상을 목적으로 장기적인 측면에서 요구되는 역량을 파악하여 **역량모델을 형성** • **역량모델** : 공통역량(전체 구성원에게 적용), 관리역량(원활한 조직운영), 직무역량(전문적 직무수행) ② 이후 구성원이 가진 **역량을 진단**하고 ③ **역량모델을 기초로 교육훈련을 통해 미래요구역량과 현재보유역량 간의 격차를 좁혀가는 과정** ④ 역량기반 교육훈련을 구현하는 방식으로 학습조직, 액션러닝 등이 활용되고 있음 ⑤ **맥클랜드(McClelland)는 우수성과자의 인사 관련 행태를 역량으로 규정**하고 이를 중심으로 한 인사관리를 주장함

5) 공무원의 경력개발 : 경력개발제도

경력개발제도	조직구성원이 경력경로(Career path)를 체계적으로 조정 및 계획할 수 있도록 하는 개인과 조직 간의 장기적·계획적인 활동 → 경력설계 구조화 및 관리 포함
경력개발시 기본원칙	① 적재적소의 원칙 ② 승진경로의 원칙 ③ 인재양성의 원칙 ④ 직무와 역량중심의 원칙 ⑤ 개방성 및 공정경쟁의 원칙 ⑥ 자기주도의 원칙

CHAPTER **04** 공무원 평가 : 성과 관리

Section 01 근무성적평정 ● 18 day

1 근무성적평정 방법의 유형

도표식 평정척도법	틀잡기	평정요소 : 전문지식 · 사회성		등급				
		• 전문성 : 담당 직무수행에 직접적으로 필요한 이론 혹은 실무지식 보유		5	4	3	2	1
				매우 미흡	미흡	보통	우수	매우 우수
		• 사회성 : 직무수행에 있어서 의사소통 여부		5	4	3	2	1
				매우 미흡	미흡	보통	우수	매우 우수
	특징	① 근무성적평정에 있어 가장 대표적인 평정방법(강제배분법과 함께 5급 이하 공무원의 근무성적평정에 사용)으로서 과학적인 직무분석이 아니라 **평정자의 직관과 선험을 바탕으로 하여 평가요소를 결정**함 ② 평정요소와 등급의 추상성이 높기 때문에 평정자의 자의적 해석에 의한 평가를 할 수 있음 → **행동명시×** ③ 평정요소의 평가가 다른 평정요소까지 파급되어 나타나는 **연쇄효과의 오류**를 범하기 쉬움 → 혹은 **엄격화·집중화·관대화의 오차**가 발생할 수 있음						
자기평정법	① 평정대상자에게 자신에 대한 **평가의 기회를 제공**하는 것 ② 감독자가 모르거나 잊었던 사실을 피평정자가 상기시켜 올바른 평정에 도움을 줄 수 있으며, 감독자의 시간적·공간적·인지적 제약을 보완하여 평가의 정확성을 제고할 수 있음							
서술법	개념	평가자가 **평정대상자의 실적, 능력, 태도 및 장·단점 등에 대하여 직접 기술**하는 것으로서 자유서술법과 제한서술법이 있음						
	유형	자유서술법	정해진 양식×					
		제한서술법	정해진 양식○					
강제배분법	① 평정대상자의 종합평정점수 분포가 특정 등급에 쏠리지 않도록 미리 **평정등급에 일정한 비율을 강제로 배분**하는 근무성적평정 방식 → 고른 성적의 분포를 강제하는바 **분포상의 오류를 방지**함 ② 평정자가 미리 정해진 비율에 따라 평정대상자를 각 등급에 분포시키고, 그 다음에 등급에 해당하는 점수를 역으로 부여하는 **역산식 평정의 가능성**이 있음							
가점법	① 직무수행과 관련하여 특수성이 있는 경우 인센티브 성격의 점수를 부여하여 이들의 행위를 장려하는 것 ② 예 특수지역 근무 등							
서열법	개념	피평정자 간의 근무성적을 서로 비교해서 서열을 정하는 방법						
	특징	① 두 명씩 짝을 지어 비교하기 때문에 **시간과 비용의 문제**가 있음 → 일반적으로 **소규모 조직에 적용** ② 주로 집단 내에서만 비교하는 까닭에 **다른 집단과 비교하기 어려움**						
	종류	쌍쌍비교법	피평정자를 두 사람씩 짝을 지어 비교를 되풀이하여 평정하는 방법					
		대인비교법	평정기준으로 구체적인 인물을 설정 후 비교하는 방법					

DAY

18

목표관리제 평정법 (MBO)	① 목표관리제 평정법은 **조직관리의 한 모형으로 개발된 목표관리를 평정에 적용**한 것으로써 우리나라에서 4급 이상 공무원에게 적용하는 직무성과계약제와 유사함 ② 부하의 참여를 통한 목표설정 및 의사소통의 개선으로 민주성을 띠며 목표가 뚜렷하기 때문에 평정이 용이하다는 장점이 있음 ③ 공공부문의 경우 뚜렷한 목표의 설정이 어렵고, 목표를 설정할 때 개인의 특수성을 고려하는바 개인 간 비교가 어려움

체크리스트법	틀잡기	<표 참조>

틀잡기 (체크리스트법)

행태	체크란	가중치
근무시간을 잘 준수한다.		5
책상이 항상 깨끗이 정돈되어 있다.		1

㉠ 평정자가 체크란에 표시할 때는 가중치를 모르는 상태에서 실시
㉡ 높은 점수가 바람직한 행동을 나타냄

주요 내용 (체크리스트법)

① 공무원을 평가하는 데 적합한 **표준행동목록**을 살펴보고, 평정자가 이 목록에서 피평정자가 해당하는 부분을 체크하는 방식
② 혹은 평정자가 평정표(평정서)에 나열된 평정요소에 대한 설명 또는 질문을 보고 피평정자에게 해당되는 것을 골라서 표시를 하는 평정방법
③ 표준행동목록은 미리 작성되어 있어야 하며, **목록에서 중요한 부분은 가중치를 부여할 수 있음**
④ 평정요소에 관한 평정항목을 만들기가 힘들 뿐만 아니라, 질문 항목이 많을 경우 평정자가 곤란을 겪게 됨

강제선택법 - 틀잡기

구분	적합	부적합
동료들과 의사소통을 적극적으로 시도한다.		
직무에 대한 전문적 지식을 충분히 보유하고 있다.		
업무를 수행할 때 다소 산만하다.		
본인의 직무 외적인 지식은 부족한 편이다.		

주요 내용 (강제선택법)

① 체크리스트법의 변형
② 4~5개의 체크리스트적인 단문 중에서 피평정자에게 가장 적합한 또는 부적합한 표현을 강제로 선택하게 만드는 방법

행태기준 평정척도법 - 틀잡기

평정대상자의 행태를 가장 대표할 수 있는 난에 체크 표시하여 주세요.

🏳 평정요소 : 협동정신

등급	행태유형
7	부하직원과 상세하게 대화를 나누고 그에 대한 해결방안을 내놓는다.
6	스스로 해결할 수 없는 문제는 상관에게 자문을 구하여 해결책을 찾는다.
5	스스로 해결하려고 노력하지만, 가끔 잘못된 결과를 초래한다.
4	일시적인 해결책으로 대응하여 문제가 계속 발생한다.
3	부하직원의 의사를 참고하지 않고 독단적으로 결정한다.
2	문제해결에 있어 개인적인 감정을 내세운다.
1	어떤 결정을 내려야 할 상황인데 결정을 회피하거나 미룬다.

주요 내용 (행태기준 평정척도법)

① 도표식 평정척도법 + 중요 사건기록법 → 양자의 단점을 보완한 평정방법
② 도표식 평정척도법의 단점: 평정요소 및 등급의 모호성과 해석상의 주관적 판단개입
③ 중요사건 평정법의 단점: 상호비교의 곤란성
④ 직무분석에 기초하여 직무(Job)와 관련된 중요 과업(task)을 선정
⑥ 가장 이상적 과업행태로부터 가장 바람직하지 못한 행태까지 몇 개의 등급으로 나누고 점수를 배당
⑦ 직무가 다르면 별개의 평정양식이 있어야 하는 등 개발에 많은 시간과 비용이 요구됨

		🏳 평정요소 : 부하직원과의 의사소통					

<table>
<tr><td rowspan="6">행태관찰
평정척도법</td><td rowspan="4">틀잡기</td><td>평정항목</td><td colspan="5">등급(중요 사건의 빈도)</td></tr>
<tr><td rowspan="2">새 정책이나 내규가
시행될 때 게시판에
내용을 숙지한다.</td><td>5</td><td>4</td><td>3</td><td>2</td><td>1</td></tr>
<tr><td>거의 관찰하지
못함</td><td></td><td></td><td></td><td>매우 자주 관찰</td></tr>
<tr><td rowspan="2">집중해서 대화에 임한다.</td><td>5</td><td>4</td><td>3</td><td>2</td><td>1</td></tr>
<tr><td>거의 관찰하지
못함</td><td></td><td></td><td></td><td>매우 자주 관찰</td></tr>
<tr><td>주요 내용</td><td colspan="6">① 행태기준척도법의 단점인 바람직한 행동과 바람직하지 않은 행동과의 상호배타성을 극복하기 위해 개발
② 행태기준척도법과의 차이점은 중요 사건의 빈도를 표시한다는 것
③ 평정항목으로 선정한 것은 모두 직무와 관련성을 지녀야 함 → 평정항목을 작성 시 직무에 능통한 전문가의 판단에 의존하거나 직무분석에 기초
④ 행태관찰척도법도 도표식평정척도법의 성격이 강해지면(행태관찰척도법을 제대로 구현하지 못하면) 집중화·관대화 경향이 나타날 수 있음 → 혹은 도표식평정척도법이 갖는 등급과 등급 간의 모호한 구분과 연쇄효과의 오류가 나타날 수 있음</td></tr>
</table>

<table>
<tr><td rowspan="7">사실기록법</td><td>개념</td><td colspan="2">공무원의 근무성적을 객관적인 사실에 기초를 두고 평가하는 방법</td></tr>
<tr><td rowspan="6">종류</td><td>산출기록법</td><td>시간당 수행한 공무원의 업무량을 전체 평정기간 동안 꾸준히 조사해 평균치를 측정하거나, 일정한 업무량을 달성하는 데 소요된 시간을 계산해 그 성적을 평정하는 방법</td></tr>
<tr><td rowspan="1">중요사건기록법</td><td>🏳 평가요소 : 비문관리 | 일자	장소	중요 사건 : 중요한 행동
10/10	회의실	비문을 회의실에서 보고 있었음 | ① 중요사건기록법의 장점 : 구체적으로 관찰한 개인의 행태를 중심으로 평정하는바 비교적 객관적임 → 따라서 평정결과에 대해 피평정자와 상담 시 중요한 정보를 제공할 수 있고 상담 과정에서 피평정자의 태도와 직무수행을 개선하기 용이함 ② 중요사건기록법의 단점 : 이례적인 사건을 지나치게 강조할 위험이 있으며, 서술법에 따라 중요한 사건을 직접 기록하는 경우, 한 평정자가 여러 사람을 평정했을 때 개인 간 비교가 어려움</td></tr>
<tr><td>주기적 검사법
(정기검사법)</td><td>① 주기적 검사를 실시하여 직무수행 실적을 평정함
② 검사가 실시되는 특정 시기의 생산기록만을 평가대상으로 지정하는 까닭에 일정 기간 내 생산실적의 평균치를 반영하는 산출기록법에 비해 정확성이 낮음</td></tr>
<tr><td>근무태만기록법</td><td>지각 빈도수, 결근 일수 등의 기록을 근무성적평정의 중요한 요소로 하여 평정하는 방법</td></tr>
<tr><td>직무기준법</td><td>① 직무수행의 기준을 미리 설정하고 직무수행실적과 기준을 비교하는 방법
② 직무기준은 각 직무에 대한 최소한의 실적 수준을 의미함
③ 직무기준은 피평정자의 의견을 충분히 반영해야 함</td></tr>
<tr><td>가감점수법</td><td>피평정자의 직무수행에 나타난 긍정적·부정적 요소를 점수로 환산하여 가점 또는 감점을 주는 방법 → 표준화된 단순 업무의 평정에 적합</td></tr>
</table>

DAY

18

2 기타 : 도표식평정척도법 · 행태기준평정척도법 · 행태관찰평정척도법의 관계

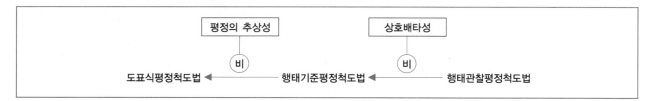

Section 02   근무성적평정의 오류   ● 18 day

1 근무성적평정 오류의 유형

연쇄효과 (현혹효과 · 후광효과 · 연속화의 오차)	개념	① 한 평정요소에 대한 평정자의 판단이 연쇄적으로 다른 요소 평정에도 영향을 주는 것 ② 도표식 평정척도법에서 자주 발생
	대안	① 강제선택법 · 체크리스트법을 활용하여 연상효과(연쇄효과)를 감소시킬 수 있음 ② 피평가자별이 아닌 평정요소별로 평정하는 것 → 한 평정요소에 대하여 피평정자 전원을 평가한 후 다음 요소를 평가하는 방식
	발생원인	① 관찰이 어려운 평정요소가 선정된 경우 ② 평정요소의 의미가 모호할 때 등 ③ 평정자가 피평정자의 근무상황을 잘 모르거나 피평정자에 대한 관찰을 태만히 하는 경우 ④ 피평정자의 어떤 특성에 인상이 깊었던 경우
분포상의 오류	집중화 경향	① 평정자가 모든 피평정자들에게 대부분 **중간 수준의 점수**를 주는 심리적인 경향 ② 평정자가 피평정자를 잘 모를 때, 평가요소를 제대로 이해하지 못한 경우, 혹은 평정책임회피를 위한 수단으로 활용할 때 발생
	관대화 경향	① **평정결과의 분포가 우수한 쪽에 집중**되는 현상 ② 평정대상자와의 **불편한 인간관계를 피하려는 동기**로부터 유발되는 면이 있음
	엄격화 경향	① 평가기준을 엄격하게 적용함으로써 **실제 수준보다 낮은 평가결과**를 만들어낸 현상 ② 평정자의 엄격한 기준을 피평정자가 충족시키지 못할 경우 발생
	대안	강제배분법
시간적 오류	근접효과 (근접오류 · 막바지효과)	① 피평정자의 평가에 있어서 **최근의 실적**이나 능력을 중심으로 평가하는 것 ② 시간적 근접오류를 방지하기 위해 독립된 평가센터(제3의 중립적 평가기관), 목표관리제 평정, 중요사건 기록법 등이 활용됨
	최초효과 (첫머리 효과)	전체 기간의 업적을 평가하는 게 아니라 피평가자의 **초기성과**에 영향을 크게 받는 현상
유사성 효과		평정자가 **자신과 성향이 유사한 부하**에게 후한 점수를 주는 오류
선입견 · 편견 · 고정관념에 의한 오류 (상동오차)		평정대상자의 개인적 특성인 **성, 연령, 종교, 교육수준, 출신학교** 등에 대해 평정자가 평소 가지고 있는 **편견을 평정에 반영**하는 것 → 유형화 · 정형화 · 집단화의 오류와 같은 표현

방어적 지각의 착오	자신의 고정관념에 어긋나는 정보를 피하거나 왜곡하는 방어기제 때문에 발생하는 착오
근본적 귀속의 착오	① 타인의 성공을 평가할 때는 상황적 요인을 높게 평가하지만, 실패를 평가할 때는 개인적 요인을 높게 평가하는 착오 ② 비교 개념 : 이기적 착오 혹은 자존적 편견 → 자신의 실패를 평가할 때에는 상황적 요인을 과대평가하고, 자신의 성공을 평가할 때는 개인적 요인을 과대평가하는 것
대비오차	① 평정자가 평정대상자를 바로 이전의 평정대상자와 비교함으로써 발생하는 오류 ② 혹은 평정자가 평정대상자를 다른 평정대상자와 비교함으로써 발생하는 오류
투사	① 자신의 감정이나 특성을 다른 사람에게 전가하는 것 ② 본인이 믿고 싶은 것을 진실이라고 생각하는 현상으로서 의부증 혹은 의처증 환자에게 나타나는 경우가 많음
논리적 오류	① 평정요소 간 논리적 상관관계가 있는 요소를 연관지어 평정하는 과정에서 발생하는 오류 ② 예 기억력이 좋으면 지식이 많다고 판단할 경우, 초과근무시간이 많으면 직무수행태도가 좋다고 판단할 경우 등
선택적 지각의 오차	모호한 상황에 관해 부분적인 정보만을 받아들여 판단을 내리게 되는 데서 범하는 착오
규칙적(체계적) 오류 : 일관적 착오	① 어떤 평정자가 다른 평정자보다 언제나 좋은 점수 또는 나쁜 점수를 부여함으로써 생기는 오류 ② 특정 평정자 배제, 결과를 가감하여 조정하는 방법, 강제배분법을 완화방법으로 고려할 수 있음
총계적(총체적) 오류	① 평정자의 평정기준이 일정하지 않아서 관대화 및 엄격화 경향이 불규칙적으로 나타나는 것 ② 평정에 있어서 일정한 규칙이 없는바 규칙적 오류와 다르게 사후 조정이 불가능함

Section 03　우리나라의 근무성적평정제도　● 18 day

 틀잡기

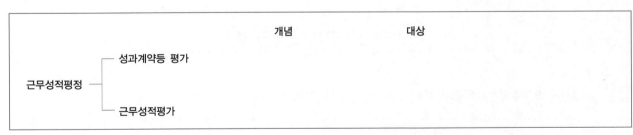

DAY
18

2 우리나라의 근무성적평정제도 ㎝

종류	대상	내용
성과계약등 평가	4급 이상	① 성과계약을 맺고 목표달성도를 평가하는 것으로 직무성과의 평가에 초점(태도 평가 가능) ② 소속 장관은 5급 이하 공무원 중 성과계약등 평가가 적합하다고 인정하는 공무원에 대해서도 성과계약등 평가를 실시할 수 있음 ③ **참고** 성과계약등 평가·성과계약중심평가·성과계약제·직무성과관리제도·직무성과계약제·성과관리제 → 모두 같은 개념 **전략계획** ······▶ • 기관임무: 고객을 파악하여, 어떤 변화를 추구할지 규정 • 전략목표: 조직의 차원에서 달성할 전략적 방향을 구체화 ↓ **목표설정** ······▶ • 성과목표: 개개인의 업무가 도달해야 하는 바람직한 상태 • 평가지표: 성과목표의 달성여부를 측정하기 위한 기준 ↓ **중간점검** ······▶ • 진행상황 확인 및 개선방안 토의 • 환경변화에 따른 목표 및 지표 등을 수정 ↓ **최종평가** ······▶ • 성과목표의 추진결과 등을 평가지표에 따라 평가 • 결과 공개 및 이의신청 → 이의신청시 시간과 비용 증대
근무성적평가	5급 이하	① 근무실적과 직무수행능력 등에 초점(태도 평가 가능) ② 근무성적평가는 직급별로 구성한 평가 단위별로 실시하되, 소속 장관은 직무의 유사성 및 직급별 인원수 등을 고려하여 평가단위를 달리 정할 수 있음
공통 특징		평정자의 상관 중에서 소속 장관이 지정 ① 평정결과에 대한 이의신청 → 확인자(원칙) ② 이의신청 결과에 대해 불복 → 근무성적평가위원회에 조정신청 확인자 → 평정자 → 피평정자 복수평정제 피평정자의 상관 중에서 소속 장관이 지정

3 성과계약등 평가와 근무성적 평가 비교 – [우리나라의 근무성적평정제도] ㎝

구분	4급 이상 공무원	5급 이하 공무원
평가제도	성과계약등 평가	근무성적 평가
평정기준	성과계약 달성여부 중심	① 근무실적 및 직무수행 능력 • 기본항목: 일반적으로 비율이 70% 이내 ② 상황에 따라 태도 및 부서 단위 운영평가 추가 • 추가항목: 태도는 10%, 부서 단위 운영평가는 20% 이내
평정횟수	연 1회	연 2회
평정시기	12월 31일	6월 30일 / 12월 31일
평정방법	① 절대평가 ② 고위공무원단은 상대평가 • 최상위 등급 20% · 최하위 등급 10%	상대평가: 최상위 등급 20% · 최하위 등급 10%

양자의 공통점	① 평정 이전에 평정자와 피평정자 간의 **면담을 통해 평정의 방향설정** ② **복수평정제(이중평정제)**: 평가자가 1차 평가, 확인자가 2차 평가 ③ 평정결과 공개 ④ **이의신청**: 피평가자가 확인자(원칙)에게 이의신청 가능 → 확인자는 이의신청에 대한 결과를 설명해야 함 ⑤ **조정신청**: 이의신청 결과에 대해 피평가자가 불복할 경우, 근무성적평가위원회에 조정신청 가능
기타	① 근무성적평가 요소 반영비율은 신축적으로 변형될 수 있음 ② 소속 장관은 성과계약등 평가 및 근무성적평가의 결과를 평가대상 공무원에 대한 승진임용·교육훈련·보직관리·특별승급 및 성과상여금 지급 등 각종 인사관리에 반영하여야 함

Section 04　다면평가제도

● **18 day**

1　다면평가제도에 대하여

틀잡기.	(그림) 고객 → 피평정자, 상관 → 피평정자, 동료 → 피평정자, 부하 → 피평정자
의의	① 여러 사람을 피평정자의 평정자로 활용하는 제도(입체적인 평가제도·360도 평정): 상사, 동료, 부하 및 고객 등의 평가를 반영 → 다만, 다수 평가자 간 합의를 하지는 않음 ② 다양한 방향에서 피평가자를 평가하는 제도 → 평가항목을 부처별, 직급별, 직종별 특성에 따라 다양하게 설계함
특징	① 다양한 사람이 평가자가 되는바 **객관성·공정성**을 제고 ② 다면평가 결과는 **인사고과(역량개발, 교육훈련, 승진, 전보, 성과급 지급 등)에 활용 가능(의무×)** ③ 계층구조의 완화와 팀워크가 강조되는 **새로운 조직유형(탈관료제)에 적합한** 평가제도
장점	① 조직구성원들과 **원만한 관계를 증진**하도록 동기를 부여함으로써 조직 내 상하 간, 동료 간 **의사소통을 원활히 할 수 있음** → 직무수행의 동기유발 및 작업집단의 팀워크 발전에 기여 ② 다양한 평가자의 평정결과가 피평정자에게 환류될 경우 피평가자는 이러한 피드백을 기초로 역량강화를 위한 효과적인 정보를 얻을 수 있음
단점	① **계층제적(계서적) 문화가 강한 조직에 다면평가를 적용할 경우 상급자와 하급자 간의 갈등이 커질 수 있음** ② 능력보다 인간관계에 따른 **친밀도로 평가가 이루어질 수 있음** → 이는 피평가자로 하여금 업무목표의 성취보다 원만한 대인관계 유지에 급급하도록 만들 수 있음 ③ 평가주체에 하급자들도 포함되므로 **상급자가 하급자의 눈치를 보게 되어 강력하고 소신 있는 행정을 추진해 나가기가 어렵다는** 단점이 있음 ④ 부처통합 후 능력에 따른 평가를 하더라도 다면평정제를 활용하게 되면 소규모 부처 출신 집단의 공무원이 상대적으로 인간관계의 폭이 좁기 때문에 부당한 평가를 받을 수 있음

DAY — **18**

CHAPTER **05** 공무원 동기 부여

사기(Morale) cf ⊸ **18 day**

1 사기와 동기, 그리고 동기부여의 관계

틀잡기	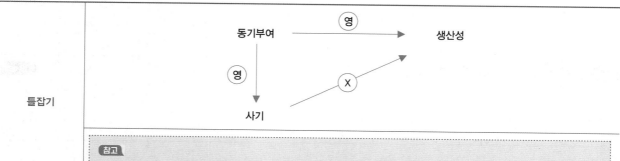
	참고 리커트(Likert, 1961)에 따르면 직원의 높은 사기가 반드시 높은 생산성을 가져오는 것이 아님 → 사기가 낮아도 높은 생산성을 가져올 수 있다는 것

2 제안제도 : 공무원의 사기 양양을 위한 제도

틀잡기	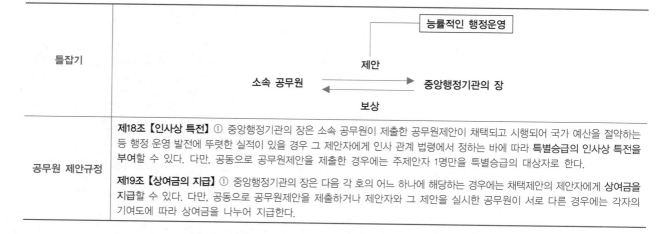
공무원 제안규정	**제18조【인사상 특전】** ① 중앙행정기관의 장은 소속 공무원이 제출한 공무원제안이 채택되고 시행되어 국가 예산을 절약하는 등 행정 운영 발전에 뚜렷한 실적이 있을 경우 그 제안자에게 인사 관계 법령에서 정하는 바에 따라 **특별승급의 인사상 특전**을 부여할 수 있다. 다만, 공동으로 공무원제안을 제출한 경우에는 주제안자 1명만을 특별승급의 대상자로 한다. **제19조【상여금의 지급】** ① 중앙행정기관의 장은 다음 각 호의 어느 하나에 해당하는 경우에는 채택제안의 제안자에게 **상여금**을 지급할 수 있다. 다만, 공동으로 공무원제안을 제출하거나 제안자와 그 제안을 실시한 공무원이 서로 다른 경우에는 각자의 기여도에 따라 상여금을 나누어 지급한다.

Section 02 공직봉사동기: 공무원의 동기는 따로 있다?

→ 18 day

1 공직봉사동기(PSM: Public Service Motivation)

틀잡기	구분	NPM	NPS
	공무원 동기부여 방식	돈	돈 + @(공직봉사동기) ※ @: 동정심, 공익에 대한 봉사 등
	전제	공무원 = 회사원	공무원 ≠ 회사원

의의	등장배경	① 1980년대 이후 등장한 NPM은 민간부문과 공공부문이 유사하다는 전제 하에 성과급, 외재적 보상과 같은 외재적 동기유발에 초점을 두고 조직을 관리함 ② 공직봉사동기론은 공공조직과 민간조직은 다르다는 가정하에 공공조직 및 민간조직 내 구성원의 '동기, 태도'가 다름을 주장 ③ 즉, 공공부문에서는 구성원에 대한 외적 보상과 성과 간의 연관성이 약하다는 것
	개념	① 페리와 와이즈(Perry & Wise, 1990)는 공직봉사동기를 '공공부문에서 주요하게, 고유하게 나타나는 동기에 반응하는 개인적 경향'이라고 정의하면서 신공공관리론의 동기부여 방식에 대한 비판적인 접근을 제시함 ② 공직봉사동기는 주로 내재적 동기에 초점을 맞추어 논의되는 개념임 ③ 참고 내재적 동기(Intrinsic Motivation): 특정 행동자체가 즐겁고 흥미로울 때 발현되는 동기 → 자발적인 동기, 활동과정에 대한 만족감, 개인의 흥미, 만족감, 성취감 등
유형	합리적 차원	공무원이 정책형성과정에 참여(정책에 대한 호감)함으로써 사회적인 목적을 달성한다면 자신의 욕구를 충족하게 되어 만족감을 느낀다는 것
	규범적 차원	공익에 대한 봉사욕구, 정부에 대한 충성심, 사회적 형평의 추구 등을 포함
	정서적 차원 (감성적 차원)	동정심과 희생정신을 뜻함 → 동정과 희생은 정책의 중요성을 인지하는 진실한 신념에서 기인하며, 이는 선의의 애국심으로 이어짐
기타		① 공직봉사동기이론은 공공봉사동기가 높은 사람을 공직에 충원해야 한다는 주장의 근거가 될 수 있음 ② 공직봉사동기는 공무원 입직 이전의 사회화 과정 또는 입직 이후의 재사회화 과정을 통해 형성될 수 있음 ③ 공무원의 동기특성에 맞는 관리전략을 세울 때 공공조직의 성과가 극대화될 수 있음

| Section 03 | 공무원에 대한 보상 : 보수와 연금 | → 18 day |

1 보상에 대하여 cf

비금전적 보상			명예, 권력, 승진, 능력발전 기회 등
금전적 보상	의의		돈에 기초한 보상 → 월급, 보너스, 보수, 연금 등
	유형	직접 보상	① 공무원에게 **직접 금전을 지급**하는 것 ② **예** 봉급, 수당, 상여금과 같은 보수가 여기에 해당함
		간접 보상	① 공무원 본인에게 직접적으로 금전적 이전이 이루어지지는 않지만, 공무원에게 **부가적인 편익을** 제공하는 것 ② **예** 의료보험, 주택지원, 연금 등

2 직접 보상 : 공무원의 보수 cf

1) 틀잡기

기본급(봉급)	생활급	생계를 고려한 급여
	근속급	① 근속연수에 기초한 급여 → 연공급 · 속인급 ② 전문기술 인력확보의 어려움
	직무급	직무난이도에 기초한 급여
	직능급	① 직무수행능력(근속급 + 직무급) ② 자격증을 갖춘 인재의 확보에 유리함
	성과급 (실적급)	① 산출물 · 성과에 기초한 급여 ② 변동급의 성격을 지님

보수
- 기본급 = 봉급
  - 생활보상
    1. 생활급
    2. 근속급
  - 근로대가
    1. 직능급
    2. 직무급
    3. 성과급
- 부가급 = 수당
  1. 지역수당
  2. 초과근무 수당 등

2) 직접 보상(보수)에 대한 구체적인 내용

기본급(봉급)	기본적인 월급		
부가급(수당)	① 기본급을 보완하는 것으로써 특별한 사정에 따라 차별적으로 받는 금액 ② 일반적으로 계급제를 채택하는 나라에서 수당의 종류가 많음 ③ 예 특수지근무수당, 초과근무수당, 가계보전수당(가족수당, 자녀학자비 보조수당, 주택수당 등)		
공무원 보수의 특징	경직성		행정은 경영에 비해 법적인 규제가 강함 → 따라서 공무원 보수체계는 민간기업에 비해 경직적임
	동일직무·동일보수		행정은 직무의 고유성으로 인해 동일직무·동일보수 체계를 잡기 어려움(경영에 비해)
	보수 결정기준	대외적 상대성	민간부문의 임금수준과 적절한 균형
		대내적 상대성	직무의 곤란성과 책임 → 일의 난이도
		관련 법령	**국가공무원법 제46조【보수결정의 원칙】** ① 공무원의 보수는 직무의 곤란성과 책임의 정도에 맞도록 계급별·직위별 또는 직무등급별로 정한다. ② 공무원의 보수는 일반의 표준 생계비, 물가 수준, 그 밖의 사정을 고려하여 정하되, 민간 부문의 임금 수준과 적절한 균형을 유지하도록 노력하여야 한다. 참고 제46조 ①항은 대내적 상대성, ②항은 대외적 상대성을 의미함
	보수의 하한선 기준		보수는 인간으로서 최소한의 생계를 유지할 수 있는 수준이어야 함
	보수의 상한선 기준		정부의 재정력은 공무원 보수의 상한선으로 작용함

3　간접 보상 : 공무원 연금을 중심으로

1) 공무원 연금제도에 대하여

개념	① 공무원에 대한 사회보장제도(노후보장 등) 중 하나임 ② 보수 일부를 거치(적립)하였다가 퇴직 후에 지급하는 거치보수설(보수후불설)이 연금제를 운영하는 일반적인 방법임		
연금 조성방법	유형	구분	기금제(적립방식) : 미리 조성 / 비기금제(부과방식) : 필요시 조성

연금 조성방법	유형	구분	기금제(적립방식) : 미리 조성	비기금제(부과방식) : 필요시 조성
		기여제(공무원 부담)	우리나라	–
		비기여제(공무원 부담×)	–	–
		참고 일반적으로 기여제를 채택한 나라는 기금제를, 비기여제를 선택한 국가는 비기금제를 적용하고 있음		
	특징	기금제	① 연금지급이 안정적이지만, 시스템 관련 초기비용과 관리비용 소요 ② 적립방식은 인플레이션이 심할 경우 기금의 실질적인 가치가 하락할 수 있음 ③ 참고 인플레이션 : 화폐가치가 하락하여 물가가 상승하는 현상	
		비기금제	초기비용이나 관리비용이 적음 → 단, 안정적인 연금지급이 어려울 수 있음	
연금제의 성격	생활보장설		안정적인 생활보장	
	보수후불설 (거치보수설)		① 공무원의 당연한 권리 → 오늘날 공무원연금에 대한 가장 일반적인 견해 ② 한국과 미국의 기여제	
	공로보장설 (은혜설)		① 공무원 경력을 은혜로 인식하는 관점 → 국가가 연금을 전액 부담 ② 독일과 영국, 프랑스의 비기여제	

DAY

18

2) 우리나라의 공무원연금제도

- 우리나라의 공무원연금제도는 공무원과 그 유족의 노후 소득보장을 도모하는 한편, 장기재직과 직무충실을 유도하기 위해 **1960년에 도입**되었음
- 이는 **최초의 공적연금제도로서 직업공무원을 대상으로 하는 특수직역연금제도**(특정한 직업에 적용되는 연금제)이며, **2009년 연금개혁**으로 공무원연금 적용대상이 확대되었음
- 공무원연금제도는 **사회보험 원리와 부양원리가 혼합된 제도**로 운영됨
- 즉, 비용부담은 정부와 공무원이 균등 부담하는 사회보험의 성격을 지니며, 공직자의 퇴직 후 생활을 보호하는 부양원리를 채택하고 있음
- **참고** 공적연금
  ① 국민연금
  ② 특수직역연금: 공무원연금 · 군인연금 · 교직원연금 등

주요 내용	① 기금제 + 기여제(기여금 납부기간은 최대 36년) ② 10년 이상 재직한 공무원이 퇴직 후 만 65세 이상이 되었을 때 지급 ③ 공무원연금제도의 주무부처는 인사혁신처이며, 공무원연금기금은 공무원연금공단이 관리 · 운영함 ④ 퇴직연금 산정: 평균기준소득월액(재직기간 전체의 평균월급)을 기준으로 함 ⑤ 연금지급률: 1.9%에서 1.704%로 2034년까지 점진적으로 인하 ⑥ 기여율: 2020년까지 단계적 인상 → 9% ⑦ 월 연금 예시: 평균기준소득월액 × 연금지급률 × 근무연수

주요 내용 요약	▣ **공무원연금법 주요 개정안(2015. 6월 개정, 2016. 1월 시행)**		

구분	종전	개정
기여율 · 부담률	기준소득월액의 7%	2020년까지 단계적 인상 → 9%
연금지급율 인하	재직기간 1년당 1.9%	2034년까지 단계적 인하 → 1.704%
연금지급개시연령 연장	2009년 이전 60세, 2010년 이후 65세	임용시기 구분없이 65세로 단계적 연장
유족연금지급률 인하	2009년 이전 70%, 2010년 이후 60%	모든 재직자 및 퇴직자 포함 60%
연금수급요건 조정	20년 이상 재직	10년 이상 재직
재직기간상한 연장	최대 33년까지 인정	최대 36년까지 단계적 연장

기타	**퇴직급여** (정부와 공무원 공동조성)	퇴직연금	10년 이상 재직하고 퇴직한 때(연금 수혜 개시 연령은 65세)
		퇴직연금 일시금	퇴직연금 해당자가 일시금으로 지급받고자 할 때
		퇴직연금 공제일시금	퇴직연금 해당자가 일부에 대해 일시금으로 지급받고자 할 때
		퇴직일시금	10년 미만 재직하고 퇴직한 때
	퇴직수당(정부조성)		공무원이 1년 이상 재직하고 퇴직 또는 사망한 때

공무원연금법	**제2조【주관】** 이 법에 따른 공무원연금제도의 운영에 관한 사항은 인사혁신처장이 주관한다. **제3조【정의】** ① 이 법에서 사용하는 용어의 뜻은 다음과 같다. 1. "공무원"이란 공무에 종사하는 다음 각 목의 어느 하나에 해당하는 사람을 말한다. 　가. 「국가공무원법」, 「지방공무원법」, 그 밖의 법률에 따른 공무원. 다만, 군인과 선거에 의하여 취임하는 공무원은 제외한다. 　■ 제3조 해설 　　㉠ 군인은 군인연금법을 적용함 　　㉡ 선거에 의해 취임하는 공무원은 장기간 근속의 담보가 없으므로 국민연금 가입 대상임 　　㉢ 시보공무원, 시간선택제공무원, 장 · 차관은 공무원연금 대상이나, 견습직원은 공무원이 아니므로 제외됨 　나. 그 밖에 국가기관이나 지방자치단체에 근무하는 직원 중 대통령령으로 정하는 사람 → 청원경찰 등 **제4조【공무원연금공단의 설립】** 인사혁신처장의 권한 및 업무를 위탁받아 이 법의 목적을 달성하기 위한 사업을 효율적으로 추진하기 위하여 공무원연금공단을 설립한다. **제5조【법인격】** 공단은 법인으로 한다.

4 우리나라 공무원 계급별 보수체계: 연봉제와 호봉제 ⓒ

- **연봉제**: 능력과 실적 중심의 보수체계
- **호봉제**: 능력이나 성과와는 관련 없이 같은 연수의 공무원이면 같은 액수의 기본급을 받는 체계(연공급 체계) → 단, 수당은 개인 상황에 따라 차이가 있음

1) 연봉제

의의	기본연봉 + 성과연봉: 5급 이상 적용		
종류	**구분**	**대상**	**내용**
	고정급적 연봉제	정무직	기본연봉
	직무성과급적 연봉제	고공단	기본연봉 + 성과연봉
	성과급적 연봉제	5급 이상	기본연봉 + 성과연봉
	참고 직무성과급적 연봉제 성과연봉 > 성과급적 연봉제 성과연봉		
공무원 보수규정	**제4조【정의】** 이 영에서 사용하는 용어의 뜻은 다음과 같다. 7. "연봉"이란 매년 1월 1일부터 12월 31일까지 1년간 지급되는 다음 각 목의 기본연봉과 성과연봉을 합산한 금액을 말한다. 　가. 기본연봉은 개인의 경력, 누적성과와 계급 또는 직무의 곤란성 및 책임의 정도를 반영하여 지급되는 기본급여의 연간 금액을 말한다. 　나. 성과연봉은 전년도 업무실적의 평가 결과를 반영하여 지급되는 급여의 연간 금액을 말한다.		
기타	① 연봉제는 개인의 성과중심 보수제도이므로 관료제 내부의 공동체의식이나 연대의식, 팀정신을 저해할 소지가 있음 → 프로축구팀 고액연봉자를 생각해볼 것 ② 우리나라 고위공무원단에 속하는 공무원의 연봉제 수립에 있어서 직무평가(직무의 난이도 평가)가 직무분석(직무의 종류파악)보다 더 중요한 기능을 함		

2) 호봉제

의의	① 봉급 + 수당: 6급 이하 적용 ② 봉급: 호봉에 따른 기본급 → 호봉 간 승급에 필요한 기간은 1년이며, 공무원의 직종(일반직 공무원, 군인, 경찰 등)에 따라 다른 봉급표가 적용됨 ③ 수당: 성과상여금 → 성과상여금은 연공중심이 아니라 근무성적이나 업무실적 등이 우수한 사람에게 상여금을 지급하는 제도임(공무원 수당의 유형 중 상여수당의 한 종류에 해당함)
기타	**공무원수당 등에 관한 규정 제7조의2【성과상여금 등】** ① 소속 장관은 공무원 중 근무성적, 업무실적 등이 우수한 사람에게는 예산의 범위에서 성과상여금을 지급한다.

DAY —— **18**

5   기타 : 총액인건비제도

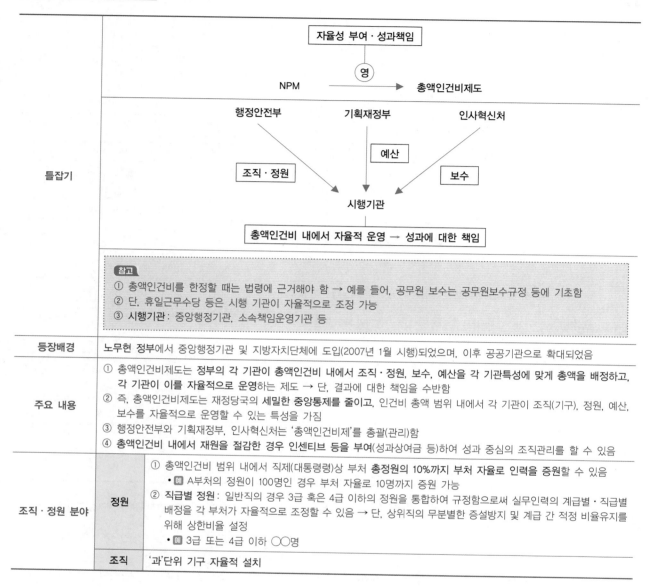

틀잡기	(도식) 자율성 부여·성과책임 / NPM →(영) 총액인건비제도 / 행정안전부·기획재정부·인사혁신처 → 시행기관 / 조직·정원, 예산, 보수 / 총액인건비 내에서 자율적 운영 → 성과에 대한 책임

참고
① 총액인건비를 한정할 때는 법령에 근거해야 함 → 예를 들어, 공무원 보수는 공무원보수규정 등에 기초함
② 단, 휴일근무수당 등은 시행 기관이 자율적으로 조정 가능
③ **시행기관** : 중앙행정기관, 소속책임운영기관 등

등장배경	노무현 정부에서 중앙행정기관 및 지방자치단체에 도입(2007년 1월 시행)되었으며, 이후 공공기관으로 확대되었음
주요 내용	① 총액인건비제도는 정부의 각 기관이 총액인건비 내에서 조직·정원, 보수, 예산을 각 기관특성에 맞게 총액을 배정하고, 각 기관이 이를 자율적으로 운영하는 제도 → 단, 결과에 대한 책임을 수반함 ② 즉, 총액인건비제도는 재정당국의 세밀한 중앙통제를 줄이고, 인건비 총액 범위 내에서 각 기관이 조직(기구), 정원, 예산, 보수를 자율적으로 운영할 수 있는 특성을 가짐 ③ 행정안전부와 기획재정부, 인사혁신처는 '총액인건비제'를 총괄(관리)함 ④ 총액인건비 내에서 재원을 절감한 경우 인센티브 등을 부여(성과상여금 등)하여 성과 중심의 조직관리를 할 수 있음

조직·정원 분야	정원	① 총액인건비 범위 내에서 직제(대통령령)상 부처 총정원의 10%까지 부처 자율로 인력을 증원할 수 있음 • 📝 A부처의 정원이 100명인 경우 부처 자율로 10명까지 증원 가능 ② 직급별 정원 : 일반직의 경우 3급 혹은 4급 이하의 정원을 통합하여 규정함으로써 실무인력의 계급별·직급별 배정을 각 부처가 자율적으로 조정할 수 있음 → 단, 상위직의 무분별한 증설방지 및 계급 간 적정 비율유지를 위해 상한비율 설정 • 📝 3급 또는 4급 이하 ○○명
	조직	'과'단위 기구 자율적 설치

CHAPTER **06** 공무원의 의무와 권리, 그리고 통제

Section 01 공무원의 의무에 대하여

→ 19 day

• **공무원의 의무** : 공무원으로서 책임 → 공무원이 마땅히 해야 할 일
• 공무원의 의무는 법과 규범 등에 명시되어 있음

1 틀잡기 cf

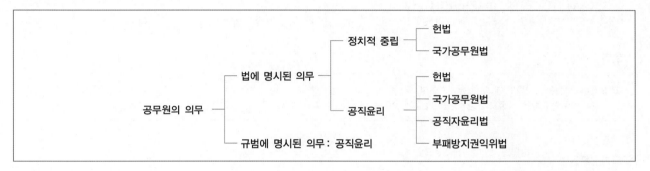

```
                                                    ┌─ 헌법
                                      ┌─ 정치적 중립 ─┤
                                      │             └─ 국가공무원법
                      ┌─ 법에 명시된 의무 ─┤
                      │               │             ┌─ 헌법
공무원의 의무 ─┤               └─ 공직윤리 ─────┼─ 국가공무원법
                      │                             ├─ 공직자윤리법
                      └─ 규범에 명시된 의무 : 공직윤리        └─ 부패방지권익위법
```

2 정치적 중립 : 법에 명시된 의무를 중심으로 cf

개념		① 공무원이 직무를 수행함에 있어서 특정 정당의 정치적 이익을 추구하지 아니하고 **국민 전체에 대한 봉사자로서 공평무사한 입장을 유지하는 것** → 부정부패 방지 및 공무원의 정치세력화 방지에 기여 ② 정치권의 자의적인 해고를 막는 것 → 신분보장을 통한 행정의 안정성 및 능률성 확보 ③ 정치권의 선택이 아닌 **개인능력에 의한 임용**
한계	**공무원 폐쇄집단화**	공무원 사회가 정치적인 영역과 분리되면 **국민요구에 둔감한 폐쇄적인 집단**이 될 수 있음
	정치적 기본권 제한	① 정치적 중립이 **공무원의 정치적인 자유(정치적 기본권)**를 제한하는 면이 있기 때문에 **미국**은 1939년에 제정한 1차 해치법(Hatch Act)을 공무원의 정치활동을 인정하는 방향으로 개정(2차 해치법, 1993) ② 미국의 경우 공무원의 정치적 활동에 대한 제약이 점차 완화되는 추세임
	참여적 관료제 제약	참여적 관료제는 계층제적 압력을 완화하고, 공무원의 정책형성에 대한 참여기회를 확대하는 관료제임. → 따라서 정치적 중립성은 참여적 관료제의 발전을 저해할 수 있음
헌법		**제7조** ① 공무원은 국민전체에 대한 봉사자이며, 국민에 대하여 책임을 진다. ② 공무원의 신분과 정치적 중립성은 법률이 정하는 바에 의하여 보장된다. → 헌법은 직업공무원제를 보장하고 있음

DAY — **19**

국가공무원법	제65조【정치 운동의 금지】① 공무원은 정당이나 그 밖의 정치단체의 결성에 관여하거나 이에 가입할 수 없다. ② 공무원은 선거에서 특정 정당 또는 특정인을 지지 또는 반대하기 위한 다음의 행위를 하여서는 아니 된다. 　1. 투표를 하거나 하지 아니하도록 권유 운동을 하는 것 　2. 서명 운동을 기도(企圖)·주재(主宰)하거나 권유하는 것 　3. 문서나 도서를 공공시설 등에 게시하거나 게시하게 하는 것 　4. 기부금을 모집 또는 모집하게 하거나, 공공자금을 이용 또는 이용하게 하는 것 　5. 타인에게 정당이나 그 밖의 정치단체에 가입하게 하거나 가입하지 아니하도록 권유 운동을 하는 것 ③ 공무원은 다른 공무원에게 제1항과 제2항에 위배되는 행위를 하도록 요구하거나, 정치적 행위에 대한 보상 또는 보복으로서 이익 또는 불이익을 약속하여서는 아니 된다. ④ 제3항 외에 정치적 행위의 금지에 관한 한계는 대통령령등으로 정한다.

3 공직윤리 : 법에 명시된 의무를 중심으로

- 소극적 의미 : 공무원은 '부정부패'와 관련되지 않아야 함
- 적극적 의미 : 공무원은 '공익'을 위해 윤리적인 정책(공익을 위한 정책)을 형성 및 집행해야 함

1) 헌법 cf

> 제7조 ① 공무원은 국민전체에 대한 봉사자이며, 국민에 대하여 책임을 진다.
　　　② 공무원의 신분과 정치적 중립성은 법률이 정하는 바에 의하여 보장된다.

2) 국가공무원법

> ※ 55조에서 66조는 **공무원의 13대 의무**를 명시하고 있으며, 이는 국가공무원법과 더불어 지방공무원법에도 동일하게 포함된 내용임
>
> **제55조【선서】** 공무원은 취임할 때에 소속 기관장 앞에서 대통령령등으로 정하는 바에 따라 선서(宣誓)하여야 한다. 다만, 불가피한 사유가 있으면 취임 후에 선서하게 할 수 있다.
>
> **제56조【성실 의무】** 모든 공무원은 법령을 준수하며 성실히 직무를 수행하여야 한다.
>
> **제57조【복종의 의무】** 공무원은 직무를 수행할 때 소속 상관의 직무상 명령에 복종하여야 한다.
>
> **제58조【직장 이탈 금지】** ① 공무원은 소속 상관의 허가 또는 정당한 사유가 없으면 직장을 이탈하지 못한다.
② 수사기관이 공무원을 구속하려면 그 소속 기관의 장에게 미리 통보하여야 한다. 다만, 현행범은 그러하지 아니하다.
>
> **제59조【친절·공정의 의무】** 공무원은 국민 전체의 봉사자로서 친절하고 공정하게 직무를 수행하여야 한다.
>
> **제59조의2【종교중립의 의무】** ① 공무원은 종교에 따른 차별 없이 직무를 수행하여야 한다.
② 공무원은 소속 상관이 제1항에 위배되는 직무상 명령을 한 경우에는 이에 따르지 아니할 수 있다.
>
> **제60조【비밀 엄수의 의무】** 공무원은 재직 중은 물론 퇴직 후에도 직무상 알게 된 비밀을 엄수(嚴守)하여야 한다.
>
> **제61조【청렴의 의무】** ① 공무원은 직무와 관련하여 직접적이든 간접적이든 사례·증여 또는 향응을 주거나 받을 수 없다.
② 공무원은 직무상의 관계가 있든 없든 그 소속 상관에게 증여하거나 소속 공무원으로부터 증여를 받아서는 아니 된다.
>
> **제62조【외국 정부의 영예 등을 받을 경우】** 공무원이 외국 정부로부터 영예나 증여를 받을 경우에는 대통령의 허가를 받아야 한다.
>
> **제63조【품위 유지의 의무】** 공무원은 직무의 내외를 불문하고 그 품위가 손상되는 행위를 하여서는 아니 된다.
>
> **제64조【영리 업무 및 겸직 금지】** ① 공무원은 공무 외에 영리를 목적으로 하는 업무에 종사하지 못하며 소속 기관장의 허가 없이 다른 직무를 겸할 수 없다.
② 제1항에 따른 영리를 목적으로 하는 업무의 한계는 대통령령등으로 정한다.

제65조【정치 운동의 금지】 이전 페이지 참고

제66조【집단 행위의 금지】 ① 공무원은 노동운동이나 그 밖에 공무 외의 일을 위한 집단 행위를 하여서는 아니 된다. 다만, 사실상 노무에 종사하는 공무원은 예외로 한다.

② 제1항 단서의 사실상 노무에 종사하는 공무원의 범위는 대통령령등으로 정한다.

> **국가공무원 복무규정(대통령령) 제28조【사실상 노무에 종사하는 공무원】** 법 제66조에 따른 사실상 노무에 종사하는 공무원은 과학기술정보통신부 소속 현업기관의 작업 현장에서 노무에 종사하는 우정직공무원으로서 다음 각 호의 어느 하나에 해당하지 아니하는 공무원으로 한다.

③ 제1항 단서에 규정된 공무원으로서 노동조합에 가입된 자가 조합 업무에 전임하려면 소속 장관의 허가를 받아야 한다.

3) 공직자윤리법

제1장 총칙

제1조【목적】 이 법은 공직자 및 공직후보자의 재산등록, 등록재산 공개 및 재산형성과정 소명과 공직을 이용한 재산취득의 규제, 공직자의 선물신고 및 주식백지신탁, 퇴직공직자의 취업제한 및 행위제한 등을 규정함으로써 공직자의 부정한 재산 증식을 방지하고, 공무집행의 공정성을 확보하는 등 공익과 사익의 이해충돌을 방지하여 국민에 대한 봉사자로서 가져야 할 공직자의 윤리를 확립함을 목적으로 한다.

제2조【생활보장 등】 국가는 공직자가 공직에 헌신할 수 있도록 공직자의 생활을 보장하고, 공직윤리의 확립에 노력하여야 한다.

제2조의2【이해충돌 방지 의무】 ① 국가 또는 지방자치단체는 공직자가 수행하는 직무가 공직자의 재산상 이해와 관련되어 공정한 직무수행이 어려운 상황이 일어나지 아니하도록 노력하여야 한다.

② 공직자는 자신이 수행하는 직무가 자신의 재산상 이해와 관련되어 공정한 직무수행이 어려운 상황이 일어나지 아니하도록 직무수행의 적정성을 확보하여 공익을 우선으로 성실하게 직무를 수행하여야 한다.

> **■ 제2조의2 해설**
> ㉠ 공무원의 직무와 재산상 이해 간 충돌을 방지하기 위해 노력할 의무는 공무원 자신에게도 있지만, 국가나 지방자치단체에도 있음
> ㉡ 공직에서 이해충돌의 회피가 중요시되는 이유는 공직자가 국민의 대리인으로서 책임을 다해야 하는 의무가 있기 때문임
> ㉢ 공직자윤리법의 이해충돌: 공직을 이용하여 사적 이익을 추구하거나 개인이나 기관·단체에 부정한 특혜를 주는 것 등

제2장 재산등록 및 공개

제3조【등록의무자】 ① 다음 각 호의 어느 하나에 해당하는 공직자(이하 "등록의무자"라 한다)는 이 법에서 정하는 바에 따라 재산을 등록하여야 한다.

1. 대통령·국무총리·국무위원·국회의원 등 국가의 정무직공무원
2. 지방자치단체의 장, 지방의회의원 등 지방자치단체의 정무직공무원
3. 4급 이상의 일반직 국가공무원(고위공무원단에 속하는 일반직공무원을 포함한다) 및 지방공무원과 이에 상당하는 보수를 받는 별정직공무원(고위공무원단에 속하는 별정직공무원 포함)
4. 대통령령으로 정하는 외무공무원과 4급 이상의 국가정보원 직원 및 대통령경호처 경호공무원
5. 법관 및 검사
6. 헌법재판소 헌법연구관
7. 대령 이상의 장교 및 이에 상당하는 군무원
8. 교육공무원 중 총장·부총장·대학원장·학장(대학교의 학장을 포함한다) 및 전문대학의 장과 대학에 준하는 각종 학교의 장, 특별시·광역시·특별자치시·도·특별자치도의 교육감 및 교육장
9. 총경 이상의 경찰공무원과 소방정 이상의 소방공무원
12. 제3조의2에 따른 공직유관단체의 임원
13. 그 밖에 국회규칙, 대법원규칙, 헌법재판소규칙, 중앙선거관리위원회규칙 및 대통령령으로 정하는 특정 분야의 공무원과 공직유관단체의 직원

> **[참고]**
> ① 비리소지가 높은 분야(인허가·조세관련 업무 등)는 7급 이상의 공무원도 포함됨
> ② 예 감사원·부패방지국·국세청·관세청 소속/조세관련업무 담당/건축·토목·환경·식품위생 인허가 담당 5급 이하 7급 이상의 공무원

DAY
19

제4조【등록대상재산】 ① 등록의무자가 등록할 재산은 다음 각 호의 어느 하나에 해당하는 사람의 재산으로 한다.

1. 본인
2. 배우자
3. 본인의 직계존속·직계비속. 다만, 혼인한 직계비속인 여성과 외증조부모, 외조부모, 외손자녀 및 외증손자녀는 제외한다.

② 등록의무자가 등록할 재산은 다음 각 호와 같다.

　6. 가상자산

③ 제1항에 따라 등록할 재산의 종류별 가액(價額)의 산정방법 또는 표시방법은 다음과 같다.

　6. 국채·공채·회사채 등 유가증권은 액면가

제5조【재산의 등록기관과 등록시기 등】 ① 공직자는 등록의무자가 된 날부터 2개월이 되는 날이 속하는 달의 말일까지 등록의무자가 된 날 현재의 재산을 다음 각 호의 구분에 따른 기관(이하 "등록기관"이라 한다)에 등록하여야 한다.

> **참고**
> 예컨대, 정부의 부·처·청 소속 공무원은 그 부·처·청, 지방자치단체 소속 공무원은 그 지방자치단체에 등록

제10조【등록재산의 공개】 ① 공직자윤리위원회는 관할 등록의무자 중 다음 각 호의 어느 하나에 해당하는 공직자 본인과 배우자 및 본인의 직계존속·직계비속의 재산에 관한 등록사항과 제6조에 따른 변동사항 신고내용을 등록기간 또는 신고기간 만료 후 1개월 이내에 관보 또는 공보에 게재하여 공개하여야 한다.

1. 대통령, 국무총리, 국무위원, 국회의원, 국가정보원의 원장 및 차장 등 국가의 정무직공무원
2. 지방자치단체의 장, 지방의회의원 등 지방자치단체의 정무직공무원
3. 일반직 1급 국가공무원(「국가공무원법」 제23조에 따라 배정된 직무등급이 가장 높은 등급의 직위에 임용된 고위공무원단에 속하는 일반직공무원을 포함한다) 및 지방공무원과 이에 상응하는 보수를 받는 별정직공무원(고위공무원단에 속하는 별정직공무원 포함)
4. 대통령령으로 정하는 외무공무원
5. 고등법원 부장판사급 이상의 법관과 대검찰청 검사급 이상의 검사
6. 중장 이상의 장성급(將星級) 장교
7. 교육공무원 중 총장·부총장·학장(대학교의 학장은 제외한다) 및 전문대학의 장과 대학에 준하는 각종 학교의 장, 특별시·광역시·특별자치시·도·특별자치도의 교육감
8. 치안감 이상의 경찰공무원 및 특별시·광역시·특별자치시·도·특별자치도의 시·도경찰청장
8의2. 소방정감 이상의 소방공무원

제2장의2 주식의 매각 또는 신탁 등

제14조의4【주식의 매각 또는 신탁】 ① 등록의무자 중 제10조 제1항에 따른 공개대상자와 기획재정부 및 금융위원회 소속 공무원 중 대통령령으로 정하는 사람(이하 "공개대상자등"이라 한다)은 본인 및 그 이해관계자 모두가 보유한 주식의 총 가액이 1천만원 이상 5천만원 이하의 범위에서 대통령령으로 정하는 금액(3천만 원)을 초과할 때에는 초과하게 된 날부터 1개월 이내에 다음 각 호의 어느 하나에 해당하는 행위를 직접 하거나 이해관계자로 하여금 하도록 하고 그 행위를 한 사실을 등록기관에 신고하여야 한다. 다만, 주식백지신탁 심사위원회로부터 직무관련성이 없다는 결정을 통지받은 경우에는 그러하지 아니하다.

1. 해당 주식의 매각
2. 다음 각 목의 요건을 갖춘 신탁 또는 투자신탁(이하 "주식백지신탁"이라 한다)에 관한 계약의 체결

> **■ 제4조의4 해설**
> 공개대상자등은 주식백지신탁심사위원회의 **직무관련성** 심사에서 "**관련성 있음**" 결정을 받은 주식의 총 가액이 **3천만 원**을 초과하는 경우 1개월 이내에 **매각 또는 백지신탁**을 해야 함

제14조의5【주식백지신탁 심사위원회의 직무관련성 심사】 ① 공개대상자등 및 그 이해관계인이 보유하고 있는 주식의 직무관련성을 심사·결정하기 위하여 인사혁신처에 주식백지신탁 심사위원회를 둔다.

제14조의8【신탁상황의 보고 등】 ① 주식백지신탁의 수탁기관은 매년 1월 1일(주식백지신탁계약이 체결된 해의 경우에는 계약체결일)부터 12월 31일까지 신탁재산을 관리·운용·처분한 내용을 다음 해 1월 중에 관할 공직자윤리위원회에 보고하여야 한다.

제3장 선물신고

제15조【외국 정부 등으로부터 받은 선물의 신고】 ① 공무원(지방의회의원을 포함한다) 또는 공직유관단체의 임직원은 외국으로부터 선물을 받거나 그 직무와 관련하여 외국인(외국단체를 포함한다)에게 선물을 받으면 지체 없이 소속 기관·단체의 장에게 신고하고 그 선물을 인도하여야 한다. 이들의 가족이 외국으로부터 선물을 받거나 그 공무원이나 공직유관단체 임직원의 직무와 관련하여 외국인에게 선물을 받은 경우에도 또한 같다.

공직자 윤리법 시행령 제28조【선물의 가액】 ① 법 제15조 제1항에 따라 신고하여야 할 선물은 그 선물 수령 당시 증정한 국가 또는 외국인이 속한 국가의 시가로 미국화폐 100달러 이상이거나 국내 시가로 10만원 이상인 선물로 한다.

제16조【선물의 국고 귀속 등】 ① 제15조 제1항에 따라 신고된 선물은 신고 즉시 국가 또는 지방자치단체에 귀속된다.

제4장 퇴직공직자의 취업제한 및 행위제한 등

제17조【퇴직공직자의 취업제한】 ① 제3조 제1항 제1호부터 제12호까지의 어느 하나에 해당하는 공직자와 부당한 영향력 행사 가능성 및 공정한 직무수행을 저해할 가능성 등을 고려하여 국회규칙, 대법원규칙, 헌법재판소규칙, 중앙선거관리위원회규칙 또는 대통령령으로 정하는 공무원과 공직유관단체의 직원(이하 이 장에서 "취업심사대상자"라 한다)은 퇴직일부터 3년간 다음 각 호의 어느 하나에 해당하는 기관(이하 "취업심사대상기관" 이라 한다)에 취업할 수 없다. 다만, 관할 공직자윤리위원회로부터 취업심사대상자가 퇴직 전 5년 동안 소속하였던 부서 또는 기관의 업무와 취업심사대상기관 간에 밀접한 관련성이 없다는 확인을 받거나 취업승인을 받은 때에는 취업할 수 있다.

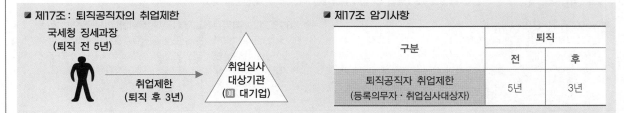

제18조의2【퇴직공직자의 업무취급 제한】 ② 기관업무기준 취업심사대상자는 다른 법률에 특별한 규정이 있는 경우를 제외하고는 퇴직 전 2년부터 퇴직할 때까지 근무한 기관이 취업한 취업심사대상기관에 대하여 처리하는 제17조 제2항 각 호의 업무를 퇴직한 날부터 2년 동안 취급할 수 없다.
③ 제1항 및 제2항에도 불구하고 관할 공직자윤리위원회의 승인을 받은 경우에는 해당 업무를 취급할 수 있다.

제18조의4【퇴직공직자 등에 대한 행위제한】 아래의 그림 참고
제18조의5【재직자 등의 취업청탁 등 제한】 아래의 그림 참고

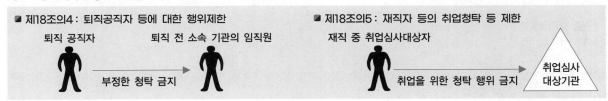

기타 조항 읽어 보기

제3조의2【공직유관단체】 ① 정부 공직자윤리위원회는 다음 각 호에 해당하는 기관·단체를 공직유관단체로 지정할 수 있다.
1. 한국은행
2. 공기업
3. 정부의 출자·출연·보조를 받는 기관·단체, 그 밖에 정부 업무를 위탁받아 수행하거나 대행하는 기관·단체
4. 「지방공기업법」에 따른 지방공사·지방공단 및 지방자치단체의 출자·출연·보조를 받는 기관·단체, 그 밖에 지방자치단체의 업무를 위탁받아 수행하거나 대행하는 기관·단체

DAY
—
19

제6조【변동사항 신고】 ② 퇴직한 등록의무자는 퇴직일부터 2개월이 되는 날이 속하는 달의 말일까지 그 해 1월 1일부터 퇴직일까지의 재산 변동사항을 퇴직 당시의 등록기관에 신고하여야 한다.

제9조【공직자윤리위원회】 ① 다음 각 호의 사항을 심사·결정하기 위하여 국회·대법원·헌법재판소·중앙선거관리위원회·정부·지방자치단체 및 특별시·광역시·특별자치시·도·특별자치도교육청에 각각 공직자윤리위원회를 둔다.

  1. 재산등록사항의 심사와 그 결과의 처리

  3. 취업제한 여부의 확인 및 취업승인과 업무취급의 승인

제14조【비밀엄수】 재산등록업무에 종사하거나 종사하였던 사람 또는 직무상 재산등록사항을 알게 된 사람은 다른 사람에게 이를 누설하여서는 아니 된다.

제14조의8【신탁상황의 보고 등】 ① 주식백지신탁의 수탁기관은 매년 1월 1일부터 12월 31일까지 신탁재산을 관리·운용·처분한 내용을 다음 해 1월 중에 관할 공직자윤리위원회에 보고하여야 한다.

제19조【취업자의 해임 요구 등】 및 **제19조의2【취업 및 업무취급제한 위반 여부 확인방법 등】** 아래의 해설 참고

■ 제19조: 취업자의 해임 요구 등	■ 제19조의2: 취업 및 업무취급제한 위반 여부 확인방법 등
① 공직자윤리위원회는 취업제한을 위반하여 취업한 사람을 발견한 경우 국가기관 장 혹은 지자체장에게 취업해제조치를 요청해야 함 ② 요청을 받은 자는 취업한 조직의 장에게 해임을 요구해야 함 ③ 해임요구를 받은 조직의 장은 지체없이 이에 응해야 함	① 국가기관, 지방자치단체 또는 공직유관단체의 장이 직접 확인 ② 국민건강보험공단·국민연금공단·근로복지공단에 자료요청 ③ 매년 1회 이상 그 점검 결과를 관할 공직자윤리위원회에 보고

4) 부패방지 및 국민권익위원회의 설치와 운영에 관한 법률 ⓒ

제5장 부패행위 등의 신고 및 신고자 등 보호

제55조【부패행위의 신고】 누구든지 부패행위를 알게 된 때에는 이를 위원회(국민권익위원회)에 신고할 수 있다.

제56조【공직자의 부패행위 신고의무】 공직자는 그 직무를 행함에 있어 다른 공직자가 부패행위를 한 사실을 알게 되었거나 부패행위를 강요 또는 제의받은 경우에는 지체 없이 이를 수사기관·감사원 또는 위원회에 신고하여야 한다.

> **참고**
>
> 「부패방지 및 국민권익위원회의 설치와 운영에 관한 법률」에서는 내부고발자 보호제도를 규정하고 있음

제57조【신고자의 성실의무】 부패행위 신고를 한 자가 신고의 내용이 허위라는 사실을 알았거나 알 수 있었음에도 불구하고 신고한 경우에는 이 법의 보호를 받지 못한다.

제57조의2【정부 및 지방자치단체의 책무】 중앙행정기관의 장 및 지방자치단체의 장은 신고자 보호 및 불이익 방지를 위하여 노력하여야 한다.

> **참고** 불이익조치
>
> 폭행, 폭언 및 부당한 인사조치 등

제58조【신고의 방법】 신고를 하려는 자는 본인의 인적사항과 신고취지 및 이유를 기재한 기명의 문서로써 하여야 하며, 신고대상과 부패행위의 증거 등을 함께 제시하여야 한다.

제6장 국민감사청구

제72조【감사청구권】 ① 18세 이상의 국민은 공공기관의 사무처리가 법령위반 또는 부패행위로 인하여 공익을 현저히 해하는 경우 대통령령으로 정하는 일정한 수 이상의 국민의 연서로 감사원에 감사를 청구할 수 있다. 다만, 국회·법원·헌법재판소·선거관리위원회 또는 감사원의 사무에 대하여는 국회의장·대법원장·헌법재판소장·중앙선거관리위원회 위원장 또는 감사원장에게 감사를 청구하여야 한다.

> **참고**
>
> 부패방지 및 국민권익위원회의 설치와 운영에 관한 법률 시행령 제84조【감사청구인】 법 제72조 제1항 본문에서 "대통령령으로 정하는 일정한 수"란 300명을 말한다.

제7장 보칙

제82조【비위면직자 등의 취업제한】 ① 비위면직자 등은 다음 각 호의 어느 하나에 해당하는 자를 말한다.

1. 공직자가 재직 중 직무와 관련된 부패행위로 당연퇴직, 파면 또는 해임된 자
2. 공직자였던 자가 재직 중 직무와 관련된 부패행위로 벌금 300만원 이상의 형의 선고를 받은 자

② 비위면직자 등은 당연퇴직, 파면, 해임된 경우에는 퇴직일, 벌금 300만원 이상의 형의 선고를 받은 경우에는 그 집행이 종료되거나 집행을 받지 아니하기로 확정된 날부터 5년 동안 다음 각 호의 취업제한기관에 취업할 수 없다.

1. 공공기관
2. 대통령령으로 정하는 부패행위 관련 기관
3. 퇴직 전 5년간 소속하였던 부서 또는 기관의 업무와 밀접한 관련이 있는 영리사기업체 등

5) 기타 : 내부고발자 제도

법적 근거	부패방지권익위법(2002), 공익신고자 보호법(2011) 등에 명시
개념	① 특정 조직의 구성원으로서 재직 중, 혹은 퇴직 후에 국민권익위원회 등에 조직 내 부패를 고발할 수 있는 제도 ② 혹은 언론이나 국회 등 외부에 비윤리적인 조직 내의 일을 알린 조직구성원을 보호하는 제도
발생원인	① 내부고발의 대상이 되는 문제를 조직 내에서 해결할 장치가 없을 때 ② 부패 등을 억제할 제도가 있어도 제대로 작동되지 않을 때
특징	① 아울러 내부고발의 실질적 동기는 다양성을 띠며, 고발자와 피고발자 사이에는 권력배분의 불균등성이 있음 → 고발자가 일반적으로 약자의 위치에 있음 ② 내부고발제 실시로 조직 내에서 부패에 대한 경각심 확대와 부패억제 효과가 기대되는 한편, 공무원 간 감시하는 체제를 형성하여 공직사회의 응집력을 약화시킬 수 있음
한계	우리나라 내부고발자제도는 내부고발시 **기명의 문서로 진행**하는 바(약한 익명성 보장) 내부고발자 보호의 **실효성이 부족**하다는 지적을 받고 있음

4 **공직윤리 : 규범에 명시된 의무를 중심으로** cf

- **규범** : 강제성을 수반하는 법규정과는 다르게 공무원이 갖추어야 할 덕목과 추구해야 할 가치 및 행동지침을 헌장 형태로 공식화한 것
- 규범은 공무원의 자율적인 행동규제를 통해 공직의 윤리를 제고하려는 수단임

1) 공무원행동강령

제1조【목적】 이 영은 「부패방지 및 국민권익위원회의 설치와 운영에 관한 법률」 제8조에 따라 공무원이 준수하여야 할 행동기준을 규정하는 것을 목적으로 한다.

제13조의2【사적 노무 요구 금지】 공무원은 자신의 직무권한을 행사하거나 지위·직책 등에서 유래되는 사실상 영향력을 행사하여 직무관련자 또는 직무관련공무원으로부터 사적 노무를 제공받거나 요구 또는 약속해서는 아니 된다. 다만, 다른 법령 또는 사회상규에 따라 허용되는 경우에는 그러하지 아니하다.

제14조【금품등의 수수 금지】 ① 공무원은 직무 관련 여부 및 기부·후원·증여 등 그 명목에 관계없이 동일인으로부터 1회에 100만원 또는 매 회계연도에 300만원을 초과하는 금품등을 받거나 요구 또는 약속해서는 아니 된다.

② 공무원은 직무와 관련하여 대가성 여부를 불문하고 제1항에서 정한 금액 이하의 금품등을 받거나 요구 또는 약속해서는 아니 된다.

③ 제15조의 외부강의등에 관한 사례금 또는 다음 각 호의 어느 하나에 해당하는 금품등은 제1항 또는 제2항에서 수수(收受)를 금지하는 금품등에 해당하지 아니한다.

1. 중앙행정기관의 장등이 소속 공무원이나 파견 공무원에게 지급하거나 상급자가 위로·격려·포상 등의 목적으로 하급자에게 제공하는 금품등
2. 원활한 직무수행 또는 사교·의례 또는 부조의 목적으로 제공되는 음식물·경조사비·선물 등으로서 중앙행정기관의 장등이 정하는 가액 범위 안의 금품등

DAY — **19**

5. 공무원과 관련된 직원상조회·동호인회·동창회·향우회·친목회·종교단체·사회단체 등이 정하는 기준에 따라 구성원에게 제공하는 금품등 및 그 소속 구성원 등 공무원과 특별히 장기적·지속적인 친분관계를 맺고 있는 자가 질병·재난 등으로 어려운 처지에 있는 공무원에게 제공하는 금품등
6. 공무원의 직무와 관련된 공식적인 행사에서 주최자가 참석자에게 통상적인 범위에서 일률적으로 제공하는 교통, 숙박, 음식물 등의 금품등
7. 불특정 다수인에게 배포하기 위한 기념품 또는 홍보용품 등이나 경연·추첨을 통하여 받는 보상 또는 상품 등

제15조【외부강의등의 사례금 수수 제한】 ① 공직자등은 자신의 직무와 관련되거나 그 지위·직책 등에서 유래되는 사실상의 영향력을 통하여 요청받은 교육·홍보·토론회·세미나·공청회 또는 그 밖의 회의 등에서 한 강의·강연·기고 등(이하 "외부강의등"이라 한다)의 대가로서 중앙행정기관의 장등이 정하는 금액을 초과하는 사례금을 받아서는 아니 된다.
② 공무원은 사례금을 받는 외부강의등을 할 때에는 외부강의등의 요청 명세 등을 소속 기관의 장에게 그 외부강의등을 마친 날부터 10일 이내에 서면으로 신고해야 한다.

> **참고**
> 행동강령 14조와 15조는 청탁금지법에도 명시된 내용임 → 행동강령에는 형사처벌에 대한 내용을 기재할 수 없는바 청탁금지법, 즉 법률을 통해 처벌 규정을 마련해둔 것

제24조【기관별 행동강령의 운영 등】 ① 중앙행정기관의 장등은 이 영의 시행에 필요한 범위에서 해당 기관의 특성에 적합한 세부적인 기관별 공무원 행동강령을 제정하여야 한다.

> **참고**
> 공무원행동강령은 표준강령의 역할을 수행 → 각 정부기관에서는 표준강령을 수정·보완하여 기관의 실정을 반영함

2) 공무원헌장 : 2016년에 공무원 윤리헌장을 공무원 헌장으로 전부 개정(2016년 1월 1일 시행)

우리는 자랑스러운 대한민국의 공무원이다.
우리는 헌법이 지향하는 가치를 실현하며 국가에 헌신하고 국민에게 봉사한다.
우리는 국민의 안녕과 행복을 추구하고 조국의 평화 통일과 지속 가능한 발전에 기여한다.
이에 굳은 각오와 다짐으로 다음을 실천한다.

하나. 공익을 우선시하며 투명하고 공정하게 맡은 바 책임을 다한다.
하나. 창의성과 전문성을 바탕으로 업무를 적극적으로 수행한다.
하나. 우리 사회의 다양성을 존중하고 국민과 함께 하는 민주 행정을 구현한다.
하나. 청렴을 생활화하고 규범과 건전한 상식에 따라 행동한다.

> **참고**
> 능률성·생산성·경제성·효율성 등은 명시되어 있지 않음

5 기타

공직윤리 관련 규범의 역사 (우리나라를 중심으로)	틀잡기	1980년 공무원윤리헌장 → 1982년 공무원윤리헌장 실천강령 → 2003년 공무원 행동강령		
	1980년	공무원윤리헌장		
	1982년	공무원윤리헌장 실천강령		
	2003년	① 공무원 행동강령(법적인 구속력 ○) → 행동강령은 법조문의 성격을 띠고 있어 이전의 규범보다 구체적임 ② 공무원 행동강령은 부패방지 및 국민권익위원회 설치와 운영에 관한 법률 제8조에 근거해 2003년에 제정 → 당시 유명무실했던 윤리강령들을 체계화하기 위해 대통령령으로 규정 ③ 대통령령으로 정한 당시의 강령은 사실상 표준강령의 역할을 수행 → 각 정부기관에서는 표준강령을 수정·보완하여 기관의 실정을 반영 ④ OECD 국가들의 행동강령은 1990년대부터 집중적으로 제정되었으며, 주로 법률형식으로 규정 → 일반적인 공무원 행동강령은 법적인 구속력 ×		
공직윤리 평가기준	목적론 (결과주의)	개념	① 행동의 결과에 근거한 평가 → 공리주의적 관점 ② 사후적 적발과 처벌 강조	
		공리주의	① 극빈자에 대한 재분배 여부에 상관없이 사회 전체의 효용이 증가하면 공익이 증진된다는 관점의 철학으로써 결과를 중시하는 목적론적 윤리론을 따르고 있음 ② 아울러 선택과 집중의 논리에 따라 특정 영역에 대한 투자로 인해 사회의 전체 효용이 증가할 경우 이를 찬성하는 입장이므로 능률성을 중시함	
	의무론	① 행동의 동기에 기초한 평가 → 결과주의에 비해 상대적으로 도덕적 원칙을 강조 ② 행정의 합법성은 절차(과정)를 중시하므로 행위의 동기 및 과정을 중시하는 '의무론'에서 강조하는 가치임 ③ 사전제어 강조		
공직윤리를 벗어난 행동	부정행위	공공기금을 횡령하거나 계약의 대가로 지불금의 일부를 가로채는 등의 행위		
	비윤리적 행위	공무원들이 친구 또는 특정 정파에 호의를 베풀거나 자신의 경제적 이익을 위해 어떤 결정을 내리는 행위		
	실책의 은폐	공무원이 정보를 선별적으로 배포하여 자신의 실책을 고의로 알리지 않는 것		
	입법의도의 편향적인 해석	① 법규를 위반하지 않았지만, 입법의도를 편향적으로 해석하여 특정인의 이익을 보장하는 행위 ② 예 정부가 환경보호 의견을 무시한 채 관련 법규에서 개발업자나 목재회사 측의 편을 들어 벌목을 허용하는 등의 행위		
	무사안일	공무원들이 부여된 재량권을 행사하지 않고 적극적인 조치를 취하기를 꺼리는 현상		
	무능	업무에 대한 전문지식이나 능력이 부족한 경우		
	불공정한 인사	편파적인 인사를 하는 경우		

참고　국가공무원법·지방공무원법 제1조에는 '공익추구'에 대한 내용이 없음

국가공무원법 제1조【목적】이 법은 각급 기관에서 근무하는 모든 국가공무원에게 적용할 인사행정의 근본 기준을 확립하여 그 공정을 기함과 아울러 국가공무원에게 국민 전체의 봉사자로서 행정의 민주적이며 능률적인 운영을 기하게 하는 것을 목적으로 한다.
지방공무원법 제1조【목적】이 법은 지방자치단체의 공무원에게 적용할 인사행정의 근본 기준을 확립하여 지방자치행정의 민주적이며 능률적인 운영을 도모함을 목적으로 한다.

DAY — **19**

Section 02 공무원에 대한 통제: 공직(공무원) 부패와 징계에 대하여 ●19 day

1 공직부패의 유형

공직부패(공무원 부패): 윤리 관련 법규나 구속력이 없는 규범 등을 위반하여 사익을 추구하고 공익을 침해하는 행위

부패의 단위	개인부패	① 개인의 수준에서 발생하는 부패 ② 대부분의 부패는 개인부패임 ③ 📖 공무원이 직무를 수행하면서 **금품을 수수하거나 공금을 횡령**하는 것 등
	조직부패	① 하나의 부패에 여러 사람이 조직적 혹은 집단적으로 관련된 경우임 ② 조직적으로 부패를 범하면 외부에 잘 드러나지 않음
제도화 여부	제도적 부패	① '제도적 부패(institutional corruption)'는 '구조화된 부패' 또는 '체제적 부패'라고 부르기도 함 ② **부패가 일상(생활)**이 되면서 부패가 곧 제도가 된 상태 → 부패가 조직을 규율하는 실질적인 규범이 된 것 ③ 제도적 부패가 만연한 곳에서 공식적 행동규칙을 준수하면 이상한 사람으로 취급받게 됨 ④ 📖 **인·허가**와 관련해서 급행료를 받는 것을 당연시하는 관행 ⑤ 제도적 부패가 자리잡은 조직에서 나타날 수 있는 현상 　㉠ 부패저항자에 대한 제재와 보복 　㉡ 부패행위자에 대한 보호와 관대한 처분 　㉢ 실제로 지켜지지 않는 반부패 행동규범의 대외적 표방 → 지킬 수 없는 약속을 하는 것 　㉣ 부패의 타성화
	우발적 부패 (일탈형 부패)	① 구조화되지 않은 **일시적 부패** ② 공금횡령 등 개인의 일탈로 인해 발생하는 부패로서 개인부패에서 많이 발생함 ③ 📖 무허가 업소를 단속하던 공무원이 정상적인 단속활동을 수행하다가 금품을 제공하는 특정 업소에 대해서는 단속하지 않는 것
국민의 용인 가능성	백색부패	① 사회에 심각한 해가 없거나 사익추구가 없는 **선의의 부패** → 선의의 목적성을 띠는바 구성원들이 어느 정도 용인하는 관례화된 부패 ② 📖 **금융위기**가 심각해도 국민의 불안이나 기업활동의 위축을 막기 위해 위기가 없는 것처럼 거짓말을 했다면 엄밀한 의미에서는 부패행위가 됨 ③ 이를 공익(경제안정)을 위한 선의의 부패로 보고 일반적인 부패와 구분하여 '백색부패'라고 함
	회색부패	① 백색부패와 흑색부패의 중간에 해당하는 부패 ② **부패로 간주하기에 논란이 있거나 가치판단을 요구하는 유형** ③ 📖 과도한 선물의 수수와 같이 공무원 윤리강령에 규정될 수는 있지만, 법률로 규정하는 것에 대하여 논란이 있는 경우는 회색부패에 해당함
	흑색부패	① 사회에 명백하고 심각하게 해를 끼치는 부패 ② 구성원들의 용인이 없음 ③ 국민들이 강력한 처벌을 원하는 부패
거래의 여부	거래형 부패	타인에게 **뇌물을 받고** 그것의 대가로 특혜를 제공하는 행위
	사기형 부패 (비거래형 부패)	① 부패와 관련한 **이해관계자 없이 공무원 개인이 저지르는 행동** ② 📖 공금횡령, 회계부정, 개인적 이익의 편취
부패의 목적	생계형 부패	하위직 행정관료들이 부족한 급여로 인해 **생계를 유지**하려는 차원에서 저지르는 부패로서 '**작은 부패(petty corruption)**'라고 부르기도 함
	권력형 부패	상층부의 정치인들이 **정치권력을 이용해 초과적인 막대한 이익**을 부당하게 얻기 위한 부패
기타	직무유기형 부패	복지부동 등에서 오는 부작위적 부패 → 물질적인 이익추구가 아님
	후원형 부패	정실·학연 등을 기초로 하여 **불법적으로 특정 단체 및 개인을 후원**하는 행동

2 공직부패가 발생하는 원인

도덕적 접근	부패는 개인의 윤리의식과 자질 때문에 발생
사회문화적 접근	① 특정한 지배적 관습이나 경험적 습성과 같은 요인이 공무원 부패를 조장한다고 보는 접근방법 ② 부패는 환경의 종속변수
제도적 접근	① 행정제도 혹은 법의 결함이나 운영의 미숙 등이 공무원의 부패를 조장한다는 관점 ② 부패는 현실과 괴리된 법령의 이중적인 규제기준과 모호한 법규정, 적절한 통제장치 미비 등에 의해 발생
체제론적 접근	① 부패는 다양한 요인에 의해 발생함 ② 즉, 제도상의 결함, 공무원의 부정적인 행태, 문화적인 특성 등 하나의 원인이 아니라 다양한 원인이 복합적으로 작용해서 부패가 발생한다는 관점
정경유착적 접근	성장이념의 합리화에 근거한 정치·경제 엘리트 간의 야합으로 인해 부패가 발생한다는 주장
거버넌스적 접근	부패란 정부 주도의 독점적 통치구조에서 비롯된 것으로 정부와 시민 간의 동등한 참여나 상호보완적 감시에 의한 협력적 네트워크에 의하여 해결될 수 있다는 관점
권력문화적 접근	공직과 사직의 혼동, 권력의 남용, 장기집권의 병폐 등을 포함한 미분화된(집권적인) 권력문화가 부패의 원인으로 보는 관점
구조적 접근	공직자들의 잘못된 의식구조가 공무원 부패의 원인으로 보는 견해
기능주의적 접근 (맥락적 접근, 수정주의자)	① 부패를 국가발전에 있어서 과정상 불가피하게 발생하는 부산물 혹은 발전의 종속변수로서 필요악으로 간주 ② 국가가 성장하여 어느 정도 발전단계에 들어서면 부패는 자연스럽게 소멸함
후기기능주의적 접근	① 부패는 국가가 발전한다고 해서 사라지는 것이 아니라 다양한 원인을 먹고사는 자기영속적 유기체로 파악 ② 후기기능주의적 접근은 지도자의 부패행위를 조직구성원이 모방하는 과정에서 부패가 확산되면서 구성원이 부패불감증에 빠지는 부패의 확산효과를 설명함
시장·교환 접근	부패행위를 경제적 자원을 획득하는 하나의 수단으로 간주

3 징계 : 우리나라 제도를 중심으로

징계 : 법령위반에 대하여 공식적인 제재를 가하는 것

1) 징계절차 cf

틀잡기	
관련 법령 (국가공무원법)	제78조【징계 사유】① 공무원이 다음 각 호의 어느 하나에 해당하면 징계 의결을 요구하여야 하고 그 징계 의결의 결과에 따라 징계처분을 하여야 한다. 1. 이 법 및 이 법에 따른 명령을 위반한 경우 2. 직무상의 의무를 위반하거나 직무를 태만히 한 때 3. 직무의 내외를 불문하고 그 체면 또는 위신을 손상하는 행위를 한 때 제78조의2【징계부가금】① 징계 사유가 다음 각 호의 어느 하나에 해당하는 경우에는 해당 징계 외에 다음 각 호의 행위로 취득하거나 제공한 금전 또는 재산상 이득의 5배 내의 징계부가금 부과 의결을 징계위원회에 요구하여야 한다. 1. 금전, 물품, 부동산, 향응 또는 그 밖에 대통령령으로 정하는 재산상 이익을 취득하거나 제공한 경우 2. 다음 각 목에 해당하는 것을 횡령(橫領), 배임(背任), 절도, 사기 또는 유용(流用)한 경우

DAY

19

관련 법령 **(국가공무원법)**	**제82조【징계 등 절차】** ① 공무원의 징계처분등은 징계위원회의 의결을 거쳐 징계위원회가 설치된 소속 기관의 장이 하되, 국무총리 소속으로 설치된 징계위원회(국회·법원·헌법재판소·선거관리위원회에 있어서는 해당 중앙인사관장기관에 설치된 상급 징계위원회를 말한다. 이하 같다)에서 한 징계의결등에 대하여는 중앙행정기관의 장이 한다. 다만, 파면과 해임은 징계위원회의 의결을 거쳐 각 임용권자 또는 임용권을 위임한 상급 감독기관의 장이 한다. **제83조【감사원의 조사와의 관계 등】** ① 감사원에서 조사 중인 사건에 대하여는 제3항에 따른 조사개시 통보를 받은 날부터 징계 의결의 요구나 그 밖의 징계 절차를 진행하지 못한다.

2) 징계위원회

구분		대상	설치	징계의결 기한
종류	중앙징계위원회	5급 이상 공무원·고위공무원단 등	국무총리 소속(인사혁신처)	60일 이내 의결 (60일 연장 가능)
	보통징계위원회	6급 이하 공무원 등	중앙행정기관 혹은 그 소속기관	30일 이내 의결 (30일 연장 가능)

관련 법령 **(공무원징계령)**	**제4조【중앙징계위원회의 구성 등】** ① 중앙징계위원회는 위원장 1명을 포함하여 17명 이상 33명 이하의 공무원위원과 민간위원으로 구성한다. 이 경우 민간위원의 수는 위원장을 제외한 위원 수의 2분의 1 이상이어야 한다. ④ 중앙징계위원회의 위원장은 인사혁신처장이 된다. **제5조【보통징계위원회의 구성】** ① 보통징계위원회는 위원장 1명을 포함하여 9명 이상 15명 이하의 공무원위원과 민간위원으로 구성한다. 이 경우 민간위원의 수는 위원장을 제외한 위원 수의 2분의 1 이상이어야 한다. **제7조【징계의결등의 요구】** ① 5급이상공무원등(고위공무원단에 속하는 공무원을 포함한다)에 대해서는 소속 장관이, 6급 이하 공무원등에 대해서는 해당 공무원의 소속 기관의 장 또는 소속 상급기관의 장이 관할 징계위원회에 징계의결등을 요구하여야 한다. **제12조【징계위원회의 의결】** ① 징계위원회는 위원 5명 이상의 출석과 출석위원 과반수의 찬성으로 의결하되, 의견이 나뉘어 출석위원 과반수의 찬성을 얻지 못한 경우에는 출석위원 과반수가 될 때까지 징계등 혐의자에게 가장 불리한 의견에 차례로 유리한 의견을 더하여 가장 유리한 의견을 합의된 의견으로 본다.

3) 징계의 종류

		구분	의미	승급제한	직무정지	신분보유	보수
틀잡기	경징계	견책	훈계 및 회개 유도	6개월	×	○	
		감봉	보수의 불이익	12개월	×	○	• 1~3개월 • 보수 1/3 삭감

		구분	의미	승급제한	직무정지	신분보유	보수
	중징계	정직	직무정지 포함	18개월	1~3개월 정지	○	• 1~3개월 • 보수 전액 삭감
		강등	1계급 직급을 내림	18개월	3개월	○	• 3개월 • 보수 전액 삭감

		구분	의미	공직취임제한	퇴직급여 및 퇴직수당
		해임	공무원 신분박탈	3년	• 원칙적으로 제한× • 단, 금품 수수 등의 경우 제한○ • 5년 미만 근무: 퇴직급여 1/8 삭감 • 5년 이상 근무: 퇴직급여 1/4 삭감 • 5년 이상 근무: 퇴직수당 1/4 삭감
		파면		5년	• 원칙적으로 제한 • 5년 미만 근무: 퇴직급여 1/4 삭감 • 5년 이상 근무: 퇴직급여 1/2 삭감 • 5년 이상 근무: 퇴직수당 1/2 삭감

관련 법령	국가공무원법	제79조【징계의 종류】 징계는 파면·해임·강등·정직(停職)·감봉·견책(譴責)으로 구분한다. 제80조【징계의 효력】 ① 강등은 1계급 아래로 직급을 내리고(고위공무원단에 속하는 공무원은 3급으로 임용하고, 연구관 및 지도관은 연구사 및 지도사로 한다) 공무원신분은 보유하나 3개월간 직무에 종사하지 못하며 그 기간 중 보수는 전액을 감한다. 다만, 제4조 제2항에 따라 계급을 구분하지 아니하는 공무원과 임기제공무원에 대해서는 강등을 적용하지 아니한다. ③ 정직은 1개월 이상 3개월 이하의 기간으로 하고, 정직 처분을 받은 자는 그 기간 중 공무원의 신분은 보유하나 직무에 종사하지 못하며 보수는 전액을 감한다. ④ 감봉은 1개월 이상 3개월 이하의 기간 동안 보수의 3분의 1을 감한다. ⑤ 견책(譴責)은 전과(前過)에 대하여 훈계하고 회개하게 한다. ⑥ 공무원으로서 징계처분을 받은 자에 대하여는 그 처분을 받은 날 또는 그 집행이 끝난 날부터 대통령령등으로 정하는 기간 동안 승진임용 또는 승급할 수 없다.
	공무원임용령	제32조【승진임용의 제한】 ① 공무원이 다음 각 호의 어느 하나에 해당하는 경우에는 승진임용될 수 없다. 2. 징계처분의 집행이 끝난 날부터 다음 각 목의 기간이 지나지 않은 경우 　가. 강등·정직: 18개월 　나. 감봉: 12개월 　다. 견책: 6개월

Section 03　공무원의 권리에 대하여　　　● 19 day

1　공무원 권리의 종류

1) 신분보장

신분보장 이유	① 행정의 안정성 ② 부당한 정치적 영향력 차단 ③ 우수 인재 유입 → 조직 효과성 제고	
국가공무원법	제68조【의사에 반한 신분 조치】 공무원은 형의 선고, 징계처분 또는 이 법에서 정하는 사유에 따르지 아니하고는 본인의 의사에 반하여 휴직·강임 또는 면직을 당하지 아니한다. 다만, 1급 공무원과 제23조에 따라 배정된 직무등급이 가장 높은 등급의 직위에 임용된 고위공무원단에 속하는 공무원은 그러하지 아니하다. 제74조【정년】 ① 공무원의 정년은 다른 법률에 특별한 규정이 있는 경우를 제외하고는 60세로 한다.	
정년제의 종류	연령정년제도	법으로 정한 나이에 도달하면 자동으로 퇴직하는 제도
	근속정년제	일정한 법정 근속연한에 도달하면 자동으로 퇴직하는 제도
	계급정년제	특정계급에서 일정 기간 승진하지 못하면 자동으로 퇴직하는 제도
	참고　정년제 일정한 해에 이르면 퇴직하도록 정한 제도	

DAY — 19

2 공무원의 면직

- 공무원의 신분을 소멸시키는 임용행위의 일종
- 즉, 면직이란 자의 또는 타의에 의해서 공무원을 공직(公職)에서 물러나게 하는 것을 뜻함

1) 면직의 유형

틀잡기	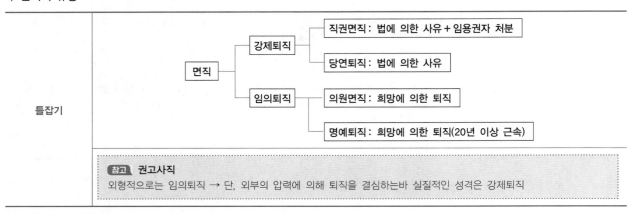
	참고 **권고사직** 외형적으로는 임의퇴직 → 단, 외부의 압력에 의해 퇴직을 결심하는바 실질적인 성격은 강제퇴직

2) 직권면직

개념		법률에 규정한 사유가 발생하면 임용권자가 직권으로 공무원의 신분을 박탈하는 제도
국가공무원법		제70조【직권면직】① 임용권자는 공무원이 다음 각 호의 어느 하나에 해당하면 직권으로 면직시킬 수 있다. 　3. 직제와 정원의 개폐 또는 예산의 감소 등에 따라 폐직(廢職) 또는 과원(過員)이 되었을 때 　4. 휴직 기간이 끝나거나 휴직 사유가 소멸된 후에도 직무에 복귀하지 아니하거나 직무를 감당할 수 없을 때 　5. 제73조의3 제3항에 따라 대기명령을 받은 자가 그 기간에 능력 또는 근무성적향상을 기대하기 어렵다고 인정된 때 　6. 전직시험에서 세 번 이상 불합격한 자로서 직무수행 능력이 부족하다고 인정된 때 　9. 고위공무원단에 속하는 공무원이 적격심사 결과 부적격 결정을 받은 때 **참고** 고위공무원단인사규정【적격심사의 의결】⑦ 소속 장관은 부적격자로 결정된 사람에 대하여 직권면직을 제청하거나 강임(본인이 동의한 경우로 한정한다)을 제청할 수 있다.
기타 : 직위해제	개념	① 공무원 신분은 보유하나 직위를 부여하지 않음 → 직무에서 격리 ② 봉급 8할 지급·출근의무 ○·공무원 경력인정 ×
	국가공무원법	제73조의3【직위해제】① 임용권자는 다음 각 호의 어느 하나에 해당하는 자에게는 직위를 부여하지 아니할 수 있다. 　2. 직무수행능력이 부족하거나 근무성적이 극히 나쁜 자 　3. 파면·해임·강등 또는 정직에 해당하는 징계의결이 요구 중인 자 　4. 형사사건으로 기소된 자 　5. 고위공무원단에 속하는 일반직공무원으로서 적격심사를 요구받은 자 　6. 금품비위, 성범죄 등 대통령령으로 정하는 비위행위로 인하여 감사원 및 검찰·경찰 등 수사기관에서 조사나 수사 중인 자로서 비위의 정도가 중대하고 이로 인하여 정상적인 업무수행을 기대하기 현저히 어려운 자 ② 제항에 따라 직위를 부여하지 아니한 경우에 그 사유가 소멸되면 임용권자는 지체 없이 직위를 부여하여야 한다. ③ 임용권자는 제1항 제2호(직무수행능력 부족 등)에 따라 직위해제된 자에게 3개월의 범위에서 대기를 명한다.

기타 : 직위해제	국가공무원법	④ 임용권자 또는 임용제청권자는 제3항에 따라 대기명령을 받은 자에게 능력회복이나 근무성적의 향상을 위한 교육훈련 또는 특별한 연구과제의 부여 등 필요한 조치를 하여야 한다. ⑤ 공무원에 대하여 제1항 제2호의 직위해제 사유와 같은 항 제3호·제4호 또는 제6호의 직위해제 사유가 경합(競合)할 때에는 같은 항 제3호·제4호 또는 제6호의 직위해제 처분을 하여야 한다.

3) 당연퇴직

개념	법이 정한 사유가 발생한 경우 별도의 처분 없이 공무원 신분을 박탈하는 제도
당연퇴직 사유	재직 중에 임용결격사유가 발생한 경우
국가공무원법	**제69조【당연퇴직】** 공무원이 다음 각 호의 어느 하나에 해당할 때에는 당연히 퇴직한다. 1. 제33조 각 호의 어느 하나에 해당하는 경우 → 임용결격사유 2. 임기제공무원의 근무기간이 만료된 경우 **제33조【결격사유】** 다음 각 호의 어느 하나에 해당하는 자는 공무원으로 임용될 수 없다. 1. 피성년후견인 2. 파산선고를 받고 복권되지 아니한 자 3. 금고 이상의 실형을 선고받고 그 집행이 종료되거나 집행을 받지 아니하기로 확정(예 보석금으로 인한 사면)된 후 5년이 지나지 아니한 자 4. 금고 이상의 형을 선고받고 그 집행유예 기간이 끝난 날부터 2년이 지나지 아니한 자 5. 금고 이상의 형의 선고유예를 받은 경우에 그 선고유예 기간 중에 있는 자 〔참고〕 ① **금고이상의 형**: 금고(노역×)·징역·사형 ② **실형**: 법원의 선고를 받아 실제로 집행된 경우의 형벌 ③ 선고유예기간 중에 있는 자는 헌재의 위헌결정(2003)으로 인하여 임용결격사유에는 해당되나, 당연퇴직사유에서는 제외되었음 7. 징계로 파면처분을 받은 때부터 5년이 지나지 아니한 자 8. 징계로 해임처분을 받은 때부터 3년이 지나지 아니한 자

③ 　소청심사와 고충심사 cf

1) 소청심사

① 개념 및 특징

개념	징계처분 및 기타 그의 의사에 반하는 불이익 처분을 받은 공무원이 그에 불복해 이의를 제기하는 경우 이를 심사해 구제해주는 제도
특징	㉠ 소청은 **처분이 위법한 경우**에 한해 제기할 수 있으며, **근무평정결과나 승진탈락 등은 소청의 대상이 아님** ㉡ **일반적인 절차**: 징계위원회 의결·징계처분 → 불복시 소청심사 청구 → 소청심사위원회 결정 불복시 행정소송 제기

DAY
19

② 관련 법령 : 국가공무원법을 중심으로

제2장 중앙인사관장기관				
■ 제9조 : 소청심사위원회의 설치				
입법부(국회)	국회사무처 소청심사위원회			
사법부(법원)	법원행정처 소청심사위원회			
헌법재판소	헌법재판소사무처 소청심사위원회			
중앙선관위	중앙선거관리위원회사무처 소청심사위원회			
행정부	**지방직 공무원**	경력직	일반직	시·도 지방소청심사위원회
				시·도 교육소청심사위원회 (지방직 교육직렬)
	국가직 공무원	경력직	일반직	인사혁신처 소청심사위원회
			특정직	
기타	① 인사혁신처 소청심사위원회는 특정직 공무원의 소청을 심사·결정할 수 있음(검사 제외) ② 교원의 소청심사는 교육부에 설치된 교원소청심사위원회에서 담당 ③ 특수경력직 공무원은 소청대상에 포함되지 않음(원칙)			

제9조【소청심사위원회의 설치】 ① 행정기관 소속 공무원의 징계처분, 그 밖에 그 의사에 반하는 불리한 처분이나 부작위(해야할 의무를 다하지 않음)에 대한 소청을 심사·결정하게 하기 위하여 인사혁신처에 소청심사위원회를 둔다.
③ 국회사무처, 법원행정처, 헌법재판소사무처 및 중앙선거관리위원회사무처에 설치된 소청심사위원회는 위원장 1명을 포함한 위원 5명 이상 7명 이하의 비상임위원으로 구성하고, 인사혁신처에 설치된 소청심사위원회는 위원장 1명을 포함한 5명 이상 7명 이하의 상임위원과 상임위원 수의 2분의 1 이상인 비상임위원으로 구성하되, 위원장은 정무직으로 보한다.
④ 제1항에 따라 설치된 소청심사위원회는 다른 법률로 정하는 바에 따라 특정직공무원의 소청을 심사·결정할 수 있다.

제10조【소청심사위원회위원의 자격과 임명】 ① 소청심사위원회의 위원(위원장을 포함한다. 이하 같다)은 다음 각 호의 어느 하나에 해당하고 인사행정에 관한 식견이 풍부한 자 중에서 국회사무총장, 법원행정처장, 헌법재판소사무처장, 중앙선거관리위원회사무총장 또는 인사혁신처장의 제청으로 국회의장, 대법원장, 헌법재판소장, 중앙선거관리위원회위원장 또는 대통령이 임명한다.
② 소청심사위원회의 상임위원의 임기는 3년으로 하며, 한 번만 연임할 수 있다.
④ 소청심사위원회의 상임위원은 다른 직무를 겸할 수 없다.

제10조의2【소청심사위원회위원의 결격사유】 ① 다음 각 호의 어느 하나에 해당하는 자는 소청심사위원회의 위원이 될 수 없다.
  1. 제33조 각 호의 어느 하나에 해당하는 자 → 결격사유에 해당하는 자
  2. 「정당법」에 따른 정당의 당원
  3. 「공직선거법」에 따라 실시하는 선거에 후보자로 등록한 자
② 소청심사위원회위원이 제1항 각 호의 어느 하나에 해당하게 된 때에는 당연히 퇴직한다.

> **참고**
> 소청심사위원회 위원 중 공무원이 아닌 위원은 형법이나 그 밖의 법률에 따른 벌칙을 적용할 때 공무원으로 간주함

제11조【소청심사위원회위원의 신분 보장】 소청심사위원회의 위원은 금고 이상의 형벌이나 장기의 심신 쇠약으로 직무를 수행할 수 없게 된 경우 외에는 본인의 의사에 반하여 면직되지 아니한다.

제12조【소청심사위원회의 심사】 ③ 소청심사위원회가 소청 사건을 심사하기 위하여 징계 요구 기관이나 관계 기관의 소속 공무원을 증인으로 소환하면 해당 기관의 장은 이에 따라야 한다.

■ 제14조 : 소청심사위원회의 결정
  ㉠ 재적위원 3분의 2 이상의 출석·출석위원 과반수 합의 → 단, 의견이 나뉠 경우 출석위원 과반수에 이를 때까지 소청인에게 가장 불리한 의견에 차례로 유리한 의견을 더하여 그 중 가장 유리한 의견을 합의된 의견으로 간주
  ㉡ 중징계 처분에 대한 소청심사결정은 재적위원 3분의 2 이상의 출석·출석위원 3분의 2 이상의 합의
  ㉢ 소청심사는 원징계처분보다 무거운 징계를 부과하는 결정을 할 수 없음

제15조【결정의 효력】 제14조에 따른 소청심사위원회의 결정은 처분 행정청을 기속(覊束)한다.

제9장 권익의 보장

제76조【심사청구와 후임자 보충 발령】 ① 제75조에 따른 처분사유 설명서를 받은 공무원이 그 처분에 불복할 때에는 그 설명서를 받은 날부터, 공무원이 제75조에서 정한 처분 외에 본인의 의사에 반한 불리한 처분을 받았을 때에는 그 처분이 있은 것을 안 날부터 각각 30일 이내에 소청심사위원회에 이에 대한 심사를 청구할 수 있다. 이 경우 변호사를 대리인으로 선임할 수 있다.

② 본인의 의사에 반하여 파면 또는 해임이나 제70조 제1항 제5호에 따른 면직처분을 하면 그 처분을 한 날부터 40일 이내에는 후임자의 보충발령을 하지 못한다.

⑤ 소청심사위원회는 소청심사청구를 접수한 날부터 60일 이내에 이에 대한 결정을 하여야 한다. 다만, 불가피하다고 인정되면 소청심사위원회의 의결로 30일을 연장할 수 있다.

③ 관련 법령 : 지방공무원법을 중심으로

제13조【소청심사위원회의 설치】 공무원의 징계, 그 밖에 그 의사에 반하는 불리한 처분이나 부작위(不作爲)에 대한 소청을 심사·결정하기 위하여 시·도에 지방소청심사위원회 및 교육소청심사위원회를 둔다.

제14조【심사위원회의 위원】 ① 심사위원회는 16명 이상 20명 이하의 위원으로 구성한다. 이 경우 위촉되는 위원이 전체 위원의 2분의 1 이상이어야 한다.

② 위원은 시·도지사 또는 교육감이 임명하거나 위촉한다.

③ 제2항에 따라 위촉되는 위원의 임기는 3년으로 하되, 한 번만 연임할 수 있다.

제15조【심사위원회의 위원장】 ① 심사위원회에 위원장 1명을 두며, 위원장은 심사위원회 위촉위원 중에서 호선한다.

2) 고충심사

개념 및 특징		① 직장생활과 관련하여 표시하는 불만인 고충을 심사하고 그 해결책을 강구하는 제도 ② 고충처리의 결과가 관계기관의 장을 기속하지 못함 → 고충처리결과는 권고수준에 그칠 가능성이 있음
유형	중앙고충심사위원회	① 일반적으로 5급 이상 공무원의 고충심사 ② 중앙고충심사위원회의 기능은 소청심사위원회에서 관장함
	보통고충심사위원회	① 일반적으로 6급 이하 공무원의 고충심사 ② 임용권자 혹은 임용제청권자 단위로 설치
국가공무원법		**제76조의2【고충 처리】** ① 공무원은 인사·조직·처우 등 각종 직무 조건과 그 밖에 신상 문제와 관련한 고충에 대하여 상담을 신청하거나 심사를 청구할 수 있으며, 누구나 기관 내 성폭력 범죄 또는 성희롱 발생 사실을 알게 된 경우 이를 신고할 수 있다. 이 경우 상담신청이나 심사청구 또는 신고를 이유로 불이익한 처분이나 대우를 받지 아니한다. ⑦ 중앙인사관장기관의 장, 임용권자 또는 임용제청권자는 심사 결과 필요하다고 인정되면 처분청이나 관계 기관의 장에게 그 시정을 요청할 수 있으며, 요청받은 처분청이나 관계 기관의 장은 특별한 사유가 없으면 이를 이행하고, 그 처리 결과를 알려야 한다. 다만, 부득이한 사유로 이행하지 못하면 그 사유를 알려야 한다.
공무원고충처리 규정		**제7조【고충심사절차】** ① 고충심사위원회가 청구서를 접수한 때에는 30일 이내에 고충심사에 대한 결정을 하여야 한다. 다만, 부득이하다고 인정되는 경우에는 고충심사위원회의 의결로 30일을 연장할 수 있다. **제10조【고충심사위원회의 결정】** ① 보통고충심사위원회의 결정은 위원 5명 이상의 출석과 출석위원 과반수의 합의에 따른다. ② 중앙고충심사위원회의 결정은 위원 3분의 2 이상의 출석과 출석위원 과반수의 합의에 따른다.

DAY

19

4　휴직 cf

국가공무원법	**제71조 【휴직】** ① 공무원이 다음 각 호의 어느 하나에 해당하면 임용권자는 본인의 의사에도 불구하고 휴직을 명하여야 한다. ② 임용권자는 공무원이 다음 각 호의 어느 하나에 해당하는 사유로 휴직을 원하면 휴직을 명할 수 있다. 다만, 제4호의 경우에는 대통령령으로 정하는 특별한 사정이 없으면 휴직을 명하여야 한다. 　　4. 만 8세 이하 또는 초등학교 2학년 이하의 자녀를 양육하기 위하여 필요하거나 여성공무원이 임신 또는 출산하게 된 때 **참고** 휴직은 공무원으로서의 신분을 보유하면서 직무담임을 일시적으로 해제하는 것으로서 임용권자가 직권으로 휴직을 명하는 직권휴직과 본인의 원에 따라 휴직을 명하는 청원휴직이 있음

5　공무원의 단체활동 : 공무원노동조합과 공무원직장협의회 cf

1) 공무원 단체에 대하여

정의 및 특징	① 공무원들이 **근무조건의 유지 및 개선**을 위해 조직한 단체 ② 공무원 단체는 의사소통 수단이므로 공무원의 동기부여를 촉진할 수 있으나 정치적 중립성을 저해할 수 있음 → 따라서 양자 간의 적절한 균형을 찾는 게 중요함 ③ 우리나라 공무원은 단결권, 단체교섭권만 인정받고 있음 → 단, 사실상 노무에 종사하는 공무원 등은 단체행동권도 보장받음
찬성론	① **의사소통의 통로** ② 기본적인 권리보장으로 사기진작에 긍정적 영향을 미침 ③ 행정관리개선에 공헌
반대론	① **실적주의 원칙을 침해할 우려**가 있음 → 예를 들어, 조직의 목표달성보다 권익보호를 우선하게 되면 외부에서의 개방형 충원을 반대하고, 연공서열에 의한 안전한 승진보장을 선호할 수 있음 ② 공무원 단체에 대한 특정 제재가 없을 경우 **정치적 중립성이 훼손**될 수 있음 ③ 보수인상 등 복지요구 확대는 국민의 부담으로 이어짐
기타	<table><tr><td rowspan="3">**노동 삼권**</td><td>단결권</td><td>공무원 단체를 결성할 수 있는 권한</td></tr><tr><td>단체교섭권</td><td>정부와 협상할 수 있는 권한</td></tr><tr><td>단체활동권</td><td>파업 등을 할 수 있는 권한</td></tr><tr><td>**헌법 제33조**</td><td colspan="2">① 근로자는 근로조건의 향상을 위하여 자주적인 단결권·단체교섭권 및 단체행동권을 가진다. ② 공무원인 근로자는 법률이 정하는 자에 한하여 단결권·단체교섭권 및 단체행동권을 가진다.</td></tr></table>

2) 공무원 노동조합 : 공무원노조법을 중심으로

등장배경	우리나라는 2006년에 '공무원의 **노동조합 설립 및 운영 등에 관한 법률**'을 시행함에 따라 일반공무원도 노동조합의 설립과 노조활동을 할 수 있게 되었음
공무원노조법	**제4조 【정치활동의 금지】** 노동조합과 그 조합원은 정치활동을 하여서는 아니 된다. ■ **제5조 : 노동조합의 설립** 　① 설립단위 : 헌법상 독립기관, 중앙정부, 지방자치단체, 교육청 　② 공무원 노동조합은 2개 이상의 단위에 걸치는 노동조합이나 그 연합단체도 허용하고 있음 　③ 복수노조 설립가능

공무원노조법

제5조【노동조합의 설립】① 공무원이 노동조합을 설립하려는 경우에는 국회·법원·헌법재판소·선거관리위원회·행정부·특별시·광역시·특별자치시·도·특별자치도·시·군·구(자치구를 말한다) 및 특별시·광역시·특별자치시·도·특별자치도의 교육청을 최소 단위로 한다.
② 노동조합을 설립하려는 사람은 고용노동부장관에게 설립신고서를 제출하여야 한다.

제6조【가입 범위】① 노동조합에 가입할 수 있는 사람의 범위는 다음 각 호와 같다.
1. 일반직공무원
2. 특정직공무원 중 외무영사직렬·외교정보기술직렬 외무공무원, 소방공무원 및 교육공무원(다만, 교원은 제외한다)
3. 별정직공무원
4. 제1호부터 제3호까지의 어느 하나에 해당하는 공무원이었던 사람으로서 노동조합 규약으로 정하는 사람
② 제1항에도 불구하고 다음 각 호의 어느 하나에 해당하는 공무원은 노동조합에 가입할 수 없다.
1. 업무의 주된 내용이 다른 공무원에 대하여 지휘·감독권을 행사하거나 다른 공무원의 업무를 총괄하는 업무에 종사하는 공무원
2. 업무의 주된 내용이 인사·보수 또는 노동관계의 조정·감독 등 노동조합의 조합원 지위를 가지고 수행하기에 적절하지 아니한 업무에 종사하는 공무원
3. 교정·수사 등 공공의 안녕과 국가안전보장에 관한 업무에 종사하는 공무원 → **경찰 제외**

> **📎 공무원노조법 개정사항 주요 내용**
> ① 공무원노동조합의 가입 기준 중 공무원의 직급제한을 폐지하고, 소방·교육공무원(교원은 제외)의 노동조합 가입을 허용함
> ② 퇴직공무원 등의 노동조합 가입을 허용함

제7조【노동조합 전임자의 지위】① 공무원은 임용권자의 동의를 받아 노동조합으로부터 급여를 지급받으면서 노동조합의 업무에만 종사할 수 있다.
② 제1항에 따른 동의를 받아 노동조합의 업무에만 종사하는 사람[이하 "전임자"(專任者)라 한다]에 대하여는 그 기간 중 휴직명령을 하여야 한다.
④ 국가와 지방자치단체는 공무원이 전임자임을 이유로 승급이나 그 밖에 신분과 관련하여 불리한 처우를 하여서는 아니 된다.

제8조【교섭 및 체결 권한 등】① 노동조합의 대표자는 그 노동조합에 관한 사항 또는 조합원의 보수·복지, 그 밖의 근무조건에 관하여 정부교섭대표와 교섭하고 단체협약을 체결할 권한을 가진다. 다만, 법령 등에 따라 국가나 지방자치단체가 그 권한으로 행하는 정책결정에 관한 사항, 임용권의 행사 등 그 기관의 관리·운영에 관한 사항으로서 근무조건과 직접 관련되지 아니하는 사항은 교섭의 대상이 될 수 없다.
④ 정부교섭대표는 효율적인 교섭을 위하여 필요한 경우 정부교섭대표가 아닌 관계 기관의 장으로 하여금 교섭에 참여하게 할 수 있고, 다른 기관의 장이 관리하거나 결정할 권한을 가진 사항에 대하여는 해당 기관의 장에게 교섭 및 단체협약 체결 권한을 위임할 수 있다.

> **참고　정부교섭대표**
> 국회사무총장·법원행정처장·헌법재판소사무처장·중앙선거관리위원회사무총장·인사혁신처장(행정부 대표)·지방자치단체장·교육감

제10조【단체협약의 효력】① 제9조에 따라 체결된 단체협약의 내용 중 법령·조례 또는 예산에 의하여 규정되는 내용과 법령 또는 조례에 의하여 위임을 받아 규정되는 내용은 단체협약으로서의 효력을 가지지 아니한다.

> **참고**
> 단체협약의 내용 중 법령·예산과 관련된 합의사항은 법에서 정하는 입법절차나 예산편성절차를 거쳐 결정되기 때문에 단체협약의 효력을 인정하지 않고, 정부대표에 성실한 이행의무만 부여하고 있음

제11조【쟁의행위의 금지】노동조합과 그 조합원은 파업, 태업 또는 그 밖에 업무의 정상적인 운영을 방해하는 일체의 행위를 하여서는 아니 된다.

제12조【조정신청 등】① 제8조에 따른 단체교섭이 결렬된 경우에는 당사자 어느 한쪽 또는 양쪽은 중앙노동위원회에 조정(調停)을 신청할 수 있다.
④ 조정은 제1항에 따른 조정신청을 받은 날부터 30일 이내에 마쳐야 한다. 다만, 당사자들이 합의한 경우에는 30일 이내의 범위에서 조정기간을 연장할 수 있다.

DAY
19

3) 공무원직장협의회 : 공무원직협법을 중심으로

의의	① 공무원 노조가 생기기 이전부터 존재 ② 공무원의 근무환경 개선, 업무능률 향상 및 고충처리(직장 내 성희롱·괴롭힘 포함) 등을 목적으로 공무원들이 설립·운영하는 단체
공무원직협법	■ **제2조 : 설립** 　① 우리나라는 하나의 기관에는 하나의 직장협의회만을 설립할 수 있도록 제한하고 있음 　② 기관 : 기관장이 4급 이상 공무원인 기관 **제2조【설립】** ① 국가기관, 지방자치단체 및 그 하부기관에 근무하는 공무원은 직장협의회(이하 "협의회"라 한다)를 설립할 수 있다. ② 협의회는 기관 단위로 설립하되, 하나의 기관에는 하나의 협의회만을 설립할 수 있다. ③ 협의회를 설립한 경우 그 대표자는 소속 기관의 장에게 설립 사실을 통보하여야 한다. **제2조의2【연합협의회】** ① 협의회는 다음 각 호의 국가기관 또는 지방자치단체 내에 설립된 협의회를 대표하는 하나의 연합협의회를 설립할 수 있다. 　1. 국회·법원·헌법재판소·선거관리위원회 　2. 「정부조직법」 제2조에 따른 중앙행정기관과 감사원 및 그 밖에 대통령령으로 정하는 기관 　3. 특별시·광역시·특별자치시·도·특별자치도 및 특별시·광역시·특별자치시·도·특별자치도의 교육청 ② 연합협의회를 설립한 경우 그 대표자는 제1항 각 호의 기관의 장(국회사무총장·법원행정처장·헌법재판소사무처장·중앙선거관리위원회사무총장, 중앙행정기관의 장, 특별시장·광역시장·특별자치시장·도지사·특별자치도지사·교육감 등을 말한다. 이하 같다)에게 설립 사실을 통보하여야 한다. **제3조【가입 범위】** ① 협의회에 가입할 수 있는 공무원의 범위는 다음 각 호와 같다. 　1. 일반직공무원 　2. 특정직공무원 중 다음 각 목의 어느 하나에 해당하는 공무원 　　가. 외무영사직렬·외교정보기술직렬 외무공무원 　　나. 경찰공무원 　　다. 소방공무원 　5. 별정직공무원 　참고 　노동조합과 다르게 경찰공무원이 포함되며, 교육공무원은 제외됨 ② 제1항에도 불구하고 다음 각 호의 어느 하나에 해당하는 공무원은 협의회에 가입할 수 없다. 　2. 업무의 주된 내용이 지휘·감독권을 행사하거나 다른 공무원의 업무를 총괄하는 업무에 종사하는 공무원 　3. 업무의 주된 내용이 인사, 예산, 경리, 물품출납, 비서, 기밀, 보안, 경비 및 그 밖에 이와 유사한 업무에 종사하는 공무원 ■ **공무원직협법 개정사항 주요 내용** 　① 공무원 직장협의회를 기관 단위로 하나의 기관에 하나의 직장협의회만을 설립할 수 있도록 하여 단위 기관별로 해결하기 어려운 문제에 대해서는 효과적인 협의를 이끌어내기 어려운 상황임 　② 이에 따라 국가기관 또는 지방자치단체를 대표하는 연합협의회를 구성할 수 있도록 개정함 　③ 직장협의회의 가입기준 중 직급기준을 삭제하고, 노동운동이 허용되는 공무원도 직장협의회에 가입할 수 있음

4) 공무원 노동조합과 공무원 직장협의회 비교

구분	공무원노동조합(2006)	공무원직장협의회(1998)
노동 삼권 보장	○ (단체행동권 제외)	×
공무원 단체 결정의 구속력	○	×
전임자 제도	○	×

MEMO

최욱진 행정학

재무행정

CHAPTER 01 예산제도의 발달 과정

예산을 편성하는 제도, 즉 예산제도는 정부규모의 변화와 함께 발전했으며, 이에 대한 내용은 아래의 표와 같음

구분	입법국가	시장실패	행정국가		정부실패	탈행정국가	
예산제도	LIBS (1920s)	① 원인 ② 정부대응	PBS (1950s)	PPBS (1960s)	① 원인 ② 정부대응	ZBB (1970s)	NPBS (1990s)
추구하는 가치	통제		관리	계획		감축	–
예산결정모형	점증		점증	합리		합리	–
예산원칙	전통적(통제)		현대적(통제 + 신축성)				

Section 01 전통적 예산제도

→ 20 day

예산편성제도는 전통적 예산제도, 즉 LIBS, PBS, PPBS, ZBB와 NPM과 함께 등장한 신성과주의 예산제도(NPBS)로 구분할 수 있음

1 품목별 예산제도 : Line-item budgeting system → 품목 = 투입 = 항목

틀잡기	**▷ 품목별 예산의 사례(윤성식 외 2012 재구성)** **부서 A의 예산** | 항목	액수(원)
---	---
인건비	8,000만
건물유지비	1,000만
소모품비	5,000만
연료비	3,500만 | 예산 = 품목(투입·항목) × 액수	LIBS 투입 → 산출 → 결과 능률성 효과성 1. 인건비 2. 재료비 등　　고속도로 건설　　교통량 감소
의의	① 부서별로 지출의 대상을 품목으로 표시하여 예산을 편성하는 제도 ② 정부가 지출을 세부적으로 표현하도록 강제하기 때문에 의회가 행정부를 통제하는 데 용이한 제도	

	명확한 회계책임	예산을 편성할 때 세세한 것까지 기재하는바 회계책임이 분명함 → 통제지향적인 예산편성제도
장점	정치인의 지지↑	단순 항목을 나열하는 까닭에 전문적인 지식이 부족해도 이해가 용이함
	점증주의 접근	전년도 지출항목별로 물가상승률과 같은 부분적인 변화만 반영하여 예산을 편성함
	재정민주주의 구현	의회의 통제가 유리한 까닭에 재정민주주의 구현에 유리한 통제지향 예산제도
	이익집단의 저항↓	갈등을 야기할 수 있는 어려운 선택(사업)을 분할해서 예산을 편성하는바 이익집단과 관련된 어려움에 직면하지 않음 → 사업을 둘러싼 이해관계자의 저항이 없다는 것
단점	사업정보 제공×	정부가 수행하는 사업과 그 효과에 대한 명확한 정보를 제공하지 못하기 때문에 사업의 성과와 생산성 및 능률성 등을 정확하게 평가할 수 없음
	경직성	투입중심으로 예산편성 후 해당 품목에 그대로 지출했는가에 초점을 두는바 행정부의 재량권 축소

2 성과주의 예산제도 : Performance budgeting system

틀잡기	**▣ 성과주의 예산제도 사례(윤성식 외 2012 재구성)** | 업무활동 : 소규모 사업	업무측정단위	수량	단위원가 | |---|---|---|---|
여론조사 활동	가구	1,000	가구당 2만 원 | ↓ | 업무활동 : 소규모 사업	업무량(사업량) × 단위원가	예산액수 | |---|---|---|
여론조사 활동	1,000가구 × 2만 원	2,000만 원	 예산 = 업무량(사업량) × 단위원가 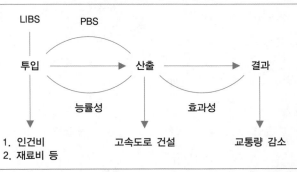 LIBS PBS 투입 → 산출 → 결과 능률성 효과성 1. 인건비 / 2. 재료비 등 고속도로 건설 교통량 감소
등장배경	① 정부역할을 보다 광범위하게 보기 시작한 New Deal정책 이후부터 관심 → 1930s 대공황 이후로 정부활동은 사회전체에 이익이 된다고 여겨짐 ② 정부활동이 증대함에 따라 정부가 하는 일의 능률적 관리 및 측정의 문제가 중요해짐 ③ 제2차 세계대전 이후 미국의 제1차 후버위원회에서 권고한 제도(1949년) 중의 하나임
	용어정리 | 후버위원회는 미국 연방정부 행정개혁에 대해 권고하기 위한 목적으로 미국의 트루먼 대통령이 1947년에 설치한 기구임 → 전직 대통령이던 허버트 후버가 위원장을 맡았기에 후버위원회로 불림
개념	① 정부의 예산투입을 산출(소규모 사업)에 연결시키는 제도 ② 정부가 하려는 사업이 무엇이며, 그에 소요되는 비용을 밝힐 수 있는 예산편성제도
특징	① 재원은 활동단위를 중심으로 배분 → 수행할 작업(사업)과 여기에 소요되는 경비를 산정 ② 적은 돈으로 많은 사업을 완성하려고 하는바 **능률적 관리측면을 강조** ③ 예산서에는 사업의 능률적 수행을 위한 방법(사업의 목적)과 이에 대한 기술서가 포함됨 ④ **예산관리기능의 집권화를 추구** → 성과주의 예산제도는 1950년대 정부활동이 많아지던 행정국가 시절에 등장한 예산제도로서 정부가 하는 일을 조직 상부에서 체계적으로 관리하기 위해 고안되었음

장점	① **능률성 추구** → 사업을 수행하기 위해 능률적으로 품목을 사용 ② 객관적 측정기준(단위원가 계산 등)을 마련할 수 있으며, 실적의 결과를 다음 예산에 반영할 수 있음 ③ 정부활동을 중심으로 예산을 편성하는 까닭에 **입법부의 예산심의를 간편하게 만들 수 있음**
단점	① 장기적인 계획과의 연계보다는 단위사업만을 중시하기 때문에 **전략적인 목표의식이 결여될 수 있음** ② **업무단위가 실질적으로는 중간 산출물인 경우가 많아 궁극적인 성과를 파악하기 곤란함** → 예산성과의 질적인 측면까지 평가할 수 없음 ③ 즉, 부처의 사명, 목적, 세부 목적 등을 고려하여 목적달성에 기여하는 사업을 구상하지만, 단기적 사업인 까닭에 계획예산제도에 비해 장기적 계획과의 연계가 부족한 한계를 지님 ④ 성과주의 예산(PBS)은 장기사업보다는 단위사업 중심의 예산이므로 **총괄계정(큰 사업과 연관된 계정)에 적합하지 못함** ⑤ **계량화의 문제** → 업무측정단위 발견 및 단위원가 계산의 어려움 ⑥ 투입에 대한 회계적 통제가 품목별 예산제도에 비해 어려움

3 계획예산제도 : Planning programming budgeting system

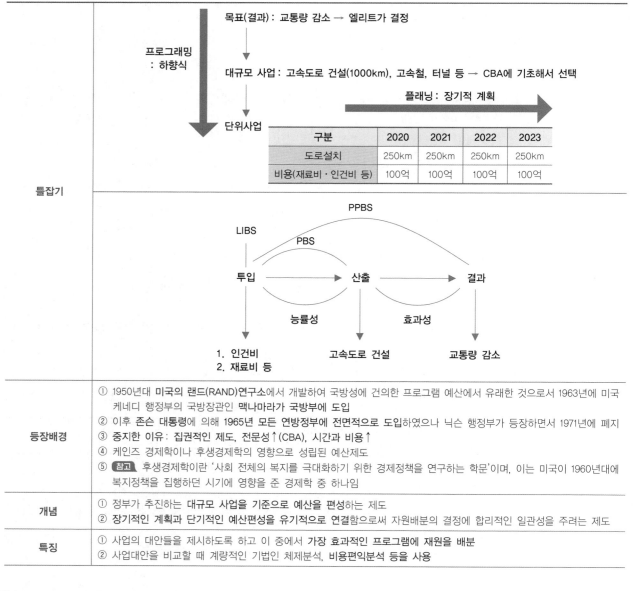

틀잡기	(위 그림 참조)
등장배경	① 1950년대 **미국의 랜드(RAND)연구소**에서 개발하여 국방성에 건의한 프로그램 예산에서 유래한 것으로서 1963년에 미국 케네디 행정부의 국방장관인 맥나마라가 국방부에 도입 ② 이후 존슨 대통령에 의해 1965년 모든 연방정부에 **전면적으로 도입**하였으나 닉슨 행정부가 등장하면서 1971년에 폐지 ③ **중지한 이유** : 집권적인 제도, 전문성↑(CBA), 시간과 비용↑ ④ 케인즈 경제학이나 후생경제학의 영향으로 성립된 예산제도 ⑤ **참고** 후생경제학이란 '사회 전체의 복지를 극대화하기 위한 경제정책을 연구하는 학문'이며, 이는 미국이 1960년대에 복지정책을 집행하던 시기에 영향을 준 경제학 중 하나임
개념	① 정부가 추진하는 **대규모 사업을 기준으로 예산을 편성**하는 제도 ② 장기적인 계획과 단기적인 예산편성을 유기적으로 연결함으로써 자원배분의 결정에 합리적인 일관성을 주려는 제도
특징	① 사업의 대안들을 제시하도록 하고 이 중에서 **가장 효과적인 프로그램에 재원을 배분** ② 사업대안을 비교할 때 계량적인 기법인 체제분석, 비용편익분석 등을 사용

장점	결과·산출·투입 연계	PPBS의 주요 관심 대상은 사업목표이며, 이를 달성하기 위한 투입과 산출에도 관심을 둠
	하향식 편성	자원배분이 고위층에서 이루어지므로 고위층의 의사를 예산에 직접 반영
	경제적 합리성	비용편익분석 등을 활용한 경제적인 합리성 제고
	개방체제 관점	부서 간 경계를 넘어선 대규모 정책 중심 예산편성
단점	시간·비용·전문성 요구	① PPBS는 목표, 계획, 사업의 연계성을 높일 수 있으나 **과도한 정보**가 필요함 → 낮은 실현가능성 ② 비용편익분석과 같은 **고도의 전문성**을 요구하는바 공무원과 의회의 이해 부족 ③ 비용편익분석시 계량화 작업의 어려움이 있음
	집권적 예산편성제도	① 행정부에 의한 기획중심적 성향으로 인하여 의회 예산심의기능의 약화를 초래할 수 있음 　→ 재정민주주의와 거리가 먼 제도 ② 집권적인 예산편성제도이기 때문에 **정치적 합리성(민의 반영)을 등한시함**
	기타	계획에 대한 상황변화적 대응이 적시에 이루어지지 못할 경우 예산배분의 합리성이 저해될 수 있음

4 영기준 예산제도 : Zero-based budgeting system

틀잡기	
개념	과거의 관행을 참고하지 않고 매년 근본적인 재평가(평가지향적)를 통해 **감축지향적으로 예산을 편성**하는 제도
등장배경	① 미국의 민간기업 Texas Instruments에서 처음 도입 → **1977년 카터** 대통령이 긴축정책의 수단으로 연방정부에 적용 ② 1981년 레이건 행정부가 집권하면서 ZBB 폐지 ③ 폐기한 이유 　㉠ 시간과 비용↑ 　㉡ 정부는 경직성 경비가 많아서 영기준 예산편성제도의 효용성이 떨어짐
특징	① 점증주의를 극복하고자 경제적 합리성(감축지향)을 제도화한 제도 ② 정책결정패키지를 통해 **최고관리자에게** 가장 우선되는 사업과 그것에 소요되는 자금에 대한 **많은 정보**를 제공 ③ 기존사업과 신규사업을 구분하지 않고 매년 모든 **사업의 타당성을 영(zero)기준**에서 엄밀히 분석한 후 예산을 편성 　→ 단, 기존사업을 먼저 분석한 후 신규사업을 검토
장점	① 자원배분의 효율화와 예산절감 ② 관리자와 **구성원의 참여확대** → 상향식 접근 ③ 매년 기존의 예산을 재검토하여 예산변동의 대응성·유연성 제고 ④ 의사결정능력의 향상 → 각 의사결정단위가 매년 정책결정패키지를 작성하면서 나타나는 현상
단점	① 계산 전략의 한계와 정보획득의 애로 : 매년 반복적으로 모든 예산을 전면적으로 재검토하는 데 많은 시간과 노력이 필요함 　→ 부담이 과중하여 일선관리자들의 저항↑ ② 결과적으로 미연방정부의 예산삭감에 실패 → 정부예산에 경직성 경비(국방비, 공무원 보수, 교육비 등)가 많고 법령상 제약으로 실제 적용에 있어서 **점증주의를 극복하지 못함** ③ 비용편익분석을 하지 않는다는 점에서 계획예산제도에 비해 예산결정시 **우선순위 선정이 주관적임** ④ **비경제적 요인의 간과** → 예산체제에 영향을 미치는 정치적·심리적인 요인(국민의 견해 반영)을 고려하지 못했음
기타	① 예산편성의 기본단위는 의사결정단위(decision unit)이며 조직 또는 사업 등을 지칭함 ② 우리나라는 정부예산에 영기준예산제도를 적용한 경험이 있음(1983~1984)

5 기타

계획예산제도와 영기준 예산제도	PPBS	하향식	거시적	개방체제	장기적	계획지향: 대규모 사업 및 정책	CBA활용
	ZBB	상향식	미시적	폐쇄체제	단기적	감축지향(평가 혹은 사업지향): 사업축소	CBA활용 ×

영기준 예산제도와 일물법	구분	ZBB	일물법
	사용처	행정부의 예산편성	입법부의 예산심의
	운영단계	중하위 관리자 혹은 조직 내 모든 계층을 위한 관리도구	상위 정책결정자를 위한 정책도구
	관심의 초점	예산의 관리기능(영기준 적용)	법과 사업의 종결(자동적 종결)
	시계	단기적(1년 단위의 예산활동)	장기적(다년도의 광범위한 정책활동)
	상·하향식	상향식	하향식
	공통점	양자 모두 '감축관리'를 실현하기 위한 제도임	
	기타 : 일물법	① 미국의 Colorado 주에서 1976년에 채택된 방법으로서 일종의 시한입법 ② 정책의 종결을 가져오게 하는 일몰기준(sun-set criteria)과 새로운 정책의 형성으로 이끄는 일출기준 (sun-rise criteria)을 체계화한 것 ③ 즉, 당초 규정한 시점에 사업이나 행정기관의 존속 여부를 검토 후 필요성이 없는 경우에는 자동으로 사업을 중지시키고 기관을 폐지하는 제도	

6 전통적 예산제도의 비교 읽어 보기

구분	품목별 예산	성과주의예산	계획예산	영기준예산
시기	1920~1930년대	1950년대	1960년대	1970년대
예산의 기능	통제 (예산을 품목과 연결)	관리 (재원을 사업과 연결)	계획 (예산을 기획과 연결)	감축
정보의 초점	품목(투입)	활동·사업(산출)	목표정책(효과)	의사결정 단위의 목표
추구하는 가치	합법성	능률성	효과성 등	능률성
결정의 흐름	상향적	상향적	하향적	상향적
예산결정모형	점증모형	점증모형	합리모형	합리모형
관리책임	분산	중앙(집권)	감독 책임자	–
기획의 책임	분산	분산	중앙(집권)	분산
결정권의 소재	분권화	분권화	집권화	분권화

용어정리
① 결정권의 소재와 기획의 책임은 같은 의미임: 양자는 예산을 편성할 수 있는 권한과 연관됨 개념
② 관리책임: 예산을 집행하는 과정에서 이를 감시하는 것과 관련된 책임

Section 02   신성과주의 예산제도(NPBS) : 결과지향적 · 결과기준 예산제도 ●20 day

- 집행 시에 '자율성'을 부여하고, 성과를 통해 '책임성 확보'를 추구하는 1990년대 NPM 선진국 정부개혁의 흐름을 예산과 연계시킨 제도
- 1990년대 미국 클린턴 행정부에서 총체적 품질관리, 목표관리활동 등 정부개혁의 혁신을 추진하면서 성과주의 예산제도를 부활시킴
- 미국의 클린턴 행정부는 1993년 GPRA(Government Performance and Result Act)를 제정함으로써 결과지향적 예산제도를 도입하였음
- 참고로 부시 행정부는 재정사업의 성과관리 체제를 강화하기 위해 PART(Program Assessment Rating Tool)를 도입해 GPRA를 보완하였음 (2002)

1   신성과주의 예산제도의 내용

중 · 장기계획	장기적인 계획을 반영함으로서 사업추진의 안정성과 일관성을 유지하고, 재정건전성 등 중장기적 거시재정목표의 효과적인 추구를 위해 도입 → 우리나라의 국가재정운용계획
집 · 분권의 조화	① 우리나라의 총액배분자율편성예산제도는 기획재정부가 부처별로 예산을 할당하는 집권화된 예산편성 방식임 ② 단, 할당된 총액 내에서 각 조직은 예산을 편성할 수 있는 권한을 지님 → 세밀한 통제×
결과 혹은 산출 중심	투입이 아닌 산출 혹은 결과를 강조
체계적인 성과평가	자율성을 부여하기 때문에 성과관리를 중시함 → 성과계획서 및 성과보고서 작성 등
NPM의 영향	신성과주의 예산제도는 신공공관리론의 영향으로 등장함
기타	① 성과지표의 적절성 문제 ② 기관 간 비교 곤란 ③ 의사결정자가 정보과다의 어려움에 처할 수 있음

2   기타

1) 신성과주의 예산제도를 활용한 선진국의 개혁사례

선진국은 신성과주의 예산제도의 특징을 지닌 제도를 도입하고 있으나 나라마다 사용하는 명칭이 상이함

중 · 장기적 관점	중기재정지출구상	① 중장기 국가전략을 구체화 한 5년 단위의 중기재정계획을 수립한 후 이를 기초로 1년 단위의 재정운영과 부처별 총액을 배분하는 제도
	다년도 예산제도	② 거시적인 계획을 수립하지 않는 단년도 예산의 문제점을 극복하기 위해 등장
인센티브	효율성 배당제도	① 각 부서의 재량을 통해 절약한 예산의 일부 혹은 전부를 다음 해 해당 부서의 예산으로 이월시켜주는 제도 ② 절약한 예산 중 일부를 국고에 반납하기도 함
집 · 분권의 조화	운영예산제도 (총괄경상비제도)	① 운영경비의 상한선 내에서 관리자 재량으로 사용할 수 있도록 한 제도 ② 효율성 배당제도 적용
	지출통제예산	① 중앙예산기관이 총괄적으로 예산배분을 하고 각 부처가 배분된 예산의 범위 내에서 자율적으로 예산을 편성함 ② 영국, 스웨덴, 네덜란드 등 선진국의 예산편성방식
	총괄배정예산	
	총액배분자율편성예산	
	지출대예산	

DAY

20

산출 · 결과 중심	산출예산제도	① 각 부처에서 생산하는 재화 및 서비스의 산출에 초점을 두고 각 부처의 산출물별로 소요 비용을 산정하는 예산제도 ② 공공서비스를 생산하는 과정을 투입 → 산출 → 결과의 단계로 구분하고 산출 및 결과에 초점을 두어 예산을 편성하는 제도 ③ 신성과주의 예산제도의 핵심

2) 1950년대 성과주의 예산제도와 1990년대 신성과주의 예산제도의 비교 cf

성과주의 예산제도	신성과주의 예산제도
output-oriented : 소규모 사업 중심	outcome-oriented : 결과를 고려한 예산편성
업무 혹은 활동을 비용 정보에 연결	사업 혹은 활동을 성과(결과)에 연결
예산개혁의 내용 및 범위가 광범위	예산개혁의 내용 및 범위가 협소함 ① 당시 예산형식은 프로그램 예산제도 등을 사용하고 있었음 ② 신성과주의는 단지 성과정보를 예산과정에 활용함
단위사업(소규모 사업) 중심	프로그램(사업군) 중심 → 대규모 사업 중심

3) 예산제도의 변천 읽어 보기

예산제도	특징	중점	행정이념
품목별예산제도 (LIBS)	• 시기 : 1920년대 • 내용 : 지출의 대상 혹은 구입물품 등을 중심으로 예산편성	• 투입중심 • 통제지향	합법성
성과주의예산제도 (PBS)	• 시기 : 1950년(트루먼 대통령) • 내용 : 기능·사업·활동으로 사업을 분류 – 사업예산 : 단위원가 × 업무량	• 산출중심 • 관리지향	능률성
계획예산제도 (PPBS)	• 시기 : 1965년(존슨 대통령) • 내용 : 계획과 구조화에 기초한 예산편성 – 대안 선정 시 비용편익분석 혹은 비용효과분석 실시	• 목표중심 • 계획지향	효과성
목표관리 (MBO)	• 시기 : 1979년(닉슨 대통령) → PPBS 이후 등장 • 내용 : 구성원의 참여에 의한 예산편성 → 참여를 통해 설정한 세부사업의 목표를 예산편성과 연계 – 단기적이고 구체적인(계량화) 목표를 강조 – 참여과정을 통한 예산관리는 시간과 노력을 증대시킴	분권적·상향적	–
영기준예산제도 (ZBB)	• 시기 : 1979년(카터 대통령) • 내용 : 전년도 예산을 기준하지 않음 → 계속사업 혹은 신규사업을 모두 분석	우선순위 중심	–
정치관리형 예산제도 (BPM)	• 시기 : 1981년(레이건 대통령) • 내용 – (신)성과주의 예산과 목표기준 예산을 활용 – 하향식 : 행정수반이 행정기관의 지출한도를 정하여 재원을 배정하고 각 행정기관이 지출한도 내에서 가장 효과적인 방식으로 목표달성에 주력할 수 있도록 하는 예산제도 참고 BPM Budgeting as Political Management	예산삭감	–
신성과주의 예산제도 (NPBS)	• 1990년대 OECD 국가 • 총괄배정예산, 지출통제예산 등 성과중심 예산	성과와 책임	–

CHAPTER **02** 우리나라의 재정개혁

Section **01** 신성과주의와 관련된 예산개혁 ● 20 day

1 국가재정운용계획 ①

의의	중장기적인(보통 3~5년) 국가발전전략을 위한 **재정계획을 작성한 후 국회에 제출**하는 제도
관련 법령	**국가재정법 제7조【국가재정운용계획의 수립 등】** ① 정부는 재정운용의 효율화와 건전화를 위하여 매년 당해 회계연도부터 5회계연도 이상의 기간에 대한 재정운용계획(이하 "국가재정운용계획"이라 한다)을 수립하여 회계연도 개시 120일 전까지 국회에 제출하여야 한다. ⑤ 기획재정부장관은 국가재정운용계획을 수립하는 때에는 관계 중앙관서의 장과 협의하여야 한다. 참고 국가재정운용계획은 예산안과 함께 국회에 제출되지만 국회의 심의·의결 대상은 아님

2 총액배분자율편성제도 : 거시적·하향적 편성

1) 의의

개념	정부 각 기관에 배정할 예산의 지출한도액은 중앙예산기관과 행정수반이 결정하고 각 기관의 장에게는 지출한도액의 범위 내에서 자율적으로 목표달성방법을 결정하는 재량권을 부여하는 예산관리모형
등장배경	① 선진국에서 신성과주의 예산제도의 영향으로 활용한 총괄배정예산 혹은 지출통제예산제도를 우리나라에 적용 ② 예산팽창을 억제하고 재정건전성을 확보하고자 도입 → 우리나라는 2005년부터 적용 ③ 상향식 예산제도(예 품목별 예산제도 혹은 성과주의 예산제도 등)의 점증주의적 예산편성을 비판하면서 등장 → 점증주의적 예산편성은 예산의 규모를 증가시킬 우려가 있음

2) 틀잡기

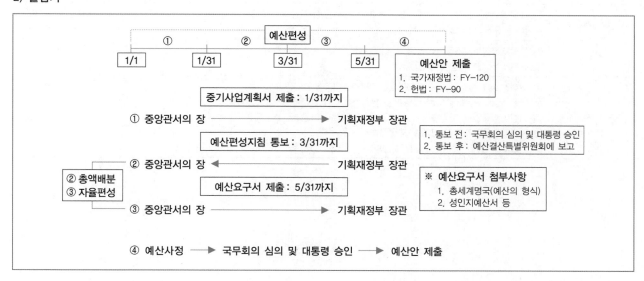

3) 특징 및 한계

특징	집권과 분권의 조화	① 총액은 통제하고, 항목별 예산은 자율성 부여 ② 부처의 재정사업에 대한 책임과 권한을 강화할 수 있음
	작은 정부 지향	① 부처별 총액이 설정되어 있는바 점증주의적 예산관행을 개선할 수 있음 ② 즉, 특별회계 및 기금 등 칸막이식 재원을 확보하려는 유인을 축소할 수 있음
	정보의 비대칭 완화	예산편성과정에서 다양한 정보를 교환
	중·장기적 관점	중·장기적 관점에서 재정규모를 정하기 때문에 전략적인 자원배분이 가능함
	배분적 효율성 추구 (부문 간 효율성)	① 국가 차원의 전략적 배분을 강조하고 그에 필요한 중앙통제를 인정함 ② 부문 간 재원배분을 통한 재정지출의 총체적 효율성을 도모하는 것 → 파레토 최적 달성
	기타	총액배분자율편성예산제도가 실시되면서 각 중앙관서는 중앙예산기관이 정한 총액의 한도 내에서 의원들의 관심이 높은 예산사업은 소규모로 혹은 우선순위를 낮게 설정하여 예산과정에서 증액되도록 유도하기도 함
한계		① 부처총액을 결정하는 과정에서 각 부처는 요구와 불만을 표시할 수 있는 까닭에 총액결정 주체와 갈등을 일으킬 수 있음 ② 자율편성제는 일정한 지출한도 내에서는 자율적인 편성을 보장하지만 총액은 사전에 엄격하게 정하는바 사전통제가 오히려 강화되었다는 비판이 있음 ③ 국무회의를 통해 총액을 정하기 때문에 이에 대한 입법부의 검토가 제한됨

3 성과관리 ⓒ⨍

의의	신성과주의는 신공공관리의 영향을 받았으므로 성과중심 관리를 추구함
관련 법령	**국가재정법 제8조 【성과중심의 재정운용】** ① 각 중앙관서의 장과 법률에 따라 기금을 관리·운용하는 자는 재정활동의 성과관리체계를 구축하여야 한다. ② 각 중앙관서의 장은 예산요구서를 제출할 때에 다음 연도 예산의 성과계획서 및 전년도 예산의 성과보고서를 기획재정부장관에게 함께 제출하여야 하며, 기금관리주체는 제66조 제5항에 따라 기금운용계획안을 제출할 때에 다음 연도 기금의 성과계획서 및 전년도 기금의 성과보고서를 기획재정부장관에게 함께 제출하여야 한다.

4 디지털예산회계시스템(디브레인 시스템) ⓒ⨍

등장배경	신성과주의 예산제도의 영향과 더불어 2007년 **노무현 정부** 당시 재정개혁의 일환으로 추진하였으며, 2013년에 UN **공공행정상**을 수상하는 등 국제적으로 호평을 받고 있음
개념	① **통합재정정보시스템**: 예산편성, 집행, 결산, 사업관리 등 재정업무 전반을 종합적으로 연계하여 처리하는 시스템 ② 예산과 회계시스템의 통합 지향
특징	① 재정정보를 신속하고 구체적으로 다양하게 제공할 수 있음 ② 예산투입이 성과에 미치는 영향을 분석함 → 예 환경투자 시 대기환경 개선효과 등 ③ 재정위험요인을 파악할 수 있음 → 예 고령화에 따른 국가의 재정지출소요 등 ④ **국가재정운용계획과 연계한 재정정보시스템 구축가능** ⑤ 참고 지방자치단체는 통합재정정보시스템으로서 **e-호조 시스템**을 활용하고 있음

Section 02 기타 재정개혁   ● 20 day

1 예산성과금제도와 예산낭비신고센터

국가재정법	예산성과금제도	**제49조【예산성과금의 지급 등】**① 각 중앙관서의 장은 예산의 집행방법 또는 제도의 개선 등으로 인하여 수입이 증대되거나 지출이 절약된 때에는 이에 기여한 자에게 성과금을 지급할 수 있으며, 절약된 예산을 다른 사업에 사용할 수 있다. ② 각 중앙관서의 장은 제1항의 규정에 따라 성과금을 지급하거나 절약된 예산을 다른 사업에 사용하고자 하는 때에는 예산성과금심사위원회의 심사를 거쳐야 한다. **참고** 지방자치단체도 예산성과금제도를 운영하고 있음
	예산낭비신고센터	**제51조【예산낭비신고센터의 설치·운영】**① 각 중앙관서의 장 또는 기금관리주체는 예산·기금의 불법 지출에 대한 국민의 시정요구, 예산낭비신고, 예산절감과 관련된 제안 등을 접수·처리하기 위해 예산낭비 신고센터를 설치·운영하여야 한다.

2 프로그램 예산제도

틀잡기		지출단위↓ 장(분야) — 관(부문) — 항(프로그램) — 세항(단위사업) — 목(품목) 복지 — 노인복지 — (노인건강개선 사업) — 무상진료사업 — – 인건비 국방 — 아동복지 — 성과관리·예산편성 — – 재료비 등 **※ 이용과 전용** ① 이용: 장·관·항(입법과목)간에 자금융통 → 의회의결·기획재정부 장관 승인 필요 ② 전용: 세항·목(행정과목)간에 자금융통 → 기획재정부 장관 승인 필요
의의	등장배경	① 참여정부, 즉 **노무현 정권**에서 적용 ② 중앙정부는 2007년, 지방자치단체는 2008년부터 프로그램예산을 채택함 ③ 기존의 단년도 중심의 상향식 품목별(항목별 투입) 분류체계를 탈피하고 **프로그램 중심으로 예산**을 분류하고 운영하기 위해 도입
	개념	① 프로그램(대규모 사업)을 통해 정책과 예산을 연계하는 제도 ② 즉, 프로그램을 총액배분자율편성예산제도의 한도액 설정단위로 사용
특징	성과관리	중앙예산기구는 프로그램을 통해 각 부처의 정책을 종합적으로 조정하게 되고, 사업을 수행하는 각 부처는 예산운영에 있어서 자율성을 가지되, 성과에 대한 책임을 지게 되어 예산운영의 책임성을 확보할 수 있음
	국민이해도↑	자원배분의 투명성을 높일 수 있고, 일반 국민의 예산에 대한 이해도를 제고할 수 있음
	신성과주의 예산편제도에 활용	① 총액배분자율편성예산제도, 디지털예산회계시스템 등과 같은 예산개혁의 실효성을 확보하기 위한 제도 ② 프로그램 예산제도는 재정개혁의 허브가 될 수 있음
	기타	① 국가재정운용계획과 연계하여 다년도 중심으로 기능, 분야, 부처별 지출한도를 설정하고 이를 우선순위에 맞게 배분하는 **하향식(Top-down) 방법**을 사용함 ② 프로그램 예산제도는 지출의 성격에 따라 일반회계, 특별회계, 기금을 포함함 → 예를 들어, 국가보훈부는 보훈복지 프로그램 중 교육지원비용을 기금(보훈기금법에 기초한 보훈기금)에서 충당함

DAY

20

3 예비타당성 조사: 작은 정부 구현을 위한 제도

- 대규모 신규사업에 대한 예산편성 및 기금운용계획을 수립하기 위하여 **기획재정부장관 주관으로 실시**하는 사전적인 타당성 검증·평가제도
- 기존에 유지된 타당성조사의 문제점을 보완하기 위해 **1999년부터 도입되어 2000년 예산편성 때부터 적용**하고 있음

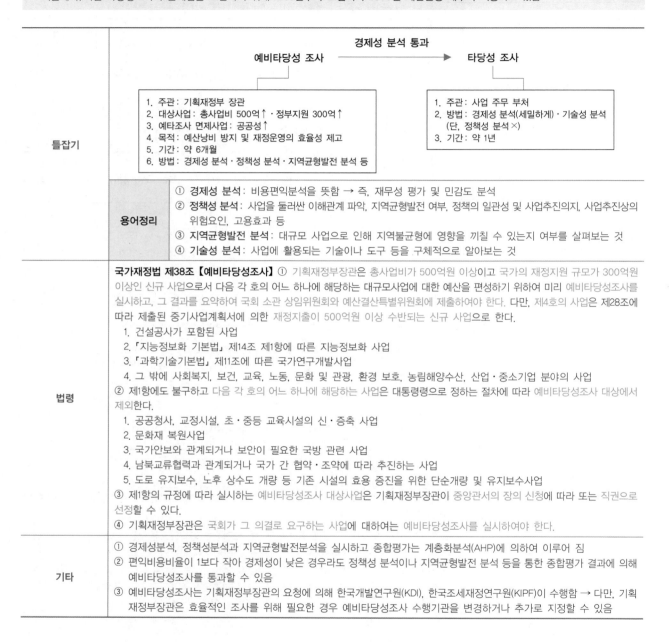

틀잡기		
	예비타당성 조사 —경제성 분석 통과→ **타당성 조사**	
	1. 주관: 기획재정부 장관 2. 대상사업: 총사업비 500억↑·정부지원 300억↑ 3. 예타조사 면제사업: 공공성↑ 4. 목적: 예산낭비 방지 및 재정운영의 효율성 제고 5. 기간: 약 6개월 6. 방법: 경제성 분석·정책성 분석·지역균형발전 분석 등	1. 주관: 사업 주무 부처 2. 방법: 경제성 분석(세밀하게)·기술성 분석 (단, 정책성 분석×) 3. 기간: 약 1년
용어정리	① **경제성 분석**: 비용편익분석을 뜻함 → 즉, 재무성 평가 및 민감도 분석 ② **정책성 분석**: 사업을 둘러싼 이해관계 파악, 지역균형발전 여부, 정책의 일관성 및 사업추진의지, 사업추진상의 위험요인, 고용효과 등 ③ **지역균형발전 분석**: 대규모 사업으로 인해 지역불균형에 영향을 끼칠 수 있는지 여부를 살펴보는 것 ④ **기술성 분석**: 사업에 활용되는 기술이나 도구 등을 구체적으로 알아보는 것	

법령	**국가재정법 제38조【예비타당성조사】** ① 기획재정부장관은 총사업비가 500억원 이상이고 국가의 재정지원 규모가 300억원 이상인 신규 사업으로서 다음 각 호의 어느 하나에 해당하는 대규모사업에 대한 예산을 편성하기 위하여 미리 예비타당성조사를 실시하고, 그 결과를 요약하여 국회 소관 상임위원회와 예산결산특별위원회에 제출하여야 한다. 다만, 제4호의 사업은 제28조에 따라 제출된 중기사업계획서에 의한 재정지출이 500억원 이상 수반되는 신규 사업으로 한다.
	  1. 건설공사가 포함된 사업
	  2. 「지능정보화 기본법」 제14조 제1항에 따른 지능정보화 사업
	  3. 「과학기술기본법」 제11조에 따른 국가연구개발사업
	  4. 그 밖에 사회복지, 보건, 교육, 노동, 문화 및 관광, 환경 보호, 농림해양수산, 산업·중소기업 분야의 사업
	② 제1항에도 불구하고 다음 각 호의 어느 하나에 해당하는 사업은 대통령령으로 정하는 절차에 따라 예비타당성조사 대상에서 제외한다.
	  1. 공공청사, 교정시설, 초·중등 교육시설의 신·증축 사업
	  2. 문화재 복원사업
	  3. 국가안보와 관계되거나 보안이 필요한 국방 관련 사업
	  4. 남북교류협력과 관계되거나 국가 간 협약·조약에 따라 추진하는 사업
	  5. 도로 유지보수, 노후 상수도 개량 등 기존 시설의 효용 증진을 위한 단순개량 및 유지보수사업
	③ 제1항의 규정에 따라 실시하는 예비타당성조사 대상사업은 기획재정부장관이 중앙관서의 장의 신청에 따라 또는 직권으로 선정할 수 있다.
	④ 기획재정부장관은 국회가 그 의결로 요구하는 사업에 대하여는 예비타당성조사를 실시하여야 한다.

기타	① 경제성분석, 정책성분석과 지역균형발전분석을 실시하고 종합평가는 계층화분석(AHP)에 의하여 이루어 짐 ② 편익비용비율이 1보다 작아 경제성이 낮은 경우라도 정책성 분석이나 지역균형발전 분석 등을 통한 종합평가 결과에 의해 예비타당성조사를 통과할 수 있음 ③ 예비타당성조사는 기획재정부장관의 요청에 의해 한국개발연구원(KDI), 한국조세재정연구원(KIPF)이 수행함 → 다만, 기획재정부장관은 효율적인 조사를 위해 필요한 경우 예비타당성조사 수행기관을 변경하거나 추가로 지정할 수 있음

Section 03　국민의 예산 참여 : 재정민주주의　　● 20 day

1　재정민주주의 관련 제도

> **재정민주주의(납세자 주권)** : 정부가 주민 혹은 국민의 돈을 사용함에 있어서 주민이나 국민의 견해를 반영하는 것 혹은 공금의 부적절한 사용에 대해 주민이나 국민이 이의를 제기하는 것 → 국민의 선호에 일치하는 예산집행을 주장한 **빅셀(Wicksel)의 이론**에 기초

1) 주민참여예산제도

의의	① 지방자치단체의 예산편성과정에 지역주민들의 직접적인 참여를 제도적으로 보장하기 위한 장치 ② 브라질의 포르투 알레그리(Porto Alegre)시는 참여예산제도를 세계 최초로 도입(1989년)함
특징	① 2004년 광주광역시 북구청이 전국 최초로 도입한 이래 지방재정법에 근거한 법률조항을 마련하면서 전국으로 확산 ② 이후 개정된 지방재정법(2011)에서는 지방자치단체의 장이 주민참여예산제도를 의무적으로 시행하도록 규정하고 있음 ③ 예산과정에서의 시민참여는 중앙정부와 지방정부 모두 가능하지만, 참여 예산제는 주로 지방정부를 대상으로 시행함 ④ 주민참여예산제도는 주민의 직접 참여제도라는 점에서(주민의 지방의회에 대한 영향력↑) 지방의회의 권한 위축 또는 예산심의권 침해라는 논란이 있음
법령	**지방재정법 제39조【지방예산 편성 등 예산과정의 주민참여】** ① 지방자치단체의 장은 대통령령으로 정하는 바에 따라 지방예산 편성 등 예산과정(지방의회의 의결사항은 제외)에 주민이 참여할 수 있는 제도(이하 이 조에서 "주민참여예산제도"라 한다)를 마련하여 시행하여야 한다. ② 지방예산 편성 등 예산과정의 주민 참여와 관련되는 다음 각 호의 사항을 심의하기 위하여 지방자치단체의 장 소속으로 주민참여예산위원회 등 주민참여예산기구를 둘 수 있다. ③ 지방자치단체의 장은 주민참여예산제도를 통하여 수렴한 주민의 의견서를 지방의회에 제출하는 예산안에 첨부하여야 한다. ④ 행정안전부장관은 지방자치단체의 재정적·지역적 여건 등을 고려하여 대통령령으로 정하는 바에 따라 지방자치단체별 주민참여예산제도의 운영에 대하여 평가를 매년 실시할 수 있다. ⑤ 주민참여예산기구의 구성·운영과 그 밖에 필요한 사항은 해당 지방자치단체의 조례로 정한다. **지방재정법 제60조【지방재정 운용상황의 공시 등】** ① 지방자치단체의 장은 예산 또는 결산의 확정 또는 승인 후 2개월 이내에 예산서와 결산서를 기준으로 다음 각 호의 사항을 주민에게 공시하여야 한다. 　10의2. 제39조에 따른 주민참여예산제도의 운영현황 및 주민의견서 **지방재정법 시행령 제46조【지방예산 편성 등 예산과정에의 주민참여】** ① 법 제39조 제1항에 따른 지방예산 편성 등 예산과정에 주민이 참여할 수 있는 방법은 다음 각 호와 같다. 　1. 공청회 또는 간담회 　2. 설문조사 　3. 사업공모 　4. 그 밖에 주민의견 수렴에 적합하다고 인정하여 조례로 정하는 방법 ② 지방자치단체의 장은 제1항의 규정에 의하여 수렴된 주민의견을 검토하고 그 결과를 예산편성시 반영할 수 있다. ④ 그 밖에 주민참여 예산의 범위·주민의견수렴에 관한 절차·운영방법 등 구체적인 사항은 지방자치단체의 조례로 정한다. **참고　국민참여예산제도** ① 국민참여예산제도는 2019년도 예산편성부터 시행되었음 ② 국민참여예산제도에서 각 부처는 소관 국민제안사업에 대한 적격성 점검을 실시하고 기획재정부, 국민참여예산지원협의회와 협의하여 최종적으로 사업예산편성 여부를 결정함

2) 납세자 소송제도

의의	납세자인 시민이 직접 국가 또는 지방자치단체의 재정지출과 관련한 부정과 낭비를 감시하고 문제점이 발견된 경우 이를 소송할 수 있는 제도
특징	현재 우리나라에서 납세자 소송은 지방정부에만 적용(주민소송제)되고 있으며 중앙정부에는 도입하지 않았음

DAY

20

3) 정보공개청구제도

의의	정부 또는 행정기관이 보유하고 있는 정보를 국민의 청구에 따라 공개하는 제도
특징	① 모든 국민이 청구할 수 있음 ② 예산사용에 대한 정보도 정보공개청구제도를 통해 청구할 수 있음
법령	**공공기관 정보공개에 관한 법률 제5조【정보공개 청구권자】**① 모든 국민은 정보의 공개를 청구할 권리를 가진다. ② 외국인의 정보공개 청구에 관하여는 대통령령으로 정한다. **공공기관 정보공개에 관한 법률 시행령 제3조【외국인의 정보공개 청구】**법 제5조 제2항에 따라 정보공개를 청구할 수 있는 외국인은 다음 각 호의 어느 하나에 해당하는 자로 한다. 1. 국내에 일정한 주소를 두고 거주하거나 학술·연구를 위하여 일시적으로 체류하는 사람 2. 국내에 사무소를 두고 있는 법인 또는 단체 **동법 제10조【정보공개의 청구방법】**① 정보의 공개를 청구하는 자(이하 "청구인"이라 한다)는 해당 정보를 보유하거나 관리하고 있는 공공기관에 다음 각 호의 사항을 적은 정보공개 청구서를 제출하거나 말로써 정보의 공개를 청구할 수 있다.

CHAPTER **03** 예산결정모형

전통적 접근 : 합리모형과 점증모형 ● 21 day

1 합리모형

틀잡기		구체적 목표 대안1　　　　대안2　　　　대안3 ↓ 각 대안 비교·분석 최선의 대안 (가장 능률적 대안)
특징	연역적 방법	구체적인 목표로부터 최선의 대안을 선택
	단발적·총체적 분석	모든 대안을 동시에 종합적으로 검토
	인간관	경제인 → 모든 정보를 보유·비교하면서 최선의 대안을 선택하는 사람
	합리성	완전합리성(모든 정보를 보유)을 바탕으로 경제적 합리성(최선의 대안 : 사회적 총효용의 극대화를 달성할 수 있는 가장 능률적인 대안) 추구
	목표(가치)와 수단(사실)의 분리	① 구체적 목표와 이를 달성할 수단을 결정한 후에는 인과관계를 변경하지 않음 ② 즉, 목표와 수단의 상호조절이 없음
	계량화	대안을 분석하는 과정에서 계량화(비용편익분석 등)를 활용하여 가장 능률적인 방안을 모색
	대폭적인 변화 가능	기존 정책이 능률적이지 않을 때 이를 수정하지 않고 폐기함
장점	혁신적인 예산결정	보수적인 의사결정에 치우치지 않는바 혁신적인 예산결정을 할 수 있음
	특별회계·목적세 등에 적용	① 예산통일성 원칙이 지켜지는 영역은 일반회계 예산이기 때문에 재정의 규모가 큼 ② 따라서 예산결정시 분석적 결정보다 실현가능성을 고려한 점증주의적 예산결정이 이루어짐
단점	정치적 합리성 경시	사람들의 다양한 이해관계를 반영하지 않음
	이상적인 모형	최선의 대안을 택하기 위한 모든 정보를 알 수 없다는 것
	계량화의 어려움	합리모형은 계량분석을 선호하지만, 공적 영역에서는 공익과 가치의 계량화가 어려운 면이 있음
	집권적·하향적	총체주의적 예산결정 모형은 대안을 설정할 때 집권적이며 하향식 자원배분의 성향을 띔
	기타	① 예산의 대폭적인 변동으로 인해 예산의 배정이 불안정하며 기존 정책에 대한 고려보다 능률성을 기초로 최선의 대안을 결정하는 과정에서 예산투쟁이 격화될 수 있음 ② 목표에 대한 사회적 합의가 도출되지 않았을 때 적용하기 곤란함 → 목표에 대한 사회적 합의가 있으면 엘리트가 목표를 달성하기 위한 최선의 대안을 선택하고 집행하기 용이함
기타	① 계획예산제도·영기준 예산제도에 적용 ② 의사결정구조가 집권적이거나 의사결정구조예산과정에서 외부의 제약이 거의 없을 때(정책을 둘러싼 이해관계자의 간섭이 적은 상태) 발생 ③ 합리성 제약요인 　⊙ 감정적 요소　　　　　ⓛ 가치 선호의 갈등　　　　　ⓒ 지식과 정보의 불완전성 　ⓔ 기존의 가치체계　　　ⓜ 비용의 과중(자원의 부족)　　ⓗ 관습과 기억 　ⓢ 관성적(타성적)인 현상 등	

2 점증모형

틀잡기		기존 정책 ± @ ① 소폭의 가감 시 국민 간 합의·토론(선진국) ② 기존 정책을 고려하는바 매몰비용 인정, 보수적 결정, 경직성 등 ③ 제한된 합리성·정치적 합리성
특징	정치적 합리성	예산을 둘러싼 다양한 참여자 간의 상호작용을 반영하는 정치적 합리성을 추구함
	추구하는 결정	① 예산을 둘러싼 참여자 간 상호작용을 중시(고리형의 상호작용)하기에 다양한 이해관계를 반영하는 게 좋은 예산결정이라고 간주함 ② 결정자의 인지능력 한계를 인정하는바 사후후생(미래의 일)을 고려하지 않고 최악을 피하는 전략을 사용
	목표와 수단의 상호조절 인정	결정된 내용을 집행하는 과정에서 대안 혹은 목표의 지속적 수정이 이루어질 수 있음
	귀납적 방법	① 다양한 참여자 간의 꾸준한 상호작용에 따라 목표와 수단을 상호조절한다는 것은 귀납적인 접근을 의미함 ② 즉, 집행과정에서 계속적인 분석과 평가를 통해 예산배분을 수정할 수 있음
	소폭의 변화	전년도 예산을 기준으로 소폭의 변화를 추구하는 보수적인 예산결정의 형태가 나타나는 바 행정개혁의 시기에서는 소극적인 측면에서 저항 혹은 관료 병리로 평가될 수 있음
장점		① 모든 대안을 비교·분석하지 않기 때문에 예산결정비용을 절감(예산결정의 간결함)할 수 있음 ② 정치적 합리성 확보 → 협상 및 타협에 의한 갈등조정 가능 ③ 예산통일성의 원칙이 지켜지는 영역, 즉 일반회계 예산의 규모를 결정할 때 적합한 예산결정모형
단점		① 현상유지적이고 보수적인 특성으로 인해 쇄신적인 예산결정이 어려움 ② 합리적 분석을 경시하는 까닭에 정책기능이 약화될 수 있음 → 대안분석능력의 약화 ③ 계속적인 예산의 증가현상이 발생할 수 있음 ④ 자원이 부족한 경우 소수 기득권층의 이해를 먼저 반영하게 되어 사회적 불평등을 야기할 우려가 있음
기타	발생하는 이유	① 예산과정에서 외부의 제약이 심할 때 → 즉, 예산과정에 관여하는 참여자(좁은 역할 범위를 지닌 참여자)가 많고, 이들 간의 협상이 나타날 때 ② 예산결정 관련 이론이 없거나 이론에 대한 불신이 커서 목표에 대한 합의를 도출하기 어려울 때 ③ 전년도 예산을 기준으로 예산을 결정하는 규칙성이 있을 때 ④ 외부적 요인의 영향 결여 → 쇄신적인 결정을 요구하는 '우연한 사건'이 발생하지 않았을 때
	관련 예산제도	품목별 예산제도·성과주의 예산제도에 적용
	참고	① 합리모형과 점증모형 모두 '선형적'이라는 표현을 사용할 수 있음 ② 합리모형은 목표에 대한 수단이 단 한 개라는 점을 강조함 → 즉, 합리모형은 답이 하나인 일차함수와 같아서 선형적이라고 표현 가능함(선형적 인과관계) ③ 점증모형은 기존 정책에 조금씩 가감하면서 의사결정을 하는 까닭에 급진적인 변화가 없고, 연속적이고 안정적인 변화양태를 보이기 때문에 문제에서 선형성을 띤다고 표현할 수 있음

Section 02 기타 예산결정모형

1 쉬크의 예산결정모형

- 쉬크는 예산의 희소성(Scarcity)에 따라 예산결정의 양태가 달라진다고 주장함
- 예산의 희소성: 정부가 돈을 얼마나 가졌는지를 나타내는 개념 → 즉, **정부의 재정상황을** 나타냄
- 희소성은 '정부가 얼마나 원하는가'에 대해서 '정부가 얼마나 보유하고 있는가'의 양면적 조건으로 이루어져 있으며, 공공부문에서의 희소성의 법칙은 항상 절대적으로 받아들여지는 것은 아님

구분	희소성	현존사업	증가분	신규사업
총체적 희소성으로 갈수록 정부 재정 규모↓	• 완화된 희소성 – PPBS 고려	○	○	○
	• 만성적 희소성 – 지출통제보다는 관리개선에 역점 – (새로운) 사업의 분석과 평가는 소홀 – 만성적 희소성 인식이 확산되면 ZBB 고려	○	○	
	급성 희소성	○		
	• 총체적 희소성 – 회피적·반복적 예산편성			

용어정리

① **현존사업**: 정부가 기존에 추진하던 사업
② **증가분**: 현존사업 개선을 위한 투자
③ **신규사업**: 현존사업과 성격이 다른 새로운 분야의 사업
④ **회피적·반복적 예산편성**: 국민을 기만하는 정부의 예산편성

2 윌다브스키의 예산문화론: 비교예산이론

구분		경제력	
		높음	낮음
재정의 예측가능성	높음	• 점증적 예산문화 – 선진국	• 세입 중심 예산문화 – 선진국 도시정부
	낮음	• 보충적 예산문화: 대체점증 예산문화 – 행정능력이 낮은 후진국 – 돈이 언제 들어올지 잘 모르는바 땜빵식 해결	• 회피적·반복적 예산문화 – 후진국

용어정리

재정의 예측가능성: 예산을 기획하고, 이를 예상대로 집행할 수 있는 능력

점증적 예산문화	선진국처럼 국가의 경제력이 크고, 예측가능성이 높은 경우에 나타나는 예산문화
세입 중심 예산문화	① 미국의 도시정부처럼 국가의 경제력이 작지만, 예측가능성이 높은 경우에 나타나는 예산문화 ② 예측된 세입에 세출을 맞추어 예산을 편성하기 때문에 세입예산이라고 부름
보충적 예산문화	① 경제력은 높으나 재정력의 예측가능성이 낮은 경우에 나타나는 예산문화 ② 행정관리능력이 부족한 정부에서 나타남
회피·반복적 예산문화	경제력도 낮고, 예측가능성도 낮은 후진국에서 나타나는 예산문화 → 국민을 기만하는 예산편성문화

3 기타 모형

1) 루빈의 실시간 예산운영모형

루빈에 따르면 돈이 들어오고 나가는 등 각 흐름마다 정부의 관심분야가 달라지며, 이에 따라 다양한 정치 상황이 발생할 수 있음

흐름	관심	정치
세입 흐름	세입원의 기술적 추계 : 누가 부담할 것인가?	설득의 정치
세출 흐름	지출의 우선순위 : 누구에게 배분할 것인가?	선택의 정치
예산균형 흐름	정부의 범위와 역할에 대한 결정	제약조건의 정치
예산집행 흐름	계획에 따른 집행과 수정 및 일탈의 허용 범위를 산정하는 기술적인 성격이 강함	책임성의 정치
예산과정 흐름	예산과정에서 누가 주도적 역할을 하는가?	예산결정의 정치

참고

루빈(Rubin)의 실시간 예산운영(real-time budgeting) 모형은 세입, 세출, 균형, 집행, 과정 등과 관련한 의사결정 흐름 개념을 활용하는데, 이는 느슨하게 연계된 상호의존성을 지니고 있음

2) 서메이어와 윌로비의 다중합리성 모형

틀잡기	
의의	① 윌로비·서메이어의 다중합리성모형은 의원들의 복수합리성 기준이 중앙예산실의 예산분석가들의 행동에 미치는 영향을 분석하고 있음 ② 개인의 행동에 영향을 미치는 요인을 분석한다는 점에서 **미시적 수준의 예산결정**을 설명하는 이론임
내용	① **과정적 접근** : 정부예산의 성공을 위해서는 **예산과정 각 단계에서의 예산활동 및 행태를 구분**해야 함 ② **킹던의 정책창 모형 및 루빈의 실시간 예산운영 모형의 통합** : 다중합리성 모형은 예산과정과 정책과정 간의 연계점의 인식틀을 제시하기 위해 Kingdon의 정책결정모형과 Rubin의 실시간 예산결정모형을 통합하였음 ③ 따라서 킹던의 의제설정모형은 정책과정의 복잡하고 불확실한 역동성을 부각시킨다는 점에서 다중합리성 모형의 중요한 모태라고 할 수 있음

3) 밀러의 모호성 모형 · 단절균형 모형 · 루이스의 예산배분 결정

밀러의 모호성 모형	의의		① 비합리적 의사결정모형(쓰레기통 모형)을 예산에 적용하여 1991년에 개발한 예산모형 ② 독립적인 조직들이나 조직의 하위단위들이 서로 느슨하게 연결되어 독립성과 자율성을 누릴 수 있는 조직의 예산결정에 적합한 예산모형
	내용		① 의향의 모호성, 이해의 모호성, 역사의 모호성, 조직의 모호성 등과 같은 **비합리적 결정을 야기할 수 있는 요인을** 설명 ② 예산결정은 해결할 문제, 그 문제에 대한 해결책, 참여자, 결정기회 등이 우연히 합치될 때 이루어지며 그렇지 않을 때는 예산결정이 이루어지지 않는다고 주장함
	용어정리	의향의 모호성	일관된 목표나 선호가 존재하지 않음
		이해의 모호성	조직이 외부 환경에 어떻게 대응해야 하는지에 대한 인과적 지식이 없음
		역사의 모호성	역사에 대한 해석이 다양하고 불명확함
		조직의 모호성	결정에 참여하는 사람이 수시로 교체됨
단절균형 모형 (역사적 신제도주의)			예산의 균형이 지속되다가 특정 사건으로 인해 단절적인 변화가 발생하고, 다시 균형상태가 지속되는 현상을 설명한 모형 → 단, 단절균형 모형은 **예산의 단절균형 발생시점을 예측할 수 없음**
루이스의 예산배분 결정			① 루이스는 예산배분결정에 경제학적 접근법을 적용하여, '**상대적 가치**', '**증분분석**', '**상대적 효과성**'이라는 세 가지 분석명제를 제시하고 있음 → 루이스는 증분분석에 의한 상대적 효율성에 의해 예산을 배분하고자 했음 ② **참고** 증분분석: 증분은 증가한 분량을 의미하며, 증분분석은 증가하는 원인을 경제학적으로 분석하는 방법임

CHAPTER **04** 예산의 기초

1 예산의 의의 및 구분

의의	① 1회계연도에 있어서 국가의 수입 및 지출의 예정액 또는 계획안 → 예정적인 수치 ② 예산에는 사실판단(세금의 규모 등)과 가치판단(돈을 어떤 분야에 사용할 건지에 대한 것 등)의 의미가 포함됨			
예산의 구분	세입예산	정의		한 회계연도에 있어서 국가 혹은 지방자치단체로 유입되는 **모든 수입**
		재원	조세수입	국가가 재정권에 기초하여 추출하는 공공재원
			수익자부담금	공공서비스 이용의 대가로 징수하는 재원
			국공채	국가나 지방자치단체가 공공지출 경비의 재원을 조달하고자 발행한 채권
		기타		① **수익자 부담금**: 돈을 지불한 사람만 혜택을 받는바 수평적 형평에 해당함 ② **국공채**: 내구성이 큰 투자사업의 경비를 조달하기에 적합하며 사업이나 시설로 인해 편익을 얻게 될 후세대가 비용을 분담하기 때문에 **세대 간 공평성(수직적 형평)**을 높일 수 있음 ③ **비례세 제도**: 일정한 세율로 과세하는 제도(**예** 부가가치세) → 수평적 형평
	세출예산			한 회계연도에 있어서 국가 또는 지방자치단체가 그 목적을 수행하기 위한 **모든 지출**

2 예산의 기능

법적인 기능			① 입법부는 예산이라는 형식을 통해 행정부에 대해 재정권을 부여함 ② 이후 **의회의 심의를 통과한 예산**은 법적인 구속력을 가짐
정치적 기능			윌다브스키는 예산의 과정을 다양한 주체 간의 갈등 · 조정 · 타협 등이 발생하는 것으로 파악
행정적 기능 (쉬크)	의의		쉬크는 품목별 예산제도(통제기능) → 성과주의 예산제도(관리기능) → 계획예산제도(계획기능)의 순서로 합리적인 예산배분을 개선한 것으로 파악
	유형	통제기능	정부의 상위계층은 부하가 정책에 순응하도록 예산을 통제의 수단으로 활용할 수 있음
		관리기능	구체적으로 설정한 행정의 목표를 달성하기 위해 세부적인 사업계획을 만들고, 이를 집행할 수 있는 인적자원, 물적자원, 조직정비 등을 확보하는 과정
		계획기능	예산의 계획기능은 행정부의 계획과 예산의 지출을 연계하여 계획에 맞는 효율적인 예산배분을 의미함
	기타		① Rabin & Lynch는 행정기능으로서 참여기능과 감축기능을 제시 ② 참여기능은 1970년대 초 목표관리예산(MBO)이며, 감축기능은 1970년대 후반 영기준예산(ZBB)을 뜻함
경제적 기능 (일반적인 기능)	효율적 자원배분		① 시장이 효율적으로 공급할 수 없는 재화를 제공하기 위해 자원을 배분하는 것 ② 이를 통해 시장실패를 보정하고 사회적인 최적생산과 소비를 달성할 수 있음
	소득재분배		세입 면에서는 차별 과세를 하고, 세출 면에서는 사회보장적 지출을 통해 소외계층을 지원해야 함
	경제성장		정부의 예산은 경제성장과 부의 창출을 유도할 수 있음
	경제안정		경제안정에 기여하도록 공공자금의 지출을 유도하는 기능 → 예컨대, 불경기로 실업이 증가하면 실업률이 감소하도록 정부의 총지출을 증가시키는 행위

| 경제적 기능
(일반적인 기능) | 참고
머스그레이브(Musgrave)는 재정의 경제적 기능으로 경제안정, 소득재분배, 자원배분을 제시 → 일반적인 경제적 기능과는 다르게 경제성장 촉진기능 제외 |

3 예산의 형식

1) 예산법률주의와 예산의결주의

구분	예산법률주의	예산의결주의(예산주의)
정의	의회가 의결한 예산을 법률의 형식으로 만들어서 대통령에게 제출하는 것 → 세입법, 세출법	의회가 예산을 의결로 확정함 → 세입예산, 세출예산
채택국가	영국, 미국, 프랑스, 독일 등	한국, 일본 등
특징	① 세입과 세출예산 모두 매년 국회가 법률로 확정 ② 세입과 세출이 모두 법적 구속력 지님	① 행정부가 편성한 예산을 매년 국회가 의결 ② 세출은 대정부 구속력○, 세입은 참고자료 　• 세입은 예상견적을 기재한 참고자료 → 따라서 세입예산에 계상된 과목이 없어도 세입의 실현은 가능
대통령의 거부권 및 공포권	원칙적으로 거부권 및 공포권 행사 가능	거부권 및 공포권 행사 불가능
조세에 대한 시각	1년세주의 → 세입, 세출예산을 매년 의회가 법률로 확정하고 법적 구속력을 부여하기 때문에 세입도 1년간의 효력만을 가짐	영구세주의 → 세법은 제·개정이 되기 전까지 효력을 가짐

2) 우리나라에서 예산과 법률의 차이

구분	예산	법률
제출권자	정부	국회, 정부
제출기한	회계연도 개시 120일 전	제한 없음
심의기한	회계연도 개시 30일 전	제한 없음
대통령 거부권	거부권 행사 불가	거부권 행사 가능
국회심의의 범위	예산의 증액 및 새로운 비목설치 불가능 → 정부의 동의가 있으면 가능	자유롭게 수정할 수 있음
대인적 효력	국가기관을 구속	국가기관 및 국민 모두를 구속
시간적 효력	회계연도에 국한	폐지할 때까지 계속적인 효력
지역적 효력	국내외 불구 효력 발생	원칙상 국내에 한정

참고
① 우리나라에서는 예산으로 법률을 변경할 수 없고, 법률로 예산을 변경할 수 없음 → 양자는 다른 형식
② 예산은 법률로 성립하지 않기 때문에 예산의 내용과 예산의 각종 첨부서류들은 법률적 효력을 갖지 못함 → 행정규칙과 유사
③ 즉, 예산은 국민의 권리 및 의무와 직접 관계가 없는 각 행정기관의 행위기준 등을 정한 규범으로서 원칙적으로 대외적 효과를 갖지 않음(국가기관 구속)

4 기타

조세 (국세 · 지방세) 에 대하여	① 조세는 국민이 부담하므로 국민은 정부지출을 통제하고 성과에 대한 직접적인 책임을 요구할 수 있음 ② 조세는 일반적으로 부자가 많이 내는 까닭에 **조세로 투자된 자본시설은 개인이 대가를 지불하지 않는 자유재로 인식되어** 과다 수요 혹은 과다 지출되는 비효율성 문제가 발생할 수 있음 • 참고 자유재 : 존재량이 무한하여 값을 치르지 않고도 획득 또는 이용할 수 있는 자원 → 예 공기나 물 등 ③ 채무로 인한 재원조달이 아니기 때문에 현세대의 의사결정에 대한 재정부담이 미래세대로 전가되지 않음 ④ 미래세대까지 혜택이 발생하는 자본 투자를 조세수입에 의해 충당할 경우 세대 간 비용 · 편익의 형평성 문제가 발생함 ⑤ 조세는 세금을 의미하므로 과태료, 벌금 등은 조세가 아님 ⑥ 조세는 일반 국민을 대상으로 부과한다는 점에서 **특정 시민에게 징수하는 수수료나 수익자부담금과 다름** ⑦ 조세는 법률에 근거해서 강제로 징수하기 때문에 합의 원칙으로 확보되는 공기업 수입, 재산수입, 기부금 등과 다름

Section 02   예산의 원칙   → 21 day

> **예산의 원칙** : 예산과정에서 행정부가 지켜야 할 원칙 → 예산의 원칙은 크게 전통적 원칙과 현대적 원칙으로 구분됨

1 틀잡기

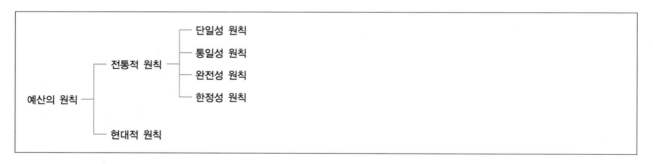

2 전통적 원칙 : 노이마르크가 제시한 입법부 우위의 통제지향적인 원칙

1) 전통적 원칙의 유형과 예외

구분	개념	예외
엄밀성(정확성) 원칙	예산(계획)과 결산(집행 결과)의 일치	적자, 불용액(세계잉여금 : 결산 후 남은 돈)
단일성 원칙	① 단일한 회계장부에 기록 ② 예산은 가능한 한 모든 재정 활동을 포괄하는 단일한 예산 내에서 정리되어야 함 ③ 가급적 일반회계예산으로 국가의 모든 활동을 집행하자는 것	① 두문자 **단추특기** ② 예외 : 특별회계예산, 추가경정예산, 기금 → 행정의 복잡성 증대로 인해 나열된 돈은 별도로 편성하는 게 국가관리에 용이함

공개성 원칙	① 예산편성·심의·집행·결산과정의 공개 ② 투명성을 강조하는 원칙	국방비, 외교활동비, 국가정보원 예산, 신임예산 등		
사전승인 원칙	행정부가 집행하는 돈은 국회의 사전 심의·의결을 거쳐야 함	사고이월, 전용, 준예산, 긴급재정명령, 선결처분, 예비비 지출 등		
통일성 원칙	① 세입은 국고를 거쳐 세출되어야 함 ② 국고 통일의 원칙, 수입금 직접 사용금지의 원칙과 같은 개념	① (두문자) **통목수특기** ② 예외 : 목적세, 수입대체경비, 특별회계, 기금 → 목적성이 뚜렷한 돈에 대해서는 예외로 하자는 것		
완전성(포괄성) 원칙 (예산총계주의)	① 수입·지출 모두 예산에 기록 ② 모든 세입과 세출을 예산에 빠짐없이 계상 → 총계예산 ③ **예** 세금 징수비용 등을 제외한 순수입만을 세입예산에 반영시켜서는 안 된다는 원칙	① (두문자) **완전 차갑고 순수해서 현기증 나** ② 예외 : 전대차관, 차관물자대, 순계예산, 수입대체경비, 현물출자, 기금 ③ 전대차관, 차관물자대, 수입대체경비, 현물출자 등은 불확실성 차원에서 예외에 해당하며, 기금은 예산이 아님 → 아울러 순계예산은 총계예산과 반대되는 개념임		
명료성 원칙	예산의 내역과 용도는 국민이 이해할 수 있도록 구체적이고 단순해야 함 → 수입 및 지출 용도 구분	총괄예산 등		
한정성 원칙	의회가 정한 목적·금액·시기 내에서 예산집행	목적(질적) 한정성 예외	이용, 전용	
		규모(양적) 한정성 예외	예비비, 추가경정예산	
		시간(시기) 한정성 예외 (회계연도 독립원칙 예외)	이월, 계속비, 국고채무부담행위 등	

2) 일부 원칙의 예외에 명시된 용어정리 (읽어 보기)

단일성 원칙	추가경정예산	예산을 정한 뒤 발생한 사유로 인해 이미 성립한 예산에 변경을 가할 필요가 있을 때 편성하는 예산
	특별회계	특정 목적을 위해 일반회계와 구분해서 별도로 편성한 예산
	기금	특정 목적을 위한 적립금 **예** 공무원연금
공개성 원칙	① 국방비·외교활동비·국가정보원 예산 등은 기밀상 이유로 공개하지 않음 ② 신임예산 : 의회가 총액만 결정하고 구체적인 용도와 액수는 행정부가 결정하여 지출하는 예산제도 → 전쟁 등과 같이 지출 예측이 어렵고 안전 보장의 이유로 내역을 밝히기 어려운 경우에 예외적으로 적용함	
사전승인 원칙	사고이월	불가피한 사유(예측하지 못한 사유)로 지출하지 못한 경비 등을 이월하는 것 → 예측하지 못한 이월
	전용	행정과목 간의 융통으로 국회의 사전의결을 요하지 않음
	준예산	회계연도 개시 전까지 예산이 성립하지 않을 경우에 특정 경비에 한해서 전년도 예산에 준해 지출할 수 있는 예산 → 특정 경비에만 준예산 제도를 적용하는바 국회의 사전의결이 필요없음
	긴급재정명령	국가비상사태 시 대통령이 긴급한 조치를 취하기 위하여 행하는 명령 → 긴급한 상황을 해결하기 위해 대통령은 필요한 재정·경제상의 처분을 하거나 이에 관한 법률의 효력을 가지는 명령을 할 수 있음
	선결처분	긴급재정명령과 유사한 제도임 → 단, 지방자치단체장의 권한 중 하나임
	예비비의 지출	① 예비비의 지출에 대해 사후에 승인을 받음 → 단, 사용할 예비비 총액 등은 국회의 사전의결을 받음 ② 예비비 : 예측할 수 없는 예산외의 지출 또는 예산초과지출을 충당하기 위한 경비 → 비상금
통일성 원칙	목적세	특정한 용도에 지출하기 위한 조세
	수입대체경비	① 수입을 발생시키는 지출 ② **예** 외교부의 여권발급경비
	특별회계	① 특정 목적을 위해 일반회계와 구분해서 별도로 편성한 예산 ② **예** 교통시설특별회계 : 도로건설 등을 위해 목적세 일부는 국토교통부 장관이 직접 사용할 수 있음
	기금	① 특정 목적을 위한 적립급 ② **예** 공무원연금 : 정부와 공무원이 공동으로 기여한 돈을 공무원 연금을 지급하는 데 활용함

완전성(포괄성) 원칙 (예산총계주의)	전대차관	① 국내 거주자에게 전대할 것을 조건으로 외국의 금융기관으로부터 외화자금을 차입하는 것 → 예를 들어, 정부가(기획재정부) IMF에서 차관하여 전대(돈을 정부가 사용하지 않고 민간이나 공공기관에 빌려주는 것)하는 것 ② 환율 등의 변화로 인해 상환액이 커지는 경우 초과 지출 가능
	차관물자대	① 외국의 실물자본을 일정기간 사용하거나 대금결제를 유예하면서 도입하는 차관 → 외국에서 외상으로 가져온 물자 등 ② 환율 등의 변화로 인해 상환액이 커지는 경우 초과 지출 가능
	순계예산	① 징세비를 공제하고 순세입만 계상한 예산 ② 총계예산 : 예산총계주의를 반영하여 모든 수입을 세입으로 계상한 예산(징세비 공제×)
	수입대체경비	① 수입을 발생시키는 지출 ② **예** 외교부의 여권발급경비 → 여권 발급 수요가 급증했을 때 이를 충당하기 위해 계획보다 초과 지출하는 것이므로 완전성 원칙의 예외임
	현물출자	부동산 등 금전 이외의 재산에 의한 출자(투자) → 현물로 출자하는 경우에는 이를 세입세출예산 외로 처리할 수 있음
	기금	특정 목적을 위한 적립금 → 기금은 예산과 별도로 설치하므로 완전성 원칙의 예외에 해당함
명료성 원칙	총괄예산 : 항목별로 구분하지 않고 총액으로 계상하는 자금 → **예** 문화재·도로보수비용 등	
한정성 원칙	목적(질적) 한정성 예외	이용·전용	자금 간 융통(**예** 재료비 → 인건비)이므로 목적의 예외

한정성 원칙	규모(양적) 한정성 예외	예비비	비상금이나 특정 사유로 인해 추가로 편성한 예산은 계획한 예산의 규모를 초과하는 면이 있으므로 규모 한정성 원칙의 예외임
		추가경정예산	
	시간(시기) 한정성 예외 (회계연도 독립원칙 예외)	이월(명시이월·사고이월)	회계연도에 집행하지 못하기 때문에 다음 연도로 '이월'하는 것
		계속비	다년간 지출되는 돈 → **예** 연구개발사업
		국고채무부담행위	채무를 부담하는 행위 → 국회 승인의 효력이 1년을 초과하는 경우도 있는바 시기 한정성 원칙의 예외임

3 현대적 예산원칙 : 스미스가 제시한 행정부 우위의 원칙 → 통제 + 신축성(강조) **cf**

구분	내용
사업계획의 원칙 : 관리지향적 예산원칙	사업계획과 예산의 편성을 연계해야 한다는 것
책임의 원칙 : 행정부에 의한 책임부담의 원칙	예산을 집행할 때, 합법성·효과성·경제성 등을 추구하여 행정의 책임성을 확보하자는 것
보고의 원칙	① 예산과정을 관리할 수 있는 관리 및 보고체계를 갖추어야 함 ② 예산의 운영과정이 점차 복잡·다양해지고 있기 때문
적절한 수단구비의 원칙 : 예산관리수단 확보의 원칙	재정의 통제와 신축성 유지를 위한 적절한 수단이 조화를 이루어야 함
예산기구 상호협력의 원칙	중앙의 예산기관과 각 부처 예산기관 간의 협력체계를 구축해야 함
다원적 절차의 원칙	재정운영의 탄력성을 위해 사업의 성격별로 예산절차의 다양성을 추구해야 함
시기 신축성의 원칙	계획한 사업의 시점을 행정부가 신축적으로 조정할 수 있어야 함 **예** 계속비, 이월 등
재량의 원칙	효율적인 예산집행을 위해 재량권을 주어야 한다는 것 **예** 총괄예산 등

Section 03   우리나라의 예산원칙 : 국가재정법을 중심으로 cf

⊕ 21 day

우리나라 중앙정부의 국가재정 운영의 목적과 관리방식 등에 대한 내용은 아래와 같음

목적	**제1조【목적】** 이 법은 국가의 예산·기금·결산·성과관리 및 국가채무 등 재정에 관한 사항을 정함으로써 효율적이고 성과지향적이며 투명한 재정운용과 건전재정의 기틀을 확립하는 것을 목적으로 한다.

예산의 원칙	**제16조【예산의 원칙】** 정부는 예산의 편성 및 집행에 있어서 다음 각 호의 원칙을 준수하여야 한다.
	1. 정부는 재정건전성의 확보를 위하여 최선을 다하여야 한다.
	2. 정부는 국민부담의 최소화를 위하여 최선을 다하여야 한다.
	3. 정부는 재정을 운용함에 있어 재정지출 및 「조세특례제한법」 따른 조세지출의 성과를 제고하여야 한다.
	
	참고 조세지출
	합법적인 세금감면 → 비과세 등
	
	4. 정부는 예산과정의 투명성과 예산과정에의 국민참여를 제고하기 위하여 노력하여야 한다.
	
	참고
	우리나라는 국민참여예산제도를 운영하고 있음
	
	5. 예산이 여성·남성에게 미치는 효과를 평가하고, 그 결과를 정부의 예산편성에 반영하기 위하여 노력하여야 한다.
	
	참고
	우리나라는 성인지적 관점의 예산운영을 명시하고 있음
	
	6. 예산이 온실가스감축에 미치는 효과를 평가하고, 그 결과를 정부의 예산편성에 반영하기 위하여 노력하여야 한다.
	
	국가재정법 제27조【온실가스감축인지 예산서의 작성】 ① 정부는 예산이 온실가스 감축에 미칠 영향을 미리 분석한 보고서(이하 "온실가스감축인지 예산서"라 한다)를 작성하여야 한다.
	② 온실가스감축인지 예산서에는 온실가스 감축에 대한 기대효과, 성과목표, 효과분석 등을 포함하여야 한다.
	
	  동법시행령 제9조의2【온실가스감축인지 예산서의 내용 및 작성기준 등】 ② 각 중앙관서의 장은 기획재정부장관이 환경부장관과 협의하여 제시한 작성기준 및 방식에 따라 온실가스감축인지 예산서를 작성해야 한다.
	
	제57조의2【온실가스감축인지 결산서의 작성】 ① 정부는 예산이 온실가스를 감축하는 방향으로 집행되었는지를 평가하는 보고서(이하 "온실가스감축인지 결산서"라 한다)를 작성하여야 한다.
	
	  참고
	  기금도 온실가스감축인지 제도의 대상에 포함됨 → 정부는 온실가스감축인지 기금운용계획서·기금결산서를 작성해야 함
	
	동법 제34조【예산안의 첨부서류】 국회에 제출하는 예산안에는 다음 각 호의 서류를 첨부하여야 한다.
	9의2. 온실가스감축인지 예산서

재정건전성 확보	**제86조【재정건전화를 위한 노력】** 정부는 건전재정을 유지하고 국가채권을 효율적으로 관리하며 국가채무를 적정수준으로 유지하도록 노력하여야 한다. **제88조【국세감면의 제한】** ① 기획재정부장관은 대통령령이 정하는 당해 연도 국세 수입총액과 국세감면액 총액을 합한 금액에서 국세감면액 총액이 차지하는 비율(이하 "국세감면율"이라 한다)이 대통령령이 정하는 비율 이하가 되도록 노력하여야 한다. **제89조【추가경정예산안의 편성】** ① 정부는 다음 각 호의 어느 하나에 해당하게 되어 이미 확정된 예산에 변경을 가할 필요가 있는 경우에는 추가경정예산안을 편성할 수 있다. 1. 전쟁이나 대규모 재해가 발생한 경우

재정건전성 확보	2. 경기침체, 대량실업, 남북관계의 변화, 경제협력과 같은 대내 · 외 여건에 중대한 변화가 발생하였거나 발생할 우려가 있는 경우 3. 법령에 따라 국가가 지급하여야 하는 지출이 발생하거나 증가하는 경우 ② 정부는 국회에서 추가경정예산안이 확정되기 전에 이를 미리 배정하거나 집행할 수 없다. **제90조【세계잉여금 등의 처리 및 사용계획】** ① 일반회계 예산의 세입 부족을 보전(補塡)하기 위한 목적으로 해당 연도에 이미 발행한 국채의 금액 범위에서는 해당 연도에 예상되는 초과 조세수입을 이용하여 국채를 우선 상환할 수 있다. 이 경우 세입 · 세출 외로 처리할 수 있다. ⑨ 정부는 국가결산보고서의 국회제출 전까지 직전 회계연도에 발생한 세계잉여금의 내역을 산출하고 그 사용계획을 수립하여야 한다. ▨ **국가회계법 제15조의2【결산보고서의 부속서류】** ① 제14조 제2호에 따른 세입세출결산(기금의 수입지출결산은 제외한다)에는 다음 각 호의 서류가 첨부되어야 한다. 11의2.「국가재정법」제90조 제9항에 따른 세계잉여금의 내역 및 사용계획 **제91조【국가채무의 관리】** ① 기획재정부장관은 국가의 회계 또는 기금이 부담하는 금전채무에 대하여 매년 다음 각 호의 사항이 포함된 국가채무관리계획을 수립하여야 한다. **제92조【국가보증채무의 부담 및 관리】** ① 국가가 보증채무를 부담하고자 하는 때에는 미리 국회의 동의를 얻어야 한다. ┌ **참고** 보증채무 정부가 채무에 대한 보증을 서는 것
성과제고를 위한 제도	**제8조【성과중심의 재정운용】** ① 각 중앙관서의 장과 법률에 따라 기금을 관리 · 운용하는 자는 재정활동의 성과관리체계를 구축하여야 한다. ② 각 중앙관서의 장은 예산요구서를 제출할 때에 다음 연도 예산의 성과계획서 및 전년도 예산의 성과보고서를 기획재정부장관에게 함께 제출하여야 하며, 기금관리주체는 기금운용계획안을 제출할 때에 다음 연도 기금의 성과계획서 및 전년도 기금의 성과보고서를 기획재정부장관에게 함께 제출하여야 한다.
국민의 감시제도	**제100조【예산 · 기금의 불법지출에 대한 국민감시】** ① 국가의 예산 또는 기금을 집행하는 자, 재정지원을 받는 자, 각 중앙관서의 장 또는 기금관리주체와 계약 그 밖의 거래를 하는 자가 법령을 위반함으로써 국가에 손해를 가하였음이 명백한 때에는 누구든지 집행에 책임 있는 중앙관서의 장 또는 기금관리주체에게 불법지출에 대한 증거를 제출하고 시정을 요구할 수 있다. ③ 중앙관서의 장 또는 기금관리주체는 처리결과에 따라 수입이 증대되거나 지출이 절약된 때에는 시정요구를 한 자에게 예산성과금을 지급할 수 있다.
성인지적 관점	<table><tr><th>구분</th><th>중앙정부</th><th>지방자치단체</th></tr><tr><td>성인지예산서 및 결산서</td><td>○</td><td>○</td></tr><tr><td>성인지기금운용계획서 및 성인지기금결산서</td><td>○</td><td>×</td></tr></table> ※ 성인지 기금운용계획서와 기금결산서는 중앙정부만 작성함 **제26조【성인지 예산서의 작성】** ① 정부는 예산이 여성과 남성에게 미칠 영향을 미리 분석한 보고서[이하 "성인지(性認知)예산서"라 한다]를 작성하여야 한다. ② 성인지 예산서에는 성평등 기대효과, 성과목표, 성별 수혜분석 등을 포함하여야 한다. ┌ **참고** 성별영향분석평가란 정책이 성평등에 미칠 영향을 사전에 분석평가하여 정책의 성평등 실현에 기여할 수 있도록 하는 것을 뜻함 → 성별영향분석평가법에 기초 ▨ **지방재정법 제36조의2【성인지 예산서의 작성 · 제출】** ① 지방자치단체의 장은 예산이 여성과 남성에게 미칠 영향을 미리 분석한 보고서[이하 "성인지 예산서"(性認知 豫算書)라 한다]를 작성하여야 한다. ②「지방자치법」제142조에 따른 예산안에는 성인지 예산서가 첨부되어야 한다.

전통적 예산원칙	**한정성 원칙**	**제3조【회계연도 독립의 원칙】** 각 회계연도의 경비는 그 연도의 세입 또는 수입으로 충당하여야 한다. **제45조【예산의 목적 외 사용금지】** 각 중앙관서의 장은 세출예산이 정한 목적 외에 경비를 사용할 수 없다.
	완전성 원칙	**제17조【예산총계주의】** ① 한 회계연도의 모든 수입을 세입으로 하고, 모든 지출을 세출로 한다. ② 세입과 세출은 모두 예산에 계상하여야 한다.
	기타	**국고금관리법 제7조【수입의 직접 사용 금지 등】** 중앙관서의 장은 다른 법률에 특별한 규정이 있는 경우를 제외하고는 그 소관 수입을 국고에 납입하여야 하며 이를 직접 사용하지 못한다. → 통일성 원칙은 국고금관리법에 명시되어 있음
현대적 예산원칙	**재량의 원칙**	**제13조【회계·기금 간 여유재원의 전입·전출】** ① 정부는 국가재정의 효율적 운용을 위하여 필요한 경우에는 다른 법률의 규정에 불구하고 회계 및 기금의 목적 수행에 지장을 초래하지 아니하는 범위 안에서 회계와 기금 간 또는 회계 및 기금 상호 간에 여유재원을 전입 또는 전출하여 통합적으로 활용할 수 있다. 다만, 다음 각 호의 특별회계 및 기금을 제외한다. ※ 정부는 필요한 경우 회계·기금 간 여유재원의 전입·전출을 할 수 있는데, **국민연금과 공무원연금 등은 제외**하고 있음
	계획의 원칙	**제7조【국가재정운용계획의 수립 등】** ① 정부는 재정운용의 효율화와 건전화를 위하여 매년 당해 회계연도부터 5회계연도 이상의 기간에 대한 재정운용계획(이하 "국가재정운용계획"이라 한다)을 수립하여 회계연도 개시 120일 전까지 국회에 제출하여야 한다.

CHAPTER **05** 예산의 종류 및 분류

Section 01 | 예산의 종류 22 day

1 틀잡기

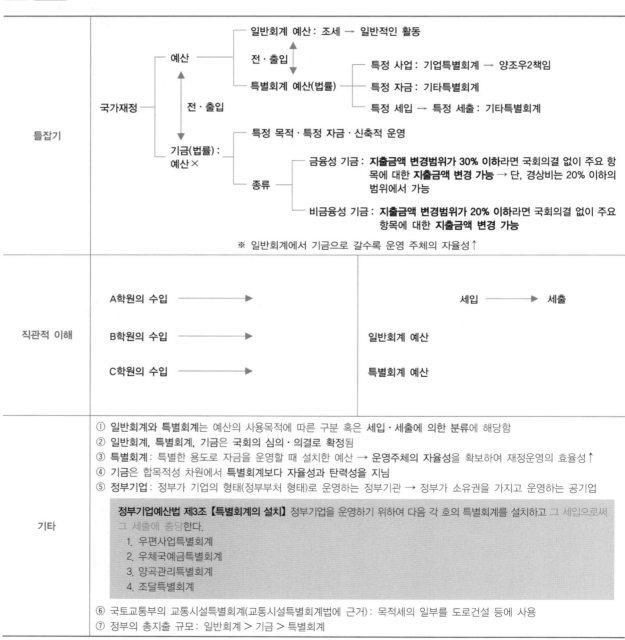

틀잡기	
직관적 이해	
기타	① **일반회계**와 **특별회계**는 예산의 사용목적에 따른 구분 혹은 세입·세출에 의한 분류에 해당함 ② 일반회계, 특별회계, 기금은 국회의 심의·의결로 확정됨 ③ **특별회계**: 특별한 용도로 자금을 운영할 때 설치한 예산 → 운영주체의 자율성을 확보하여 재정운영의 효율성↑ ④ 기금은 합목적성 차원에서 **특별회계보다 자율성과 탄력성**을 지님 ⑤ **정부기업**: 정부가 기업의 형태(정부부처 형태)로 운영하는 정부기관 → 정부가 소유권을 가지고 운영하는 공기업 **정부기업예산법 제3조【특별회계의 설치】** 정부기업을 운영하기 위하여 다음 각 호의 특별회계를 설치하고 그 세입으로써 그 세출에 충당한다. 　1. 우편사업특별회계 　2. 우체국예금특별회계 　3. 양곡관리특별회계 　4. 조달특별회계 ⑥ 국토교통부의 교통시설특별회계(교통시설특별회계법에 근거): 목적세의 일부를 도로건설 등에 사용 ⑦ 정부의 총지출 규모: 일반회계 > 기금 > 특별회계

2 일반회계 · 특별회계 · 기금 읽어보기

1) 일반회계 · 특별회계 · 기금 비교

구분	일반회계예산	특별회계예산	기금(적립금)
목적	일반적인 재정활동	① 특정 사업 운영 ② 특정 자금 운영 ③ 특정 세입으로 특정 세출에 활용 → 단일성 원칙의 예외	특정 목적을 위한 특정 자금(적립금) → 단일성 원칙의 예외
설치	예산의 형식으로 편성	법률로 설치	법률로 설치
재원조달	조세수입	① 일반회계 ② 다른 특별회계 전입금 ③ 일반회계와 기금운용 형태 혼재	① 출연금 · 부담금 등 ② 다양한 재원
수입과 지출의 연계	불가능	가능(통일성 원칙의 예외)	가능(통일성 원칙의 예외)
예산안 제출 및 심의	① 행정부 : 회계연도 120일 전까지 예산안 제출 ② 국회 : 회계연도 30일 전까지 심의 · 의결		① 행정부 : 회계연도 120일 전까지 기금 운용계획안 제출 ② 국회 : 회계연도 30일 전까지 기금운용계획안 심의 · 의결
예산집행	목적 외 사용금지 : 엄격한 통제		합목적성을 위해 자율성 · 탄력성↑
계획변경	① 이용과 전용 ② 추경예산 활용		① 비금융성 기금 : 20%내 자율 ② 금융성 기금 : 30%내 자율 → 단, 기금 관리에 소요되는 경상비는 20%내 자율 ③ 각 한도 초과 변경 시 : 국회의결 및 심의
결산	① 행정부 : 내년 5월 31일 전까지 결산서 제출 ② 국회 : 정기국회 개회 전(8/31일)까지 승인		① 행정부 : 내년 5월 31일 전까지 기금 결산보고서 제출 ② 국회 : 정기국회 개회 전까지 승인

2) 기타 : 일반회계 · 특별회계 · 기금 관련 법령 읽어보기

국가재정법 제4조 【회계구분】 ① 국가의 회계는 일반회계와 특별회계로 구분한다.
② 일반회계는 조세수입 등을 주요 세입으로 하여 국가의 일반적인 세출에 충당하기 위하여 설치한다.
③ 특별회계는 국가에서 특정한 사업을 운영하고자 할 때, 특정한 자금을 보유하여 운용하고자 할 때, 특정한 세입으로 특정한 세출에 충당함으로써 일반회계와 구분하여 회계처리할 필요가 있을 때에 법률로써 설치하되, 별표 1에 규정된 법률에 의하지 아니하고는 이를 설치할 수 없다.

> ■ **특별회계설치 근거법률(국가재정법 제4조 제3항 관련)**
> 2. 지방자치분권 및 지역균형발전에 관한 특별법
> 5. 정부기업예산법
> 9. 신행정수도 후속대책을 위한 연기 · 공주지역 행정중심복합도시 건설을 위한 특별법
> 14. 주한미군기지 이전에 따른 평택시 등의 지원 등에 관한 특별법
> 15. 책임운영기관의 설치 · 운영에 관한 법률
> 20. 교통시설특별회계법

동법 제5조 【기금의 설치】 ① 기금은 국가가 특정한 목적을 위하여 특정한 자금을 신축적으로 운용할 필요가 있을 때에 한하여 법률로써 설치하되, 정부의 출연금 또는 법률에 따른 민간부담금을 재원으로 하는 기금은 별표 2에 규정된 법률에 의하지 아니하고는 이를 설치할 수 없다.
② 제1항의 규정에 따른 기금은 세입세출예산에 의하지 아니하고 운용할 수 있다.

◾ 기금설치 근거법률(국가재정법 제5조 제1항 관련)

3. 공무원연금법	4. 공적자금상환기금법	8. 국민연금법
9. 국민체육진흥법	11. 군인연금법	17. 남북협력기금법 등

동법 제14조【특별회계 및 기금의 신설에 관한 심사】 ① 중앙관서의 장은 소관 사무와 관련하여 특별회계 또는 기금을 신설하고자 하는 때에는 해당 법률안을 입법예고하기 전에 특별회계 또는 기금의 신설에 관한 계획서를 기획재정부장관에게 제출하여 그 신설의 타당성에 관한 심사를 요청하여야 한다.

동법 제21조【세입세출예산의 구분】 ① 세입세출예산은 필요한 때에는 계정으로 구분할 수 있다.
② 세입세출예산은 독립기관 및 중앙관서의 소관별로 구분한 후 소관 내에서 일반회계·특별회계로 구분한다.
③ 세입예산은 제2항의 규정에 따른 구분에 따라 그 내용을 성질별로 관·항으로 구분하고, 세출예산은 제2항의 규정에 따른 구분에 따라 그 내용을 기능별·성질별 또는 기관별로 장·관·항으로 구분한다.
④ 예산의 구체적인 분류기준 및 세항과 각 경비의 성질에 따른 목의 구분은 기획재정부장관이 정한다.

> ※ 세입예산은 관·항 혹은 관·항·목으로, 세출예산은 장·관·항 혹은 장·관·항·세항·목으로 구분됨

동법 제69조【증액 동의】 국회는 정부가 제출한 기금운용계획안의 주요항목 지출금액을 증액하거나 새로운 과목을 설치하고자 하는 때에는 미리 정부의 동의를 얻어야 한다.

동법 제73조【기금결산】 각 중앙관서의 장은 회계연도마다 소관 기금의 결산보고서를 중앙관서결산보고서에 통합하여 작성한 후 기획재정부장관에게 제출하여야 한다.

> ※ 결산과정에서 기재부장관은 의회에 중앙관서결산보고서를 종합한 국가결산보고서를 제출하므로 기금의 결산은 국회의 심의·의결을 거치게 됨

동법 제82조【기금운용의 평가】 ① 기획재정부장관은 회계연도마다 전체 기금 중 3분의 1 이상의 기금에 대하여 대통령령으로 정하는 바에 따라 그 운용실태를 조사·평가하여야 하며, 3년마다 전체 재정체계를 고려하여 기금의 존치 여부를 평가하여야 한다.

3 예산불성립시 집행장치

	종류	국회의 의결	지출항목	채택국가	기간
틀잡기	준예산	불필요	한정적	한국, 독일	제한 없음
	잠정예산	필요	전반적	영국, 미국, 일본, 캐나다	제한 없음
	가예산	필요	전반적	프랑스, 한국의 제1공화국	최초 1개월

용어정리	준예산	예산불성립시 특정 경비에 대해 전 회계연도의 예산에 준하여 집행하는 제도
	잠정예산	예산불성립시 일정금액(수개월분)의 예산의 국고지출을 잠정적으로 허가하는 제도
	가예산	예산불성립시 의회가 미리 1개월분 예산만 의결해 정부가 집행할 수 있도록 하는 예산

준예산	① 국가 재정활동의 단절 방지를 위해 우리나라는 1960년도 이후부터 준예산제도를 채택하고 있음 ② 준예산은 헌법에 명시되어 있는 제도임 ③ 중앙정부는 준예산을 편성하지 않았으나 지방정부는 성남시가 2013년, 부안군에서 2004년에 편성한 경험이 있음 **헌법 제54조** ③ 새로운 회계연도가 개시될 때까지 예산안이 의결되지 못한 때에는 정부는 국회에서 예산안이 의결될 때까지 다음의 목적을 위한 경비는 전년도 예산에 준하여 집행할 수 있다. 　1. 헌법이나 법률에 의하여 설치된 기관 또는 시설의 유지·운영 　2. 법률상 지출의무의 이행 　3. 이미 예산으로 승인된 사업의 계속

4 성립시기에 따른 구분

틀잡기	수정예산 ◄── 전 ─ 본예산 ─ 후 ──► 추가경정예산 1. FY-30일에 의결을 통해 확정된 예산 2. 당초예산이라고 불리기도 함 1. 예산확정 후 사유에 의해 추가편성한 예산 2. 편성사유: 전경법 3. 편성횟수: 제한없음 4. 거의 매년 편성 5. 의회의결 필요		
추가경정예산	① 추가경정예산은 본예산과 별개로 성립하지만 일단 성립하면 본예산과 통합하여 운용함 ② 우리나라 정부는 1990년 이후 1993년과 2007년을 제외하고는 매년 1~2회의 추경예산을 편성했음		
수정예산	개념	국회에 예산안을 제출한 후 예산이 국회를 통과하기 전에 변경하는 것	
	주요 내용	① 수정예산안을 편성하는 것은 드문 일임 → 우리나라에서는 1970년, 1981년, 2009년에 편성한 바 있음 ② 제출: 수정예산은 국무회의 심의와 대통령의 승인을 거쳐 국회에 제출 ③ 심의: 수정예산안을 제출하는 시기가 상임위원회와 예산결산특별위원회의 예산안 심사 전이라면 기존 예산안과 함께 심의 → 심사 후라면 별도로 심의	

5 기타

1) 자본예산제도

틀잡기	총지출(복식예산) ┬ 경상지출: 조세 → 일반적 활동 └ 자본지출: 국공채 → 불확실성 대비·투자성 지출(장기적 관점) ※ 장기적 관점에서 이득이 된다면 부채도 긍정적일 수 있음		
	용어정리	경상적 지출	① 정부의 운영에 필요한 반복적 경비에 대한 지출 ② 예 토지매입, 지하철 건설 등
		자본적 지출	① 정부의 지출이 자산의 형태로 바뀌어 투자로 인한 수익이 장기간에 걸쳐서 발생하는 지출 ② 예 인건비 지출 등
등장배경	불경기 등을 극복하기 위한 재정수단으로써 스웨덴에서 1930년대 대공황을 극복하기 위해 최초로 도입		
특징	장기적 관점 반영	① 세출규모의 변동을 장기적 관점에서 조정하는 데 기여 ② 국가의 자산상태를 명확하게 파악할 수 있음 → 자본지출의 경우 장기적인 재정계획에 따라 일시적인 적자재정을 설명할 수 있음 ③ 예산이란 경기순환기를 중심으로 균형이 이루어지면 된다는 논리로써 자본예산은 종래의 1년 단위의 균형예산 원칙을 포기하고 순환적 균형예산을 채택한 점에서 의의가 있음 ④ 즉, 예산은 매년 균형을 달성할 필요가 없고 경기변동의 주기에 따라 일정한 기간별로 균형을 이루면 된다는 것을 기본논리로 함 ⑤ 자본예산제도는 경기침체시 적자예산을 형성(자본지출 확대·국공채 발행)하고, 경기과열시 흑자예산을 편성(자본지출 축소)하여 경기변동의 조절에 도움을 줄 수 있음	
	세대 간 부담의 형평성 제고	국공채를 통해 투자를 감행하면 미래세대가 혜택도 누리고 갚기도 해야 하므로 세대 간 부담의 형평성↑	
	기타	① 자본적 지출에 대한 심도 있는 분석에 유리함 ② 공채차입금으로 미래운영비에 직접 충당할 수 없음 → 미래운영비는 미래의 조직관리비용으로서 경상적인 지출에 해당하므로 공채차입금으로 충당할 수 없음 ③ 자본예산제도에서 정부의 총지출이 '경상지출 + 자본지출 + 융자지출(정부대출)'로 표현될 수 있음	

단점	① 경상지출 적자를 은폐하거나, 무리한 지출을 정당화하는 수단이 될 수 있음 ② 투자로 인해 인플레이션을 발생시킬 우려가 있음 ③ 자본적 지출의 효과를 확신하기 어렵고, 지출을 통해 집행할 정책의 우선순위도 합리적으로 정하기 어려움 ④ 자본예산은 투자를 촉진하는바 돈의 가치가 떨어진 인플레이션기에 효용이 떨어질 수 있음

2) 성인지예산제도

틀잡기	남녀차이를 고려하여 실질적 남녀평등을 위한 예산편성
의의	**개념** ① 남녀별로 미치는 효과를 고려해 성차별 없이 평등하게 혜택을 누릴 수 있도록 예산을 편성하는 제도 ② 성인지적 = 성주류화 ↔ 성중립적 = 몰성인지적 ③ 즉, 성중립적 관점은 남녀 간의 획일적인 평등을 강조하는 소극적 기회의 공평을 전제하는 반면, 성인지적 관점은 남녀 간의 적극적인 공평을 구현하려는 적극적 결과의 공평을 전제로 함 ④ 예 성중립적 관점에 따르면 남녀공중화장실을 1 : 1로 설치해야 하나, 성인지적 관점에 따르면 1 : 1.5로 설치함 → 현행 공중화장실 설치·운영법이 남녀화장실을 1 : 1.5의 비율로 설치하도록 규정하고 있는 것은 성인지적 관점을 반영한 결과임
	등장배경 ① 1984년 호주에서 세계 최초로 도입되었음 ② 1995년 베이징에서 개최한 유엔 세계여성대회에서 성주류화 전략을 주요 의제로 채택하면서 세계 각국에서 시행 ③ 우리나라도 국가재정법과 지방재정법에서 정부와 지방자치단체에 대해서 성인지 예산서와 결산서 작성을 의무화 ④ 우리나라의 경우 중앙정부는 2010회계연도부터, 지방정부는 2013회계연도부터 도입되었음
기타	① **중앙정부** : 일반회계와 특별회계 예산사업에 2010년에 먼저 적용되었고, 이어 2011년부터는 기금사업에도 적용되고 있음 ② **지방자치단체** : 성인지예산서, 성인지결산서를 작성해야 함(성인지 기금운용계획서·성인지 기금결산서 작성 ×) **국가재정법 시행령 제9조 【성인지 예산서의 내용 및 작성기준 등】** ① 법 제26조에 따른 성인지 예산서에는 다음 각 호의 내용이 포함되어야 한다. 　1. 성인지 예산의 개요 　2. 성인지 예산의 규모 　2의2. 성인지 예산의 성평등 기대효과, 성과목표 및 성별 수혜분석 ② 성인지 예산서는 기획재정부장관이 여성가족부장관과 협의하여 제시한 작성기준 및 방식 등에 따라 각 중앙관서의 장이 작성한다.

3) 조세지출예산제도

의의	**등장배경**	① 조세지출예산제도는 1959년 서독에서 처음 구상돼 1967년에 도입됐음 ② 미국에서는 1968년 비공식적으로 시안이 마련돼 1974년에 적용됐음
	조세지출	① 합법적인 세금감면(정부의 간접적 지출) → 비가시적·경직적 지출 ② 즉, 정부가 받아야 할 세금을 비과세, 감면, 공제 등의 세제혜택을 통해 받지 않는 것
	조세지출 예산제도	① 합법적인 세금 감면 통제 by 의회 ② 불공정한 조세지출 방지 및 과세에 대한 형평성 제고를 목적으로 함 ③ 우리나라는 1999년부터 '조세지출보고서'를 국회에 제출했음 → 이후 2011년부터 본격적으로 '조세지출예산제도'를 실시하고 있으며, 지방재정에도 2010년부터 '지방세지출제도'를 시행하고 있음

법령	중앙정부	**국가재정법 제34조【예산안의 첨부서류】** 국회에 제출하는 예산안에는 다음 각 호의 서류를 첨부하여야 한다. 10. 「조세특례제한법」 제142조의2에 따른 조세지출예산서 ※ 정부는 국가재정법에 따라 조세지출예산서를 작성해 국가(국회)에 보고함 **조세특례제한법 제142조의2【조세지출예산서의 작성】** ① 기획재정부장관은 조세감면·비과세·소득공제·세액공제·우대세율적용 또는 과세이연(세금 납부시점 연기) 등 조세특례에 따른 재정지원(이하 "조세지출"이라 한다)의 직전 연도 실적과 해당 연도 및 다음 연도의 추정금액을 기능별·세목별로 분석한 보고서(이하 "조세지출예산서"라 한다)를 작성하여야 한다.
	지방정부	**지방세특례제한법 제5조【지방세지출보고서의 작성】** ① 지방자치단체의 장은 지방세 감면 등 지방세 특례에 따른 재정지원의 직전 회계연도의 실적과 해당 회계연도의 추정 금액에 대한 보고서(이하 "지방세지출보고서"라 한다)를 작성하여 지방의회에 제출하여야 한다. ② 지방세지출보고서의 작성방법 등에 관하여는 행정안전부장관이 정한다.

4) 통합재정(United budget) : 1986년 정부재정통계편람(Government Finance Statistics Manual, GFSM)

등장배경	중앙정부는 1979년부터 국제통화기금(IMF)의 재정통계 작성기준을 기초로 작성 및 발표하고 있으며, 2005년부터 중앙정부와 지방정부를 포괄하여 작성하고 있음
개념	① 비금융공공부문에서 1년 동안 지출하는 재원의 총체적인 규모 ② 비금융공공부문의 현금 총지출 : 일반회계 + 특별회계 + 기금 – 내부거래 – 보전거래 → 예산순계로 작성 ③ 세입과 세출은 경상거래와 자본거래로 구분하여 작성 ④ **참고** 예산은 회계 간 중복 거래 금액의 포함 여부에 따라 예산총계와 예산순계로 구분함
목적	국가재정이 국민경제에 미치는 영향을 파악하기 위함
| 비금융공공부문 | ```
                        비금융공공부문
          ┌──────────────────┴──────────────────┐
   ■ 일반정부                        ■ 정부기업 및 지방직영기업
     ① 중앙정부                         ① 중앙정부 기업특별회계 : 정부기업
        ㉠ 일반회계                         ㉠ 책임운영기관
        ㉡ 기타특별회계                      ㉡ 우편사업
        ㉢ 기금 : 비금융성 기금              ㉢ 우체국 예금
        ㉣ 세입세출 외 자금                  ㉣ 양곡관리
     ② 지방정부(교육지방자치단체 포함)        ㉤ 조달
        ㉠ 일반회계                         ※ 공공기관 제외
        ㉡ 기타 특별회계                    ② 지방정부 공기업특별회계
        ㉢ 교육비 특별회계                     ㉠ 지방직영기업
        ㉣ 기금 : 비금융성 기금              ※ 지방공사 및 지방공단 제외
``` |
| 내용 | ① 전입금·전출금 등의 회계간 내부거래와 국채발행·차입·채무상환 등 수지차 보전을 위한 **보전거래**(나중에 갚을 돈)를 예산순계로 작성 → 즉, 재원의 변화가 없는 이중거래를 차감
② 정부는 일반적으로 비금융성 지출의 비중이 큰 까닭에 통합재정은 **금융성 기금 등을 제외**하고 있음
③ 통합재정 작성에서 파악되는 수입과 지출의 차이를 **통합재정수지**라고 하며 이는 재정건전성의 판단 자료로 활용됨
④ 통합재정수지 = 세입(경상수입 + 자본수입) – 세출 및 순융자
⑤ **참고** 순융자 : 융자지출(정부대출) – 융자회수 → 통합재정에서는 융자지출을 적자요인으로 간주 |
| 기타 :
2001년 기준 | ① 금융성 기금 포함
② 비영리공공기관 추가(중앙정부의 공공기관, 지방정부의 공사 및 공단) → 서민들의 전세자금 대출을 보증해주는 주택금융신용보증기금이 부담한 채무는 관리주체가 한국주택금융공사, 즉 정부가 아닌 공공기관이라는 이유로 국가채무 계산에서 제외되었으나 2001년 기준은 이를 포함시킴
③ 한국은행 예산과 같은 공공금융기관 예산은 여전히 통합재정에 포함되지 않음 → 한국은행의 통화안정증권은 현금 흡수를 위해 발행된다는 점에서 국가채무에 포함시키지 않고 있음
④ 발생주의 적용
⑤ 현재 우리나라는 국가재정운영계획에 포함되는 통합재정수지는 1986년 GFSM을 따르고 있고, 기획재정부에서 매년 발간하는 '한국 통합재정수지'는 2001년 GFSM에 기초하고 있음 |
```

Section 02　예산의 분류

22 day

1　틀잡기

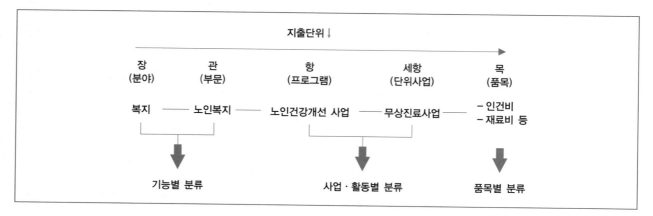

지출단위↓

장　　　관　　　　　항　　　　세항　　　　　목
(분야)　(부문)　　(프로그램)　(단위사업)　　(품목)

복지 ——— 노인복지 ——— 노인건강개선 사업 ——— 무상진료사업　　－ 인건비
　　　　　　　　　　　　　　　　　　　　　　　　　　　　－ 재료비 등

기능별 분류　　　　　　　사업·활동별 분류　　　품목별 분류

2　각 분류에 대한 설명 읽어보기

조직별 분류	① 조직단위를 기준으로 예산을 분류하는 것으로 특정 기관이 얼마를 쓰는지를 알 수 있음 → 사업별 분류방식에 비해 독립된 행정부서의 예산 상황을 쉽게 이해할 수 있음 ② 지출주체의 명료함 → 회계책임 확보가 쉬움 ③ 단점 　㉠ 조직별로 예산을 배정하기 때문에 경비지출의 구체적인 목적을 알기 어려움 　㉡ 사업중심이 아니므로 예산의 전체적인 성과를 파악할 수 없음 　㉢ 세입예산과 세출예산을 분류하는 과정에서 차이가 발생함
기능별 분류	① 국민을 위한 분류: 국민의 관점에서 정부가 무슨 일을 하는지를 알 수 있음 ② 정부의 활동을 거시적으로 파악하는 데 좋음 → 미국의 '예산개요' 작성시 주로 사용 ③ 하는 일을 중심으로 돈을 배정하면 되는 까닭에 예산운영의 신축성이 높음 ④ 대통령의 재정정책 수입을 수월하게 하며, 세입예산의 분류보다 세출예산의 분류에 적합 ⑤ 정부의 활동은 여러 부처가 관여하는 경우가 있으므로 어느 부처에서 무엇을 하는지가 명확하지 않음 → 따라서 **회계책임이 명백하지 못할 수 있음**
경제성질별 분류 (통합재정)	① 국민경제에 미치는 영향을 파악하기 위한 분류 ② 고위의 정책결정자에게 유용한 정보제공 ③ 단점 　㉠ 일선 공무원에게는 낮은 유용성 　㉡ 경제적인 부분만을 고려한 분류 　㉢ 경제적인 부분만 고려하므로 다른 분류방식과 병행해서 사용해야 함
품목별 분류	① 항목별로 예산을 분류하는 방법 → 이는 정부의 일에 무엇을 사용하는지를 나타내므로 투입(input)을 명시함 ② 투입물은 세세하고 구체적인 특성을 갖는바 통제가 용이함 → 예를 들어, 구체적인 인건비를 명시하는 까닭에 인사행정을 위한 자료를 제공할 수 있음 ③ 다른 분류 방법과 병행하는 경우가 많고, 세계적으로 많이 활용함

CHAPTER **06** 예산과정

Section **01** 예산의 편성 ● **22** day

- 예산과정은 '예산편성, 심의 및 의결, 집행, 결산'절차를 총칭하는 개념임
- 예산과정 중 예산편성은 돈의 사용에 대한 계획을 수립하는 절차임
- 우리나라 예산과정에 대한 전체적인 틀은 아래와 같음

1 우리나라 예산과정

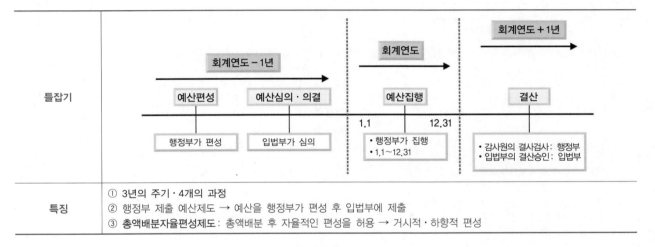

틀잡기	

특징	① 3년의 주기 · 4개의 과정 ② **행정부 제출 예산제도** → 예산을 행정부가 편성 후 입법부에 제출 ③ **총액배분자율편성제도**: 총액배분 후 자율적인 편성을 허용 → 거시적 · 하향적 편성

2 예산편성 절차

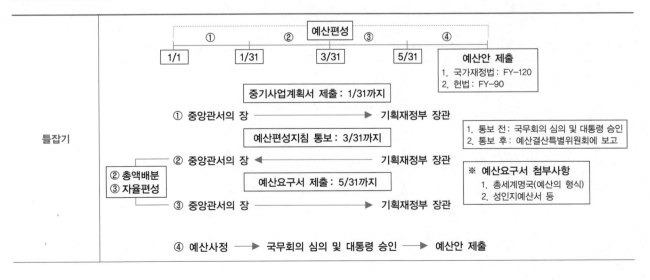

틀잡기	

기타	① **기획재정부장관**은 각 중앙관서의 장이 제출한 **중기사업계획서를 기초로 국가재정운용계획을 수립**함
	② 각 중앙행정기관은 기획재정부의 지침에 따라 사업계획서와 예산요구서 작성을 준비함
	③ 기획재정부는 입법부와 사법부의 예산을 사정하고 배정할 수 있음→ 예를 들어, 국회에서는 국회사무총장이 예산요구서를 편성하여 기획재정부에 제출함
	④ 예산사정 과정에서 **정부는 헌법상 독립기관(국회·법원·헌법재판소·중앙선거관리위원회)과 감사원의 예산을 삭감**하는 경우 해당 **기관장의 의견을 들어야** 함
	⑤ 중앙관서는 예산사정 및 국무회의 심의과정에서 부처예산요구총액과 사업의 우선순위도 같이 점검(중기사업 중심)받음
	⑥ **기금운용계획안의 수립절차는 예산편성 절차와 동일함** → 예 기획재정부장관의 기금운용계획안 작성지침 통보(3/31까지)
	⑦ **예산안 첨부서류**
	⊙ 세입예산 추계분석보고서
	ⓛ 성인지예산서
	ⓒ 온실가스감축인지예산서
	ⓔ 「조세특례제한법」에 따른 조세지출예산서

3 　예산편성에 대한 법령 : 국가재정법을 중심으로 읽어보기

제1장 총칙

제6조【독립기관 및 중앙관서】 ① 이 법에서 "독립기관"이라 함은 국회·대법원·헌법재판소 및 중앙선거관리위원회를 말한다.
② 이 법에서 "중앙관서"라 함은 「헌법」 또는 「정부조직법」 그 밖의 법률에 따라 설치된 중앙행정기관을 말한다.
③ 국회의 사무총장, 법원행정처장, 헌법재판소의 사무처장 및 중앙선거관리위원회의 사무총장은 중앙관서의 장으로 본다.

제2장 예산
제1절 총칙

제19조【예산의 구성】 예산은 예산총칙·세입세출예산·계속비·명시이월비 및 국고채무부담행위를 총칭한다.

지방재정법 제40조【예산의 내용】 ① 예산은 예산총칙, 세입·세출예산, 계속비, 채무부담행위 및 명시이월비(明示移越費)를 총칭한다.

제20조【예산총칙】 ① 예산총칙에는 세입세출예산·계속비·명시이월비 및 국고채무부담행위에 관한 총괄적 규정을 두는 외에 다음 각 호의 사항을 규정하여야 한다.

제2절 예산안의 편성

제28조【중기사업계획서의 제출】 각 중앙관서의 장은 매년 1월 31일까지 당해 회계연도부터 5회계연도 이상의 기간 동안의 신규사업 및 기획재정부장관이 정하는 주요 계속사업에 대한 중기사업계획서를 기획재정부장관에게 제출하여야 한다.

제31조【예산요구서의 제출】 ③ 기획재정부장관은 제1항의 규정에 따라 제출된 예산요구서가 제29조의 규정에 따른 예산안편성지침에 부합하지 아니하는 때에는 기한을 정하여 이를 수정 또는 보완하도록 요구할 수 있다.

제33조【예산안의 국회제출】 정부는 대통령의 승인을 얻은 예산안을 회계연도 개시 120일 전까지 국회에 제출하여야 한다.

| Section 02 | 예산심의 및 의결 : 입법부의 역할 | → 22 day |

- 예산심의 및 의결은 국민의 대표로 구성된 국회가 행정부가 제출한 예산안을 검토하고 승인하는 과정임
- 예산심의는 국민의 대표인 입법부가 행정부가 제출한 예산안을 통제하는 과정이기 때문에 재정민주주의의 실현과정이라 볼 수 있음
- 국회는 예산심의를 통해 정부의 사업 및 사업의 수준과 예산총액을 다룰 수 있음

1 예산심의 및 의결의 절차

틀잡기	■ **예산심의 이전에 국정감사 및 본회의 보고 실시** ① 정부가 예산안을 제출하기 전에 국회는 국정감사를 통해 정부운영을 파악하고 예산심의를 위한 자료를 수집함 ② 본회의 보고 → 정부가 예산안을 제출하면 국회의장은 본회의에 보고한 후 안건을 의원에게 배부함	
	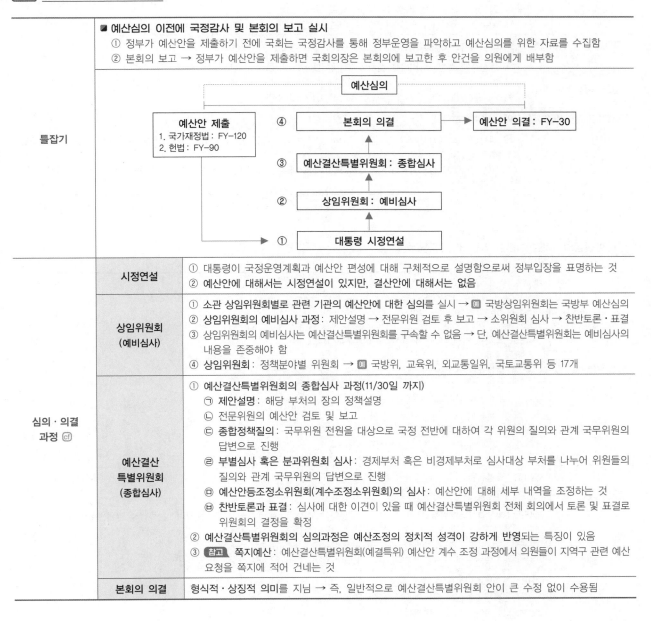	
	시정연설	① 대통령이 국정운영계획과 예산안 편성에 대해 구체적으로 설명함으로써 정부입장을 표명하는 것 ② 예산안에 대해서는 시정연설이 있지만, 결산안에 대해서는 없음
심의 · 의결 **과정** cf	**상임위원회** **(예비심사)**	① 소관 상임위원회별로 관련 기관의 예산안에 대한 심의를 실시 → ☒ 국방상임위원회는 국방부 예산심의 ② 상임위원회의 예비심사 과정 : 제안설명 → 전문위원 검토 후 보고 → 소위원회 심사 → 찬반토론 · 표결 ③ 상임위원회의 예비심사는 예산결산특별위원회를 구속할 수 없음 → 단, 예산결산특별위원회는 예비심사의 내용을 존중해야 함 ④ **상임위원회** : 정책분야별 위원회 → ☒ 국방위, 교육위, 외교통일위, 국토교통위 등 17개
	예산결산 **특별위원회** **(종합심사)**	① 예산결산특별위원회의 종합심사 과정(11/30일 까지) 　㉠ 제안설명 : 해당 부처의 장의 정책설명 　㉡ 전문위원의 예산안 검토 및 보고 　㉢ 종합정책질의 : 국무위원 전원을 대상으로 국정 전반에 대하여 각 위원의 질의와 관계 국무위원의 　　답변으로 진행 　㉣ 부별심사 혹은 분과위원회 심사 : 경제부처 혹은 비경제부처로 심사대상 부처를 나누어 위원들의 　　질의와 관계 국무위원의 답변으로 진행 　㉤ 예산안등조정소위원회(계수조정소위원회)의 심사 : 예산안에 대해 세부 내역을 조정하는 것 　㉥ 찬반토론과 표결 : 심사에 대한 이견이 있을 때 예산결산특별위원회 전체 회의에서 토론 및 표결로 　　위원회의 결정을 확정 ② 예산결산특별위원회의 심의과정은 예산조정의 정치적 성격이 강하게 반영되는 특징이 있음 ③ 참고 **쪽지예산** : 예산결산특별위원회(예결특위) 예산안 계수 조정 과정에서 의원들이 지역구 관련 예산 요청을 쪽지에 적어 건네는 것
	본회의 의결	형식적 · 상징적 의미를 지님 → 즉, 일반적으로 예산결산특별위원회 안이 큰 수정 없이 수용됨

2　우리나라 예산심의 및 의결과정의 특징

정치적 과정	국회의원, 정당, 행정부 및 각종 이익단체가 영향력을 행사하는 과정
엄격한 심의	대통령 중심제는 견제와 균형을 특징으로 하는바 엄격한 심의를 할 수 있음
단원제 국회	① 양원제 국회에 비해 **신속한 의사결정** → 단, 양원제에 비해 신중하지 못하다는 단점이 있음 ② 단원제: 한 개의 합의체로 의회를 구성하는 제도 → 우리나라 ③ 양원제: 두 개의 합의체로 의회를 구성하는 제도 → 미국(상원과 하원)
예산주의	① 의회가 예산을 의결로 확정함 → 세입예산·세출예산으로 명명 ② 대통령의 공포권 및 거부권 불가능 → 본회의 의결과 동시에 예산확정 ③ 공포권: 대통령이 국민에게 공식적으로 알리는 것 ④ 거부권: 국회의 법안을 거부할 수 있는 권한
위원회 중심 심의과정	다소 형식적인 본회의 의결 → 상임위나 예산결산특별위원회의 영향력↑
국회는 예산안 심의·확정권을 가짐	① 예산증액 혹은 새 비목을 설치할 때 국회는 정부의 동의를 얻어야 함 → 단, 동의 없이 삭감가능 ② 따라서 정부의 동의가 있을 때 국회심의 후 예산은 당초 행정부 제출 예산보다 증액될 수 있음 → 증액된 부분은 부처별 한도액에 관계없이 해당 부처의 예산으로 추가됨
구체적인 정책결정과정	예산심의를 통해 정부가 제출한 예산안을 수정하게 되면 정책변화를 시도할 수 있음
기타	① 예산심의 과정에서 국회 상임위원회가 소관 부처의 이해관계를 대변하기 쉬움 → 상임위원회의 의원은 대개 소관 부처 출신이라는 것 ② 예산심의에서 상임위원회는 사업지향적(예산확대 지향) 성격이, 예산결산특별위원회는 재정지향적(예산축소 지향) 성격이 강하게 나타남

3　예산심의·의결에 관한 법령 　읽어보기

헌법	**제54조** ① 국회는 국가의 예산안을 심의·확정한다. ② 정부는 회계연도마다 예산안을 편성하여 회계연도 개시 90일 전까지 국회에 제출하고, 국회는 회계연도 개시 30일 전(12월 2일)까지 이를 의결하여야 한다. 　**참고** **헌법과 국가재정법에 명시된 예산심의 기간** 　① 헌법: 60일 　② 국가재정법: 90일 **제57조** 국회는 정부의 동의없이 정부가 제출한 지출예산 각항의 금액을 증가하거나 새 비목을 설치할 수 없다. 　**참고** 　헌법 57조의 내용은 기금에도 동일하게 적용됨
국회법	**제44조【특별위원회】** ② 제1항에 따른 특별위원회를 구성할 때에는 그 활동기간을 정하여야 한다. 다만, 본회의 의결로 그 기간을 연장할 수 있다. **제45조【예산결산특별위원회】** ① 예산안, 기금운용계획안 및 결산을 심사하기 위하여 예산결산특별위원회를 둔다. 　**참고** 　예특위는 예산안과 결산뿐 아니라 관계 법령에 따라 제출·회부된 기금운용계획안도 심사함 ② 예산결산특별위원회의 위원 수는 50명으로 한다. ③ 예산결산특별위원회 위원의 임기는 1년으로 한다. ⑤ 예산결산특별위원회에 대해서는 제44조 제2항 및 제3항을 적용하지 아니한다. ※ 예특위는 특별위원회임에도 불구하고 상설위에 해당함

DAY

22

국회법	**제84조 【예산안·결산의 회부 및 심사】** ① 예산안과 결산은 소관 상임위원회에 회부하고, 소관 상임위원회는 예비심사를 하여 그 결과를 의장에게 보고한다. 이 경우 예산안에 대해서는 본회의에서 정부의 시정연설을 듣는다. ② 의장은 예산안과 결산에 제1항의 보고서를 첨부하여 이를 예산결산특별위원회에 회부하고 그 심사가 끝난 후 본회의에 부의한다. ③ 예산결산특별위원회의 예산안 및 결산 심사는 제안설명과 전문위원의 검토보고를 듣고 종합정책질의, 부별 심사 또는 분과위원회 심사 및 찬반토론을 거쳐 표결한다. ⑤ 예산결산특별위원회는 소관 상임위원회의 예비심사 내용을 존중하여야 하며, 소관 상임위원회에서 삭감한 세출예산 각 항의 금액을 증가하게 하거나 새 비목(費目)을 설치할 경우에는 소관 상임위원회의 동의를 받아야 한다. **참고** ① 예산심의 과정에서 예산안을 정리하기 위해 기금 및 예산안조정소위원회(계수조정소위원회)의 심사를 거침 ② 심사에 대한 이견이 있을 경우 전체 회의에서 토론 및 표결로 위원회의 결정을 확정함 ⑥ 의장은 예산안과 결산을 소관 상임위원회에 회부할 때에는 심사기간을 정할 수 있으며, 상임위원회가 이유 없이 그 기간 내에 심사를 마치지 아니한 때에는 이를 바로 예산결산특별위원회에 회부할 수 있다. ⑦ 위원회는 세목 또는 세율과 관계있는 법률의 제정 또는 개정을 전제로 하여 미리 제출된 세입예산안은 심사할 수 없다.

Section 03 — 예산의 집행

● 22 day

국회가 의결한 예산계획을 실천하는 과정 → 예산집행의 두 가지의 목적(혹은 성격) : 재정통제 및 재정신축성 확보

1 예산집행 절차 ㉔

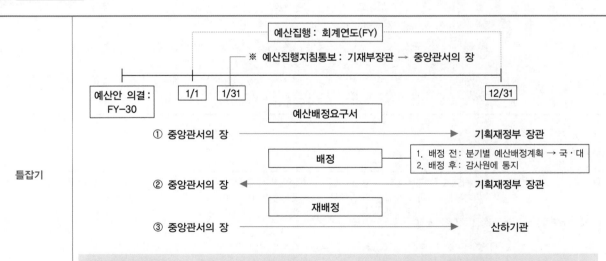

틀잡기	**■ 예산집행의 성격** 1. 통제 확보 : 배정·재배정, 지방재정진단제도, 예산총계주의, 예비타당성 조사, 타당성 조사, 총사업비 관리 제도 등 2. 신축성 확보 : 이용·전용, 이체, 이월, 예비비, 계속비, 국고채무부담행위, 수입대체경비, 총액계상예산제도, 신성과주의예산, 준예산, 추가경정예산, 긴급배정 등

2 통제 확보수단

1) 배정과 재배정

개념	배정 (정기배정)	기획재정부가 중앙관서에 대해 예산을 지급하는 것
	재배정 (정기재배정)	① 각 중앙관서가 산하기관에 예산을 지급하는 것 → 산하기관의 재무관에게 예산지급권 부여 ② (참고) 재무관: 지출원인행위를 하는 공무원 → 지출의 원인이 되는 계약행위를 하는 사람
기타		※ 배정과 재배정이 통제확보 수단인 이유 ① 예산집행은 예산배정으로부터 시작되는데, 이는 확정된 예산을 예산집행기관이 계획대로 집행할 수 있도록 허용하는 일종의 승인임 ② 기획재정부장관은 분기별로 예산배정계획을 작성하여 국무회의의 심의와 대통령의 승인을 얻은 후에 각 중앙관서의 장에게 예산을 배정하고, 배정된 예산은 다시 하급기관에 재배정됨 → 배정된 예산은 관련 법령에 따라 기획재정부장관이 작성하여 통지한 월별 세부자금계획의 범위 안에서 정해진 목적과 용도로 집행됨

2) 총사업비관리

개념	① 각 중앙관서의 장은 2년 이상 소요되는 사업 중 대통령령이 정하는 대규모사업에 대해 사업규모·총사업비·사업 기간을 정해 미리 기획재정부장관과 협의해야 함 ② 정부는 예비타당성 조사를 도입(2000년 적용)하기 이전인 1994년부터 무분별한 사업비 증가를 방지하려는 총사업비관리제도를 운영하고 있음
국가재정법	**제50조【총사업비의 관리】**① 각 중앙관서의 장은 완성에 2년 이상이 소요되는 사업으로서 대통령령이 정하는 대규모사업에 대하여는 그 사업규모·총사업비 및 사업기간을 정하여 미리 **기획재정부장관과 협의**하여야 한다. **시행령 제21조【총사업비의 관리】**① 법 제50조 제1항 전단에서 "대통령령이 정하는 대규모사업"이란 다음 각 호의 어느 하나에 해당하는 사업을 말한다. 　1. 다음 각 목의 어느 하나에 해당하는 사업으로서 총사업비와 국가의 재정지원 규모가 법 제38조 제1항 각 호 외의 부분 본문에서 정하고 있는 규모 이상인 사업 　　가. 건설공사가 포함된 사업. 다만, 건축사업은 제외한다. 　　나. 「지능정보화 기본법」 제14조 제1항에 따른 정보화 사업 　　※ 가·나에 명시된 사업의 경우 총사업비가 500억 이상이면서, 국가의 재정지원 규모가 300억 원 이상인 신규사업 　　다. 그 밖에 사회복지, 보건, 교육, 노동, 문화 및 관광, 환경 보호, 농림해양수산, 산업·중소기업 분야의 사업 　　　→ 500억 이상 수반되는 신규사업 　2. 건축사업 또는 연구개발사업으로서 총사업비가 200억원 이상(사업추진 과정에서 총사업비 규모가 증액되어 총사업비가 200억원 이상에 해당하는 경우를 포함한다)인 사업

3) 기타

재정진단제도	**지방재정법 제55조【재정분석 및 재정진단 등】**③ 행정안전부장관은 다음 각 호의 어느 하나에 해당하는 지방자치단체에 대하여 지방재정위기관리위원회의 심의를 거쳐 대통령령으로 정하는 바에 따라 재정진단을 실시할 수 있다. ※ 재정진단제도는 사후 재정관리제도임 　1. 제1항에 따른 재정분석 결과 재정의 건전성과 효율성 등이 현저히 떨어지는 지방자치단체 　2. 제2항에 따른 점검 결과 재정위험 수준이 대통령령으로 정하는 기준을 초과하는 지방자치단체

(참고)

지출원인에 대한 통제, 정원·보수의 통제, 회계기록·보고, 목적 외 사용금지, **예산총계주의**, 예비타당성 조사 및 타당성 조사 등

3 신축성 확보수단

1) 총괄예산제도(총액계상예산)

개념	일부 사업에 대해서 구체적 용도를 제한하지 않고 포괄적인 지출을 허용
국가재정법	**제37조【총액계상】** ① 기획재정부장관은 대통령령이 정하는 사업으로서 세부내용을 미리 확정하기 곤란한 사업의 경우에는 이를 총액으로 예산에 계상할 수 있다. **시행령 제12조【총액계상사업】** ① 법 제37조 제1항에서 "대통령령이 정하는 사업"이라 함은 다음 각 호의 어느 하나에 해당하는 사업으로서 기획재정부장관이 정하는 사업을 말한다. 　1. 도로보수 사업 　2. 도로안전 및 환경개선 사업 　3. 항만시설 유지보수 사업 　4. 수리시설 개보수 사업 　6. 문화재 보수정비 사업

2) 계속비

개념	완성에 오랜 기간을 요구하는 공사나 제조 혹은 연구개발사업에서 필요한 경비의 총액과 연부액(매해 소요하는 경비)을 정하여 미리 국회의 의결을 얻어 수년도에 걸쳐 지출할 수 있는 경비
국가재정법	**제23조【계속비】** ① 완성에 수년도를 요하는 공사나 제조 및 연구개발사업은 그 경비의 총액과 연부액(年賦額)을 정하여 미리 국회의 의결을 얻은 범위 안에서 수년도에 걸쳐서 지출할 수 있다. ② 제1항의 규정에 따라 국가가 지출할 수 있는 연한은 그 회계연도부터 5년 이내로 한다. 다만, 사업규모 및 국가재원 여건상 필요한 경우에는 예외적으로 10년 이내로 할 수 있다. ③ 기획재정부장관은 필요하다고 인정하는 때에는 국회의 의결을 거쳐 제2항의 지출연한을 연장할 수 있다. 　참고 　계속비는 경비총액과 연부액에 대하여 미리 국회의 의결을 얻은 것으로 매년 연부액에 대해서는 국회의 의결을 얻어서 사용할 수 있음

3) 추가경정예산

개념	국회의 의결을 통해 예산을 확정했으나, 상황변화로 인해 사업을 변경하거나 새로운 사업을 추진해야 하는 경우 국회의결을 받아 예기치 못한 상태에 대처하는 예산
국가재정법	**제89조【추가경정예산안의 편성】** ① 정부는 다음 각 호의 어느 하나에 해당하게 되어 이미 확정된 예산에 변경을 가할 필요가 있는 경우에는 추가경정예산안을 편성할 수 있다. 　1. 전쟁이나 대규모 재해가 발생한 경우 　2. 경기침체, 대량실업, 남북관계의 변화, 경제협력과 같은 대내·외 여건에 중대한 변화가 발생하였거나 발생할 우려가 있는 경우 　3. 법령에 따라 국가가 지급하여야 하는 지출이 발생하거나 증가하는 경우 ② 정부는 국회에서 추가경정예산안이 확정되기 전에 이를 미리 배정하거나 집행할 수 없다.

4) 준예산

개념	① 국회에서 예산안이 의결될 때까지 전 회계연도의 예산에 준하여 집행하는 예산으로서 우리나라는 재정활동의 단절 방지를 위해 1960년도 이후부터 준예산제도를 채택하고 있음 ② 중앙정부는 지금까지 준예산을 편성하지 않았으나 지방정부의 경우 성남시가 2013년, 부안군에서 2004년에 편성한 경험이 있음
헌법	제54조 ③ 새로운 회계연도가 개시될 때까지 예산안이 의결되지 못한 때에는 정부는 국회에서 예산안이 의결될 때까지 다음의 목적을 위한 경비는 전년도 예산에 준하여 집행할 수 있다. 　1. 헌법이나 법률에 의하여 설치된 기관 또는 시설의 유지·운영 　2. 법률상 지출의무의 이행 　3. 이미 예산으로 승인된 사업의 계속 → 계속비

5) 수입대체경비

개념	① 수입을 발생시키는 지출 ② 국가가 특별한 용역 또는 시설을 제공하여 발생하는 수입과 관련된 경비
국가재정법	제53조【예산총계주의 원칙의 예외】① 각 중앙관서의 장은 용역 또는 시설을 제공하여 발생하는 수입과 관련되는 경비로서 대통령령이 정하는 경비(이하 "수입대체경비"라 한다)에 있어 수입이 예산을 초과하거나 초과할 것이 예상되는 때에는 그 초과수입을 대통령령이 정하는 바에 따라 그 초과수입에 직접 관련되는 경비 및 이에 수반되는 경비에 초과지출할 수 있다. 　시행령 제24조【예산총계주의 원칙의 예외】② 법 제53조 제1항에 따라 대통령령으로 정하는 "초과수입에 직접 관련되는 경비 및 이에 수반되는 경비"라 함은 다음 각 호의 경비를 말한다. 　　2. 일시적인 업무급증으로 사용한 일용직 임금 ④ 각 중앙관서의 장은 법 제53조 제1항에 따라 예산을 초과하여 수입대체경비를 지출한 때에는 그 이유 및 금액을 명시한 명세서를 기획재정부장관 및 감사원에 각각 송부하여야 한다.

6) 이용과 전용

① 전용

개념	㉠ 행정과목 간의 융통 → 세항·목 간에 융통 ㉡ 행정과목에 대한 변경이므로 기획재정부의 승인만 있으면 가능함 → 국회의 의결이 필요하지 않음
국가재정법	제45조【예산의 목적 외 사용금지】각 중앙관서의 장은 세출예산이 정한 목적 외에 경비를 사용할 수 없다. 제46조【예산의 전용】① 각 중앙관서의 장은 예산의 목적범위 안에서 재원의 효율적 활용을 위하여 대통령령이 정하는 바에 따라 기획재정부장관의 승인을 얻어 각 세항 또는 목의 금액을 전용할 수 있다. ③ 제1항 및 제2항에도 불구하고 각 중앙관서의 장은 다음 각 호의 어느 하나에 해당하는 경우에는 전용할 수 없다. 　1. 당초 예산에 계상되지 아니한 사업을 추진하는 경우 　2. 국회가 의결한 취지와 다르게 사업예산을 집행하는 경우 ④ 기획재정부장관은 제1항의 규정에 따라 전용의 승인을 한 때에는 그 전용명세서를 그 중앙관서의 장 및 감사원에 각각 송부하여야 하며, 각 중앙관서의 장은 제2항의 규정에 따라 전용을 한 때에는 전용을 한 과목별 금액 및 이유를 명시한 명세서를 기획재정부장관 및 감사원에 각각 송부하여야 한다.

② 이용

개념	㉠ 입법과목 간의 융통 → 일반적으로 장·관·항 간에 융통 ㉡ 국회의결이 필요하며 기획재정부의 승인을 얻어야 함
국가재정법	제47조【예산의 이용·이체】① 각 중앙관서의 장은 예산이 정한 각 기관 간 또는 각 장·관·항 간에 상호 이용(移用)할 수 없다. 다만, 다음 각 호의 어느 하나에 해당하는 경우에 한정하여 미리 예산으로써 국회의 의결을 얻은 때에는 기획재정부장관의 승인을 얻어 이용하거나 기획재정부장관이 위임하는 범위 안에서 자체적으로 이용할 수 있다. 　1. 법령상 지출의무의 이행을 위한 경비 및 기관운영을 위한 필수적 경비의 부족액이 발생하는 경우 　2. 환율변동·유가변동 등 사전에 예측하기 어려운 불가피한 사정이 발생하는 경우 　3. 재해대책 재원 등으로 사용할 시급한 필요가 있는 경우

7) 이체

개념	① 정부조직 등에 관한 법령의 제정·개정 또는 폐지로 인하여 중앙관서의 직무와 권한에 변동이 있을 때 **예산의 책임소관을 변경**하는 것 ② 국회의 승인이 필요 없음
국가재정법	**제47조【예산의 이용·이체】** ② 기획재정부장관은 정부조직 등에 관한 법령의 제정·개정 또는 폐지로 인하여 중앙관서의 직무와 권한에 변동이 있는 때에는 그 중앙관서의 장의 요구에 따라 그 예산을 상호 이용하거나 이체(移替)할 수 있다. **참고** ① 47조에 따르면 정부조직을 개편할 때도 이용을 할 수는 있으나, 이용을 하려면 기재부장관의 승인과 의회의 의결을 얻어야 함 → 시험에서는 일반적으로 정부조직 개편과 관련된 신축성 관련 제도를 '이체'라고 표현함 ② 예산의 이체는 사업내용이나 규모 등에 변경을 가하지 않고 해당 예산의 귀속만 변경하는 것으로써(예 현재는 없어진 A부처의 사업을 새로 생긴 B부처가 그대로 수행), 어떤 과목의 예산부족을 다른 과목의 금액으로 보전하기 위하여 당초 예산의 내용을 변경(목적변경)시키는 예산의 이용 및 전용과는 구분됨(예 현재는 없어진 A부처의 사업에 사용될 돈을 새로 생긴 B부처가 받아서 다른 사업에 활용)

8) 이월

- 회계연도 내에 사용하지 못한 예산을 다음 회계연도로 넘겨서 다음 연도의 예산으로 활용하는 것
- 예산한정성 원칙(회계연도 독립의 원칙)의 예외

	개념	당해 연도 내에 지출하지 못할 것으로 예상되는 경비의 경우 미리 국회의 승인을 얻은 후 다음 연도의 예산으로 사용하는 것
명시이월	국가재정법	**제24조【명시이월비】** ① 세출예산 중 경비의 성질상 연도 내에 지출을 끝내지 못할 것이 예측되는 때에는 그 취지를 세입세출예산에 명시하여 미리 국회의 승인을 얻은 후 다음 연도에 이월하여 사용할 수 있다. **제48조【세출예산의 이월】** ① 매 회계연도의 세출예산은 다음 연도에 이월하여 사용할 수 없다. ② 제1항에도 불구하고 다음 각 호의 어느 하나에 해당하는 경비의 금액은 다음 회계연도에 이월하여 사용할 수 있다. 이 경우 이월액은 다른 용도로 사용할 수 없으며, 제2호에 해당하는 경비의 금액은 재이월할 수 없다. 　1. 명시이월비 → 명시이월된 금액은 다음 연도에 재이월을 할 수 있음 　2. 사고이월비 → 연도 내에 지출원인행위를 하고 불가피한 사유로 인하여 연도 내에 지출하지 못한 경비와 지출원인행위를 하지 아니한 그 부대경비
	요점정리	<table><tr><th>구분</th><th>국회 사전승인</th><th>재이월</th></tr><tr><td>명시이월비</td><td>○</td><td>○</td></tr><tr><td>사고이월비</td><td>×</td><td>×</td></tr></table>
사고이월		① 지출원인행위를 하였으나 불가피한 사유로 회계연도 종료시까지 지출하지 못한 경비와 지출원인행위를 하지 않은 부대경비를 다음 회계연도에 넘겨서 사용하는 것 → 재이월을 할 수 없음 ② 사고이월은 불가피한 사유로 인해 국회의 사전승인을 받을 수 없음 → 사전의결의 원칙의 예외

9) 예비비

개념	예측할 수 없는 예산 외의 지출 또는 예산 초과 지출을 충당하기 위하여 세입세출예산에 계상한 금액 → 비상금
국가재정법	**제22조【예비비】** ① 정부는 예측할 수 없는 예산 외의 지출 또는 예산초과지출에 충당하기 위하여 일반회계 예산총액의 100분의 1 이내의 금액을 예비비로 세입세출예산에 계상할 수 있다. 다만, 예산총칙 등에 따라 미리 사용목적을 지정해 놓은 예비비(목적예비비)는 본문의 규정에 불구하고 별도로 세입세출예산에 계상할 수 있다. ② 제1항 단서의 규정에 불구하고 공무원의 보수 인상을 위한 인건비 충당을 위하여는 예비비의 사용목적을 지정할 수 없다. **제51조【예비비의 관리와 사용】** ① 예비비는 기획재정부장관이 관리한다. **제52조【예비비사용명세서의 작성 및 국회제출】** ① 각 중앙관서의 장은 예비비로 사용한 금액의 명세서를 작성하여 다음 연도 2월말까지 기획재정부장관에게 제출하여야 한다. ② 기획재정부장관은 제출된 명세서에 따라 예비비로 사용한 금액의 총괄명세서를 작성한 후 국무회의의 심의를 거쳐 대통령의 승인을 얻어야 한다. ③ 기획재정부장관은 대통령의 승인을 얻은 총괄명세서를 감사원에 제출하여야 한다. ④ 정부는 예비비로 사용한 금액의 총괄명세서를 다음 연도 5월 31일까지 국회에 제출하여 그 승인을 얻어야 한다. **참고** ① 기획재정부장관은 각 중앙관서 장의 요구를 조정하고 국무회의 심사 및 대통령 승인을 얻은 후 예비비를 배정함 ② 예비비 사용에 대해서는 사후승인을 얻어야 함 ③ 예비금: 독립기관이 운영하는 예비비 → 예를 들어, 「헌법」상 독립기관인 국회의 예산에는 예비금을 두며 국회사무총장이 이를 관리함

10) 국고채무부담행위

개념	① 법률에 의한 것과 세출예산금액 또는 계속비 총액의 범위 내의 것 이외에 국가가 채무를 부담하는 행위 ② 일반적으로 채무 이행의 책임은 다음 연도 이후에 부담되는 것이 원칙임 ③ **예** 국가의 재정사업·공사 등에 대한 발주계약 체결은 당해연도에 할 필요가 있으나 지출은 다음 연도 이후에 행해지는 경우에 활용 ④ 정부의 채무를 국회가 사전에 알아야 하기 때문에 국고채무부담행위의 사항·금액·사유는 예산안에 수록해야 함
국가재정법	**제25조【국고채무부담행위】** ① 국가는 법률에 따른 것과 세출예산금액 또는 계속비의 총액의 범위 안의 것 외에 채무를 부담하는 행위를 하는 때에는 미리 예산으로써 국회의 의결을 얻어야 한다. ② 국가는 제1항에 규정된 것 외에 재해복구를 위하여 필요한 때에는 회계연도마다 국회의 의결을 얻은 범위 안에서 채무를 부담하는 행위를 할 수 있다. ③ 국고채무부담행위는 사항마다 그 필요한 이유를 명백히 하고 그 행위를 할 연도 및 상환연도와 채무부담의 금액을 표시하여야 한다.
기타	① 예산총칙, 세입세출예산, 계속비 및 명시이월비와 함께 예산의 한 부분을 구성하며, 국회의 사전의결을 얻어야 함 ② 국고채무부담행위의 경우 국회의 의결은 수년에 걸쳐 효력이 지속되므로 **회계연도 독립의 원칙에 대한 예외임** → 신축성 확보를 위한 수단 ③ 국고채무부담행위에 대한 국회의 의결은 국가로 하여금 다음 연도 이후에 지출할 수 있는 권한까지 부여하는 것은 아니며, 다만 채무를 부담할 권한만을 부여하는 것이므로 **채무부담과 관련한 지출에 대해서는 다시 국회의 의결을 얻어야 함**

11) 기타

	개념	회계연도 개시 전에 배정할 수 있는 경비

예산의 긴급배정	국가재정법	**제43조【예산의 배정】** ③ 기획재정부장관은 필요한 때에는 대통령령이 정하는 바에 따라 회계연도 개시 전에 예산을 배정할 수 있다.
		
		시행령 제16조【예산의 배정】 ⑤ 법 제43조 제3항에 따라 회계연도 개시 전에 예산을 배정할 수 있는 경비는 다음 각 호와 같다.
		  1. 외국에서 지급하는 경비
		  2. 선박의 운영·수리 등에 소요되는 경비
		  3. 교통이나 통신이 불편한 지역에서 지급하는 경비

예산의 긴급배정	국가재정법	4. 각 관서에서 필요한 부식물의 매입경비 5. 범죄수사 등 특수활동에 소요되는 경비 6. 여비 7. 경제정책상 조기집행을 필요로 하는 공공사업비 8. 재해복구사업에 소요되는 경비
헌법에 규정된 재정제도		**제54조** ③ 새로운 회계연도가 개시될 때까지 예산안이 의결되지 못한 때에는 정부는 국회에서 예산안이 의결될 때까지 **다음의 목적을 위한 경비는 전년도 예산에 준하여** 집행할 수 있다. **제55조** ① 한 회계연도를 넘어 계속하여 지출할 필요가 있을 때에는 정부는 연한을 정하여 **계속비로서** 국회의 의결을 얻어야 한다. ② **예비비는** 총액으로 국회의 의결을 얻어야 한다. 예비비의 지출은 차기국회의 승인을 얻어야 한다. **제56조** 정부는 예산에 변경을 가할 필요가 있을 때에는 **추가경정예산안을** 편성하여 국회에 제출할 수 있다.

Section 04 결산   ● 22 day

1 정의 및 특징 ⓒ

정의	한 회계연도에서 국가의 수입과 지출의 실적을 '확정적 계수'로서 표시하는 행위
특징	① 결산은 사후적인 특성을 지니는 까닭에 **결산심의에서 위법하거나 부당한 지출이** 발견되어도 이미 집행한 정부활동은 **무효 혹은 취소될 수 없음** → 다만 부당한 지출이 발견되는 경우 그 책임을 요구할 수 있음 ② 결산은 정부의 예산집행의 결과가 정당한 경우에 집행의 책임을 해제하는 법적인 효과를 가짐 ③ 결산을 통해 예산집행 실적에 대한 보고서를 작성하여 다음 해의 예산과정에 유용한 정보를 제공할 수 있음 ④ **결산은 예산과 불일치할 수 있음** ⑤ 결산은 예산의 집행결과에 대한 평가로서 정책평가의 역할을 수행함 ⑥ 결산은 예산집행과정에서 위법 또는 부당한 지출이 있었는가를 확인하는 **통제기능과**, 예산운용에 대한 평가결과를 다음 연도 예산심의에 반영하는 **환류기능**(재정의 학습과정)을 수행함

2 결산절차

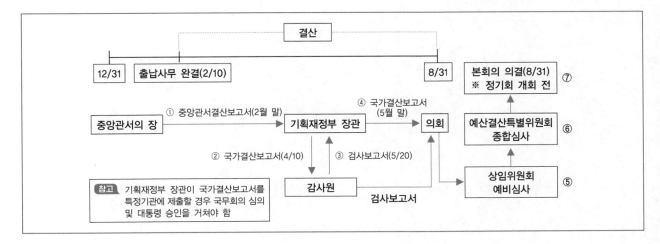

3 세계잉여금 ᵈᶠ

정의	① 세입세출의 결산상 생긴 잉여금 → 돈을 쓰고 남은 돈으로서 세입에서 세출을 빼고 이월액까지 공제한 금액 ② 세입이 예산을 초과하거나 지출이 당초의 세출예산에 미달되어 쓰지 않은 돈(세출불용액)이 남는 경우가 있음 → 이러한 초과세입과 세출불용액의 총 합계가 세계잉여금이기 때문에 기금은 포함되어 있지 않음
특징	① 잉여금의 사용에 있어서 국회의 동의가 없어도 되지만, 국무회의 심의와 대통령의 승인이 필요함 ② 세계잉여금에는 국채발행 등으로 인한 세입도 포함되는 바 적자 국채발행이 커질수록 세계잉여금도 증가나는 정(+)의 관계를 지님 → 즉, 세계잉여금에는 국채발행 등 빚으로 조달된 수입이 포함되기 때문에 세계잉여금을 기준으로 재정건전성을 평가하는 것은 적절치 않음
사용의 우선순위	① 지방교부세 및 지방교육재정교부금의 정산 ② 공적자금상환기금에 출연 • 공적자금상환기금: 금융기관이 부담한 채무의 원활한 상환을 위하여 만든 자금 ③ 국가채무 상환 ④ 추가경정예산의 편성: 결산의 결과 발생한 세계잉여금은 일부 추가경정예산에 편성할 수 있음 ⑤ 전술한 용도로 사용한 후에 남은 잔액은 다음 연도의 세입에 이입

4 결산에 대한 법령 읽어 보기

헌법	제99조 감사원은 세입·세출의 결산을 매년 검사하여 대통령과 차년도국회에 그 결과를 보고하여야 한다.
국회법	제84조의3【예산안·기금운용계획안 및 결산에 대한 공청회】예산결산특별위원회는 예산안, 기금운용계획안 및 결산에 대하여 공청회를 개최하여야 한다. 다만, 추가경정예산안, 기금운용계획변경안 또는 결산의 경우에는 위원회의 의결로 공청회를 생략할 수 있다. 제127조의2【감사원에 대한 감사 요구 등】① 국회는 의결로 감사원에 대하여「감사원법」에 따른 감사원의 직무 범위에 속하는 사항 중 사안을 특정하여 감사를 요구할 수 있다. (참고) 국회는 결산심의를 한 결과 문제있는 특정사안에 대하여 의결로 감사원에 감사를 요구할 수 있음
국가재정법	**제3장 결산** 제58조【중앙관서결산보고서의 작성 및 제출】① 각 중앙관서의 장은 회계연도마다 작성한 결산보고서(이하 "중앙관서결산보고서"라 한다)를 다음 연도 2월 말일까지 기획재정부장관에게 제출하여야 한다. ② 국회의 사무총장, 법원행정처장, 헌법재판소의 사무처장 및 중앙선거관리위원회의 사무총장은 회계연도마다 예비금사용명세서를 작성하여 다음 연도 2월말까지 기획재정부장관에게 제출하여야 한다.

CHAPTER **07** 정부회계

Section **01** 회계검사 · **23** day

1 정의 및 특징 ⓒf

정의	① **예산집행 후 회계의 정확도를 검증**하고, 예산집행의 합법성 및 효율성과 효과성, 부정 및 낭비유무, 사업의 효과성 등을 검증하는 것 ② 이와 같은 요건을 수행함으로서 회계검사를 통해 입법부의 의도실현 여부를 검증할 수 있음	
특징	① **회계검사의 대상은 회계기록**이며, 회계기록은 '**타인**'이 작성한 것이어야 함 ② 회계검사는 회계기록의 정확성 및 적절성 여부에 대한 비판적인 검증임 ③ 예산이 품목별로 편성되어 있을 때는 효과성 검사가 어려움	
기타	**전통적 회계검사**	합법성에 초점
	현대적 회계검사	합법성 + @(효율성 및 효과성 등)

2 우리나라의 회계검사기관 : 감사원 ⓒf

- 행정부 소속형(대통령 소속) + 헌법기관 : 감사원은 대통령 소속이며, 헌법에 설치근거가 명시되어 있음
- 감사원이 행정부 소속형이라는 면에서 행정부에 대해 온전한 독립성을 갖기 어렵지만, 직무수행 측면에서 독립성을 지닐 수 있도록 법(감사원법)에서 규정하고 있음

1) 감사원에 대한 직관적인 이해

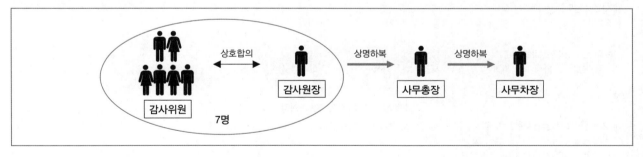

2) 헌법에 명시된 감사원 관련 조항

제4관 감사원

제97조 국가의 세입·세출의 결산, 국가 및 법률이 정한 단체의 회계검사와 행정기관 및 공무원의 직무에 관한 감찰을 하기 위하여 대통령 소속하에 감사원을 둔다.

제98조 ① 감사원은 원장을 포함한 5인 이상 11인 이하의 감사위원으로 구성한다.
② 원장은 국회의 동의를 얻어 대통령이 임명하고, 그 임기는 4년으로 하며, 1차에 한하여 중임할 수 있다.
③ 감사위원은 원장의 제청으로 대통령이 임명하고, 그 임기는 4년으로 하며, 1차에 한하여 중임할 수 있다.

제99조 감사원은 세입·세출의 결산을 매년 검사하여 대통령과 차년도국회에 그 결과를 보고하여야 한다.

제100조 감사원의 조직·직무범위·감사위원의 자격·감사대상공무원의 범위 기타 필요한 사항은 법률로 정한다.

3) 감사원법에 명시된 감사원 관련 조항

제1장 조직
제1절 총칙

제2조【지위】 ① 감사원은 대통령에 소속하되, 직무에 관하여는 독립의 지위를 가진다.

제3조【구성】 감사원은 감사원장(이하 "원장"이라 한다)을 포함한 7명의 감사위원으로 구성한다. → 합의제 기관

제4조【원장】 ① 원장은 국회의 동의를 받아 대통령이 임명한다. → 정무직 공무원

제2절 감사위원

제5조【임명 및 보수】 ① 감사위원은 원장의 제청으로 대통령이 임명한다.
② 감사위원은 정무직으로 하고 그 보수는 차관의 보수와 같은 액수로 한다.

제4절 사무처

제19조【사무총장 및 사무차장】 ① 사무총장은 정무직으로, 사무차장은 일반직으로 한다.

제2장 권한
제1절 총칙

제20조【임무】 감사원은 국가의 세입·세출의 결산검사를 하고, 이 법 및 다른 법률에서 정하는 회계를 상시 검사·감독하여 그 적정을 기하며, 행정기관 및 공무원의 직무를 감찰하여 행정 운영의 개선과 향상을 기한다.

> **📖 제20·24조 해설**
> 감사원은 헌법상 독립기관(ex 입법부, 사법부)에 대하여 결산확인, 회계검사는 가능하나, 직무감찰은 할 수 없음

제2절 결산의 확인 및 회계검사의 범위

제22조【필요적 검사사항】 ① 감사원은 다음 각 호의 사항을 검사한다.
　1. 국가의 회계
　2. 지방자치단체의 회계
　3. 한국은행의 회계와 국가 또는 지방자치단체가 자본금의 2분의 1 이상을 출자한 법인의 회계

제23조【선택적 검사사항】 감사원은 필요하다고 인정하거나 국무총리의 요구가 있는 경우에는 다음 각 호의 사항을 검사할 수 있다.
　2. 국가 또는 지방자치단체가 직접 또는 간접으로 보조금·장려금·조성금 및 출연금 등을 교부(交付)하거나 대부금 등 재정 원조를 제공한 자의 회계
　6. 국가 또는 지방자치단체가 채무를 보증한 자의 회계

> **📖 제22·23조 해설**
> 감사원이 직무수행에 있어서 어느 정도의 자율성을 지닌다는 것을 의미함 → 반드시 해야 할 검사사항이 있는 반면에 감사원의 재량권을 활용하여 선택적으로 검사를 할 수 있는 부분이 있다는 것

제3절 직무감찰의 범위

제24조【감찰 사항】 ① 감사원은 다음 각 호의 사항을 감찰한다.
　1. 「정부조직법」 및 그 밖의 법률에 따라 설치된 행정기관의 사무와 그에 소속한 공무원의 직무
　2. 지방자치단체의 사무와 그에 소속한 지방공무원의 직무
　4. 법령에 따라 국가 또는 지방자치단체가 위탁하거나 대행하게 한 사무와 그 밖의 법령에 따라 공무원의 신분을 가지거나 공무원에 준하는
　　자의 직무
③ 제1항의 공무원에는 국회 · 법원 및 헌법재판소에 소속한 공무원은 제외한다.

제4장 보칙

제52조【감사원규칙】 감사원은 감사에 관한 절차, 감사원의 내부 규율과 감사사무 처리에 관한 규칙을 제정할 수 있다.

Section 02　　**정부의 회계제도** cf　　　　　　　　　　　　　　　23 day

- **회계**: 과거에 대한 기록
- **회계제도**: 기록하는 방식 → 단식부기·복식부기, 현금주의·발생주의 방식이 있음
- **학습요령**: 단식부기의 특징·장점·단점은 현금주의와 유사하고, 복식부기의 특징·장점·단점은 발생주의와 유사함

1　**단식부기와 복식부기 : 한쪽 면에 기록 혹은 양쪽 면에 기록**

1) 단식부기

틀잡기	⚑ **가계부**	
	구분	**수입 · 지출 내역**
	월급	+200만 원
	교통비	−30만 원
	식비	−30만 원
	누나에게 빌린 돈	+100만 원
	잔액	240만 원
	※ 수입과 지출 측면에서 수입이 많으므로 결산상 재정 운영을 잘한 것으로 착각할 수 있음	
개념	장부에 한 번 기록하는 방법 → **거래의 한쪽 면에 수입이나 지출을 기재**하는 방식	
특징	① **현금주의**에서 **채택**: 기본적으로 현금의 출납에 근거한 회계방식 ② **회계처리의 객관성이 높음** → 감가상각비(주관적인 계산)를 비용으로 인식하지 않음 ③ **외형상 수지균형**의 건전성 확보 용이	
장점	사용이 간편하고 작은 규모의 회계운영에 용이함	
단점	① **회계의 건전성** 파악 결여 ② **자산·부채를 정확하게 인식×** → 상당한 부채가 있어도 현금지출이 없다면 재정을 건전한 상태로 파악한다는 것	

2) 복식부기

	복식부기를 활용한 가계부 사례	
틀잡기	차변(돈의 용도) : 결과	대변(돈의 출처) : 원인
	5000만 원 차량 구매 → 자산	월급 3000만 원 → 순자산
		차입금(빌린 돈) 2000만 원 → 부채
	5000만 원	5000만 원
개념	① 장부에 두 번 기록하는 방법 : 이중기재 → 거래가 발생할 때, 거래의 인과성을 표현 ② 즉, 거래의 내용을 금액으로 환산하여 하나는 차변에 또 하나는 대변에 기록	
특징	① 모든 거래를 원인과 결과로서 차변과 대변에 기록하며 차변합계와 대변합계는 일치 → 대차평균원리·자기검증 기능 ② 현금주의와 발생주의에서 모두 활용할 수 있으나 주로 발생주의에서 채택 ③ 복식부기는 자산, 자본, 부채의 변동을 거래이중성에 따라 기재하고, 자동이월 기능(통합재정정보시스템을 활용)을 활용하여 종합적 재정상태를 확인할 수 있음 → 최고경영자가 총량데이터를 확보하여 경영에 활용	
장점	① 예산집행의 오류 및 비리와 부정 등 감소 : 회계의 자기검증기능을 통해 재정의 투명성·효율성 및 책임성을 확보 ② 자산·부채·자본 등을 인식하는바 종합적 재정상태를 알 수 있으며, 미래지향적 재정관리의 기반을 조성할 수 있음 ④ 원가개념을 제고(에 순자산을 평가할 때 감가상각 등을 고려한 시가반영)하고 성과측정 능력을 향상시킬 수 있음 ⑤ 유동자산과 고정자산 및 유동부채와 장기부채를 재무제표에 반영	
단점	주로 발생주의와 같이 활용되는바 회수불가능한 부실채권에 대한 정보왜곡의 우려가 있음	

3) 용어정리

자산	개념		내가 가진 총재산 → 금전적 가치가 있는 모든 것
	유형	유동자산	언제든지 현금으로 바꿀 수 있는 자산 → 에 당좌 자산(현금), 재고자산(팔면 현금이 되는 것 → 제품)
		고정자산	현금으로 바꾸기 어려운 자산 → 에 유형자산(부동산), 무형자산(특허권)
부채	개념		빚
	유형	유동부채	① 1년 내 상환 채무(금방 갚아야 하는 부채) → 에 단기 차입금, 미지급금(외상채무) ② 참고 미지급금 ↔ 미수수익(외상거래 후 받지 못한 돈 : 자산)
		고정부채	1년 이후 상황 채무(늦게 갚아도 되는 부채) → 에 장기 차입금 등
		부채성충당금 (대손충당금)	기업이 못 받을 것으로 예상되는(대손이 예상되는) 금액만큼 미리 돈을 준비해 놓는 것

2 현금주의와 발생주의 : 현금의 유입 혹은 거래의 발생여부 읽어 보기

1) 현금주의

개념	현금이동이 있을 때 기록하는 방식
특징	① 수입과 지출의 실질적인 면을 반영하지 못하는 까닭에(현금의 입출만 반영하는 까닭에) 형식주의라고 부름 → 감가상각, 미지급금, 자산, 부채, 자본 등을 인식× ② 단식부기와 복식부기에서 모두 활용할 수 있으며, 감가상각 등 자의적 회계처리가 불가능하여 통제 용이 ③ 교량, 박물관, 체육관 등 가시적 치적 쌓기(전시성 행정)에 관심이 있는 정치인들이 선호하는 회계제도

2) 발생주의

개념	① 거래가 성립하는 시점에 기록 ② 즉, 정부회계의 발생주의는 정부수입을 납세고지 시점, 정부지출을 지출원인행위(계약행위) 시점으로 계산하는 방식을 의미
특징	① 자산과 부채의 관리 → 성과비교 가능 ② 산출물에 대한 정확한 원가산정(◉ 순자산을 평가할 때 감가상각 등을 고려한 시가반영)을 통해 부문별 **성과측정 가능** ③ 발생주의에서 수입은 받을 권리(채권)가 발생한 시점, 지출은 지급할 의무(채무)가 발생한 시점을 뜻함 ④ 받을 권리를 채권으로, 지급할 의무를 채무로 볼 수 있는바 발생주의를 채권·채무주의라 부름 → 혹은 수입과 지출의 실질적인 면을 반영한다는 면에서 실질주의라는 명칭도 있음 ⑤ 복식부기로만 작성할 수 있음
기타	① 발생주는 소비자가 돈을 모두 갚는다는 전제에 기초함 → 회수불가능한 부실채권의 우려가 있음(과다계상 우려) ② 따라서 발생주의는 부도가 발생할 경우를 대비해서 대손충당금을 마련함 　㉠ 대손충당금 : 손실이 발생했을 때 충당할 수 있는 자금 → 통계데이터를 기초로 손실이 발생할 확률을 계산 후 대비함 　㉡ 대손상각 : 통계적인 확률을 기초로 계산한 손실이 실제 발생했을 때 대손충당금으로 보상한 돈

3 우리나라의 정부회계

틀잡기	구분		기록 시점(현금 혹은 거래)	
			현금주의	발생주의
	기록 방법 (한 번 혹은 두 번)	단식부기	○	×
		복식부기	○	○ : 우리나라

의의	원래 공공부문에는 현금주의·단식부기가 적용되어 왔으나, 최근 성과중심의 행정관리체제를 강조하면서 공공부문에 발생주의·복식부기를 도입 → 2007년 제정한 국가회계법에 따라 2009년부터 발생주의·복식부기 방식을 도입

재정상태표 · 재정운영표	차변(돈의 용도)	대변(돈의 출처)	작성 서류
	자산의 증가	자산의 감소	재정상태표 : 특정 시점의 재정상태 점검
	부채의 감소	부채(남의 돈)의 증가	
	자본의 감소	자본(나의 돈)의 증가	
	비용(투자) 발생	수익 발생	재정운영표(손익계산서) : 특정 기간의 성과 파악

<table>
<tr><td rowspan="2">재정상태표
·
재정운영표</td><td colspan="3">참고
① 발생주의 및 복식부기에 기초하여 정부는 재정상태표와 재정운영표를 작성함 → 성과관리
② 산출에 대한 원가 산정(시가 반영)을 가능케 하는바 분권화된 조직의 자율과 책임을 구현할 수 있음
③ 비용발생의 예시 : 이자비용 등</td></tr>
</table>

국가회계기준 규칙	**국가회계기준에 관한 규칙 제5조【재무제표와 부속서류】** ① 재무제표는「국가회계법」제14조 제3호에 따라 재정상태표, 재정운영표, 순자산변동표로 구성하되, 재무제표에 대한 주석을 포함한다. ※ 재무제표에는 현금흐름표를 작성하지 않음 **제7조【재정상태표】** ① 재정상태표는 재정상태표일 현재의 자산과 부채의 명세 및 상호관계 등 재정상태를 나타내는 재무제표로서 자산, 부채 및 순자산으로 구성된다. **제27조【재정운영표의 작성기준】** 재정운영표의 모든 수익과 비용은 발생주의 원칙에 따라 거래나 사실이 발생한 기간에 표시한다. **제52조【순자산변동표】** ① 순자산변동표는 회계연도 동안 순자산의 변동명세를 표시하는 재무제표를 말한다.

국가회계법	**제14조【결산보고서의 구성】** 결산보고서는 다음 각 호의 서류로 구성된다. 1. 결산 개요 2. 세입세출결산 3. 재무제표 : 가. 재정상태표 나. 재정운영표 다. 순자산변동표 4. 성과보고서
기타	① **재무회계** : 발생주의·복식부기 회계기준에 따라 재무제표를 작성하여 보고하는 시스템 ② **예산회계** : 예산집행에 따른 재정활동의 결과를 현금주의·단식부기 기준에 따라 회계 처리하는 것 ③ **참고** 세입세출결산은 예산회계 방식 적용

CHAPTER **08** 재무행정기관, 그리고 정부기관의 구매

Section 01 재무행정기관 ● 23 day

1 재무행정기관의 체제 : 삼원체제와 이원체제

틀잡기		기획재정부 → 중앙예산기관 + 국고 한국은행 → 중앙은행	
삼원체제	정의	중앙예산기관, 국고수지총괄기관을 분리해서 운영	
	장점	① 중앙예산기관이 대통령 직속이므로 대통령의 영향력을 바탕으로 **강력한 행정**을 수행할 수 있으며, 대통령의 행정관리능력을 제고할 수 있음 ② 분파주의(부처할거주의) 방지	
	단점	세입과 세출기관을 분리하는 바 양자의 연계성이 떨어짐	
이원체제	정의	중앙예산기관과 국고수지총괄기관을 통합해서 운영	
	장점	세입과 세출을 하나의 기관에서 담당하므로 **세입·세출의 연계성**이 높음	
	단점	분파주의 등	
	참고	① 우리나라는 2018년 기준으로 이원체제임 ② 중앙예산기관과 국고수지총괄기관을 통합하여 '기획재정부'를 운영하고 있음 ③ **우리나라의 이원체제** : 기획재정부(중앙예산기관 + 국고수지총괄기관), 한국은행	

2 기타

재무행정기관의 종류	중앙예산기관	예산안을 편성하여 국회에 제출하고 정부예산의 전반적인 관리를 담당하는 기관
	국고수지총괄기관	① 국가의 수입과 지출을 총괄하는 기관 ② 세금제도, 국가의 금고 등을 관리 → 주로 세입관리
	중앙은행	돈이 들어오고 나가는 과정을 실제로 집행

Section 02   정부기관의 구매 : 구매행정(조달행정)   ● 23 day

1 조달행정

조달행정 : 정부기관이 필요한 물건이나 용역을 구매하고 공사계약을 체결하는 행정

1) 틀잡기

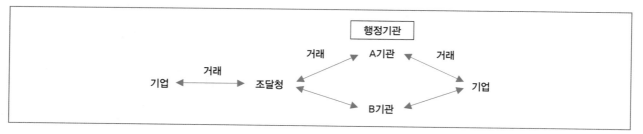

2) 집중구매

정의	중앙구매기관에서 일괄적으로 재화 및 용역을 구입 후 수요기관에 공급하는 방식
장점	① 중앙구매기관만 잘 감시하면 되므로 재정적 통제체계를 향상시킬 수 있음 ② 긴급수요나 예상외의 수요에 신속한 대처 → 집권적인 의사결정구조의 장점 ③ 예산절약 : 대량구매하면 가격이 저렴함 ④ 조달업무에 대한 전문적인 기관을 지정하여 분업화하므로 전문적인 조달이 가능함 ⑤ 지역에 관계없이 활용하는 재화 및 용역을 표준화하므로 능률적인 구매관리가 가능함
단점	① 기관의 특수성 및 개별성 반영의 어려움 : 수요기관의 선호를 반영하지 못할 우려가 있음 ② 구매의 적시성 문제 : 수요기관이 필요할 때 물건이나 용역을 공급하지 못할 수 있음 ③ 구매절차의 복잡성 우려 : 수요기관이 바로 공급자에게 받는 게 아니라 중앙조달기관이 공급자와의 계약을 거쳐야 함 → 공급자에게 편리한 조달방법 ④ 중앙구매기관이 물건 등을 일괄적으로 구매하는 과정에서 중소기업보다 대기업에 편중된 구매 가능성이 있음

3) 분산구매

정의	수요부처에서 직접 구입하는 방식
장점	① 간소한 구매절차 : 수요자와 공급자 간 직접적인 연결 ② 조달행정비용 감소 : 간소한 구매절차는 구매행정에서 발생할 수 있는 거래비용을 감소시킬 수 있음 ③ 구매의 적시성 확보 : 수요자가 물건이나 용역이 필요할 때 공급자에게 요청할 수 있기에 구매의 적시성을 확보할 수 있음 ④ 조달의 특수성 및 개별성 확보 : 일괄적인 구매가 아닌 까닭에 조달의 특수성 및 개별성 확보 ⑤ 일반적으로 대량구매는 대기업에게 맡기지만, 분산구매와 같은 소량구매는 중소기업에게 일을 맡겨도 되는 까닭에 지방의 중소기업을 활성화할 수 있음
단점	① 대량구매를 하지 않으니 구매가가 높을 수 있음 ② 구매업무에 대해 일괄적인 통제가 힘든 까닭에 각 기관에서 부패가 발생할 소지가 있음 ③ 전문적인 중앙구매기관이 집행하지 않는 바 조달에 있어서 전문성이 떨어질 수 있음 ④ 또한 종합적이고 장기적인 구매계획을 만들기 어려움

MEMO

행정환류

CHAPTER **01** 행정책임과 통제

1 행정책임의 정의 · 특징 및 필요성 cf

정의	관료가 도덕적 · 법률적 규범에 따라 행동해야 하는 **국민에 대한 의무**
특징	① 행정책임에는 **결과적인 책임(국민만족)**과 **절차에 관한 책임(규칙준수)**도 포함 ② 행정통제는 행정책임을 보장하기 위한 수단이기 때문에 **행정책임은 행정통제의 목적**에 해당함
필요성	① 행정의 전문화와 재량권의 확대로 인한 위임입법의 증가 → 행정국가화 경향 ② 국민의 정치의식의 결여 → 외부통제의 상대적 취약성

2 행정책임의 유형

1) 틀잡기

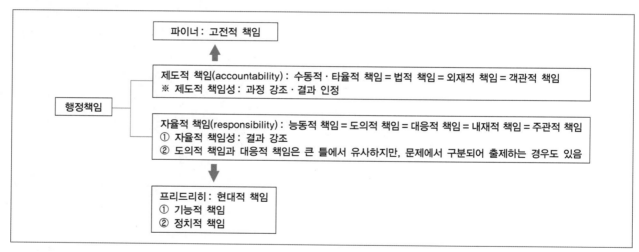

참고

① 도의적 책임과 대응적 책임을 구분해서 보는 견해도 있음
② **도의적 책임**: 공복으로서의 관료의 직책과 관련된 광범위한 도의적 · 자율적 책임
③ **대응적 책임**: 국민이나 고객의 요구, 이념, 가치에 대한 대응성을 강조하는 책임

2) 롬젝과 더브닉(Romzek & Dubnick)의 행정책임 유형 @

Romzek & Dubnick은 '통제의 원천'과 '통제의 강·약'을 기준(조직의 내·외부 특성)으로 행정책임을 네 가지로 구분함

구분		관료조직 통제의 원천	
		내부	외부
통제의 강도	강	관료적 책임성 (계층적 책임성)	법률적 책임성
	약	전문적 책임성	정치적 책임성

※ 현대 행정환경은 복잡·다양하므로 통제 위주의 책임성보다 자율 위주의 책임성 제고가, 외부 통제기제보다 내부 통제기제가 중요함 → 이에 따라 전문적 책임성이 강조되고 있음

① 각 책임성에 대한 설명 읽어 보기

관료적 책임성	개별 관료에 대한 통제와 감독에서 비롯되는 책임성 → 상명하복에 의한 책임 등
법률적 책임성	㉠ 법에 대한 준수 여부와 연관된 책임성 → 즉, 합법성을 중시하는 책임성 ㉡ 법적인 의무사항에 대한 준수 여부를 감독하고 평가하는 외부 감시자의 역할이 중요함
전문적 책임성	㉠ 정부 조직 내에서 관료의 전문성과 자율성에서 기인하는 책임성 ㉡ 투입(절차)보다는 성과관리(고객만족)를 통해 책임성을 담보할 수 있음
정치적 책임성	이익단체, 시민단체 등 주요 이해관계자들의 필요와 요구에 대한 책임성

Section 02 행정통제 → 24 day

1 행정통제의 의의 및 필요성 @

의의	① 행정책임을 확보하기 위한 장치로서, 행정이 국민의 요구나 입법부, 사법부, 행정수반이 원하는 방향으로 갈 수 있도록 평가하고 필요한 시정조치를 취하는 지속적인 과정 ② 행정체제의 일탈에 대한 감시를 통해 행정성과를 달성하려는 활동 → 따라서 **통제시기의 적시성과 통제내용의 효율성**이 요구됨 ③ 입법국가 시절에는 강력한 의회의 권한을 바탕으로 행정부를 통제하는 **외부통제에 중점**을 두었으나 **행정국가** 시기에는 행정부의 영향력 증대로 인해 외부통제의 한계가 발생함 → 이에 따라 **내부통제의 중요성**이 부각됨
필요성	① 행정재량권의 확대에 따르는 행정책임을 보다 명확히 하고, 재량권의 남용을 억제하기 위함 ② 행정의 전문성이 높아짐에 따라 외부통제의 영향력이 줄어들면서 상대적으로 내부통제의 중요성이 증가함

2 행정통제의 유형

길버트(C. E. Gilbert)는 통제자가 조직 내부 혹은 외부에 있는지에 따라 내부통제와 외부통제로, 통제방법의 제도화 여부에 따라 공식적 통제와 비공식 통제로 구분함 → 즉, 행정통제 유형을 크게 네 가지로 분류함

1) 길버트(Gilbert)의 행정통제 유형

구분	외부	내부

공식적	① 입법부
	② 사법부
	③ 옴부즈만
	④ 헌법재판소
	⑤ 국가인권위원회
		① 계층제(명령체계) 및 인사제도
		② 감사원
		③ 국민권익위원회
		④ 국무총리실, 국무조정실, 대통령
		⑤ 중앙행정부처
		⑥ 교차기능조직 및 독립통제기관
		⑦ 기타 제도
		   ㉠ 예산통제
		   ㉡ 인력의 정원통제
		   ㉢ 정부업무평가 등

비공식적	※ 민중통제
	   ① 시민(국민)
	   ② 시민단체 및 이익집단
	   ③ 여론, 매스컴(언론), 정당 등
		① 동료집단
		② 직업윤리
		③ 대표관료제
		④ 공무원 노동조합

2) 각 통제수단에 대한 보충 설명 읽어보기

① 외부·공식통제

입법부	㉠ 행정통제 방안 중에서 가장 역사가 오래되었으며(전통적 통제), 실질적으로 가장 효과가 큼 ㉡ 입법부는 입법 심의, 공공정책의 결정, 예산심의, 각종 상임위원회의 활동, 국정조사, 국정감사, 임명 동의 및 해임 건의 또는 탄핵권, 기구 개혁, 청원제도 등 행정통제를 위한 여러 제도적 장치를 가지고 있음 → 단, 최근에는 행정의 복잡성과 전문성 증대로 입법통제의 실효성이 약화되고 있음
사법부	㉠ 행정처분에 대한 행정재판권을 통하여 부당하게 권리를 침해받은 국민을 구제하는 역할을 함(예 행정명령 위법 여부 심사 등) → 통제에 있어서 합법성을 강조하므로 위법 행정보다 부당행정이 많은 현대 행정에서는 효율적인 통제가 어려운 경향이 있음 ㉡ 소송에 의한 통제를 하는바 사후적·합법적·소극적 통제라 불림 → 따라서 사전적·정치적·정책적 통제(합목적적 통제) 불가능
옴부즈만	**입법부를 통해 임명된 조사관이 국민의 요청에 따라 필요한 부분을 조사하여 시정을 촉구·건의함으로써 국민의 권리를 구제하는** 행정통제제도
헌법재판소	㉠ 위헌심사(법률이 「헌법」에 위반되는지 여부를 심사하여 위헌이라고 판단하는 경우 해당 법률의 효력을 부정하거나 적용을 거부하는 제도)를 통해 정책과정 전반에 영향을 미칠 수 있음 ㉡ 권한쟁의 심판 : 어떤 일을 어떤 기관이 해야 할지 국가기관 간에 의견이 다를 때(중앙정부와 지방정부 혹은 지방정부와 지방정부 등) 일반적으로 그 둘의 상급기관이 결정함 ㉢ 그것도 쉽지 않으면 헌법재판소의 판단을 구하게 되는데 이를 권한쟁의심판이라고 함
국가인권위원회	**국가인권위원회법 제1조【목적】** 이 법은 국가인권위원회를 설립하여 모든 개인이 가지는 불가침의 기본적 인권을 보호하고 그 수준을 향상시킴으로써 인간으로서의 존엄과 가치를 실현하고 민주적 기본질서의 확립에 이바지함을 목적으로 한다. **동법 제3조【국가인권위원회의 설립과 독립성】** ② 위원회는 그 권한에 속하는 업무를 독립하여 수행한다. → 국가인권위원회는 입법부, 사법부, 행정부의 어디에도 속하지 않는 무소속 독립기관임(헌법기관 ×)

② 외부·비공식통제 : 민중통제

시민(국민)	시민의 선거권·국민투표권 등
시민단체·이익집단	시민단체 혹은 이익집단의 다양한 요구를 통해 행정부를 통제할 수 있음
여론·언론·정당 등	㉠ 행정부는 민주주의 정치체제에서 여론 및 언론을 무시할 수 없음 ㉡ 아울러 정당은 시민의 선호를 파악하여 정부에게 다양한 요구를 투입함

③ 내부·공식통제

계층제·인사행정제도		행정부는 관료제이므로 상명하복 기제를 활용할 수 있음
감사원		감사원은 직무감찰, 결산검사, 회계검사 등의 기능을 수행함
국민권익위원회		우리나라의 옴부즈만 제도 : 국민권익위원회는 위법·부당한 행정행위에 대해 시정을 요구할 수 있음
국무총리실·국무조정실, 대통령		대통령, 국무총리실, 국무조정실(국무총리 소속) 등은 각 중앙행정기관에 대한 컨트롤 타워 역할을 수행함
중앙행정부처		중앙행정부처는 해당 조직과 연관된 다양한 조직을 통제할 수 있음 → 웹 행정안전부의 주민참여예산제도 평가 등
교차기능조직·독립통제기관	교차기능조직	㉠ 행정체제 전반에 걸쳐 관리작용을 분담하여 수행하는 참모적 조직단위로서 내부통제를 수행 ㉡ 웹 인사혁신처, 행정안전부, 기획재정부 등
	독립통제기관	독립성을 지니고 행정부를 통제하는 기관 → 웹 감사원·국민권익위원회
기타	예산통제	행정부는 총액배분자율편성제도를 통해 각 중앙관서의 예산을 통제할 수 있음
	인력의 정원통제	행정부는 총액인건비제도 등을 활용해서 인력의 정원을 통제할 수 있음
	정부업무평가	**정부업무평가기본법 제1조【목적】**이 법은 정부업무평가에 관한 기본적인 사항을 정함으로써 **중앙행정기관·지방자치단체·공공기관** 등의 통합적인 성과관리체제의 구축과 자율적인 평가역량의 강화를 통하여 국정운영의 능률성·효과성 및 책임성을 향상시키는 것을 목적으로 한다.

④ 내부·비공식통제

동료집단	동료집단의 관찰·견제 등
직업윤리	공무원이 지닌 소명심, 공익가치, 윤리적 책임의식 등
대표관료제	공무원 간 견제와 균형 → 특정 계층 공직독점방지
공무원 노동조합	노동조합 내 소통을 통해 공무원 견제

3 옴부즈만 ⓒ

1) 의의

등장배경	① 행정기능 확대로 인한 **외부통제의 한계** ② 1809년 **스웨덴**에서 도입
개념	① **입법부를 통해 임명된 조사관**이 국민의 요청에 따라 필요한 부분을 조사하여 시정을 촉구·건의함으로써 국민의 권리를 구제하는 행정통제제도 ② 옴부즈만은 스웨덴어로 대리자·대표자를 의미하며, 영국과 미국에서는 민정관 또는 호민관이라는 뜻으로 사용됨 ③ 옴부즈만은 **의회 소속인 경우가 일반적**이지만 우리나라의 국민권익위원회처럼 **행정부 소속인 경우도 있음**

2) 옴부즈만의 유형

① 의회 소속형 : 일반적인 옴부즈만

자율적인 독립성	일반적인 옴부즈만 제도는 입법부에 의한 행정부 통제수단으로써 법으로 확립되고, 기능적으로 자율적임
광범위한 업무관할	행정행위의 합법성뿐만 아니라 합목적성, 즉 공직에서 이탈된 모든 행위를 다룰 수 있음
직권조사 가능	㉠ 일반적으로 국민의 불평제기에 의해 옴부즈만이 필요한 사항을 조사하여 결과를 알려주며, 이를 언론을 통해 공표함 ㉡ 국민의 불평제기에 의해 움직인다는 면에서 제도의 기본 성격은 청원이나 진정과 유사하지만 **직권으로 조사하는 경우도 있음**
의회 소속형	외부·공식통제수단 → 옴부즈만은 의회 소속이면서 통제를 위한 공식적 권한을 부여받음
개인적 신망에 의존	㉠ 일반적인 옴부즈만은 의회가 선발한 옴부즈만의 개인적 신망과 영향력에 의존하는 바가 큼 ㉡ 따라서 부족한 인력·예산으로 인해 국민의 권익을 구제하는 데 한계가 있음

② 행정부 소속형 : 우리나라의 국민권익위원회를 중심으로

- 우리나라의 국민권익위원회는 국무총리 소속의 중앙행정기관이며, 옴부즈만의 역할을 수행함
- 우리나라의 최초 옴부즈만은 1994년(김영삼 정부) 설치된 국민고충처리위원회임 → 국민고충처리위원회는 2008년 2월 국가청렴위원회, 국무총리 행정심판위원회와 합쳐져 국민권익위원회가 되었음

부족한 조직 안정성	국민권익위원회는 헌법이 아니라 **법률에 설치 근거를 두고 있음**
직권조사 불가능	㉠ 국민권익위원회는 신청에 의한 조사만 가능함 ㉡ 따라서 사전심사권이 없고, 사후심사에 그치는 경향이 있음
시정권고 기능	㉠ 국민권익위원회는 위법·부당한 행정행위에 대해 직접 취소하거나 무효로 하지는 못하고 시정을 요구할 수 있음 ㉡ 즉, 권고, 의견표명, 감사 의뢰 등을 할 수 있음
부족한 독립성	행정부 소속(국무총리 소속)인 까닭에 독립성이 다소 부족하다는 비판이 있음
고충민원 각하(제외)	국민권익위원회는 헌법상 독립기관(국회, 법원, 헌법재판소, 선거관리위원회, 감사원, 지방의회에 관한 것 등)에 대한 고충민원을 각하(제외)하거나 관계 기관에 이송할 수 있음
재정신청 기능	㉠ 부패행위에 대해 검찰에 고발할 수 있고, 검찰이 공소제기를 하지 않을 경우 고등법원에 재정신청을 할 수 있음 ㉡ 참고 재정신청 : 검사의 불기소처분에 불복하여 그 불기소처분의 당부를 가려 달라고 직접 법원에 신청하는 제도

3) 기타 : 일반적인 옴부즈만과 국민권익위원회의 공통점

신속한 업무처리	옴부즈만은 사법부에 비해 신속한 업무처리가 가능함
외부통제 보완	광범위한 업무관할을 다루는바 다른 통제기관(입법부 혹은 사법부)들이 간과한 통제의 사각지대를 감시하는 데 유용함
소추권 인정×	보통 옴부즈만 제도에 있어서 조사권·시찰권은 인정하지만 **소추권은 인정하지 않고 있음**
간접적 통제	① 옴부즈만은 법원·행정기관의 결정이나 행위를 무효·취소 또는 변경할 수 없음 ③ 예 공공기관의 부패방지를 위한 제도개선 사항권고와 이를 위한 공공기관에 대한 실태조사 → 국권위 기능
광범위한 업무관할	행정행위의 합법성뿐만 아니라 합목적성, 즉 공직에서 이탈된 모든 행위를 다룰 수 있음

4 부패방지 및 국민권익위원회 설치·운영에 관한 법률 cf

- 국민권익위원회는 '부패방지 및 국민권익위원회 설치·운영에 관한 법률'에 따라 설치된 조직임
- 아래의 내용은 국민권익위원회에 대하여 부패방지권익위법에 명시된 내용임

제1장 총칙

제2조【정의】 이 법에서 사용하는 용어의 뜻은 다음과 같다.
1. "공공기관"이란 다음 각 목의 어느 하나에 해당하는 기관·단체를 말한다.
   가. 「정부조직법」에 따른 각급 행정기관과 「지방자치법」에 따른 지방자치단체의 집행기관 및 지방의회
   나. 「지방교육자치에 관한 법률」에 따른 교육행정기관
   다. 국회, 법원, 헌법재판소, 선거관리위원회, 감사원, 고위공직자범죄수사처
   라. 공직유관단체
   마. 각급 사립학교 등
2. "행정기관등"이란 중앙행정기관, 지방자치단체, 「공공기관의 운영에 관한 법률」 제4조에 따른 기관 및 법령에 따라 행정기관의 권한을 가지고 있거나 그 권한을 위임·위탁받은 법인·단체 또는 그 기관이나 개인을 말한다.

제2장 국민권익위원회

제11조【국민권익위원회의 설치】 ① 고충민원의 처리와 이에 관련된 불합리한 행정제도를 개선하고, 부패의 발생을 예방하며 부패행위를 효율적으로 규제하도록 하기 위하여 국무총리 소속으로 국민권익위원회(이하 "위원회"라 한다)를 둔다.
② 위원회는 「정부조직법」 제2조에 따른 중앙행정기관으로서 그 권한에 속하는 사무를 독립적으로 수행한다.

> **참고**
> 국민권익위원회는 위법한 행정처분과 더불어 접수거부, 처리 지연 등 소극적 행정행위 및 불합리한 제도 등도 모두 취급함 → 광범위한 업무관할

제13조【위원회의 구성】 ① 위원회는 위원장 1명을 포함한 15명의 위원(부위원장 3명과 상임위원 3명을 포함한다)으로 구성한다. 이 경우 부위원장은 각각 고충민원, 부패방지 업무 및 중앙행정심판위원회의 운영업무로 분장하여 위원장을 보좌한다.

> **참고 중앙행정심판위원회**
> ⓐ 중앙행정심판위원회는 국민권익위원회의 소속기관으로서 행정심판총괄기관임 → 행정심판이란, 행정청의 위법·부당한 처분(또는 그 밖에 공권력의 행사·불행사)등으로 권리 및 이익을 침해받은 국민이 법적으로 이를 구제받을 수 있도록 한 제도임
> ⓑ **국민권익위원회의 부위원장 중 1명이 중앙행정심판위원회의 위원장이 됨**

③ 위원장 및 부위원장은 국무총리의 제청으로 대통령이 임명하고, 상임위원은 위원장의 제청으로 대통령이 임명하며, 상임이 아닌 위원은 대통령이 임명 또는 위촉한다.
④ 위원장과 부위원장은 각각 정무직으로 보하고, 상임위원은 고위공무원단에 속하는 일반직공무원으로서 「국가공무원법」 제26조의5에 따른 임기제공무원으로 보한다.

제15조【위원의 결격사유】 ① 다음 각 호의 어느 하나에 해당하는 자는 위원이 될 수 없다.
   3. 정당의 당원

제16조【직무상 독립과 신분보장】 ① 위원회는 그 권한에 속하는 업무를 독립적으로 수행한다.
② 위원장과 위원의 임기는 각각 3년으로 하되 1차에 한하여 연임할 수 있다.

> **참고**
> 옴부즈만은 비교적 임기가 짧지만 임기보장을 받음(일반적인 옴부즈만도 포함)

제17조【위원의 겸직금지 등】 위원은 재직 중 다음 각 호의 직을 겸할 수 없다.
   1. 국회의원 또는 지방의회의원

제19조【위원회의 의결】 ① 위원회는 재적위원 과반수의 출석으로 개의하고 출석위원 과반수의 찬성으로 의결한다.

제28조 【법령 등에 대한 부패유발요인 검토】 ① 위원회는 법령 등의 부패유발요인을 분석·검토하여 그 법령 등의 소관 기관의 장에게 그 개선을 위하여 필요한 사항을 권고할 수 있다.

> **참고**
> 국민권익위원회는 공공기관, 지방공사 또는 지방공단의 내부규정의 부패유발요인을 분석·검토하여 개선사항을 권고할 수 있음

제3장 시민고충처리위원회

제32조 【시민고충처리위원회의 설치】 ① 지방자치단체 및 그 소속 기관에 관한 고충민원의 처리와 행정제도의 개선 등을 위하여 각 지방자치단체에 시민고충처리위원회를 둘 수 있다.
② 시민고충처리위원회는 다음 각 호의 업무를 수행한다.
　1. 지방자치단체 및 그 소속 기관에 관한 고충민원의 조사와 처리
　2. 고충민원과 관련된 시정권고 또는 의견표명 등

■ **시민고충처리위원회에 대하여**
　㉠ 시민고충처리위원회는 부패방지 및 국민권익위원회의 설치와 운영에 관한 법률에 명시된 시민고충처리를 위한 제도임 → 지자체 내의 주민옴부즈만
　㉡ 다만, 시민고충처리위원회는 의무기구가 아닌 **임의기구**로서 자율성이 높지 못하다는 한계가 있음

제4장 고충민원의 처리

제39조 【고충민원의 신청 및 접수】 ① 누구든지(국내에 거주하는 외국인을 포함한다) 위원회 또는 시민고충처리위원회(이하 이 장에서 "권익위원회"라 한다)에 고충민원을 신청할 수 있다.

제42조 【고충민원의 처리기간】 ① 권익위원회(국민권익위원회 또는 시민고충처리위원회)는 접수된 고충민원을 접수일부터 60일 이내에 처리하여야 한다. 다만, 조정이 필요한 경우 등 부득이한 사유로 기간 내에 처리가 불가능한 경우에는 60일의 범위에서 그 처리기간을 연장할 수 있다.

부패방지 및 국민권익위원회의 설치와 운영에 관한 법률 제2조 【정의】 이 법에서 사용하는 용어의 뜻은 다음과 같다.
　5. "고충민원"이란 행정기관등의 위법·부당하거나 소극적인 처분(사실행위 및 부작위를 포함한다) 및 불합리한 행정제도로 인하여 국민의 권리를 침해하거나 국민에게 불편 또는 부담을 주는 사항에 관한 민원(현역장병 및 군 관련 의무복무자의 고충민원을 포함한다)을 말한다.
　　참고 부작위 : 해야 할 의무를 다하지 않음

CHAPTER 02 행정개혁

Section 01 행정개혁 ● 24 day

1 행정개혁의 정의 및 특징 ⓒ

정의		행정을 현재보다 나은 방향으로 개선하기 위한 의도적이고 계획적인 노력·활동
특징	정치·사회심리적 성격	권력투쟁, 타협, 설득이 병행되는 경향이 있음
	목표지향적·계획적 변화	개혁은 목표를 지니고 있으며, 의도적·계획적 활동임
	개혁의 불확실성	개혁을 추진하는 과정에서 예측하지 못한 일이 발생할 수 있음
	지속적 과정	개혁의 목표를 달성하기 위해 꾸준하게 추진되어야 함
	저항의 수반	개혁을 단행하는 과정에서 공무원 등의 저항이 나타날 수 있음
	공공성	개혁은 사적인 상황이 아니라 공적 상황에서 발생
	동태성	환경변화에 따라 다양한 측면에서 행정개혁이 발생함
	포괄적 연관성	개혁은 조직구조, 조직문화 등 다양한 분야를 고려해야 함
	생태적 속성	행정환경은 다양한 주체와 제도가 얽혀있는 생태계와 유사함

2 행정개혁의 접근법

구조적 접근	① 행정체계의 구조적 설계를 개선함으로써 행정개혁의 목표를 달성하려는 접근방법 ② 기능중복의 제거, 책임의 재규정, 조정 및 통제절차 개선, 표준절차 간소화, 의사전달체계 및 의사결정권 수정, 분권화 전략(권한의 재조정) 등 ③ 통솔범위의 조정, 명령계통의 수정, 작업집단 재설계 등
행태적 접근법 : 인간관계적 접근	① 개혁의 초점을 인간의 행동에 두면서 구성원의 신념 및 가치관, 행태를 의도적으로 변화시켜 행정체제의 변화를 유도하는 접근법 → 집단토론, 감수성 훈련 등 조직발전(OD)과 같은 행태과학의 지식과 기법을 활용 ② 아울러 조직의 목표와 개인의 목표를 일치시켜(인간관계론) 능동적으로 일하도록 행동의 변화를 유도
과정적 접근법 : 관리·기술적 접근	① 행정체제 내의 과정 또는 일의 흐름을 개선하려는 접근으로써 조직 내 운영과정을 수정하는 것 → 이를 위해 BPR(리엔지니어링), TQM(총체적 품질관리) 등을 활용 ② 관리과학 즉, 과학적 관리에 기초하여 행정이 수행하는 절차나 과정, 행정전산망 등 기술이나 장비 및 수단의 개선으로 행정의 성과향상 유도
문화론적 접근	① 행정체제의 보다 근본적인 개혁을 성취하기 위해 행정문화를 개혁하는 접근법 ② 비공식적인 제도(상징체계, 신화, 의례 등)을 개혁하는 것
사업(산출)중심적 접근	정책목표와 내용 및 소요 자원에 초점 → 행정활동의 목표를 개선하고 행정(서비스)의 양과 질을 개선하려는 접근법
통합적(종합적) 접근	개혁대상의 구성요소를 포괄적으로 관찰하고 여러 가지 분화된 접근방법을 통합하여 해결방안을 탐색하는 것

3　행정개혁 주체별 특징 ⓐ

구분	내부인사에 의한 개혁	외부인사에 의한 개혁
장점	① 시간 및 경비↓ ② 집중적이고 간편한 건의 ③ 기관의 내부이익 고려 ④ 현실성 및 실현가능성이 높음	① 객관적이고 종합적임 ② 국민의 광범위한 지지확보 가능 ③ 권력구조의 근본적인 재편성 가능
단점	① 객관성 및 종합적인 내용 부족 ② 보수적인 개혁 ③ 광범위한 지지× ④ 기관 간 권력구조의 근본적인 재편성× ⑤ 사소한 사무 혹은 관리기능에 치중할 수 있음	① 급진적인 안을 건의하는 경향이 있는바 실행가능성↓ ② 시간 및 비용↑ ③ 조직의 외부인사가 개혁을 단행하는바 관료들의 저항↑

4　행정개혁의 저항 및 극복방안

저항원인		① 개혁내용의 **불명확성** ② 참여부족 혹은 **비공개적 추진** ③ 개혁에 필요한 법규제정이 어렵거나 지식·자원이 부족할 때
극복방안 (애치오니)	**강제적 방법**	① **위협, 제재 및 명령을 활용** ② 저항을 근본적으로 해결하기보다는 단기적으로 또는 **피상적으로 해결**하는 방법으로써 장래에 더 큰 **저항을 초래할** 위험이 있음 ③ 명령, 신분상의 불이익 부여, 긴장 고조(긴장 조성), 저항집단의 세력약화(권력구조 개편) 등
	공리·기술적 방법	① 개혁이 초래할 결과를 분석하여 **손실에 대한 일정 대가를 제공**하거나 **개혁시기를 조절**하는 방법 ② 호혜적 방법을 사용하여 행정개혁에 순응하는 경우에는 저항세력의 피해를 완화하고 이익을 증가시킴 ③ 개혁의 **시기조절(점진적인 추진)**, 경제적 손실에 대한 보상, 개혁이 가져오는 가치와 개인적 이득의 **명확화(개혁의 공공성에 대한 홍보)**, 신분과 보수의 유지 및 약속(임용상 불이익 방지) 등
	사회·규범적 방법	① **정당성 확보 → 자발적 협력과 수용을 유도**하는 것 ② 의사전달과 참여의 활성화, 불만 해소 기회 제공(가치갈등 해소), 사명감 고취(역할인식 강화), 자존감 충족, 교육훈련, 개혁지도자의 신망 혹은 카리스마 개선, 자기계발 기회 제공, 개혁 수용에 필요한 시간 허용 등 ③ 저항을 **가장 근본적으로 해결**하는 방법 → 단, 시간과 노력↑
		참고 강제적 방법에서 사회·규범적 방법으로 갈수록 개혁에 소요되는 시간이 길어짐

5 선진국과 대한민국의 행정개혁 : NPM개혁을 중심으로 ⓒf

미국	클린턴	① 점진적 개혁 : 경제 호황기 ② 고어 부통령의 NPR(국정성과평가위원회)이 주도(1993) 　㉠ 고어(Gore) 부통령이 직업관료 250인을 중심으로 국정성과평가위원회 결성 　㉡ 고어 보고서 : 관료적 형식주의(Red-tape) 제거, 고객우선주의, 성과산출을 위한 공무원 권한강화(분권) ③ 정부성과평가기본법(GPRA) 제정 → 성과중심 관리추진
영국	대처 (보수당)	① Next steps 프로그램(1988) : 정책기능과 집행기능을 분리하여 특정 행정분야에 대해 책임지고 경영하는 **책임운영기관제도(executive agency)** 도입 ② **의무경쟁입찰제도(CCT)** : 가장 효율적으로 서비스를 공급할 수 있는 주체에게 공공서비스 생산을 맡김 ③ 능률성 정밀진단
	메이저 (보수당)	① **시민헌장제도** : 국민과의 약속을 지키지 않았을 때, 국민이 정부에게 보상을 요구할 수 있도록 하여 행정의 투명성과 대응성을 제고 ② 시장성테스트
	블레어 (노동당)	① **복지국가 + 신자유주의** : 신자유주의적인 개혁에 제동 ; Giddens의 '제3의 길'에 기초 ② CCT(의무경쟁입찰제도) 폐지 → **최고가치제도 도입**(효율성보다 최고의 품질 강조) ③ 전자정부 구현
우리나라	김대중	① 목표관리제도 ② 성과급 제도 ③ 개방형 직위제도 ④ 책임운영기관제도
	노무현	① 목표관리제도 폐지 → 직무성과계약제 도입 ② 고위공무원단 제도 ③ 총액자율제도편성 예산 ④ 총액인건비제도 ⑤ 개방형 직위 및 성과급 제도 확대 ⑥ **지방분권화** : 주민투표제, 주민소송제, 주민소환제 등 ⑦ 프로그램 예산제도
기타		① 일본에서는 1997년 정부개혁의 일환으로 책임운영기관과 유사한 독립행정법인을 창설하였음 ② 미국에서는 신공공관리 개혁에 앞서 1970년대 후반 조세에 대한 저항운동(ⓔ 주민발의안 제13호)이 발생 ③ **참고** **주민발의안 13호** : 1970년대 후반 캘리포니아주의 부동산 가격 및 재산세가 상승함에 따라 집을 소유하고 있지만, 고정수입이 많지 않았던 노령층이 큰 타격을 입었던 까닭에 재산세 증액에 반대하는 운동이 일어남 → 이는 감세를 골자로 하는 주민발의안 13호가 의회에서 통과하는 데 영향을 미침

DAY — 24

6 우리나라의 역대 행정개혁 ⓒ

김영삼 (1993~1997)	① 해양수산부 및 정보통신부 신설 ② **경제기획원 + 재무부**: 재정경제원 신설 ③ 내무부의 지방통제 기능 축소
김대중 (1998~2002)	① 기획예산처 및 중앙인사위원회 신설 ② **총무처 + 내무부**: 행정자치부 신설 ③ 부총리제 폐지(1998) → 2001년에 다시 부활 ④ 법제처장 및 국가보훈처장 → 차관급으로 격하 ⑤ 공보처 → 공보실 → **국정홍보처 신설** ⑥ 여성부 신설 ⑦ 식품의약품안전청을 보건복지부 외청으로 신설
노무현 (2003~2007)	① 법제처와 국가보훈처를 장관급 기구로 격상 ② **소방방재청 신설**
이명박 (2008~2012)	■ **다양한 부처 간의 통폐합·민영화 시도** 　① **기획예산처와 재정경제부 통합**: 기획재정부 신설 　② **행정자치부와 중앙인사위원회 통합**: 행정안전부 신설 　③ 정보통신부를 폐지하고 **방송통신위원회 신설** 　④ 부총리제와 국정홍보처 폐지 　⑤ 건설교통부와 해양수산부를 통합하여 국토해양부 신설
박근혜 (2013~2017)	① 미래창조과학부 신설 ② **식품의약품안전청을 총리소속의 처로 격상** ③ 소방방재청과 해양경찰청을 통합하여 국민안전처 신설 ④ 행정안전부 → 안전행정부 → 행정자치부 ⑤ **인사혁신처 신설** ⑥ 외교통상부를 외교부로 변경(통상교섭기능을 분리함 → 산업통상자원부로 이관) ⑦ **부총리제 및 해양수산부 부활**
문재인 (2017~2022)	① **중소벤처기업부 신설** → 중소기업청을 중소벤처기업부로 승격·신설 ② 국민안전처 폐지 ③ **소방청은 행정안전부 산하로, 해양경찰청은 해양수산부 산하로 독립** ④ 행정자치부를 국민안전처와 통합하여 행정안전부로 개편 ⑤ **국가보훈처장을 장관급으로 격상** ⑥ 미래창조과학부를 과학기술정보통신부로 개편 → 과학기술 혁신의 컨트롤타워 기능을 강화하기 위해 과학기술혁신본부를 차관급 기구로 둠 ⑦ 대통령경호실을 차관급으로 하향조정 → 대통령경호처로 변경 ⑧ **수질관리의 일원화 추진 → 환경부가 수질관리를 담당**
윤석열 (2022~현재)	① **국가보훈처를 국가보훈부로 승격** ② 외교부 산하 **재외동포청 신설** ③ 과학기술정보통신부 산하 **우주항공청 신설** ④ **문화재청 명칭을 국가유산청으로 변경** ⑤ 대통령 소속으로 디지털플랫폼정부위원회 설치 ⑥ **대통령 집무실 이전**: 청와대 → 용산

7 기타

3차 산업혁명과 4차 산업혁명	① 4차 산업혁명은 2016년 스위스 다보스에서 열린 '세계경제포럼'에서 언급된 용어임 ② **3차 산업혁명**은 **정보통신기술을 활용한 자동화 생산체계의 도입**을 의미하지만, 4차 산업혁명은 정보통신기술과 인터넷 기반의 네트워크를 바탕으로 서로 다른 분야의 융합을 통한 새로운 부가가치의 생산을 의미함 ③ **4차 산업혁명**은 3차 산업혁명 시대에 수집된 방대한 정보와 데이터(빅데이터)를 기반으로 패턴을 분석하고, 새로운 패턴을 구축하는 **인공지능의 발달을 핵심으로 하고 있음**	
4차 산업혁명의 주요특징	① 4차 산업혁명은 서로 다른 분야의 융합, 즉 산업과 산업 간의 **초연결성**을 바탕으로 **초지능성(인공지능화)**을 창출함 ② 4차 산업혁명은 빅데이터, 인공지능, 로봇공학, 사물인터넷, 무인운송수단, **사이버·물리시스템, 블록체인** 등의 신기술을 기존의 제조업과 융합해 생산성 및 능률성을 극대화함	
용어정리	**사이버·물리 시스템**	물리적인 세계와 디지털적인 세계의 통합을 의미함 → 인체정보를 디지털 세계에 접목하는 예는 스마트워치 등이 있으며, 이를 통해 모바일 헬스케어를 실현할 수 있음
	블록체인	거래정보의 기록을 중앙집중화된 서버나 관리기능에 의존하지 않고, 분산원장(distributed ledger)을 기반으로 모든 참여자에게 분산된 형태로 배분함으로써, 데이터 관리의 탈집중화된 환경을 제공하는 기술

DAY

24

최욱진 행정학

지방자치론

CHAPTER **01** 지방자치론의 기초

1 지방자치의 개념과 특징 ☞

지방자치의 개념	구분	지방자치단체 사무	지방자치 계보
	광의	고유사무 + 위임사무 + 국가사무	
	협의	고유사무 + 위임사무 → 우리나라	단체자치
	최협의	고유사무	주민자치

용어정리
① **고유사무(자치사무)** : 국가의 간섭없이 지자체가 자율적으로 자주재원에 의해 처리하는 사무
② **위임사무** : 중앙정부가 지방자치단체 등에게 위임한 사무
③ **국가사무** : 중앙정부가 처리해야 하는 사무

지방자치의 특징	① 권력분립을 통한 자유의 확보 ② **민주주의의 훈련** : 주민이 다양한 견해를 제시할 수 있음 ③ 지역주민에 대한 행정의 반응성 제고 ④ 지역주민에 의한 민중통제가 용이해지고 지역주민의 이익을 증대할 수 있음 ⑤ **다양한 정책실험의 실시** : 지방자치단체라는 공법인을 통해 주민에게 필요한 주요 정책의 실험장 역할을 함 ⑥ **지방행정의 효율성 향상** : 지방자치단체 간 경쟁을 형성함으로써 효율적인 공공서비스를 제공할 수 있음 ⑦ 지방정부에 의한 지방행정의 안정성 및 특수성 확보

기타	지방자치 5대 구성요소	주민	참정권을 행사하고 자치비용을 부담하는 인적 구성요소
		구역	지방정부의 자치권이 일반적으로 미치는 지역적·공간적 범위
		자치기구	집행기관인 자치단체의 장과 의결기관인 지방의회
		자치권	지역사무를 자주적으로 처리하기 위한 자주적 통치권
		사무	고유사무와 위임사무 등

참고
지방자치제가 실시되지 않는 곳에서도 지방행정은 존재할 수 있음

2 주민자치와 단체자치 : 지방자치의 계보

1) 주민자치와 단체자치에 대한 이해

2) 주민자치와 단체자치 비교

- 지방자치법 제1조【목적】이 법은 지방자치단체의 종류와 조직 및 운영, 주민의 지방자치행정 참여에 관한 사항과 국가와 지방자치단체 사이의 기본적인 관계를 정함으로써 지방자치행정을 **민주적이고 능률적**으로 수행하고, 지방을 균형 있게 발전시키며, 대한민국을 민주적으로 발전시키려는 것을 목적으로 한다.
- 우리나라는 단체자치의 계보 속에서 최근에(전부 개정된 지방자치법) 주민자치 요소를 강화하였음

구분	주민자치 : 주민에 의한 자치	단체자치 : 지방자치단체에 의한 자치
발전국가	미국과 영국 등	독일과 프랑스 등 대륙계 국가
자치권의 본질	고유권설 : 자치권은 주민의 천부적인 권리	• 전래권설 : 국가에 의해 인정받은 실정법상의 권리 • 주로 헤겔(Hegel)의 영향을 받은 독일의 공법학자들이 주장
재량의 정도	광범위한 자치권	협소한 자치권
통제방식	입법통제와 사법통제	행정통제
지방자치의 성격	내용적·본질적·실질적·정치적	형식적·법제적
지방자치의 중점	주민참여 : 민주주의 강조 ① 주민통제(아래로부터의 통제) ② 대내적 자치 : 주민과의 관계에 중점	중앙정부로부터의 독립 : 지방분권 강조 ① 중앙통제(위로부터의 통제) ② 대외적 자치 : 국가와의 관계에 중점
권한부여 방식	개별적 수권주의 위주 : 대부분을 차지하는 고유사무를 제외한 일부 사무를 개별적으로 지정	포괄적 위탁주의 위주 : 통일적인 일을 위해 모든 자치단체에게 일반적인 권한을 법률로 위임하는 방식
기관구성	기관통합형	기관분리형
지방정부의 사무	• 고유사무 • 고유사무와 위임사무의 구분이 없음	• 위임사무 + 고유사무 • 고유사무와 위임사무의 구분이 명확함
자치단체의 지위	순수한 자치단체	이중적 지위(자치단체 + 일선기관)
중앙과 지방의 관계	기능적 협력관계	권력적 감독관계

참고 **자치권의 본질에 대한 학설**
① **고유권설(지방권설)** : 자치권은 주민의 자연적·천부적인 권리 → 고유권설은 프랑스의 지방권 사상(뚜레가 제창)을 기초로 확립되었음
② **전래권설(국권설·승인설)** : 자치권은 국가에 의해서 인정받는 실정법상의 권리
③ **제도적 보장설** : 자치권이 국가통치권에 기초하면서도 헌법에 지방자치의 규정을 둠으로써 지방자치제도가 보장된다는 관점 → 참고로 제도적 보장설에서의 보장은 지방자치제도의 일반적인 보장이지 개별적인 지방자치단체의 존립을 계속 보장하는 것은 아님

3 우리나라의 자치권

1) 자치권에 대한 이해

2) 자치행정권과 자치사법권

자치행정권	자치재정권	지방자치법 제139조【지방채무 및 지방채권의 관리】① 지방자치단체의 장이나 지방자치단체조합은 따로 법률로 정하는 바에 따라 지방채를 발행할 수 있다.
	자치조직권	지방자치법 제125조【행정기구와 공무원】① 지방자치단체는 그 사무를 분장하기 위하여 필요한 행정기구와 지방공무원을 둔다. ② 제1항에 따른 행정기구의 설치와 지방공무원의 정원은 인건비 등 대통령령으로 정하는 기준에 따라 그 지방자치단체의 조례로 정한다.
자치사법권		① 우리나라의 지방자치단체는 자치사법권이 없음 ② 즉, 자치사법 기능을 갖지 않는 지방자치도 있을 수 있는바 지방정부와 지방자치가 항상 일치하는 것은 아님

3) 자치입법권: 지방자치법을 중심으로

제3장 조례와 규칙

제28조【조례】① 지방자치단체는 법령의 범위에서 그 사무에 관하여 조례를 제정할 수 있다. 다만, 주민의 권리 제한 또는 의무 부과에 관한 사항이나 벌칙을 정할 때에는 법률의 위임이 있어야 한다.
② 법령에서 조례로 정하도록 위임한 사항은 그 법령의 하위 법령에서 그 위임의 내용과 범위를 제한하거나 직접 규정할 수 없다.

> **참고**
> 헌법 제117조 ① 지방자치단체는 주민의 복리에 관한 사무를 처리하고 재산을 관리하며, 법령의 범위안에서 자치에 관한 규정을 제정할 수 있다.
> ② 지방자치단체의 종류는 법률로 정한다.

제29조【규칙】지방자치단체의 장은 법령 또는 조례의 범위에서 그 권한에 속하는 사무에 관하여 규칙을 제정할 수 있다.

> **참고**
> 교육감은 교육규칙을 제정할 수 있음

제30조【조례와 규칙의 입법한계】시·군 및 자치구의 조례나 규칙은 시·도의 조례나 규칙을 위반해서는 아니 된다.

제31조【지방자치단체를 신설하거나 격을 변경할 때의 조례·규칙 시행】지방자치단체를 나누거나 합하여 새로운 지방자치단체가 설치되거나 지방자치단체의 격이 변경되면 그 지방자치단체의 장은 필요한 사항에 관하여 새로운 조례나 규칙이 제정·시행될 때까지 종래 그 지역에 시행되던 조례나 규칙을 계속 시행할 수 있다.

■ 제32조: 조례와 규칙의 제정 절차 등

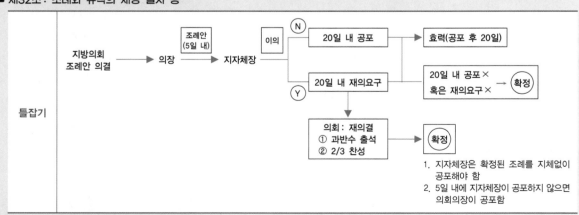

제32조【조례와 규칙의 제정 절차 등】 ① 조례안이 지방의회에서 의결되면 지방의회의 의장은 의결된 날부터 5일 이내에 그 지방자치단체의 장에게 이송하여야 한다.

② 지방자치단체의 장은 제1항의 조례안을 이송받으면 20일 이내에 공포하여야 한다.

③ 지방자치단체의 장은 이송받은 조례안에 대하여 이의가 있으면 제2항의 기간에 이유를 붙여 지방의회로 환부(還付)하고, 재의(再議)를 요구할 수 있다. 이 경우 지방자치단체의 장은 조례안의 일부에 대하여 또는 조례안을 수정하여 재의를 요구할 수 없다.

④ 지방의회는 제3항에 따라 재의 요구를 받으면 조례안을 재의에 부치고 재적의원 과반수의 출석과 출석의원 3분의 2 이상의 찬성으로 전(前)과 같은 의결을 하면 그 조례안은 조례로서 확정된다.

⑤ 지방자치단체의 장이 제2항의 기간에 공포하지 아니하거나 재의 요구를 하지 아니하더라도 그 조례안은 조례로서 확정된다.

⑥ 지방자치단체의 장은 제4항 또는 제5항에 따라 확정된 조례를 지체 없이 공포하여야 한다. 이 경우 제5항에 따라 조례가 확정된 후 또는 제4항에 따라 확정된 조례가 지방자치단체의 장에게 이송된 후 5일 이내에 지방자치단체의 장이 공포하지 아니하면 지방의회의 의장이 공포한다.

> **참고**
> 아래처럼 중앙정부도 국회의장이 확정된 법률을 공포하는 경우도 있음
> 헌법 제53조 ⑥ 대통령은 제4항과 제5항의 규정에 의하여 확정된 법률을 지체없이 공포하여야 한다. 제5항에 의하여 법률이 확정된 후 또는 제4항에 의한 확정법률이 정부에 이송된 후 5일 이내에 대통령이 공포하지 아니할 때에는 국회의장이 이를 공포한다.

제34조【조례 위반에 대한 과태료】 ① 지방자치단체는 조례를 위반한 행위에 대하여 조례로써 1천만원 이하의 과태료를 정할 수 있다.

② 제1항에 따른 과태료는 해당 지방자치단체의 장이나 그 관할 구역의 지방자치단체의 장이 부과·징수한다.

4 　**지방자치의 역사(집권화와 분권화의 전개) 및 의의** ⓒ

1) 틀잡기

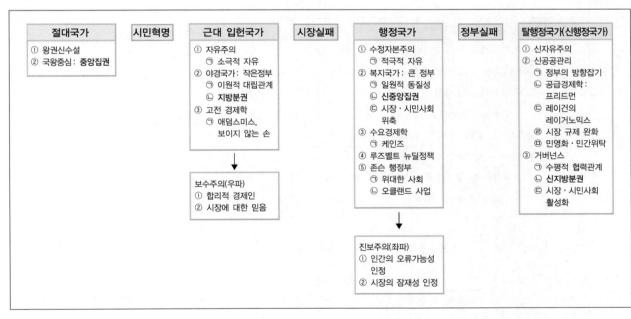

2) 주요 내용

중앙집권과 지방분권		의사결정권이 중앙정부에 집중되어 있으면 중앙집권, 그렇지 않으면 지방분권
신중앙집권	개념	① 근대 입헌국가의 불완전한 면을 보정하기 위해 등장한 개념으로서 과거 중앙집권에 비해 권력은 분산하나 지식과 기술은 중앙에 집중하여 지방자치의 민주화와 능률화를 추구 ② 관료적·권력적 집권이 아니라 **비권력적·지식적·기술적 집권**
	촉진요인	① 광역행정 및 **국제정세의 불안정(시장실패)**, 환경문제, 보건문제 등 전국적인 문제의 발생 ② 과학기술 및 교통통신의 발달 ③ 국민생활권의 확대와 행정의 **국민의 최저수준유지(형평성)**의 필요성 ④ **국가 및 지방의 공동사무(중간사무)의 증대**, 중앙의 정책계획의 증가 등 ⑤ **지방재정의 만성적인 부족**
신지방분권	개념	① **중앙정부 기능을 지방정부와 협력하는 체계**로서 정부실패 현상 이후 **탈행정국가**로 오면서 나타난 현상 ② 1980년대 이후 전통적으로 중앙집권적 풍토를 가지고 있던 대륙계 국가에서 정보화, 세계화, 도시화, 지역불균형화 등으로 인해 나타난 지방분권의 경향
	촉진요인	① 중앙집권의 폐해(정부실패)로 인한 **신자유주의의 등장** ② **지방정부의 행정능력(정보처리능력) 향상** ③ 행정의 현지성 및 지역적 특수성의 요청 ④ **중간사무(공동사무)의 존재** ⑤ 민주주의 확산(주민참여욕구 증대 및 고객지향적 행정 등)과 세계화에 의한 국가경쟁력 제고 필요 ⑥ 유엔의 '리우선언'(1992)에 따른 **환경보존행동계획**

3) 기타

중앙집권 · 지방분권 측정지표	특별지방행정기관	특별지방행정기관의 수가 많으면 중앙집권적
	지자체 중요 직위 선임방식	지자체의 중요한 직위를 중앙이 임명하면 중앙집권적
	국가공무원과 지방공무원의 수	국가공무원의 수가 많으면 중앙집권적
	국가재정과 지방재정의 규모	국가재정의 비중이 더 크면 중앙집권적
	민원사무 처리의 비율	민원사무를 중앙정부에서 많이 처리할 경우 중앙집권적
	고유사무와 위임사무의 구성 비율	위임사무의 비중이 더 크면 중앙집권적
	중앙정부의 지방예산 통제의 정도	중앙정부의 지방예산에 대한 통제의 폭이나 빈도가 높으면 중앙집권적
	감사 및 보고의 수	중앙이 요구하는 감사 혹은 보고의 수가 많으면 중앙집권적
	국세와 지방세의 대비	국세가 많으면 중앙집권적

중앙집권 · 지방분권 장·단점	구분	중앙집권	지방분권
	장점	행정의 통일성(격차 완화·균질화) 확보 → 행정관리의 능률성 제고	**지역주민의 견해반영** : 행정에 대한 민중통제
		국가적 위기 시 신속한 대응	지방정부 간 경쟁유도를 통한 **효율성** 확보
		소득재분배 정책의 수행 : 국민 전체의 복지향상	지방공무원과 주민의 사기 및 창의성 증진
		노사 간의 대립, 사회의 복잡화, 실업 등의 사회문제 해결	정치훈련을 가능하게 하고 주민의 정치의식 수준이 향상
	단점	지역적 특수성 결여	통일적인 행정을 수행하기 어려움
		민중통제 약화	주민 견해의 지나친 반영 시 행정의 능률화 저해
		표준화로 인한 창의성 저해 → 행정의 형식주의화	업무의 중복초래 가능성

| Section 02 | 지방자치단체의 종류 | ● 25 day |

- 지방자치단체는 지방의회와 집행부로 구성되어 있음
- 지방의회와 집행기관을 각각 주민직선으로 구성하느냐 아니면 지방의회만 주민직선으로 구성하느냐에 따라 기관대립형과 기관통합형으로 구분됨
- 우리나라의 지방자치단체 기관구성 형태는 기본적으로 기관대립형이며, 이러한 틀에서 보통지방자치단체와 특별지방자치단체로 지방자치단체 유형을 분류하고 있음

1 지방자치단체의 기관구성 : 기관대립형과 기관통합형

1) 틀잡기

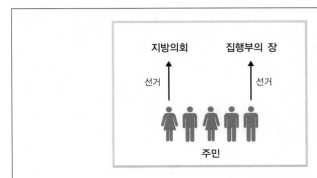
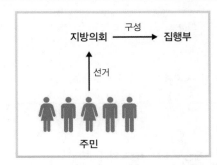

2) 기관대립형(기관분리형 · 기관분립형)

장점	견제와 균형	권력의 남용 방지
	행정책임성 제고	① 집행부장을 주민이 선출하기 때문에 집행부의 장은 행정에 대한 책임을 명확하게 질 수 있음 ② 지방의회와 지방자치단체의 장을 주민이 직선하여 **분업화된 체계**가 형성되므로 **행정의 책임소재가 명확해짐** → 따라서 지방행정에 대한 주민통제가 보다 용이함
	행정의 전문성↑	정치와 행정의 분업화로 인해 행정의 전문성 확보에 유리함
	분파주의 배제	① 단일 지도자(전문 집행인)에 의한 행정부서 간 분파주의(부처할거주의) 배제에 유리함 ② 즉, 공무원은 정치인보다 행정인의 명령에 순응하는 측면이 있다는 것
단점		① 의결기관과 집행기관이 대립할 때 **지방행정운영이 불안해짐** → 집행부와 의회가 병존하는 이원적 구성으로 인해 **비효율성**을 초래할 수 있음 ② 지방자치단체 장에게 지나치게 많은 권한을 부여할 경우(재량권 부여 등) 지방행정의 책임성과 공정성을 확보하기 어려움
기타		① 우리나라 지방자치단체의 기관구성 형태는 지방자치법에 기관대립형으로 명시되어 있음 ② 우리나라는 기관대립형을 채택하면서도 단체장의 지위를 강화하였다는 특징을 가지고 있음 → **강시장의회형** ③ 즉, 지방의회와 지자체장이 갈등하는 경우 지방자치단체장이 취할 수 있는 비상적 해결수단으로 재의 요구, 준예산 집행, **선결처분** 등이 있음 ④ 기관통합형은 영국 · 미국 · 독일 · 프랑스 등 대부분의 나라에서 채택하고 있고, 기관대립형은 한국 · 일본 · 이탈리아 등 일부 국가에서 채택하고 있음
유형	강시장 · 의회형	① 시장과 의회의 상호견제 장치를 마련하면서도 시장이 의회에 대해 **거부권을 행사**할 수 있는 권한을 지닌 시장 우위형 도시정부 통치유형 ② 이는 시장이 시정의 전반에 강력한 리더십을 발휘할 수 있는 제도적 장치임
	약시장 · 의회형	① 시장과 의회가 구성되어 상호견제를 하지만 의회가 **집행부에 대해 인사권과 감독권을 행사**하는 의회 우위형 통치유형 ② 일반적으로 의회가 예산을 편성하며, 시장의 거부권을 인정하지 않음

3) 기관통합형

장점	① 결정과 집행의 유기적 관련성 제고 → 의원의 임기 동안 지방자치행정에 대한 효율성·책임성 증진 ② 집행부에게 대리하는 구조가 아니므로 주민의 의사를 정확하게 반영할 수 있음 ③ 집행을 위한 주요 인력을 따로 충원하지 않는 까닭에 일반적으로 소규모 자치단체에 적합함 → 예를 들어, 기관통합형 중 위원회형은 소규모의 지방자치단체에 적합
단점	① 기관분리형처럼 '견제와 균형'의 작용이 부족한 까닭에 자칫 권력의 남용이 나타날 수 있음 ② 엄격한 분업체계가 아니므로 행정의 전문성이 결여될 수 있음

유형	위원회형	① 주민이 선출한 3~5인의 위원으로 구성된 위원회가 입법권과 행정권을 모두 행사하며, 각 위원은 각각의 전문분야를 가지고 각 행정부서 책임자로서 역할수행 ② 예 미국의 county(군)
	의회의장형	① 지방의회의장이 집행기관 장으로서 지위를 겸하고, 지방의회 의장 밑에 집행사무 조직을 두는 형태 ② 예 프랑스
	의회형	① 의회가 입법기능과 집행기능 전반을 담당하기 때문에 단체장이 존재하지 않고, 의회의장이 자치단체를 대표하는 형태 → 의회는 전문분야별 분과위원회가 설치되어 분과위원장이 각 행정부서의 장이 됨 ② 예 영국, 호주, 뉴질랜드 등
	의회·시지배인형	시장이 없는 통치구조에서 의회가 행정에 정통한 지배인을 임명하여 행정업무 전반을 담당하게 함으로써 행정의 효율성을 높이려는 제도임 → 지배인은 상근 고용인으로서 시나 시민이 직면하고 있는 문제와 필요에 집중할 수 있는바 유능한 행정적 리더십을 담보할 수 있음(의례적이고 명목적 기능수행×)

---

2 지방자치단체의 계층구조 : 단층제와 중층제

1) 틀잡기

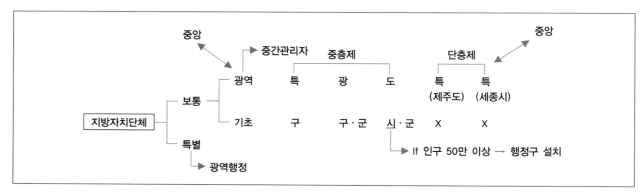

2) 중층제

개념	일정한 지역 내에 법인격을 가진 지방자치단체가 계층의 형태(두 개 이상의 지방자치단체)를 이루면서 지방사무를 종합적으로 처리하도록 하는 제도
장점	① 국가의 감독비용 감소 → 광역지방자치단체가 중간관리자 역할을 수행함 ② 기초자치단체와 광역자치단체 간 행정기능 분업화 → 능률성 제고 및 양자의 부족한 점 상호 보완 ③ 국토가 넓거나 인구가 많은 국가에서 채택하기에 용이함
단점	① 기초자치단체와 중앙정부의 의사소통이 원활하지 못할 수 있음 ② 동일한 지역 내 행정기관이 중복되어(중복행정·분업과 조정이 잘 안 될 경우) 행정의 비효율이 발생할 수 있고, 행정책임 확보가 어려워질 수 있음 ③ 지자체 간 협력행정이 안되면 갈등이 발생할 수 있음

3) 단층제

개념	① 지역 내 법인격을 가진 지방자치단체가 하나만 존재하여 이로 하여금 지방적 사무를 종합적으로 처리하도록 하는 제도 ② 대체로 소규모의 국가, 그리고 도시지역에서 채택
장점	① 단층제는 이른바 이중행정의 폐해를 없애고, 행정의 신속성을 담보한다는 점에서 능률적임 ② **기초자치단체와 중앙정부의 의사소통이 원활함** ③ 특정 지역에 하나의 지방정부를 설치하기 때문에 지역의 특수성을 살릴 수 있음 ④ 중복행정으로 인한 행정지연의 낭비를 줄일 수 있음 ⑤ 단층제는 한 개의 지방자치단체가 지방행정을 수행하는바 주민생활행정에 대한 **책임소재가 명확함**
단점	① **중앙집권화**의 우려가 있음 → 지자체에 대한 중앙정부의 감독이 증가할 수 있음 ② 하나의 지자체가 특정 지역을 담당하기 때문에 행정서비스에 대한 **주민접근이 어려워서 주민불만을 초래할 수 있음** ③ 국토가 넓거나 인구가 많은 국가에서 채택하기 곤란함

3 우리나라의 기관구성과 계층구조 ㎝

구분	기관분리형	기관통합형
단층제	우리나라의 제주도와 세종시	–
중층제	우리나라의 광역지방자치단체 : 제주도와 세종시 제외	–

↓

- 우리나라는 기관분리형이면서 단층제와 중층제를 혼용(일반적으로 중층제)하고 있음 → 단, 개정된 지방자치법에서는 **주민투표에 따라 지방자치단체의 기관구성 형태를 달리할 수 있음**을 명시하고 있음
- **지방자치법 제4조【지방자치단체의 기관구성 형태의 특례】** ① 지방자치단체의 의회와 집행기관에 관한 이 법의 규정에도 불구하고 따로 법률로 정하는 바에 따라 지방자치단체의 장의 선임방법을 포함한 지방자치단체의 기관구성 형태를 달리 할 수 있다.
  ② 제1항에 따라 지방의회와 집행기관의 구성을 달리하려는 경우에는 「주민투표법」에 따른 주민투표를 거쳐야 한다.

4 기타 : 우리나라의 자치계층과 행정계층

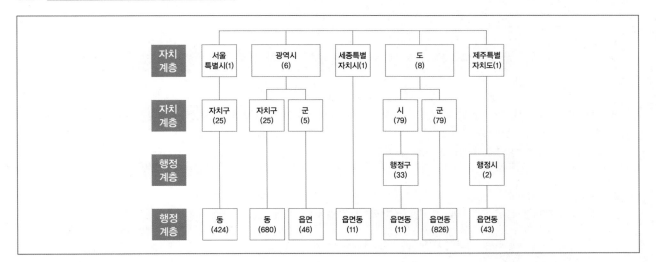

참고

① 우리나라의 자치계층은 광역과 기초로 2계층, 행정계층은 읍·면·동까지 포함하여 3~4계층임 → 위의 그림 참고
② 강원도와 전라북도는 특별자치도임
③ **자치계층** : 주민의 직선으로 선출된 지방의원 및 집행부의 장이 관할하는 지역

5 　우리나라 지방자치단체의 종류와 특징 : 법령을 중심으로

1) 지방자치법

> **제2조【지방자치단체의 종류】** ① 지방자치단체는 다음의 두 가지 종류로 구분한다.
>   1. 특별시, 광역시, 특별자치시, 도, 특별자치도 → 광역지방자치단체
>   2. 시, 군, 구 → 기초지방자치단체
>
> > **참고**
> > 광역지방자치단체와 기초지방자치단체를 합쳐서 보통지방자치단체라고 부름
>
> ② 지방자치단체인 구(이하 "자치구"라 한다)는 특별시와 광역시의 관할 구역의 구만을 말하며, 자치구의 자치권의 범위는 법령으로 정하는 바에 따라 시·군과 다르게 할 수 있다.
> ③ 제1항의 지방자치단체 외에 특정한 목적을 수행하기 위하여 필요하면 따로 특별지방자치단체를 설치할 수 있다. 이 경우 특별지방자치단체의 설치 등에 관하여는 제12장에서 정하는 바에 따른다(대통령령 ×).
>
> > **제199조【설치】** ① 2개 이상의 지방자치단체가 공동으로 특정한 목적을 위하여 광역적으로 사무를 처리할 필요가 있을 때에는 특별지방자치단체를 설치할 수 있다. 이 경우 특별지방자치단체를 구성하는 지방자치단체(이하 "구성 지방자치단체"라 한다)는 상호 협의에 따른 규약을 정하여 구성 지방자치단체의 지방의회 의결을 거쳐 행정안전부장관의 승인을 받아야 한다.
>
> ■ **특별지방자치단체**
>   ① 개념 : 특정한 목적을 위해 광역적으로 사무를 처리할 필요가 있을 때 설치하는 지방자치단체
>   ② 특징
>   ㉠ 특별지방자치단체는 행정사무처리 이외에 지방공기업(지방직영기업)의 경영을 위해 설립되기도 함
>   ㉡ 특별지방자치단체의 무분별한 설립은 지자체의 난립과 구역·조직·재무 등 지방제도의 복잡성과 혼란을 가중시킬 수 있음

2) 제주특별법 ✍

> **제1장 제주특별자치도의 설치**
>
> **제10조【행정시의 폐지·설치·분리·합병 등】** ① 제주자치도는 「지방자치법」 제2조 제1항 및 제3조 제2항에도 불구하고 그 관할구역에 지방자치단체인 시와 군을 두지 아니한다.
> ② 제주자치도의 관할구역에 지방자치단체가 아닌 시(이하 "행정시"라 한다)를 둔다.
>
> > **참고**
> > 제주도는 특별자치도만 자치단체이며 행정시(서귀포시, 제주시 등)는 자치단체가 아닌 행정계층임 → 따라서 자치계층과 행정계층이 일치하지 않음
>
> **제7장 자치경찰**
>
> **제88조【자치경찰기구의 설치】** ① 제90조에 따른 자치경찰사무를 처리하기 위하여 「국가경찰과 자치경찰의 조직 및 운영에 관한 법률」 제18조에 따라 설치되는 제주특별자치도자치경찰위원회(이하 "자치경찰위원회"라 한다) 소속으로 자치경찰단을 둔다.
>
> **제89조【자치경찰단장의 임명】** ① 자치경찰단장은 도지사가 임명하며, 자치경찰위원회의 지휘·감독을 받는다.
> ② 자치경찰단장은 자치경무관으로 임명한다. 다만, 도지사는 필요하다고 인정하면 개방형직위로 지정하여 운영할 수 있다.
>
> ■ **자치경찰제에 대하여**
>   ① 현재 자치경찰제는 전국적으로 시행되고 있음 → 2006년 제주특별자치도 자치경찰제 시범도입에 이어 2021년부터 본격적으로 자치경찰제가 시행되었음
>   ② 모든 지방자치단체에서 국가경찰과 자치경찰이 함께 활동할 수 있음
>   ③ 국가경찰제도는 경찰업무의 통일성 등을 높일 수 있음

> **국가경찰과 자치경찰의 조직 및 운영에 관한 법률 제18조【시·도자치경찰위원회의 설치】** ① 자치경찰사무를 관장하게 하기 위하여 특별시장·광역시장·특별자치시장·도지사·특별자치도지사(이하 "시·도지사"라 한다) 소속으로 시·도자치경찰위원회를 둔다.
> ② 시·도자치경찰위원회는 합의제 행정기관으로서 그 권한에 속하는 업무를 독립적으로 수행한다.
> 참고 **자치경찰사무**: 경찰의 임무 범위에서 관할 지역의 생활안전·교통·경비·수사 등에 관한 다음 각 목의 사무

3) 세종시법 및 기타 cf

세종시법	제6조【설치 등】② 세종특별자치시의 관할구역에는 지방자치단체를 두지 아니한다. → 단층제
기타	지방자치법에서 자치구, 인구 50만 이상의 대도시, 제주특별자치도·세종특별자치시·서울특별시 등은 사무배분에 있어서 특례를 인정하고 있음

4) 지방자치단체의 법인격과 관할

지방자치법	제3조【지방자치단체의 법인격과 관할】① 지방자치단체는 법인으로 한다. ② 특별시, 광역시, 특별자치시, 도, 특별자치도(이하 "시·도"라 한다)는 정부의 직할(直轄)로 두고, 시는 도 또는 특별자치도의 관할 구역 안에, 군은 광역시·도 또는 특별자치도의 관할 구역 안에 두며, 자치구는 특별시와 광역시의 관할 구역 안에 둔다. 다만, 특별자치도의 경우에는 법률이 정하는 바에 따라 관할 구역 안에 시 또는 군을 두지 아니할 수 있다. ③ 특별시·광역시 또는 특별자치시가 아닌 인구 50만 이상의 시에는 자치구가 아닌 구(예 경기도 수원시 팔달구)를 둘 수 있고, 군에는 읍·면을 두며, 시와 구(자치구를 포함한다)에는 동을, 읍·면에는 리를 둔다. ④ 제10조 제2항에 따라 설치된 시(도농복합형태의 시 : 읍·면·동이 모두 있는 시)에는 도시의 형태를 갖춘 지역에는 동을, 그 밖의 지역에는 읍·면을 두되, 자치구가 아닌 구를 둘 경우에는 그 구에 읍·면·동을 둘 수 있다. ⑤ 특별자치시와 관할 구역 안에 시 또는 군을 두지 아니하는 특별자치도의 하부행정기관에 관한 사항은 따로 법률로 정한다.
기타	우리나라는 광역·기초자치단체장 및 광역·기초의회의원 선거에 정당공천제를 적용하고 있음(대통령 및 국회의원 선거도 포함됨) → 단, 교육감 선거는 예외

5) 지방자치단체의 명칭과 구역 cf

구분		지방자치단체 및 행정구역	폐치 및 분합	명칭 및 구역변경	한자명칭 변경	경계변경
보통 지방자치단체		광역지방자치단체	1. 지방의회의견 혹은 주민투표 + 2. 법률	1. 지방의회의견 혹은 주민투표 + 2. 법률	1. 지방의회의견 혹은 주민투표 + 2. 대통령령	대통령령
		기초지방자치단체	1. 지방의회의견 혹은 주민투표 + 2. 법률	1. 지방의회의견 혹은 주민투표 + 2. 법률	1. 지방의회의견 혹은 주민투표 + 2. 대통령령	대통령령
행정구역		읍·면·동 (자치구가 아닌 구 포함)	1. 행정안전부 장관 승인 후 2. 조례로 정함	1. 조례로 정한 후 2. 광역단체장에게 보고	–	–
		리	조례로 정함	조례로 정함	–	–
기타 (경계변경)	① 지자체장은 관할구역과 생활권 불일치 등 대통령령으로 정하는 사유가 있으면 행안부장관에게 경계변경 조정신청 가능 ② 행안부장관은 경계변경을 협의할 수 있는 경계변경자율협의체를 구성·운영할 것을 지자체장에게 요청 ③ 지방자치단체가 일정기간 이내에 경계변경자율협의체를 구성하지 못하거나 경계변경에 대한 합의를 못한 경우 행정안전부장관은 지방자치단체중앙분쟁조정위원회의 심의·의결을 거쳐 조정할 수 있음					

DAY
25

6) 행정구역(지방자치단체 ×) cf

행정시	특별자치도에 속한 시는 지자체가 아닌 행정시
행정구	① 인구 50만 이상의 시에는 자치구가 아닌 구(행정구)를 가질 수 있으며, 도의 일부 사무를 처리할 수 있음 ② **행정구**: 일반행정구는 지방자치단체의 하부기관임
읍 · 면 · 동	군에는 읍과 면을 둘 수 있고, 시와 자치구에는 자치구가 아닌 동을 설치
리	마을 단위로서 가장 하위의 행정구역임

Section 03   지방자치단체의 사무   → 25 day

1 틀잡기

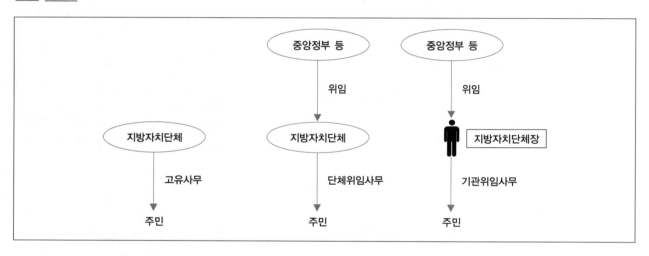

2 자치사무와 위임사무

구분		지방의회 관여	재원	국고보조금	예시	중앙 감독
자치사무(고유사무)		○	지자체 부담	장려적 보조금	주민등록 관리, 공유재산 관리, 상하수도 사업, 도시계획사업, 소비자 보호 및 장려 등	–
위임사무	단체위임사무	○	공동부담	부담금	예방접종, 보건소의 운영 등	사후적
	기관위임사무	×	국가	교부금 (의무적 위탁금)	국민투표 사무, 선거사무, 병역자원의 관리, 부랑인선도시설 감독, 교원능력평가 등	사전적 · 사후적

3 용어정리 읽어 보기

자치사무		① 국가의 간섭없이 지자체가 자율적으로 자주재원에 의해 처리하는 사무 ② **지방자치법 제13조【지방자치단체의 사무 범위】** ① 지방자치단체는 관할 구역의 자치사무와 법령에 따라 지방자치단체에 속하는 사무를 처리한다.
위임사무	**단체위임사무**	① 개별 법령에 의하여 국가 또는 상급 지방자치단체로부터 지방자치단체에 위임된 사무 ② 중앙과 지방이 공동의 이해관계가 있는 사무로서 자치단체에 위임한 사무 → 중앙과 지방이 대등한 관계 ③ **지방자치법 제13조【지방자치단체의 사무 범위】** ① 지방자치단체는 관할 구역의 자치사무와 법령에 따라 지방자치단체에 속하는 사무를 처리한다.
	기관위임사무	① 국가 또는 상급자치단체의 사무를 법령으로 지자체의 장에게 위임한 사무 ② 지방자치단체와 직접적 이해관계가 없는 사무(국가사무)를 자치단체의 장에게 위임한 사무 → 중앙·지방은 상하관계 ③ **지방자치법 제115조【국가사무의 위임】** 시·도와 시·군 및 자치구에서 시행하는 국가사무는 시·도지사와 시장·군수 및 자치구의 구청장에게 위임하여 수행하는 것을 원칙으로 한다. 다만, 법령에 다른 규정이 있는 경우에는 그러하지 아니하다. ④ 기관위임사무는 자치단체의 장을 상대로 소송을 제기할 수는 없다고 보는 것이 일반적인 견해임 → 만약, 지방자치단체의 장이 기관위임사무를 처리하는 과정에서 해당 일을 위임한 중앙행정기관의 장과 의견이 다르더라도 '행정협의조정위원회' 혹은 '직무이행명령'을 활용할 수 있기 때문임(대법원 판례)
기타	**통제의 유형** **(통제시점에 따른 분류)**	**내용** / **통제를 받는 자의 자율성**

통제의 유형 (통제시점에 따른 분류)	내용	통제를 받는 자의 자율성
사전적 통제	목표실천 행동이 목표에서 이탈될 수 있는 가능성을 미리 예측하고 그러한 가능성을 제거함으로써 바람직하지 못한 행동이 나타나는 것을 방지하는 통제	거의 없음
동시적 통제	목표수행 행동이 진행되는 동안 그것이 통제 기준에 부합되도록 조정해 가는 통제	중간
사후적 통제	목표수행 행동의 결과가 목표 기준에 부합되는가를 평가하여 필요한 시정조치를 취하는 통제	많음

> **참고 사전적·사후적 통제**
> 능률과 효과의 면에서 사전적 통제가, 민주와 자율의 면에서 사후적 통제가 더 바람직함

Section 04 지방자치단체장과 지방의회의 권한 → 25 day

우리나라는 기관대립형을 채택하고 있는바 지방자치단체장과 지방의회는 각자의 권한을 바탕으로 견제와 균형을 이루고 있음

1   지방자치단체장의 권한 : 지방자치법을 중심으로

제29조【규칙】 지방자치단체의 장은 법령 또는 조례의 범위에서 그 권한에 속하는 사무에 관하여 규칙을 제정할 수 있다.

> **참고**
> ① 2022년 **지방자치법** : 주민이 지방자치단체 규칙에 대하여 제정 및 개정·폐지 의견을 제출할 수 있도록 함
> ② **제20조【규칙의 제정과 개정·폐지 의견 제출】** ① 주민은 제29조에 따른 규칙(권리·의무와 직접 관련되는 사항으로 한정한다)의 제정, 개정 또는 폐지와 관련된 의견을 해당 지방자치단체의 장에게 제출할 수 있다.

제54조【임시회】 ① 지방의회의원 총선거 후 최초로 집회되는 임시회는 지방의회 사무처장·사무국장·사무과장이 지방의회의원 임기 개시일부터 25일 이내에 소집한다.
② 지방자치단체를 폐지하거나 설치하거나 나누거나 합쳐 새로운 지방자치단체가 설치된 경우에 최초의 임시회는 지방의회 사무처장·사무국장·사무과장이 해당 지방자치단체가 설치되는 날에 소집한다.
③ 지방의회의 의장은 지방자치단체의 장이나 조례로 정하는 수 이상의 지방의회의원이 요구하면 15일 이내에 임시회를 소집하여야 한다.

> **참고**
> ① **지자체장은 임시회 소집 요구권**이 있음 → 단, 총선거 후 최초로 집회되는 임시회는 지자체장의 권한으로 소집할 수 없음
> ② **제102조【사무처 등의 설치】** ① 시·도의회에는 사무를 처리하기 위하여 조례로 정하는 바에 따라 **사무처**를 둘 수 있으며, 사무처에는 사무처장과 직원을 둔다.
>   ② 시·군 및 자치구의회에는 사무를 처리하기 위하여 조례로 정하는 바에 따라 **사무국이나 사무과**를 둘 수 있으며, 사무국·사무과에는 사무국장 또는 사무과장과 직원을 둘 수 있다.
>   ③ 제1항과 제2항에 따른 사무처장·사무국장·사무과장 및 직원은 지방공무원으로 보한다.

제76조【의안의 발의】 ① 지방의회에서 의결할 의안은 지방자치단체의 장이나 조례로 정하는 수 이상의 지방의회의원의 찬성으로 발의한다.

> **참고**
> ① 지자체의 장은 조례안을 제출할 수 있음
> ② 의안은 지방의회에서 심의되고 있는 조례안·예산안 등을 뜻함 → 즉, 지방의회의 의결을 필요로 하는 안건 중에서 특별한 형식적·절차적 요건을 갖추어 지방의회에 제출된 것을 의미함

제106조【지방자치단체의 장】 특별시에 특별시장, 광역시에 광역시장, 특별자치시에 특별자치시장, 도와 특별자치도에 도지사를 두고, 시에 시장, 군에 군수, 자치구에 구청장을 둔다.

제108조【지방자치단체의 장의 임기】 지방자치단체의 장의 임기는 4년으로 하며, 3기 내에서만 계속 재임(在任)할 수 있다.

제114조【지방자치단체의 통할대표권】 지방자치단체의 장은 지방자치단체를 대표하고, 그 사무를 총괄한다.

제117조【사무의 위임 등】 ① 지방자치단체의 장은 조례나 규칙으로 정하는 바에 따라 그 권한에 속하는 사무의 일부를 보조기관, 소속 행정기관 또는 하부행정기관에 위임할 수 있다.
② 지방자치단체의 장은 조례나 규칙으로 정하는 바에 따라 그 권한에 속하는 사무의 일부를 관할 지방자치단체나 공공단체 또는 그 기관(사업소·출장소를 포함한다)에 위임하거나 위탁할 수 있다.
③ 지방자치단체의 장은 조례나 규칙으로 정하는 바에 따라 그 권한에 속하는 사무 중 조사·검사·검정·관리업무 등 주민의 권리·의무와 직접 관련되지 아니하는 사무를 법인·단체 또는 그 기관이나 개인에게 위탁할 수 있다.

제120조【지방의회의 의결에 대한 재의 요구와 제소】 ① 지방자치단체의 장은 지방의회의 의결이 월권이거나 법령에 위반되거나 공익을 현저히 해친다고 인정되면 그 의결사항을 이송받은 날부터 20일 이내에 이유를 붙여 재의를 요구할 수 있다.

② 제1항의 요구에 대하여 재의한 결과 재적의원 과반수의 출석과 출석의원 3분의 2 이상의 찬성으로 전과 같은 의결을 하면 그 의결사항은 확정된다.

③ 지방자치단체의 장은 제2항에 따라 재의결된 사항이 법령에 위반된다고 인정되면 재의결된 날부터 20일 이내에 대법원에 소(訴)를 제기할 수 있다.

제121조【예산상 집행 불가능한 의결의 재의 요구】 ① 지방자치단체의 장은 지방의회의 의결이 예산상 집행할 수 없는 경비를 포함하고 있다고 인정되면 그 의결사항을 이송받은 날부터 20일 이내에 이유를 붙여 재의를 요구할 수 있다.

② 지방의회가 다음 각 호의 어느 하나에 해당하는 경비를 줄이는 의결을 할 때에도 제1항과 같다.

　1. 법령에 따라 지방자치단체에서 의무적으로 부담하여야 할 경비

　2. 비상재해로 인한 시설의 응급 복구를 위하여 필요한 경비

제122조【지방자치단체의 장의 선결처분】 ① 지방자치단체의 장은 지방의회가 지방의회의원이 구속되는 등의 사유로 제73조에 따른 의결정족수에 미달될 때와 지방의회의 의결사항 중 주민의 생명과 재산 보호를 위하여 긴급하게 필요한 사항으로서 지방의회를 소집할 시간적 여유가 없거나 지방의회에서 의결이 지체되어 의결되지 아니할 때에는 선결처분(先決處分)을 할 수 있다.

② 제1항에 따른 선결처분은 지체 없이 지방의회에 보고하여 승인을 받아야 한다.

③ 지방의회에서 제2항의 승인을 받지 못하면 그 선결처분은 그때부터 효력을 상실한다.

> **참고**
> 선결처분의 사후승인은 지방의회가 지방자치단체에 대하여 행사할 수 있는 권한임

제123조【부지사ㆍ부시장ㆍ부군수ㆍ부구청장】 ① 특별시ㆍ광역시 및 특별자치시에 부시장, 도와 특별자치도에 부지사, 시에 부시장, 군에 부군수, 자치구에 부구청장을 두며, 그 수는 다음 각 호의 구분과 같다.

　1. 특별시의 부시장의 수: 3명을 넘지 아니하는 범위에서 대통령령으로 정한다.

　2. 광역시와 특별자치시의 부시장 및 도와 특별자치도의 부지사의 수: 2명(인구 800만 이상의 광역시나 도는 3명)을 넘지 아니하는 범위에서 대통령령으로 정한다.

제124조【지방자치단체의 장의 권한대행 등】 ① 지방자치단체의 장이 다음 각 호의 어느 하나에 해당되면 부단체장이 그 권한을 대행한다.

　1. 궐위(어떤 직위나 관직 따위가 빈 상태)된 경우

　2. 공소 제기된 후 구금상태에 있는 경우

　3. 「의료법」에 따른 의료기관에 60일 이상 계속하여 입원한 경우

② 지방자치단체의 장이 그 직을 가지고 그 지방자치단체의 장 선거에 입후보하면 예비후보자 또는 후보자로 등록한 날부터 선거일까지 부단체장이 그 지방자치단체의 장의 권한을 대행한다.

③ 지방자치단체의 장이 출장ㆍ휴가 등 일시적 사유로 직무를 수행할 수 없으면 부단체장이 그 직무를 대리한다.

제139조【지방채무 및 지방채권의 관리】 ① 지방자치단체의 장이나 지방자치단체조합은 따로 법률로 정하는 바에 따라 지방채를 발행할 수 있다.

③ 지방자치단체의 장은 공익을 위하여 필요하다고 인정하면 미리 지방의회의 의결을 받아 보증채무부담행위를 할 수 있다.

제142조【예산의 편성 및 의결】 ① 지방자치단체의 장은 회계연도마다 예산안을 편성하여 시ㆍ도는 회계연도 시작 50일 전까지, 시ㆍ군 및 자치구는 회계연도 시작 40일 전까지 지방의회에 제출하여야 한다.

② 시ㆍ도의회는 제1항의 예산안을 회계연도 시작 15일 전까지, 시ㆍ군 및 자치구의회는 회계연도 시작 10일 전까지 의결하여야 한다.

③ 지방의회는 지방자치단체의 장의 동의 없이 지출예산 각 항의 금액을 증가시키거나 새로운 비용항목을 설치할 수 없다.

◼ 제142조: 중앙정부와 지방자치단체의 예산안 제출일 및 의결일

구분	중앙정부	광역지방자치단체	기초지방자치단체
예산안 제출일			
예산안 의결일			

2 지방의회의 권한 : 지방자치법을 중심으로

제28조【조례】 ① 지방자치단체는 법령의 범위에서 그 사무에 관하여 조례를 제정할 수 있다. 다만, 주민의 권리 제한 또는 의무 부과에 관한 사항이나 벌칙을 정할 때에는 법률의 위임이 있어야 한다.

제39조【의원의 임기】 지방의회의원의 임기는 4년으로 한다. → 연임제한 없음

제41조【의원의 정책지원 전문인력】 ① 지방의회의원의 의정활동을 지원하기 위하여 지방의회의원 정수의 2분의 1 범위에서 해당 지방자치단체의 조례로 정하는 바에 따라 지방의회에 정책지원 전문인력을 둘 수 있다.
② 정책지원 전문인력은 지방공무원으로 보하며, 직급 · 직무 및 임용절차 등 운영에 필요한 사항은 대통령령으로 정한다.

제43조【겸직 등 금지】 ① 지방의회의원은 다음 각 호의 어느 하나에 해당하는 직(職)을 겸할 수 없다.
  2. 각급 선거관리위원회 위원

제47조【지방의회의 의결사항】 ① 지방의회는 다음 각 호의 사항을 의결한다.
  1. 조례의 제정 · 개정 및 폐지
  2. 예산의 심의 · 확정
  3. 결산의 승인
  4. 법령에 규정된 것을 제외한 사용료 · 수수료 · 분담금 · 지방세 또는 가입금의 부과와 징수
  5. 기금의 설치 · 운용
  6. 대통령령으로 정하는 중요 재산의 취득 · 처분
  7. 대통령령으로 정하는 공공시설의 설치 · 처분
  8. 법령과 조례에 규정된 것을 제외한 예산 외의 의무부담이나 권리의 포기
  9. 청원의 수리와 처리
  10. 외국 지방자치단체와의 교류 · 협력
  11. 그 밖에 법령에 따라 그 권한에 속하는 사항
② 지방자치단체는 제1항 각 호의 사항 외에 조례로 정하는 바에 따라 지방의회에서 의결되어야 할 사항을 따로 정할 수 있다.

제49조【행정사무 감사권 및 조사권】 ① 지방의회는 매년 1회 그 지방자치단체의 사무에 대하여 시 · 도에서는 14일의 범위에서, 시 · 군 및 자치구에서는 9일의 범위에서 감사를 실시하고, 지방자치단체의 사무 중 특정 사안에 관하여 본회의 의결로 본회의나 위원회에서 조사하게 할 수 있다.

제53조【정례회】 ① 지방의회는 매년 2회 정례회를 개최한다.

제54조【임시회】 ③ 지방의회의 의장은 지방자치단체의 장이나 조례로 정하는 수 이상의 지방의회의원이 요구하면 15일 이내에 임시회를 소집하여야 한다.

제57조【의장 · 부의장의 선거와 임기】 ① 지방의회는 지방의회의원 중에서 시 · 도의 경우 의장 1명과 부의장 2명을, 시 · 군 및 자치구의 경우 의장과 부의장 각 1명을 무기명투표로 선출하여야 한다.
③ 의장과 부의장의 임기는 2년으로 한다.

제62조【의장 · 부의장 불신임의 의결】 ① 지방의회의 의장이나 부의장이 법령을 위반하거나 정당한 사유 없이 직무를 수행하지 아니하면 지방의회는 불신임을 의결할 수 있다.
② 제1항의 불신임 의결은 재적의원 4분의 1 이상의 발의와 재적의원 과반수의 찬성으로 한다.
③ 제2항의 불신임 의결이 있으면 지방의회의 의장이나 부의장은 그 직에서 해임된다.

> **참고**
> 지방의회는 지방자치단체의 장을 감시하고 통제하는 기능을 하지만, 지방자치단체장에 대한 불신임권은 없음

제64조【위원회의 설치】 ① 지방의회는 조례로 정하는 바에 따라 위원회를 둘 수 있다.
② 위원회의 종류는 다음 각 호와 같다.
  1. 소관 의안(議案)과 청원 등을 심사 · 처리하는 상임위원회
  2. 특정한 안건을 심사 · 처리하는 특별위원회

제7절 회의

제72조【의사정족수】 ① 지방의회는 재적의원 3분의 1 이상의 출석으로 개의(開議)한다.

제73조【의결정족수】 ① 회의는 이 법에 특별히 규정된 경우 외에는 재적의원 과반수의 출석과 출석의원 과반수의 찬성으로 의결한다.
② 지방의회의 의장은 의결에서 표결권을 가지며, 찬성과 반대가 같으면 부결된 것으로 본다.

제80조【일사부재의의 원칙】 지방의회에서 부결된 의안은 같은 회기 중에 다시 발의하거나 제출할 수 없다.

제8절 청원

제85조【청원서의 제출】 ① 지방의회에 청원을 하려는 자는 지방의회의원의 소개를 받아 청원서를 제출하여야 한다.
② 청원서에는 청원자의 성명(법인인 경우에는 그 명칭과 대표자의 성명을 말한다) 및 주소를 적고 서명·날인하여야 한다.

제88조【청원의 이송과 처리보고】 ① 지방의회가 채택한 청원으로서 그 지방자치단체의 장이 처리하는 것이 타당하다고 인정되는 청원은 의견서를 첨부하여 지방자치단체의 장에게 이송한다.
② 지방자치단체의 장은 제1항의 청원을 처리하고 그 처리결과를 지체 없이 지방의회에 보고하여야 한다.

제9절 의원의 사직·퇴직과 자격심사

제89조【의원의 사직】 지방의회는 그 의결로 소속 지방의회의원의 사직을 허가할 수 있다. 다만, 폐회 중에는 지방의회의 의장이 허가할 수 있다.

제91조【의원의 자격심사】 ① 지방의회의원은 다른 의원의 자격에 대하여 이의가 있으면 재적의원 4분의 1 이상의 찬성으로 지방의회의 의장에게 자격심사를 청구할 수 있다.

제92조【자격상실 의결】 ① 제91조 제1항의 심사 대상인 지방의회의원에 대한 자격상실 의결은 재적의원 3분의 2 이상의 찬성이 있어야 한다.

제11절 징계

제98조【징계의 사유】 지방의회는 지방의회의원이 이 법이나 자치법규에 위배되는 행위를 하면 윤리특별위원회의 심사를 거쳐 의결로써 징계할 수 있다.

> **참고**
> 제65조【윤리특별위원회】 ① 지방의회의원의 윤리강령과 윤리실천규범 준수 여부 및 징계에 관한 사항을 심사하기 위하여 윤리특별위원회를 둔다.

제99조【징계의 요구】 ① 지방의회의 의장은 제98조에 따른 징계대상 지방의회의원이 있어 징계 요구를 받으면 윤리특별위원회에 회부한다.

제100조【징계의 종류와 의결】 ① 징계의 종류는 다음과 같다.
 1. 공개회의에서의 경고
 2. 공개회의에서의 사과
 3. 30일 이내의 출석정지
 4. 제명
② 제1항 제4호에 따른 제명 의결에는 재적의원 3분의 2 이상의 찬성이 있어야 한다.

제125조【행정기구와 공무원】 ① 지방자치단체는 그 사무를 분장하기 위하여 필요한 행정기구와 지방공무원을 둔다.
② 제1항에 따른 행정기구의 설치와 지방공무원의 정원은 인건비 등 대통령령으로 정하는 기준에 따라 그 지방자치단체의 조례로 정한다.

DAY

25

CHAPTER **02** 정부 간 관계

Section **01** 정부 간 관계모형 ● 26 day

1 정부 간 관계모형의 유형

라이트	**의의**	라이트는 지방정부의 사무내용, 즉 중앙·지방 간 재정관계와 인사관계의 차이에 따라 정부 간 관계를 포괄형, 중첩형, 분리형으로 구분함
	유형	**포괄형·내포형·포함형· 포괄(포함)권위형** / 연방정부 ⬇ 통제 주정부 지방정부 **중첩형·중복(중첩)권위모형 → 가장 이상적인 형태(라이트)** / 연방정부 협력 주정부 지방정부 **분리형·조정(분리)권위모형** / 연방정부 주정부 지방정부 **독립적·경쟁적 관계**
	기타	① **분리형**: 연방정부와 주정부는 대등한 관계이나 주정부와 지방정부는 종속적 관계 ② **포괄형**: 각 정부 간 관계는 종속적임
로즈	**의의**	중앙정부와 지방정부는 **상호의존적인** 관계
	특징	① **중앙정부는 법적 자원**(입법권한), **재정적 자원**(재원의 확보)에서 지방정부보다 우위를 점하고, ② **지방정부는 정보자원**(정보의 수집·처리)과 **조직자원**(행정서비스의 집행)의 측면에서 우위를 차지하고 있기 때문에 ③ 양자는 부족한 자원을 교환하기 위하여 상호 협력함 ④ 따라서 상호의존을 통해 포지티브섬(positive-sum)이 가능하다는 것
무라마츠	**유형**	수직적 통제모형 라이트의 포괄형
		수평적 통제모형 라이트의 중첩형
엘콕	**유형**	대리인 모형 라이트의 포괄형
		동반자 모형 라이트의 분리형
		교환모형(절충모형) 라이트의 중첩형
킹덤	**유형**	소작인 모형 라이트의 포괄형
던사이어	**유형**	하향식 모형 라이트의 포괄형
		지방자치 모형 지방정부의 자율성이 광범위하게 보장되는 모형으로서, 중앙정부와 지방정부를 상호 대등한 관계로 간주
		정치체제 모형 중앙정부와 지방정부의 관계를 선거를 전제로 한 중앙정치집단과 지방정치집단 간의 정치적인 관계로 파악함 → 중앙정부와 지방정부 간 분업 강조
윌다브스키	**유형**	협조·강제모형 라이트의 포괄형
		갈등·합의모형 중앙·지방은 대등한 관계를 유지하고 있으며, 지방정부는 정책결정과 집행에 있어서 상당한 자율성을 보유함

첸들러	유형	지주·마름모형	영국의 중앙·지방관계는 중세 귀족사회에서 지주와 그 지주의 명을 받아 토지와 소작권을 관리하는 마름(steward)의 관계에 가깝다고 하여 지주-마름 모형을 제시
그리피스	유형	자유방임형	지방정부가 중앙정부의 통제를 받지 않고 독자적으로 정책을 집행하는 유형
		규제형	행정의 표준화 등을 통해 중앙정부정책을 지방정부에 강제하는 유형
		장려형	중앙정부가 지방정부를 설득하면서 정책을 집행하는 유형
피터슨	도시한계론		피터슨에 따르면 도시정부는 투자자 등을 지역내로 흡입함으로써 지역경제에 긍정적인 영향을 미치는 개발정책의 추구에 정열을 쏟는 반면, 저소득 계층에 편익을 제공함으로써 빈민을 유입하고 투자자의 탈출을 유도하는 재분배정책의 추구는 가급적 기피하려는 경향이 강함

참고

① 미국은 건국초기에 제퍼슨·잭슨주의의 영향으로 연방의 권한이 상대적으로 약했으며, 연방과 주의 권한은 독자적이었음
② 영국의 경우 개별적으로 수권받은 사무에 대해서는 지방자치단체가 자치권을 보유하지만, 그 범위를 벗어나는 행위는 금지됨
③ 일본은 메이지유신 이래 근대화를 추진하면서 강력한 중앙집권 체제를 유지함(하향적이면서 제한적 의사결정권) → 그러나 1990년대 들어 지방분권화를 통한 중앙집권형 체제의 개혁을 착수함
④ 딜런의 규칙(Dillion's rule): 지방정부는 주정부의 피조물
⑤ 쿨리 독트린(Cooley doctrine): 지방정부의 자치권은 절대적인 것이며 주정부는 이를 침해할 수 없음 → 딜런의 규칙을 비판하는 입장

Section 02 정부 간 기능 배분에 대한 이론: 던리비를 중심으로 → 26 day

- 정부 간 기능(하는 일) 배분은 중앙정부와 지방정부 간 분업 관계를 의미함
- 던리비를 중심으로 정부 간 기능 배분에 대한 이론을 살펴보면 다음과 같음

1 던리비의 정부 간 기능배분 관련 이론

다원주의		중앙과 지방 간 기능배분은 역사적으로 오랜 시간을 거치면서 다양한 이해관계가 점진적으로 제도화된 결과라는 관점
신우파론 (공공선택론)	중앙정부	재분배정책, 개발정책(전국적)
	지방정부	배당정책(배분정책), 개발정책(지역)
		① 개발정책: 지역경제 성장을 촉진하기 위한 정책으로, 원칙적으로 해당 정책의 수혜자가 그 비용을 부담해야 함 → 수익자부담주의 ② 배당정책(배분정책): 특정 지역에 편익을 제공하는 정책으로써 치안, 소방, 쓰레기 수거, 공공매립지 제공 등이 있음 → 이는 해당 지역의 수요를 제대로 파악할 수 있는 지방정부에서 담당해야 하며, 개발정책과 마찬가지로 비용은 정책의 수혜자가 부담함
마르크스 주의 (계급정치론)		① 정부 간 기능 배분 문제는 결국 자본가들이 결정하고, 지방정부는 단지 중앙정부의 결정에 따르는 수동적인 개체로 간주함 ② 따라서 마르크스주의는 정부 간 기능 배분을 위한 구체적인 기준에 대해 관심을 가지지 않음
엘리트주의 (이원국가론)	중앙정부	① 투자기능(재분배정책): 엘리트가 결정 ② 이원국가론은 투자기능을 중시하는데, 투자기능을 엘리트가 결정하기 때문에 이원국가론을 엘리트주의라 부르기도 함
	지방정부	소비기능(지역주민에 대한 편익배분): 지역 내 다수 주민이 결정

2 우리나라 지방자치단체 관련 집행기관의 종류

지방자치단체는 주로 지역의 이해관계를 반영하는 기능을 수행하는데, 이러한 일을 집행하는 기관의 종류는 아래와 같음

1) 지방자치단체 집행부 틀잡기

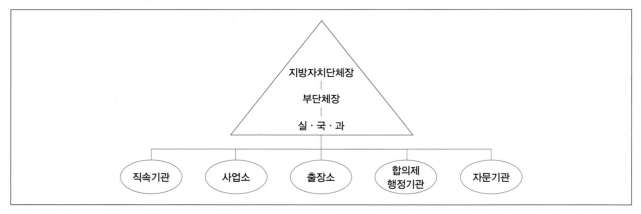

지방자치단체의 장	특별시장, 광역시장, 도지사, 시장, 군수, 자치구청장
보조기관	부지사, 부시장, 부군수, 부구청장, 행정기구, 지방공무원
소속 행정기관	직속기관, 사업소, 출장소, 합의제행정기관, 자문기관 등
하부행정기관(장)	시장, 구청장, 읍장, 면장, 동장
교육 · 과학 · 체육기관	교육원 등

2) 기타 : 소속 행정기관 관련 법령

	제3절 소속 행정기관
지방자치법	**제126조【직속기관】** 지방자치단체는 소관 사무의 범위에서 필요하면 대통령령이나 대통령령으로 정하는 범위에서 그 지방자치단체의 조례로 자치경찰기관(제주특별자치도만 해당한다 → 자치경찰단), 소방기관, 교육훈련기관, 보건진료기관, 시험연구기관 및 중소기업지도기관 등을 직속기관으로 설치할 수 있다. → 例 자치경찰기관(제주도), 소방서, 인재개발원 등 **제127조【사업소】** 지방자치단체는 특정 업무를 효율적으로 수행하기 위하여 필요하면 대통령령으로 정하는 범위에서 그 지방자치단체의 조례로 사업소를 설치할 수 있다. → 例 제주도립미술관, 서울시립미술관, 서울시립도서관 등 **제128조【출장소】** 지방자치단체는 외진 곳의 주민의 편의와 특정지역의 개발 촉진을 위하여 필요하면 대통령령으로 정하는 범위에서 그 지방자치단체의 조례로 출장소를 설치할 수 있다. → 출장소는 광역시 · 도청, 시 · 군 · 구청, 읍 · 면 · 동 주민센터 등에서 멀리 떨어진 지역에 거주하는 주민의 민원 편의를 위해 본청의 역할을 보조하는 수단으로 설치하는 경우가 대부분임 **제129조【합의제행정기관】** ① 지방자치단체는 소관 사무의 일부를 독립하여 수행할 필요가 있으면 법령이나 그 지방자치단체의 조례로 정하는 바에 따라 합의제행정기관을 설치할 수 있다. ② 제1항의 합의제행정기관의 설치 · 운영에 필요한 사항은 대통령령이나 그 지방자치단체의 조례로 정한다. → 例 인천광역시 자치경찰위원회 등 **제130조【자문기관의 설치 등】** ① 지방자치단체는 소관 사무의 범위에서 법령이나 그 지방자치단체의 조례로 정하는 바에 따라 자문기관을 설치 · 운영할 수 있다. → 例 투자자문위원회 등 **참고** 지방자치단체는 자문기관 운영의 효율성 향상을 위하여 중복되는 자문기관을 설치할 수 없도록 하고, 지방자치단체의 장은 자문기관 정비계획 및 조치결과 등을 종합하여 작성한 자문기관 운영현황을 매년 지방의회에 보고하도록 의무화함

Section 03　기능 배분 원칙과 방식　　●26 day

1　기능배분의 원칙 ⓓ

책임명확화(비경합)의 원칙	사무를 엄격하게 구분하여 **책임이 명확하도록 해야 함** → 사무처리에 있어 소속과 책임을 구체적으로 정해야 함
현지성(기초자치단체 우선)의 원칙	지역실정을 반영한 사무처리를 위해 **주민생활 밀착사무는 최저단계 행정기관(기초자치단체)에 배분**해야 함
능률성(경제성)의 원칙	사무를 가장 능률적으로 수행할 수 있는 행정단위에 배분해야 한다는 원칙
종합성의 원칙	① 특별한 사무만을 처리하는 일선기관보다는 지방행정을 종합적으로 담당하는 자치단체에 사무를 배분하는 것이 좋다는 원칙 ② 즉, **특별지방행정기관(일선기관)보다 보통지방행정기관(지방자치단체)에 우선적으로 사무를 배분**한다는 것
포괄적 이양의 원칙 (포괄성의 원칙)	단편적인 지방이양의 문제점을 보완하기 위하여 포괄적으로 사무를 이양해야 한다는 원칙
선분권·후보완의 원칙	우선적으로 분권조치를 취하고 자치단체가 분권의 부작용을 스스로 치유할 수 있는 자정능력을 갖도록 보완해 나가야 한다는 원칙
형평성의 원칙	자치단체 간에 형평성을 확보할 수 있도록 사무배분이 이루어져야 한다는 원칙
조정·통합의 원칙	자치단체 간의 대립과 불균형 및 격차를 조정하는 것과 사회통합을 실현하는 것은 국가·중앙정부의 고유한 역할이라는 원칙
가외성의 원칙	불확실성에 대비한 잉여장치를 마련해두어야 한다는 원칙

2　기능배분 방식 ⓓ

유형	개념	추상성	각 지방자치단체의 특수성 반영	융통성
개별적 수권방식 (제한적 열거주의)	각 지방자치단체에 대한 개별법을 통해 사무를 지정하여 배분하는 방식	낮음	○	×
포괄적 수권방식 (포괄적 예시주의)	일반법을 통해 모든 지방자치단체에 **포괄적으로 사무를 지정하고 배분**하는 방식	높음	×	○

※ 우리나라의 기능배분 방식 : 우리나라의 「지방자치법」은 원칙적으로 사무배분방식에 있어서 **포괄적 예시주의를 취하고 있음**

3 **지방자치법에 명시된 기능배분 원칙**

보충성의 원칙		제11조【사무배분의 기본원칙】① 국가는 지방자치단체가 사무를 종합적·자율적으로 수행할 수 있도록 국가와 지방자치단체 간 또는 지방자치단체 상호 간의 사무를 주민의 편익증진, 집행의 효과 등을 고려하여 서로 중복되지 아니하도록 배분하여야 한다. ② 국가는 제1항에 따라 사무를 배분하는 경우 지역주민생활과 밀접한 관련이 있는 사무는 원칙적으로 시·군 및 자치구의 사무로, 시·군 및 자치구가 처리하기 어려운 사무는 시·도의 사무로, 시·도가 처리하기 어려운 사무는 국가의 사무로 각각 배분하여야 한다. ③ 국가가 지방자치단체에 사무를 배분하거나 지방자치단체가 사무를 다른 지방자치단체에 재배분할 때에는 사무를 배분받거나 재배분받는 지방자치단체가 그 사무를 자기의 책임하에 종합적으로 처리할 수 있도록 관련 사무를 포괄적으로 배분하여야 한다.
소극적 보충성과 적극적 보충성	소극적 보충성 (일반적 보충성)	하급 지방자치단체가 충분히 처리할 수 있는 사무는 중앙정부 혹은 상급 자치단체가 처리하지 않지만, 하급 지방자치단체가 사무를 처리하기 어려울 때는 지원해야 한다는 원칙
	적극적 보충성	① 개인 및 지역 간의 과도한 격차를 줄이기 위해 상급 공동체는 필요한 최소수준을 정하고 이에 미달하는 개인 및 지역의 삶을 보장하여야 함 ② 중앙정부나 상급 지방자치단체가 일방적으로 **필요한 수준을 정한** 뒤 지방정부의 행정역량을 보완하기 위해 지원을 제공해야 한다는 원칙

Section 04 | 우리나라의 정부 간 관계   ➡ 26 day

1 **지방자치단체에 대한 중앙정부의 통제 : 지방자치법을 중심으로**

제184조【지방자치단체의 사무에 대한 지도와 지원】① 중앙행정기관의 장이나 시·도지사는 지방자치단체의 사무에 관하여 조언 또는 권고하거나 지도할 수 있으며, 이를 위하여 필요하면 지방자치단체에 자료 제출을 요구할 수 있다.
② 국가나 시·도는 지방자치단체가 그 지방자치단체의 사무를 처리하는 데 필요하다고 인정하면 재정지원이나 기술지원을 할 수 있다.
③ 지방자치단체의 장은 제1항의 조언·권고 또는 지도와 관련하여 중앙행정기관의 장이나 시·도지사에게 의견을 제출할 수 있다.

> **참고**
> ① 제184조는 **자치사무에** 대한 내용을 다루고 있음 → 지도 등은 무형적 형태, 지원 등은 물적·인적 형태의 비권력적 관여 수단임
> ② 2022년 **지방자치법** : 중앙행정기관의 장이나 시·도지사의 조언·권고·지도에 대한 단체장의 의견제출권 신설

제185조【국가사무나 시·도 사무 처리의 지도·감독】① 지방자치단체나 그 장이 위임받아 처리하는 국가사무에 관하여 시·도에서는 주무부장관, 시·군 및 자치구에서는 1차로 시·도지사, 2차로 주무부장관의 지도·감독을 받는다.
② 시·군 및 자치구나 그 장이 위임받아 처리하는 시·도의 사무에 관하여는 시·도지사의 지도·감독을 받는다.

> **참고**
> ① 제185조는 **위임사무에** 대한 내용을 다루고 있음 → 상급기관의 강제성 있는 지도·감독이 가능함
> ② 지도·감독의 구체적인 내용은 각 사무를 창설한 개별법령에 명시되어 있음

제187조【중앙행정기관과 지방자치단체 간 협의·조정】① 중앙행정기관의 장과 지방자치단체의 장이 사무를 처리할 때 의견을 달리하는 경우 이를 협의·조정하기 위하여 국무총리 소속으로 행정협의조정위원회를 둔다.

■ 제188조 : 위법 · 부당한 명령이나 처분의 시정

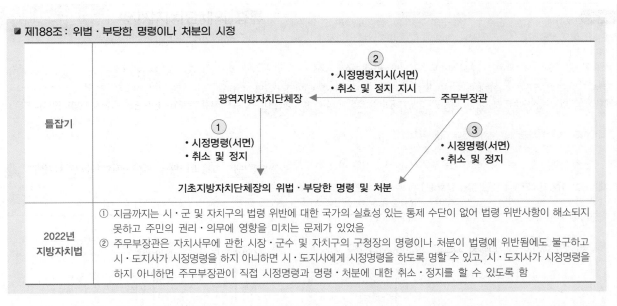

틀잡기	(위 그림 참조)
2022년 지방자치법	① 지금까지는 시 · 군 및 자치구의 법령 위반에 대한 국가의 실효성 있는 통제 수단이 없어 법령 위반사항이 해소되지 못하고 주민의 권리 · 의무에 영향을 미치는 문제가 있었음 ② 주무부장관은 자치사무에 관한 시장 · 군수 및 자치구의 구청장의 명령이나 처분이 법령에 위반됨에도 불구하고 시 · 도지사가 시정명령을 하지 아니하면 시 · 도지사에게 시정명령을 하도록 명할 수 있고, 시 · 도지사가 시정명령을 하지 아니하면 주무부장관이 직접 시정명령과 명령 · 처분에 대한 취소 · 정지를 할 수 있도록 함

제188조【위법 · 부당한 명령이나 처분의 시정】 ① 지방자치단체의 사무(자치사무 · 위임사무)에 관한 지방자치단체의 장의 명령이나 처분이 법령에 위반되거나 현저히 부당하여 공익을 해친다고 인정되면 시 · 도에 대해서는 주무부장관이, 시 · 군 및 자치구에 대해서는 시 · 도지사가 기간을 정하여 서면으로 시정할 것을 명하고, 그 기간에 이행하지 아니하면 이를 취소하거나 정지할 수 있다.
② 주무부장관은 지방자치단체의 사무에 관한 시장 · 군수 및 자치구의 구청장의 명령이나 처분이 법령에 위반되거나 현저히 부당하여 공익을 해침에도 불구하고 시 · 도지사가 제1항에 따른 시정명령을 하지 아니하면 시 · 도지사에게 기간을 정하여 시정명령을 하도록 명할 수 있다.
③ 주무부장관은 시 · 도지사가 제2항에 따른 기간에 시정명령을 하지 아니하면 제2항에 따른 기간이 지난 날부터 7일 이내에 직접 시장 · 군수 및 자치구의 구청장에게 기간을 정하여 서면으로 시정할 것을 명하고, 그 기간에 이행하지 아니하면 주무부장관이 시장 · 군수 및 자치구의 구청장의 명령이나 처분을 취소하거나 정지할 수 있다.
④ 주무부장관은 시 · 도지사가 시장 · 군수 및 자치구의 구청장에게 제1항에 따라 시정명령을 하였으나 이를 이행하지 아니한 데 따른 취소 · 정지를 하지 아니하는 경우에는 시 · 도지사에게 기간을 정하여 시장 · 군수 및 자치구의 구청장의 명령이나 처분을 취소하거나 정지할 것을 명하고, 그 기간에 이행하지 아니하면 주무부장관이 이를 직접 취소하거나 정지할 수 있다.
⑤ 제1항부터 제4항까지의 규정에 따른 자치사무에 관한 명령이나 처분에 대한 주무부장관 또는 시 · 도지사의 시정명령, 취소 또는 정지는 법령을 위반한 것에 한정한다.
⑥ 지방자치단체의 장은 제1항, 제3항 또는 제4항에 따른 자치사무에 관한 명령이나 처분의 취소 또는 정지에 대하여 이의가 있으면 그 취소처분 또는 정지처분을 통보받은 날부터 15일 이내에 대법원에 소를 제기할 수 있다.

■ 제189조 : 지방자치단체의 장에 대한 직무이행명령 → 위임사무에 대한 직무이행명령

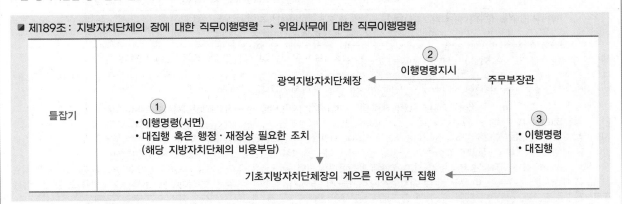

틀잡기	(위 그림 참조)

제189조【지방자치단체의 장에 대한 직무이행명령】 ① 지방자치단체의 장이 법령에 따라 그 의무에 속하는 국가위임사무나 시 · 도위임사무의 관리와 집행을 명백히 게을리하고 있다고 인정되면 시 · 도에 대해서는 주무부장관이, 시 · 군 및 자치구에 대해서는 시 · 도지사가 기간을 정하여 서면으로 이행할 사항을 명령할 수 있다.
② 주무부장관이나 시 · 도지사는 해당 지방자치단체의 장이 제1항의 기간에 이행명령을 이행하지 아니하면 그 지방자치단체의 비용부담으로 대집행 또는 행정상 · 재정상 필요한 조치를 할 수 있다. 이 경우 행정대집행에 관하여는 「행정대집행법」을 준용한다.

③ 주무부장관은 시장·군수 및 자치구의 구청장이 법령에 따라 그 의무에 속하는 국가위임사무의 관리와 집행을 명백히 게을리하고 있다고 인정됨에도 불구하고 시·도지사가 제1항에 따른 이행명령을 하지 아니하는 경우 시·도지사에게 기간을 정하여 이행명령을 하도록 명할 수 있다.

④ 주무부장관은 시·도지사가 제3항에 따른 기간에 이행명령을 하지 아니하면 제3항에 따른 기간이 지난 날부터 7일 이내에 직접 시장·군수 및 자치구의 구청장에게 기간을 정하여 이행명령을 하고, 그 기간에 이행하지 아니하면 주무부장관이 직접 대집행등을 할 수 있다.

⑥ 지방자치단체의 장은 제1항 또는 제4항에 따른 이행명령에 이의가 있으면 이행명령서를 접수한 날부터 15일 이내에 대법원에 소를 제기할 수 있다. 이 경우 지방자치단체의 장은 이행명령의 집행을 정지하게 하는 집행정지결정을 신청할 수 있다.

제190조【지방자치단체의 자치사무에 대한 감사】 ① 행정안전부장관이나 시·도지사는 지방자치단체의 자치사무에 관하여 보고를 받거나 서류·장부 또는 회계를 감사할 수 있다. 이 경우 감사는 법령 위반사항에 대해서만 한다.

② 행정안전부장관 또는 시·도지사는 제1항에 따라 감사를 하기 전에 해당 사무의 처리가 법령에 위반되는지 등을 확인하여야 한다.

제191조【지방자치단체에 대한 감사 절차 등】 ① 주무부장관, 행정안전부장관 또는 시·도지사는 이미 감사원 감사 등이 실시한 사안에 대해서는 새로운 사실이 발견되거나 중요한 사항이 누락된 경우 등 대통령령으로 정하는 경우를 제외하고는 감사 대상에서 제외하고 종전의 감사 결과를 활용하여야 한다.

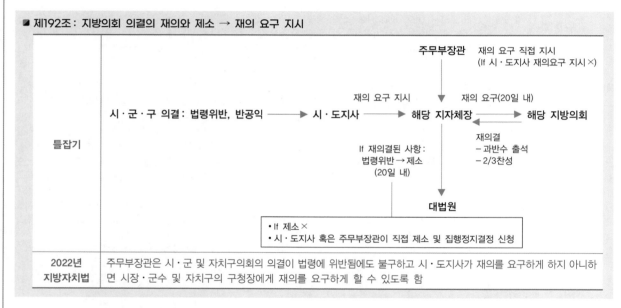

제192조【지방의회 의결의 재의와 제소】 ① 지방의회의 의결이 법령에 위반되거나 공익을 현저히 해친다고 판단되면 시·도에 대해서는 주무부장관이, 시·군 및 자치구에 대해서는 시·도지사가 해당 지방자치단체의 장에게 재의를 요구하게 할 수 있고, 재의 요구 지시를 받은 지방자치단체의 장은 의결사항을 이송받은 날부터 20일 이내에 지방의회에 이유를 붙여 재의를 요구하여야 한다.

② 시·군 및 자치구의회의 의결이 법령에 위반된다고 판단됨에도 불구하고 시·도지사가 제1항에 따라 재의를 요구하게 하지 아니한 경우 주무부장관이 직접 시장·군수 및 자치구의 구청장에게 재의를 요구하게 할 수 있고, 재의 요구 지시를 받은 시장·군수 및 자치구의 구청장은 의결사항을 이송받은 날부터 20일 이내에 지방의회에 이유를 붙여 재의를 요구하여야 한다.

③ 제1항 또는 제2항의 요구에 대하여 재의한 결과 재적의원 과반수의 출석과 출석의원 3분의 2 이상의 찬성으로 전과 같은 의결을 하면 그 의결사항은 확정된다.

④ 지방자치단체의 장은 제3항에 따라 재의결된 사항이 법령에 위반된다고 판단되면 재의결된 날부터 20일 이내에 대법원에 소를 제기할 수 있다. 이 경우 필요하다고 인정되면 그 의결의 집행을 정지하게 하는 집행정지결정을 신청할 수 있다.

⑤ 주무부장관이나 시·도지사는 재의결된 사항이 법령에 위반된다고 판단됨에도 불구하고 해당 지방자치단체의 장이 소를 제기하지 아니하면 시·도에 대해서는 주무부장관이, 시·군 및 자치구에 대해서는 시·도지사(제2항에 따라 주무부장관이 직접 재의 요구 지시를 한 경우에는 주무부장관을 말한다. 이하 이 조에서 같다)가 그 지방자치단체의 장에게 제소를 지시하거나 직접 제소 및 집행정지결정을 신청할 수 있다.

2 **특별지방행정기관 : 중앙행정기관의 소속기관** cf

틀잡기	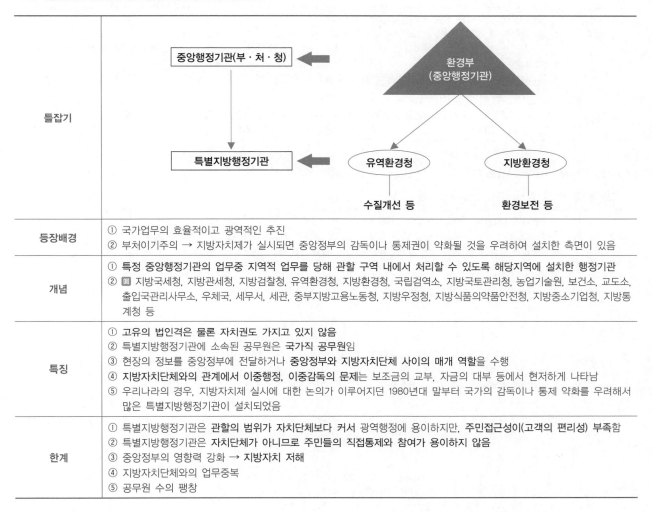
등장배경	① 국가업무의 효율적이고 광역적인 추진 ② 부처이기주의 → 지방자치제가 실시되면 중앙정부의 감독이나 통제권이 약화될 것을 우려하여 설치한 측면이 있음
개념	① 특정 중앙행정기관의 업무중 지역적 업무를 당해 관할 구역 내에서 처리할 수 있도록 해당지역에 설치한 행정기관 ② 예 지방국세청, 지방관세청, 지방검찰청, 유역환경청, 지방환경청, 국립검역소, 지방국토관리청, 농업기술원, 보건소, 교도소, 출입국관리사무소, 우체국, 세무서, 세관, 중부지방고용노동청, 지방우정청, 지방식품의약품안전청, 지방중소기업청, 지방통계청 등
특징	① 고유의 법인격은 물론 자치권도 가지고 있지 않음 ② 특별지방행정기관에 소속된 공무원은 **국가직 공무원**임 ③ 현장의 정보를 중앙정부에 전달하거나 **중앙정부와 지방자치단체 사이의 매개 역할**을 수행 ④ **지방자치단체와의 관계에서 이중행정, 이중감독의 문제**는 보조금의 교부, 자금의 대부 등에서 현저하게 나타남 ⑤ 우리나라의 경우, 지방자치제 실시에 대한 논의가 이루어지던 1980년대 말부터 국가의 감독이나 통제 약화를 우려해서 많은 특별지방행정기관이 설치되었음
한계	① 특별지방행정기관은 관할의 범위가 자치단체보다 커서 광역행정에 용이하지만, **주민접근성이(고객의 편리성) 부족함** ② 특별지방행정기관은 자치단체가 아니므로 주민들의 직접통제와 참여가 용이하지 않음 ③ 중앙정부의 영향력 강화 → **지방자치 저해** ④ 지방자치단체와의 업무중복 ⑤ 공무원 수의 팽창

3 **정부 간 협력 : 광역행정**

1) 의의 cf

개념	둘 이상의 지방자치단체 관할구역에 걸쳐서 통일적으로 수행되는 행정
등장배경	① **사회경제권역의 확대** : 교통 및 통신수단의 발달로 국민이 관여하는 사회경제적인 영역이 커진 것 ② 공해문제 혹은 도로의 확충 등 **한 개의 지방자치단체가 단독으로 해결하기 어려운 업무가 증가함** → 대규모 개발 사업에 따른 종합적 계획·관리의 중요성 증대 ③ 효율적인 지역개발과 **지역 간의 균형발전** ④ 자치단체 간의 행정·재정력 격차로 인한 행정서비스의 불균등 문제 → 지방자치단체 간에 균질한 행정서비스를 제공할 유인증대

2) 광역행정의 장·단점 ⓓ

장점	① 중앙과 지방 혹은 지방과 지방 간 협력관계 촉진 ② 광역권 내 주민의 생활권, 교통권, 경제권 등과 행정권을 일치시켜서 행정의 효율성 촉진 ③ 주민의 생활편의, 복지, 문화수준 및 지역 전체의 발전과 균형 달성 → **지방차지단체 간의 재정 및 행정서비스의 형평적 배분** ④ 지자체 협력을 통해 **중복투자를 방지함으로써 규모의 경제를 실현**할 수 있으며(불필요한 가외성 지양), 지방자치단체 간 갈등 해소와 조정에 기여
단점	① **각 자치단체의 특수성을 살리지 못함**(행정의 대응성↓) → 행정서비스의 무분별한 획일화 초래 ② 두 개의 지자체가 협력하여 일을 수행하는 까닭에 **행정의 책임소재를 불분명**하게 만들 수 있음

3) 지방자치단체 간 협력방식의 유형

① 공동처리방식 : 지방자치법을 중심으로

법적 근거	제164조【지방자치단체 상호 간의 협력】① 지방자치단체는 다른 지방자치단체로부터 사무의 공동처리에 관한 요청이나 사무처리에 관한 협의·조정·승인 또는 지원의 요청을 받으면 법령의 범위에서 협력하여야 한다. ② 관계 중앙행정기관의 장은 지방자치단체 간의 협력 활성화를 위하여 필요한 지원을 할 수 있다.
틀잡기	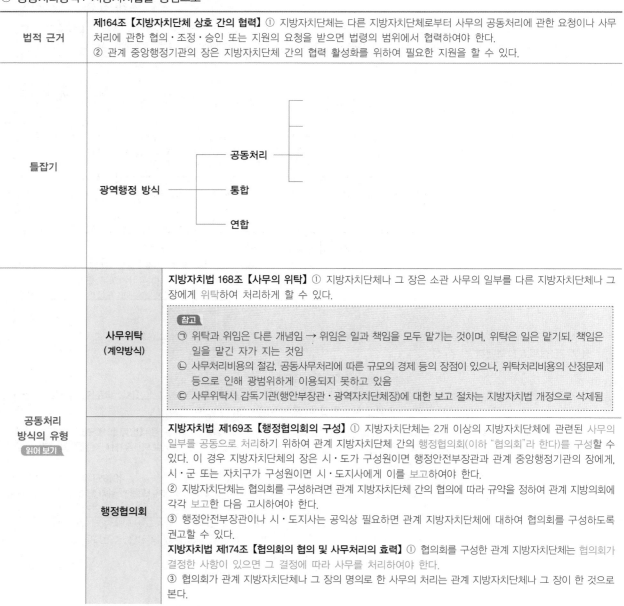 광역행정 방식 ─── 공동처리 통합 연합

공동처리 방식의 유형 <small>읽어 보기</small>	사무위탁 (계약방식)	**지방자치법 168조【사무의 위탁】** ① 지방자치단체나 그 장은 소관 사무의 일부를 다른 지방자치단체나 그 장에게 위탁하여 처리하게 할 수 있다. **참고** ⊙ 위탁과 위임은 다른 개념임 → 위임은 일과 책임을 모두 맡기는 것이며, 위탁은 일은 맡기되, 책임은 일을 맡긴 자가 지는 것임 ⓛ 사무처리비용의 절감, 공동사무처리에 따른 규모의 경제 등의 장점이 있으나, 위탁처리비용의 산정문제 등으로 인해 광범위하게 이용되지 못하고 있음 ⓒ 사무위탁시 감독기관(행안부장관·광역자치단체장)에 대한 보고 절차는 지방자치법 개정으로 삭제됨
	행정협의회	**지방자치법 제169조【행정협의회의 구성】** ① 지방자치단체는 2개 이상의 지방자치단체에 관련된 사무의 일부를 공동으로 처리하기 위하여 관계 지방자치단체 간의 행정협의회(이하 "협의회"라 한다)를 구성할 수 있다. 이 경우 지방자치단체의 장은 시·도가 구성원이면 행정안전부장관과 관계 중앙행정기관의 장에게, 시·군 또는 자치구가 구성원이면 시·도지사에게 이를 보고하여야 한다. ② 지방자치단체는 협의회를 구성하려면 관계 지방자치단체 간의 협의에 따라 규약을 정하여 관계 지방의회에 각각 보고한 다음 고시하여야 한다. ③ 행정안전부장관이나 시·도지사는 공익상 필요하면 관계 지방자치단체에 대하여 협의회를 구성하도록 권고할 수 있다. **지방자치법 제174조【협의회의 협의 및 사무처리의 효력】** ① 협의회를 구성한 관계 지방자치단체는 협의회가 결정한 사항이 있으면 그 결정에 따라 사무를 처리하여야 한다. ③ 협의회가 관계 지방자치단체나 그 장의 명의로 한 사무의 처리는 관계 지방자치단체나 그 장이 한 것으로 본다.

| 행정협의회 | **☑ 2022년 지방자치법** |

구분	이전	현행
행정협의회 활성화 (제169조)	• 설립시 지방의회의 의결 필요 • 자치단체 간 협력에 대한 지원 근거 없음	• 설립시 **지방의회에 보고**로 간소화 • 관계 중앙행정기관의 장은 협력활성화를 위해 필요한 지원 가능
기타	㉠ 행정협의회는 법인이 아니므로 사무처리의 효과가 각 자치단체에 귀속됨 → 실질적인 협력의 효과가 떨어진다는 비판이 있음 ㉡ 행정협의회는 자료제출 요구권과 협의조정권을 가지며, 결정한 사항이 있는 경우에는 **법적인 구속력이 인정됨** → 그러나 합의한 사항에 대한 **강제이행권은 없음**	

공동처리 방식의 유형 〔읽어 보기〕

조합

지방자치법 제176조 【지방자치단체조합의 설립】 ① 2개 이상의 지방자치단체가 하나 또는 둘 이상의 사무를 공동으로 처리할 필요가 있을 때에는 규약을 정하여 지방의회의 의결을 거쳐 시·도는 행정안전부장관의 승인, 시·군 및 자치구는 시·도지사의 승인을 받아 지방자치단체조합을 설립할 수 있다. 다만, 지방자치단체조합의 구성원인 시·군 및 자치구가 2개 이상의 시·도에 걸쳐 있는 지방자치단체조합은 행정안전부장관의 승인을 받아야 한다.
② 지방자치단체조합은 법인으로 한다.

☑ 조합의 예시 : 강원 남부권 관광개발 조합
㉠ 강원 남부권 정선·태백·영월·평창·횡성 등 5개 시·군이 참여하고 있는 강원 남부권 관광개발 조합은 창립과 함께 조합에서는 강원 남부권 관광 활성화를 위한 새로운 도약을 목표로 레인보우시티 사업을 추진하였음
㉡ 강원 남부권 관광개발 조합은 강원도의 승인을 받아 조합사무실 설치 및 5개 시·군의 공무원 파견으로 출범하였음

지방자치법 제177조 【지방자치단체조합의 조직】 ③ 관계 지방의회의원과 관계 지방자치단체의 장은 제43조 제1항과 제109조 제1항에도 불구하고 지방자치단체조합회의의 위원이나 지방자치단체조합장을 겸할 수 있다.

지방자치법 제180조 【지방자치단체조합의 지도·감독】 ① 시·도가 구성원인 지방자치단체조합은 행정안전부장관, 시·군 및 자치구가 구성원인 지방자치단체조합은 1차로 시·도지사, 2차로 행정안전부장관의 지도·감독을 받는다. 다만, 지방자치단체조합의 구성원인 시·군 및 자치구가 2개 이상의 시·도에 걸쳐 있는 지방자치단체조합은 행정안전부장관의 지도·감독을 받는다.
② 행정안전부장관은 공익상 필요하면 지방자치단체조합의 설립이나 해산 또는 규약 변경을 명할 수 있다.

지방자치법 제181조 【지방자치단체조합의 규약 변경 및 해산】 ① 지방자치단체조합의 규약을 변경하거나 지방자치단체조합을 해산하려는 경우에는 제176조 제1항을 준용(의회의결 + 승인)한다.
② 지방자치단체조합을 해산한 경우에 그 재산의 처분은 관계 지방자치단체의 협의에 따른다.

〔참고〕
㉠ 조합은 법인격이 있는바 사무처리 효과가 조합에 귀속 → 실질적인 협력의 효과가 협의회보다 큼
㉡ 다만 책임소재가 불분명하다는 단점이 있음(예 지방채에 대한 책임)
㉢ 설립뿐 아니라 규약변경이나 해산의 경우에도 지방의회의 의결을 거쳐야 함

협의체

지방자치법 제182조 【지방자치단체의 장 등의 협의체】 ① 지방자치단체의 장이나 지방의회의 의장은 상호 간의 교류와 협력을 증진하고, 공동의 문제를 협의하기 위하여 다음 각 호의 구분에 따라 각각 전국적 협의체를 설립할 수 있다.
② 제1항 각 호의 전국적 협의체는 그들 모두가 참가하는 지방자치단체 연합체를 설립할 수 있다.
③ 제1항에 따른 협의체나 제2항에 따른 연합체를 설립하였을 때에는 그 협의체·연합체의 대표자는 지체 없이 행정안전부장관에게 신고하여야 한다.

〔참고〕
연합체는 협의체를 합친 것임

② 통합방식 ⒸⒻ

개념	여러 자치단체를 포괄하는 단일 정부를 설립하여 그 정부의 주도로 사무를 광역적으로 처리하는 방식	
유형	합병방식	여러 자치단체를 통폐합하여 하나의 법인격을 가진 새로운 자치단체를 신설하는 방식
	흡수통합	상급자치단체가 하급자치단체의 권한이나 지위를 흡수·통합하는 방식
	전부사무조합	2개 이상의 지방자치단체가 계약을 기초로 모든 사무를 종합적으로 처리하는 지방자치단체조합을 설립하는 것

③ 연합방식 ⒸⒻ

개념	기존의 자치단체가 각각 독립적인 법인격을 유지하면서 그 위에 광역행정을 전담하는 새로운 자치단체를 신설하는 방식	
유형	도시공동체	기초자치단체인 시(市)들이 광역행정단위를 구성하는 방식
	자치단체연합	둘 이상의 지방자치단체가 독립적인 법인격은 그대로 유지하면서 그 전역에 걸친 단체를 새로 창설하여 광역행정에 관한 사무를 처리하는 방식

④ 기타 유형 ⒸⒻ

특별구역 설정	과거 우리나라의 교육구 등
광역의회	주민이 선출한 지방의원들의 참여를 통해 광역의회를 구성한 후 여기에서 광역행정사무를 처리하는 방식
연락회의	자치단체의 대표들로 연락기구를 구성하는 방식으로 단순한 접촉이나 대화·연락기구일 뿐 구속력을 가지거나 조정권을 가지지는 못함 → 협의회보다 실효성이 약함
공동기관	공동기관은 둘 이상의 지방자체단체가 광역사무를 처리하기 위하여 합의에 의하여 규약을 정하고 위원회의 위원, 전문위원, 보조원, 부속기관 등을 공동으로 두는 방식으로 법인격을 갖지 못함
광역도시계획	광역도시계획을 수립하여 지방자치단체 간에 협력이 필요한 일을 수행할 수 있음

4 정부 간 갈등해결을 위한 제도

1) 중앙정부와 지방자치단체 간 분쟁조정 방식

행정협의조정위원회	**지방자치법 제187조【중앙행정기관과 지방자치단체 간 협의·조정】** ① 중앙행정기관의 장과 지방자치단체의 장이 사무를 처리할 때 의견을 달리하는 경우 이를 협의·조정하기 위하여 국무총리 소속으로 행정협의조정위원회를 둔다. ② 행정협의조정위원회는 위원장 1명을 포함하여 13명 이내의 위원으로 구성한다. ③ 행정협의조정위원회의 위원은 다음 각 호의 사람이 되고, 위원장은 제3호의 위촉위원 중에서 국무총리가 위촉한다. 1. 기획재정부장관, 행정안전부장관, 국무조정실장 및 법제처장 참고 ① 행정협의조정위원회의 결정은 형식적으로 법적인 구속력이 있으나, 조정사항의 불이행에 대한 이행명령이나 대집행 등의 실질적인 구속력 확보장치가 없기 때문에 실질적인 구속력은 없음 ② 행정협의조정위원회는 재적위원 과반수의 출석으로 개의하고, 출석의원 3분의 2 이상의 찬성으로 의결함
기타	① 사법적인 분쟁조정제도 : 헌법재판소의 권한쟁의 심판 등 ② 중앙정부가 지방자치단체를 계층제적 권위로 강제하여 분쟁을 해결 → ⒺⓍ 직무이행명령제도, 주무부장관의 지도와 감독 등

2) 지방자치단체와 지방자치단체 간 분쟁조정 방식

분쟁조정 위원회	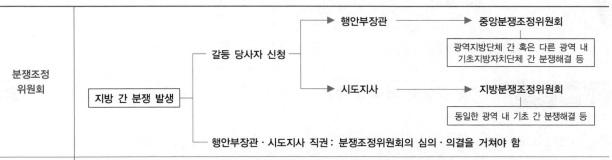

지방자치법
(읽어 보기)
	제165조【지방자치단체 상호 간의 분쟁조정】 ① 지방자치단체 상호 간 또는 지방자치단체의 장 상호 간에 사무를 처리할 때 의견이 달라 다툼(이하 "분쟁"이라 한다)이 생기면 다른 법률에 특별한 규정이 없으면 행정안전부장관이나 시·도지사가 당사자의 신청을 받아 조정할 수 있다. 다만, 그 분쟁이 공익을 현저히 해쳐 조속한 조정이 필요하다고 인정되면 당사자의 신청이 없어도 직권으로 조정할 수 있다.
	③ 행정안전부장관이나 시·도지사가 제1항의 분쟁을 조정하려는 경우에는 관계 중앙행정기관의 장과의 협의를 거쳐 지방자치단체중앙분쟁조정위원회나 지방자치단체지방분쟁조정위원회의 의결에 따라 조정을 결정하여야 한다.
	④ 행정안전부장관이나 시·도지사는 제3항에 따라 조정을 결정하면 서면으로 지체 없이 관계 지방자치단체의 장에게 통보하여야 하며, 통보를 받은 지방자치단체의 장은 그 조정 결정 사항을 이행하여야 한다.
	⑤ 제3항에 따른 조정 결정 사항 중 예산이 필요한 사항에 대해서는 관계 지방자치단체는 필요한 예산을 우선적으로 편성하여야 한다.
	
	제166조【지방자치단체중앙분쟁조정위원회 등의 설치와 구성 등】 ① 제165조 제1항에 따른 분쟁의 조정과 제173조 제1항에 따른 협의사항의 조정에 필요한 사항을 심의·의결하기 위하여 행정안전부에 지방자치단체중앙분쟁조정위원회(이하 "중앙분쟁조정위원회"라 한다)를, 시·도에 지방자치단체지방분쟁조정위원회(이하 "지방분쟁조정위원회"라 한다)를 둔다.
	② 중앙분쟁조정위원회는 다음 각 호의 분쟁을 심의·의결한다.
	  1. 시·도 간 또는 그 장 간의 분쟁
	  2. 시·도를 달리하는 시·군 및 자치구 간 또는 그 장 간의 분쟁
	  3. 시·도와 시·군 및 자치구 간 또는 그 장 간의 분쟁
	  4. 시·도와 지방자치단체조합 간 또는 그 장 간의 분쟁
	  5. 시·도를 달리하는 시·군 및 자치구와 지방자치단체조합 간 또는 그 장 간의 분쟁
	  6. 시·도를 달리하는 지방자치단체조합 간 또는 그 장 간의 분쟁
	
	⌈참고⌋
	① 지방자치법은 분쟁조정위원회의 결정사항을 이행하도록 규정하고 있는바 분쟁조정위원회의 결정은 법적인 구속력이 있음 → 또한 분쟁조정위원회의 조정사항을 이행하지 않으면 직무이행명령과 대집행 조치를 할 수 있으므로 분쟁조정위원회의 결정은 **실질적인 구속력도 있음**
	② 중앙분쟁조정위원회 혹은 지방분쟁조정위원회는 행정협의회에서 합의가 이루어지지 아니한 사항의 조정에 필요한 사항을 심의·의결할 수 있음

**기타
해결방법**
	① 당사자 간 분쟁조정
	  ㉠ 행정협의회
	  ㉡ 지방자치단체조합
	  ㉢ 전국적 협의체 등
	② 헌법재판소의 권한쟁의 심판 등

DAY — 26

CHAPTER **03** 주민참여

Section **01** **주민참여의 의의와 유형** ⓒf → **27 day**

1 주민의 정의와 기능

주민의 정의	지방자치단체의 구역 안에 주소를 가진 자	
주민참여 기능	순기능	① 지역의 특수성을 반영하고, 시민의 역량 및 자질을 제고하여 **대의민주제를 보완**할 수 있음 ② 정책에 대한 공감을 확보하는 과정을 거침으로써 정책의 정당성과 정책지지(정책순응)를 획득할 수 있고, 이를 통해 **정책집행을 용이하게 만들 수 있음** ③ 행정의 민주화 고양 ④ 행정과 시민 간 거리감 감소 ⑤ 주민의 권리와 책임의식 고양
	역기능	① 의사결정에 다수가 참여하는바 **의사결정비용(내부비용 = 행정적 비용)이 증가** ② 정책에 대한 **전문성 혹은 책임성이 결여**될 수 있음 ③ 응집력이 강한 이익집단이 있을 때 일부의 이익만을 반영하는 결과를 초래할 수 있음 → 대표성 및 공정성의 문제

2 주민참여 유형 : 아른슈타인을 중심으로

참여의 수준과 단계		참여(주민의 견해 제시)	영향력(주민이 제시한 견해 반영)
비참여	조작	×	×
	임시치료(교정)		
형식적(명목적) 참여 : 일방향적	정보제공	○	×
	상담(의견수렴)		
	회유(유화)		
주민권력적 참여 : (주민권력단계) 쌍방향적	대등한 협력	○	○
	권한위양(권한위임)		
	자주관리(주민통제)		

표설명
① 아른슈타인은 주민참여의 종류를 8개로 구분한 후 이를 비참여, 형식적 참여, 주민권력적 참여 등 3개의 수준으로 정리
② **비참여** : 정책결정과정에 주민의 참여가 거의 없으며, 공무원이 주민을 포섭하는 데 주력함
③ **형식적 참여** : 심의회 등 주민참여를 위한 제도적인 장치는 있으나, 주민참여가 형식적임
④ **주민권력적 참여** : 주민의 일정 수준의 권한을 바탕으로 실질적 참여를 통해 자주적인 관리를 함
⑤ **비참여에서 주민권력적 참여 수준으로 갈수록 참여 및 영향력의 정도가 강해짐**
⑥ 주민참여예산제도는 주민의 실질적 참여가 이루어지는 것을 전제로 하기 때문에 Arnstein의 주민권력단계(주민의 영향력이 강한 단계)에 속한다고 할 수 있음

Section 02 우리나라의 주민참여제도

● 27 day

1 조례제정 · 개폐청구 제도(주민발의 · 주민발안)

틀잡기	<div>주민청구조례안 → 지방의회 • 18세 이상 주민·외국인 • 연대 서명(인구수 기준) 수리 : 1년 내 의결 각하</div>
개념	지방선거의 유권자 중 일정 수 이상의 연서로 **지방자치단체의 조례제정 및 개폐에 대해 주민들이 직접 발안**할 수 있도록 하는 제도 → 조례제정 및 개폐청구 제도
지방자치법	**제19조【조례의 제정과 개정·폐지 청구】** ① 주민은 지방자치단체의 조례를 제정하거나 개정하거나 폐지할 것을 청구할 수 있다. ② 조례의 제정·개정 또는 폐지 청구의 청구권자·청구대상·청구요건 및 절차 등에 관한 사항은 따로 법률로 정한다.
주민조례발안법	**제1조【목적】** 이 법은 「지방자치법」 제19조에 따른 주민의 조례 제정과 개정·폐지 청구에 필요한 사항을 규정함으로써 주민의 직접참여를 보장하고 지방자치행정의 민주성과 책임성을 제고함을 목적으로 한다. **제2조【주민조례청구권자】** 18세 이상의 주민으로서 다음 각 호의 어느 하나에 해당하는 사람(「공직선거법」 제18조에 따른 선거권이 없는 사람은 제외한다. 이하 "청구권자"라 한다)은 해당 지방자치단체의 의회(이하 "지방의회"라 한다)에 조례를 제정하거나 개정 또는 폐지할 것을 청구할 수 있다. 　1. 해당 지방자치단체의 관할 구역에 주민등록이 되어 있는 사람 　2. 「출입국관리법」 제10조에 따른 영주(永住)할 수 있는 체류자격 취득일 후 3년이 지난 외국인으로서 같은 법 제34조에 따라 해당 지방자치단체의 외국인등록대장에 올라 있는 사람 **제3조【주민조례청구권의 보장】** ① 국가 및 지방자치단체는 청구권자가 지방의회에 주민조례청구를 할 수 있도록 필요한 조치를 하여야 한다. ② 지방자치단체는 청구권자가 전자적 방식을 통하여 주민조례청구를 할 수 있도록 행정안전부장관이 정하는 바에 따라 정보시스템을 구축·운영하여야 한다. 이 경우 행정안전부장관은 정보시스템을 구축·운영하는 데 필요한 지원을 할 수 있다. ③ 국가 및 지방자치단체는 청구권자의 주민조례청구를 활성화하기 위하여 주민조례청구의 요건, 참여·서명 방법 및 절차 등을 홍보하여야 한다. **제4조【주민조례청구 제외 대상】** 다음 각 호의 사항은 주민조례청구 대상에서 제외한다. 　1. 법령을 위반하는 사항 　2. 지방세·사용료·수수료·부담금을 부과·징수 또는 감면하는 사항 　3. 행정기구를 설치하거나 변경하는 사항 　4. 공공시설의 설치를 반대하는 사항 **제5조【주민조례청구 요건】** ① 청구권자가 주민조례청구를 하려는 경우에는 다음 각 호의 구분에 따른 기준 이내에서 해당 지방자치단체의 조례로 정하는 청구권자 수 이상이 연대 서명하여야 한다. 　1. 특별시 및 인구 800만 이상의 광역시·도: 청구권자 총수의 200분의 1 　2. 인구 800만 미만의 광역시·도, 특별자치시, 특별자치도 및 인구 100만 이상의 시: 청구권자 총수의 150분의 1 　3. 인구 50만 이상 100만 미만의 시·군 및 자치구: 청구권자 총수의 100분의 1 　4. 인구 10만 이상 50만 미만의 시·군 및 자치구: 청구권자 총수의 70분의 1 　5. 인구 5만 이상 10만 미만의 시·군 및 자치구: 청구권자 총수의 50분의 1 　6. 인구 5만 미만의 시·군 및 자치구: 청구권자 총수의 20분의 1 <div>**참고 필요한 서명의 요건** ① 800만 이상(1/200)　　② 800만~100만(1/150) ③ 100만~50만(1/100)　　④ 50만~10만(1/70) ⑤ 10만~5만(1/50)　　⑥ 5만 미만(1/20)</div>

주민조례발안법	**제12조【청구의 수리 및 각하】** ① 지방의회의 의장은 다음 각 호의 어느 하나에 해당하는 경우로서 요건에 적합한 경우에는 주민조례청구를 수리하고, 요건에 적합하지 아니한 경우에는 주민조례청구를 각하하여야 한다. 이 경우 수리 또는 각하 사실을 대표자에게 알려야 한다. ② 지방의회의 의장은 다음 각 호의 구분에 따른 기간의 범위에서 해당 지방자치단체의 조례로 정하는 기간 이내에 제1항에 따라 주민조례청구를 수리하거나 각하하여야 한다. **제13조【주민청구조례안의 심사 절차】** ① 지방의회는 제12조 제1항에 따라 주민청구조례안이 수리된 날부터 1년 이내에 주민청구조례안을 의결하여야 한다. 다만, 필요한 경우에는 본회의 의결로 1년 이내의 범위에서 한 차례만 그 기간을 연장할 수 있다. ③「지방자치법」제79조 단서에도 불구하고 주민청구조례안은 제12조 제1항에 따라 주민청구조례안을 수리한 당시의 지방의회의 의원의 임기가 끝나더라도 다음 지방의회의 의원의 임기까지는 의결되지 못한 것 때문에 폐기되지 아니한다. **참고** 주민청구조례안은 의원임기 만료시 폐기되지 않고 차기 의회에 한하여 계속 심사됨

2 주민소환제도

1) 틀잡기 · 개념 및 특징 등

틀잡기	
개념	① 선출직 지방공직자(단체장, 지방의회의원, 교육감 등)의 해직을 임기 만료 전에 청구하여 주민투표로 결정하는 제도 ② 즉, 주민소환은 지방자치단체장과 지방의회 의원(비례대표 제외)을 대상으로 임기만료 전에 해당 선거관리위원회에 주민들이 해임을 청구하고 투표로 결정하는 제도로서 해임을 청구하는 데 그치지 않고 주민들이 직접 해임여부를 결정하는 제도임
특징	① 위법 · 부당행위, 정치적 무능력, 직무유기, 독단적인 행정운영 등 지방자치제의 폐단을 방지할 수 있음 ② 가장 유력(有力)한 직접민주주의 제도임 → 아울러 선출직 지방공직자로 하여금 직무유기, 독단적인 행정운영 등을 못하게 만드는 심리적 통제 효과가 큼
사례	① 2007년에 처음으로 지방자치단체장과 지방의회의원 2명에 대한 주민소환투표가 경기도 하남시에서 실시되었고, 2009년에 최초로 광역자치단체장에 대한 주민소환투표가 제주특별자치도에서 실시된바 있음 ② 지금까지 광역단체장과 기초단체장의 주민소환 확정사례는 없으며 하남시 의원 2명이 유일한 소환사례(2007년)임

2) 관련 법령

지방자치법	**제25조【주민소환】** ① 주민은 그 지방자치단체의 장 및 지방의회의원(비례대표 지방의회의원은 제외한다)을 소환할 권리를 가진다. ② 주민소환의 투표 청구권자 · 청구요건 · 절차 및 효력 등에 관한 사항은 따로 법률로 정한다. **참고** 지방교육자치에 관한 법률 제24조의2 【교육감의 소환】 ① 주민은 교육감을 소환할 권리를 가진다. 동법 제32조 【교육기관의 설치】 교육감은 그 소관 사무의 범위 안에서 필요한 때에는 대통령령 또는 조례로 정하는 바에 따라 교육기관을 설치할 수 있다. 동법 제38조 【교육비특별회계】 시 · 도의 교육 · 학예에 관한 경비를 따로 경리하기 위하여 해당 지방자치단체에 교육비특별회계를 둔다.

주민소환법

제1조【목적】 이 법은 「지방자치법」 제25조에 따른 주민소환의 투표 청구권자·청구요건·절차 및 효력 등에 관하여 규정함으로써 지방자치에 관한 주민의 직접참여를 확대하고 지방행정의 민주성과 책임성을 제고함을 목적으로 한다.

제3조【주민소환투표권】 ① 제4조 제1항의 규정에 의한 주민소환투표인명부 작성기준일 현재 다음 각 호의 어느 하나에 해당하는 자는 주민소환투표권이 있다.

1. 19세 이상의 주민으로서 당해 지방자치단체 관할구역에 주민등록이 되어 있는 자(「공직선거법」 제18조의 규정에 의하여 선거권이 없는 자를 제외한다)
2. 19세 이상의 외국인으로서 「출입국관리법」 제10조의 규정에 따른 영주의 체류자격 취득일 후 3년이 경과한 자 중 같은 법 제34조의 규정에 따라 당해 지방자치단체 관할구역의 외국인등록대장에 등재된 자

② 주민소환투표권자의 연령은 주민소환투표일 현재를 기준으로 계산한다.

제7조【주민소환투표의 청구】 ① 전년도 12월 31일 현재 주민등록표 및 외국인등록표에 등록된 제3조 제1항 제1호 및 제2호에 해당하는 자(이하 "주민소환투표청구권자"라 한다)는 해당 지방자치단체의 장 및 지방의회의원(비례대표선거시·도의회의원 및 비례대표선거구자치구·시·군의회의원은 제외하며, 이하 "선출직 지방공직자"라 한다)에 대하여 다음 각 호에 해당하는 주민의 서명으로 그 소환사유를 서면에 구체적으로 명시하여 관할선거관리위원회에 주민소환투표의 실시를 청구할 수 있다.

1. 시·도지사: 당해 지방자치단체의 주민소환투표청구권자 총수의 100분의 10 이상
2. 시장·군수·자치구의 구청장: 당해 지방자치단체의 주민소환투표청구권자 총수의 100분의 15 이상
3. 지역구시·도의원 및 지역구자치구·시·군의원: 당해 지방의회의원의 선거구 안의 주민소환투표청구권자 총수의 100분의 20 이상

제8조【주민소환투표의 청구제한기간】 제7조 제1항 내지 제3항의 규정에 불구하고, 다음 각 호의 어느 하나에 해당하는 때에는 주민소환투표의 실시를 청구할 수 없다.

1. 선출직 지방공직자의 임기개시일부터 1년이 경과하지 아니한 때
2. 선출직 지방공직자의 임기만료일부터 1년 미만일 때
3. 해당선출직 지방공직자에 대한 주민소환투표를 실시한 날부터 1년 이내인 때

제21조【권한행사의 정지 및 권한대행】 ① 주민소환투표대상자는 관할선거관리위원회가 제12조 제2항의 규정에 의하여 주민소환투표안을 공고한 때부터 제22조 제3항의 규정에 의하여 주민소환투표결과를 공표할 때까지 그 권한행사가 정지된다.

제22조【주민소환투표결과의 확정】 ① 주민소환은 제3조의 규정에 의한 주민소환투표권자(이하 "주민소환투표권자"라 한다) 총수의 3분의 1이상의 투표와 유효투표 총수 과반수의 찬성으로 확정된다.

② 전체 주민소환투표자의 수가 주민소환투표권자 총수의 3분의 1에 미달하는 때에는 개표를 하지 아니한다.

제23조【주민소환투표의 효력】 ① 제22조 제1항의 규정에 의하여 주민소환이 확정된 때에는 주민소환투표대상자는 그 결과가 공표된 시점부터 그 직을 상실한다.

제24조【주민소환투표소송 등】 ① 주민소환투표의 효력에 관하여 이의가 있는 해당 주민소환투표대상자 또는 주민소환투표권자(주민소환투표권자 총수의 100분의 1 이상의 서명을 받아야 한다)는 제22조 제3항의 규정에 의하여 주민소환투표결과가 공표된 날부터 14일 이내에 관할선거관리위원회 위원장을 피소청인으로 하여 지역구시·도의원, 지역구자치구·시·군의원 또는 시장·군수·자치구의 구청장을 대상으로 한 주민소환투표에 있어서는 특별시·광역시·도선거관리위원회에, 시·도지사를 대상으로 한 주민소환투표에 있어서는 중앙선거관리위원회에 소청할 수 있다.

② 제1항의 규정에 따른 소청에 대한 결정에 관하여 불복이 있는 소청인은 관할선거관리위원회 위원장을 피고로 하여 그 결정서를 받은 날부터 10일 이내에 지역구시·도의원, 지역구자치구·시·군의원 또는 시장·군수·자치구의 구청장을 대상으로 한 주민소환투표에 있어서는 그 선거구를 관할하는 고등법원에, 시·도지사를 대상으로 한 주민소환투표에 있어서는 대법원에 소를 제기할 수 있다.

DAY — **27**

3 주민투표제도

1) 틀잡기 및 의의

틀잡기	① 18세 이상 주민·외국인: 연대 서명 ② 지방의회: 과반수 출석 2/3찬성 ③ 지방자치단체장: 과반수 출석·과반수 동의 →주민투표실시 청구→ 지방자치단체장 →발의→ 관할 선관위
개념	지역의 특정 문제에 대한 의사결정 과정에 주민들이 직접 참여하여 자신의 의사에 따라 직접 결정권을 행사하는 제도
연혁	우리나라 주민투표제도는 1994년 「지방자치법」이 개정되면서 지방자치법에 근거를 두었으나, 주민투표법이 제정되지 않아 시행되지 못하다가, 2004년 주민투표법이 제정·시행(2004.1. 제정, 2004.7. 시행)됨에 따라 현재까지 실시하고 있음

2) 관련 법령

① 지방자치법

제18조【주민투표】 ① 지방자치단체의 장은 주민에게 과도한 부담을 주거나 중대한 영향을 미치는 지방자치단체의 주요 결정사항 등에 대하여 주민투표에 부칠 수 있다.
② 주민투표의 대상·발의자·발의요건, 그 밖에 투표절차 등에 관한 사항은 따로 법률로 정한다.

② 주민투표법

제1조【목적】 이 법은 지방자치단체의 주요결정사항에 관한 주민의 직접참여를 보장하기 위하여 「지방자치법」 제18조에 따른 주민투표의 대상·발의자·발의요건·투표절차 등에 관한 사항을 규정함으로써 지방자치행정의 민주성과 책임성을 제고하고 주민복리를 증진함을 목적으로 한다.

제3조【주민투표사무의 관리】 ① 주민투표사무는 이 법에 특별한 규정이 있는 경우를 제외하고는 특별시·광역시·특별자치시·도 또는 특별자치도(이하 "시·도"라 한다)는 시·도선거관리위원회가, 시·군 또는 구(자치구를 말하며, 이하 "시·군·구"라 한다)는 구·시·군선거관리위원회가 관리한다.

제5조【주민투표권】 ① 18세 이상의 주민 중 제6조 제1항에 따른 투표인명부 작성기준일 현재 다음 각 호의 어느 하나에 해당하는 사람에게는 주민투표권이 있다. 다만, 「공직선거법」 제18조에 따라 선거권이 없는 사람에게는 주민투표권이 없다.
　1. 그 지방자치단체의 관할 구역에 주민등록이 되어 있는 사람
　2. 출입국관리 관계 법령에 따라 대한민국에 계속 거주할 수 있는 자격을 갖춘 외국인으로서 지방자치단체의 조례로 정한 사람
② 주민투표권자의 연령은 투표일 현재를 기준으로 산정한다.

제7조【주민투표의 대상】 ① 주민에게 과도한 부담을 주거나 중대한 영향을 미치는 지방자치단체의 주요결정사항은 주민투표에 부칠 수 있다.
② 제1항에도 불구하고 다음 각 호의 어느 하나에 해당하는 사항은 주민투표에 부칠 수 없다.
　1. 법령에 위반되거나 재판중인 사항
　2. 국가 또는 다른 지방자치단체의 권한 또는 사무에 속하는 사항
　3. 지방자치단체가 수행하는 다음 각 목의 어느 하나에 해당하는 사무의 처리에 관한 사항
　　가. 예산 편성·의결 및 집행
　　나. 회계·계약 및 재산관리
　3의2. 지방세·사용료·수수료·분담금 등 각종 공과금의 부과 또는 감면에 관한 사항
　4. 행정기구의 설치·변경에 관한 사항과 공무원의 인사·정원 등 신분과 보수에 관한 사항
　5. 다른 법률에 의하여 주민대표가 직접 의사결정주체로서 참여할 수 있는 공공시설의 설치에 관한 사항. 다만, 제9조 제5항의 규정에 의하여 지방의회가 주민투표의 실시를 청구하는 경우에는 그러하지 아니하다.
　6. 동일한 사항에 대하여 주민투표가 실시된 후 2년이 경과되지 아니한 사항

제8조【국가정책에 관한 주민투표】 ① 중앙행정기관의 장은 지방자치단체를 폐지하거나 설치하거나 나누거나 합치는 경우 또는 지방자치단체의 구역을 변경하거나 주요시설을 설치하는 등 국가정책의 수립에 관하여 주민의 의견을 듣기 위하여 필요하다고 인정하는 때에는 주민투표의 실시구역을 정하여 관계 지방자치단체의 장에게 주민투표의 실시를 요구할 수 있다. 이 경우 중앙행정기관의 장은 미리 행정안전부장관과 협의하여야 한다.

제9조【주민투표의 실시요건】 ① 지방자치단체의 장은 다음 각 호의 어느 하나에 해당하는 경우에는 주민투표를 실시할 수 있다. 이 경우 제1호 또는 제2호에 해당하는 경우에는 주민투표를 실시하여야 한다.

1. 주민이 제2항에 따라 주민투표의 실시를 청구하는 경우
2. 지방의회가 제5항에 따라 주민투표의 실시를 청구하는 경우
3. 지방자치단체의 장이 주민의 의견을 듣기 위하여 필요하다고 판단하는 경우

② 18세 이상 주민 중 제5조 제1항 각 호의 어느 하나에 해당하는 사람은 주민투표청구권자 총수의 20분의 1 이상 5분의 1 이하의 범위에서 지방자치단체의 조례로 정하는 수 이상의 서명으로 그 지방자치단체의 장에게 주민투표의 실시를 청구할 수 있다.

⑤ 지방의회는 재적의원 과반수의 출석과 출석의원 3분의 2 이상의 찬성으로 그 지방자치단체의 장에게 주민투표의 실시를 청구할 수 있다.

⑥ 지방자치단체의 장은 직권에 의하여 주민투표를 실시하고자 하는 때에는 그 지방의회 재적의원 과반수의 출석과 출석의원 과반수의 동의를 얻어야 한다.

제13조【주민투표의 발의】 ① 지방자치단체의 장은 다음 각 호의 어느 하나에 해당하는 경우에는 지체없이 그 요지를 공표하고 관할선거관리위원회에 통지하여야 한다.

제14조【주민투표의 투표일】 ① 주민투표의 투표일은 주민투표발의일부터 23일 이후 첫 번째 수요일로 한다.

제15조【주민투표의 형식】 주민투표는 특정한 사항에 대하여 찬성 또는 반대의 의사표시를 하거나 두 가지 사항 중 하나를 선택하는 형식으로 실시하여야 한다.

제24조【주민투표결과의 확정】 ① 주민투표에 부쳐진 사항은 주민투표권자 총수의 4분의 1 이상의 투표와 유효투표수 과반수의 득표로 확정된다. 다만, 다음 각 호의 어느 하나에 해당하는 경우에는 찬성과 반대 양자를 모두 수용하지 아니하거나, 양자택일의 대상이 되는 사항 모두를 선택하지 아니하기로 확정된 것으로 본다.

1. 전체 투표수가 주민투표권자 총수의 4분의 1에 미달되는 경우
2. 주민투표에 부쳐진 사항에 관한 유효득표수가 동수인 경우

③ 관할선거관리위원회는 개표가 끝나면 지체 없이 그 결과를 공표한 후 지방자치단체의 장에게 통지하여야 한다.

④ 지방자치단체의 장은 제3항의 규정에 의하여 주민투표결과를 통지받은 때에는 지체없이 이를 지방의회에 보고하여야 하며, 제8조의 규정에 의한 국가정책에 관한 주민투표인 때에는 관계 중앙행정기관의 장에게 주민투표결과를 통지하여야 한다.

⑤ 지방자치단체의 장 및 지방의회는 주민투표결과 확정된 내용대로 행정·재정상의 필요한 조치를 하여야 한다.

⑥ 지방자치단체의 장 및 지방의회는 주민투표결과 확정된 사항에 대하여 2년 이내에는 이를 변경하거나 새로운 결정을 할 수 없다.

> **참고**
> 주민투표를 실시한 경우에는 모두 개표함

제25조【주민투표소송 등】 ① 주민투표의 효력에 관하여 이의가 있는 주민투표권자는 주민투표권자 총수의 100분의 1 이상의 서명으로 주민투표 결과가 공표된 날부터 14일 이내에 관할선거관리위원회 위원장을 피소청인으로 하여 시·군·구의 경우에는 시·도선거관리위원회에, 시·도의 경우에는 중앙선거관리위원회에 소청할 수 있다.

② 소청인은 소청에 대한 결정에 불복하려는 경우 관할선거관리위원회위원장을 피고로 하여 그 결정서를 받은 날부터 10일 이내에 시·도의 경우에는 대법원에, 시·군·구의 경우에는 관할 고등법원에 소를 제기할 수 있다.

제26조【재투표 및 투표연기】 ① 지방자치단체의 장은 주민투표의 전부 또는 일부무효의 판결이 확정된 때에는 그 날부터 20일 이내에 무효로 된 투표구의 재투표를 실시하여야 한다. 이 경우 투표일은 늦어도 투표일전 7일까지 공고하여야 한다.

DAY ―

27

4 주민감사청구제도

개념	주민이 단체장 또는 자치단체의 권한에 속하는 사무의 처리가 법령에 위반되거나 공익을 현저히 해친다고 인정될 경우 상급자치단체장이나 주무부장관에게 감사를 청구할 수 있도록 하는 제도
틀잡기	시·도: 300명 / 인구 500만 이상 대도시: 200명 / 시·군·구: 150명 → · 이내에서 조례로 규정 (연대 서명) · 18세 이상 주민·외국인 → 주민감사청구 → 주무부장관 혹은 시·도지사
지방자치법	**제21조【주민의 감사 청구】** ① 지방자치단체의 18세 이상의 주민으로서 다음 각 호의 어느 하나에 해당하는 사람은 시·도는 300명, 제198조에 따른 인구 50만 이상 대도시는 200명, 그 밖의 시·군 및 자치구는 150명 이내에서 그 지방자치단체의 조례로 정하는 수 이상의 18세 이상의 주민이 연대 서명하여 그 지방자치단체와 그 장의 권한에 속하는 사무의 처리가 법령에 위반되거나 공익을 현저히 해친다고 인정되면 시·도의 경우에는 주무부장관에게, 시·군 및 자치구의 경우에는 시·도지사에게 감사를 청구할 수 있다. 1. 해당 지방자치단체의 관할 구역에 주민등록이 되어 있는 사람 2. 「출입국관리법」 제10조에 따른 영주(永住)할 수 있는 체류자격 취득일 후 3년이 경과한 외국인으로서 같은 법 제34조에 따라 해당 지방자치단체의 외국인등록대장에 올라 있는 사람 ② 다음 각 호의 사항은 감사 청구의 대상에서 제외한다. 1. 수사나 재판에 관여하게 되는 사항 2. 개인의 사생활을 침해할 우려가 있는 사항 3. 다른 기관에서 감사하였거나 감사 중인 사항. 다만, 다른 기관에서 감사한 사항이라도 새로운 사항이 발견되거나 중요 사항이 감사에서 누락된 경우와 제22조 제1항에 따라 주민소송의 대상이 되는 경우에는 그러하지 아니하다. ③ 제1항에 따른 청구는 사무처리가 있었던 날이나 끝난 날부터 3년이 지나면 제기할 수 없다. ⑨ 주무부장관이나 시·도지사는 감사 청구를 수리한 날부터 60일 이내에 감사 청구된 사항에 대하여 감사를 끝내야 하며, 감사 결과를 청구인의 대표자와 해당 지방자치단체의 장에게 서면으로 알리고, 공표하여야 한다. ⑪ 주무부장관이나 시·도지사는 주민감사청구를 처리(각하를 포함한다)할 때 청구인의 대표자에게 반드시 증거 제출 및 의견 진술의 기회를 주어야 한다. ⑫ 주무부장관이나 시·도지사는 제9항에 따른 감사 결과에 따라 기간을 정하여 해당 지방자치단체의 장에게 필요한 조치를 요구할 수 있다. 이 경우 그 지방자치단체의 장은 이를 성실히 이행하여야 하고, 그 조치 결과를 지방의회와 주무부장관 또는 시·도지사에게 보고하여야 한다.
국민감사 청구제도 (2002. 1.)	**부패방지권익위법 제72조【감사청구권】** ① 18세 이상의 국민은 공공기관의 사무처리가 법령위반 또는 부패행위로 인하여 공익을 현저히 해하는 경우 대통령령으로 정하는 일정한 수 이상의 국민의 연서로 감사원에 감사를 청구할 수 있다. 다만, 국회·법원·헌법재판소·선거관리위원회 또는 감사원의 사무에 대하여는 국회의장·대법원장·헌법재판소장·중앙선거관리위원회 위원장 또는 감사원장(이하 "당해 기관의 장"이라 한다)에게 감사를 청구하여야한다. ■ **부패방지권익위법 시행령** 　　**제84조【감사청구인】** 법 제72조 제1항 본문에서 "대통령령으로 정하는 일정한 수"란 300명을 말한다.

5 주민소송제도

개념	자치단체의 재무행위와 관련하여 감사를 청구한 주민이 감사의 결과에 불복이 있는 경우에 감사청구한 사항과 관련이 있는 위법한 행위나 업무를 게을리한 사실에 대해 해당 단체장을 상대방으로 법원에 재판을 청구하는 제도 → 납세자 소송제도
특징	① 주민소송은 주민감사청구를 전심절차로 하며, 다수 주민의 연서가 필요하지 않음 ② 예산, 회계, 계약, 재산관리, 지방세, 사용료, 공금의 부과 등 위법한 재무 행위에 대해서는 주민감사청구를 거쳐 주민소송을 통하여 시정할 수 있음

지방자치법	**제22조【주민소송】** ① 제21조 제1항에 따라 공금의 지출에 관한 사항, 재산의 취득·관리·처분에 관한 사항, 해당 지방자치단체를 당사자로 하는 매매·임차·도급 계약이나 그 밖의 계약의 체결·이행에 관한 사항 또는 지방세·사용료·수수료·과태료 등 공금의 부과·징수를 게을리한 사항을 감사 청구한 주민은 다음 각 호의 어느 하나에 해당하는 경우에 그 감사 청구한 사항과 관련이 있는 위법한 행위나 업무를 게을리한 사실에 대하여 해당 지방자치단체의 장을 상대방으로 하여 소송을 제기할 수 있다.
	  1. 주무부장관이나 시·도지사가 감사 청구를 수리한 날부터 60일이 지나도 감사를 끝내지 아니한 경우
	  3. 제21조 제12항에 따른 주무부장관이나 시·도지사의 조치 요구를 지방자치단체의 장이 이행하지 아니한 경우
	⑰ 소송을 제기한 주민은 승소한 경우 그 지방자치단체에 대하여 변호사 보수 등의 소송비용, 감사청구절차의 진행 등을 위하여 사용된 여비, 그 밖에 실제로 든 비용을 보상할 것을 청구할 수 있다. 이 경우 지방자치단체는 청구된 금액의 범위에서 그 소송을 진행하는 데 객관적으로 사용된 것으로 인정되는 금액을 지급하여야 한다.

6 기타

일정한 자격을 갖춘 외국인에게 허용되는 주민참여제도	① 조례의 제정과 개폐 청구 ② 주민투표 ③ 주민소환 ④ 공공기관의 정보공개에 관한 법률에 따른 정보공개 청구 ⑤ 주민감사청구와 주민소송
주민참여제도의 연혁	① 조례제정개폐청구제도(1999. 8.) → 주민감사청구제도(1999. 8.) → 주민투표제도(2004) → 주민소송제도(2006) → 주민소환제도(2007) ② 두문자 **조투송환** ③ 주민참여예산은 2005년에 입법화되고 2011년에 의무화되었으며, 「지방재정법」에 근거를 두고 있음
중앙정부와 지방자치단체 제도비교	(아래 표)
참고	① 주민투표는 자치단체장에게, 주민감사청구는 주무부장관·시·도지사에게, 주민소송은 관할 행정법원에, 주민소환은 관할 선거관리위원회에 청구할 수 있음 ② 주민소환, 주민투표, 주민감사청구, 주민발안제 모두 우리나라에서 실제 사용된 사례가 있음 • 예 **주민투표**: 2011년 서울시 무상급식 등 ③ **공직선거법**: 선거권자의 연령을 19세 이상에서 18세 이상으로 조정하고, 선거운동을 할 수 없는 사람의 연령을 19세 미만에서 18세 미만으로 조정함

구분	중앙정부	지방자치단체	연령
발안제도	×	○	18세 이상
감사청구제도	○	○	18세 이상
투표제도	○	○	19세 이상/18세 이상
소환제도	×	○	19세 이상

CHAPTER **04** 지방자치단체의 재정

Section 01 　지방재정의 기초 ㎝　　　　　　　　　　　● 27 day

1 지방재정의 개념과 특징

개념		지자체가 행정활동을 처리하는 데 필요한 재원을 획득하고 지출하는 활동
특징	조세법률주의	**헌법 제59조** 조세의 종목과 세율은 법률로 정한다.
	재산과 기금의 설치	① 지방자치단체의 재산의 보유 및 기금의 설치나 운용에 관하여 필요한 사항은 **조례로 정함** ② **지방자치법 제159조【재산과 기금의 설치】** ① 지방자치단체는 행정목적을 달성하기 위한 경우나 공익상 필요한 경우에는 재산을 보유하거나 특정한 자금을 운용하기 위한 기금을 설치할 수 있다. ② 제1항의 재산의 보유, 기금의 설치·운용에 필요한 사항은 조례로 정한다.

2 지방재정과 국가재정의 차이점

구분	국가재정	지방재정
세원	조세	다양한 세입원
추구하는 가치	형평성	효율성
공공서비스	순수공공재	준공공재: 공공재적 성격이 덜함
주민의 선호	둔감	민감
조세부담	**응능주의**: 소득이나 능력의 크기에 따라 세 부담	**응익주의**: 수익자부담주의
기능	**포괄적**: 자원배분, 소득분배, 경제안정 등	특정 영역에 대한 자원배분기능
규모의 경제	강함	약함

3 지방재정의 효율적 관리를 위한 제도 : 지방재정법을 중심으로

■ 5조와 33조 해설
   지방자치단체도 중앙정부처럼 중·장기적 관점의 재정운영 및 성과관리를 추구함

제5조【성과 중심의 지방재정 운용】 ① 지방자치단체의 장은 재정활동의 성과관리체계를 구축하여야 한다.
② 지방자치단체의 장은 행정안전부령으로 정하는 바에 따라 예산의 성과계획서 및 성과보고서를 작성하여야 한다.

제33조【중기지방재정계획의 수립 등】 ① 지방자치단체의 장은 지방재정을 계획성 있게 운용하기 위하여 매년 다음 회계연도부터 5회계연도 이상의 기간에 대한 중기지방재정계획을 수립하여 예산안과 함께 지방의회에 제출하고, 회계연도 개시 30일 전까지 행정안전부장관에게 제출하여야 한다.

■ 37조~50조 해설
   ① 지방자치단체도 재정운영에 있어서 NPM 패러다임을 적용하고 있음 → 즉, 예비타당성 조사와 유사한 투자심사 제도, 인센티브 체제 등을 사용하고 있음
   ② 아울러 중앙정부처럼 계속비, 추가경정예산, 예비비, 이용·전용, 이체, 이월, 준예산 등을 운영하고 있음

제37조【투자심사】 ② 지방자치단체의 장은 총 사업비 500억 원 이상인 신규사업에 대해서는 행정안전부장관이 정하여 고시하는 전문기관으로부터 타당성 조사를 받고 그 결과를 토대로 투자심사를 하여야 한다. 다만,「국가재정법」제38조에 따른 예비타당성조사를 실시한 경우 타당성 조사를 받은 것으로 본다. → 재정투자심사제도(과거 명칭 : 지방재정투융자심사)

제42조【계속비 등】 ① 지방자치단체의 장은 공사나 제조, 그 밖의 사업으로서 그 완성에 수년을 요하는 것은 필요한 경비의 총액과 연도별 금액에 대하여 지방의회의 의결을 얻어 계속비로서 여러 해에 걸쳐 지출할 수 있다.
② 제1항에 따라 계속비로 지출할 수 있는 연한(年限)은 그 회계연도부터 5년 이내로 한다. 다만, 필요하다고 인정될 때에는 지방의회의 의결을 거쳐 다시 그 연한을 연장할 수 있다.

제43조【예비비】 ① 지방자치단체는 예측할 수 없는 예산 외의 지출 또는 예산 초과 지출에 충당하기 위하여 일반회계와 교육비특별회계의 경우에는 각 예산 총액의 100분의 1 이내의 금액을 예비비로 예산에 계상하여야 하고, 그 밖의 특별회계의 경우에는 각 예산 총액의 100분의 1 이내의 금액을 예비비로 예산에 계상할 수 있다.
② 제1항에도 불구하고 재해·재난 관련 목적 예비비는 별도로 예산에 계상할 수 있다.
③ 지방자치단체의 장은 지방의회의 예산안 심의 결과 폐지되거나 감액된 지출항목에 대해서는 예비비를 사용할 수 없다.
④ 지방자치단체의 장은 예비비로 사용한 금액의 명세서를「지방자치법」제150조 제1항에 따라 지방의회의 승인을 받아야 한다.

제45조【추가경정예산의 편성 등】 지방자치단체의 장은 이미 성립된 예산을 변경할 필요가 있을 때에는 추가경정예산(追加更正豫算)을 편성할 수 있다.

제46조【예산 불성립 시의 예산 집행】 ① 지방의회에서 부득이한 사유로 회계연도가 시작될 때까지 예산안이 의결되지 못하였을 때에는 지방자치단체의 장은「지방자치법」제146조에 따라 예산을 집행하여야 한다.

제47조의2【예산의 이용·이체】 ① 지방자치단체의 장은 세출예산에서 정한 각 정책사업 간에 서로 이용할 수 없다. 다만, 예산집행에 필요하여 미리 예산으로서 지방의회의 의결을 거쳤을 때에는 이용할 수 있다.
② 지방자치단체의 장은 지방자치단체의 기구·직제 또는 정원에 관한 법령이나 조례의 제정·개정 또는 폐지로 인하여 관계 기관 사이에 직무권한이나 그 밖의 사항이 변동되었을 때에는 그 예산을 상호 이체(移替)할 수 있다.

제48조【예산 절약에 따른 성과금의 지급 등】 ① 지방자치단체의 장은 예산의 집행 방법이나 제도의 개선 등으로 예산이 절약되거나 수입이 늘어난 경우에는 절약한 예산 또는 늘어난 수입의 일부를 이에 기여한 자에게 성과금으로 지급하거나 다른 사업에 사용할 수 있다. → 예산성과금 제도는 현재 우리나라에서 채택하고 있는 제도임
② 지방자치단체의 장은 제1항에 따른 성과금을 지급하거나 다른 사업에 사용하려면 예산성과금 심사위원회의 심사를 거쳐야 한다.

제49조【예산의 전용】 ① 지방자치단체의 장은 대통령령으로 정하는 바에 따라 각 정책사업 내의 예산액 범위에서 각 단위사업 또는 목의 금액을 전용(轉用)할 수 있다.

제50조【세출예산의 이월】 ① 세출예산 중 경비의 성질상 그 회계연도에 그 지출을 마치지 못할 것으로 예상되어 명시이월비로서 세입·세출예산에 그 취지를 분명하게 밝혀 미리 지방의회의 의결을 얻은 금액은 다음 회계연도에 이월하여 사용할 수 있다.
② 세출예산 중 다음 각 호의 어느 하나에 해당하는 경비의 금액은 사고이월비(事故移越費)로서 다음 회계연도에 이월하여 사용할 수 있다.

DAY

27

■ 54조~57조 해설
① 지방자치단체는 행정안전부장관에게 재정운용상태를 보고해야 함
② 행정안전부장관은 해당 지방자치단체의 재정위험수준을 검토(재정분석)해야 함
③ 행정안전부장관은 검토 결과 재정상태가 좋지 않은 지방자치단체에 대해 재정진단을 실시할 수 있음 → 만약, 재정 상태가 우수하다면 특별교부세를 교부할 수 있음
④ 재정분석 및 재정진단은 돈을 집행한 이후의 조치이므로 **사후 재정관리제도임**

제54조【재정 운용에 관한 보고 등】 지방자치단체의 장은 대통령령으로 정하는 바에 따라 예산, 결산, 출자, 통합부채, 우발부채, 그 밖의 재정 상황에 관한 재정보고서를 행정안전부장관에게 제출하여야 한다. 이 경우 시·군 및 자치구는 시·도지사를 거쳐 행정안전부장관에게 제출하여야 한다.

제55조【재정분석 및 재정진단 등】 ① 행정안전부장관은 대통령령으로 정하는 바에 따라 재정보고서의 내용을 분석하여야 한다.
② 행정안전부장관은 지방자치단체의 재정 상황 중 채무 등 대통령령으로 정하는 사항에 대하여 대통령령으로 정하는 바에 따라 재정위험 수준을 점검하여야 한다.
③ 행정안전부장관은 다음 각 호의 어느 하나에 해당하는 지방자치단체에 대하여 제56조 제1항에 따른 지방재정위기관리위원회(이하 "지방재정위기관리위원회"라 한다)의 심의를 거쳐 대통령령으로 정하는 바에 따라 재정진단을 실시할 수 있다.
  1. 제1항에 따른 재정분석 결과 재정의 건전성과 효율성 등이 현저히 떨어지는 지방자치단체
  2. 제2항에 따른 점검 결과 재정위험 수준이 대통령령으로 정하는 기준을 초과하는 지방자치단체

제57조【지방재정분석 결과에 따른 조치 등】 행정안전부장관은 제55조 제1항에 따른 재정분석 결과 재정의 건전성과 효율성 등이 우수한 지방자치단체에 대하여 「지방교부세법」 제9조에 따른 특별교부세를 별도로 교부할 수 있다.

■ 기타 조항

제2장 경비의 부담

제25조【지방자치단체의 부담을 수반하는 법령안】 중앙관서의 장은 그 소관 사무로서 지방자치단체의 경비부담을 수반하는 사무에 관한 법령을 제정하거나 개정하려면 미리 행정안전부장관의 의견을 들어야 한다.

제5장의2 긴급재정관리

제60조의3【긴급재정관리단체의 지정 및 해제】 ① 행정안전부장관은 지방자치단체가 다음 각 호의 어느 하나에 해당하여 자력으로 그 재정위기상황을 극복하기 어렵다고 판단되는 경우에는 해당 지방자치단체를 긴급재정관리단체로 지정할 수 있다. 이 경우 행정안전부장관은 긴급재정관리단체로 지정하려는 지방자치단체의 장과 지방의회의 의견을 미리 들어야 한다.
  2. 소속 공무원의 인건비를 30일 이상 지급하지 못한 경우

4 │ 사전 재정관리제도와 사후 재정관리제도

사전 재정관리제도 (집행 전 재정관리제도)	사후 재정관리제도 (집행 후 재정관리제도)
• 중기지방재정계획 • 재정투자심사(과거 명칭: 지방재정투융자심사) • 지방자치단체 예산편성기준 • 예산제도, 성인지예산제도 • 지방채 발행 • 성별영향평가	• 결산제도, 성인지결산제도 • 재정분석 및 진단제도(지방재정위기관리제도) → 과거 명칭은 지방재정위기 사전경보시스템 • 국고보조사업평가 등

| Section 02 | 지방수입의 유형 : 자주재원 | ● 27 day |

1 지방재정 틀잡기

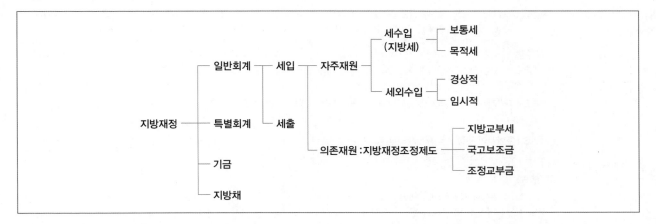

2 자주재원의 구조

- 조세법률주의: 지방자치단체는 법률로 정하는 바에 따라 지방세를 부과·징수할 수 있음
- 우리나라의 지방세는 보통세 9개 + 목적세 2개(광역지방자치단체만 부과)로 총 11개의 세목으로 구성되어 있음

구분	지방세 유형	특별시·광역시세	자치구세	도세	시·군세
지방세 세수입 : 지방세	보통세	1. 주민세 2. 레저세 3. 자동차세 4. 취득세 5. 담배소비세 6. 지방소비세 7. 지방소득세	1. 등록면허세 2. 재산세	1. 지방소비세 2. 레저세 3. 등록면허세 4. 취득세	1. 담배소비세 2. 지방소득세 3. 주민세 4. 재산세 5. 자동차세
	목적세	1. 지방교육세 2. 지역자원시설세		1. 지방교육세 2. 지역자원시설세	

자주재원

경상적 세외수입	사용료, 수수료, 재산임대, 사업, 징수교부금, 이자수입
임시적 세외수입	분담금, 재산매각, 이월금, 전입금. 과징금, 기부금

세외수입

1) 지방세 관련 시험 포인트

보통세 두문자	자치구세	자치구에 등산하러 가자
	도세	도소비는 네(레)등치(취)만큼
	시·군세	시군담지주재자
	※ 특별시·광역시세와 자치구세를 합쳐서 9개 세목이며, 도세와 시·군세를 합쳐서 9개 세목임	
목적세	① 목적세는 2개의 세목으로 구성됨 → ㉠ 지방교육세 ㉡ 지역자원시설세 ② 목적세는 광역지방자치단체만 부과할 수 있음	

3 지방세 기타내용 읽어 보기

1) 관련 법령

지방세기본법	**제4조【지방자치단체의 과세권】** 지방자치단체는 이 법 또는 지방세관계법에서 정하는 바에 따라 지방세의 과세권을 갖는다.
	제5조【지방세의 부과·징수에 관한 조례】 ① 지방자치단체는 지방세의 세목(稅目), 과세대상, 과세표준, 세율, 그 밖에 지방세의 부과·징수에 필요한 사항을 정할 때에는 이 법 또는 지방세관계법에서 정하는 범위에서 조례로 정하여야 한다.
	[참고] 제5조는 지방세탄력세율제도를 뜻함
	제8조【지방자치단체의 세목】 ① 특별시세와 광역시세는 다음 각 호와 같다. 다만, 광역시의 군(郡) 지역에서는 도세를 광역시세로 한다.
	제9조【특별시의 관할구역 재산세의 공동과세】 ① 특별시 관할구역에 있는 구의 경우에 재산세는 제8조에도 불구하고 특별시세 및 구세인 재산세로 한다. → 각각 50%
	[참고] ㉠ 특별시분 재산세 전액은 관할구역의 구에 교부함 → 구에 균등 배분(교부기준을 조례로 정하지 않은 경우) ㉡ 서울시의 공동세제도는 서울시 자치구 간 재정력의 형평화에 기여할 수 있음 ㉢ 그러나 공동세 제도는 지방자치단체의 자율성을 침해한다는 점에서 지방자치제의 본래의 의미를 훼손할 수 있다는 비판을 받기도 하며, 재원을 배분하는 과정에서 기초지방자치단체 간 갈등을 야기할 수 있음
	제11조【주민세의 특례】 광역시의 경우에는 주민세 사업소분 및 종업원분은 구세로 한다.
	[참고] 주민세는 개인분(주민이라면 내는 세금), 사업소분(사업자가 내는 세금), 종업원분(종업원에게 급여를 지급하는 사업자가 납부하는 세금)으로 구성됨
지방자치법	**지방자치법 제152조【지방세】** 지방자치단체는 법률로 정하는 바에 따라 지방세를 부과·징수할 수 있다.

2) 지방세 원칙에 대하여

지방세 원칙	재정수입 측면	충분성의 원칙	지방자치를 위한 충분한 금액이어야 함
		보편성의 원칙	세원이 각 지자체 간에 보편적으로 분포되어야 함
		안정성의 원칙	세수(세수입)가 안정적이어야 함
		신장성의 원칙	재정수입은 행정수요의 증대에 맞춰 지속적으로 증가해야 함
		신축성의 원칙	자치단체의 특성에 따라 탄력적으로 운영되어야 함
	주민부담 측면	응익성의 원칙	① 이익의 대가만큼 비용을 부담하는 수익자부담주의의 원칙 ② 납세자의 지불능력보다는 공공서비스의 수혜정도를 기준으로 하며, 세외수입 역시 응익성 원칙의 적용을 받음 ③ 응익성은 지방재정의 원칙이고, 응능성(소득이나 능력의 크기에 따라 세 부담)은 국가재정의 원칙임
		부담분임의 원칙	지방자치에 소요되는 경비는 **가급적 지역 내 주민들이 널리 분담**하여야 한다는 원칙
		부담보편의 원칙	주민에게 **공평하게 부담**되어야 하며, **조세감면의 폭이 너무 크면 안 된다는 것**
	과세행정 측면	자주성의 원칙	지방자치단체가 과세주권을 가져야 함; 지방자치단체는 법률로 정하는 바에 따라 지방세를 부과·징수할 수 있음
		국지성의 원칙 (정착성의 원칙)	과세의 대상(세원)이 지자체의 관할 구역 안에 있어야 한다는 것

우리나라 지방세 문제점	충분성 측면	지방세 수입이 지방사무의 양에 비교하여 충분하지 못함
	보편성 측면	수도권과 비수도권의 세원이 심각하게 불균형함 → 세원이 수도권에 집중되어 있음
	신축성 측면	지방세의 세목설정 권한이 인정되지 않는바 자율성이 상대적으로 떨어짐
	세수의 낮은 신장률	재산과세는 소비과세나 소득과세에 비해 중앙정부의 부동산 정책이나 지역 경제상황(경제성장이나 소득증가의 영향)을 덜 받기 때문에 세수의 신장성을 기대하기 어려움
	재산거래에 대한 과세↑	① 우리나라 지방세는 자산과세(자산 보유세와 자산 거래세로 구분) 중심이면서, 보유세인 재산세 비중은 낮고 거래세인 재산세(취득세)의 비율이 높음 ② 즉, 지방세는 재산보유에 대한 과세보다 재산거래에 대한 과세의 비중이 상대적으로 높음

3) 지방세 각 세목에 대한 설명

보통세 (9개)	레저세	① 종전 경주·마권세가 전환된 세목 ② 경륜(자전거 경기)·경정(모타보트 경기)·경마 등에 대하여 과세하는 소비세 성격의 세금 ③ 마권이나 경주권을 판매하는 한국마사회 또는 경주(경륜·경정) 사업자가 마권 등의 발매금액에서 원천징수하여 다음 달 10일까지 납부하는 조세
	지방소비세	① 국세인 부가가치세의 일부를 지방세로 전환한 세금 ② 국세인 부가가치세의 일부를 일정 기준에 따라 광역지방자치단체에 이전하는 세원 공유방식의 지방세
	자동차세	지자체 내에 자동차를 보유한 사람에게 부과하는 세금
	취득세	토지나 건물 등을 살 때 내는 세금
	등록면허세	특정한 시설 혹은 면허 및 허가 등으로 권리의 설정 등의 행정처분을 등록하는 자에게 부과하는 세금
	재산세	일정한 재산을 보유하고 있을 때 내는 세금
	지방소득세	소득에 따라 납부하는 지방세 → 개인지방소득세와 법인지방소득세로 구분됨
	담배소비세	담배를 소비할 때 부과하는 세금
	주민세	① 지방자치단체의 주민에 대하여 부과하는 조세 ② 개인분(주민이라면 내는 세금), 사업소분(사업자가 내는 세금), 종업원분(종업원에게 급여를 지급하는 사업자가 납부하는 세금)으로 구성됨
목적세 (2개)	지방교육세	① 지방교육의 질적 향상에 필요한 지방교육재정의 확충에 소요되는 재원을 확보하기 위하여 부과 ② 시·도는 징수한 지방교육세를 매 회계연도 일반회계 예산에 계상하여 교육비특별회계로 전출함 ③ 레저세, 담배소비세, 주민세 균등분 등의 납세의무자에게 부과함
	지역자원시설세	지하·해저자원, 관광자원, 수자원, 특수지형 등 지역자원의 보호 및 개발, 지역의 특수한 재난예방 등 안전관리사업 및 환경보호·개선사업, 그 밖에 지역균형개발사업에 필요한 재원을 확보하거나 소방시설, 오물처리시설, 수리시설 및 그 밖의 공공시설에 필요한 비용을 충당하기 위하여 부과하는 세금

DAY — **27**

4   세외수입

1) 관련 법령

지방자치법	**제153조【사용료】** 지방자치단체는 공공시설의 이용 또는 재산의 사용에 대하여 사용료를 징수할 수 있다. **제154조【수수료】** ① 지방자치단체는 그 지방자치단체의 사무가 특정인을 위한 것이면 그 사무에 대하여 수수료를 징수할 수 있다. **제155조【분담금】** 지방자치단체는 그 재산 또는 공공시설의 설치로 주민의 일부가 특히 이익을 받으면 이익을 받는 자로부터 그 이익의 범위에서 분담금을 징수할 수 있다. **제156조【사용료의 징수조례 등】** ① 사용료·수수료 또는 분담금의 징수에 관한 사항은 조례로 정한다. ② 사기나 그 밖의 부정한 방법으로 사용료·수수료 또는 분담금의 징수를 면한 자에게는 그 징수를 면한 금액의 5배 이내의 과태료를, 공공시설을 부정사용한 자에게는 50만원 이하의 과태료를 부과하는 규정을 조례로 정할 수 있다. **제157조【사용료 등의 부과·징수, 이의신청】** ② 사용료·수수료 또는 분담금의 부과나 징수에 대하여 이의가 있는 자는 그 처분을 통지받은 날부터 90일 이내에 그 지방자치단체의 장에게 이의신청할 수 있다. **제161조【공공시설】** ① 지방자치단체는 주민의 복지를 증진하기 위하여 공공시설을 설치할 수 있다. ② 제1항의 공공시설의 설치와 관리에 관하여 다른 법령에 규정이 없으면 조례로 정한다. ③ 제1항의 공공시설은 관계 지방자치단체의 동의를 받아 그 지방자치단체의 구역 밖에 설치할 수 있다.

2) 기타 : 부담금(세외수입)에 대하여

부담금 (세외수입)		**부담금관리 기본법 제2조【정의】** 이 법에서 "부담금"이란 중앙행정기관의 장, 지방자치단체의 장, 행정권한을 위탁받은 공공단체 또는 법인의 장 등 법률에 따라 금전적 부담의 부과권한을 부여받은 자(이하 "부과권자"라 한다)가 분담금, 부과금, 기여금, 그 밖의 명칭에도 불구하고 재화 또는 용역의 제공과 관계없이 특정 공익사업과 관련하여 법률에서 정하는 바에 따라 부과하는 조세 외의 금전지급의무를 말한다. **참고** 부담금은 특정 공공서비스를 창출하거나 바람직한 행위를 유도하기 위해 사용됨
		동법 제3조【부담금 설치의 제한】 부담금은 별표에 규정된 법률에 따르지 아니하고는 설치할 수 없다.

	원인자·사용자
	부담금
		각종 시설의 건설 혹은 유지를 위해 그 시설의 사용자 및 원인자(원인을 제공하거나 사용한 사람)에게 관련 비용을 징수하는 부담금
		예 「환경개선비용 부담법」 제9조에 따른 환경개선부담금 등
		
		■ 환경개선부담금
		  ① 목적 : 쾌적한 환경조성을 위한 투자 재원 조달
		  ② 부과대상 : 경유사용 자동차

	유도성
	부담금
		간접적인 규제수단에 의하여 국가의 목적을 유도하기 위한 부담금
		예 「대기환경보전법」 제35조에 따른 배출부과금
		
		■ 배출부과금
		  ① 목적 : 대기오염물질로 인한 대기환경상의 피해를 방지 또는 감소시키기 위하여 대기오염물질을 배출하는 사업자에게 오염물질의 배출정도에 따라 경제적 부담으로서 부과금을 부과함으로써 사업자가 스스로 오염물질의 배출을 억제토록 유도하기 위함
		  ② 부과대상시설 : 사업장내 황산화물, 먼지를 배출하는 모든 배출시설

	수익자 부담금	공공사업 혹은 시설로 인해 특별한 이익을 받은 자에게 징수하는 부담금 **예** 「지방자치법」 제155조에 따른 지방자치단체 공공시설의 수익자 분담금
		동법 제9조【부담금운용심의위원회】 ① 부담금에 관한 주요정책과 그 운용방향 등을 심의하기 위하여 기획재정부장관 소속으로 부담금운용심의위원회(이하 "위원회"라 한다)를 둔다.

5　국세

> 국세: 중앙정부가 징수하는 조세

1) 국세의 종류

내국세	보통세	직접세	소득세, 법인세, 상속·증여세, 종합부동산세
		간접세	부가가치세, 개별소비세, 주세, 인지세, 증권거래세
	목적세		교육세, 농어촌특별세
관세			–

용어정리

① 내국세: 나라 안에서 이루어지는 거래에 대한 세금
② 관세: 다른 나라에서 수입되는 물품에 대한 세금

2) 국세 각 세목에 대한 설명 읽어 보기

직접세	틀잡기			
	유형	소득세	개인소득에 부과하는 세금	
		법인세	법인소득에 부과하는 세금	
		상속·증여세	상속세	돌아가신 부모님 등으로부터 재산을 물려받을 때 내는 세금
			증여세	재산을 양도할 때 내는 세금 → 재산 보유자가 살아있을 때 부과할 수 있음
		종합부동산세	일정 금액 이상의 부동산을 소유한 사람들에게 부과되는 조세	
간접세	틀잡기			
	유형	부가가치세	물건을 구입하거나, 각종 서비스를 제공받을 때 그 가격에 일정 비율 붙게 되는 세금	
		개별소비세	① 종전의 특별소비세의 명칭이 변경된 것이며, 특정 물품을 판매한 자가 납부함 ② **예** 담배개별소비세 등	
		주세	주류를 제조하여 제조장으로부터 반출하는 자, 혹은 주류를 수입하여 「관세법」에 따라 관세를 납부할 의무가 있는 자에게 부과하는 세금	
		인지세	국가에서 개인의 재산을 인정(인지)해주는 대가로 부과하는 세금	
		증권거래세	주식거래시 부과되는 세금	
목적세	유형	교육세	교육발전을 위한 세금	
		농어촌특별세	농어촌 발전을 위한 세금	
관세		수입품에 부과하는 세금		

| Section 03 | 지방수입의 유형 : 의존재원 | 28 day |

- **의존재원** : 상급자치단체나 중앙정부로부터 지원을 받는 재원 → 지자체에 대한 어느 정도의 통제를 전제하는바 **지방분권화 등을 저해할 수 있음**
- 우리나라 지자체는 의존재원의 비중이 큼

1 의존재원 틀잡기

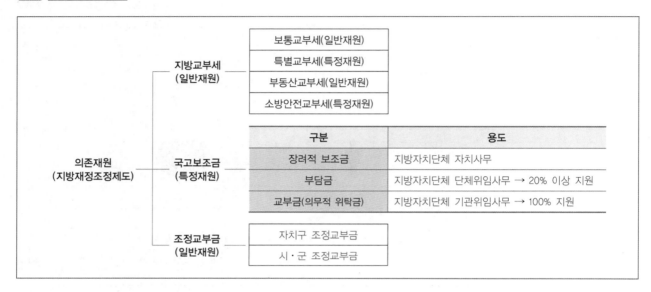

구분	용도
장려적 보조금	지방자치단체 자치사무
부담금	지방자치단체 단체위임사무 → 20% 이상 지원
교부금(의무적 위탁금)	지방자치단체 기관위임사무 → 100% 지원

2 지방교부세(중앙 → 지방) : 수직적 · 수평적 조정

- 지방교부세법 제2조 【정의】 이 법에서 사용하는 용어의 뜻은 다음과 같다.
  1. "지방교부세"란 국가가 재정적 결함이 있는 지방자치단체에 교부하는 금액을 말한다.
- 제3조 【교부세의 종류】 지방교부세의 종류는 보통교부세 · 특별교부세 · 부동산교부세 및 소방안전교부세로 구분한다
- 지방교부세는 지역 간 재정력 격차를 완화시키는 재정 균등화 기능을 수행함

종류	개념		재원(국세 일부)
보통교부세 (일반재원)	① 재정력지수(기준재정수입액/기준재정수요액)가 1 이하인 자치단체에 교부 ② 분기별 교부 ③ 지방교부세 중 **가장 큰 비중**을 차지함		내국세 총액의 19.24% + 정산액의 97%
특별교부세 (특정재원)	① 기준재정수요액으로는 산정할 수 없는 **특별한 재정수요** 발생	40% (3% 中)	내국세 총액의 19.24% + 정산액의 3%
	② 보통교부세 산정 후 발생한 재난복구 및 안전관리를 위한 **특별한 재정수요** 발생 혹은 재정수입 감소	50% (3% 中)	
	③ 국가적 장려, 국가와 지방 간 시급한 협력, 역점시책, 재정운용실적 우수 등 **특별한 재정수요** 발생	10% (3% 中)	

부동산교부세 (일반재원)	① 재정여건 및 지방세 운영상황 등을 고려하여 교부 ② 교부대상 　㉠ 제주도·세종시 　㉡ 시·군·구	종합부동산세 전액 + 정산액
소방안전 교부세 (특정재원)	① 소방인력 운용, 소방 및 안전시설 확충·안전관리 강화 등을 위하여 교부 ② 교부대상 : 광역지자체	담배에 부과되는 개별소비세 총액의 45% + 정산액

참고

① **정산액** : 전년도에 사용되지 못한 각 교부세 잉여금
② 지방교부세는 행정안전부 장관이 관장하므로, 행정안전부 예산에 계상됨
③ 지방자치단체의 재원은 용도의 제한성에 따라 일반재원(돈의 용도 제한 없음)과 특정재원으로 분류할 수 있음

1) 각 교부세에 대한 보충 설명 [읽어 보기]

보통교부세	① 2015년 1월 1일부터 기존의 분권교부세를 폐지하고 보통교부세에 통합해서 운영하고 있음 참고 **분권교부세** 국고보조사업을 지방으로 이양하고, 이양한 사업추진에 필요한 재원을 보전하기 위하여 한시적으로 운영한 제도로서 2015년부터 보통교부세에 통합되었음 ② **지방교부세법 제6조【보통교부세의 교부】** ① 보통교부세는 해마다 기준재정수입액이 기준재정수요액에 못 미치는 지방자치단체에 그 미달액을 기초로 교부한다. 다만, 자치구의 경우에는 기준재정수요액과 기준재정수입액을 각각 해당 특별시 또는 광역시의 기준재정수요액 및 기준재정수입액과 합산하여 산정한 후, 그 특별시 또는 광역시에 교부한다. ② 행정안전부장관은 제1항에 따라 보통교부세를 교부하려면 해당 지방자치단체의 장에게 다음 각 호의 자료를 첨부하여 보통교부세의 결정을 통지하여야 한다.
특별교부세	① **지방교부세법 제9조【특별교부세의 교부】** ② 행정안전부장관은 지방자치단체의 장이 특별교부세의 교부를 신청하는 경우에는 이를 심사하여 특별교부세를 교부한다. 다만, 행정안전부장관이 필요하다고 인정하는 경우에는 신청이 없는 경우에도 일정한 기준을 정하여 특별교부세를 교부할 수 있다. ④ 행정안전부장관은 특별교부세의 사용에 관하여 조건을 붙이거나 용도를 제한할 수 있다. ② 제9조 2항으로 인해 특별교부세는 중앙정부가 지방정부를 통제하기 위한 수단으로 사용된다는 비판도 있음 ③ 특별교부세는 보통교부세의 지급과는 관계없이 교부할 수 있음
부동산교부세	① 행정안전부장관이 분기별로 교부 ② 자치단체의 재정여건이나 지방세 운영상황 등을 고려하여 지급
소방안전교부세	① 지방교부세 중 **가장 최근에 신설됨 → 2015년 1월에 신설** ② **지방교부세법 제9조의4【소방안전교부세의 교부】** ① 행정안전부장관은 지방자치단체의 소방 인력 운용, 소방 및 안전시설 확충, 안전관리 강화 등을 위하여 소방안전교부세를 지방자치단체에 전액 교부하여야 한다. 이 경우 소방 분야에 대해서는 소방청장의 의견을 들어 교부하여야 한다. ② 제1항에 따른 소방안전교부세의 교부기준은 지방자치단체의 소방 인력, 소방 및 안전시설 현황, 소방 및 안전시설 투자 소요, 재난예방 및 안전강화 노력, 재정여건 등을 고려하여 대통령령으로 정한다. 다만, 소방안전교부세 중 「개별소비세법」에 따라 담배에 부과하는 개별소비세 총액의 100분의 20을 초과하는 부분은 소방 인력의 인건비로 우선 충당하여야 한다.

DAY ── 28

3 국고보조금(중앙 → 지방) : 수직적 조정

1) 틀잡기 · 개념 및 특징 등

틀잡기	

개념	국가가 시책상 또는 자치단체의 재정사정상 필요하다고 인정될 때 그 자치단체의 행정수행에 소요되는 경비의 일부 또는 전부를 충당하기 위해 용도를 지정하여 교부하는 자금

특징	① 의존재원이면서 특정재원이며, 경상재원의 성격이 강함 → 특정재원인 까닭에 '끈(용도)이 달린 돈'이라고 불림 ② 지방교부세 총액은 법률로 정하지만, 국고보조금은 예산상황에 따라 중앙정부의 재정여건 및 예산정책 등을 고려하여 중앙정부에서 결정하는바 보조에 있어서 불확실함 ③ 국고보조금은 정률보조를 원칙으로 하는바 자비부담능력이 있는 자치단체에 치중하게 되어 지자체 간 재정격차를 심화시킬 수 있음 ④ 지방정부의 자율성 약화 ⑤ 지방정부의 행정구역을 초월하여 외부효과가 크게 나타나는 국가적 이해관계가 있는 사업추진을 용이하게 함

유형 읽어 보기	구분	용도	관련 법령
	장려적 보조금	지방자치단체 자치사무	지방재정법 제23조 【보조금의 교부】 ① 국가는 정책상 필요하다고 인정할 때 또는 지방자치단체의 재정 사정상 특히 필요하다고 인정할 때에는 예산의 범위에서 지방자치단체에 보조금을 교부할 수 있다. ② 특별시·광역시·특별자치시·도·특별자치도(이하 "시·도"라 한다)는 정책상 필요하다고 인정할 때 또는 시·군 및 자치구의 재정 사정상 특히 필요하다고 인정할 때에는 예산의 범위에서 시·군 및 자치구에 보조금을 교부할 수 있다.
	부담금 (국고부담금)	지방자치단체 단체위임사무	지방재정법 제21조 【부담금과 교부금】 ① 지방자치단체나 그 기관이 법령에 따라 처리하여야 할 사무로서 국가와 지방자치단체 간에 이해관계가 있는 경우에는 원활한 사무처리를 위하여 국가에서 부담하지 아니하면 아니 되는 경비는 국가가 그 전부 또는 일부를 부담한다.
	교부금 (의무적 위탁금)	지방자치단체 기관위임사무	지방재정법 제21조 【부담금과 교부금】 ② 국가가 스스로 하여야 할 사무를 지방자치단체나 그 기관에 위임하여 수행하는 경우 그 경비는 국가가 전부를 그 지방자치단체에 교부하여야 한다.

2) 보조금 관련 기타 법령 읽어 보기

보조금 관리에 관한 법률	**제2장 보조금 예산의 편성** **제4조 【보조사업을 수행하려는 자의 예산 계상 신청 등】** ① 보조사업을 수행하려는 자는 매년 중앙관서의 장에게 보조금의 예산 계상(計上)을 신청하여야 한다. **참고** 국고보조금은 신청주의를 원칙으로 하며 각 중앙관서의 예산에 반영되어야 함 → 지방교부세는 지방자치단체의 신청이 없어도 법령상 교부기준에 따라 행정안전부장관이 교부함(단, 특별교부세는 신청 혹은 행정안전부장관 직권으로 신청할 수 있음) **제6조 【중앙관서의 장의 보조금 예산 요구】** ① 중앙관서의 장은 보조사업을 수행하려는 자로부터 신청받은 보조금의 명세 및 금액을 조정하여 기획재정부장관에게 보조금 예산을 요구하여야 한다. **제9조 【보조금의 대상 사업 및 기준보조율 등】** ① 보조금이 지급되는 대상 사업, 경비의 종목, 국고 보조율 및 금액은 매년 예산으로 정한다.

보조금 관리에 관한 법률	**제10조【차등보조율의 적용】** ① 기획재정부장관은 매년 지방자치단체에 대한 보조금 예산을 편성할 때에 필요하다고 인정되는 보조사업에 대하여는 해당 지방자치단체의 재정사정을 고려하여 기준보조율에서 일정 비율을 더하거나 빼는 차등보조율을 적용할 수 있다. 이 경우 기준보조율에서 일정 비율을 빼는 차등보조율은 보통교부세를 교부받지 아니하는 지방자치단체에 대하여만 적용할 수 있다. ② 차등보조율의 적용기준은 그 적용대상이 되는 지방자치단체의 재정자주도, 분야별 재정지출지수, 그 밖에 대통령령으로 정하는 사항으로 하며, 각 적용기준의 구체적인 산식은 대통령령으로 정한다. **제12조【보조금 예산의 통지】** ① 중앙관서의 장은 특별한 사유가 없으면 보조금 예산안을 사업별로 해당 보조사업을 수행하려는 자에게 해당 회계연도의 전년도 9월 15일까지 보조금통합관리망을 통하여 통지하여야 한다. ② 중앙관서의 장은 제1항에 따라 통지한 보조금 예산안이 국회에서 심의·확정된 후에는 그 확정된 금액 및 내역을 사업별로 해당 보조사업을 수행하려는 자에게 보조금통합관리망을 통하여 즉시 통지하여야 한다. **제30조【법령 위반 등에 따른 교부 결정의 취소】** ① 중앙관서의 장은 보조사업자가 다음 각 호의 어느 하나에 해당하는 경우에는 보조금 교부 결정의 전부 또는 일부를 취소할 수 있다. 　1. 보조금을 다른 용도에 사용한 경우 ┌─ 참고 ─── 중앙정부는 지방자치단체가 보조금을 다른 용도로 사용한 경우, 보조금 교부 결정을 취소 후 보조금을 반환하게 할 수 있음
국가재정법	**제54조【보조금의 관리】** 각 중앙관서의 장은 지방자치단체 및 민간에 지원한 국고보조금의 교부실적과 해당 보조사업자의 보조금 집행실적을 기획재정부장관, 국회 소관 상임위원회 및 예산결산특별위원회에 각각 제출하여야 한다.

4　지방교부세와 국고보조금 비교　읽어 보기

구분	지방교부세	국고보조금
목적	지방자치단체의 기본적인 살림살이 지원: 일반재원	**특정사업비의 보조금 지원: 특정재원**
근거	지방교부세법	보조금 관리에 관한 법률
재원	내국세 총액의 19.24% + 종합부동산세 전액 + 담배개별소비세의 45%	중앙정부의 일반회계와 특별회계에서 지원
배정 기준	재정부족액	국가시책 및 정책적 고려
조정의 성격	수직적·수평적 조정재원 ① 지방자치단체 간 재정조정(수평적 성격) ② 중앙과 지방 간 재정조정(수직적 성격) → 예 특별교부세	수직적 조정재원: 중앙과 지방 간 재정조정

5　조정교부금(광역지방자치단체 → 기초지방자치단체): 수평적 조정 cf

유형	용도	관련 법령
자치구 조정교부금	특별시·광역시 내 자치구 사이의 재정격차 해소	**지방재정법 제29조의2【자치구 조정교부금】** 특별시장 및 광역시장은 대통령령으로 정하는 보통세 수입의 일정액을 조정교부금으로 확보하여 조례로 정하는 바에 따라 해당 지방자치단체 관할구역의 자치구 간 재정력 격차를 조정하여야 한다.
시·군 조정교부금	도의 산하 시·군 사이의 재정격차 해소	—

Section 04   지방수입의 유형 : 지방채 cf   ● 28 day

1   지방채란?

개념	지방자치단체가 세금을 부과할 수 있는 권한을 바탕으로 **증권 발행 등을 통해 자금을 조달**하는 방식
특징	① **재원이 부족한 상황**에서 **필요한 공공재를 공급**하고자 할 때 활용할 수 있음 ② 지방채로 인한 채무는 여러 세대(현세대와 미래세대)가 자금을 상환하는 바 **세대 간 공평한 재정부담**이 가능함 → 주로 사용기간이 긴 시설을 만드는 데 사용하는 재원조달 방식 ③ 일반적으로 **지방채는 의존재원도 아니고 자주재원도 아닌 것으로 분류함**

2   지방채의 발행

지방자치단체 (지방재정법)	구분	지방의회 의결	행정안전부장관 승인
	대통령령으로 정한 한도액 범위 내 발행	○	×
	외채발행	○	○ 행정안전부장관 승인이 먼저임
	(어느 정도)한도액 초과 발행	○	행정안전부장관과 협의
	대통령령으로 정한 한도액 범위 초과발행	○	○ 행정안전부장관 승인이 먼저임

지방자치단체 조합 (지방재정법)	구분	지방의회 의결	행정안전부장관 승인
	지방자치단체조합	○	○ 행정안전부장관 승인이 먼저임
		지방채에 대한 상환과 이자의 지급에 있어서 연대책임	

제주도 (제주특별법)	구분	지방의회 의결	행정안전부장관 승인
	대통령령으로 정한 한도액 범위 내 발행	○	×
	외채발행	○	×
	한도액 범위 초과발행	○	×

> **참고**
> 대통령령으로 정하는 지방채 발행 한도액을 초과하여 지방채를 발행하려면 도의회 재적의원 과반수가 출석하고 출석의원 3분의 2 이상의 찬성을 받아야 함

3 지방채 관련 법령 [읽어 보기]

지방재정법 제11조【지방채의 발행】 ① 지방자치단체의 장은 다음 각 호를 위한 자금 조달에 필요할 때에는 지방채를 발행할 수 있다. 다만, 제5호 및 제6호는 교육감이 발행하는 경우에 한한다.

1. 공유재산의 조성 등 소관 재정투자사업과 그에 직접적으로 수반되는 경비의 충당
2. 재해예방 및 복구사업
3. 천재지변으로 발생한 예측할 수 없었던 세입결함의 보전
4. 지방채의 차환

> **참고**
> 지방자치단체장은 그 지방자치단체의 항구적 이익이 되거나 긴급한 재난복구 등의 필요가 있을 때 지방채를 발행할 수 있음

④ 지방자치단체조합(이하 "조합"이라 한다)의 장은 그 조합의 투자사업과 긴급한 재난복구 등을 위한 경비를 조달할 필요가 있을 때 또는 투자사업이나 재난복구사업을 지원할 목적으로 지방자치단체에 대부할 필요가 있을 때에는 지방채를 발행할 수 있다. 이 경우 행정안전부장관의 승인을 받은 범위에서 조합의 구성원인 각 지방자치단체 지방의회의 의결을 얻어야 한다.

⑤ 제4항에 따라 발행한 지방채에 대하여는 조합과 그 구성원인 지방자치단체가 그 상환과 이자의 지급에 관하여 연대책임을 진다.

지방자치법 제139조【지방채무 및 지방채권의 관리】 ① 지방자치단체의 장이나 지방자치단체조합은 따로 법률로 정하는 바에 따라 지방채를 발행할 수 있다.

② 지방자치단체의 장은 따로 법률로 정하는 바에 따라 지방자치단체의 채무부담의 원인이 될 계약의 체결이나 그 밖의 행위를 할 수 있다.

③ 지방자치단체의 장은 공익을 위하여 필요하다고 인정하면 미리 지방의회의 의결을 받아 보증채무부담행위를 할 수 있다.

Section 05   지방재정력의 평가 : 여러 재정지표를 중심으로   ● 28 day

1   재정지표의 종류

재정규모		자주재원 + 의존재원 + 지방채		
재정자립도	직관적 이해	$$재정자립도(\%) = \frac{지방세 + 세외수입}{일반회계예산} \times 100$$		
	개념	① 지방자치단체의 **일반회계 세입총액 중 자주재원(지방세 + 세외수입)**이 차지하는 비중 ② 지방자치법 시행령상으로는 자립도 산정시 지방채를 분자에서 뺌		
	문제점	① **지방교부세를 받은 지방자치단체**는 실제 재정력이 커짐에도 불구하고 **재정자립도는 낮아짐** ② 산식에 있어서 분모와 분자에 모두 자주재원이 존재하기 때문에 재정자립도를 결정하는 데에 중요한 요인은 오히려 의존재원임 ③ **의존재원별 특성(일반재원 혹은 특정재원)을 반영×** → 의존재원 중 지방교부세와 조정교부금의 대부분은 일반재원으로서 실제 사용상 자주성이 있지만 재정자립도는 이러한 면을 표현하지 못함 ④ **세출의 질·특별회계 및 기금 등을 고려×** ⑤ **재정자립도가 같아도 재정력은 다를 수 있음** → 예를 들어, 세입총액 1000억 중 자주재원이 700억인 경우와 세입총액 1조 원 중 자주재원이 7000억인 자치단체의 재정자립도는 동일하지만 재정력은 다름(상대적 재정규모 평가×)		
재정자주도	틀잡기			
	직관적 이해	$$재정자주도(\%) = \frac{지방세 + 세외수입 + 지방교부세 + 조정교부금}{일반회계예산} \times 100$$		
	특징	① 일반회계 세입에서 자주재원과 **지방교부세 등을 합한 일반재원**의 비중 ② 지방교부세를 지자체의 재원으로 보는 관점 ③ 생계급여 등 사회복지 분야에서 **차등보조율을 설계할 때 재정자주도를 참고함**		
재정력지수		① 지방교부세제도에서 규정한 '기준재정수요액' 대비 '기준재정수입액'의 비율 ② **보통교부세 지급 기준**: 재정력지수가 1 이하 지방자치단체는 지출수요에 비해 자체수입이 부족하다는 것을 의미함 → 부족한 부분은 지방교부세 중 보통교부세라는 일반재원을 통해 중앙정부가 상당 비율을 충당함		
건전재정지수		세출총액 가운데 안정적 수입이 차지하는 비율		
주민 1인당 지방세 부담액		지방자치단체의 지방세 예산액을 자치단체별 인구수로 나눈 것		

MEMO

최욱진 행정학

기타 제도 및 법령 등

CHAPTER **01** 행정학총론

---

1 사회적기업

의의	등장배경	사회적 목적을 우선적으로 추구하면서 영업활동을 수행하는 기업
	개념	취약계층에 대한 일자리 문제해결과 사회서비스 수요에 대한 공급확대 방안으로 시작함
사회적기업 육성법		**제2조【정의】** 이 법에서 사용하는 용어의 뜻은 다음과 같다. 　4. "연계기업"이란 특정한 사회적기업에 대하여 재정 지원, 경영 자문 등 다양한 지원을 하는 기업으로서 그 사회적기업과 인적·물적·법적으로 독립되어 있는 자를 말한다. **제3조【운영주체별 역할 및 책무】** ① 국가는 사회서비스 확충 및 일자리 창출을 위하여 사회적기업에 대한 지원대책을 수립하고 필요한 시책을 종합적으로 추진하여야 한다. ② 지방자치단체는 지역별 특성에 맞는 사회적기업 지원시책을 수립·시행하여야 한다. ③ 사회적기업은 영업활동을 통하여 창출한 이익을 사회적기업의 유지·확대에 재투자하도록 노력하여야 한다. ④ 연계기업은 사회적기업이 창출하는 이익을 취할 수 없다. > **참고** > 국가나 지방자치단체는 사회적 기업을 위한 지원대책을 수립하여야 함 **제5조【사회적기업 육성 기본계획의 수립】** ① 고용노동부장관은 사회적기업을 육성하고 체계적으로 지원하기 위하여 고용정책심의회의 심의를 거쳐 사회적기업 육성 기본계획을 5년마다 수립하여야 한다. ③ 고용노동부장관은 기본계획에 따른 연도별 시행계획을 매년 수립·시행하여야 한다. **제5조의2【시·도별 사회적기업 지원계획의 수립 등】** ① 시·도지사는 관할 구역의 사회적기업을 육성하고 체계적으로 지원하기 위하여 시·도별 사회적기업 지원계획을 수립하고 시행하여야 한다. 이 경우 지원계획은 기본계획과 연계되도록 하여야 한다. **제6조【실태조사】** 고용노동부장관은 사회적기업의 활동실태를 5년마다 조사하고, 그 결과를 고용정책심의회에 통보하여야 한다. **제7조【사회적기업의 인증】** ① 사회적기업을 운영하려는 자는 인증 요건을 갖추어 고용노동부장관의 인증을 받아야 한다. ② 고용노동부장관은 제1항에 따른 인증을 하려면 고용정책심의회의 심의를 거쳐야 한다. **제8조【사회적기업의 인증 요건 및 인증 절차】** ① 사회적기업으로 인증받으려는 자는 다음 각 호의 요건을 모두 갖추어야 한다. 　2. 유급근로자를 고용하여 재화와 서비스의 생산·판매 등 영업활동을 할 것 　3. 취약계층에게 사회서비스 또는 일자리를 제공하거나 지역사회에 공헌함으로써 지역주민의 삶의 질을 높이는 등 사회적 목적의 실현을 조직의 주된 목적으로 할 것 　4. 서비스 수혜자, 근로자 등 이해관계자가 참여하는 의사결정 구조를 갖출 것 　5. 영업활동을 통하여 얻는 수입이 대통령령으로 정하는 기준 이상일 것 　7. 회계연도별로 배분 가능한 이윤이 발생한 경우에는 이윤의 3분의 2 이상을 사회적 목적을 위하여 사용할 것

기타	커뮤니티 비즈니스	개념	지역주민이 주체가 되어 지역의 다양한 문제 해결·삶의 질 향상, 지역활성화를 목적으로 하면서 법인격의 종류에 상관없이 비영리성을 계속적으로 추구하는 조직체(이윤 우선×)
		특징	① 지역재생 혹은 지역커뮤니티 활성화를 위한 조직체 ② 비영리성과 이윤추구를 병행한다는 점에서 사회적 기업과 유사 ③ 일본의 경우 지진과 같은 자연재해에 대응한 시민사회의 역할증대, 시민들의 적극적인 사회참여, 고령화와 글로벌화에 따른 지역 간 격차 확대, 국가 및 지자체의 재정악화 등에 의해 커뮤니티 비지니스가 등장 → 일본은 1990년대 중반부터 해당 용어를 사용 ④ 일본에서 커뮤니티비즈니스는 마을만들기 경험의 축적이 비즈니스 차원으로 전개된 것임

2 책임운영기관 : NPM의 영향으로 등장한 제도

1) 책임운영기관에 대한 이해

구분		생산의 주체	
		공공부문	민간부문
생산수단	권력	일반행정	민간위탁
	시장(가격○)	책임경영	민영화

틀잡기

※ 책임운영기관은 영국의 1988년 정부개혁 프로그램인 Next Steps에서 집행기관(executive agency)이라는 이름으로 처음 도입한 제도이며, 우리나라는 「책임운영기관의 설치·운영에 관한 법률」을 1999년 김대중 정권에 제정하면서 운영하고 있음

2) 책임운영기관법

제1장 총칙

제2조【정의】 ① 이 법에서 "책임운영기관"이란 정부가 수행하는 사무 중 공공성(公共性)을 유지하면서도 경쟁원리에 따라 운영하는 것이 바람직하거나 전문성이 있어 성과관리를 강화할 필요가 있는 사무에 대하여 책임운영기관의 장에게 행정 및 재정상의 자율성을 부여하고 그 운영성과에 대하여 책임을 지도록 하는 행정기관을 말한다.
② 책임운영기관은 기관의 지위에 따라 다음 각 호와 같이 구분한다.
 1. 소속책임운영기관 : 중앙행정기관의 소속 기관으로서 제4조에 따라 대통령령으로 설치된 기관 → 예 국립현대미술관 등
 2. 중앙책임운영기관 :「정부조직법」 제2조 제2항에 따른 청(廳)으로서 제4조에 따라 대통령령으로 설치된 기관 → 예 특허청
③ 책임운영기관은 기관의 사무성격에 따라 다음 각 호와 같이 구분한다.
 1. 조사연구형 책임운영기관
 2. 교육훈련형 책임운영기관
 3. 문화형 책임운영기관
 4. 의료형 책임운영기관
 5. 시설관리형 책임운영기관

제3조【운영 원칙】 ① 책임운영기관은 그 기관이 소속된 중앙행정기관(이하 "소속중앙행정기관"이라 한다) 또는 국무총리가 부여한 사업목표를 달성하는 데에 필요한 기관 운영의 독립성과 자율성이 보장된다.

제3조의2【중기관리계획의 수립 등】 ① 행정안전부장관은 5년 단위로 책임운영기관의 관리 및 운영 전반에 관한 기본계획(이하 "중기관리계획"이라 한다)을 수립하여야 한다.

제4조【책임운영기관의 설치 및 해제】 ① 책임운영기관은 그 사무가 다음 각 호의 기준 중 어느 하나에 맞는 경우에 대통령령으로 설치한다.
 1. 기관의 주된 사무가 사업적·집행적 성질의 행정서비스를 제공하는 업무로서 성과측정기준을 개발하여 성과를 측정할 수 있는 사무
 2. 기관 운영에 필요한 재정수입의 전부 또는 일부를 자체적으로 확보할 수 있는 사무
② 행정안전부장관은 기획재정부 및 해당 중앙행정기관의 장과 협의하여 제1항에 따른 책임운영기관을 설치하거나 해제할 수 있다.

제5조【다른 법률과의 관계】 책임운영기관의 조직·운영·평가·인사·예산 및 회계에 관하여는 이 법을 우선하여 적용한다.

제2장 소속책임운영기관

제7조【기관장의 임용】 ① 소속중앙행정기관의 장은 공개모집 절차에 따라 행정이나 경영에 관한 지식·능력 또는 관련 분야의 경험이 풍부한 사람 중에서 기관장을 선발하여 임기제공무원으로 임용한다.
② 기관장의 임용요건은 소속중앙행정기관의 장이 정하여 인사혁신처장에게 통보하여야 한다.
③ 기관장의 근무기간은 5년의 범위에서 소속중앙행정기관의 장이 정하되, 최소한 2년 이상으로 하여야 한다. 이 경우 소속책임운영기관의 사업성과의 평가 결과가 우수하다고 인정되는 때에는 총 근무기간이 5년을 넘지 아니하는 범위에서 대통령령으로 정하는 바에 따라 근무기간을 연장할 수 있다.
④ 소속중앙행정기관의 장은 책임운영기관 평가 결과가 탁월한 경우 등 대통령령으로 정하는 기준에 해당하는 때에는 제3항 후단에 따른 총 근무기간 5년을 초과하여 3년의 범위에서 대통령령으로 정하는 바에 따라 추가로 기관장의 근무기간을 연장할 수 있다.

제10조【기본운영규정】 ① 기관장(소속책임운영기관장)은 법령에서 정하는 범위에서 다음 각 호의 사항을 포함한 소속책임운영기관의 조직 및 운영에 관한 기본운영규정(이하 "기본운영규정"이라 한다)을 제정하여야 한다.
 2. 소속책임운영기관 및 그 소속 기관의 하부조직 설치·운영과 공무원의 종류별·계급별 정원(定員)의 운영에 관한 사항

제11조【사업목표 및 사업운영계획 등】 ① 중앙행정기관의 장은 그 기관의 소속책임운영기관별로 다음 각 호의 사항에 관한 사업목표를 정하여 기관장에게 부여하여야 한다.

제12조【소속책임운영기관운영심의회】 ① 소속책임운영기관의 사업성과를 평가하고 소속책임운영기관의 운영에 관한 중요 사항을 심의하기 위하여 중앙행정기관의 장의 소속으로 소속책임운영기관운영심의회(이하 "심의회"라 한다)를 둔다.

제14조【평가 결과의 활용】 ① 기관장은 제12조 제1항에 따른 평가 결과를 그 기관 운영의 개선에 반영하여야 한다.

제15조【소속 기관 및 하부조직의 설치】 ① 소속책임운영기관에는 대통령령으로 정하는 바에 따라 소속 기관을 둘 수 있다.
② 소속책임운영기관 및 그 소속 기관의 하부조직 설치와 분장(分掌) 사무는 기본운영규정으로 정한다.

제16조【공무원의 정원】 ① 소속책임운영기관에 두는 공무원의 총 정원 한도는 대통령령으로 정한다. 이 경우 다음 각 호의 정원은 총리령 또는 부령으로 정하되, 대통령령으로 정하는 바에 따라 통합하여 정할 수 있다.
　1. 공무원의 종류별·계급별 정원
　2. 고위공무원단에 속하는 공무원의 정원

제18조【임용권자】 중앙행정기관의 장은 소속책임운영기관 소속 공무원에 대한 일체의 임용권을 가진다. 이 경우 중앙행정기관의 장은 대통령령으로 정하는 바에 따라 그 임용권의 일부를 기관장에게 위임할 수 있다.

제19조【임용시험】 ① 소속책임운영기관 소속 공무원의 임용시험은 기관장이 실시한다.

제27조【특별회계의 설치 등】 ③ 소속책임운영기관(이하 "책임운영기관특별회계기관"이라 한다)을 제외한 소속책임운영기관은 일반회계로 운영하되, 대통령령으로 정하는 회계변경이 곤란한 특별한 사유가 있는 경우에는 다른 법률에 따라 설치된 특별회계로 운영할 수 있다.

■ 책임운영기관의 유형

구분	일반회계	특별회계
소속책임운영기관	○(예 국립과학수사연구원)	○(정부기업)
중앙책임운영기관	−	○(정부기업)

제28조【계정의 구분】 ③ 특별회계의 예산 및 결산은 책임운영기관특별회계기관의 조직별로 구분할 수 있다.

제29조【특별회계의 운용·관리】 특별회계는 계정별로 중앙행정기관의 장이 운용하고, 기획재정부장관이 통합하여 관리한다.

제30조【「정부기업예산법」의 적용 등】 ① 책임운영기관특별회계기관의 사업은 「정부기업예산법」 제2조에도 불구하고 정부기업으로 본다.
② 특별회계의 예산 및 회계에 관하여 이 법에 규정된 것 외에는 「정부기업예산법」을 적용한다.

제33조【일반회계 등으로부터의 전입】 ① 중앙행정기관의 장은 자체 수입만으로는 운영이 곤란한 책임운영기관특별회계기관에 대하여는 심의회의 평가를 거쳐 대통령령으로 정하는 경상적(經常的) 성격의 경비를 일반회계 등에 계상하여 특별회계에 전입할 수 있다.

> **참고 책임운영기관과 NPM**
> ① 기관장에게 운영상의 자율성을 부여하기 위해 예산의 이월 및 전용 등을 허용하고 있음
> ② 기관장은 사업의 평가 결과에 따라 소속 기관별, 하부조직별 또는 개인별로 상여금을 차등 지급할 수 있음
> ③ 소속 중앙행정기관과 소속책임운영기관 소속 공무원 간의 전보가능

제3장 중앙책임운영기관

제40조【중앙책임운영기관의 장의 임기】 중앙책임운영기관의 장의 임기는 2년으로 하되, 한 차례만 연임할 수 있다.

제41조【중앙책임운영기관의 장의 책무】 중앙책임운영기관의 장은 국무총리가 부여한 목표를 성실히 이행하여야 하며, 기관 운영의 공익성 및 효율성 향상, 재정의 경제성 제고와 서비스의 질적 개선을 위하여 노력하여야 한다.

제43조【중앙책임운영기관운영심의회】 ① 중앙책임운영기관의 사업성과를 평가하고 기관의 운영에 관한 중요 사항을 심의하기 위하여 중앙책임운영기관의 장 소속으로 중앙책임운영기관운영심의회(이하 "운영심의회"라 한다)를 둔다.

제45조【평가 결과의 활용】 ① 중앙책임운영기관의 장은 제43조 제1항에 따른 평가 결과를 그 기관 운영의 개선에 반영하여야 한다.

제47조【인사관리】 ① 중앙책임운영기관의 장은 고위공무원단에 속하는 공무원을 제외한 소속 공무원에 대한 일체의 임용권을 가진다.
② 중앙책임운영기관 소속 공무원의 임용시험은 중앙책임운영기관의 장이 실시한다.

제4장 책임운영기관운영위원회의 설치 · 운영 등

제49조【책임운영기관운영위원회의 설치 및 기능 등】 ① 책임운영기관의 존속 여부 및 제도의 개선 등에 관한 중요 사항을 심의하기 위하여 행정안전부장관 소속으로 책임운영기관운영위원회(이하 "위원회"라 한다)를 둔다.

제50조【위원회의 구성 및 운영】 ① 위원회는 위원장 및 부위원장 각 1명을 포함한 15명 이내의 위원으로 구성한다.

② 위원회의 위원장은 행정안전부장관이 되며, 부위원장은 제3항 제2호에 따른 위원 중에서 행정안전부장관이 위촉한다.

③ 위원회의 위원은 다음 각 호의 사람이 된다.

1. 대통령령으로 정하는 관계 중앙행정기관의 차관급 공무원
2. 책임운영기관의 업무와 관련된 학식과 경험이 풍부한 사람 중에서 행정안전부장관이 위촉하는 사람

④ 제3항 제2호에 따른 위원(위촉위원)의 임기는 2년으로 한다.

제51조【책임운영기관의 종합평가】 ① 위원회는 책임운영기관제도의 운영과 개선, 기관의 존속 여부 판단 등을 위하여 책임운영기관에 대한 종합평가를 한다.

---

3 무어(Moore)의 공공가치창출론(creating public value) cf

틀잡기	
등장배경	신공공관리론이 야기한 **공공성 약화를 극복하기 위한 패러다임**으로 공공가치관리론이 등장

내용	**무어의 주장** (1995)		① 민주적으로 선출되어 정당성을 부여 받은 정부의 관리자들은 공공자산(국가 권위, 국가재정)을 활용하여 시민을 위한 공공가치를 창출해야 한다는 점을 착안함 ② 무어에 따르면 시민과 이해관계자, 공무원 간 숙의민주주의 과정을 통한 **공공가치의 결정, 공공가치창출**, 그 결과에 대한 **평가**가 이루어질 때 행정의 정당성을 강화할 수 있으며, 정부가 시민의 능동적 신뢰를 창출할 수 있음 ③ 공공기관에 의해 생산된 순(純) 공공가치를 추정하는 공공가치 회계를 제시
	전략적 삼각형		
	용어정리	정당성과 지지	시민의 지지와 이로부터 생겨난 정당성 등
		운영역량	정책을 구현하는 데 요구되는 조직관리능력
		공공가치	조직비전과 미션 등
		공공가치회계	

공공가치회계 표:

비용	수익
• 투입된 재정적 비용 • 의도치 않은 부정적 결과 등	• 사회적 성과달성 및 미션달성 • 의도치 않은 긍정적 결과 • 정의 및 형평 등

> **참고**
> 수익과 비용을 계량적으로 표현한 뒤, 수익에서 비용을 빼면 순공공가치임

4 보즈만의 공공가치 실패론 ⓒ

등장배경	신공공관리론이 야기한 공공성 약화를 극복하기 위한 패러다임으로 공공가치관리론이 등장
개념	시장 행위자 혹은 공공부문의 행위자가 공공가치에 부합하는 재화나 서비스를 제공하지 못하는 경우를 공공가치실패가 발생한 것으로 간주하고, 정부개입의 근거가 되어야 한다고 주장
공공가치실패 판단도구 (공공가치매핑)	 ※ Public–Value Failure : Efficient Markets May Not Do(Barry Bozeman, 2002)

5 정부신뢰 ⓒ

개념		① 행정기관이나 관료가 **시민이 원하는 바를 정책에 반영하려는 의지와 능력**이 있다고 믿는 상태 ② 정부신뢰를 제고하기 위해서는 도덕성, 정책의 일관성, 전문성 등이 필요함
유형	신탁적 신뢰	① 주인(국민)으로부터 권한을 위임받은 정부(대리인)가 주인(국민)의 뜻에 따라 행동함으로써 주인의 신뢰를 얻어야 한다는 것 ② 주인과 대리인이라는 비대칭적(수직적) 관계에서 형성
	상호 신뢰	① 반복적으로 교류하는 사람들 사이에서 발생하는 대인적인 신뢰 ② 지속적인 교환과 대면접촉으로 신뢰가 형성되며 정보의 비대칭성이 상대적으로 약한 편임

6 숙의민주주의 cf

틀잡기		대의민주주의·직접민주주의 ◄─(비)─ 숙의민주주의 ─(영)─► 공공가치창출론 (무어) ─(비)─► NPM 숙의민주주의 ─(영)─► NPS ─(비)─► NPM
등장배경		① 대의민주주의와 직접민주주의 비판 ② 대의민주주의는 대표의 실패, 직접민주주의는 숙의의 실패
개념		숙의(deliberation)가 의사결정의 중심이 되는 민주주의 형식
특징		① 정책결정에 실질적으로 영향을 미치는 **국민의 대표 또는 일반국민의 숙의적 토론과정**을 거쳐 정책을 결정 ② 시민들이 대등한 정책결정자로 **정책결정테이블에 참여**
장·단점	**장점**	① 공공선의 추구 가능 ② 대의민주주의·직접민주주의 방식을 구분하지 않고 적용가능
	단점	실현가능한 방법론의 불명확성
숙의민주주의 유형	**공론조사**	① 대표성 있는 시민의 선발과 정보제공에 기초한 토론 → 공론도출 ② 참여자들의 변화된 의견을 공공정책 결정에 반영 ③ 여론조사에 숙의와 토론과정을 보완했으나, 토론과정에서 조사대상자가 탈락하는 경우가 있음 ④ 공론화 과정을 거치기 때문에 시간과 비용↑ ⑤ 우리나라에서 2017년 신고리원전 5·6호기 건설재개 여부에 대한 정책결정과정에서 공론조사를 도입·활용한 바 있음
	합의회의	① 시민이 **전문가**에게 질의 및 의견청취 ② 의견교환과 심의를 통해 일치된 의견 도출
	시민회의	① 공공정책결정 과정에 시민이 참여하여 결론도출 ② 시민회의의 결정을 의회동의를 얻어 입법화
	주민배심	대표 시민들이 정책질의 및 **심의과정에 참여** → 정책권고안 제시

7 공공기관의 정보공개에 관한 법률 : 정보공개법 cf

1) 연혁 및 등장배경

연혁	① 청주시 행정정보공개조례(1992) ② 중앙정부의 재의요구지시 ③ 청주시 제소 → 사법부의 합헌결정 ④ 「공공기관 정보공개에 관한 법률」 제정(1996) ⑤ **참고** 청주시는 가장 최근에 통합된 지방자치단체임(2013) → 청주시 + 청원군
등장배경	헌법상의 '알권리'를 구체화하기 위하여 1996년에 제정

2) 주요 내용

제1조【목적】 이 법은 공공기관이 보유·관리하는 정보에 대한 국민의 공개 청구 및 공공기관의 공개 의무에 관하여 필요한 사항을 정함으로써 국민의 알권리를 보장하고 국정(國政)에 대한 국민의 참여와 국정운영의 투명성을 확보함을 목적으로 한다.

제2조【정의】 이 법에서 사용하는 용어의 뜻은 다음과 같다.
　3. "공공기관"이란 다음 각 목의 기관을 말한다.
　　가. 국가기관
　　　1) 국회, 법원, 헌법재판소, 중앙선거관리위원회
　　　2) 중앙행정기관(대통령 소속 기관과 국무총리 소속 기관을 포함한다) 및 그 소속 기관
　　　3)「행정기관 소속 위원회의 설치·운영에 관한 법률」에 따른 위원회
　　나. 지방자치단체
　　다.「공공기관의 운영에 관한 법률」제2조에 따른 공공기관
　　라.「지방공기업법」에 따른 지방공사 및 지방공단

제3조【정보공개의 원칙】 공공기관이 보유·관리하는 정보는 국민의 알권리 보장 등을 위하여 이 법에서 정하는 바에 따라 적극적으로 공개하여야 한다.

제4조【적용 범위】 ① 정보의 공개에 관하여는 다른 법률에 특별한 규정이 있는 경우를 제외하고는 이 법에서 정하는 바에 따른다.
② 지방자치단체는 그 소관 사무에 관하여 법령의 범위에서 정보공개에 관한 조례를 정할 수 있다.

제5조【정보공개 청구권자】 ① 모든 국민은 정보의 공개를 청구할 권리를 가진다.
② 외국인의 정보공개 청구에 관하여는 대통령령으로 정한다.

> **공공기관 정보공개에 관한 법률 시행령 제3조【외국인의 정보공개 청구】** 법 제5조 제2항에 따라 정보공개를 청구할 수 있는 외국인은 다음 각 호의 어느 하나에 해당하는 자로 한다.
> 1. 국내에 일정한 주소를 두고 거주하거나 학술·연구를 위하여 일시적으로 체류하는 사람
> 2. 국내에 사무소를 두고 있는 법인 또는 단체

제7조【행정정보의 공표 등】 ① 공공기관은 다음 각 호의 어느 하나에 해당하는 정보에 대해서는 공개의 구체적 범위와 공개의 주기·시기 및 방법 등을 미리 정하여 공표하고, 이에 따라 정기적으로 공개하여야 한다. 다만, 제9조 제1항 각 호의 어느 하나에 해당하는 정보에 대해서는 그러하지 아니하다.
　1. 국민생활에 매우 큰 영향을 미치는 정책에 관한 정보
　2. 국가의 시책으로 시행하는 공사(工事) 등 대규모 예산이 투입되는 사업에 관한 정보
　3. 예산집행의 내용과 사업평가 결과 등 행정감시를 위하여 필요한 정보
② 공공기관은 제1항에 규정된 사항 외에도 국민이 알아야 할 필요가 있는 정보를 국민에게 공개하도록 적극적으로 노력하여야 한다.

제8조의2【공개대상 정보의 원문공개】 공공기관 중 중앙행정기관 및 대통령령으로 정하는 기관은 전자적 형태로 보유·관리하는 정보 중 공개대상으로 분류된 정보를 국민의 정보공개 청구가 없더라도 정보통신망을 활용한 정보공개시스템 등을 통하여 공개하여야 한다.

제9조【비공개 대상 정보】 ① 공공기관이 보유·관리하는 정보는 공개 대상이 된다. 다만, 다음 각 호의 어느 하나에 해당하는 정보는 공개하지 아니할 수 있다.
　1. 다른 법률 또는 법률에서 위임한 명령(국회규칙·대법원규칙·헌법재판소규칙·중앙선거관리위원회규칙·대통령령 및 조례로 한정한다)에 따라 비밀이나 비공개 사항으로 규정된 정보
　2. 국가안전보장·국방·통일·외교관계 등에 관한 사항으로서 공개될 경우 국가의 중대한 이익을 현저히 해칠 우려가 있다고 인정되는 정보
　3. 공개될 경우 국민의 생명·신체 및 재산의 보호에 현저한 지장을 초래할 우려가 있다고 인정되는 정보
　6. 해당 정보에 포함되어 있는 성명·주민등록번호 등 개인에 관한 사항으로서 공개될 경우 사생활의 비밀 또는 자유를 침해할 우려가 있다고 인정되는 정보. 다만, 다음 각 목에 열거한 개인에 관한 정보는 제외한다.
　　라. 직무를 수행한 공무원의 성명·직위

제10조【정보공개의 청구방법】 ① 정보의 공개를 청구하는 자(이하 "청구인"이라 한다)는 해당 정보를 보유하거나 관리하고 있는 공공기관에 다음 각 호의 사항을 적은 정보공개 청구서를 제출하거나 말로써 정보의 공개를 청구할 수 있다.

제11조【정보공개 여부의 결정】 ① 공공기관은 제10조에 따라 정보공개의 청구를 받으면 그 청구를 받은 날부터 10일 이내에 공개여부를 결정하여야 한다.
② 공공기관은 부득이한 사유로 제1항에 따른 기간 이내에 공개 여부를 결정할 수 없을 때에는 그 기간이 끝나는 날의 다음 날부터 기산(起算)하여 10일의 범위에서 공개여부 결정기간을 연장할 수 있다.

제13조【정보공개 여부 결정의 통지】 ① 공공기관은 제11조에 따라 정보의 공개를 결정한 경우에는 공개의 일시 및 장소 등을 분명히 밝혀 청구인에게 통지하여야 한다.

제17조【비용 부담】 ① 정보의 공개 및 우송 등에 드는 비용은 실비(實費)의 범위에서 청구인이 부담한다.

제19조【행정심판】 ① 청구인이 정보공개와 관련한 공공기관의 결정에 대하여 불복이 있거나 정보공개 청구 후 20일이 경과하도록 정보공개 결정이 없는 때에는 「행정심판법」에서 정하는 바에 따라 행정심판을 청구할 수 있다.
② 청구인은 제18조에 따른 이의신청 절차를 거치지 아니하고 행정심판을 청구할 수 있다.

제22조【정보공개위원회의 설치】 다음 각 호의 사항을 심의·조정하기 위하여 행정안전부장관 소속으로 정보공개위원회를 둔다.
1. 정보공개에 관한 정책 수립 및 제도 개선에 관한 사항
2. 정보공개에 관한 기준 수립에 관한 사항 등

제23조【위원회의 구성 등】 ① 위원회는 성별을 고려하여 위원장과 부위원장 각 1명을 포함한 11명의 위원으로 구성한다.
② 위원회의 위원은 다음 각 호의 사람이 된다. 이 경우 위원장을 포함한 7명은 공무원이 아닌 사람으로 위촉하여야 한다.
③ 위원장·부위원장 및 위원(위촉위원)의 임기는 2년으로 하며, 연임할 수 있다.

8　민원행정 cf

1) 개념 및 특징

개념	① **민원** : 민원인이 행정기관에 대하여 처분 등 특정한 행위를 요구하는 것 ② 민원행정은 민원의 공정하고 적법한 처리와 민원행정제도의 개선을 도모함으로써 국민권익 보호를 목적으로 함
특징	① 국민과의 **직접적 교호작용**을 통해 행정산출을 현실화함 ② 고객의 특정 요구의 투입에 대한 산출로서 행정체제의 경계를 넘나드는 교호작용이 나타나는 까닭에 민원행정은 **행정구제수단**으로서의 기능을 수행함 ③ 규제와 급부(무언가를 주는 행위)에 관련된 행정산출을 전달하는 행정임

2) 민원처리에 관한 법률

제2조【정의】 이 법에서 사용하는 용어의 뜻은 다음과 같다.
2. "민원인"이란 행정기관에 민원을 제기하는 개인·법인 또는 단체를 말한다. 다만, 행정기관(사경제의 주체로서 제기하는 경우는 제외한다), 행정기관과 사법(私法)상 계약관계(민원과 직접 관련된 계약관계만 해당한다)에 있는 자, 성명·주소 등이 불명확한 자 등 대통령령으로 정하는 자는 제외한다.
5. "복합민원"이란 하나의 민원 목적을 실현하기 위하여 관계법령등에 따라 여러 관계 기관 또는 관계 부서의 인가·허가·승인·추천·협의 또는 확인 등을 거쳐 처리되는 법정민원을 말한다.
6. "다수인관련민원"이란 5세대(世帶) 이상의 공동이해와 관련되어 5명 이상이 연명으로 제출하는 민원을 말한다.
8. "무인민원발급창구"란 행정기관의 장이 행정기관 또는 공공장소 등에 설치하여 민원인이 직접 민원문서를 발급받을 수 있도록 하는 전자장비를 말한다.

제12조【민원실의 설치】 행정기관의 장은 민원을 신속히 처리하고 민원인에 대한 안내와 상담의 편의를 제공하기 위하여 민원실을 설치할 수 있다.

제21조【민원 처리의 예외】 행정기관의 장은 접수된 민원이 다음 각 호의 어느 하나에 해당하는 경우에는 그 민원을 처리하지 아니할 수 있다.
1. 고도의 정치적 판단을 요하거나 국가기밀 또는 공무상 비밀에 관한 사항
8. 사인 간의 권리관계 또는 개인의 사생활에 관한 사항
9. 행정기관의 소속 직원에 대한 인사행정상의 행위에 관한 사항

제30조【사전심사의 청구 등】 ① 민원인은 법정민원 중 신청에 경제적으로 많은 비용이 수반되는 민원 등 대통령령으로 정하는 민원에 대하여는 행정기관의 장에게 정식으로 민원을 신청하기 전에 미리 약식의 사전심사를 청구할 수 있다.

제31조【복합민원의 처리】 ① 행정기관의 장은 복합민원을 처리할 주무부서를 지정하고 그 부서로 하여금 관계 기관·부서 간의 협조를 통하여 민원을 한꺼번에 처리하게 할 수 있다.

DAY — **28**

■ 제32조 및 33조 해설

우리나라는 원활한 민원처리를 위해 민원 1회방문 처리제, 민원후견인제도를 운영하고 있음

민원 1회방문 처리제	① 복합민원 처리시 모든 절차를 담당 직원이 직접 진행하도록 하는 제도 ② 행정기관의 장은 민원 1회방문 처리를 위해 민원 1회방문 상담창구를 설치하여야 함
민원후견인제도	민원 1회방문 처리제 운영을 위하여 민원처리에 경험이 많은 소속 직원을 민원후견인으로 지정하는 제도

제35조【거부처분에 대한 이의신청】① 법정민원에 대한 행정기관의 장의 거부처분에 불복하는 민원인은 그 거부처분을 받은 날부터 60일 이내에 그 행정기관의 장에게 문서로 이의신청을 할 수 있다.

② 행정기관의 장은 이의신청을 받은 날부터 10일 이내에 그 이의신청에 대하여 인용 여부를 결정하고 그 결과를 민원인에게 지체 없이 문서로 통지하여야 한다. 다만, 부득이한 사유로 정하여진 기간 이내에 인용 여부를 결정할 수 없을 때에는 그 기간의 만료일 다음 날부터 기산(起算)하여 10일 이내의 범위에서 연장할 수 있으며, 연장 사유를 민원인에게 통지하여야 한다.

9 기타

행정능력	개념	지적 능력 + 실행적 능력 + 정치적 능력	
	유형	지적 능력	전문성 강조 → 효율성 제고
		실행적 능력	지지 확보 능력
		정치적 능력	민주성 혹은 국민에 대한 책임성
	기타	① 행정능력을 구성하는 하위 능력요인 간에 상충관계가 존재함 ② 예컨대 지적능력은 능률성을 뜻하고, 정치적인 능력은 민주성 혹은 책임성을 의미하기 때문임	
전자정부에서 활용하는 웹기술	하이퍼링크 중심의 웹1.0	컴퓨터가 정보나 서비스를 단순히 제공만 하고, 사용자가 웹사이트에서 데이터나 서비스를 움직이거나 수정·활용할 수 없는 인터넷 환경	
	플랫폼 기반의 웹 2.0	① 공공정보를 민간에 개방하여 사용자에게 도구를 제공하고 사용자가 그 도구를 이용해콘텐츠를 제작하여 부가가치를 창출하는 것 ② 예 2009년 서울의 고등학생이 개발한 '서울버스 앱'	
	시맨틱 웹 기반의 웹 3.0	인공지능	
	사물인터넷 기반의 웹 3.0	사물과 사물간 상호 정보교환과 소통을 할 수 있는 지능형 정보인프라	
정보통신기술을 활용한 행정개선 사례	① 정부서울청사 등에 스마트워크센터를 설치하여 운영하고 있음 ② 민원서비스를 통합적으로 제공하는 '민원24'를 도입하였음 ③ 정부에 대한 불편사항 제기, 국민제안, 부패 및 공익 신고 등을 위해 '국민신문고'를 도입하였음 ④ 공공기관의 공사, 용역, 물품 등의 발주정보를 공개하고 조달절차를 인터넷으로 처리하도록 나라장터(전자조달시스템)를 도입하였음 → 조달청이 운영 ⑤ 온나라시스템: 행정안전부가 정부의 내부 업무처리과정과 전반적인 행정과정을 전자문서 등을 활용하여 표준화한 행정업무 처리시스템		
독일 행정학의 발달과정	① 전기 프러시아 관방학	국가재정과 왕실재정의 미분화, 행정(집정)과 헌정(정치)의 미분화	
	② 후기 관방학	ⓐ 프랑크푸르트 대학에서 관방학을 개설 후 경찰학이 독립적인 학문으로 발달 ⓑ 참고 관방학: 16~18C	
	③ 슈타인 행정학과 행정법학	ⓐ 19C 말에 등장 ⓑ 슈타인 행정학: 행정(집정)과 헌정(정치)의 구분 ⓒ 행정법학: 법치행정 강조	

Oates의 분권화 정리		① 지방정부가 중앙정부보다 더 효율적으로 공공재를 공급할 수 있는 조건 → 특정 공공재의 소비가 전체인구 중 일부 주민에만 한정되고, 각 행정구역에서 소비될 공공재의 공급비용이 중앙정부와 해당 지방정부에서 동일함 ② 지역 간 외부효과는 없는 것으로 전제 → 외부효과가 있다면, 지방정부 간 공정한 경쟁에 악영향을 미칠 수 있음 ③ 중앙정부가 모든 구역에서 획일적으로 정하여 공공재를 공급하는 것보다 지방정부가 해당지역에서 파레토 효율적인 수준의 공공재를 공급하는 것이 언제나 더 효율적이거나 최소한 중앙정부만큼 효율적이라는 명제를 이끌어 냄
지능형 정부	**개념**	① **인공지능 시스템을 활용하는 정부** ② 지능형 정부는 **4차 산업을 적용**한 정부형태로서 생애주기를 넘어 틈새수요까지 알아서 인지하고, '희·노·애·락' 등 감성을 이해할 수 있는 국민을 위한 **개인비서형 서비스**를 제공함 ③ 🔳 1인 여성가구를 위한 안심귀가, 여성가스검침원방문 등 일상 속 안전을 위한 서비스를 개인화하여 제공
	특징	① 인공지능을 활용하여 현장에서 복합문제의 해결이 가능함 ② 🔳 주민센터에 들어오는 민원인을 로봇이 인지한 이후 환영인사와 대화를 통해 필요서비스를 탐색하여 제안 및 처리 ③ 국민주도의 정책결정 → 서비스 전달방식은 수요기반 온·오프라인 멀티채널

CHAPTER **02** 행정학각론

Section **01** **정책학 관련 제도 및 법령 등** ● 29 day

1 행정규제기본법 : 1997년 제정(김영삼 정부 · 15대 국회)

행정규제기본법은 사회적 규제와 공익에 관련되는 규제는 존치하되 규제수단과 기준의 합리화를 도모하는 것이 더 타당하다는 내용을 담고 있음

1) 틀잡기

2) 행정규제기본법의 구체적인 내용

제1장 총칙

제1조【목적】 이 법은 행정규제에 관한 기본적인 사항을 규정하여 불필요한 행정규제를 폐지하고 비효율적인 행정규제의 신설을 억제함으로써 사회 · 경제활동의 자율과 창의를 촉진하여 국민의 삶의 질을 높이고 국가경쟁력이 지속적으로 향상되도록 함을 목적으로 한다.

제2조【정의】 ① 이 법에서 사용하는 용어의 뜻은 다음과 같다.
1. "행정규제"(이하 "규제"라 한다)란 국가나 지방자치단체가 특정한 행정 목적을 실현하기 위하여 국민의 권리를 제한하거나 의무를 부과하는 것으로서 법령등이나 조례 · 규칙에 규정되는 사항을 말한다.
5. "규제영향분석"이란 규제로 인하여 국민의 일상생활과 사회 · 경제 · 행정 등에 미치는 여러 가지 영향을 객관적이고 과학적인 방법을 사용하여 미리 예측 · 분석함으로써 규제의 타당성을 판단하는 기준을 제시하는 것을 말한다.
② 규제의 구체적 범위는 대통령령으로 정한다.

제3조【적용 범위】 ① 규제에 관하여 다른 법률에 특별한 규정이 있는 경우를 제외하고는 이 법에서 정하는 바에 따른다.
② 다음 각 호의 어느 하나에 해당하는 사항에 대하여는 이 법을 적용하지 아니한다.
1. 국회, 법원, 헌법재판소, 선거관리위원회 및 감사원이 하는 사무

제4조【규제 법정주의】 ① 규제는 법률에 근거하여야 하며, 그 내용은 알기 쉬운 용어로 구체적이고 명확하게 규정되어야 한다.

제5조【규제의 원칙】 ① 국가나 지방자치단체는 국민의 자유와 창의를 존중하여야 하며, 규제를 정하는 경우에도 그 본질적 내용을 침해하지 아니하도록 하여야 한다.

제5조의2【우선허용 · 사후규제 원칙】 ① 국가나 지방자치단체가 신기술을 활용한 새로운 서비스 또는 제품과 관련된 규제를 법령등이나 조례 · 규칙에 규정할 때에는 다음 각 호의 어느 하나의 규정 방식을 우선적으로 고려하여야 한다.
1. 규제로 인하여 제한되는 권리나 부과되는 의무는 한정적으로 열거하고 그 밖의 사항은 원칙적으로 허용하는 규정 방식

> **참고**
> 우리나라는 **네거티브 규제**하에 규제샌드박스 제도를 시행하고 있음

제6조【규제의 등록 및 공표】 ① 중앙행정기관의 장은 소관 규제의 명칭·내용·근거·처리기관 등을 규제개혁위원회(이하 "위원회"라 한다)에 등록하여야 한다.

> **참고**
> 우리나라는 **규제등록제**를 운영하고 있음

제2장 규제의 신설·강화에 대한 원칙과 심사

제7조【규제영향분석 및 자체심사】 ① 중앙행정기관의 장은 규제를 신설하거나 강화하려면 다음 각 호의 사항을 종합적으로 고려하여 규제영향분석을 하고 규제영향분석서를 작성하여야 한다.

1. 규제의 신설 또는 강화의 필요성
2. 규제 목적의 실현 가능성
3. 규제 외의 대체 수단 존재 여부 및 기존규제와의 중복 여부
4. 규제의 시행에 따라 규제를 받는 집단과 국민이 부담하여야 할 비용과 편익의 비교 분석
5. 규제의 시행이 「중소기업기본법」 제2조에 따른 중소기업에 미치는 영향
6. 경쟁제한적 요소의 포함 여부

> **참고**
> 우리나라 규제영향분석은 정부입법에 대해서만 적용되고 의원입법은 제외되고 있음

제8조【규제의 존속기한 및 재검토기한 명시】 ② 규제의 존속기한 또는 재검토기한은 규제의 목적을 달성하기 위하여 필요한 최소한의 기간 내에서 설정되어야 하며, 그 기간은 원칙적으로 5년을 초과할 수 없다.

> **참고**
> 우리나라는 **규제일몰제**를 활용하고 있음

■ 제10조-12조 : 심사요청 및 예비심사 등

심사요청
(규제신설·강화시)

중앙행정기관장 → 규제개혁위 →
① 10일 내 중요규제 여부 결정
② 중요규제라면 45일 내 심사를 마쳐야 함
③ 15일을 넘지 않는 선에서 한 차례 연장가능

제10조【심사 요청】 ① 중앙행정기관의 장은 규제를 신설하거나 강화하려면 위원회에 심사를 요청하여야 한다.

제11조【예비심사】 ① 위원회는 심사를 요청받은 날부터 10일 이내에 그 규제가 국민의 일상생활과 사회·경제활동에 미치는 파급 효과를 고려하여 제12조에 따른 심사를 받아야 할 규제(이하 "중요규제"라 한다)인지를 결정하여야 한다.

제12조【심사】 ① 위원회는 제11조 제1항에 따라 중요규제라고 결정한 규제에 대하여는 심사 요청을 받은 날부터 45일 이내에 심사를 끝내야 한다. 다만, 심사기간의 연장이 불가피한 경우에는 위원회의 결정으로 15일을 넘지 아니하는 범위에서 한 차례만 연장할 수 있다.

제4장 규제개혁위원회

제23조【설치】 정부의 규제정책을 심의·조정하고 규제의 심사·정비 등에 관한 사항을 종합적으로 추진하기 위하여 대통령 소속으로 규제개혁위원회를 둔다.

제24조【기능】 ① 위원회는 다음 각 호의 사항을 심의·조정한다.
1. 규제정책의 기본방향과 규제제도의 연구·발전에 관한 사항
2. 규제의 신설·강화 등에 대한 심사에 관한 사항

제25조【구성 등】 ① 위원회는 위원장 2명을 포함한 20명 이상 25명 이하의 위원으로 구성한다.
② 위원장은 국무총리와 학식과 경험이 풍부한 사람 중에서 대통령이 위촉하는 사람이 된다.
③ 위원은 학식과 경험이 풍부한 사람 중에서 대통령이 위촉하는 사람과 대통령령으로 정하는 공무원이 된다. 이 경우 공무원이 아닌 위원이 전체위원의 과반수가 되어야 한다.
⑤ 위원 중 공무원이 아닌 위원의 임기는 2년으로 하되, 한 차례만 연임할 수 있다.
⑥ 위원장 모두가 부득이한 사유로 직무를 수행할 수 없을 때에는 국무총리가 지명한 위원이 그 직무를 대행한다.

DAY
29

제26조 【의결 정족수】 위원회의 회의는 재적위원 과반수의 찬성으로 의결한다.

제27조 【위원의 신분보장】 위원은 다음 각 호의 어느 하나에 해당하는 경우를 제외하고는 본인의 의사와 관계없이 면직되거나 해촉(解囑)되지 아니한다.

제28조 【분과위원회】 ① 위원회의 업무를 효율적으로 수행하기 위하여 위원회에 분야별로 분과위원회를 둘 수 있다.

제29조 【전문위원 등】 위원회에는 업무에 관한 전문적인 조사·연구 업무를 담당할 전문위원과 조사요원을 둘 수 있다.

2 환경영향평가법 _{cf}

환경영향평가 연혁	「환경·교통·재해 등에 관한 영향평가법」(1999.12.31. 제정)에 의하여 2001.1부터 시행한 환경평가제도
환경영향평가법	제2조【정의】 이 법에서 사용하는 용어의 뜻은 다음과 같다. 2. "환경영향평가"란 환경에 영향을 미치는 실시계획·시행계획 등의 허가·인가·승인·면허 또는 결정 등을 할 때에 해당 사업이 환경에 미치는 영향을 미리 조사·예측·평가하여 해로운 환경영향을 피하거나 제거 또는 감소시킬 수 있는 방안을 마련하는 것을 말한다. → 사전평가

3 정책대상집단에 대한 순응확보전략 _{cf}

설득전략	① 정책의 도덕적 당위성을 설득하거나 양심에 호소하는 방법 ② ⓐ 안전장비 착용에 대한 중요성을 설득하는 TV 광고 ③ 설득은 비용부담자의 복종을 단기간에 만들어 낼 수 없는바 불응의 핑계를 찾게 만들 수 있음
촉진전략	① 순응을 촉진하기 위해 정책집행을 적극적으로 지원 및 관리하는 방법 ② ⓐ 신규사업에 대한 선발기준 안내문 발송, 직원을 통해 관련 서류구비 지원 등
유인전략	① 순응 시 보상과 편익을 제공 ② ⓐ 보조금 지급 등 ③ 보상을 제공하는 방식은 자발적으로 순응하는 사람들의 체면을 손상시킬 수 있음
규제전략	① 불응 시 불이익이나 제재를 가하거나 혜택을 박탈 ② ⓐ 일반용 쓰레기봉투에 재활용품 배출시 쓰레기봉투 미수거 ③ 강압에 의해 순응하게 되는바 불응의 다양한 형태를 표면적으로 파악하기 어려움

4 규제샌드박스 제도 _{cf}

개념	아이들이 자유롭게 뛰어노는 모래놀이터처럼 신기술, 신산업 분야에서 새로운 제품, 서비스를 내놓을 때 일정 기간 또는 일정 지역 내에서 기존의 규제를 면제 또는 유예시켜주는 제도 → 우리나라는 2009년에 규제샌드박스를 도입하였음
등장배경	4차 산업혁명에 따른 기술혁신으로 인해 신기술을 제약없이 실증하고 사업화할 수 있는 기업환경을 조성하기 위함
세종시 사례	자율주행 인프라가 구축된 공원에서 실외로봇의 공원 내 출입과 로봇을 이용한 영업행위 등(배달, 방역, 보안순찰 등)을 허용하는 실증특례 부여

5 기획의 효용 ᴄꜰ

기획의 개념	행정목표를 달성하기 위하여 장래의 활동에 관한 일련의 결정을 준비하는 지속적·동태적 과정 → 기획은 미래의 바람직한 활동계획을 예측하는 것이므로 **어느 정도의 불확실성 하에서 이루어 짐**
기획의 효용	① 집행자는 정책을 기획하는 과정에서 목표달성에 중요한 요인을 파악할 수 있으므로 목표를 구체화할 수 있음 ② 정책을 미리 계획할 경우 한정된 자원을 효율적으로 이용할 수 있음 ③ 여러 대안 중에서 실현 가능한 최적 대안을 선택함으로써 경비를 절약할 수 있음

6 행정PR(Public Relations) ᴄꜰ

개념		정책홍보 → 정부가 주체가 되어 행정목적을 달성하기 위한 여러 활동을 국민 등에게 알리는 것
특징		① 수평성, 교류성(쌍방향성), 의무성, 객관성(진실성), 교육성(계몽성), 공익성 등 ② 주의 : 수직성(×), 주관성(×)
필요성 및 문제점	**필요성**	① 행정의 민주화 요청 ② 국민의 알권리 충족 ③ 국민욕구의 정책반영
	문제점	① 불리한 정보의 은폐 ② 정권유지를 위한 선동 ③ 권력자를 위한 수단

7 로저스의 혁신확산이론 ᴄꜰ

의의	사회현상이 어떤 과정을 거쳐서 확산되는지를 설명한 이론
틀잡기	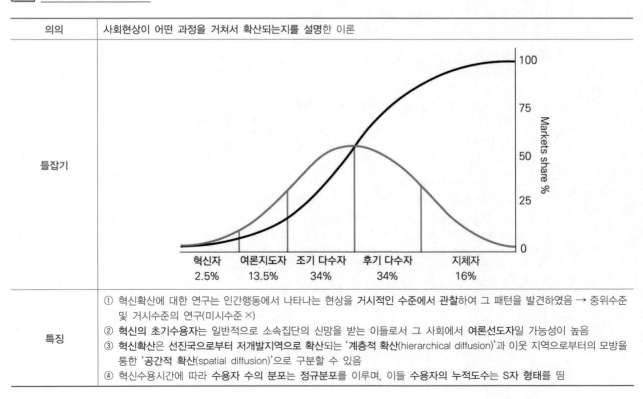
특징	① 혁신확산에 대한 연구는 인간행동에서 나타나는 현상을 **거시적인 수준**에서 관찰하여 그 패턴을 발견하였음 → 중위수준 및 거시수준의 연구(미시수준 ×) ② 혁신의 초기수용자는 일반적으로 소속집단의 신망을 받는 이들로서 그 사회에서 **여론선도자**일 가능성이 높음 ③ 혁신확산은 선진국으로부터 저개발지역으로 확산되는 '**계층적 확산**(hierarchical diffusion)'과 이웃 지역으로부터의 모방을 통한 '**공간적 확산**(spatial diffusion)'으로 구분할 수 있음 ④ 혁신수용시간에 따라 **수용자 수의 분포는 정규분포**를 이루며, 이들 수용자의 누적도수는 **S자 형태**를 띰

8 양적평가와 질적평가 cf

양적평가 (정량평가)	의의	① 연구가설을 설계하고 이에 따른 **계량화된 객관적 자료를 수집**하여 **연역적 방법으로** 정책의 효과를 분석하는 평가방법 ② 정책대안과 정책산출 및 영향 간에 어떠한 인과관계가 있는지를 분석함
	활용자료	설문조사와 구조화된 질문지를 통해 확보된 통계, 실적치 등
질적평가 (정성평가)	의의	**계량적으로 측정하기 어려운 분야에 대한 평가**를 위해 자연스러운 상태에서 수량화되지 않은 자료를 수집하여 **귀납적 방법으로** 자료를 분석하는 평가방법
	활용자료	참여관찰법, 심층면접법, 현장조사법 등

9 정책과정에서 관료가 우월한 지위를 차지하는 이유 cf

정보의 통제	관료가 실무를 집행하는 과정에서 보유하고 있는 정보는 관료의 권력이 될 수 있음
사회적 신뢰	행정부에 대한 국민의 신뢰는 정책집행을 용이하게 만드는 힘을 지님
전략적 지위	상위직에 있는 공무원일수록 큰 영향력을 지님

10 세일러와 선스타인의 넛지(Nudge)이론 cf

넛지의 개념	① 팔꿈치로 쿡쿡 찌르는 것 → 사람의 행동을 은연 중에 좋은 방향으로 이끌어 주는 것 ② 정부는 선택설계자(choice architect) 역할을 수행
틀잡기	경제적 유인 신고전학파 경제학 ←(비)— 행동경제학 —(영)→ 넛지이론 (선택설계) —(영)→ 행동적 시장실패 방지 (개인의 바람직한 행동유도) 행동경제학 ① 심리학을 경제학에 활용 ② 제한된 합리성 → 휴리스틱 결정 넛지이론(선택설계) ① 정책대상집단에 개입하되, 개인의 자유로운 선택허용 ② 제한된 합리성 → 인지적 편향활용 ③ 바람직한 행동을 유도하는 기본값 설정 (디폴트 옵션)
활용사례	① 보건복지부의 담뱃갑 혐오그림 부착 ② 배달의 민족앱 사용시 '1회용 수저 안받기'가 기본값으로 설정된 것 등
특징	① 개인의 자유로운 선택을 통해 정책의 목표를 달성할 수 있음 → 선택설계·자유주의적 개입주의 ② 리처드 탈러 교수는 저서 〈넛지〉에서 디폴트 옵션값을 그대로 사용하는 사람들의 인지적 편향을 활용하여 바람직한 행동을 유도할 수 있음을 강조 ③ 즉, 사람들에게 이로운 선택을 자연스럽게 할 수 있는 기본값을 정하는 게 중요하다는 것 ④ 참고 **디폴트 옵션 설정**: 컴퓨터 사용시 특정 설정을 정하지 않았을 때 기본설정값이 채택되는 방식

11 정책수단 분류기준 및 정책수단 유형: 살라몬을 중심으로(새행정학 中) ⓒⓕ

의의		살라몬은 정책수단을 강제성(How), 직접성(Who), 자동성, 가시성으로 분류함
분류기준	강제성	① 정부가 정책수단을 활용할 때 정책대상의 자율성을 고려하는 정도 ② 예 규제는 강제성이 높음
	직접성	① 서비스 제공을 정부가 직접하는지 혹은 제3자 등을 통해 제공하는지 여부 ② 예 공공정보는 직접성이 높음
	자동성	① 서비스를 제공하기 위해서 새로운 방법을 도입하지 않고 기존 수단을 그대로 사용할 수 있는지 여부 ② 예 조세지출은 자동성이 높음
	가시성	① 정책수단을 적용할 때 정책과정이 가시적인지 여부 ② 예 보조금이나 벌금은 가시성이 높음

정책수단 분류	구분	종류	현상				
			효과성	효율성	형평성	관리가능성	정당성 (정치적 지지)
	강제성 (높음)	경제규제	높음	높음/낮음	높음	낮음	높음/낮음
		사회규제					
	직접성 (높음)	공적보험	높음	중간	높음	높음	낮음
		직접대부					
		경제규제					
		공공정보					
		공기업					
		정부소비					

DAY — **29**

Section 02   **조직론 관련 제도 및 법령 등**   ● 29 day

---

1   정부조직법

1) 행정부 조직에 대한 이해

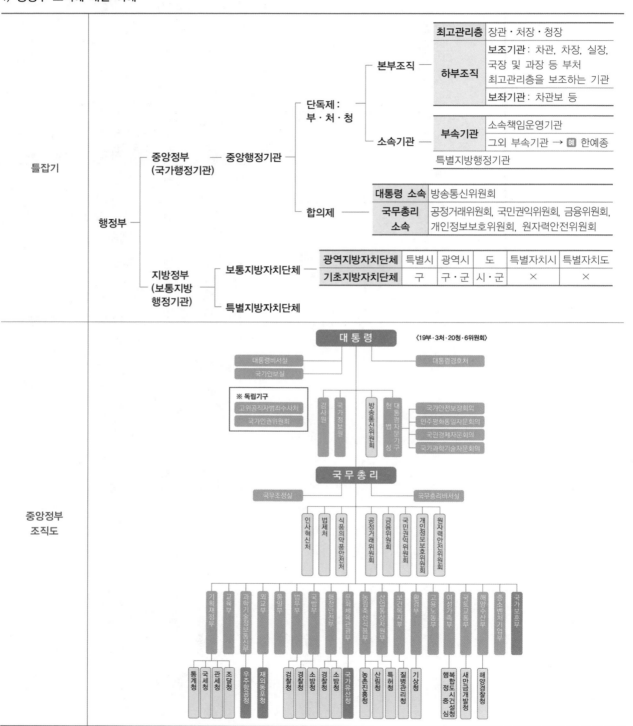

---

2) 중앙정부 조직도에 대한 이해

틀잡기	① 19부 3처 20청 6위원회 → 소속기관을 제외한 중앙행정기관 체계 ② 부는 고유의 행정사무를 수행하기 위한 기능별·대상별 기관으로 19개의 부가 있음 ③ 처는 일반적으로 **국무총리 소속**(대통령 경호처 제외)으로 여러 부의 업무를 지원하는 막료업무를 수행 ④ 청은 행정 각 부의 소속으로 업무의 독자성이 높고 집행위주의 사무를 수행함 ⑤ 복수차관을 두는 부처 → 7개 　　**정부조직법 제26조 【행정각부】** ② 행정각부에 장관 1명과 차관 1명을 두되, 장관은 국무위원으로 보하고, 차관은 정무 　　직으로 한다. 다만, 기획재정부·과학기술정보통신부·외교부·문화체육관광부·산업통상자원부·보건복지부·국토 　　교통부에는 차관 2명을 둔다. ⑥ 윤석열 정부 조직개편 　㉠ 국가보훈부·재외동포청·우주항공청 신설 　㉡ 문화재청을 국가유산청으로 명칭변경

3) 정부조직법 주요 내용 ⓖ

제1장 총칙

제2조 【중앙행정기관의 설치와 조직 등】 ② 중앙행정기관은 이 법에 따라 설치된 부·처·청과 다음 각 호의 행정기관으로 하되, 중앙행정기관은 이 법 및 다음 각 호의 법률에 따르지 아니하고는 설치할 수 없다.
　1. 「방송통신위원회의 설치 및 운영에 관한 법률」 제3조에 따른 방송통신위원회
　2. 「독점규제 및 공정거래에 관한 법률」 제35조에 따른 공정거래위원회
　3. 「부패방지 및 국민권익위원회의 설치와 운영에 관한 법률」 제11조에 따른 국민권익위원회
　4. 「금융위원회의 설치 등에 관한 법률」 제3조에 따른 금융위원회
　5. 「개인정보 보호법」 제7조에 따른 개인정보보호위원회
　6. 「원자력안전위원회의 설치 및 운영에 관한 법률」 제3조에 따른 원자력안전위원회
　7. 「우주항공청의 설치 및 운영에 관한 특별법」 제6조에 따른 우주항공청
　8. 「신행정수도 후속대책을 위한 연기·공주지역 행정중심복합도시 건설을 위한 특별법」 제38조에 따른 행정중심복합도시건설청
　9. 「새만금사업 추진 및 지원에 관한 특별법」 제34조에 따른 새만금개발청
③ 중앙행정기관의 보조기관은 이 법과 다른 법률에 특별한 규정이 있는 경우를 제외하고는 차관·차장·실장·국장 및 과장으로 한다.
⑤ 행정각부에는 대통령령으로 정하는 특정 업무에 관하여 장관과 차관을 직접 보좌하기 위하여 차관보를 둘 수 있다.

제5조 【합의제행정기관의 설치】 행정기관에는 그 소관사무의 일부를 독립하여 수행할 필요가 있는 때에는 법률로 정하는 바에 따라 행정위원회 등 합의제행정기관을 둘 수 있다.

제2장 대통령

제11조 【대통령의 행정감독권】 ① 대통령은 정부의 수반으로서 법령에 따라 모든 중앙행정기관의 장을 지휘·감독한다.

제12조 【국무회의】 ① 대통령은 국무회의 의장으로서 회의를 소집하고 이를 주재한다.
② 의장이 사고로 직무를 수행할 수 없는 경우에는 부의장인 국무총리가 그 직무를 대행하고, 의장과 부의장이 모두 사고로 직무를 수행할 수 없는 경우에는 기획재정부장관이 겸임하는 부총리, 교육부장관이 겸임하는 부총리 및 제26조 제1항에 규정된 순서에 따라 국무위원이 그 직무를 대행한다.
③ 국무위원은 정무직으로 하며 의장에게 의안을 제출하고 국무회의의 소집을 요구할 수 있다.

제17조 【국가정보원】 ① 국가안전보장에 관련되는 정보 및 보안에 관한 사무를 담당하기 위하여 대통령 소속으로 국가정보원을 둔다.

> **참고**
> 국가정보원 기능 중 범죄수사 사무가 삭제되었음

제3장 국무총리

제18조 【국무총리의 행정감독권】 ① 국무총리는 대통령의 명을 받아 각 중앙행정기관의 장을 지휘·감독한다.

제19조 【부총리】 ① 국무총리가 특별히 위임하는 사무를 수행하기 위하여 부총리 2명을 둔다.
② 부총리는 국무위원으로 보한다.
③ 부총리는 기획재정부장관과 교육부장관이 각각 겸임한다.

DAY

29

제20조【국무조정실】 ① 각 중앙행정기관의 행정의 지휘·감독, 정책 조정 및 사회위험·갈등의 관리, 정부업무평가 및 규제개혁에 관하여 국무총리를 보좌하기 위하여 국무조정실을 둔다.
② 국무조정실에 실장 1명을 두되, 실장은 정무직으로 한다.
③ 국무조정실에 차장 2명을 두되, 차장은 정무직으로 한다.

> **참고**
> 국무조정실장은 정무직 공무원이지만, 국무위원은 아님

제21조【국무총리비서실】 ① 국무총리의 직무를 보좌하기 위하여 국무총리비서실을 둔다.
② 국무총리비서실에 실장 1명을 두되, 실장은 정무직으로 한다.

제22조【국무총리의 직무대행】 국무총리가 사고로 직무를 수행할 수 없는 경우에는 기획재정부장관이 겸임하는 부총리, 교육부장관이 겸임하는 부총리의 순으로 직무를 대행하고, 국무총리와 부총리가 모두 사고로 직무를 수행할 수 없는 경우에는 대통령의 지명이 있으면 그 지명을 받은 국무위원이, 지명이 없는 경우에는 제26조 제1항에 규정된 순서에 따른 국무위원이 그 직무를 대행한다.

제4장 행정각부

제28조【교육부】 ① 교육부장관은 인적자원개발정책, 영·유아 보육·교육, 학교교육·평생교육, 학술에 관한 사무를 관장한다.

> **참고**
> ① 교육부 산하에는 외청이 없음 → 교육청은 교육부 장관 소속의 행정기관이 아닌 각 지방 교육감 소속의 행정기관임
> ② 보건복지부의 영유아 보육 및 교육에 관한 사무를 교육부로 일원화함

제29조【과학기술정보통신부】 ① 과학기술정보통신부장관은 과학기술정책의 수립·총괄·조정·평가, 과학기술의 연구개발·협력·진흥, 과학기술인력 양성, 원자력 연구·개발·생산·이용, 국가정보화 기획·정보보호·정보문화, 방송·통신의 융합·진흥 및 전파관리, 정보통신산업, 우편·우편환 및 우편대체에 관한 사무를 관장한다.

제30조【외교부】 ① 외교부장관은 외교, 경제외교 및 국제경제협력외교, 국제관계 업무에 관한 조정, 조약 기타 국제협정, 재외국민의 보호·지원, 국제정세의 조사·분석에 관한 사무를 관장한다.
③ 재외동포에 관한 사무를 관장하기 위하여 외교부장관 소속으로 재외동포청을 둔다.

제32조【법무부】 ① 법무부장관은 검찰·행형·인권옹호·출입국관리 그 밖에 법무에 관한 사무를 관장한다.

제34조【행정안전부】 ① 행정안전부장관은 국무회의의 서무, 법령 및 조약의 공포, 정부조직과 정원, 상훈, 정부혁신, 행정능률, 전자정부, 정부청사의 관리, 지방자치제도, 지방자치단체의 사무지원·재정·세제, 낙후지역 등 지원, 지방자치단체간 분쟁조정, 선거·국민투표의 지원, 안전 및 재난에 관한 정책의 수립·총괄·조정, 비상대비, 민방위 및 방재에 관한 사무를 관장한다.

> **참고**
> 행정안전부 사무에서 개인정보보호 사무가 제외되었음

제35조【국가보훈부】 국가보훈부장관은 국가유공자 및 그 유족에 대한 보훈, 제대군인의 보상·보호, 보훈선양에 관한 사무를 관장한다.

제36조【문화체육관광부】 ① 문화체육관광부장관은 문화·예술·영상·광고·출판·간행물·체육·관광, 국정에 대한 홍보 및 정부발표에 관한 사무를 관장한다.
③ 국가유산에 관한 사무를 관장하기 위하여 문화체육관광부장관 소속으로 국가유산청을 둔다.

제37조【산업통상자원부】 ④ 특허·실용신안·디자인 및 상표에 관한 사무와 이에 대한 심사·심판사무를 관장하기 위하여 산업통상자원부장관 소속으로 특허청을 둔다.

제38조【보건복지부】 ① 보건복지부장관은 생활보호·자활지원·사회보장·아동(영·유아 보육은 제외한다)·노인·장애인·보건위생·의정(醫政) 및 약정(藥政)에 관한 사무를 관장한다.
② 방역·검역 등 감염병에 관한 사무 및 각종 질병에 관한 조사·시험·연구에 관한 사무를 관장하기 위하여 보건복지부장관 소속으로 질병관리청을 둔다.

제39조【환경부】 ① 환경부장관은 자연환경, 생활환경의 보전, 환경오염방지, 수자원의 보전·이용 및 개발에 관한 사무를 관장한다.
② 기상에 관한 사무를 관장하기 위하여 환경부장관 소속으로 기상청을 둔다.

> **참고**
> 문재인 정부는 수량, 수질의 통일적 관리와 지속가능한 물 관리체계의 구축을 위해 국토교통부의 수자원 보전·이용 및 개발 기능을 환경부로 이관하였음 → 이 과정에서 한국수자원공사에 대한 관할권이 국토교통부에서 환경부로 이전되었음

제44조【중소벤처기업부】 중소벤처기업부장관은 중소기업 정책의 기획·종합, 중소기업의 보호·육성, 창업·벤처기업의 지원, 대·중소기업 간 협력 및 소상공인에 대한 보호·지원에 관한 사무를 관장한다.

> **참고**
> 중소벤처기업부는 외청이 없음

4) 기타 : 행정기관의 조직과 정원에 관한 통칙

제2조【정의】 이 영에서 사용되는 용어의 정의는 다음과 같다.
1. "중앙행정기관"이라 함은 국가의 행정사무를 담당하기 위하여 설치된 행정기관으로서 그 관할권의 범위가 전국에 미치는 행정기관을 말한다.
2. "특별지방행정기관"이라 함은 특정한 중앙행정기관에 소속되어, 당해 관할구역내에서 시행되는 소속 중앙행정기관의 권한에 속하는 행정사무를 관장하는 국가의 지방행정기관을 말한다.
3. "부속기관"이라 함은 행정권의 직접적인 행사를 임무로 하는 기관에 부속하여 그 기관을 지원하는 행정기관을 말한다.
5. "소속기관"이라 함은 중앙행정기관에 소속된 기관으로서, 특별지방행정기관과 부속기관을 말한다.
6. "보조기관"이라 함은 행정기관의 의사 또는 판단의 결정이나 표시를 보조함으로써 행정기관의 목적달성에 공헌하는 기관을 말한다.
7. "보좌기관"이라 함은 행정기관이 그 기능을 원활하게 수행할 수 있도록 그 기관장이나 보조기관을 보좌함으로써 행정기관의 목적달성에 공헌하는 기관을 말한다.

> **참고**
> 보조기관은 행정기관의 목적달성에 직접적으로, 보좌기관은 간접적으로 공헌함

8. "하부조직"이라 함은 행정기관의 보조기관과 보좌기관을 말한다.

---

2 정부업무평가기본법

1) 정부업무평가기본법에 대한 이해

	대상	평가유형	내용
틀잡기	중앙행정기관	자체평가	① 중앙행정기관장이 소관 정책 등을 스스로 평가 ② 중앙행정기관장 소속 자체평가위원회 → 2/3 이상 민간위원
		특정평가	① 국무총리가 중앙행정기관을 대상으로 특정 정책을 평가 ② 사회적 파급효과가 큰 과제 등 주요 현안시책 등을 평가(심층분석평가)
		재평가	국무총리는 중앙행정기관의 자체평가결과를 확인·점검 후 다시 평가할 필요가 있다고 판단되는 때에는 정부업무평가위원회의 심의·의결을 거쳐 재평가를 실시할 수 있음
	지방자치단체	자체평가	① 지방자치단체장이 고유사무 전반을 스스로 평가 ② 지방자치단체장 소속 자체평가위원회 → 2/3 이상 민간위원
		국가위임사무평가 (합동평가)	① 지방자치단체 혹은 그 장이 위임받아 처리하는 국가사무, 그밖에 대통령령이 정하는 국가의 주요 시책 등에 대한 평가 ② 중앙행정기관장과 행정안전부장관이 합동으로 평가 ③ 행정안전부장관 소속 합동평가위원회(임의사항) → 2/3 이상 민간위원 ④ 합동평가위원회의 위원장은 행정안전부장관이 민간위원 중에서 지명
	공공기관	외부평가	공공기관의 특수성·전문성 및 평가의 객관성 및 공정성을 확보하기 위하여 공공기관 외부기관이 실시

DAY
29

평가계획 간 관계 (제5 · 6 · 8조) 웹	

2) 정부업무평가기본법 주요 내용

제1장 총칙

제1조【목적】 이 법은 정부업무평가에 관한 기본적인 사항을 정함으로써 중앙행정기관 · 지방자치단체 · 공공기관 등의 통합적인 성과관리체제의 구축과 자율적인 평가역량의 강화를 통하여 국정운영의 능률성 · 효과성 및 책임성을 향상시키는 것을 목적으로 한다.

제2조【정의】 이 법에서 사용하는 용어의 정의는 다음과 같다.
　2. "정부업무평가"라 함은 국정운영의 능률성 · 효과성 및 책임성을 확보하기 위하여 다음 평가대상기관이 행하는 정책등을 평가하는 것을 말한다.
　　가. 중앙행정기관(대통령령이 정하는 대통령 소속기관 및 국무총리 소속기관 · 보좌기관을 포함한다. 이하 같다)
　　나. 지방자치단체
　　다. 중앙행정기관 또는 지방자치단체의 소속기관
　　라. 공공기관
　3. "자체평가"라 함은 중앙행정기관 또는 지방자치단체가 소관 정책등을 스스로 평가하는 것을 말한다.
　4. "특정평가"라 함은 국무총리가 중앙행정기관을 대상으로 국정을 통합적으로 관리하기 위하여 필요한 정책 등을 평가하는 것을 말한다.
　5. "재평가"라 함은 이미 실시된 평가의 결과 · 방법 및 절차에 관하여 그 평가를 실시한 기관 외의 기관이 다시 평가하는 것을 말한다.
　6. "성과관리"라 함은 정부업무를 추진함에 있어서 기관의 임무, 중 · 장기 목표, 연도별 목표 및 성과지표를 수립하고, 그 집행과정 및 결과를 경제성 · 능률성 · 효과성 등의 관점에서 관리하는 일련의 활동을 말한다.
　7. "공공기관"이라 함은 다음 각 목의 어느 하나에 해당하는 기관 · 법인 또는 단체를 말한다.
　　가. 「공공기관의 운영에 관한 법률」 제5조 제3항에 따라 지정된 공기업 및 준정부기관
　　다. 「지방공기업법」 제49조의 규정에 의한 지방공사 및 동법 제76조의 규정에 의한 지방공단

제3조【통합적 정부업무평가제도의 구축】 ② 중앙행정기관 및 그 소속기관에 대한 평가는 이 법의 규정에 의하여 통합하여 실시되어야 한다.

제2장 정부업무평가제도

제9조【정부업무평가위원회의 설치 및 임무】 ① 정부업무평가의 실시와 평가기반의 구축을 체계적 · 효율적으로 추진하기 위하여 국무총리 소속 하에 정부업무평가위원회를 둔다.

제10조【위원회의 구성 및 운영】 ① 위원회는 위원장 2인을 포함한 15인 이내의 위원으로 구성한다.
② 위원장은 국무총리와 제3항 제2호의 자 중에서 대통령이 지명하는 자가 된다.
③ 위원은 다음 각 호의 자가 된다.
　1. 기획재정부장관, 행정안전부장관, 국무조정실장
　2. 다음 각 목의 어느 하나에 해당하는 자로서 대통령이 위촉하는 자

제13조【전자통합평가체계의 구축 및 운영】 ① 국무총리는 정부업무평가를 통합적으로 수행하기 위하여 전자통합평가체계를 구축하고, 각 기관 및 단체가 이를 활용하도록 할 수 있다.

제3장 정부업무평가의 종류 및 절차

제14조【중앙행정기관의 자체평가】 ① 중앙행정기관의 장은 그 소속기관의 정책등을 포함하여 자체평가를 실시하여야 한다.
② 중앙행정기관의 장은 자체평가조직 및 자체평가위원회를 구성 · 운영하여야 한다. 이 경우 평가의 공정성과 객관성을 확보하기 위하여 자체평가 위원의 3분의 2 이상은 민간위원으로 하여야 한다.

제15조【중앙행정기관의 자체평가계획의 수립】 중앙행정기관의 장은 정부업무평가시행계획에 기초하여 당해 정책등의 성과를 높일 수 있도록 다음 각 호의 사항이 포함된 자체평가계획을 매년 수립하여야 한다.

> **참고**
> 중앙행정기관의 장은 매년 자체평가위원회를 통해 자체평가를 실시함

제17조【자체평가결과에 대한 재평가】 국무총리는 중앙행정기관의 자체평가결과를 확인·점검 후 평가의 객관성·신뢰성에 문제가 있어 다시 평가할 필요가 있다고 판단되는 때에는 위원회(정부업무평가위원회)의 심의·의결을 거쳐 재평가를 실시할 수 있다.

> **참고**
> 재평가 실시는 의무사항이 아님

제18조【지방자치단체의 자체평가】 ① 지방자치단체의 장은 그 소속기관의 정책등을 포함하여 자체평가를 실시하여야 한다.
② 지방자치단체의 장은 자체평가조직 및 자체평가위원회를 구성·운영하여야 한다. 이 경우 평가의 공정성과 객관성을 담보하기 위하여 자체평가위원의 3분의 2 이상은 민간위원으로 하여야 한다.

> **참고**
> ① 행정안전부장관은 평가의 객관성 및 공정성을 위해서 지방자치단체의 평가를 지원할 수 있음
> ② 지방자치단체장은 매년 자체평가위원회를 통해 자체평가를 실시함

제20조【특정평가의 절차】 ① 국무총리는 2 이상의 중앙행정기관 관련 시책, 주요 현안시책, 혁신관리 및 대통령령이 정하는 대상부문에 대하여 특정평가를 실시하고, 그 결과를 공개하여야 한다.
② 국무총리는 특정평가를 시행하기 전에 평가방법·평가기준·평가지표 등을 마련하여 특정평가의 대상기관에 통지하고 이를 공개하여야 한다.

제21조【국가위임사무등에 대한 평가】 ① 지방자치단체 또는 그 장이 위임받아 처리하는 국가사무, 국고보조사업 그 밖에 대통령령이 정하는 국가의 주요시책 등(이하 이 조에서 "국가위임사무등"이라 한다)에 대하여 국정의 효율적인 수행을 위하여 평가가 필요한 경우에는 행정안전부장관이 관계중앙행정기관의 장과 합동으로 평가(이하 "합동평가"라 한다)를 실시할 수 있다.
② 행정안전부장관은 지방자치단체를 합동평가하고자 하는 경우에는 위원회의 심의·의결을 거쳐야 한다.
③ 행정안전부장관은 지방자치단체에 대한 합동평가를 실시한 경우에는 그 결과를 지체 없이 위원회에 보고하여야 한다.
④ 행정안전부장관은 지방자치단체에 대한 합동평가를 효율적으로 추진하기 위하여 행정안전부장관 소속하에 지방자치단체합동평가위원회를 설치·운영할 수 있다.

> **정부업무평가 기본법 시행령 제18조【지방자치단체합동평가위원회의 구성·운영 등】** ① 지방자치단체합동평가위원회는 위원장 1인을 포함한 20인 이하의 위원으로 구성하되, 평가의 객관성 및 공정성을 확보하기 위하여 위원의 3분의 2 이상은 평가에 관한 전문적인 지식과 경험이 풍부한 민간전문가로 구성하여야 한다.
> ② 지방자치단체합동평가위원회의 위원장은 제3항의 민간위원 중에서 행정안전부장관이 지명한다.
> ③ 지방자치단체합동평가위원회의 위원은 다음 각 호의 자가 된다.
>   1. 행정안전부장관이 소속 공무원 또는 평가에 관한 전문적인 지식과 경험이 풍부한 자 중에서 지명 또는 위촉하는 자
>   2. 합동평가에 참여하는 관계중앙행정기관의 장이 소속 공무원 또는 평가에 관한 전문적인 지식과 경험이 풍부한 자 중에서 추천하고 행정안전부장관이 지명 또는 위촉하는 자

제22조【공공기관에 대한 평가】 ① 공공기관에 대한 평가는 공공기관의 특수성·전문성을 고려하고 평가의 객관성 및 공정성을 확보하기 위하여 공공기관 외부의 기관이 실시하여야 한다.

제25조【평가제도 운영실태의 확인·점검】 국무총리는 평가제도의 운영실태를 확인·점검하고, 그 결과에 따라 제도개선방안의 강구 등 필요한 조치를 할 수 있다.

제5장 평가결과의 활용

> **참고** **제26조-28조 : 평가결과의 공개·보고·활용 등**
> ① 평가를 실시하는 기관의 장은 평가결과를 홈페이지 등을 통해 공개하여야 함
> ② 국무총리는 평가결과보고서를 종합하여 국무회의에 보고해야 함
> ③ 중앙행정기관장은 평가결과를 조직관리 등에 연계·반영해야 함 → 예산요구 등에 반영

제26조【평가결과의 공개】 국무총리·중앙행정기관의 장·지방자치단체의 장 및 공공기관평가를 실시하는 기관의 장은 평가결과를 전자통합평가체계 및 인터넷 홈페이지 등을 통하여 공개하여야 한다.

제27조【평가결과의 보고】 ① 국무총리는 매년 각종 평가결과보고서를 종합하여 이를 국무회의에 보고하거나 평가보고회를 개최하여야 한다.

제28조【평가결과의 예산·인사 등에의 연계·반영】 ① 중앙행정기관의 장은 평가결과를 조직·예산·인사 및 보수체계에 연계·반영하여야 한다.
② 중앙행정기관의 장은 평가결과를 다음 연도의 예산요구시 반영하여야 한다.
③ 기획재정부장관은 평가결과를 중앙행정기관의 다음 연도 예산편성시 반영하여야 한다.

3 공공기관의 운영에 관한 법률 ☞

1) 공기업에 대한 이해

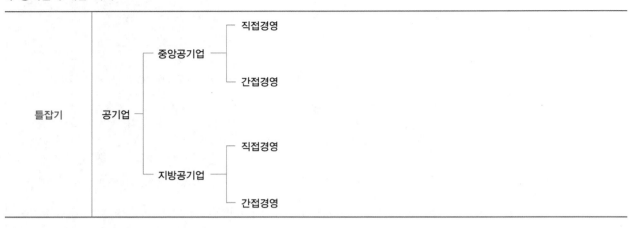

2) 공기업에 대한 주요 내용

중앙공기업	직접경영 : 정부기업	① 양곡, 조달, 우편, 우체국예금, 책임운영기관 → 정부기업은 모두 특별회계로 운영 ② 양곡, 조달, 우편, 우체국예금 사업은 **정부기업예산법**에 기초 ③ 책임운영기관은 **책임운영기관의 설치·운영에 관한 법률**에 기초하되, 특별회계의 예산 및 회계에 관하여 해당 법에 규정된 것 외에는 「정부기업예산법」을 적용함		
	간접경영 : 공공기관 ① 정부지원 ○ ② 공공기관운영법 ③ 국가공기업으로 표현하기도 함	공기업	① 직원 정원 : 300명 이상 ② 수입액(총수입액) : 200억 이상 ③ 자산규모 : 30억 이상 ④ 총수입액 中 자체수입 50%↑ ⑤ [두문자] 0323	**시장형 공기업** ① 자산규모 : 2조 이상 ② 총수입액 中 자체수입 85% 이상
				준시장형 공기업 ① 총수입액 中 자체수입 50% 이상 85% 미만 ② 준시장형 공기업의 종류 　㉠ 자산규모 : 2조 이상 　㉡ 자산규모 : 2조 미만
		준정부기관	① 직원 정원 : 300명 이상 ② 수입액(총수입액) : 200억 이상 ③ 자산규모 : 30억 이상 ④ 총수입액 中 자체수입 50% 미만	**기금관리형 준정부기관** [참고] 자체수입이 85% 이상이면 공기업 지정
				위탁집행형 준정부기관
	기타공공기관			
지방공기업 (지방공기업법)	**직접경영**	지방직영기업		
	간접경영	공사 및 공단		
기타	① 과거 우리나라는 공기업의 유형을 정부부처형(전액 정부예산), 주식회사형(50% 이상 정부출자 : 주식보유), 공사형(전액 정부출자)으로 구분했으나, 주식회사형과 공사형은 「공공기관의 운영에 관한 법률」의 제정으로 '공공기관'으로 통합되었음 ② 주식회사형 공기업은 일반행정기관이 아니므로 일반행정기관에 적용되는 조직·인사원칙이 적용되지 않음			

3) 공공기관의 운영에 관한 법률 주요 내용

제4조【공공기관】 ① 기획재정부장관은 국가·지방자치단체가 아닌 법인·단체 또는 기관(이하 "기관"이라 한다)으로서 다음 각 호의 어느 하나에 해당하는 기관을 공공기관으로 지정할 수 있다.

② 제1항의 규정에 불구하고 기획재정부장관은 다음 각 호의 어느 하나에 해당하는 기관을 공공기관으로 지정할 수 없다.

1. 구성원 상호 간의 상호부조·복리증진·권익향상 또는 영업질서 유지 등을 목적으로 설립된 기관
2. 지방자치단체가 설립하고, 그 운영에 관여하는 기관
3. 「방송법」에 따른 한국방송공사와 「한국교육방송공사법」에 따른 한국교육방송공사

제5조【공공기관의 구분】 ① 기획재정부장관은 공공기관을 다음 각 호의 구분에 따라 지정한다.

구분	예시
시장형 공기업	한국가스공사, 한국남동발전, 한국남부발전, 한국동서발전, 한국서부발전, 한국중부발전, 한국석유공사, 한국수력원자력, 한국전력공사, 한국지역난방공사, 주식회사 강원랜드, 인천국제공항공사, 한국공항공사, 한국도로공사
준시장형 공기업	한국조폐공사, 한국마사회, 주택도시보증공사, 한국감정원, 한국수자원공사, 한국철도공사, 한국토지주택공사, 한국방송광고진흥공사, 제주국제자유도시개발센터
기금관리형 준정부기관	국민체육진흥공단, 국민연금공단, 공무원연금공단, 근로복지공단, 기술보증기금, 신용보증기금, 예금보험공사, 한국무역보험공사, 한국자산관리공사, 한국주택금융공사, 한국문화예술위원회, 영화진흥위원회,
위탁집행형 준정부기관	도로교통공단, 한국장학재단, 한국연구재단, 한국인터넷진흥원, 한국정보화진흥원, 한국국제협력단, 한국관광공사, 한국가스안전공사, 한국수자원관리공단, 한국농어촌공사, 한국산림복지진흥원, 한국소비자원, 한국산업인력공단, 대한무역투자진흥공사, 한국고용정보원, 한국원자력환경공단, 한국수목원관리원
기타 공공기관	대한법률구조공단, 한국수출입은행, 한국투자공사, 중소기업은행, 한국산업은행, 한국예탁결제원, 부산항만공사, 인천항만공사, 여수광양항만공사, 울산항만공사, 서민금융진흥원

제6조【공공기관 등의 지정 절차】 ① 기획재정부장관은 매 회계연도 개시 후 1개월 이내에 공공기관을 새로 지정하거나, 지정을 해제하거나, 구분을 변경하여 지정한다.

제8조【공공기관운영위원회의 설치】 공공기관의 운영에 관하여 다음 각 호에 관한 사항을 심의·의결하기 위하여 기획재정부장관 소속하에 공공기관운영위원회(이하 "운영위원회"라 한다)를 둔다.

1. 제4조 내지 제6조의 규정에 따른 공기업·준정부기관과 기타공공기관의 지정, 지정해제와 변경지정

제9조【운영위원회의 구성】 ① 운영위원회는 위원장 1인 및 다음 각 호의 위원으로 구성하되, 기획재정부장관이 위원장이 된다.

제17조-21조 요점정리

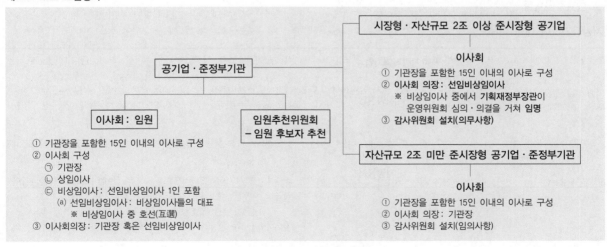

제24조-26조 요점정리

■ 공기업 및 준정부기관 임원의 임면과 기타 사항

구분	임원의 유형	임명권자	임기
공기업	공기업의 장(기관장)	대통령	3년
	상임이사	공기업의 장	2년
	상임감사위원(상임이사 + 감사위원회 위원)	대통령 혹은 기획재정부 장관	2년
	비상임이사	기획재정부 장관	2년
	감사	대통령	2년
※ 아래의 내용은 준정부기관 임원의 임면과 기타 사항임			
준정부기관	준정부기관의 장(기관장)	주무기관의 장	3년
	상임이사	준정부기관의 장	2년
	상임감사위원(상임이사 + 감사위원회 위원)	대통령 혹은 기획재정부 장관	2년
	비상임이사	주무기관의 장	2년
	감사	기획재정부 장관	2년

> **참고**
> 공기업·준정부기관에 임원으로 기관장을 포함한 이사와 감사가 있음 → 다만, 감사위원회를 두는 경우에는 감사를 두지 아니함

제48조【경영실적 평가】 ① 기획재정부장관은 공기업·준정부기관의 경영실적을 평가한다. 다만, 제6조의 규정에 따라 공기업·준정부기관으로 지정(변경지정을 제외한다)된 해에는 경영실적을 평가하지 아니한다.
⑧ 기획재정부장관은 제7항에 따른 경영실적 평가 결과 경영실적이 부진한 공기업·준정부기관에 대하여 운영위원회의 심의·의결을 거쳐 기관장·상임이사의 임명권자에게 그 해임을 건의하거나 요구할 수 있다.

---

4 지방공기업법 ⓒ⨍

1) 지방공기업에 대한 이해

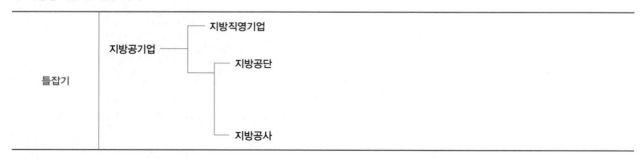

2) 지방공기업법 주요 내용

제1장 총칙

제1조【목적】 이 법은 지방자치단체가 직접 설치·경영하거나, 법인을 설립하여 경영하는 기업의 운영에 필요한 사항을 정하여 그 경영을 합리화함으로써 지방자치의 발전과 주민복리의 증진에 이바지함을 목적으로 한다.

제2조【적용 범위】 ① 이 법은 다음 각 호의 어느 하나에 해당하는 사업 중 지방자치단체가 직접 설치·경영하는 사업으로서 대통령령으로 정하는 기준 이상의 사업(이하 "지방직영기업"이라 한다)과 지방공사와 지방공단이 경영하는 사업에 대하여 각각 적용한다.

　1. 수도사업(마을상수도사업은 제외한다)
　2. 공업용수도사업
　3. 궤도사업(도시철도사업을 포함한다)
　4. 자동차운송사업
　5. 지방도로사업(유료도로사업만 해당한다)
　6. 하수도사업
　7. 주택사업
　8. 토지개발사업
　9. 주택·토지 또는 공용·공공용건축물의 관리 등의 수탁
　10. 공공재개발사업 및 공공재건축사업

> **참고**
> ① '수도'라는 표현이 들어가면 지방공기업 대상사업임
> ② 전형적인 지방공공서비스에는 상하수도, 교통관리 등이 있음 → 건강보험과 같은 국가적 통일성이 있는 업무를 포함하지 않음
> ③ 일반적으로 지방공사는 독립된 사업을 경영하는 회사형태이나, 지방공단은 특정사무를 자치단체로부터 위·수탁받은 일종의 공공기관임
> ④ 지방공사 및 공단의 자본금은 전액 자치단체가 출자할 수 있으며, 일반적으로 요금수입으로 운영함
> ⑤ 지방공기업은 지방자치단체의 통제를 받는 대상임

제2장 지방직영기업

제5조【지방직영기업의 설치】 지방직영기업을 설치·경영하려는 경우에는 그 설치·운영의 기본사항을 조례로 정하여야 한다.

제6조【「지방자치법」 등의 적용】 지방직영기업에 대하여는 이 법에서 규정한 사항을 제외하고는 「지방자치법」, 「지방재정법」, 그 밖의 관계 법령을 적용한다.

제7조【관리자】 ① 지방자치단체는 지방직영기업의 업무를 관리·집행하게 하기 위하여 사업마다 관리자를 둔다.
② 관리자는 대통령령으로 정하는 바에 따라 해당 지방자치단체의 공무원으로서 지방직영기업의 경영에 관하여 지식과 경험이 풍부한 사람 중에서 지방자치단체의 장이 임명하며, 임기제로 할 수 있다.

제10조의2【기업 직원】 지방직영기업 운영을 전문화하기 위하여 필요한 경우에는 「지방공무원법」에서 정하는 바에 따라 지방직영기업 소속 공무원에 대한 전문직렬을 둘 수 있다.

> **참고**
> 지방직영기업에서 근무하는 직원은 일반적으로 공무원이며, 공사 및 공단은 공무원이 아님

제13조【특별회계】 지방자치단체는 제2조에 해당하는 사업마다 특별회계를 설치하여야 한다.

> **참고**
> 지방자치단체 특별회계 중 지방교육자치에 관한 법률에 의하여 설치된 교육비특별회계도 있음

제3장 지방공사

제49조【설립】 ① 지방자치단체는 제2조에 따른 사업을 효율적으로 수행하기 위하여 필요한 경우에는 지방공사(이하 "공사"라 한다)를 설립할 수 있다. 이 경우 공사를 설립하기 전에 특별시장, 광역시장, 특별자치시장, 도지사 및 특별자치도지사(이하 "시·도지사"라 한다)는 행정안전부장관과, 시장·군수·구청장(자치구의 구청장을 말한다)은 관할 특별시장·광역시장 및 도지사와 협의하여야 한다.

> **참고**
> 시·도지사가 지방공사를 설립하려면 행정안전부장관과 협의해야 함(승인 ×)

② 지방자치단체는 공사를 설립하는 경우 그 설립, 업무 및 운영에 관한 기본적인 사항을 조례로 정하여야 한다.

DAY —
29

제51조 【법인격】 공사는 법인으로 한다.

제53조 【출자】 ① 공사의 자본금은 그 전액을 지방자치단체가 현금 또는 현물로 출자한다.
② 제1항에도 불구하고 공사의 운영을 위하여 필요한 경우에는 자본금의 2분의 1을 넘지 아니하는 범위에서 지방자치단체 외의 자(외국인 및 외국법인을 포함한다)로 하여금 공사에 출자하게 할 수 있다.

제4장 지방공단

제76조 【설립·운영】 ① 제2조의 사업을 효율적으로 수행하기 위하여 필요한 경우에는 지방공단(이하 "공단"이라 한다)을 설립할 수 있다.

제77조 【비용 부담】 공단은 지방자치단체의 장의 승인을 받아 해당 사업의 수익자로 하여금 사업에 필요한 비용을 부담하게 할 수 있다.

제5장 보칙

제78조 【경영평가 및 지도】 ① 행정안전부장관은 지방공기업의 경영 기본원칙을 고려하여 대통령령으로 정하는 바에 따라 지방공기업에 대한 경영평가를 하고, 그 결과에 따라 필요한 조치를 하여야 한다. 다만, 행정안전부장관이 필요하다고 인정하는 경우에는 지방자치단체의 장으로 하여금 경영평가를 하게 할 수 있다.

> **참고**
> 지방공기업법 시행령 제68조 【경영평가】 ① 지방공기업에 대한 경영평가는 매년 실시하여야 한다. 다만, 지방직영기업에 대한 경영평가는 행정안전부장관이 따로 정할 수 있다.

제78조의2 【경영진단 및 경영 개선 명령】 ② 행정안전부장관은 제78조 제1항 본문에 따라 경영평가를 하거나 제1항에 따른 서류 등을 분석한 결과 특별한 대책이 필요하다고 인정되는 지방공기업으로서 다음 각 호의 어느 하나에 해당하는 지방공기업에 대하여는 대통령령으로 정하는 바에 따라 따로 경영진단을 실시하고, 그 결과를 공개할 수 있다.

> **참고**
> 지방공기업에 대한 경영평가는 행정안전부 장관 또는 자치단체장이 실시할 수 있음 → 그러나 경영평가를 토대로 경영진단 대상 지방공기업을 선정하는 주체는 행정안전부 장관임

제78조의4 【지방공기업평가원의 설립·운영】 ① 지방공기업에 대한 경영평가, 관련 정책의 연구, 임직원에 대한 교육 등을 전문적으로 지원하기 위하여 지방공기업평가원을 설립한다.

---

5 모건(G. Morgan)의 조직의 8가지 이미지

기계장치로서 조직	① 조직을 효과적으로 작동하는 기계와 같은 존재로 인식하는 관점 ② 프레데릭 대왕(절대군주)의 군대조직, Taylor의 과학적 관리론, Weber의 관료제론, Fayol의 일반관리원칙과 같은 고전적 조직이론이 해당함 ③ 기계장치로서 조직은 안정적인 환경, 간단한 업무, 동일 제품의 반복 생산, 업무의 정확성, 근로자들의 순응 확보가 요구되는 상황에 적합함
유기체로서 조직	① 조직을 하나의 살아 있는 생명체로 간주하고, 조직의 생존·환경과의 관계·조직의 효과성과 같은 주제에 관심을 가짐 ② 1950년대 이후 개방체제이론이 사회과학에 도입되며 일반화됨 ③ 예 체제이론 등
두뇌로서 조직	① 작은 변화를 통해 끊임없이 개선해 나가는 특성을 가진 조직 ② 사이먼은 대부분의 의사결정이 제한적 합리성에 기초하고 있다고 주장하는데, 이러한 제한적 합리성은 두뇌와 같이 움직이는 조직을 의미 ③ 예 제한된 합리성, 사이버네틱스, 학습조직 등
문화로서 조직	① 조직을 단순히 목표 달성을 위한 도구적 존재로 인식하는 것이 아니라 그 자체가 하나의 문화적 실체라고 보는 것을 의미함 ② 조직관리는 조직구조나 전략 외에도 조직의 핵심 가치나 구성원들의 공유된 신념 등에 의해 상당한 영향을 받게 됨을 인식할 수 있음

정치적 존재로서 조직	① 조직을 상호 대립적인 이익을 추구하는 **다양한 세력의 경쟁과 갈등의 장이자 타협을 이뤄가는 장**이라고 이해함 ② 조직을 정치적 존재로 인식함으로써 갈등과 권력 대립이 벌어지고 있는 조직 상황과 조직변화에 대한 저항의 발생을 이해할 수 있도록 함
심리적 감옥으로서 조직	① 조직구성원들이 스스로 만들고서 스스로 그 속에 갇혀버리고 마는 **심리적 감옥으로 조직을 바라보는 시각**을 의미함 ② **집단사고**에 의한 오류나 조직의 현재 문화가 새로운 조직문화의 도입 또는 변화에 대한 저항 요소로 작용하게 되는 현상을 설명함
흐름으로서 조직	① 조직을 **끊임없이 변화하는 존재로 인식함** → 예 혼돈이론 등 ② 조직구성원의 변화를 촉진하는 행동과 환경변화의 영향으로서 인하여 조직은 계속하여 변화하는 실체로서의 성격을 가진다고 제시함
지배를 위한 도구로서 조직	① 조직을 지배계층이 자신의 이익을 위해 피지배계층을 조종하고 착취하는 존재로 인식함 ② 지배를 위한 도구로서 조직은 다국적 기업의 후진국에 대한 노동 착취행위, 열악한 작업환경, 산업재해, 사회계층 간 갈등을 통해 파악될 수 있음

6 행정혁신을 위한 조직관리 기술 cf

혼합현실	가상 세계와 현실 세계를 합쳐서 새로운 환경이나 시각화 등 새로운 정보를 만들어 내는 것
정보자원관리	정부내 모든 정보자원(업무, 데이터, 인력, 조직 등)의 소재를 파악하고 효율적으로 관리하는 활동
제3의 플랫폼	컴퓨터나 인터넷 등을 기반으로 하는 기존의 플랫폼과 달리 모바일, 클라우드, 인공지능, 사물인터넷 등 새로운 정보기술을 기반으로 하는 차세대 플랫폼

7 홀라크래시(Holacracy) cf

내용	① 관리자 직급을 없애 상하 위계질서에 의한 의사전달이 아닌 **구성원 모두가 동등한 위치에서 업무를 수행**하는 조직 → **모두가 팀장이 될 수 있는 조직** ② **홀라크래시**: 「자율적이면서 자급자족적인 결합체」라는 의미를 지닌 홀라키(holachy)와 통치를 뜻하는 크라시(cracy)를 조합한 합성어 ③ 홀라크래시 조직에는 기존의 부서에 가까운 서클(circles)이라는 개념이 있는데, 이 서클들은 각기 다른 일을 하지만 서클 구성원의 직위가 모두 같고 상하 개념도 없음
직관적 이해	

8 켈리의 팔로워십 cf

개념	① 켈리는 '리더가 20%만 기여하고, 부하에게 80%의 기여를 할 기회를 주는 것'이 바람직하다고 보는바 팔로워십의 중요성을 강조 ② 팔로워를 비판적 사고여부와 능동적 참여여부를 기준으로 5가지 유형으로 구분함
팔로워유형	

비판적 사고

소외형 팔로워
① 조직을 분열시킬 우려
② 조직관리시 가장 위험한 부하

모범형 팔로워
① 가장 바람직한 추종자
② 임파워 전략에 적합

수동적 참여　　실용형 팔로워
① 생존형
② 필요에 따라 유동적 행태　　능동적 참여

수동형 팔로워
① 조직 내 역할 미약
② 부족한 책임감

순응형 팔로워
① Yes People
② 리더의 지시에 절대적 순종

무비판적 사고

9 레빈(Lewin)의 조직혁신 단계 cf

의의		레빈(Lewin)은 조직변화과정을 현재 상태에 대한 해빙(unfreezing), 원하는 상태로의 변화(moving), 새로운 변화가 지속될 수 있도록 재동결(refreezing)하는 3단계로 제시
변화과정	해빙	조직 안과 밖으로부터 혁신을 위한 압력이 조장됨
	변화	① 발안자가 변화를 위한 조치를 제시 ② 시험적 시행, 일부 구성원의 반항시작
	재동결	① 변화의 광범위한 시행 ② 조직 일상생활의 일부가 됨

10 주주 자본주의모델 vs 이해관계자 자본주의모델 cf

의의	① 누가 기업지배의 주체로서 핵심적인 역할을 수행하느냐를 기준으로 주주자본주의 모델과 이해관계자 자본주의 모델로 구분 ② 우리나라 공기업의 지배구조는 기본적으로 주주 자본주의 모델에 따라 설계된 것임 → 투자자 중심 ③ 이로 인해 현재의 공공기관 지배구조는 국민, 지역주민, 근로자, 소비자 등 주요 이해관계자의 요구를 공공기관 운영에 반영하기 어려운 실정임

	구분	주주 자본주의모델	이해관계자 자본주의모델
모델비교	기업의 본질	주주 주권주의 (주주가 기업의 주인)	기업공동체주의 (기업은 하나의 공동체)
	경영목표	주주이익 극대화	이해관계자 이익극대화
	기업규율방식	① 이사회의 경영감시 ② 시장에 의한 규율	이해관계자 경영참여
	근로자 경영참여	종업원지주제 (주식을 보유한 종업원만 참여)	근로자 경영참여
	기업의 사회적 책임	① 단기업적주의 ② 주주이익 우선주의	① 장기적 성장촉진 ② 기업의 사회적 책임 ③ 이해관계자 전체 이익추구

11 리더-구성원 교환이론

등장배경	리더는 모두에게 공정해야 한다는 기존 이론을 비판하고, 조직구성원과 리더의 관계에 따른 성과를 연구
개념	① 리더와 구성원 간 관계의 상태에 따라 리더가 부하에게 행사할 수 있는 영향력이 달라지는 것 ② 리더는 모든 부하를 똑같이 대하지 않고 성공가능성이 보이는 구성원을 선별하여 지원하고 대우함
특징	① 리더는 조직구성원을 내집단과 외집단으로 분류·관리 ② 내집단은 리더의 신뢰와 상호 존중 속에 특권을 누릴 수 있는 반면, 외집단은 리더와 공식적 관계를 유지하며 통제와 지시를 받음
리더와 구성원의 발전단계 : 리더십 만들기	① **이방인** 구성원은 공식적 업무만 수행 ② **면식** 리더와 구성원 간 자원과 정보 등 공유 ③ **파트너십** 리더와 구성원 간 신뢰와 존중
결론	① 내집단(in-group)에 속한 구성원이 많을수록 집단의 성과가 높아짐 ② 리더가 특정인만을 편애한다는 비판을 받을 수 있음

DAY

29

12 기타 법령

강원특별법 [시행 2023. 6. 11.]	**제8조【지역균형발전특별회계 계정 설치에 관한 특례】** 국가는 강원자치도의 발전을 위한 안정적인 재정확보를 위하여 각종 국가보조사업의 수행 등에 소요되는 비용에 대하여 「지방자치분권 및 지역균형발전에 관한 특별법」의 지역균형발전특별회계에 별도 계정을 설치하여 지원할 수 있다. **제11조【강원특별자치도 지원위원회의 설치 등】** ① 강원자치도의 원활한 출범을 지원하고 강원특별자치도가 실질적 지방분권 및 지역 경쟁력 제고에 기여할 수 있도록 다음 각 호의 사항을 심의하기 위하여 국무총리 소속으로 강원특별자치도 지원위원회를 둔다. ② 지원위원회는 위원장 1명을 포함하여 25명 이상 30명 이하의 위원으로 구성한다. **제14조【주민투표에 관한 특례】**「주민투표법」제9조 제2항에도 불구하고 주민투표청구권자 총수의 30분의 1 이상 5분의 1 이하의 범위에서 도조례로 정하는 수 이상의 서명으로 주민투표의 실시를 청구할 수 있다.
전북특별법 [시행 2024. 1. 18.]	**제8조【지역균형발전특별회계 계정 설치에 관한 특례】** 국가는 전북자치도의 발전을 위한 안정적인 재정확보를 위하여 각종 국가보조사업의 수행 등에 소요되는 비용에 대하여 「지방자치분권 및 지역균형발전에 관한 특별법」의 지역균형발전특별회계에 별도 계정을 설치하여 지원할 수 있다. **제11조【전북특별자치도 지원위원회의 설치 등】** ① 전북자치도의 원활한 출범을 지원하고 전북자치도가 실질적 지방분권 및 지역 경쟁력 제고에 기여할 수 있도록 다음 각 호의 사항을 심의하기 위하여 국무총리 소속으로 전북특별자치도 지원위원회를 둔다. ② 지원위원회는 위원장 1명을 포함하여 25명 이상 30명 이하의 위원으로 구성한다. **제13조【주민투표에 관한 특례】**「주민투표법」제9조 제2항에도 불구하고 주민투표청구권자 총수의 30분의 1 이상 5분의 1 이하의 범위에서 도조례로 정하는 수 이상의 서명으로 주민투표의 실시를 청구할 수 있다.
고위공직자범죄수사처 설치 및 운영에 관한 법률 [시행 2020. 7. 15.]	**제3조【고위공직자범죄수사처의 설치와 독립성】** ② 수사처는 그 권한에 속하는 직무를 독립하여 수행한다. **참고** 고위공직자범죄수사처는 독립기구에 해당함(중앙행정기관 ×) **제4조【처장·차장 등】** ① 수사처에 처장 1명과 차장 1명을 두고, 각각 특정직공무원으로 보한다.

Section **03**   인사행정 관련 제도 및 법령 등 ⓒ   ● 30 day

1 전문경력관 제도 ⓒ

- 계급 구분과 직군·직렬의 분류를 적용하지 아니할 수 있는 일반직 공무원 → 주로 특수 업무에 종사하며 임기제 공무원에 해당함
- ⓔ 대통령 명의로 된 임명장을 작성하는 전문경력관(나군) → 근무경력, 학위(서예 관련), 인사혁신처장 임명

1) 국가공무원법에 명시된 전문경력관 제도

제4조【일반직공무원의 계급 구분 등】 ① 일반직공무원은 1급부터 9급까지의 계급으로 구분하며, 직군(職群)과 직렬(職列)별로 분류한다. 다만, 고위공무원단에 속하는 공무원은 그러하지 아니하다.
② 다음 각 호의 공무원에 대하여는 대통령령등으로 정하는 바에 따라 제1항에 따른 계급 구분이나 직군 및 직렬의 분류를 적용하지 아니할 수 있다.
　1. 특수 업무분야에 종사하는 공무원 → 전문경력관

2) 전문경력관 규정

■ 제2조 요점정리

<table>
<tr><td rowspan="5">공무원의 종류와
임기제 공무원</td><td colspan="2">공무원의 종류</td><td>임기제 공무원</td></tr>
<tr><td colspan="2">일반직</td><td>○</td></tr>
<tr><td colspan="2">특정직</td><td></td></tr>
<tr><td colspan="2">정무직</td><td></td></tr>
<tr><td colspan="2">별정직</td><td></td></tr>
<tr><td rowspan="6">임기제 공무원의
유형</td><td colspan="2">임기제 공무원의 유형</td><td>전문경력관</td></tr>
<tr><td colspan="2">일반임기제</td><td>○</td></tr>
<tr><td colspan="2">전문임기제</td><td></td></tr>
<tr><td rowspan="2">시간선택제임기제</td><td>시간선택제일반임기제공무원</td><td>○</td></tr>
<tr><td>시간선택제전문임기제공무원</td><td></td></tr>
<tr><td colspan="2">한시임기제</td><td></td></tr>
</table>

제3조【전문경력관직위 지정】 ① 소속 장관은 해당 기관의 일반직공무원 직위 중 순환보직이 곤란하거나 장기 재직 등이 필요한 특수 업무 분야의 직위를 전문경력관직위로 지정할 수 있다.
② 제1항에 따른 특수 업무 분야 등 전문경력관직위의 지정에 필요한 사항은 인사혁신처장이 정한다.

■ 제4조와 5조 요점정리

직위군 (직무특성·난이도·직무에 요구되는 숙련도 고려)	임용권
가군(5급 이상)	소속 장관
나군	소속 장관 혹은 각 기관장
다군	소속 장관 혹은 각 기관장

DAY —— **30**

제6조【채용방법】 전문경력관은 경력경쟁채용시험 등으로 채용한다.

제17조【전직】 ① 임용권자는 다음 각 호의 어느 하나에 해당하는 경우에는 전직시험을 거쳐 전문경력관을 다른 일반직공무원으로 전직시키거나 다른 일반직공무원을 전문경력관으로 전직시킬 수 있다.

2 다양성 관리(diversity management) cd

개념	① 조직 내 다양성에 적극적·전략적으로 대응하는 관리적 차원의 노력 ② 조직 내 구성원들이 가진 차이를 존중함으로써 각 개인이 가진 잠재력을 활용하여 조직의 효과성에 기여할 수 있도록 지원하는 조직관리전략			
등장배경	① 현대사회의 복잡성 증대에 따라 다양한 개성을 지닌 사람들도 증가함 ② 조직관리에 있어서 다양성을 고려할 필요성 증대			
제도의 유형	**협의로서 다양성 관리**	대표관료제(균형인사정책)		
	광의로서 다양성 관리	유연근무제	개인, 업무, 기관별 특성에 맞는 유연한 근무 형태를 공무원이 선택해 활용할 수 있는 제도	
		선택적 복지제도	① 공무원이 필요한 복지서비스를 선택할 수 있도록 하는 것 ② 공무원들에게 돈으로 환산가능한 점수를 부여하고 점수에 해당하는 복지메뉴를 구입할 수 있도록 하는 제도	
		가족친화적 편익 프로그램 (일과 삶 균형정책)	① 조직구성원들이 직장생활, 가정생활에서의 책임을 균형있게 다할 수 있도록 도와주는 제도 ② 예 육아지원, 노인부양의 편의제공 등	
		다문화조직	다양한 문화가 공존하면서 긍정적인 힘을 발휘하는 조직	
		맞춤형 관리	개인의 다양성과 창의성을 인정하는 관리	

다양성 유형

내용		**구분**	**변화가능성**	
			높음	낮음
	가시성	높음	• 직업(사무직/생산직) • 직위/직급 • 숙련도(업무 수행 능력) • 전문성 • 언어(외국어 능력)	• 성별 • 장애(육체적) • 인종 • 민족 • 연령(세대)
		낮음	• 교육 수준(학력) • 노동지위(정규직/비정규직) • 자녀유무 • 장애(정신적) • 가치관	• **고향(출신 지역), 출신 학교(전공)** • 가족배경 • 성적 지향 • 사회화 경험 • **성격, 종교, 동기요인** • 혼인 여부
표 설명	① 다양성의 속성을 유형화하기 위해 가시성 및 변화가능성을 적용함 ② **가시성**: 구성원 간의 이질성이 얼마나 쉽게 확인될 수 있느냐에 따른 기준 ③ **변화가능성**: 구성원이 갖고 있는 이질성이 고정적인지 변화가능한 부분인지에 따른 기준			

3 유연근무제도 df

공직 생산성을 제고하기 위해 공무원의 근무방식과 형태를 개인, 업무, 기관 특성에 따라 선택할 수 있는 제도

1) 유연근무제도의 유형

유형			내용
탄력근무제	개념		주 40시간 근무하되, 출·퇴근시각·근무시간·근무일을 자율적으로 조정하는 제도
	유형	시차출퇴근형	① 1일 8시간 근무, 주 5일 근무 → 출근시간 선택가능 ② 예 한 시간 일찍 출근하면 한 시간 일찍 퇴근
		근무시간 선택형	1일 4~12시간 근무, 주 5일 근무
		집약근무형 (압축근무형)	① 1일 10~12시간 근무, 주 3.5~4일 근무 ② 주 40시간 근무를 주 3~4일로 압축하여 근무
		재량근무형	① 출퇴근 의무 없이 전문 **프로젝트** 수행으로 주 40시간 인정 ② 고도의 전문적 지식과 기술이 필요해 업무수행 방법이나 시간배분을 담당자의 재량에 맡길 필요가 있는 분야에 적용
원격근무제	개념		① **직장 이외의 장소**에서 정보통신망을 이용하여 근무하는 제도 ② 단, 심각한 보안위험이 예상되는 업무는 온라인 원격근무를 할 수 없음
	유형	재택근무형	① 사무실이 아닌 **자택에서 근무** → 가정에서 인터넷을 활용하여 업무를 처리하는 유형 ② 시간 외 근무수당 → **정액분만 지급**, 실적분은 지급 금지
		스마트워크근무형	① 주거지 근처 **원격근무사무실**에서 인터넷을 사용하여 업무를 처리하는 형태 ② 영상회의 등 정보통신기술을 이용해 시간과 장소의 제약 없이 업무를 수행하는 유연한 근무형태

2) 기타 : 시간선택제 공무원의 유형

① 시간선택제 채용공무원

개념	① 2014년에 국가·지방공무원을 대상으로 시간선택제채용공무원 시험을 **최초로 실시**하였으며, 일과 가정생활을 병행할 수 있는 근무여건을 조성하고 양질의 일자리 나누기를 통한 고용 창출을 유도하기 위하여 유연근무제의 일환으로 도입되었음 ② 주 15~35시간 근무하고 근무시간의 비율에 따라 보수를 받으면서 **신분을 보장받는 정규직 공무원(정년보장)** ③ 시험을 통해 채용됨
법령	**공무원임용령 제3조의3【시간선택제채용공무원의 임용】** ③ 시간선택제채용공무원을 통상적인 근무시간 동안 근무하는 공무원으로 임용하는 경우에는 어떠한 우선권도 인정하지 아니한다.

② 시간선택제 전환공무원

개념	통상적인 근무시간(주 40시간, 일 8시간)을 근무하던 공무원이 필요에 따라 시간선택제 전환을 신청하여 근무하는 제도
법령	**공무원임용령 제57조의3【시간선택제 근무의 전환 등】** ① 임용권자 또는 임용제청권자는 공무원이 원할 때에는 통상적인 근무시간보다 짧은 시간을 근무하는 공무원으로 지정할 수 있다. ② 시간선택제전환공무원의 근무시간은 주당 15시간 이상 35시간 이하의 범위에서 소속 장관이 정한다. [참고] 국가공무원법 제26조의2【근무시간의 단축 임용】 국가기관의 장은 업무의 특성이나 기관의 사정 등을 고려하여 소속 공무원을 대통령령등으로 정하는 바에 따라 통상적인 근무시간보다 짧게 근무하는 공무원으로 임용할 수 있다.

DAY

30

② 시간선택제 임기제공무원

개념	① 주 15~35시간 근무하면서 임기가 고정된 공무원 ② 공무원임용령 제3조의2 3호에 해당하는 공무원
법령	**제3조의2【임기제공무원의 종류】** 임기제공무원의 종류는 다음 각 호와 같다. 　1. 일반임기제공무원: 직제 등 법령에 규정된 경력직공무원의 정원에 해당하는 직위에 임용되는 임기제공무원 　2. 전문임기제공무원: 특정 분야에 대한 전문적 지식이나 기술 등이 요구되는 업무를 수행하기 위하여 임용되는 임기제공무원 　3. 시간선택제임기제공무원: 법 제26조의2에 따라 통상적인 근무시간보다 짧은 시간(주당 15시간 이상 35시간 이하)을 근무하는 공무원으로 임용되는 일반임기제공무원(이하 "시간선택제일반임기제공무원"이라 한다) 또는 전문임기제공무원(이하 "시간선택제전문임기제공무원"이라 한다) 　4. 한시임기제공무원: 다음 각 목의 어느 하나에 해당하는 공무원의 업무를 대행하기 위하여 1년 6개월 이내의 기간 동안 임용되는 공무원으로서 법 제26조의2에 따라 통상적인 근무시간보다 짧은 시간을 근무하는 임기제공무원

---

4 **내부고발자 제도** cf

1) 내부고발자 제도의 개념과 특징 등

개념	① 조직구성원인 개인 또는 집단이 **불법·부당·부도덕**한 것이라고 보는 조직 내의 일을 **대외적으로 폭로**하는 행위 ② **내부고발자보호제도** → 내부고발자의 폭로행위를 보호함으로써 만연된 내부비리를 척결하려는 제도
특징	① 내부고발은 조직의 외부의 관점에서 봤을 때 비리를 폭로하는 **이타주의적인 성격**을 가짐 ② 외부에 드러나지 않는 조직 내부의 부패행위를 외부로 폭로할 수 있어 **행정통제의 확보**에 기여
장점	① 부패척결을 위한 **내부통제 수단** → 외부통제의 한계 극복
단점	① 조직원의 신뢰와 **응집성 저하** → 상관의 리더십 손상 등 조직의 운영질서 교란

2) 관련 법령

① 부패방지권익위법

> **제5장 부패행위 등의 신고 및 신고자 등 보호**
>
> **제55조【부패행위의 신고】** 누구든지 부패행위를 알게 된 때에는 이를 위원회(국민권익위원회)에 신고할 수 있다.
>
> > 참고
> > 퇴직자도 내부고발 가능함
>
> **제57조【신고자의 성실의무】** 부패행위 신고를 한 자가 신고의 내용이 허위라는 사실을 알았거나 알 수 있었음에도 불구하고 신고한 경우에는 이 법의 보호를 받지 못한다.
>
> > 참고
> > 허위신고 금지
>
> **제57조의2【정부 및 지방자치단체의 책무】** 중앙행정기관의 장 및 지방자치단체의 장은 신고자 보호 및 불이익 방지를 위하여 노력하여야 한다.
>
> > 참고 **불이익조치**
> > 폭행, 폭언 및 부당한 인사조치 등
>
> **제58조【신고의 방법】** 신고를 하려는 자는 본인의 인적사항과 신고취지 및 이유를 기재한 기명의 문서로써 하여야 하며, 신고대상과 부패행위의 증거 등을 함께 제시하여야 한다.
>
> > 참고
> > 기명의 문서를 통해 신고

제59조【신고의 처리】 ⑥ 위원회는 접수된 신고사항을 그 접수일부터 60일 이내에 처리하여야 한다. 이 경우 제1항 제1호에 따른 사항을 확인하기 위한 보완 등이 필요하다고 인정되는 경우에는 그 기간을 30일 이내에서 연장할 수 있다.

제62조【불이익조치 등의 금지】 ① 누구든지 신고자에게 신고나 이와 관련한 진술, 자료 제출 등(이하 "신고등"이라 한다)을 한 이유로 불이익조치를 하여서는 아니 된다.

> **참고**
> 내부고발자에 대하여 신분상 불이익이나 근무조건상의 차별을 한 자가 국민권익위원회의 적절한 조치 요구를 이행하지 아니한 때에는 형사처벌을 받음

제66조【책임의 감면 등】 ① 신고등과 관련하여 신고자의 범죄행위가 발견된 경우 그 신고자에 대하여 형을 감경하거나 면제할 수 있다.

② 공익신고자 보호법

불이익조치 등에 대하여	국민권익위원회는 공익신고자 등으로부터 보호조치를 신청받은 때에는 바로 공익신고자 등이 공익신고 등을 이유로 불이익조치를 받았는지에 대한 조사를 시작하여야 함
법령	**제12조【공익신고자 등의 비밀보장 의무】** ① 누구든지 공익신고자등이라는 사정을 알면서 그의 인적사항이나 그가 공익신고자 등임을 미루어 알 수 있는 사실을 다른 사람에게 알려주거나 공개 또는 보도하여서는 아니 된다. 다만, 공익신고자등이 동의한 때에는 그러하지 아니하다. > **참고** > 공익신고자의 동의없이 공익신고자의 인적사항 등을 다른 사람에게 알려주거나 공개할 경우, 징역 또는 벌금 등 법적 제재 대상임 → 5년 이하의 징역 또는 5천만원 이하의 벌금 **제22조【불이익조치 금지 신청】** ① 공익신고자등은 공익신고등을 이유로 불이익조치를 받을 우려가 명백한 경우에는 위원회에 불이익조치 금지를 신청할 수 있다. ② 위원회는 불이익조치 금지 신청을 받은 때에는 바로 공익신고자등이 받을 우려가 있는 불이익조치가 공익신고등을 이유로 한 불이익조치에 해당하는지에 대한 조사를 시작하여야 한다. ④ 위원회는 조사결과 공익신고자등이 공익신고등을 이유로 불이익조치를 받을 우려가 있다고 인정될 때에는 불이익조치를 하려는 자에게 불이익조치를 하지 말 것을 권고하여야 한다.

③ 국가공무원법 및 지방공무원법

내용	① 공공의 이익을 침해하는 행위에 대해 공무원이 소신 있게 행동할 수 있도록 **공무원이 공익신고나 부패행위 신고 등을 하지 못하도록 방해하거나 취소를 강요하는 행위를 금지함** ② 신고를 한 공무원의 인적사항 등을 본인의 동의 없이 다른 사람에게 공개할 수 없도록 명시함
법령	**국가공무원법 제17조의3【공익신고 등 신고자 등에 대한 보호】** ① 누구든지 공무원이 다음 각 호의 신고를 하지 못하도록 방해하거나 신고를 취소하도록 강요하여서는 아니 되며, 신고자에게 신고나 이와 관련한 진술, 그 밖에 자료 제출 등을 이유로 불이익조치를 하여서는 아니 된다. ② 누구든지 제1항 각 호의 신고를 한 공무원의 인적사항이나 그가 신고자임을 미루어 알 수 있는 사실을 본인의 동의 없이 다른 사람에게 알리거나 공개하여서는 아니 된다. > **참고** > 위의 내용은 지방공무원법에도 명시되어 있음

DAY

30

5　인사청문제도 cf

1) 개념 · 특징과 절차 등

개념	대통령이 행정부의 고위공직자를 임명할 때 국회에서 검증하는 제도
특징	① 행정부 견제 및 고위공직자의 능력 검증 ② 인사청문제도는 투명성을 지켜야 하는바 국회의 **인사청문회 진행은 원칙적으로 공개되어야 함** → 단, 국가의 안전보장을 위해 필요한 경우 등은 예외적으로 공개하지 않을 수 있음 ③ 국회의 인사청문은 원칙적으로 법적인 구속력이 없음 → 다만, 헌법상 국회의 임명동의가 필요하여 본회의 표결을 거쳐야 하는 때는 표결은 구속력이 있음

절차	틀잡기	
	내용	① 행정부가 국회에 임명동의안(인사청문요청안)을 제출함 ② 국회는 임명동의안 등이 제출된 날부터 20일 이내에 그 심사 또는 인사청문을 마쳐야 함 ③ 위원장은 위원회에서 임명동의안 등에 대한 위원회의 심사경과 또는 인사청문경과를 본회의에 보고 ④ **국회의장**은 공직후보자에 대한 인사청문경과가 본회의에 보고되면 지체없이 인사청문경과보고서를 대통령 · 대통령당선인 또는 대법원장에게 송부

2) 인사청문의 유형

① 인사청문특별위원회에 의한 인사청문

인사청문 대상	① 국회의 임명동의가 필요한 대법원장, 대법관, 헌법재판소장, 감사원장, 국무총리 ② 국회에서 선출하는 헌법재판관 3인, 중앙선거관리위원 3인
법령	**국회법 제46조의3【인사청문특별위원회】** ① 국회는 다음 각 호의 임명동의안 또는 의장이 각 교섭단체 대표의원과 협의하여 제출한 선출안 등을 심사하기 위하여 인사청문특별위원회를 둔다. 　1. 헌법에 따라 그 임명에 국회의 동의가 필요한 대법원장 · 헌법재판소장 · 국무총리 · 감사원장 및 대법관(13명)에 대한 임명동의안 　　㉠ 1호에 언급된 **17명의 인사는 인사청문회를 거친 후 국회의 동의가 있어야 대통령이 임명할 수 있음** 　　㉡ 17명을 제외한 나머지 인사는 국회의 인사청문 견해에 상관없이 대통령이 임명할 수 있음 　2. 헌법에 따라 국회에서 선출하는 헌법재판소 재판관 및 중앙선거관리위원회 위원에 대한 선출안

② 소관상임위원회에 의한 인사청문

인사청문 대상	① 국회에서 선출하지 않는 헌법재판관 6인, 중앙선거관리위원 6인 ② 모든 국무위원 ③ 개별법에서 규정하고 있는 국정원장, 경찰청장, 검찰총장 등

법령	**국가공무원법 제31조의2【국무위원 임명 전 인사청문 실시】** 대통령이 국무위원을 임명하려면 미리 국회의 인사청문을 거쳐야 한다.
	
	국회법 제65조의2【인사청문회】 ① 제46조의3에 따른 심사 또는 인사청문을 위하여 인사에 관한 청문회(이하 "인사청문회"라 한다)를 연다.
	② 상임위원회는 다른 법률에 따라 다음 각 호의 어느 하나에 해당하는 공직후보자에 대한 인사청문 요청이 있는 경우 인사청문을 실시하기 위하여 각각 인사청문회를 연다.
	  1. 대통령이 임명하는 헌법재판소 재판관, 중앙선거관리위원회 위원, 국무위원, 방송통신위원회 위원장, 국가정보원장, 공정거래위원회 위원장, 금융위원회 위원장, 국가인권위원회 위원장, 고위공직자범죄수사처장, 국세청장, 검찰총장, 경찰청장, 합동참모의장, 한국은행 총재, 특별감찰관 또는 한국방송공사 사장의 후보자
	  2. 대통령당선인이 「대통령직 인수에 관한 법률」 제5조 제1항에 따라 지명하는 국무위원 후보자
	  3. 대법원장이 지명하는 헌법재판소 재판관 또는 중앙선거관리위원회 위원의 후보자
	
	  ㉠ 통계청장은 인사청문회 대상이 아님
	  ㉡ 소관상임위원회 인사청문 대상은 인사청문회를 거치되 본회의 표결은 거치지 않음 → 따라서 인사청문회에서 부적격 판정을 받거나 인사청문 경과보고서가 채택되지 않아도 대통령의 임명권을 제약할 수 없음

3) 기타 : 인사청문회법 읽어 보기

제3조【인사청문특별위원회】 ① 인사청문특별위원회는 임명동의안등이 국회에 제출된 때에 구성된 것으로 본다.
② 인사청문특별위원회의 위원정수는 13인으로 한다.

제4조【임명동의안등의 심사 또는 인사청문】 ① 인사청문특별위원회, 소관상임위원회 또는 「국회법」 제65조의2 제3항에 따른 특별위원회(이하 "위원회"라 한다)의 임명동의안등에 대한 심사 또는 인사청문은 인사청문회를 열어, 공직후보자를 출석하게 하여 질의를 행하고 답변과 의견을 청취하는 방식으로 한다.

제5조【임명동의안등의 첨부서류】 ① 국회에 제출하는 임명동의안등에는 요청사유서 또는 의장의 추천서와 다음 각호의 사항에 관한 증빙서류를 첨부하여야 한다.
  1. 직업·학력·경력에 관한 사항
  2. 공직자등의병역사항신고및공개에관한법률의 규정에 의한 병역신고사항
  3. 공직자윤리법 제10조의2 제2항의 규정에 의한 재산신고사항
  4. 최근 5년간의 소득세·재산세·종합토지세의 납부 및 체납 실적에 관한 사항
  5. 범죄경력에 관한 사항

제9조【위원회의 활동기간등】 ① 위원회는 임명동의안등이 회부된 날부터 15일 이내에 인사청문회를 마치되, 인사청문회의 기간은 3일 이내로 한다.
② 위원회는 임명동의안등에 대한 인사청문회를 마친 날부터 3일 이내에 심사경과보고서 또는 인사청문경과보고서를 의장에게 제출한다.

제10조【경과보고서】 ① 위원회가 의장에게 제출하는 보고서에는 심사경과 또는 인사청문경과를 기재하고 관련된 중요 증거서류를 첨부하여야 한다.

6 부정청탁 및 금품등 수수의 금지에 관한 법률 : 청탁금지법 ⓓ

- **청탁금지법** : 공직자등에 대한 외부의 부정 청탁 및 금품등 수수금지를 규정한 법
- **공공기관** : 헌법기관, 중앙행정기관, 지방자치단체, 공직유관단체, 각급학교, 학교법인, 언론사 등
- **공직자등** : 국가·지방공무원, 공직유관단체의 장과 임직원, 각급 학교의 장과 교직원, 사립학교법에 따른 학교법인·언론사의 대표자와 임직원
- 공직자등의 배우자는 공직자등의 직무와 관련하여 공직자등이 받는 것이 금지되는 금품등을 받거나 요구하거나 제공받기로 약속하면 안됨

DAY
30

제5조【부정청탁의 금지】 ① 누구든지 직접 또는 제3자를 통하여 직무를 수행하는 공직자등에게 다음 각 호의 어느 하나에 해당하는 부정청탁을 해서는 아니 된다.

  3. 채용·승진·전보 등 공직자등의 인사에 관하여 법령을 위반하여 개입하거나 영향을 미치도록 하는 행위

  10. 각급 학교의 입학·성적·수행평가 등의 업무에 관하여 법령을 위반하여 처리·조작하도록 하는 행위

  12. 공공기관이 실시하는 각종 평가·판정 업무에 관하여 법령을 위반하여 평가 또는 판정하게 하거나 결과를 조작하도록 하는 행위

② 제1항에도 불구하고 다음 각 호의 어느 하나에 해당하는 경우에는 이 법을 적용하지 아니한다.

  2. 공개적으로 공직자등에게 특정한 행위를 요구하는 행위

제8조【금품등의 수수 금지】 ① 공직자등은 직무 관련 여부 및 기부·후원·증여 등 그 명목에 관계없이 동일인으로부터 1회에 100만 원 또는 매 회계연도에 300만 원을 초과하는 금품등을 받거나 요구 또는 약속해서는 아니 된다. → 형사처벌 대상(3년 이하의 징역 또는 3천만원 이하의 벌금)

② 공직자등은 직무와 관련하여 대가성 여부를 불문하고 제1항에서 정한 금액 이하의 금품등을 받거나 요구 또는 약속해서는 아니 된다. → 형사처벌 ×(과태료 부과)

③ 제10조의 외부강의등에 관한 사례금 또는 다음 각 호의 어느 하나에 해당하는 금품등의 경우에는 제1항 또는 제2항에서 수수를 금지하는 금품등에 해당하지 아니한다.

  2. 원활한 직무수행 또는 사교·의례 또는 부조의 목적으로 제공되는 음식물·경조사비·선물 등으로서 대통령령으로 정하는 가액 범위 안의 금품등

■ **부정청탁 및 금품 등 수수의 금지에 관한 법률 시행령**

구분	개정 전	개정 후
선물	5만 원	5만 원
축의금·조의금	5만 원	5만 원
음식물	3만 원	3만 원
선물 중 농수산물 및 농수산 가공품	10만 원	15만 원 (설날·추석 기간 30만 원)

표 설명
① 음식물(제공자와 공직자등이 함께 하는 식사, 다과, 주류, 음료, 그 밖에 이에 준하는 것) : 3만 원
② 경조사비 : 축의금·조의금은 5만원 → 단, 축의금·조의금을 대신하는 화환·조화는 10만 원
③ 선물 : 금전, 유가증권(상품권 포함), 제1호의 음식물 및 제2호의 경조사비를 제외한 일체의 물품, 그 밖에 이에 준하는 것은 5만 원
  → 단, 농수산물 및 농수산가공품과 농수산물·농수산가공품 상품권은 15만원(설날·추석 전 24일부터 설날·추석 후 5일까지는 30만원)

제10조【외부강의등의 사례금 수수 제한】 ① 공직자등은 자신의 직무와 관련되거나 그 지위·직책 등에서 유래되는 사실상의 영향력을 통하여 요청받은 교육·홍보·토론회·세미나·공청회 또는 그 밖의 회의 등에서 한 강의·강연·기고 등(이하 "외부강의등"이라 한다)의 대가로서 대통령령으로 정하는 금액을 초과하는 사례금을 받아서는 아니 된다.

② 공직자등은 사례금을 받는 외부강의등을 할 때에는 대통령령으로 정하는 바에 따라 외부강의등의 요청 명세 등을 소속기관장에게 그 외부강의등을 마친 날부터 10일 이내에 서면으로 신고하여야 한다. 다만, 외부강의등을 요청한 자가 국가나 지방자치단체인 경우에는 그러하지 아니하다.

■ **청탁금지법 시행령**
  ① 공무원, 공직유관단체·공공기관 장·임직원의 외부강의 사례금 상한액 : 시간당 40만 원
  ② 사립학교 교직원의 외부강의 사례금 상한액 : 시간당 100만 원 → 사립학교 교직원은 청탁금지법에서 정의한 '공직자등'에 포함됨

제13조【위반행위의 신고 등】 ① 누구든지 이 법의 위반행위가 발생하였거나 발생하고 있다는 사실을 알게 된 경우에는 다음 각 호의 어느 하나에 해당하는 기관에 신고할 수 있다.

  1. 이 법의 위반행위가 발생한 공공기관 또는 그 감독기관

  2. 감사원 또는 수사기관

  3. 국민권익위원회

7 적극행정 운영규정 cf

- 적극행정 운영규정: 공무원의 **자율적 책임성**을 제고하기 위해 규정
- 적극행정은 공무원의 자율적 책임을 의미하는바 행정적 재량권을 가진 관료들을 전제로 논의되는 개념임

제1조【목적】 이 영은 행정부 소속 국가공무원의 적극행정을 장려하고 소극행정을 예방·근절하는 등 국민에게 봉사하는 공직문화를 조성함으로써 국가 경쟁력의 강화와 국민의 삶의 질 향상에 이바지함을 목적으로 한다.

> **참고**
> 지방공무원 적극행정 운영규정도 있음

제2조【정의】 이 영에서 사용하는 용어의 뜻은 다음과 같다.
1. "적극행정"이란 공무원이 불합리한 규제를 개선하는 등 공공의 이익을 위해 창의성과 전문성을 바탕으로 적극적으로 업무를 처리하는 행위를 말한다.

제5조【의견 제시 요청】 ① 자체감사 대상기관(중앙행정기관 및 국무조정실)의 장은 소속 공무원이 인가·허가·등록·신고 등과 관련한 규제나 불명확한 법령 등으로 인해 업무를 적극적으로 추진하기 곤란한 경우에는 감사기구의 장에게 해당 업무의 처리 방향 등에 관한 의견의 제시를 요청할 수 있다.

> **참고**
> ① 감사기구의 장: 중앙행정기관에 설치된 자체감사기구의 업무를 총괄하는 자
> ② 5조에 언급된 의견제시 = 16조의 사전컨설팅

제16조【징계요구 등 면책】 ① 공무원이 적극행정을 추진한 결과에 대해 그의 행위에 고의 또는 중대한 과실이 없는 경우에는 징계 요구 또는 문책 요구 등 책임을 묻지 않는다.
② 공무원이 사전컨설팅 의견대로 업무를 처리한 경우에는 제1항에 따른 면책 요건을 충족한 것으로 추정한다.

---

8 이해충돌방지법 cf

제정 및 시행		이해충돌방지법은 2021년 5월 18일 제정·공포되고, 2022년 5월 19일부터 시행되고 있음		
이론적 내용	이해충돌 유형	구분	실제 사익추구 여부	사익추구 관련 행동의 가시성
		잠재적 이해충돌	×	×
		외견적 이해충돌	×	○
		실제적(실질적) 이해충돌	○	○
		※ 각 행동의 예시 ① 잠재적 이해충돌: 공무원이 어떤 주식을 취득한 경우 ② 외견적 이해충돌: 공무원이 소유하고 있는 주식과 관련 있는 업무를 수행하는 경우 ③ 실제적 이해충돌: 공무원이 소유하고 있는 주식과 관련 있는 업무를 수행하는 과정에서 사적 이익을 추구하는 경우		
	이해충돌 방지를 위한 원칙	① '어느 누구도 자신이 연루된 사건의 재판관이 되어서는 안된다'는 원칙 적용 ② 위의 문구는 공정성을 나타냄 → 예를 들어, 어떤 재판관이 자신이 재판하는 사건의 당사자와 일정한 관계가 있는 경우뿐만 아니라 이해관계가 있다는 의심을 받을 수 있는 상황이면 당해 사건의 재판에서 배제되는 것이 옳다는 것		

DAY —

30

이해충돌 방지법	공공기관	① 국회, 법원, 헌법재판소, 선거관리위원회, 감사원 ② 고위공직자범죄수사처, 국가인권위원회, 중앙행정기관과 그 소속 기관 ③ 지자체, 공직유관단체, 공공기관, 교육청, 국·공립학교
	적용대상	① 공무원, 공직유관단체·공공기관 임직원, 국공립학교장·교직원 등 공직자 ② 사립학교 교직원, 언론인 제외
	이해충돌	공직자가 직무를 수행할 때 자신의 사적 이해관계가 관련되어 공정하고 청렴한 직무수행이 저해되거나 저해될 우려가 있는 상황
	직무관련자	① 공직자의 **직무수행과 관련**하여 일정한 행위나 조치를 요구하는 개인, 법인 또는 단체 ② 공직자의 **직무수행과 관련**하여 이익 또는 불이익을 직접적으로 받는 개인, 법인 또는 단체 ③ 공직자가 소속된 공공기관과 계약을 체결하거나 체결하려는 것이 명백한 개인, 법인 또는 단체 ④ 공직자의 **직무수행과 관련**하여 이익 또는 불이익을 직접적으로 받는 다른 공직자
	사적이해관계자	① 공직자 자신 또는 그 가족 ② 공직자로 채용·임용되기 전 2년 이내에 공직자 자신이 재직하였던 법인, 단체 ③ 공직자 자신 또는 그 가족이 임원·대표자·관리자 또는 사외이사로 재직하고 있는 법인, 단체
	법령	**제5조【사적이해관계자의 신고 및 회피·기피 신청】** ① 다음 각 호의 어느 하나에 해당하는 직무를 수행하는 공직자는 직무관련자가 사적이해관계자임을 안 경우 안 날부터 14일 이내에 소속기관장에게 그 사실을 서면(전자문서를 포함한다. 이하 같다)으로 신고하고 회피를 신청하여야 한다. **동법 시행령 제19조【위반행위의 신고】** 법 위반행위가 발생하였거나 발생하고 있다는 사실을 신고하려는 자는 다음 각 호의 사항을 적은 서면을 법 위반행위가 발생한 공공기관, 감독기관, 감사원 또는 수사기관이나 국민권익위원회에 제출해야 한다.

9 지방공무원법상 인사위원회 cf

기능	① 공무원 충원계획의 사전심의 및 각종 임용시험의 실시 ② 임용권자의 요구에 따른 공무원의 징계의결 ③ 인사위원회는 **광역·기초지방자치단체**에 **임용권자별**로 설치하는 것으로 인사에 관한 일정한 사무를 지방자치단체장으로부터 독립하여 결정 또는 집행하는 기관임
지방공무원법	**제7조【인사위원회의 설치】** ⑥ 다음 각 호의 어느 하나에 해당하는 사람은 위원으로 위촉될 수 없다. 　2. 「정당법」에 따른 정당의 당원 　3. 지방의회의원 ⑦ 제5항에 따라 위촉되는 위원의 임기는 3년으로 하되, 한 번만 연임할 수 있다. **제9조【인사위원회의 기관】** ① 인사위원회에 위원장·부위원장 각 1명을 두며, 위원장은 시·도의 국가공무원으로 임명하는 부시장·부지사·부교육감, 시·군·구의 부시장·부군수·부구청장, 시·도의회의 사무처장, 시·군·구의회의 사무국장 또는 사무과장이 되고, 부위원장은 해당 인사위원회에서 호선(互選)한다.

Section 04　재무행정 관련 제도 및 법령 등

→ 30 day

1　중앙정부 의무지출 종류 : 국가재정법 시행령 ⓒⓕ

국가재정법 시행령	**제2조 【국가재정운용계획의 수립 등】** ③ 법 제7조 제2항 제4호의2에 따른 의무지출의 범위는 다음 각 호와 같다. 1. 「지방교부세법」에 따른 지방교부세, 「지방교육재정교부금법」에 따른 지방교육재정교부금 등 법률에 따라 지출의무가 정하여지고 법령에 따라 지출규모가 결정되는 지출 2. 외국 또는 국제기구와 체결한 국제조약 또는 일반적으로 승인된 국제법규에 따라 발생되는 지출 → 예 유엔 평화유지활동 예산분담금 3. 국채 및 차입금 등에 대한 이자지출

2　국가채무에 대하여 ⓒⓕ

국가채무 범위는 우리나라 국가재정법에 규정되어 있음

		국가재정법 제91조 【국가채무의 관리】 ① 기획재정부장관은 국가의 회계 또는 기금이 부담하는 금전채무에 대하여 매년 다음 각 호의 사항이 포함된 국가채무관리계획을 수립하여야 한다. ② 제1항의 규정에 따른 금전채무는 다음 각 호의 어느 하나에 해당하는 채무를 말한다.	
국가채무 범위	금전채무	① 국가의 회계 또는 기금이 발행한 **채권** ② 국가의 회계 또는 기금의 **차입금** ③ 국가의 회계 또는 기금의 **국고채무부담행위** 등	
	기타	① 국가의 보증채무는 국가채무에 포함되지 않음 ② 단, 국가보증채무 중 정부의 대지급 이행이 확정된 채무는 국가채무에 포함시킴	
	국가채무 불포함 (채무)	① 재정증권 또는 한국은행으로부터의 일시차입금 ② 채권 중 국가의 회계 또는 기금이 인수 또는 매입하여 보유하고 있는 채권 ③ 차입금 중 국가의 다른 회계 또는 기금으로부터의 차입금	
국가채무 유형	금융성 채무	별도의 재원조성없이 자체 상환이 가능한 채무	
	적자성 채무	별도의 재원을 마련하여 상환하는 채무	

3　채권의 종류 ⓒⓕ

국채	정의		채권의 발행 주체가 중앙정부인 채권
	유형	국고채권	사회복지정책 등 공공목적 수행
		재정증권	일시 부족 자금 조달
		외화표시 외국환평형기금채권	외화자금매입, 해외부문통화관리
		국민주택채권	국민주택사업 재원조달
지방채(공채)			채권의 발행 주체가 지방자치단체인 채권

DAY —

30

4 재정투명성 cf

개념	① 정부가 재정에 관한 정보를 체계적으로 적시에 공개하는 것 ② **국가재정법**에서는 **공공부문을 포함한 일반정부의 재정통계를 매년 1회 이상 투명하게 공표하도록** 규정하고 있음

국가재정법	**제9조【재정정보의 공표】** ① 정부는 예산, 기금, 결산, 국채, 차입금, 국유재산의 현재액, 통합재정수지 및 제2항에 따른 일반정부 및 공공부문 재정통계, 그 밖에 대통령령으로 정하는 국가와 지방자치단체의 재정에 관한 중요한 사항을 매년 1회 이상 정보통신 매체·인쇄물 등 적당한 방법으로 알기 쉽고 투명하게 공표하여야 한다.
	② 기획재정부장관은 회계연도마다 결산을 기준으로 다음 각 호의 재정상황을 종합적으로 나타내는 통계(이하 "일반정부 및 공공부문재정통계"라 한다)를 작성하여야 한다.
	  1. 국가 및 지방자치단체의 일반회계, 특별회계 및 기금 → 일반정부
	  2. 다음 각 목의 기관 중 시장성이 없는 기관으로서 대통령령으로 정하는 기관 → 공공부문
	    가. 「공공기관의 운영에 관한 법률」에 따른 공공기관
	    나. 「지방공기업법」에 따른 지방공사·공단

IMF 재정투명성 규약 (2007)	① 예산과정 공개 ② 재정정보 완전성(신뢰성) 보장 ③ 정부의 역할과 책임에 대한 명확성 ④ 시민의 정보이용가능성

5 재정사업성과관리제도 cf

- 재정사업 성과관리제도는 재정성과 목표관리제도, 재정사업 자율평가제도, 재정사업 심층평가제도의 세 가지 형태로 운영되고 있음
- 재정사업: 돈이 투입된 모든 사업

재정성과 목표관리제도	① 성과계획서 및 성과보고서를 작성하여 조직의 목표를 관리하는 제도 ② 전략목표 → 성과목표 → 성과지표를 작성 후 재정의 성과환류

재정사업 자율평가제도	① 미국관리예산처(OMB)의 PART(Program Assessment Rating Tool)를 우리나라 실정에 맞게 도입한 제도
	② 재정사업의 성과판단을 위한 기준을 명시한 체크리스트를 작성후 이를 바탕으로 재정사업의 성과를 평가
	③ **재정사업 자율평가제도의 절차**
	  ㉠ **각 사업부처의 자체평가**
	    (a) **평가대상**: 전체 재정사업
	    (b) **주기**: 1년 주기로 평가
	    (c) **기타**: 사업 평가지표는 사업부처에서 자율적으로 수립함 → 평가지표의 개수도 자율적으로 선정
	  ㉡ **기획재정부의 핵심사업평가**: 기획재정부가 특정 사업(핵심사업)을 선정 후 점검하는 것
	④ 재정사업 성과평가 결과는 지출 구조조정 등의 방법으로 재정운용에 반영될 수 있음

재정사업 심층평가제도	① 재정사업 **자율평가의 결과 성과가 미흡한 사업** 가운데 **심층적 분석이 필요한 사업**을 대상으로 **평가**하고, 그 개선 방향을 도출하는 제도 ② **심층적 분석이 필요한 사업**: 부처 간 유사·중복 사업 또는 비효율적인 사업추진으로 예산 낭비의 소지가 있는 사업

6 재정준칙 ᴄᶠ

개념		재정수지, 재정지출, 국가채무, 재정수입 등의 재정지표에 대해 계량적 목표를 법제화함으로써 정부의 재량적 재정운영에 제약을 가하는 재정운영체제 → **국가재정법에 반영 ×**
종류	채무준칙	국가채무 비율의 한도를 제시하거나 단계적으로 감소하도록 제약조건을 가하는 준칙
	수지준칙	① 재정수지(수입−지출)가 일정 비율을 넘지 않도록 관리하는 준칙 ② 재정수지준칙은 경제불황기에 지출이 수입을 초과하는 적자재정을 통해 경제 안정화를 달성할 수 있다는 전제를 지니고 있음
	지출준칙	① 정부지출 증가율에 제한을 두는 준칙 ② **지출 상한선을 정할 경우 세금 감면과 같은 간접적 지출을 활용할 가능성이 큼** ③ 재정지출 준칙은 다년간에 대해 주로 적용되며, 경제성장률이나 재정적자 규모의 예측에 의존하지 않음
	수입준칙	① 재정수입의 최고 또는 최저한도를 설정하는 것 ② 충분한 세수 확보를 통해 재정건전성에 기여할 수 있음

7 우리나라 재무행정기관의 변천 ᴄᶠ

구분	예산편성기능(중앙예산기관)	국고
1948~1955	기획처	재무부
1955~1961	재무부	
1961~1994	경제기획원	재무부
1994~1998	재정경제원	
1998~1999	재정경제부	
1999~2007	기획예산처	재정경제부
2007~현재	기획재정부	

Section 05   지방행정 관련 제도 및 법령 등   ● 30 day

1 지방교육재정교부금

개념	① 지방자치단체가 **교육기관 및 교육행정기관**(그 소속기관 포함)을 설치·운영하는 데 필요한 **재원의 전부 또는 일부를 국가가 교부**함으로써 교육의 균형있는 발전을 도모하기 위한 재원 ② 중앙정부의 **지방재정조정제도**
재원	① 내국세 20.79% → 내국세 중 보통세 ② 교육세 일부 → 내국세 중 목적세
근거법령	지방교육재정교부금법

2 지역상생발전기금 cf

개념	① 서울특별시, 인천광역시, 경기도의 출연금으로 구성된 기금 ② 수도권 자치단체에 귀속되는 지방소비세 수입의 35%를 재원으로 함
목적	① 수도권과 비수도권 지방자치단체 간 수평적 재정조정 ② 광역지자체와 기초지자체 간 세수입 배분의 불균형 해소×
법적근거	**지방기금법제17조의2【발전기금의재원】** ① 발전기금은 다음 각호의 재원으로 조성한다. 3. 서울시 · 인천광역시 · 경기도의 출연금으로서 회계연도별 지방소비세 세입 등을 고려하여 대통령령으로 정하는 금액

3 지방자치분권 및 지역균형발전에 관한 특별법 : 지방분권균형발전법 cf

제정이유			① 체계적인 지방자치분권, 지방행정체제 개편 및 지역균형발전의 추진체계 구축 ② 지방자치분권 및 지방행정체제개편에 관한 특별법(문재인 정권)과 국가균형발전 특별법(노무현 정권)을 통합 ③ 자치분권위원회와 국가균형발전위원회가 기능을 분산적으로 수행하면서 상호연계가 미흡하였던 점을 보완하고, 통합된 위원회(지방시대위원회)의 실효성을 강화
주요 내용	지방시대위원회	내용	지방자치분권 및 지역균형발전을 효과적으로 추진할 수 있도록 **지방시대위원회**가 관계 중앙행정기관의 장과 협의하고 지방자치단체의 의견을 수렴한 후 5년 단위의 지방시대 종합계획을 수립하도록 하고, 수립된 계획은 국무회의 심의, 대통령 승인 및 국회 보고를 통해 이행력을 담보함
		조항	**제62조【지방시대위원회의 설치 및 존속기한】** ① 지방자치분권 및 지역균형발전을 추진하기 위하여 대통령 소속으로 지방시대위원회를 둔다. ② 지방시대위원회는 이 법 시행일(2023. 7. 10.)부터 5년간 존속한다. **제64조【지방시대위원회의 구성 · 운영】** ① 지방시대위원회는 위원장 및 부위원장 각 1명을 포함하여 39명 이내의 위원으로 구성하며, 위원은 당연직위원과 위촉위원으로 구분한다. ⑤ 위원장 및 부위원장은 위촉위원 중에서 대통령이 위촉한다. ⑥ 위촉위원의 임기는 2년으로 한다.
	기회발전특구 신설		① 수도권이 아닌 지역의 시 · 도지사가 산업통상자원부장관에게 기회발전특구의 지정을 신청할 수 있도록 함 ② 수도권 내 인구감소지역 또는 접경지역으로서 지방시대위원회가 정하는 지역을 관할하는 시 · 도지사 또한 기회발전특구의 지정신청을 허용
	균특회계		지방시대 종합계획 및 지역균형발전시책 지원 관련 사업을 효율적으로 추진하기 위하여 **지역균형발전특별회계**를 설치하고, 기획재정부장관이 관리 · 운용하도록 함.
	주민자치회	내용	① 풀뿌리자치의 활성화와 민주적 참여의식 고양을 위하여 읍 · 면 · 동에 해당 행정구역의 주민으로 구성되는 **주민자치회**를 둘 수 있음 ② 참고 주민총회 : 주민자치회 운영계획 등을 정하기 위해 **주민자치회**에서 실시하는 회의 → 지방자치법에 명시×
		조항	**제40조【주민자치회의 설치 등】** ② 주민자치회가 설치되는 경우 관계 법령, 조례 또는 규칙으로 정하는 바에 따라 지방자치단체 사무의 일부를 자치회에 위임하거나 위탁할 수 있다. ④ 주민자치회의 위원은 조례로 정하는 바에 따라 지방자치단체의 장이 위촉한다.

4 우리나라의 지방분권 📖

1) 지방분권 관련 법률과 위원회

정부	관련 법령	조직(대통령 소속)
김영삼 정부	정부혁신·지방분권위원회규정(대통령령)	행정쇄신위원회
김대중 정부	「중앙행정권한의 지방이양촉진 등에 관한 법률」	지방이양추진위원회
노무현 정부	「지방분권특별법」	정부혁신·지방분권위원회
이명박 정부	「지방분권촉진에 관한 특별법」	지방분권촉진위원회
	지방행정체제 개편에 관한 특별법」	지방행정체제개편추진위원회
박근혜 정부	「지방분권 및 지방행정체제 개편에 관한 특별법」	지방자치발전위원회
문재인 정부	「지방자치분권 및 지방행정체제 개편에 관한 특별법」	자치분권위원회
윤석열 정부	**「지방자치분권 및 지역균형발전에 관한 특별법」**	**지방시대위원회**

참고
문재인 정권은 국정목표 중 하나로서 '열린혁신'을 내세움 → '국민이 주인인 정부'의 실현을 위하여 추진된 혁신활동

2) 우리나라 지방선거의 역사

① 지방선거 역사 요약

> ㉠ 이승만 정부에서 처음으로 시·읍·면 의회의원을 뽑는 지방선거가 실시되었음
> ㉡ 박정희 정부부터 전두환 정부 시기까지 지방선거가 실시되지 않았음
> ㉢ 지방자치단체장과 지방의회의원을 동시에 뽑는 선거는 김영삼 정부에서 1995년 6월에 처음으로 실시되었음
> ㉣ 현재 우리나라는 광역자치단체와 기초자치단체의 장 및 의원의 선거에 있어서 정당공천제를 실시하고 있음(교육감 선거 예외)
> ㉤ 우리나라는 1952년 최초로 구성된 지방의회가 1961년 5·16 군사 쿠데타로 중단된 뒤, 30여 년 만인 1991년에 재구성되었음(지방자치 부활)
> → 이후 정부는 중앙권한의 지방이양 등 지방분권화를 위해 노력해오고 있음

② 지방선거 역사 참고자료 읽어 보기

구분	도입기(1948~1960) ※ 1949년 지방자치법 제정	중단기(1961~1990)	부활·발전기(1991~현재)
지방자치단체 종류	① 광역단체 : 서울특별시·도 ② 기초단체 : 시·읍·면	① 광역단체 : 서울특별시·직할시·도 ② 기초단체 : 시·군	① 광역단체 : 특광도특특 ② 기초단체 : 시·군·구
단체장 선출	1기(1952년) : 임명제/간선제 – 서울특별시장·도지사 : 대통령 임명 – 시·읍·면장 : 의회간선 2기(1956년) : 임명제/직선제 – 서울특별시장·도지사 : 대통령 임명 – 시·읍·면장 : 주민직선 3기(1960년) : 주민직선 – 서울특별시장·도지사 : 주민직선 – 시·읍·면장 : 주민직선	임명제 : 국가공무원으로 충원	4기(1995년)~9기(2014년) – 시·도지사 : 주민직선 – 시·군·구청장 : 주민직선
의회의원 선출	1기(1952년)~3기(1960년) : 주민직선 – 서울특별시·도의원 : 주민직선 – 시·읍·면의원 : 주민직선	의회폐지 – 서울특별시·도 : 내무부장관 승인 – 시·군 : 도지사 승인	4기(1991년)~10기(2014년) – 시·도의원 : 주민직선 – 시·군·구의원 : 주민직선
참고	① 1991년 지방선거에서 지방의회의원을 선출하였으나, 지방자치단체장 선거는 실시되지 않았음 ② 즉, 지방의회의원과 장을 모두 주민 직선으로 동시에 선출하는 **전국동시지방선거**는 1995년 **김영삼 정부**에서 처음 실시되었음 ③ 주민직선제에 의한 시·도교육감 선거는 2007년 교육감 선거부터 실시되었음		

DAY
30

5 **지방자치법 전부개정 기타 조항 정리** ☞

1) 획기적인 주민주권 구현

주민참여권 강화	① 주민의 권리 확대 : 주민생활에 영향을 미치는 정책결정 및 집행과정에 참여할 권리 신설 ② 관련 조항 **제17조【주민의 권리】** ① 주민은 법령으로 정하는 바에 따라 주민생활에 영향을 미치는 지방자치단체의 정책결정 및 집행과정에 참여할 권리를 가진다. ② 주민은 법령으로 정하는 바에 따라 소속 지방자치단체의 재산과 공공시설을 이용할 권리와 그 지방자치단체로부터 균등하게 행정의 혜택을 받을 권리를 가진다. ③ 주민은 법령으로 정하는 바에 따라 그 지방자치단체에서 실시하는 지방의회의원과 지방자치단체의 장의 선거(이하 "지방선거"라 한다)에 참여할 권리를 가진다.

2) 역량강화와 자치권 확대

사무배분 명확화	① 보충성, 중복배제, 포괄적 배분 등 사무배분 원칙 규정 ② 사무배분 기준에 대한 국가와 자치단체의 준수의무 부과 ③ 관련 조항 **제11조【사무배분의 기본원칙】** ① 국가는 지방자치단체가 사무를 종합적·자율적으로 수행할 수 있도록 국가와 지방자치단체 간 또는 지방자치단체 상호 간의 사무를 주민의 편익증진, 집행의 효과 등을 고려하여 서로 중복되지 아니하도록 배분하여야 한다. ② 국가는 제1항에 따라 사무를 배분하는 경우 지역주민생활과 밀접한 관련이 있는 사무는 원칙적으로 시·군 및 자치구의 사무로, 시·군 및 자치구가 처리하기 어려운 사무는 시·도의 사무로, 시·도가 처리하기 어려운 사무는 국가의 사무로 각각 배분하여야 한다. ③ 국가가 지방자치단체에 사무를 배분하거나 지방자치단체가 사무를 다른 지방자치단체에 재배분할 때에는 사무를 배분받거나 재배분받는 지방자치단체가 그 사무를 자기의 책임하에 종합적으로 처리할 수 있도록 관련 사무를 포괄적으로 배분하여야 한다.

특례시 및 자치단체 특례 부여	① 100만 이상은 특례시로 하고, 행정수요·균형발전 등을 고려하여 대통령령에 따라 행안부장관이 정하는 시·군·구에 특례 부여 가능
	② 관련 조항
	
	제198조【대도시 등에 대한 특례 인정】 ① 서울특별시·광역시 및 특별자치시를 제외한 인구 50만 이상 대도시의 행정, 재정 운영 및 국가의 지도·감독에 대해서는 그 특성을 고려하여 관계 법률로 정하는 바에 따라 특례를 둘 수 있다.
	② 제1항에도 불구하고 서울특별시·광역시 및 특별자치시를 제외한 다음 각 호의 어느 하나에 해당하는 대도시 및 시·군·구의 행정, 재정 운영 및 국가의 지도·감독에 대해서는 그 특성을 고려하여 관계 법률로 정하는 바에 따라 추가로 특례를 둘 수 있다.
	  1. 인구 100만 이상 대도시(이하 "특례시"라 한다)
	  2. 실질적인 행정수요, 국가균형발전 및 지방소멸위기 등을 고려하여 대통령령으로 정하는 기준과 절차에 따라 행정안전부장관이 지정하는 시·군·구
	③ 제1항에 따른 인구 50만 이상 대도시와 제2항 제1호에 따른 특례시의 인구 인정기준은 대통령령으로 정한다.
	
	※ **특례시** : 기초자치단체의 법적지위를 유지하면서 광역시에 준하는 행정·재정적 권한을 부여받을 수 있는 시
	  ① 団 경기도 수원·고양·용인시와 경남 창원시
	  ② 저소득층 복지혜택 증가, 도의 일부 사무처리(건축물 허가 등)

지방의회 인사권 독립	① 지방의회 소속 사무직원 임용권을 지방의회 의장에게 부여 ② 관련 조항 **제103조【사무직원의 정원과 임면 등】** ① 지방의회에 두는 사무직원의 수는 인건비 등 대통령령으로 정하는 기준에 따라 조례로 정한다. ② 지방의회의 의장은 지방의회 사무직원을 지휘·감독하고 법령과 조례·의회규칙으로 정하는 바에 따라 그 임면·교육·훈련·복무·징계 등에 관한 사항을 처리한다.

3) 책임성과 투명성 제고

정보공개 확대	① 의회 의정활동, 집행부 조직·재무 등 정보공개 의무·방법 등에 관한 일반규정 신설 ② 정보플랫폼 마련으로 접근성 제고 ③ 관련 조항 **제26조【주민에 대한 정보공개】** ① 지방자치단체는 사무처리의 투명성을 높이기 위하여「공공기관의 정보공개에 관한 법률」에서 정하는 바에 따라 지방의회의 의정활동, 집행기관의 조직, 재무 등 지방자치에 관한 정보(이하 "지방자치정보"라 한다)를 주민에게 공개하여야 한다. ② 행정안전부장관은 주민의 지방자치정보에 대한 접근성을 높이기 위하여 이 법 또는 다른 법령에 따라 공개된 지방자치정보를 체계적으로 수집하고 주민에게 제공하기 위한 정보공개시스템을 구축·운영할 수 있다.

4) 중앙·지방간 협력관계 정립 및 행정 능률성 제고

특별지방자치단체	2개 이상의 자치단체가 공동으로 광역사무 처리를 위해 필요시 특별지방자치단체 설치·운영 근거 규정
지방자치법	**제199조【설치】** ① 2개 이상의 지방자치단체가 공동으로 특정한 목적을 위하여 광역적으로 사무를 처리할 필요가 있을 때에는 특별지방자치단체를 설치할 수 있다. 이 경우 특별지방자치단체를 구성하는 지방자치단체(이하 "구성 지방자치단체"라 한다)는 상호 협의에 따른 규약을 정하여 구성 지방자치단체의 지방의회 의결을 거쳐 행정안전부장관의 승인을 받아야 한다. ③ 특별지방자치단체는 법인으로 한다. **제204조【의회의 조직 등】** ① 특별지방자치단체의 의회는 규약으로 정하는 바에 따라 구성 지방자치단체의 의회 의원으로 구성한다. ② 제1항의 지방의회의원은 제43조 제1항에도 불구하고 특별지방자치단체의 의회 의원을 겸할 수 있다. **제205조【집행기관의 조직 등】** ① 특별지방자치단체의 장은 규약으로 정하는 바에 따라 특별지방자치단체의 의회에서 선출한다. ② 구성 지방자치단체의 장은 제109조에도 불구하고 특별지방자치단체의 장을 겸할 수 있다. ③ 특별지방자치단체의 의회 및 집행기관의 직원은 규약으로 정하는 바에 따라 특별지방자치단체 소속인 지방공무원과 구성 지방자치단체의 지방공무원 중에서 파견된 사람으로 구성한다. **제209조【해산】** ① 구성 지방자치단체는 특별지방자치단체가 그 설치 목적을 달성하는 등 해산의 사유가 있을 때에는 해당 지방의회의 의결을 거쳐 행정안전부장관의 승인을 받아 특별지방자치단체를 해산하여야 한다. ② 구성 지방자치단체는 제1항에 따라 특별지방자치단체를 해산할 경우에는 상호 협의에 따라 그 재산을 처분하고 사무와 직원의 재배치를 하여야 한다.

5) 교섭단체·인사청문제도 신설

교섭단체	① 지방의회에 교섭단체를 둘 수 있도록 하고, 교섭단체를 두는 경우 조례로 정하는 수 이상의 소속의원을 가진 정당은 교섭단체가 되도록 함 ② 관련 조항 **제63조의2【교섭단체】** ① 지방의회에 교섭단체를 둘 수 있다. 이 경우 조례로 정하는 수 이상의 소속의원을 가진 정당은 하나의 교섭단체가 된다. ③ 그 밖에 교섭단체의 구성 및 운영 등에 필요한 사항은 조례로 정한다.

인사청문	① 지방자치단체의 장이 지방공사 사장과 지방공단의 이사장, 지방자치단체 출자·출연 기관의 기관장 등의 직위 중 조례로 정하는 직위의 후보자에 대해 지방의회에 인사청문을 요청할 수 있도록 함
	② 관련 조항
	
	제47조의2【인사청문회】 ① 지방자치단체의 장은 다음 각 호의 어느 하나에 해당하는 직위 중 조례로 정하는 직위의 후보자에 대하여 지방의회에 인사청문을 요청할 수 있다.
	  1. 제123조 제2항에 따라 정무직 국가공무원으로 보하는 부시장·부지사 → 서울특별시 행정부시장
	  2. 「제주특별자치도 설치 및 국제자유도시 조성을 위한 특별법」 제11조에 따른 행정시장
	  3. 「지방공기업법」 제49조에 따른 지방공사의 사장과 같은 법 제76조에 따른 지방공단의 이사장
	  4. 「지방자치단체 출자·출연 기관의 운영에 관한 법률」 제2조 제1항 전단에 따른 출자·출연 기관의 기관장
	② 지방의회 의장은 제1항에 따른 인사청문 요청이 있는 경우 인사청문회를 실시한 후 그 경과를 지방자치단체의 장에게 송부하여야 한다.
	③ 그 밖에 인사청문회의 절차 및 운영 등에 필요한 사항은 조례로 정한다.

6) 기타 : 지방자치단체의 사무

제12조【사무처리의 기본원칙】 ① 지방자치단체는 사무를 처리할 때 주민의 편의와 복리증진을 위하여 노력하여야 한다. ③ 지방자치단체는 법령을 위반하여 사무를 처리할 수 없으며, 시·군 및 자치구는 해당 구역을 관할하는 시·도의 조례를 위반하여 사무를 처리할 수 없다.

제13조【지방자치단체의 사무 범위】 ① 지방자치단체는 관할 구역의 자치사무와 법령에 따라 지방자치단체에 속하는 사무를 처리한다.
② 제1항에 따른 지방자치단체의 사무를 예시하면 다음 각 호와 같다. 다만, 법률에 이와 다른 규정이 있으면 그러하지 아니하다.

※ 제13조와 같이 지방자치단체의 사무를 예시하되, 그것이 모든 자치단체에 해당하는 것을 '포괄적 예시주의'라고 함

1. 지방자치단체의 구역, 조직, 행정관리 등
  마. 소속 공무원의 인사·후생복지 및 교육
  바. 지방세 및 지방세 외 수입의 부과 및 징수
  사. 예산의 편성·집행 및 회계감사와 재산관리
  자. 공유재산(公有財産) 관리
  차. 주민등록 관리
2. 주민의 복지증진
  가. 주민복지에 관한 사업
  나. 사회복지시설의 설치·운영 및 관리
  다. 생활이 어려운 사람의 보호 및 지원
  차. 지방공기업의 설치 및 운영
3. 농림·수산·상공업 등 산업 진흥
4. 지역개발과 자연환경보전 및 생활환경시설의 설치·관리
  나. 상수도·하수도의 설치 및 관리
5. 교육·체육·문화·예술의 진흥
6. 지역민방위 및 지방소방
7. 국제교류 및 협력

제14조【지방자치단체의 종류별 사무배분기준】 ① 제13조에 따른 지방자치단체의 사무를 지방자치단체의 종류별로 배분하는 기준은 다음 각 호와 같다. 다만, 제13조 제2항 제1호의 사무는 각 지방자치단체에 공통된 사무로 한다.

1. 시·도
   가. 행정처리 결과가 2개 이상의 시·군 및 자치구에 미치는 광역적 사무
   나. 시·도 단위로 동일한 기준에 따라 처리되어야 할 성질의 사무
   다. 지역적 특성을 살리면서 시·도 단위로 통일성을 유지할 필요가 있는 사무
   라. 국가와 시·군 및 자치구 사이의 연락·조정 등의 사무
   마. 시·군 및 자치구가 독자적으로 처리하기 어려운 사무
   바. 2개 이상의 시·군 및 자치구가 공동으로 설치하는 것이 적당하다고 인정되는 규모의 시설을 설치하고 관리하는 사무
2. 시·군 및 자치구
   제1호에서 시·도가 처리하는 것으로 되어 있는 사무를 제외한 사무. 다만, 인구 50만 이상의 시에 대해서는 도가 처리하는 사무의 일부를 직접 처리하게 할 수 있다.

③ 시·도와 시·군 및 자치구는 사무를 처리할 때 서로 겹치지 아니하도록 하여야 하며, 사무가 서로 겹치면 시·군 및 자치구에서 먼저 처리한다.

제15조【국가사무의 처리 제한】 지방자치단체는 다음 각 호의 국가사무를 처리할 수 없다. 다만, 법률에 이와 다른 규정이 있는 경우에는 국가사무를 처리할 수 있다.

1. 외교, 국방, 사법(司法), 국세 등 국가의 존립에 필요한 사무
2. 물가정책, 금융정책, 수출입정책 등 전국적으로 통일적 처리를 할 필요가 있는 사무
3. 농산물·임산물·축산물·수산물 및 양곡의 수급조절과 수출입 등 전국적 규모의 사무
4. 국가종합경제개발계획, 국가하천, 국유림, 국토종합개발계획, 지정항만, 고속국도·일반국도, 국립공원 등 전국적 규모나 이와 비슷한 규모의 사무
5. 근로기준, 측량단위 등 전국적으로 기준을 통일하고 조정하여야 할 필요가 있는 사무
6. 우편, 철도 등 전국적 규모나 이와 비슷한 규모의 사무
7. 고도의 기술이 필요한 검사·시험·연구, 항공관리, 기상행정, 원자력개발 등 지방자치단체의 기술과 재정능력으로 감당하기 어려운 사무

> **참고**
> ① 지방자치단체의 사무 범위는 지방자치법 제13조에, 국가사무는 제15조에 각각 규정되어 있음
> ② 그러나 "법률에 이와 다른 규정이 있으면 그러하지 아니하다"는 단서규정이 있어 사무구분이 명확하게 확정되어 있지 않음 → 참고로 정부조직법에서는 중앙행정기관인 부·처·청의 업무관할을 규정하고 있음

6 주민자치위원회와 주민자치회

구분	주민자치위원회	주민자치회
법적 근거	없음(지방자치단체 개별 조례)	지방분권균형발전법
위촉권자	읍·면·동장	지방자치단체장
대표성	낮음	높음 → 지방자치단체와 대등한 협력관계
기능	자문기구	협의·실행기구 ㉠ 주민총회 개최 ㉡ 지방정부 위임·위탁 사무 수행

7   도시행정 관련 개념

뉴어바니즘 (new urbanism)	① 기존 도시에 대한 반성을 통해 도시를 재구성, 인간과 환경 중심의 공간으로 되살리는 도시계획 운동 → 1980년대 **무분별한 도시확산**으로 인한 문제점들을 해결하기 위한 대안으로서 미국에서 발생한 새로운 도시계획의 지향점임 ② 근린주구(초등학교 근처를 중심으로 주거 공간이나 기타 시설이 형성되는 것)가 중심이 되는 도시개발 패턴으로 혼합토지이용 체계를 원칙으로 함 ③ **참고** 혼합토지이용 체계 : 용도지역제와 반대되는 개념 → 예를 들어 주거지역, 공업지역, 상업지역 등을 엄밀하게 구분하지 않는 체계
스마트 성장 (smart growth)	무분별한 도시 확산을 비판하는 도시성장관리기법 수단으로 경제성장, 환경보호, 삶의 질 개선 등 **다양한 목표를 지향**하는 성장형태를 뜻함
압축도시 (compact city)	① 도시의 무분별한 확산에 의한 환경파괴 등을 막기 위하여 도시내부를 **고밀복합개발**함으로써 토지이용의 효율성과 자연환경의 보전을 동시에 추구하는 도시모델 ② 콤팩트시티는 단순히 주거만을 목적으로 하지 않음 → 즉 콤팩트 시티 안에는 업무·상업·문화·여가시설 등이 복합적으로 갖춰지므로 입주민들은 멀리 나가지 않고도 다양한 서비스를 제공받을 수 있음
어반빌리지 (urban village)	① 어반빌리지는 다양한 계층의 사람들이 함께 거주하면서 다양한 유형의 커뮤니티가 혼합되어 있는 **전원도시**임 ② 자동차 없이 보행으로 도시생활이 가능하며, 계획의 입안에 있어 주민참가를 전제로 하는 등 "지속가능한 환경"의 실현을 지향함
기타	뉴어바니즘, 스마트 성장, 압축도시는 도시의 스프롤 현상(도시의 무분별한 팽창)이나 공공공간 부족문제를 해결할 수 있는 방안에 해당함

8   지방세 탄력세율 제도

의의	① 우리나라 헌법 제59조에서는 조세법률주의를 규정하고 있고, 헌법 제117조에서는 지방자치에 관하여 규정하면서, 자치입법은 법령의 범위 안에서 할 수 있도록 제한하고 있기 때문에 탄력세율도 조세법률주의 한계 내에서만 가능함 ② 지방세 탄력세율 제도 : 법률로 정한 기본세율을 대통령령이나 조례를 통해 탄력적으로 변경하여 운영하는 제도	
종류	대통령령으로 정한 탄력세율 세목	① 담배소비세, 자동차 주행에 대한 자동차세(기름값에 붙는 세금) ② 양자 모두 30% 조정 가능
	조례로 정하는 탄력세율 세목	취득세, 등록에 대한 등록면허세, 주민세, 지방소득세 일부, 재산세, 자동차 소유에 따른 자동차세, 목적세 (지역자원시설세·지방교육세)
	참고	레저세와 지방소비세는 현재 탄력세율이 적용되지 않음

최욱진

주요 약력

고려대학교 정경대학 행정학과 졸업
고려대학교 일반대학원 행정학과 행정학 전공
현) 박문각 공무원 행정학 전임교수

주요 저서

• 2025 최욱진 행정학(박문각출판)
• 최욱진 행정학 천지문 OX(더에이스에듀)
• 최욱진 행정학 7·9급 기출문제집(더에이스에듀)

최욱진 행정학 ✧✦ 30일에 끝내는 만점 이론서 #1

초판 인쇄 | 2024. 7. 10.　**초판 발행** | 2024. 7. 15.　**편저** | 최욱진

발행인 | 박 용　**발행처** | (주)박문각출판　**등록** | 2015년 4월 29일 제2019-000137호

주소 | 06654 서울시 서초구 효령로 283 서경 B/D 4층　**팩스** | (02)584-2927

전화 | 교재 문의 (02)6466-7202

저자와의
협의하에
인지생략

정가 49,000원(1·2권 포함)
ISBN 979-11-7262-114-8
　　　979-11-7262-113-1(세트)